Chapra의

응용수치해석 5th Edition

APPLIED NUMERICAL METHODS WITH MATLAB®
FOR ENGINEERS AND SCIENTISTS

Chapra의
응용수치해석

Steven C. Chapra 저

정재일 · 김호경 · 유호식 · 최윤호 공역

APPLIED NUMERICAL METHODS WITH MATLAB
FOR ENGINEERS AND SCIENTISTS

McGraw Hill

Applied Numerical Methods with MATLAB® for Engineers and Scientists, Fifth Edition

1 2 3 4 5 6 7 8 9 10 MHE-KOREA 20 23

Original: Applied Numerical Methods with MATLAB® for Engineers and Scientists, Fifth Edition
By Steven C. Chapra
ISBN 978-1-26-416260-4

Korean ISBN 979-11-321-1278-5 93550

Printed in Korea

응용수치해석, 5판

발 행 일	2023년 1월 20일
저 자	Steven C. Chapra
역 자	정재일, 김호경, 유호식, 최윤호
발 행 처	맥그로힐에듀케이션코리아 유한회사
발 행 인	SHARALYN YAP LUYING(샤랄린 얍 루잉)
등록번호	제2013-000122호(2012.12.28)
주 소	서울시 마포구 양화로 45, 8층 801호 (서교동, 메세나폴리스)
전 화	(02)325-2351
편집·교정	OPS
인 쇄	㈜성신미디어
I S B N	979-11-321-1278-5
판 매 처	㈜한티에듀
문 의	02)332-7993,4
정 가	36,000원

저자에 대하여

Steve Chapra 교수는 현재 Tufts University 토목환경공학과의 명예교수와 명예석좌교수이다. 그의 다른 저서로는 『지표수질 모델링(Surface Water-Quality Modeling)』, 『공학자를 위한 수치해석(Numerical Methods for Engineers)』과 『파이썬을 이용한 응용수치해석(Numerical Methods with Python)』이 있다.

Chapra 박사는 Manhattan College와 University of Michigan에서 공학학위를 받았다. Tufts University의 교수가 되기 전에는 미국 환경보호국과 국립해양대기국에 근무하였고, Texas A&M University, University of Colorado와 Imperial College London에서 강의하였다. 그는 환경공학에서 지표수질 모델링과 고급 컴퓨터 응용에 관심을 가지고 연구하고 있다.

그는 미국토목학회(ASCE)의 펠로우이자 평생회원이며, 연구 성과에 대한 Rudolph Hering Medal(ASCE)과 Meriam/Wiley 수훈저자상(미국공학교육학회)을 포함하여 그의 학문적 성과에 따라 많은 상을 받았다. 또한 Texas A&M University, University of Colorado와 Tufts University의 공과대학 교수 중에서 우수강의교수로 인정받았다. 그는 평생교육의 열렬한 지지자로서 90개 이상의 전문가 워크숍에서 수치해석, 컴퓨터 프로그래밍과 환경 모델링을 강의하였다.

그는 전문 분야 외에도 미술, 음악(특히 클래식, 재즈, 블루그래스), 그리고 역사에 관한 독서를 즐긴다. 사실 무근의 소문이 있지만 그는 자발적으로 번지점프나 스카이다이빙을 하지 않으며, 앞으로도 할 계획이 전혀 없다.

Chapra 교수와 의견을 나누기 바라거나 더 알기를 원하는 사람은 홈페이지(http://engineering.tufts.edu/cee/people/chapra/)를 방문하거나 이메일(steven.chapra@tufts.edu)을 보내면 된다.

저자 서문

이 책은 수치해석 방법에 대한 한 학기 강의를 지원하기 위하여 개발되었다. 또한 공학과 과학 분야의 문제들을 풀기 위해 수치해석 방법을 배우고 적용하고자 하는 학생들을 위해 쓴 것이다. 따라서 이 책에서 다루는 수치해법은 수학적이기보다는 실제적인 요구에 의하여 다루어졌으며, 학생들이 수치기법과 그 한계점에 대하여 깊이 이해할 수 있도록 충분한 이론적 내용이 포함되었다.

MATLAB®은 이와 같은 과목에서 중요한 소프트웨어 환경으로 사용된다. 다른 환경(예를 들면 Excel/VBA 또는 Mathcad) 또는 언어(예를 들면 Fortran 90 또는 C++, Python)를 사용할 수도 있지만, MATLAB이 손쉽게 프로그래밍 할 수 있을 뿐만 아니라 강력한 수치계산 도구를 내장하기 때문에 사용된다. MATLAB의 M-파일 프로그래밍 환경은 학생들이 비교적 복잡한 알고리즘을 구조적이고 일관된 방법으로 실행할 수 있게 한다. 내장된 수치계산 도구 또한 노력을 낭비하는 일 없이 보다 어려운 문제를 풀 수 있게 한다.

본 5판에는 4판의 기본적인 내용, 구성과 교육적인 부분은 본질적으로 그대로 유지하였다. 특히 책을 읽고 이해하기 쉽도록 하는 대화식 저술 형식은 의도적으로 유지하였다. 이 책은 독자들에게 직접 대화를 시도하고자 하며, 일부는 자기주도 학습을 위한 도구로 설계되었다.

5판은 고정점 반복법의 연장적 방법인 Wegstein 방법에 대한 6장의 섹션을 포함하여 몇 가지 새로운 자료가 추가되었다. 그러나 주요 추가 사항은 평활화 스플라인를 설명하는 18장의 끝 부분에 있다. 회귀 및 스플라인의 속성을 단일 알고리즘으로 결합하여 스플라인을 평활화하는 것은 노이즈가 있는 데이터의 곡선 접합에 이상적이다. 이 책에 알고리즘에 대한 이론적 설명과 구현을 위한 M-파일 기능을 모두 포함하였다. 또한 MATLAB Curve Fitting Toolbox의 일부인 내장 함수 csaps에 대한 설명을 추가하였다. 이와 같은 곡선접합 외에도 21장에 평활화 스플라인이 노이즈 데이터의 수치 미분을 위한 방법으로서 어떻게 훌륭한 선택지가 되는지에 대한 내용을 기술하는 새로운 절도 추가되었다.

앞에 언급한 새로운 내용과 연습문제를 제외하면 5판은 4판과 매우 유사하다. 특히 풀이된 예제 그리고 공학과 과학 응용문제를 많이 포함시킴으로써 교육적 효과에 기여하는 내용을 견지하기 위해 노력하였다. 이전 판과 마찬가지로 저자는 이 책을 학생들에게 가능한 한 친숙하게 만들기 위하여 일관된 노력을 하였다. 따라서 설명을 쉽게 하고 동시에 실제적인 응용 측면을 유지하도록 노력하였다.

저자의 주된 의도는 수치문제 해석에 대하여 견실하게 설명함으로써 학생들의 능력을 키워주는 것이지만, 재미있게 설명하고자 하는 부차적인 목적도 가지고 있다. 저자는 공학과 과학, 문제 해결, 수학 및 프로그래밍을 즐기면서, 스스로 동기부여가 되어 있는 학생들이 궁극적으로 더욱 훌륭한 전문가가 될 것으로 믿는다. 이 책이 수치해법에 대하여 독자의 열의를 불러일으킨다면, 저자의 집필 노력은 결실을 맺은 것으로 본다.

감사의 글_ACKNOWLEDGEMENTS

McGraw Hill 팀의 여러 구성원이 이 프로젝트에 기여하였다. 격려, 지원 및 방향을 제시해준 Heather Ervolino(제품 개발자), Beth Bettcher(포트폴리오 관리자), Lisa Granger(마케팅 관리자) 및 Maria McGreal(콘텐츠 프로젝트 관리자)에게 특별한 감사를 전한다. 이 프로젝트가 진행되는 동안 MathWorks사의 직원들은 공학과 과학 교육에 대한 강한 의지뿐 아니라 모든 면에서의 우수성을 보여주었다. 특히 MathWorks사, Book Program의 Naomi Fernandes의 도움에 감사한다.

계산과 공학을 다루는 이 책의 출판과 같은 창의적인 프로젝트에 일할 수 있는 기회를 준 Berger 가족에게 감사한다. 또한 Tufts 대학의 공과대학 동료들과 학생들, 특히 Linda Abriola, Laurie Baise, Greg Coyle, Luis Dorfmann, Jon Lamontagne, Babak Moaveni, Masoud Sanayei 및 Rob White는 지원과 도움을 아끼지 않았다.

또한 다수의 동료 교수들이 소중한 제안을 해주었다. 특히 Dave Clough (University of Colorado-Boulder)와 Mike Gustafson (Duke University)은 귀중한 아이디어를 제공하였다. 또한 다음과 같은 다수의 검토자들이 유용한 의견과 충고를 주었다. Karen Dow Ambtman (University of Alberta), Jalal Behzadi (Shahid Chamran University), Eric Cochran (Iowa State University), Frederic Gibou (University of California at Santa Barbara), Jane Grande-Allen (Rice University), Raphael Haftka (University of Florida), Scott Hendricks (Virginia Tech University), Ming Huang (University of San Diego), Oleg Igoshin (Rice University), David Jack (Baylor University), Se Won Lee (Sungkyunkwan University), Clare McCabe (Vanderbilt University), Eckart Meiburg (University of California at Santa Barbara), Luis Ricardez (University of Waterloo), James Rottman (University of California, San Diego), Bingjing Su (University of Cincinnati), Chin-An Tan (Wayne State University), Joseph Tipton (The University of Evansville), Marion W. Vance (Arizona State University), Jonathan Vande Geest (University of Arizona), Leah J. Walker (Arkansas State University), Qiang Hu (University of Alabama, Huntsville), Yukinobu Tanimoto (Tufts University), Henning T. Søgaard (Aarhus University), Jimmy Feng (University of British Columbia).

위에 언급한 많은 분으로부터 유용한 조언을 받았지만, 이 책에 나타날 수 있는 모든 부정확한 내용이나 실수는 저자의 책임이라는 점을 강조한다. 또한 이 책에서 어떠한 실수라도 발견된다면, 이메일을 통하여 저자에게 연락하기를 부탁한다.

마지막으로 저자는 가족, 특히 아내 Cynthia에게 이 책의 출판 과정에서 보여준 사랑, 인내심과 후원에 감사해 마지않는다.

Steven C. Chapra

Tufts University

Medford, Massachusetts

steven.chapra@tufts.edu

교육용 도구

핵심 개념을 알려주는 이론　이 책은 수치해법의 개발자를 위한 것이라기보다는 사용자를 위한 것이다. 그러므로 이론을 위한 이론은 제외되었다. 즉 구체적인 증명을 생략하였다. 이론은 Taylor 급수, 수렴, 조건 등 핵심 개념을 제공하는 것만 포함시켰다. 따라서 학생들은 그 이론이 실제 문제를 푸는 것과 어떻게 연계되는지를 알 수 있다.

MATLAB의 소개　이 책에서는 두 개의 장을 마련하여 MATLAB의 사용법을 소개하고 있다. 2장은 학생들에게 MATLAB의 표준 명령 모드에서 계산을 수행하고 그래프를 만드는 방법을 알려준다. 3장은 MATLAB M-파일 함수를 사용하여 수치해석 프로그램을 작성하는 방법을 보여준다. 따라서 이 책은 학생들에게 MATLAB에 내장된 강력한 도구를 사용하는 방법뿐만 아니라, 그들 자신만의 수치해석 알고리즘을 개발하는 방법도 알려준다.

MATLAB M-파일을 이용한 알고리즘　이 책에서는 프로그램을 실행하기에 앞서 컴파일이 요구되는 가상 코드 대신에, 좋은 구조를 가진 MATLAB M-파일로 알고리즘을 제시한다. 이러한 파일은 그 자체로 유용할 뿐만 아니라 학생 스스로 참고하여 자신의 M-파일을 작성하는 데에도 도움을 준다.

예제 풀이와 사례연구　광범위한 예제와 풀이를 상세히 기술하여 학생들이 수치해석 계산의 각 단계를 쉽게 따라갈 수 있도록 하였다. 사례연구에서는 예제보다 더 복잡하고 풍성한 공학과 과학 분야의 응용 예를 다룬다. (1) 방법을 함축적으로 알려주고 (2) MATLAB이 실제 문제를 푸는 데 어떻게 사용되는지를 보여주기 위한 목적으로 사례연구를 몇몇 장의 마지막 부분에 제시한다.

연습문제　이 책에서는 다양한 문제를 엄선하여 연습문제로 제시하고 있다. 공학과 과학 분야에서 많은 문제를 추출하였다. 이외 분야의 문제는 수치적 기법과 이론적 개념을 보이기 위해 선별하였다. 엄선된 문제는 휴대용 계산기를 이용해서 간단히 해결할 수 있는 것부터 MATLAB을 이용하여 컴퓨터 해를 구하는 것까지 망라한다.

유용한 부록과 색인   부록 A는 MATLAB에 내장된 명령어, 부록 B는 M-파일 함수 그리고 새로운 부록 C는 간단한 Simulink 설명서를 수록한다.

이 교재를 뒷받침하는 추가 자료

강사를 위한 자료   연습문제 풀이집, 강의록 파워포인트, 책에 수록된 그림의 파워포인트, M-파일 그리고 추가적인 MATLAB 자료들을 Connect®를 통해 구할 수 있다.

PROCTORIO

원격 감독 및 브라우저 잠금 기능

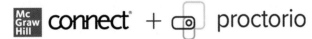

Connect 내에서 Proctorio가 호스팅하는 원격 감독 및 브라우저 잠금 기능은 보안 옵션을 활성화하고 학생의 신원을 확인하여 평가 환경을 제어한다.

Connect 내에서 원활하게 통합된 이러한 서비스를 통해 강사는 브라우저 활동을 제한하고, 학생의 활동을 기록하고, 학생이 자신의 작업을 수행하는지 확인하여 학생의 평가 경험을 제어할 수 있다.

즉각적이고 상세한 보고 기능을 통해 강사는 잠재적인 학업 무결성 문제를 한눈에 볼 수 있으므로 개인적인 편견을 피하고 증거 기반 주장을 뒷받침할 수 있다.

ReadAnywhere

 ReadAnywhere

McGraw Hill의 무료 ReadAnywhere 앱으로 편리한 시간에 책을 읽거나 공부할 수 있다. iOS 또는 Android 스마트폰 또는 태블릿에서 사용할 수 있는 ReadAnywhere를 통해 사용자는 eBook 및 SmartBook 2.0을 포함한 McGraw Hill 도구 또는 Connect의 적응형 학습 과제에 액세스할 수 있다. 오프라인에서 메모하고 강조 표시하고 과제를 완료할 수 있다. WiFi 액세스로 앱을 열면 모든 작업이 동기화된다. McGraw Hill Connect 사용자 이름과 비밀번호로 로그인하여 언제 어디서나 학습을 시작하라!

Tegrity: Lectures 24/7

Connect의 Tegrity는 모든 강의를 자동으로 캡처하여 수업을 연중무휴로 제공하는 도구이다. 간단한 원클릭 시작 및 중지 프로세스를 통해 프레임 단위로 검색하기 쉬운 형식으로 모든 컴퓨터 화면과 해당 오디오를 캡처할 수 있다.

학생들은 PC, Mac 또는 모든 모바일 장치에서 사용하기 쉬운 브라우저 기반 보기를 사용하여 수업의 모든 부분을 재생할 수 있다.

교육자들은 학생들이 수업 자료를 더 많이 보고, 듣고, 경험할수록 더 잘 배운다는 것을 알고 있다. 실제로 연구 결과가 이를 증명한다. Tegrity의 고유한 검색 기능은 학생들이 전체 학기의 수업 녹음에서 필요할 때 필요한 것을 효율적으로 찾을 수 있도록 도와준다. 학생들의 학습 시간을 강의에서 즉시 지원하는 학습 시간으로 전환하도록 돕는다. Tegrity를 사용하면 메모 작성에 대한 학생들의 우려를 덜어줌으로써 의도적 경청 및 수업 참여도를 높일 수 있다.

Connect의 Test Builder

Connect 내에서 사용 가능한 Test Builder는 강사가 인쇄하거나 학습 관리 시스템 내에서 관리하거나 테스트 은행의 Word 문서로 내보낼 수 있는 테스트 형식을 지정할 수 있는 클라우드 기반 도구이다. Test Builder는 다운로드할 필요 없이 과정 요구 사항에 맞는 간편한 콘텐츠 구성을 위해 현대적이고 간소화된 인터페이스를 제공한다.

Test Builder를 사용하면 다음을 수행할 수 있다.

- 특정 타이틀의 모든 테스트 뱅크 콘텐츠에 액세스.
- 강력한 필터링 옵션을 통해 가장 관련성이 높은 콘텐츠 검색.
- 질문 순서를 조작하거나 질문 및/또는 답변의 뒤섞기.
- 시험 내 특정 위치에 질문 고정.
- 알고리즘 질문에 대해 선호하는 처리 방법을 결정.
- 레이아웃과 간격을 선택.
- 지침을 추가하고 기본 설정을 구성.

Test Builder는 콘텐츠를 더 잘 보호하기 위한 보안 인터페이스를 제공하고 적시 업데이트를 통해 평가에 직접 적용되도록 한다.

쓰기 과제

Connect 내에서 사용 가능한 쓰기 과제 도구는 학생들의 글쓰기를 통한 의사 소통 능력과 개념적 이해를 향상시키는 데 도움이 되는 학습 경험을 제공한다. 강사는 글쓰기에 대한 과제, 모니터링, 채점 및 피드백을 보다 효율적이고 효과적으로 제공할 수 있다.

SmartBook® 2.0

**The First and Only
Adaptive Reading Experience**

Effective. Efficient. Easy-to-Use

맥그로힐 Connect® 내에서 사용 가능한 SmartBook® 2.0은 학생 개개인에 맞춤화된 적응형 학습을 제공하는 특별한 e-Book으로, 추가 학습이 필요한 개념을 우선하여 학습할 수 있도록 합니다. 학생들은 학습 효율을 빠르게 높일 수 있고, 교수자는 심도 있는 강의 구성에 집중할 수 있습니다.

더 면밀한 관리

특정 챕터, 주제, 개념에 대해 우선 학습하여 효율적인 시간 관리

더 정확한 보고

학생의 학습 상황을 모니터하고 학습 정보에 대한 인사이트를 교수자에게 제공

더 완벽한 준비

학생의 가장 취약한 영역을 복습시킴으로써 시험을 더 효율적으로 준비

더 편리한 접근

언제 어디서나 모바일 장치를 통해 학습할 수 있는 편리성, 유연성 제공

Read ▸ Practice ▸ Recharge

SmartBook® 2.0 - Connect®의 적응형 학습 솔루션으로 학생들의 자신감을 높이고 학생들이 성공할 수 있도록 준비해 보세요!

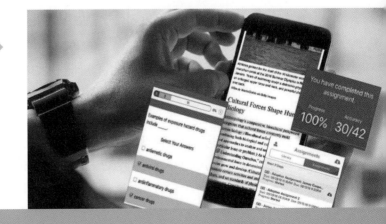

더 많은 정보는 mheducation.com/highered/connect/smartbook »

Adaptive Learning(개인 맞춤형 솔루션)

- Connect를 통한 과제 수행은 내용과 연관 있는 내용부터 적용 할 수 있게 함으로써 내용 이해와 비판적 사고를 도와 줍니다.

- Connect는 SmartBook 2.0® 을 통해 각각의 개인에 맞추어진 개별화된 학습 방향을 제시합니다.

- SmartBook 2.0® 의 개인 맞춤 하이라이팅과 연습문제 출제는 학생들로 하여금 양방향 학습경험을 제공하여 더욱 효율적 인 학습을 도와줍니다.

Connect를 이용한 후 학생들의 성적향상

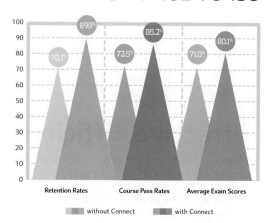

학생들이 대답한 **70억 개가 넘는 연습 문제**의 방대한 데이터는 Mcgrawhill의 Connect를 보다 지능적이고, 믿을 수 있고 정확한 제품으로 만들어줍니다.

Connect를 활용한 학생들의 평균 **10% 이상**의 코스 합격률과 성적 향상

Connect를 사용한 **73%**의 교수님들의 강의평가가 평균 **28% 향상**되었습니다.

양질의 최신 강의자료

- Connect 안에는 강의를 위한 자료가 단순하고 직관적인 인터 페이스로 구성이 되어 있습니다.

- Connect의 smartbook 2.0은 모바일과 태블릿PC에 최적화되어 있어, 어디서나 인터넷 환경에 구애받지 않고 접속하여 공부 할 수 있습니다.

- Connect에는 동영상, 시뮬레이션, 게임 등과 같이 학생들의 비판적 사고를 길러줄 수 있는 다양한 콘텐츠가 있습니다.

Connect Insight: 강력한 분석과 리포트

©Hero Images/Getty Images RF

- Connect Insight는 개별 학생들의 분석과 성취도를 전체 또는 특정 과제로 분류하여 한눈에 보기 쉬운 형태로 보고서를 작성합니다.

- Connect Insight는 학생들의 과제 소요 시간, 개별학습 태도, 성취도 등의 모든 데이터를 대시 보드로 제공합니다. 교수님들은 어떤 학생이 어떤 분야에 취약한지 바로 알아볼 수 있습니다.

- Connect을 통해 과제와 퀴즈의 자동 성적 평가가 가능하며, 개별 그리고 전체 반 학생들의 성취도를 한눈에 알아볼 수 있는 보고서로 제공됩니다.

학생들은 **Connect**로 강의를 들을 때, 더 많은 **A**와 **B**를 취득합니다.

신뢰할 수 있는 서비스와 기술지원

- Connect는 대학 학사관리시스템(LMS)과 통합로그인(Single Sign On)으로 접속하며 성적평가도 자동으로 연동됩니다.

- Connect는 종합적인 서비스와 기술지원 그리고 솔루션 사용을 위한 각 단계에 맞는 사용법 트레이닝을 제공합니다.

- Connect 사용법에 대해 궁금하다면 주소창에 https://www.mheducation.com/highered/connect.html을 쳐보세요.

역자에 대하여

정재일

서울대학교 기계항공공학부 대학원에서 공학박사 학위를 받았고,
현재 국민대학교 기계공학부 교수로 재직 중이다.

김호경

카이스트 원자력공학과에서 공학박사 학위를 받았으며,
현재 부산대학교 기계공학부 교수로 재직 중이다

유호식

미국 Oklahoma State University에서 공학박사 학위를 받았고,
현재 경기대학교 환경에너지공학전공 교수로 재직 중이다.

최윤호

미국 Pennsylvania State University 기계공학과 대학원에서 공학박사 학위를 받았고,
현재 아주대학교 기계공학과 명예교수이다.

역자 서문

수치해석을 우리나라 대학교에서 강의하게 된 지도 벌써 30년이 넘었다. 그 동안 컴퓨터와 프로그래밍 언어가 꾸준히 발전됨에 따라 수치해석은 이미 공학과 과학의 분야에서 필수적인 과목으로 자리를 잡았다. 이러한 현실은 실제 연구와 산업 현장의 문제 해결을 위해 수치해석 기법이 광범위하게 요구되고 있다는 것을 시사한다.

이 책은 Steven C. Chapra 교수의 "Applied Numerical Methods with MATLAB® for Engineers and Scientists"의 5판을 완역한 것이다. 여태까지 많은 수치해석 교재들이 개발되었지만 이 책처럼 명쾌하고 쉽게 기술된 교재를 발견하기 힘들다고 해도 과언이 아니다. 5판에서는 6장에서 고정점 반복법의 연장적 방법인 Wegstein 방법이 추가되고, 18장에서 스플라인 평활화 방법이 추가되었다. 특히 스플라인 평활화 방법은 회귀 및 스플라인의 특성을 하나의 알고리즘으로 결합하여 노이즈가 있는 데이터의 곡선 접합에 이상적이다.

이 책의 특징은 실례에 기초를 둔 예제를 바탕으로 수치해석 방법을 하나씩 소개하고 있다. 사례연구와 연습문제를 통해 일반과학, 통계학, 기계공학, 토목공학, 전기공학, 화학공학 등에 관한 다양한 문제를 다루고 있으며, 소프트웨어의 작성 및 사용에 관한 부분도 강조하고 있다.

수치해석을 공부하는 데 필요한 선수과목으로는 미적분학과 기본 프로그래밍 언어이면 충분하다. 최근 들어 전문적인 공학/과학용 언어로 자리잡은 MATLAB의 사용으로 기존에 어려웠던 프로그래밍 기술이 한결 쉬워졌다. 이 책에서는 이러한 MATLAB의 우수성을 충분히 이용하여 다양한 수치해석 기법을 효과적으로 이해시키고자 한다.

전체 내용을 대학교나 전문대학에서 한 학기 동안 강의할 수 있도록 편집하였다. 그러나 강의 여건에 따라 부분적으로 선별할 수 있도록 구성되어 있다. 저자의 의도에 따라 원문에 충실하게 번역하되 가급적이면 한글로 매끄럽게 표현하려고 노력하였다. 그러나 내용 전달에 있어서 다소 미흡한 점이 발견될 것으로 사료되며 그때에는 아낌없는 조언을 부탁드린다.

5판 번역서가 나오기까지 물심양면으로 도와주신 맥그로힐에듀케이션코리아 편집부 관계자들께 깊은 감사를 표한다.

2022년 12월 30일
역자 일동

차례

PART 1 모델링, 컴퓨터 그리고 오차해석

PART 3 선형 시스템

PART 4   곡선접합

모델링, 컴퓨터 그리고 오차해석

1.1 동기 부여

수치해법은 무엇이며, 왜 공부해야 하는가?

수치해법은 수학적 문제를 산술 및 논리 연산으로 풀 수 있도록 수식화하는 기법이다. 디지털 컴퓨터가 이러한 연산을 빠르게 수행할 수 있기 때문에 수치해법을 종종 **컴퓨터 수학** (computer mathematics)이라고도 한다.

컴퓨터 세대 이전에는 이러한 계산을 실행하기 위해 많은 시간과 노력이 필요해 수치해법의 실제적 사용이 제한되었다. 그러나 빠르고 비싸지 않은 컴퓨터의 출현으로 공학과 과학 문제 풀이에서 수치해법의 역할이 폭발적으로 늘어났다. 수치해법은 많은 업무에서 중요한 부분이 되고 있기 때문에, 저자는 수치해법이 모든 공학자와 과학자를 위한 기본 교육의 일부가 되어야 한다고 믿는다. 수학과 과학의 영역에서 견실한 기초를 세워야 하는 것처럼, 수치해법에 대해서도 근본적인 이해가 필요하다. 특히 수치해법의 능력과 한계점에 대해 올바르게 이해해야 한다.

수치해법이 여러분의 교육 전반에 기여하는 것 외에도, 수치해법을 공부해야 하는 여러 가지 이유는 다음과 같다.

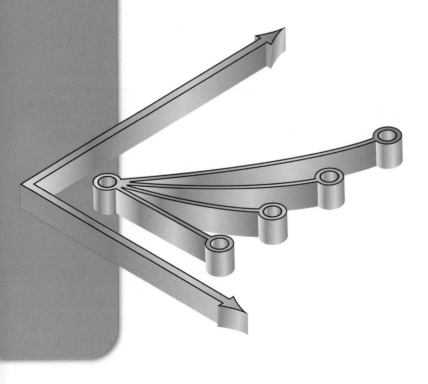

1. 수치해법은 여러분들이 다룰 수 있는 문제의 유형을 크게 확장시킨다. 수치해법은 공학과 과학에서 종종 나타나며, 또한 일반적인 미적분학으로는 해석적으로 풀기가 불가능한 대형 연립 방정식, 비선형 문제 그리고 복잡한 기하학적인 문제들을 다루는 데 유용하다. 따라서 수치해법은 문제해결의 능력을 크게 향상시킬 수 있다.

2. 수치해법은 여러분들로 하여금 "이미 만들어진" 소프트웨어를 분별 있게 사용할 수 있게 한다. 여러분은 앞으로

여러 수치해법에 대해 상업용으로 이미 만들어진 컴퓨터 프로그램 패키지를 사용할 때가 있을 것이다. 이 프로그램을 잘 사용하기 위해서는 수치해법의 기초가 되는 기본 이론을 잘 이해해야 한다. 이러한 이해가 수반되지 않으면, 여러분은 이 패키지를 그 내부 작업과정과 산출결과의 타당성에 대해 전혀 알 수 없는 "블랙박스"로 간주할 수밖에 없을 것이다.

3. 이미 만들어진 프로그램으로 풀 수 없는 공학 문제도 많다. 만일 여러분이 수치해법에 정통하고 컴퓨터 프로그램에 능숙하다면, 소프트웨어를 구입하거나 비싼 사용료를 내지 않고 문제를 해결할 수 있는 프로그램을 직접 설계할 수 있을 것이다.

4. 수치해법은 컴퓨터 사용법을 배우기 위한 효율적인 수단이다. 수치해법은 컴퓨터에서 실행하기 위해서 특별히 설계되기 때문에, 컴퓨터의 능력과 한계점을 설명하는 데도 적합하다. 수치해법을 컴퓨터에서 성공적으로 실행하고 또한 이것을 다루기 힘든 문제를 풀기 위해 적용할 때, 컴퓨터가 어떻게 여러분의 전문능력 향상에 기여하는지 극적인 경험을 하게 될 것이다. 동시에 대규모 수치계산의 중요한 부분인 근사오차를 이해하고 제어하는 방법을 배우게 될 것이다.

5. 수치해법은 수학을 보다 잘 이해할 수 있는 수단이 된다. 수치해법의 한 가지 기능은 고차원 수학을 기초적인 산술연산으로 단순화하는 것이기 때문에, 어려운 주제에 대한 "요점"을 파악하게 한다. 이러한 대안적인 시각으로부터 이해력과 통찰력을 향상시킬 수 있다.

이러한 이유를 동기 부여로 삼아 우리는 수학 문제에 대한 신뢰성 있는 해를 구하기 위해 수치해법과 디지털 컴퓨터가 어떻게 서로 함께 협력하여 작업하는지를 이해하기 위해 출발한다. 이 책의 나머지 부분은 이러한 작업을 위한 것이다.

1.2 구성

이 책은 여섯 부로 나뉘어져 있다. 후반의 다섯 부에서는 수치해법의 주요 영역에 대해 초점을 맞추었다. 이들 내용으로 바로 들어가고 싶겠지만, 본질적인 배경 요소를 다루는 네 개의 장으로 구성되어 있는 1부를 먼저 살펴보자.

1장에서는 실제 문제를 풀기 위해 수치해법이 어떻게 사용되는지에 대한 구체적인 예를 제시한다. 이를 위해 번지점프하는 사람의 자유낙하에 대한 **수학적 모델**을 개발한다. Newton의 제2법칙을 기초로 하는 이 모델은 상미분방정식의 형태이다. 먼저 미적분학을 이용하여 해석해를 구한 후에, 간단한 수치해법으로 해석해에 상당하는 해를 어떻게 구할 수 있는지를 보여준다. 또한 2부에서 6부까지 다루는 수치해법의 주요 분야에 대한 개요를 설명하고 이 장을 마무리 지을 것이다.

2장과 **3장**에서는 MATLAB의 소프트웨어 환경에 대해 소개한다. 2장에서는 소위 **계산기 방식**(calculator mode)인 한 번에 한 개씩 명령어를 입력하여 MATLAB을 작동시키는 표준적인 방법을 다룬다. 이 대화형 방식은 여러분이 이러한 환경에 적응할 수 있도록 하는 쉬운 수단을 제공하며, 또한 계산을 수행하고 그래프를 생성하는 일반적인 작업을 하기 위해 어떻게

3

대화형 방식이 사용되는지를 예시한다.

3장에서는 MATLAB의 **프로그래밍 방식**이 각각의 명령어들을 조합하여 알고리즘을 만드는 데 어떻게 사용되는지를 보여준다. 따라서 우리의 목적은 어떻게 MATLAB이 여러분 자신만의 소프트웨어를 개발하는 데 편리한 프로그래밍 환경이 되는지를 보이는 것이다.

4장에서는 수치해법을 효과적으로 사용하기 위해 필수적으로 알아야 할 오차해석을 다룬다. 이 장의 앞부분에서는 디지털 컴퓨터가 어떤 수를 정확하게 표현할 수 없기 때문에 발생하는 **반올림오차**(roundoff error)에 대해 초점을 맞춘다. 뒷부분에서는 정확한 수학식 대신에 근사식을 사용함으로써 발생하는 **절단오차**(truncation error)에 대하여 언급한다.

CHAPTER 1

수학적 모델링,
수치해법과 문제 풀이

학습목표

이 장의 주요 목표는 수치해법의 명확한 개념을 제시하고, 또한 수치해법이 공학과 과학 문제 풀이에 어떻게 관련되는지를 살펴보는 것이다. 특정한 목표와 다루는 주제는 다음과 같다.

- 단순한 물리적 시스템의 거동을 모사하기 위해 과학 원리를 토대로 한 수학적 모델의 정립
- 디지털 컴퓨터에 의해 해를 생성하는 수치해법의 이해
- 다양한 공학 분야에 사용되는 보존법칙의 이해와 그를 바탕으로 한 모델의 정상상태 해와 동적 해 사이의 차이점에 대한 이해
- 이 책에서 다루게 될 여러 가지 수치해법의 학습

이런 문제를 만나면

Upward force due to air resistance

Downward force due to gravity

그림 1.1 자유낙하하는 사람에 작용하는 힘.

번지점프 회사에 취직을 했다고 가정하자. 자유낙하하는 동안 시간의 함수로서 번지점프하는 사람의 속도를 예측하는 임무가 주어졌다(그림 1.1). 이러한 임무에서 얻은 정보는 다양한 질량의 번지점프하는 사람들을 위해 줄의 길이와 강도를 결정하는 데 이용될 수 있다.

물리학으로부터 가속도는 질량에 대한 힘의 비와 같다는 것(Newton의 제 2칙)을 알고 있다. 이러한 원리와 유체역학의 지식으로부터 시간에 따른 속도의 변화율을 다음과 같은 수학적 모델로 나타낼 수 있다.

$$\frac{dv}{dt} = g - \frac{c_d}{m}v^2$$

여기서 v는 아래쪽 방향의 수직속도(m/s), t는 시간(s), g는 중력가속도($\cong 9.81$ m/s^2), c_d는 집중 항력계수(lumped drag coefficient, kg/m) 그리고 m은 번지점프하는 사람의 질량(kg)이다. 항력계수는 그 크기가 사람의 면적과 유체 밀도와 같은 인자들에 의존하기 때문에 "집중(lumped)"이라고 한다(1.4절 참조).

이 식은 미분방정식이기 때문에 t의 함수로 v의 해석해(analytical solution) 또는 엄밀해(exact solution)를 구하기 위해서 미적분학을 이용해야 한다. 그러나 다음 절에서는 이 방정식에 대한 다른 해법을 설명할 것이다. 즉 컴퓨터를 사용하여 수치해(numerical solution) 또는

4

근사해(approximate solution)를 구하는 방법이다.

이와 같이 특정한 문제를 풀기 위해 컴퓨터를 사용하는 방법을 보여주는 것 외에도 일반적인 목적은 (a) 수치해법은 무엇인가 그리고 (b) 공학과 과학 문제 풀이에서 수치해법이 얼마나 중요한 역할을 하는가를 설명하는 것이다. 이 설명을 통해 공학자와 과학자가 수치해법을 사용하는 방식에서 수학적 모델 역시 얼마나 중요한지 알 수 있을 것이다.

1.1 단순한 수학적 모델

수학적 모델이란 어떤 물리적 시스템이나 과정의 중요한 특징을 수학적 용어로 표현한 공식 또는 방정식이라고 광범위하게 정의할 수 있다. 이는 일반적인 의미에서 다음과 같은 함수적 관계로 표현할 수 있다.

$$종속변수 = f (독립변수, 매개변수, 강제함수) \tag{1.1}$$

여기서 **종속변수**(dependent variable)는 시스템의 거동이나 상태를 반영하는 특성이고, **독립변수**(independent variable)는 보통 시간과 공간과 같이 시스템의 거동을 결정하는 데 사용되는 차원을 말한다. **매개변수**(parameter)는 시스템의 성질이나 구성을 나타내며, **강제함수**(forcing function)는 시스템에 작용하는 외부의 영향이다.

식 (1.1)의 실제 수학적 표현은 단순한 대수식으로부터 아주 복잡한 연립 미분방정식에 이르기까지 매우 다양하다. 예를 들어 Newton은 그의 경험에 근거하여, 물체가 가지는 운동량의 시간에 따른 변화율은 그 물체에 작용하는 합력과 같다는 제 2법칙을 수식화하였다. 제 2법칙의 수학적 표현, 즉 모델은 널리 알려진 식으로 다음과 같다.

$$F = ma \tag{1.2}$$

여기서 F는 물체에 작용하는 유효힘(N 또는 $kg \cdot m/s^2$), m은 물체의 질량(kg) 그리고 a는 가속도(m/s^2) 이다.

위의 제 2법칙에서 양변을 m으로 나누어 식 (1.1)의 형식으로 다시 표현하면 다음과 같다.

$$a = \frac{F}{m} \tag{1.3}$$

여기서 a는 시스템의 거동을 기술하는 종속변수, F는 강제함수 그리고 m은 매개변수이다. 이와 같이 단순한 경우에는 독립변수가 존재하지 않는데, 이는 가속도가 시간 또는 공간상에서 어떻게 변하는지에 대해 아직 예측하지 않기 때문이다.

식 (1.3)은 물리적 세계를 기술하는 수학적 모델에 나타나는 여러 가지 전형적인 특성을 가지고 있는데, 이는 다음과 같다.

- 자연 현상 또는 시스템을 수학적인 용어로 기술한다.
- 현실을 이상화시키고 단순화하여 표현한다. 즉 모델은 자연 현상의 중요한 특성에 초점을

맞추며, 상대적으로 중요성이 떨어지는 불필요한 세부사항들을 무시한다. 따라서 지구의 표면상에서 인간이 감지할 수 있는 속도와 스케일로 상호작용하는 물체와 힘에 대해 적용하는 경우, 제 2법칙은 상대성 효과와 같이 그 중요성이 무시될 만한 양은 포함하지 않는다.

- 마지막으로 모델은 동일한 결과를 재생하므로, 이를 예측하는 목적으로 사용할 수 있다. 예를 들어 물체에 작용하는 힘과 물체의 질량을 알면 식 (1.3)은 가속도를 계산하는 데 사용될 수 있다.

식 (1.2)는 매우 간단한 대수식이므로 그 해를 손쉽게 구할 수 있다. 그러나 다른 물리적 현상을 기술하는 수학적 모델은 때로는 매우 복잡하여, 엄밀해를 구할 수 없거나 또는 단순 대수학을 넘어선 아주 어려운 수학적 기법을 필요로 하기도 한다. 이와 같은 복잡한 모델의 예로, 지구 표면 근방에서 자유낙하하는 물체의 종단속도(terminal velocity)를 결정하기 위해 적용하는 Newton의 제 2법칙을 들 수 있다. 여기서 낙하하는 물체는 그림 1.1에서와 같이 번지점프하는 사람이다. 이 경우에 가속도를 속도의 시간에 따른 변화율(dv/dt)로 표현하여 이를 식 (1.3)에 대입함으로써 모델을 얻을 수 있다.

$$\frac{dv}{dt} = \frac{F}{m} \tag{1.4}$$

여기서 v는 속도(m/s)이다. 따라서 속도의 시간에 따른 변화율은 물체에 작용하는 유효힘(net force)을 질량에 대해 정규화한 값과 같다. 만일 이 유효힘이 양이면 물체는 가속되며, 음이면 물체는 감속된다. 이 유효힘이 0이면, 물체의 속도는 일정하게 유지된다.

다음으로 유효힘을 측정 가능한 변수와 매개변수로 표현해 보자. 지구 표면 근처에서 낙하하는 물체에 작용하는 유효힘은 중력에 의해 아래로 작용하는 F_D와 공기 저항으로 인해 위로 작용하는 F_U의 두 가지의 반대되는 힘으로 구성된다(그림 1.1).

$$F = F_D + F_U \tag{1.5}$$

만일 아래로 작용하는 힘을 양으로 택하면, 중력에 의해 작용하는 힘은 제 2법칙을 이용하여 다음과 같이 수식화할 수 있다.

$$F_D = mg \tag{1.6}$$

여기서 g는 중력에 의한 가속도($9.81\ \text{m/s}^2$)이다.

공기 저항은 여러 가지 방법으로 수식화될 수 있다. 유체역학 지식에 의하면 가장 좋은 근사값 중 하나는 공기 저항이 속도의 제곱에 비례한다고 가정하는 것이다.

$$F_U = -c_d v^2 \tag{1.7}$$

여기서 c_d는 비례상수이며 **집중 항력계수**(lumped drag coefficient, kg/m)라고 한다. 따라서 낙하 속도가 클수록 위로 작용하는 공기 저항이 커지게 된다. 매개변수 c_d는 형상이나 표면 거칠기와 같은 공기 저항에 영향을 주는 물체의 특성을 반영한다. 지금의 예에서 c_d는 자유낙하 동안에 점프하는 사람의 옷 종류나 자세의 함수가 된다.

유효힘은 아래쪽과 위쪽 방향으로 작용하는 힘의 차이다. 따라서 식 (1.4)에서 (1.7)까지를 합하면 다음과 같은 식을 얻는다.

$$\frac{dv}{dt} = g - \frac{c_d}{m}v^2 \tag{1.8}$$

식 (1.8)은 낙하하는 물체의 가속도와 그 물체에 작용하는 힘 사이의 관계를 기술하는 모델이 된다. 이는 우리가 예측하고자 하는 변수의 미분 변화율(dv/dt) 형태로 표현되어 있으므로 **미분방정식**이 된다. 그러나 식 (1.3)에 표현된 Newton의 제 2법칙의 해와 달리, 번지점프하는 사람의 속도를 얻기 위한 식 (1.8)의 엄밀해는 간단한 대수적 과정만으로 얻을 수 없다. 엄밀해나 해석해를 얻기 위해서는 미적분학과 같은 매우 진보된 기법이 사용되어야 한다. 예를 들어 만일 번지점프하는 사람이 처음에 정지하고 있었다면($t = 0$일 때, $v = 0$), 미적분학을 이용하여 식 (1.8)의 해를 다음과 같이 얻게 된다.

$$v(t) = \sqrt{\frac{gm}{c_d}} \tanh\left(\sqrt{\frac{gc_d}{m}}t\right) \tag{1.9}$$

여기서 tanh는 쌍곡선 탄젠트이며, 직접 계산하거나[1] 다음과 같은 기초적인 지수함수로 구할 수 있다.

$$\tanh x = \frac{e^x - e^{-x}}{e^x + e^{-x}} \tag{1.10}$$

식 (1.9)에서 $v(t)$는 종속변수, t는 독립변수, c_d와 m은 매개변수, 그리고 g는 강제함수이다. 식 (1.9)는 식 (1.1)과 같은 일반적 형태로 표현되고 있다는 것에 주목하라.

예제 1.1 / 번지점프 문제에 대한 해석해

문제 설명. 질량이 68.1 kg인 번지점프하는 사람이 정지해 있는 열기구에서 낙하한다. 식 (1.9)를 사용하여 자유낙하하는 처음 12초 동안의 속도를 계산하라. 또한 줄의 길이가 무한하다고 가정하여 종단속도를 구하라. 항력계수는 0.25 kg/m이다.

풀이 매개변수 값을 식 (1.9)에 대입한다.

$$v(t) = \sqrt{\frac{9.81(68.1)}{0.25}} \tanh\left(\sqrt{\frac{9.81(0.25)}{68.1}}t\right) = 51.6938 \tanh(0.18977t)$$

---

[1] MATLAB에서는 내장함수 `tanh(x)`를 통하여 쌍곡선 탄젠트를 직접 계산할 수 있다.

이를 이용하여 다음 값을 얻는다.

t, s	v, m/s
0	0
2	18.7292
4	33.1118
6	42.0762
8	46.9575
10	49.4214
12	50.6175
∞	51.6938

이 모델에 의하면 그림 1.2에서와 같이 번지점프하는 사람은 매우 빠르게 가속된다. 10초 후에는 49.4214 m/s(약 110 mi/hr)의 속도를 얻게 되며, 충분히 긴 시간이 지난 후에는 **종단속도**라고 하는 일정한 속도를 얻게 되는데, 이때의 속도는 51.6983 m/s(115.6 mi/hr)가 된다. 이 속도는 일정한 값이 되는데, 이는 중력에 의한 힘과 공기 저항이 궁극적으로 평형을 이루기 때문이다. 따라서 이때의 유효힘은 0이 되며, 가속도 멈추게 된다.

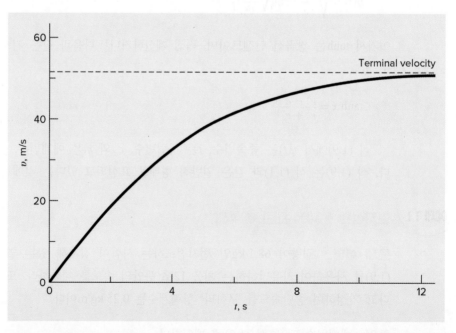

그림 1.2   예제 1.1에서 계산한 번지점프 문제의 해석해. 속도는 시간에 따라 증가하며 점근적으로 종단속도에 접근한다.

식 (1.9)는 원래의 미분방정식을 정확히 만족시키므로 **해석해** 또는 **엄밀해**라고 한다. 불행히도 실제의 경우에는 정확하게 풀 수 없는 수학적 모델이 많이 존재하며, 이와 같은 경우에 유일한 대안은 엄밀해를 근사하는 수치해를 얻는 것이다.

수치해법은 수학적 문제의 해를 산술연산으로 구할 수 있도록 재수식화하는 것이다. 이는 식 (1.8)의 속도의 시간에 따른 변화율이 다음과 같이 근사될 수 있다는 사실로 설명된다(그림 1.3 참조).

$$\frac{dv}{dt} \cong \frac{\Delta v}{\Delta t} = \frac{v(t_{i+1}) - v(t_i)}{t_{i+1} - t_i} \tag{1.11}$$

여기서 초기 시각 t_i에서의 속도를 $v(t_i)$, 그 이후의 시각 t_{i+1}에서의 속도를 $v(t_{i+1})$로 나타내고 있다. 그리고 Δv와 Δt는 각각 속도와 시간의 증분이다. 시간의 증분 Δt가 유한하기 때문에 $dv/dt \cong \Delta v/\Delta t$는 근사식이 되는데, 미적분학에서는 다음 식으로 정의된다.

$$\frac{dv}{dt} = \lim_{\Delta t \to 0} \frac{\Delta v}{\Delta t}$$

식 (1.11)은 이 과정을 반대로 나타낸 것이다.

식 (1.11)은 시각 t_i에서의 도함수에 대한 **유한차분**(finite difference) 근사라고 한다. 이를 식 (1.8)에 대입하면 다음과 같다.

$$\frac{v(t_{i+1}) - v(t_i)}{t_{i+1} - t_i} = g - \frac{c_d}{m} v(t_i)^2$$

이 식을 다시 정리하면 다음과 같다.

$$v(t_{i+1}) = v(t_i) + \left[g - \frac{c_d}{m} v(t_i)^2 \right] (t_{i+1} - t_i) \tag{1.12}$$

대괄호 안은 미분방정식인 식 (1.8)의 우변임에 주목하라. 즉 이것은 v의 변화율 또는 기울

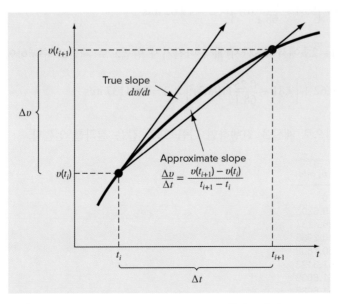

그림 1.3 속도의 시간에 대한 1차 도함수의 유한차분 근사.

기를 계산하는 수단을 제공한다. 따라서 이 식은 다음과 같이 더욱 간단하게 쓸 수 있다.

$$v_{i+1} = v_i + \frac{dv_i}{dt} \Delta t \tag{1.13}$$

여기서 v_i 는 시각 t_i 에서의 속도이며, $\Delta t = t_{i+1} - t_i$ 이다.

따라서 미분방정식은 이전 시각에서의 v와 그 기울기 및 t 값을 사용하여 t_{i+1}에서의 속도를 대수적으로 구할 수 있는 방정식으로 바꿀 수 있다. 어떤 시각 t_i 에서의 초기 속도값을 알면, 그 이후의 시각 t_{i+1} 에서의 속도를 쉽게 계산할 수 있다. 이렇게 구한 t_{i+1} 에서의 속도는 다시 t_{i+2}에서의 속도를 구하는 데 이용되며, 이와 같은 계산이 계속해서 반복된다. 따라서 어떤 주어진 시각에서 다음과 같은 식을 얻게 된다.

새로운 값 = 이전 값 + 기울기 × 간격 크기

이와 같은 방법을 **Euler법**이라고 한다. 이 방법에 대해서는 이 책의 미분방정식 부분에서 상세히 다룰 것이다.

예제 1.2 번지점프 문제에 대한 수치해

문제 설명. **Euler법**으로 속도를 계산하는 식 (1.12)를 이용하여 예제 1.1을 다시 풀어라. 간격 크기는 2초로 하라.

풀이 계산의 시작점($t_0 = 0$)에서 번지점프하는 사람의 속도는 0이다. 예제 1.1에서의 데이터와 매개변수 값을 이용하면, 식 (1.12)로 $t_1 = 2$초에서의 속도를 다음과 같이 구할 수 있다.

$$v = 0 + \left[9.81 - \frac{0.25}{68.1}(0)^2 \right] \times 2 = 19.62 \text{ m/s}$$

다음 구간($t = 2$초에서 4초까지)에서 마찬가지 방법으로 계산을 수행하여 다음의 결과를 얻는다.

$$v = 19.62 + \left[9.81 - \frac{0.25}{68.1}(19.62)^2 \right] \times 2 = 36.4137 \text{ m/s}$$

비슷한 방법으로 계산을 진행하면 다음 표와 같은 결과를 얻는다.

t, s	v, m/s
0	0
2	19.6200
4	36.4137
6	46.2983
8	50.1802
10	51.3123
12	51.6008
∞	51.6938

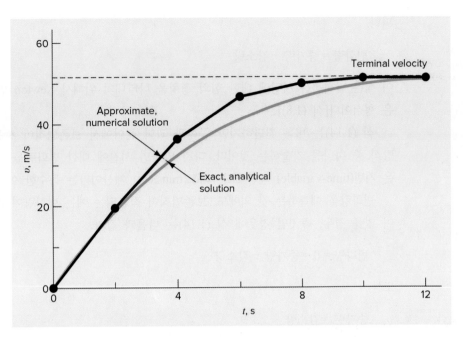

그림 1.4   번지점프 문제에서 수치해와 해석해의 비교.

그림 1.4는 수치해법으로 얻은 결과를 엄밀해와 함께 보여주는데, 수치해법은 엄밀해가 지니는 주요 특성을 잘 포착하고 있다. 그러나 연속적인 곡선 형태를 가지는 함수를 근사하는 데 직선을 사용하였기 때문에 두 결과에 약간의 차이가 생기게 된다. 이와 같은 차이를 줄이는 한 가지 방법은 간격 크기를 줄이는 것이다. 예를 들어 식 (1.12)를 1초의 시간 간격으로 풀게 되면 오차가 작아지게 되고, 각 구간에서의 직선 근사는 정해에 더 근접하게 된다. 손으로 해를 구할 때에는 간격 크기를 줄여가면서 계속적으로 해를 구하기가 사실상 불가능하나, 컴퓨터를 사용하게 되면 많은 양의 계산도 쉽게 수행할 수 있다. 따라서 미적분학을 사용하여 미분방정식의 정해를 구하지 않고도 번지점프하는 사람의 낙하속도를 정확하게 예측할 수 있다.

예제 1.2에서와 같이 더 정확한 수치해를 얻기 위해서는 계산 비용이 증가한다. 보다 정확한 해를 얻기 위해서 간격 크기를 반으로 줄이면 계산량은 두 배로 증가한다. 따라서 해의 정확도와 계산량은 서로 득실관계를 가지게 되며, 이는 수치해법에서 매우 중요하게 고려되어야 할 사항으로 이 책의 주요 주제가 된다.

1.2   공학과 과학 분야에서의 보존법칙

공학과 과학 분야에서 Newton의 제 2법칙 외에도 또 다른 중요한 법칙들이 있다. 그중에서 가장 중요한 것이 **보존법칙**(conservation law)이다. 비록 이 법칙이 복잡하고 유력한 수학적 모델들의 기초가 되지만, 개념적으로 이해하기는 쉽다. 이 보존법칙들은 다음과 같이 요약된다.

$$변화량 = 증가량 - 감소량 \tag{1.14}$$

이 식은 낙하하는 사람에 대한 힘의 평형을 나타내기 위해서 Newton 법칙을 적용할 때와 같은 형식이다[식 (1.8)].

식 (1.14)는 비록 간단하지만 공학과 과학 분야에서 보존법칙이 사용되는 가장 기본적인 방식 중 하나를 기술하는 것이다. 다시 말하면 시간에 대한 변화량을 예측하는 것이다. 이것은 **시변**(time-variable) 계산 또는 **과도**(transient) 계산이라는 특수한 이름을 갖는다.

변화량을 예측하는 것 외에도, 보존법칙이 적용되는 예는 변화량이 없는 경우이다. 변화량이 없을 경우, 즉 0일 경우에 식 (1.14)는 다음과 같다.

$$변화량 = 0 = 증가량 - 감소량$$

또는

$$증가량 = 감소량 \tag{1.15}$$

따라서 변화량이 없으면 증가량과 감소량은 평형을 이루어야 한다. 이 경우 **정상상태**(steady-state) 계산이라는 특수한 이름을 가지며 공학과 과학 분야에 많이 적용된다. 예를 들면 관내 유동이 정상상태 비압축성 유체인 경우 합류점으로 유입되는 유량은 유출되는 유량과 같아야 한다.

$$유입 유량 = 유출 유량$$

그림 1.5의 합류점에 대해 질량보존을 적용하면 4번 관의 유출 유량이 60이 된다.

번지점프하는 사람의 경우에 정상상태에서 유효힘이 0이므로 다음과 같은 식을 얻을 수 있다[식 (1.8)에서 $dv/dt = 0$임].

$$mg = c_d v^2 \tag{1.16}$$

따라서 정상상태에서 아래쪽 힘과 위쪽 힘은 평형을 이루며, 식 (1.16)으로부터 다음과 같이 종단속도를 구할 수 있다.

$$v = \sqrt{\frac{gm}{c_d}}$$

비록 식 (1.14)와 (1.15)가 단순하게 보이지만, 보존법칙이 공학과 과학 분야에 적용되는 두 가지 기본적인 유형을 나타내고 있다. 두 식은 수치해법과 공학과 과학 분야 사이의 연관관계를 설명하기 위해 이후의 장에서도 중요한 부분을 이룬다.

표 1.1은 공학 분야에서 중요한 몇 가지 모델과 그와 관련된 보존법칙을 요약하고 있다. 많은 화학공학 문제는 반응기의 질량평형에 대해 초점을 맞춘다. 질량평형은 질량보존법칙에서 유도된다. 이는 반응기에서 화학물질의 질량변화량은 유입되는 질량과 유출되는 질량의 차

표 1.1 공학의 네 개 주요 분야에서 자주 사용되는 장치와 평형의 종류. 각 경우에 평형에 기초한 보존법칙이 명시되어 있다.

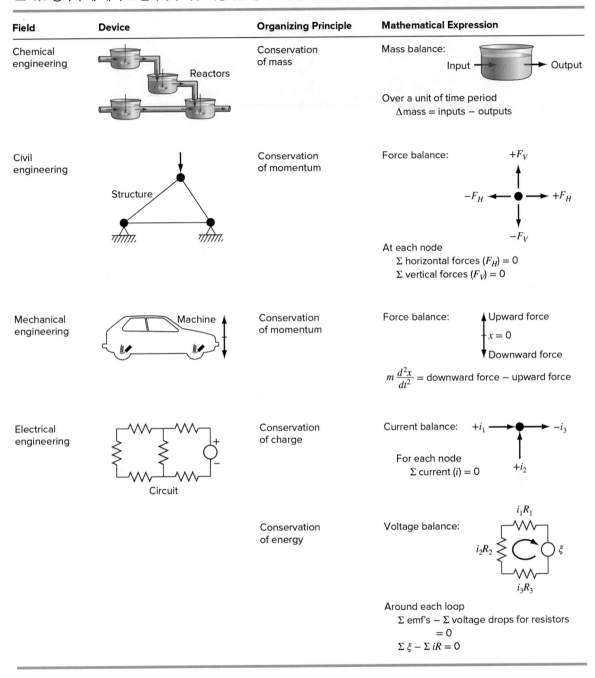

Field	Device	Organizing Principle	Mathematical Expression
Chemical engineering	Reactors	Conservation of mass	Mass balance: Input → Output. Over a unit of time period Δmass = inputs − outputs
Civil engineering	Structure	Conservation of momentum	Force balance: $+F_V$, $-F_H$, $+F_H$, $-F_V$. At each node Σ horizontal forces $(F_H) = 0$, Σ vertical forces $(F_V) = 0$
Mechanical engineering	Machine	Conservation of momentum	Force balance: Upward force, $x = 0$, Downward force. $m\dfrac{d^2x}{dt^2}$ = downward force − upward force
Electrical engineering	Circuit	Conservation of charge	Current balance: $+i_1$, $-i_3$, $+i_2$. For each node Σ current $(i) = 0$
		Conservation of energy	Voltage balance: i_1R_1, i_2R_2, ξ, i_3R_3. Around each loop Σ emf's − Σ voltage drops for resistors $= 0$. $\Sigma\,\xi - \Sigma\,iR = 0$

이에 의존한다는 것을 의미한다.

토목공학과 기계공학 분야에서의 적용은 운동량 보존으로부터 유도된 모델에 초점을 둔다. 토목공학의 경우에 힘의 평형은 표 1.1의 단순트러스와 같은 구조물을 해석하는 데 사용된다. 같은 원리가 기계공학에서는 자동차의 과도상태 상하운동이나 진동을 해석하는 데 적용된다.

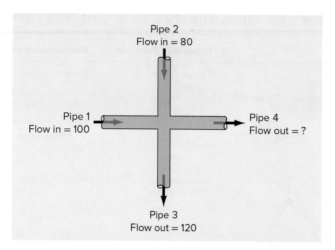

그림 1.5   정상상태 비압축성 유체가 흐르는 관의 합류점에서 유량 평형.

마지막으로 전기공학 분야에서는 전기회로를 모델링하기 위해서 전류 및 에너지평형이 적용된다. 전하보전의 결과로 얻은 전류평형은 그림 1.5에 나타낸 바와 같은 유량평형과 유사하다. 유량이 관의 합류점에서 평형을 이루는 것과 마찬가지로 전류는 도선의 교차점에서 평형을 이루어야 한다. 에너지평형은 회로의 모든 루프에서 전압 변화의 합이 0이 되어야 한다는 뜻이다.

화학, 토목, 전기, 기계공학 외에도 많은 공학 분야가 있다. 대부분은 이 네 가지 공학과 관련이 있다. 예를 들면 화학공학의 기술은 환경, 석유, 의생명공학 등의 영역으로 확장하여 사용할 수 있다. 마찬가지로 항공우주공학은 기계공학과 공통점이 많다. 앞으로 이러한 분야의 예제를 포함하도록 할 것이다.

1.3   이 책에서 다루는 수치해법

1장에서 Euler법을 선택하였는데 그 이유는 Euler법이 많은 수치해법 중에서 대표적인 방법이기 때문이다. 본질적으로 대부분의 수치해법들은 수학적인 계산을 디지털 컴퓨터에 적합한 단순한 대수와 논리연산으로 재구성한다. 그림 1.6은 이 책에서 다루는 주요한 분야를 요약하고 있다.

2부에서는 근 구하기와 최적화라는 두 가지 연관 주제를 다룬다. 그림 1.6a에 보이는 것처럼 **근 구하기**는 함수의 값이 0이 되는 점을 찾는 것이다. 이와 대조적으로 **최적화**(optimization)는 어떤 함수에서의 "최상의 결과" 또는 최적값에 해당하는 독립변수의 값을 구하는 것을 말한다. 따라서 그림 1.6a에서와 같이 최적화는 최대값 또는 최소값을 찾는 것이다. 비록 근 구하기와 최적화는 접근법이 서로 약간 다르지만, 두 방법 모두 설계 상황에서 흔히 나타난다.

3부에서는 연립 선형대수방정식의 해를 구하는 것을 다룬다(그림 1.6b). 방정식을 만족하는 값을 구한다는 점에서는 방정식의 근을 구하는 문제와 유사하다. 그러나 단일 방정식의 해를 구하는 것과는 달리 일련의 선형대수방정식을 동시에 만족하는 값들을 구해야 한다. 이러한 방정식은 다양한 문제 상황에서 그리고 공학 및 과학의 모든 분야에서 나타난다. 특히 이들은 구조, 전기회로, 그리고 유체 배관망에서와 같이 서로 연계된 요소들을 가지는 대규모 시스템에 대한 수학적 모델링을 하는 경우에 많이 발생한다. 그러나 이들은 곡선접합(curve fitting)과 미분방정식과 같은 다른 수치해법 분야에서도 만날 수 있다.

공학자나 과학자로서 여러분은 종종 데이터들을 곡선으로 접합해야 할 경우가 있을 것이다. 이와 같은 목적을 위해 개발된 기법은 일반적으로 **회귀분석**(regression)과 **보간법**(interpolation)의 두 가지로 구분할 수 있다. 그림 1.6c에서 보듯이 **4부**의 회귀분석은 데이터에 상당한 오차가 포함되어 있을 때 사용된다. 실험 데이터가 종종 이런 경우에 해당된다. 이

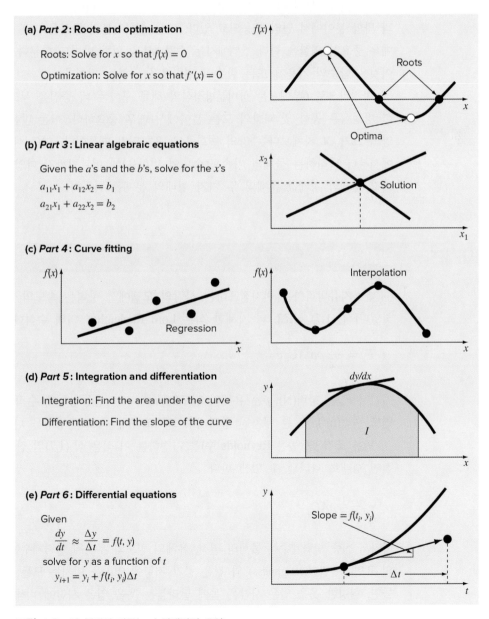

(a) Part 2: Roots and optimization

Roots: Solve for x so that $f(x) = 0$

Optimization: Solve for x so that $f'(x) = 0$

Roots

Optima

(b) Part 3: Linear algebraic equations

Given the a's and the b's, solve for the x's

$a_{11}x_1 + a_{12}x_2 = b_1$

$a_{21}x_1 + a_{22}x_2 = b_2$

Solution

(c) Part 4: Curve fitting

Interpolation

Regression

(d) Part 5: Integration and differentiation

Integration: Find the area under the curve

Differentiation: Find the slope of the curve

dy/dx

I

(e) Part 6: Differential equations

Given

$$\frac{dy}{dt} \approx \frac{\Delta y}{\Delta t} = f(t, y)$$

solve for y as a function of t

$$y_{i+1} = y_i + f(t_i, y_i)\Delta t$$

Slope $= f(t_i, y_i)$

Δt

그림 1.6 이 책에서 다루는 수치해법의 요약.

와 같은 경우는 각각의 점들을 통과하지는 않지만 데이터의 일반적인 경향을 나타낼 수 있는 하나의 곡선을 유도하는 것이 기본 전략이 된다.

이와는 대조적으로 보간법은 두 개의 비교적 오차가 없는 데이터 점 사이에서의 값을 구할 때 사용된다. 보통 도표화된 정보를 다루는 경우가 이에 해당한다. 이 경우에 데이터 점들을 직접 지나가도록 곡선을 접합하고 그 곡선을 사용하여 데이터 점들 사이에 있는 점에서의 값을 예측하는 데 사용한다.

5부에서는 그림 1.6d에서 보듯이 적분과 미분에 대해 설명한다. **수치적분**의 물리적 의미는 곡선 아래 부분의 면적을 구하는 것이다. 적분은 복잡한 형상을 한 물체의 도심(centroid)을 구하는 것에서부터 각각 다른 위치에서의 측정값을 더하여 전체의 값을 구하는 문제 등 공학과 과학 분야에서 널리 응용되고 있다. 또한 수치적분의 공식은 미분방정식의 해를 구하는 데 매우 중요한 역할을 한다. 5부에서는 **수치미분**을 위한 방법도 다룬다. 미적분학에서 배웠듯이 이것은 함수의 기울기 또는 함수의 변화율을 구하는 것이다.

마지막으로 **6부**에서는 **상미분방정식**의 해를 구하는 데 중점을 두고 있다(그림 1.6e). 이러한 방정식은 공학 및 과학의 모든 분야에서 매우 중요하다. 이는 많은 물리적 법칙들이 어떤 양의 크기 그 자체보다는 양의 변화율로 표현되기 때문이다. 인구 예측 모델(인구의 증가율)에서부터 낙하하는 물체의 가속도(속도의 변화율)에 이르기까지 다양한 예를 들 수 있다. 초기값 문제와 경계값 문제의 두 가지 형태의 문제를 다룬다.

1.4 사례연구   실제 항력

배경.   자유낙하하는 번지점프하는 사람의 모델에서 항력은 속도의 제곱에 의존한다고 가정하였다[식 (1.7) 참조]. 더 자세한 식은 Lord Rayleigh에 의해 수식화되었으며 다음과 같다.

$$F_d = -\frac{1}{2}\rho v^2 A C_d \vec{v} \tag{1.17}$$

여기서 F_d는 항력(N), ρ는 유체의 밀도(kg/m^3), A는 운동방향에 수직인 면에 대한 물체의 정면도 면적(m^2), C_d는 무차원 항력계수 그리고 $\vec{v}$는 속도의 방향을 나타내는 단위 벡터이다.

난류 조건(즉, 높은 **Reynolds 수**)을 가정하는 이 식은 식 (1.7)의 집중 항력계수를 보다 근본적인 형태로 나타낼 수 있게 한다.

$$c_d = \frac{1}{2}\rho A C_d \tag{1.18}$$

따라서 집중 항력계수는 물체의 면적, 유체의 밀도와 무차원 항력계수에 의존한다. 후자는 물체의 표면 "거칠기(roughness)"와 같은 공기 저항에 영향을 미치는 모든 인자들과 관련된다. 예를 들면, 헐렁한 옷을 입은 사람은 몸에 달라붙는 옷을 입은 사람에 비해 더 높은 C_d를 가진다.

속도가 매우 낮은 경우, 물체 주위의 유동은 층류이고 항력과 속도 사이의 관계식은 선형이

됨에 유의하라. 이를 **Stokes 항력**이라 한다.

번지점프하는 사람의 모델을 개발할 때 아래쪽 방향을 양으로 가정하였다. 따라서 $\vec{v} = +1$이고 항력은 음이므로, 식 (1.7)은 식 (1.17)을 정확하게 표현하고 있다. 그러므로 항력은 속도를 감소시킨다.

그러면 사람이 위쪽 방향(음)의 속도를 가지면 어떻게 되는가? 이 경우 $\vec{v} = -1$이므로 식 (1.17)은 양의 항력을 산출한다. 이는 위쪽 방향인 음의 속도에 대해 양의 항력이 아래쪽으로 작용하므로 물리적으로 타당하다.

그러나 불행히도 이 경우 식 (1.7)은 방향을 나타내는 단위 벡터를 포함하지 않으므로 음의 항력을 산출한다. 즉, 속도를 제곱함으로써 그 부호와 방향을 잃게 된다. 결과적으로 이 모델은 공기 저항이 위쪽 방향의 속도를 가속하게 만드는 물리적으로 비현실적인 결과를 초래하게 된다.

이 사례연구에서는 아래쪽과 위쪽 방향의 속도에 모두 잘 작동할 수 있도록 모델을 수정할 것이다. 그리고 수정된 모델을 초기 속도 $v(0) = -40$ m/s을 이용하여 예제 1.2와 같은 경우에 대하여 시험할 것이다. 또한 수치해법을 확장하여 번지점프하는 사람의 위치를 구하는 방법도 설명하고자 한다.

풀이 다음과 같이 간단히 수정함으로써 항력 계산에 부호를 포함시킬 수 있다.

$$F_d = -\frac{1}{2}\rho v|v| A C_d \tag{1.19}$$

또는 집중 항력으로 나타내면 다음과 같다.

$$F_d = -c_d v|v| \tag{1.20}$$

따라서 풀어야 할 미분방정식은 다음과 같게 된다.

$$\frac{dv}{dt} = g - \frac{c_d}{m}v|v| \tag{1.21}$$

번지점프하는 사람의 위치를 구하기 위해서는 사람이 운동한 거리 x(m)는 속도와 다음과 같이 연계됨을 인식한다.

$$\frac{dx}{dt} = -v \tag{1.22}$$

속도와는 반대로 이 식은 위쪽 방향의 거리를 양으로 가정한다. 식 (1.12)와 같은 방법으로 이 식은 Euler법을 이용하여 수치적으로 적분할 수 있다.

$$x_{i+1} = x_i - v(t_i)\Delta t \tag{1.23}$$

점프하는 사람의 초기 위치를 $x(0) = 0$으로 정의하고, 예제 1.1과 1.2의 매개변수 값을 사용하면 $t = 2$초에서의 속도와 거리는 다음과 같이 계산된다.

$$v(2) = -40 + \left[9.81 - \frac{0.25}{68.1}(-40)(40)\right]2 = -8.6326 \text{ m/s}$$

$$x(2) = 0 - (-40)2 = 80 \text{ m}$$

만약 부정확한 항력 식을 사용했다면, 결과는 각각 -32.1274 m/s와 80 m임에 주목한다. 다음 구간($t = 2$에서 4초까지)에 대해 계산을 반복한다.

$$v(4) = -8.6326 + \left[9.81 - \frac{0.25}{68.1}(-8.6326)(8.6326)\right]2 = 11.5346 \text{ m/s}$$

$$x(4) = 80 - (-8.6326)2 = 97.2651 \text{ m}$$

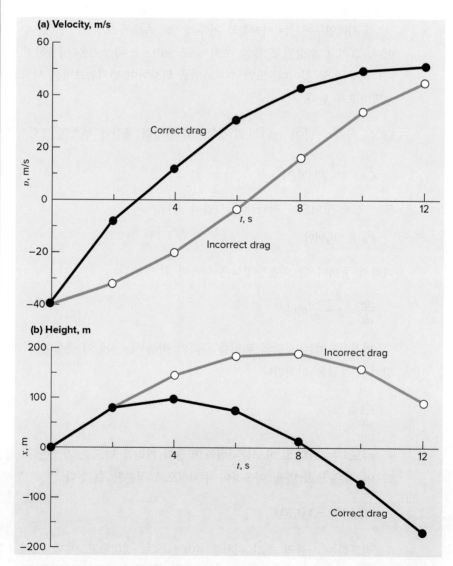

그림 1.7   위쪽 방향(음)의 초기 속도를 가진 번지점프하는 사람에 대해 Euler법을 이용하여 구한 (a) 속도와 (b) 높이에 대한 그림. 정확한 항력 식[식 (1.20)]과 부정확한 항력 식[식 (1.7)]의 결과를 나타내고 있다.

부정확한 항력 식으로 계산하면 각각 -20.0858 m/s와 144.2549 m를 산출한다.

계산을 계속하여 그 결과를 부정확한 항력 모델로 구한 결과와 함께 그림 1.7에 나타내었다. 항력은 항상 속도를 감소시키므로 정확한 식은 더 빨리 감속시키고 있음에 주목하라.

시간이 경과함에 따라 두 개의 속도 해는 모두 같은 종단속도에 수렴한다. 이는 두 개의 속도가 결국 모두 아래쪽으로 향하게 되어 식 (1.7)이 맞게 되기 때문이다. 그러나 높이 예측에 대한 영향은 매우 커서 부정확한 항력 모델은 상당히 높은 궤적을 산출한다.

이 사례연구는 올바른 물리적 모델을 가지는 것이 얼마나 중요한지를 보여준다. 어떤 경우에는 해가 명백히 비현실적인 결과를 산출할 수 있다. 현재의 예제는 부정확한 모델의 해가 틀리다는 시각적인 증거가 없기 때문에 더욱 위험하다. 즉 부정확한 모델의 해도 타당성 있는 것처럼 "보인다".

연습문제

1.1 미적분학으로 식 (1.9)가 식 (1.8)의 해가 되는 것을 증명하라. 단 초기조건 $v(0) = 0$이다.

1.2 초기 속도가 (a) 양 (b) 음인 경우에 대하여 미적분학을 이용하여 식 (1.21)을 풀어라. (c) (a)와 (b)의 결과에 기초하여 예제 1.1과 같은 계산을 수행하라. 초기 속도는 -40 m/s을 사용하라. $t = 0$에서 12초까지 2초 간격으로 속도를 계산하라. 이 경우 속도가 0이 되는 시점은 $t = 3.470239$ 초이다.

1.3 다음은 은행계정 자료이다.

Date	Deposits	Withdrawals	Balance
5/1			1512.33
6/1	220.13	327.26	
7/1	216.80	378.61	
8/1	450.25	106.80	
9/1	127.31	350.61	

금액에 대한 이자는 다음과 같이 계산됨에 주의하라.

이자 $= iB_i$

여기서 $i = 1$개월당 소수값으로 표현되는 이자율이며, B_i는 월 초의 초기 잔고이다.

(a) 이자율이 1개월당 1%($i = 0.01/$월)인 경우, 금액 보존 법칙을 이용하여 6월 1일, 7월 1일, 8월 1일, 9월 1일의 잔고를 계산하라. 그리고 계산의 각 단계를 보여라.

(b) 잔고에 대한 미분방정식을 다음 형태로 나타내라.

$$\frac{dB}{dt} = f[D(t), W(t), i]$$

여기서 t는 시간(월), $D(t)$는 시간의 함수인 예금(\$/월), $W(t)$는 시간의 함수인 인출금(\$/월)이다. 이자는 연속복리로 계산된다고 가정한다. 즉, 이자 $= iB$이다.

(c) Euler법과 시간 간격 0.5월을 사용하여 잔고를 계산하라. 예금과 인출금은 매달 균일하다고 가정한다.

(d) (a)와 (c)에 대하여 시간에 따른 잔고를 그려라.

1.4 예제 1.2를 반복하라. 시간 간격 (a) 1초와 (b) 0.5초를 사용하여 $t = 12$초까지의 속도를 계산하라. 위 결과에 기초하여 계산의 오류에 대해 논하라.

1.5 번지점프하는 사람에게 위쪽으로 작용하는 힘을 모델링하기 위해 비선형 관계식인 식 (1.7) 대신에 다음과 같이 선형관계식을 사용한다.

$$F_U = -c'v$$

여기서 c'은 1차 항력계수(kg/s)이다.

(a) 번지점프하는 사람이 처음에 정지하고 있다면($t = 0$에서 $v = 0$), 미적분학으로 해석해를 구하라.

(b) 같은 초기조건과 매개변수 값으로 예제 1.2의 수치계산을 반복하라. c'은 11.5 kg/s를 사용하라.

1.6 선형 항력을 받는 번지점프하는 사람의 문제(연습문제 1.5)에서 첫 번째 낙하하는 사람의 질량은 70 kg이고 항력계수는 12 kg/s이다. 두 번째 낙하하는 사람의 질량은 80 kg이고 항력계수는 15 kg/s이다. 첫 번째 사람이 9초 후 얻게 되는 속도에 도달하기까지, 두 번째 사람이 낙하한 후 걸리는 시간은 얼마인가?

1.7 2차 항력모델[식 (1.8)]에 대하여, Euler법을 사용하여 $m = 80$ kg, $c_d = 0.25$ kg/m인 경우에 자유낙하하는 낙하산병의 속도를 구하라. 간격 크기를 1초로 하여 $t = 0$에서 20초까지 계산을 수행하라. 초기조건은 $t = 0$에서 낙하산병의 위쪽 방향의 속도가 20 m/s이다. $t = 10$ 초에서 낙하산이 순간적으로 퍼져 항력계수가 1.5 kg/m로 갑자기 커진다고 가정하라.

1.8 밀폐 반응기에 들어 있는 균일하게 분포된 방사능 오염물질의 양은 오염물질의 농도 c(becquerel/liter 또는 Bq/L)로 측정된다. 오염물질은 농도에 비례하는 붕괴율에 따라 감소된다.

붕괴율 $= -kc$

여기서 k는 상수로서 그 단위는 day^{-1}이다. 식 (1.14)에 따르면 반응기의 질량보존은 다음과 같이 표현할 수 있다.

$$\frac{dc}{dt} = -kc$$

$$\begin{pmatrix} 질량 \\ 변화량 \end{pmatrix} = \begin{pmatrix} 붕괴에\ 의한 \\ 감소량 \end{pmatrix}$$

(a) Euler법을 사용하여 $k = 0.175\ \text{d}^{-1}$로 놓고 $t = 0$ 에서 1 d 까지 이 식의 해를 구하라. 간격 크기 $\triangle t = 0.1$ d 이며 $t = 0$ 에서 농도는 100 Bq/L이다.

(b) 해를 세미로그 그래프(즉 t 에 대한 $\ln c$)로 그리고 기울기를 구하라. 그리고 결과를 설명하라.

1.9 저장탱크(그림 P1.9)에 깊이 y 인 액체가 들어 있다. 액체가 탱크에 반만 차 있을 때 $y = 0$이다. 수요에 따라 액체는 일정한 유량 Q로 유출되고 사인함수율 $3Q \sin^2(t)$ 로 재유입된다. 식 (1.14)는 이 시스템에 대해서 다음과 같이 표현될 수 있다.

$$\frac{d(Ay)}{dt} = 3Q \sin^2(t) - Q$$

$$\begin{pmatrix} 체적 \\ 변화율 \end{pmatrix} = (유입량) - (유출량)$$

이 식은 표면적 A가 일정하므로 다음과 같이 다시 표현할 수 있다.

$$\frac{dy}{dt} = 3\frac{Q}{A} \sin^2(t) - \frac{Q}{A}$$

Euler법을 사용하여 간격 크기를 0.5 d 로 놓고 $t = 0$에서 10 d 까지 깊이 y 를 구하라. 매개변수 값은 $A = 1250\ \text{m}^2$와 $Q = 450\ \text{m}^3/\text{d}$ 이다. 초기조건은 $y = 0$으로 한다.

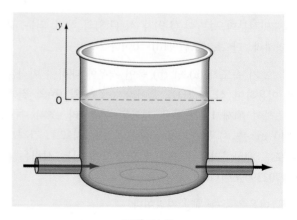

그림 P1.9

1.10 연습문제 1.9의 저장탱크에서 유출량이 일정하지 않고 깊이에 의존한다고 하자. 이와 같은 경우 깊이에 대한 미분방정식은 다음과 같다.

$$\frac{dy}{dt} = 3\frac{Q}{A} \sin^2(t) - \frac{\alpha(1 + y)^{1.5}}{A}$$

Euler법을 사용하여 간격 크기를 0.5 d 로 놓고 $t = 0$에서 10 d 까지 깊이 y 를 구하리. 매개변수 값은 $A = 1250\ \text{m}^2$, $Q = 450\ \text{m}^3/\text{d}$ 그리고 $\alpha = 150$ 이다. 초기조건은 $y = 0$으로

가정하라.

1.11 체적 보존의 법칙(연습문제 1.9 참조)을 이용하여 원뿔형의 저장탱크 내의 액체 수위를 계산하라(그림 P1.11 참조). 액체는 사인함수율 $Q_{in} = 3 \sin^2(t)$ 로 유입되고, 다음 식에 따라 유출된다.

$$Q_{out} = 3(y - y_{out})^{1.5} \qquad y > y_{out}$$
$$Q_{out} = 0 \qquad y \leq y_{out}$$

여기서 유량의 단위는 m^3/d이고, y 는 탱크 바닥에서 물 표면까지의 높이(m)이다. Euler법을 사용하여 간격 크기를 0.5 d 로 놓고 $t = 0$에서 10 d 까지 깊이 y 를 구하라. 매개변수 값은 $r_{top} = 2.5$ m, $y_{top} = 4$ m, $y_{out} = 1$ m 이다. 초기에 수위는 출구 파이프 아래에 있고, $y(0) = 0.8$ m이다.

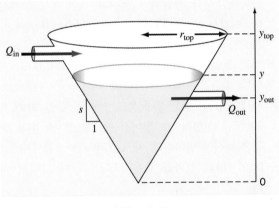

그림 P1.11

1.12 35명의 학생들이 11 m × 8 m × 3 m 크기인 단열된 방에서 수업을 하고 있다. 각각의 학생이 약 0.075 m^3의 공간을 차지하고, 약 80 W의 열을 발산한다(1 W = 1 J/s). 방이 완벽하게 밀폐되어 있고 또 단열되어 있다면, 수업을 시작한 지 처음 20분 동안의 공기 온도 상승량을 계산하라. 공기의 비열 C_v는 0.718 kJ/(kg K)로 가정한다. 공기는 20 °C와 101.325 kPa의 조건에서 이상기체로 가정한다. 공기가 흡수한 열량 Q 는 공기의 질량 m, 비열 C_v와 온도의 변화에 연관되며 다음 식으로 계산된다.

$$Q = m \int_{T_1}^{T_2} C_v \, dT = mC_v(T_2 - T_1)$$

공기의 질량은 다음의 이상기체 법칙으로부터 구할 수 있다.

$$PV = \frac{m}{\text{Mwt}} RT$$

여기서 P 는 기체의 압력, V 는 기체의 부피, Mwt는 기체의 분자량(공기의 경우, 28.97 kg/kmol), R은 이상기체 상수[8.314 kPa m^3/(kmol K)]이다.

1.13 그림 P1.13은 평균적인 사람이 하루 동안에 수분을 섭취하고 배출하는 여러 가지 방법을 보여주고 있다. 1 L 의 수분은 음식에서 섭취하고, 0.3 L의 수분은 신체 신진대사의 결과로 생산된다. 공기를 호흡하는 경우, 하루 동안 숨을 들이마실 때와 내쉴 때 각각 0.05 L와 0.4 L의 수분이 교환된다. 또한 우리의 신체는 땀, 소변, 대변, 그리고 피부를 통해 각각 0.3, 1.4, 0.2, 0.35 L의 수분을 잃는다. 정상상태를 유지하기 위해 하루에 얼마만큼의 물을 마셔야 하는가?

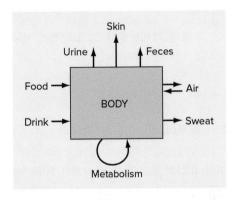

그림 P1.13

1.14 번지점프하는 사람의 예제에서 중력가속도를 상수 값 9.81 m/s²으로 가정하였다. 이것은 낙하하는 물체가 지표면에 가까이 있을 때는 적절한 근사이지만, 해수면으로부터 위로 올라갈수록 중력 힘은 감소한다. Newton의 인력에 대한 역제곱법에 기초한 일반적인 표현은 다음과 같다.

$$g(x) = g(0) \frac{R^2}{(R + x)^2}$$

여기서 $g(x)$는 지표면으로부터 위쪽 방향으로 측정된 고도 x(m)에서의 중력가속도(m/s²), $g(0)$는 지표면에서의 중력가속도($\cong 9.81$ m/s²), 그리고 R은 지구의 반경($\cong 6.37 \times 10^6$ m)이다.

(a) 식 (1.8)을 유도할 때와 같은 방식으로, 힘의 평형을

이용하여 시간의 함수로 속도에 대한 미분방정식을 유도하라. 이때 위에 있는 보다 완전한 중력 식을 활용하라. 그리고 이 유도 과정에서 위쪽 방향의 속도를 양수로 가정하라.

(b) 항력을 무시해도 좋을 경우에, 연쇄법칙(chain rule)을 이용하여 시간 대신에 고도의 함수로 미분방정식을 표현하라. 연쇄법칙은 다음과 같다.

$$\frac{dv}{dt} = \frac{dv}{dx}\frac{dx}{dt}$$

(c) 미적분학을 이용하여 $x = 0$에서 $v = v_0$인 경우의 해석해를 구하라.

(d) Euler법을 사용하여 간격 크기를 10,000 m 로 놓고 $x = 0$에서 100,000 m 까지 수치해를 구하라. 초기 속도는 위쪽 방향으로 1500 m/s 이다. 이 결과를 해석해와 비교하라.

1.15 작은 구형의 액체방울이 그 표면적에 비례하는 속도로 증발하고 있다고 가정하자.

$$\frac{dV}{dt} = -kA$$

여기서 V는 부피(mm³), t는 시간(min), k는 증발율(mm/min), 그리고 A는 표면적(mm²)이다. Euler법을 사용하여 간격 크기를 0.25분으로 놓고 $t = 0$에서 10분까지 액체방울의 부피를 계산하라. 여기서 $k = 0.08$ mm/min 그리고 초기 액체방울의 반경을 2.5 mm 로 가정한다. 마지막으로 계산된 부피의 반경을 구함으로써 결과가 타당한지를 평가하고, 이것이 증발율과 일치하는지 확인하라.

1.16 유체가 그림 P1.16에 있는 배관망 속으로 펌프되고 있다. 만일 $Q_2 = 0.7$, $Q_3 = 0.5$, $Q_7 = 0.1$, 그리고 $Q_8 = 0.3$ m³/s라면, 나머지 유량을 구하라.

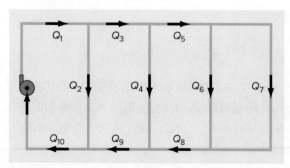

그림 P1.16

1.17 Newton의 냉각법칙은 물체 온도의 변화율은 그 물체의 온도와 주위 온도의 차이에 비례한다는 것이다.

$$\frac{dT}{dt} = -k(T - T_a)$$

여기서 T는 물체의 온도(°C), t는 시간(min), k는 비례상수(min⁻¹) 그리고 T_a는 주위의 온도(°C)이다. 한 잔의 커피가 원래 70 °C라고 가정하자. $T_a = 20$ °C이고 $k = 0.019/$min일 때, Euler법을 사용하여 간격 크기를 2분으로 놓고 $t = 0$에서 20분까지 온도를 계산하라.

1.18 여러분은 범죄현장 감식관이며, 살인사건 희생자의 5시간 동안의 시신 온도를 예측해야 한다. 시신이 발견되었을 때 실내 온도는 10 °C였다.

(a) Newton의 냉각법칙(연습문제 1.17)과 Euler법을 사용하여 5시간 동안의 희생자의 시신 온도를 계산한다. 여기서 $k = 0.12$/hr이고 $\triangle t = 0.5$ hr 이다. 사망 시 희생자의 시신 온도는 37 °C, 그리고 실내 온도는 5 시간 동안 10 °C의 일정한 값을 유지하였다고 가정한다.

(b) 자세한 감식 결과, 실내 온도는 5시간 동안 20 °C에서 10 °C로 선형적으로 떨어진 것으로 조사되었다. (a)와 같은 계산을 반복하되, 새로운 정보를 포함시켜라.

(c) (a)와 (b)의 결과를 같은 그래프 상에 그려서 비교하라.

1.19 속도는 거리 x(m)의 변화율과 같다.

$$\frac{dx}{dt} = v(t) \tag{P1.19}$$

처음 자유낙하 10초 동안의 속도와 낙하거리를 시간의 함수로 구하기 위해 Euler법을 사용하여 식 (P1.19)과 (1.8)을 수치적으로 적분하고 그 결과를 도시하라. 예제 1.2에서와 같은 매개변수와 조건을 사용하라.

1.20 유체 속으로 낙하하는 물체는 아래쪽 방향의 중력 힘(무게)과 항력 외에 추가로 배제 체적에 비례하는 부력을 받는다(Archimedes의 원리). 예를 들면 직경 d(m)의 구에 대하여, 구의 부피는 $V = \pi d^3/6$이고 투영 면적 $A = \pi d^2/4$이다. 부력은 $F_b = -\rho V g$로 계산된다. 공기 속에서 번지 점프하는 사람과 같은 물체는 부력이 비교적 작기 때문에 식 (1.8)의 유도 과정에서 부력을 무시하였다. 그러나 물과 같이 밀도가 큰 유체에 대하여는 부력이 중요해진다.

(a) 식 (1.8)과 같은 방식으로 미분방정식을 유도하라. 단, 부력을 포함시켜서 항력을 1.4절에 기술한 것과 같이 표현하라.

(b) 구와 같은 특수한 경우에 대하여 (a)의 미분방정식을 다시 유도하라.

(c) (b)에서 개발한 식을 사용하여 종단속도를 계산하라 (즉, 정상상태). 물속으로 떨어지는 구에 대해 다음 매개변수를 사용하라. 구의 직경 = 1 cm, 구의 밀도 = 2700 kg/m³, 물의 밀도 = 1000 kg/m³ 그리고 C_d = 0.47이다.

(d) 초기 속도가 0일 때, Euler법을 사용하여 간격 크기 $\triangle t$ = 0.03125초로 놓고 t = 0에서 0.25초까지 속도를 수치적으로 계산하라.

1.21 1.4절에서 언급하였듯이, 항력에 대한 기본 식은 난류 조건(즉, 높은 Reynolds 수)을 가정하여 다음과 같이 쓸 수 있다.

$$F_d = -\frac{1}{2}\rho A C_d v|v|$$

여기서 F_d는 항력(N), ρ는 유체의 밀도(kg/m³), A는 운동 방향에 수직인 면에 대한 물체의 정면도 면적(m²), v는 속도(m/s), 그리고 C_d는 무차원 항력계수이다.

(a) 직경이 d(m)이고 밀도가 ρ_s(kg/m³)인 구의 수직 운동을 구하기 위하여 속도와 위치에 대한 두 미분방정식을 기술하라(연습문제 1.19 참조). 속도에 대한 미분방정식은 구의 직경의 함수로 나타내야 한다.

(b) 간격 크기 $\triangle t$ = 2초로 놓고 Euler법을 사용하여 처음 14초 동안의 구의 위치와 속도를 수치적으로 계산하라. 매개변수로 d = 120 cm, ρ = 1.3 kg/m³, ρ_s = 2700 kg/m³ 그리고 C_d = 0.47을 사용하라. 그리고 구의 초기 조건으로 $x(0)$ = 100 m와 $v(0)$ = −40 m/s을 가정한다.

(c) 결과를 도시한다(즉, t에 대한 y와 v). 그리고 그래프를 사용하여 언제 구가 바닥에 부딪칠지를 추정한다.

(d) 벌크 2차 항력계수, c_d'(kg/m)를 계산하라. 여기서 벌크 2차 항력계수는 속도에 대한 최종 미분방정식 내의 항에 $v|v|$을 곱한 것이다.

1.22 그림 P1.22에서 보듯이, 구형 입자는 정지 유동장 속에서 아래쪽 방향의 중력 힘(F_G), 위쪽 방향의 부력(F_B) 그리고 항력(F_D)의 세 가지 힘을 받으며 운동하고 있다.

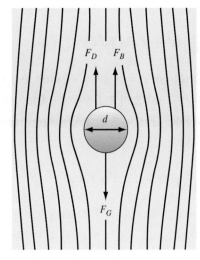

그림 P1.22

중력 힘 그리고 배제 유체의 무게와 같은 부력은 Newton 의 제2법칙으로 구할 수 있다. 층류유동에서의 항력은 Stoke 법칙으로부터 구한다.

$$F_D = 3\pi\mu dv$$

여기서 μ = 유체의 점성계수(N s/m²), d = 입자의 직경(m), 그리고 v = 입자의 침강 속도(m/s)이다. 입자의 질량은 입자의 부피와 밀도 ρ_s(kg/m³)의 곱으로 계산되며, 배제 유체의 질량은 입자 부피와 유체 밀도 ρ(kg/m³)의 곱으로 계산된다. 구의 부피는 $\pi d^3/6$이다. 층류는 무차원 Reynolds 수인 Re가 1보다 작은 경우이다. 여기서 Re = $\rho dv/\mu$이다.

(a) 입자에 대한 힘의 평형을 이용하여 dv/dt에 대한 미분방정식을 d, ρ, ρ_s와 μ의 함수로 유도하라.

(b) 이 식을 이용하여 정상상태에서 입자의 종단속도를 구하라.

(c) (b)의 결과를 이용하여 물속에서 침강하는 구형 진흙 입자의 종단속도를 m/s 단위로 계산하라. 여기서 d = 10 μm, ρ = 1 g/cm³, ρ_s = 2.65 g/cm³, μ = 0.014 g/ (cm·s)이다.

(d) 유동이 층류인지를 확인하라.

(e) Euler법을 사용하여 간격 크기 $\triangle t = 2^{-18}$초로 놓고 t = 0에서 2^{-15}초까지 속도를 계산하라. 초기 조건은 $v(0)$ = 0이다.

1.23 그림 P1.23에서 보듯이, 균일 하중 w = 10,000 kg/m 을 받는 외팔보의 아래쪽 처짐 y(m)는 다음과 같이 계산

된다.

$$y = \frac{w}{24EI}(x^4 - 4Lx^3 + 6L^2x^2)$$

여기서 x = 거리(m), E = 탄성계수 = 2×10^{11} Pa, I = 관성모멘트 = 3.25×10^{-4} m^4 그리고 L = 길이 = 4 m이다. 이 식을 미분하면 다음과 같이 아래쪽 처짐의 기울기를 x의 함수로 구할 수 있다.

$$\frac{dy}{dx} = \frac{w}{24EI}(4x^3 - 12Lx^2 + 12L^2x)$$

x = 0에서 y = 0일 때, 위 식과 Euler법을 사용하여 간격 크기 Δx = 0.125 m로 놓고 x = 0에서 L까지의 처짐을 계산하라. 첫 번째 식으로 계산되는 해석해와 함께 수치 결과를 도시하라.

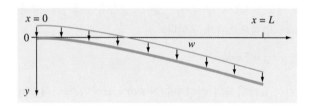

그림 P1.23 외팔보.

1.24 바닷물 위에 떠 있는 구형 아이스 볼에 대한 정상상태의 힘의 평형식을 Archimedes의 원리를 이용하여 유도하라. 이 식은 수면 윗부분의 높이(h), 해수의 밀도(ρ_f), 아이스 볼의 밀도(ρ_s)와 반경(r)의 항으로 구성되는 3차 다항식으로 표시된다.

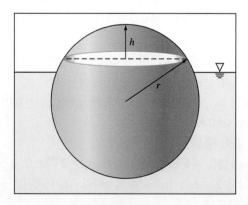

그림 P1.24

1.25 Archimedes의 원리는 유체 외에도 지구의 지각 내의 토양에 적용되는 지질학에도 유용한 것으로 알려져 있다. 그림 P1.25는 지구 표면의 무거운 현무암 층 위에 원뿔형의 가벼운 화강암 산이 떠 있는 경우를 보여준다. 원뿔에서 지구 표면 아래의 부분을 일반적으로 절두체(frustum)라고 부른다. 이 경우에 대한 정상상태의 힘의 평형식을 현무암의 밀도(ρ_b), 화강암의 밀도(ρ_g), 원뿔 바닥면의 반경(r), 그리고 지구표면에서 위쪽으로의 높이(h_1)와 아래쪽으로의 깊이(h_2)와 같은 매개변수의 항으로 유도하라.

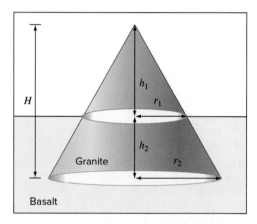

그림 P1.25

1.26 그림 P1.26에서 보듯이, RLC 회로는 저항기(R), 유도자(L)와 콘덴서(C)의 세 요소로 구성된다. 각 요소에 전류가 흐르면 전압 강하가 발생한다. Kirchhoff의 제 2전압법칙은 닫힌회로에서 전압강하의 총합은 0임을 의미하며, 다음 식과 같다.

$$iR + L\frac{di}{dt} + \frac{q}{C} = 0$$

여기서 i = 전류, R = 저항, L = 유도계수, t = 시간, q = 전하 그리고 C = 전기용량이다. 그리고 전류는 전하와 다음과 같이 연계된다.

$$\frac{dq}{dt} = i$$

(a) 초기값이 $i(0)$ = 0, $q(0)$ = 1 C일 때, Euler법을 사용하여 간격 크기 Δt = 0.01초로 놓고 t = 0에서 0.1초 까지 두 개의 미분방정식을 풀어라. 다음 매개변수를 사용하여 계산하라. R = 200 Ω, L = 5 H, $C = 10^{-4}$ F.

(b) t에 대해서 i와 q의 결과를 도시하라.

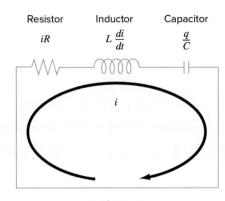

Resistor	Inductor	Capacitor
iR	$L\dfrac{di}{dt}$	$\dfrac{q}{C}$

i

그림 P1.26

1.27 선형 항력을 받는 낙하산병($m = 70$ kg, $c = 12.5$ kg/m)이 고도 200 m에서 지면에 상대적인 수평 속도 180 m/s로 비행하는 항공기에서 점프한다고 가정하자.

(a) x, y, $v_x = dx/dt$와 $v_y = dy/dt$에 대한 4개의 미분방정식 시스템을 기술하라.

(b) 초기 수평위치가 $x = 0$으로 정의된다면, Euler법을 사용하여 간격 크기 $\triangle t = 1$초로 놓고 처음 10초 동안의 낙하산병의 위치를 계산한다.

(c) t에 대한 y와 x에 대한 y를 도시하라. 그래프를 사용하여 만약 낙하산이 퍼지지 않을 때, 언제, 어디서 낙하산병이 바닥에 부딪칠지를 추정한다.

1.28 그림 P1.28은 열기구에 작용하는 힘들을 보여준다. 항력은 다음 식으로 수식화한다.

$$F_D = \frac{1}{2}\rho_a v^2 A C_d$$

여기서 ρ_a = 공기 밀도(kg/m³), v = 속도(m/s), A = 투영 정면도 면적(m²) 그리고 C_d = 무차원 항력계수(구의 경우, 약 0.47)이다. 열기구의 총 질량은 다음의 두 가지로 구성된다.

$$m = m_G + m_P$$

여기서 m_G = 팽창된 열기구 풍선 내의 가스 질량(kg) 그리고 m_P = 탑재물의 질량(바스켓, 승객들, 팽창되지 않았을 때 풍선 부위를 합한 총 질량 = 265 kg)이다. 가스는 이상기체 법칙이 유효하고($P = \rho RT$), 풍선은 직경이 17.3 m인

완전한 구형체로, 그리고 풍선 내의 가열된 공기의 압력은 외부공기의 압력과 대체로 같다고 가정한다.

다른 필요한 매개변수들은 다음과 같다.

표준대기 압력, $P = 101{,}300$ Pa
건공기에 대한 기체상수, $R = 287$ Joules/(kg K)
풍선 내의 공기는 평균 온도 $T = 100\,°C$까지 가열된다.
표준 (주위) 공기 밀도, $\rho = 1.2$ kg/m³

(a) 힘의 평형을 이용하여 dv/dt에 대한 미분방정식을 모델의 기본 매개변수의 함수로 유도하라.

(b) 정상상태에서 열기구의 종단속도를 계산하라.

(c) Euler법과 Excel을 사용하여 간격 크기 $\triangle t = 2$초로 놓고 $t = 0$에서 60초까지 속도를 계산하라. 앞에서 제시한 매개변수들과 함께 초기 조건은 $v(0) = 0$이다. 결과를 도시하라.

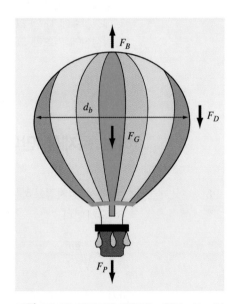

그림 P1.28 열기구에 작용하는 힘들: F_B = 부력, F_G = 가스의 무게, F_P = 풍선을 포함한 탑재물의 무게 그리고 F_D = 항력. 열기구가 뜰 때 항력의 방향은 아래쪽이다.

CHAPTER 2

MATLAB 기초

학습목표

이 장의 주요 목표는 대화식 계산을 수행하기 위한 MATLAB의 계산기 방식을 소개하고, 개요를 살펴보기 위한 것이다. 특정한 목표와 다루는 주제는 다음과 같다.

- 변수에 실수와 복소수를 배정하는 방법
- 단순 배정, 콜론연산자, 그리고 `linspace`와 `logspace` 함수를 사용하여 벡터와 행렬을 배정하는 방법
- 수식의 구성을 위한 우선 순위 규칙의 이해
- 내장함수에 대한 일반적인 이해와 MATLAB의 Help 기능 사용법
- 방정식에 기초한 그래프를 그리기 위한 벡터의 사용법

이런 문제를 만나면

1장에서 번지점프하는 사람처럼 자유낙하하는 물체의 종단속도를 구하기 위해 힘의 평형을 이용하였다.

$$v_t = \sqrt{\frac{gm}{c_d}}$$

여기서 v_t는 종단속도(m/s), g는 중력가속도(m/s²), m은 질량(kg) 그리고 c_d는 항력계수(kg/m)이다. 종단속도를 예측하는 것 외에도 이 식은 항력계수를 계산하기 위해 다음과 같이 정리될 수 있다.

$$c_d = \frac{mg}{v_t^2} \tag{2.1}$$

표 2.1 번지점프하는 사람들의 질량과 종단속도에 대한 데이터.

m, kg	83.6	60.2	72.1	91.1	92.9	65.3	80.9
v_t, m/s	53.4	48.5	50.9	55.7	54	47.7	51.1

따라서 점프하는 사람들의 질량을 알고 있는 경우에 그들의 종단속도를 측정한다면, 이 식으로 항력계수를 구할 수 있다. 표 2.1의 데이터는 이러한 목적으로 수집된 것이다.

이 장에서는 이러한 데이터를 어떻게 MATLAB으로 해석하는지를 배운다. 항력계수와 같은 양을 계산하기 위해 MATLAB을 사용하는 방법 외에 해석을 더 잘 이해하기 위해 어떻게 MATLAB의 그래프 기능을 사용하는지 설명한다.

2.1 MATLAB 환경

MATLAB은 여러 가지 형태의 계산을 수행하기 위해 편리한 환경을 제공하는 컴퓨터 프로그램이다. 특히 이것은 수치해법을 실행하기 위한 매우 뛰어난 도구이다.

MATLAB을 작동시키는 가장 일반적인 방법은 명령창에 한 번에 하나씩 명령어를 입력하는 것이다. 이 장에서는 계산을 수행하고 그래프를 그리는 것과 같은 일반적인 작업에 사용되는 대화식 방식(interactive mode) 또는 **계산기 방식**(calculator mode)을 소개한다. 3장에서는 이러한 명령어가 MATLAB 프로그램을 만들기 위해 어떻게 사용되는지를 보여준다.

이 장은 여러분이 직접 따라서 연습할 수 있도록 되어 있다. 즉 여러분은 컴퓨터 앞에 앉아서 이 장을 읽어야 할 것이다. 숙련자가 되기 위한 가장 효율적인 방법은 다음의 내용을 따라서 MATLAB 명령어를 컴퓨터에서 실제로 실행해 보는 것이다.

MATLAB은 다음과 같은 세 개의 주요한 창을 사용한다.

- 명령창. 명령어와 데이터를 입력할 때 사용한다.
- 그래프창. 도표와 그래프를 나타낼 때 사용한다.
- 편집창. M-파일을 생성하고 편집할 때 사용한다.

이 장에서는 명령창과 그래프창을 다루고, 3장에서는 M-파일을 만들기 위해 편집창을 사용할 것이다.

MATLAB을 시작한 후, 명령창이 열리고 명령어 프롬프트(prompt)가 다음과 같이 나타난다.

```
>>
```

MATLAB의 계산기 방식은 명령어를 한 줄씩 입력하는 순차적인 방식이다. 각 명령에 따라 즉시 결과를 얻는다. 따라서 이것은 매우 환상적인 계산기처럼 작동한다고 생각할 수 있다. 예를 들어 다음과 같이 입력하자.

```
>> 55 - 16
```

MATLAB은 다음과 같은 결과를 보여줄 것이다.[1]

---

[1] MATLAB은 라벨(ans =)과 숫자(39) 사이의 한 줄을 건너뛴다. 여기서는 간결하게 하기 위해 빈 줄을 생략한다. 빈 줄을 포함시킬지의 여부는 `format compact`와 `format loose` 명령으로 조절할 수 있다.

```
ans =
    39
```

MATLAB은 자동적으로 변수 ans에 답을 배정한다. 따라서 ans를 다음 계산에 사용할 수 있다.

```
>> ans + 11
```

결과는 다음과 같다.

```
ans =
    50
```

MATLAB은 사용자가 변수를 선택하지 않으면 결과를 ans에 배정한다.

2.2 배정

배정은 변수명에 값을 할당하는 것이다. 이것은 변수명에 상응하는 기억장소에 값을 저장하는 것이다.

2.2.1 스칼라

스칼라 변수에 값을 배정하는 것은 다른 컴퓨터 언어와 비슷하다. 다음과 같이 입력해 보자.

```
>> a = 4
```

작업한 내용을 확인하기 위해 확인 출력(echo print)이 어떻게 수행되는지를 보자.

```
a =
    4
```

확인 출력은 MATLAB의 특성이다. 명령줄이 끝날 때 세미콜론(;)을 입력하면 확인 출력이 되지 않는다. 다음과 같이 입력해 보자.

```
>> A = 6;
```

같은 줄에 여러 명령을 동시에 쓸 수 있는데, 이들 명령 사이에 콤마(,)나 세미콜론(;)을 사용한다. 콤마를 사용하면 값이 나타나며, 세미콜론을 사용하면 값이 나타나지 않는다. 예를 들면 다음과 같다.

```
>> a = 4,A = 6;x = 1;
a =
    4
```

MATLAB은 변수명 사용에 있어서 대문자와 소문자를 다르게 취급한다. 즉 변수 a와 변수 A는 같지 않다. 이것을 예시하기 위하여 다음과 같이 입력한다.

```
>> a
```

그리고

```
>> A
```

이들의 값이 어떻게 다른지 보자. 이들은 다른 변수명이다.

MATLAB은 복소수 연산을 자동적으로 다루기 때문에, 변수에 복소수 값을 배정할 수 있다. 단위 허수($\sqrt{-1}$)는 변수 i로 미리 지정되어 있다. 따라서 복소수의 값은 다음과 같이 간단히 배정할 수 있다.

```
>> x = 2+i*4
x =
   2.0000 + 4.0000i
```

또한 MATLAB에 입력할 때 단위 허수를 기호 j로도 사용할 수 있다. 그러나 출력할 때는 항상 i로 표시된다. 예를 들면 다음과 같다.

```
>> x = 2+j*4
x =
   2.0000 + 4.0000i
```

미리 정의된 변수들도 있다. 예를 들면 pi가 바로 그것이다.

```
>> pi
ans =
    3.1416
```

MATLAB은 기본적으로 소수점 이하 4자리로 표시한다. 만일 추가적인 정밀도를 원하면 다음과 같이 하면 된다.

```
>> format long
```

이제 pi가 입력되면 결과는 15자리의 유효숫자로 나타난다.

```
>> pi
ans =
    3.14159265358979
```

다시 소수점 이하 4자리로 표현하고자 하면 다음과 같이 명령한다.

```
>> format short
```

다음은 공학과 과학 계산에서 일상적으로 사용하는 포맷 명령어를 요약한 것이다. 이들은

format **type**의 구문을 가진다.

type	Result	Example
short	Scaled fixed-point format with 5 digits	3.1416
long	Scaled fixed-point format with 15 digits for double and 7 digits for single	3.14159265358979
short e	Floating-point format with 5 digits	3.1416e+000
long e	Floating-point format with 15 digits for double and 7 digits for single	3.141592653589793e+000
short g	Best of fixed- or floating-point format with 5 digits	3.1416
long g	Best of fixed- or floating-point format with 15 digits for double and 7 digits for single	3.14159265358979
short eng	Engineering format with at least 5 digits and a power that is a multiple of 3	3.1416e+000
long eng	Engineering format with exactly 16 significant digits and a power that is a multiple of 3	3.14159265358979e+000
bank	Fixed dollars and cents	3.14

2.2.2   배열, 벡터와 행렬

배열은 한 개의 변수명으로 표현되는 여러 값의 모음이다. 1차원 배열은 **벡터**라 하고, 2차원 배열은 **행렬**이라 한다. 2.2.1절에서 사용한 스칼라는 실제로는 한 개의 행과 한 개의 열로 구성된 행렬이다.

대괄호는 명령 모드에서 배열을 입력할 때 사용된다. 예를 들면 행벡터는 다음과 같이 배정할 수 있다.

```
>> a = [1 2 3 4 5]
a =
    1    2    3    4    5
```

이 배정은 앞에서 배정한 a = 4를 무효로 한다.

실제적으로 행벡터는 수학 문제 풀이에 거의 사용되지 않는다. 우리가 벡터라고 말하는 것은 일상적으로 사용하는 열벡터를 말한다. 열벡터는 여러 가지 방법으로 입력할 수 있다.

```
>> b = [2;4;6;8;10]
```

또는

```
>> b = [2
4
6
8
10]
```

또는 연산자 '를 사용하여 행벡터를 전치하여 나타낸다.

```
>> b = [2 4 6 8 10]'
```

세 가지 경우 모두 다음과 같이 나타난다.

```
b =
     2
     4
     6
     8
    10
```

행렬의 값은 다음과 같이 배정한다.

```
>> A = [1 2 3; 4 5 6; 7 8 9]
A =
    1    2    3
    4    5    6
    7    8    9
```

또한 행을 분리하기 위해 엔터(Enter) 키를 사용할 수 있다. 예를 들면 다음 경우와 같이 행렬을 배정할 때, 3, 6, 그리고] 후에 엔터 키를 누른다.

```
>> A = [1 2 3
        4 5 6
        7 8 9]
```

마지막으로 각 열을 나타내는 벡터를 **합함**으로써 동일한 행렬을 구성할 수 있다.

```
>> A = [[1 4 7]' [2 5 8]' [3 6 9]']
```

작업의 어떤 시점에서 현재 사용하고 있는 모든 변수의 목록은 다음과 같이 who라는 명령어를 입력하면 얻을 수 있다.

```
>> who

Your variables are:
A    a    ans  b    x
```

보다 자세한 것을 원하면 whos라는 명령어를 입력한다.

```
>> whos
  Name     Size            Bytes  Class

  A        3x3                72  double array
  a        1x5                40  double array
  ans      1x1                 8  double array
  b        5x1                40  double array
  x        1x1                16  double array (complex)

  Grand total is 21 elements using 176 bytes
```

첨자 표기법은 배열의 각 원소를 지정하기 위해 사용된다. 예를 들어 열벡터 b의 네 번째 원소는 다음과 같다.

```
>> b(4)
ans =
     8
```

배열에서 A(m,n)은 m번째 행과 n번째 열의 원소를 지정한다. 예를 들면 다음과 같다.

```
>> A(2,3)
ans =
     6
```

행렬을 만들기 위한 여러 가지 내장함수가 있다. 예를 들면 ones 또는 zeros 함수는 1 또는 0으로 채워진 벡터나 행렬을 만든다. 두 가지 모두 두 개의 인자(argument)를 가지며, 첫 번째 것은 행의 수를 말하고, 두 번째 것은 열의 수를 말한다. 예를 들어 0으로 채워진 2 × 3 행렬을 만들려면 다음과 같이 하면 된다.

```
>> E = zeros(2,3)
E =
     0     0     0
     0     0     0
```

같은 방법으로 1로 채워진 행벡터를 만들기 위해 다음과 같이 ones 함수를 사용한다.

```
>> u = ones(1,3)
u =
     1     1     1
```

2.2.3 콜론 연산자

콜론 연산자는 배열을 만들거나 조작하는 데 매우 강력한 도구이다. 만약 두 수 사이에 콜론 연산자를 사용하면 MATLAB은 증분을 1로 하여 두 수 사이의 수들을 생성시킨다.

```
>> t = 1:5
t =
     1     2     3     4     5
```

콜론 연산자를 세 수 사이에서 각각 사용하면, 두 번째 수를 증분으로 하여 첫 번째 수와 세 번째 수 사이에 수들을 생성시킨다.

```
>> t = 1:0.5:3
t =
    1.0000    1.5000    2.0000    2.5000    3.0000
```

음의 증분도 다음과 같이 가능하다.

```
>> t = 10:-1:5
t =
    10     9     8     7     6     5
```

콜론은 일련의 수를 만드는 것뿐만 아니라 행렬의 각 행과 열을 선택하기 위한 것으로도 사용될 수 있다. 콜론을 어떤 첨자 자리에 사용하면 전체 행 또는 열을 나타낸다. 예를 들어

행렬 A의 두 번째 행은 다음과 같이 선택될 수 있다.

```
>> A(2,:)
ans =
     4     5     6
```

또한 어떤 배열에서 일련의 원소들을 선택적으로 추출하기 위해 콜론 표기를 사용할 수 있다. 예를 들어 앞에서 정의한 벡터 t를 사용하면 다음과 같다.

```
>> t(2:4)
ans =
     9     8     7
```

따라서 두 번째에서 네 번째 원소가 반환된다.

2.2.4 linspace와 logspace 함수

어떤 간격을 갖는 수로 구성되는 벡터를 생성하기 위해 linspace와 logspace라는 편리한 함수가 있다. linspace 함수는 등간격인 행벡터를 만든다. 이는 다음과 같은 형식을 가지고 있다.

```
linspace(x1, x2, n)
```

이는 x1과 x2 사이에 n개의 점을 생성한다. 예를 들면 다음과 같다.

```
>> linspace(0,1,6)
ans =
        0    0.2000    0.4000    0.6000    0.8000    1.0000
```

만일 n이 생략되면 이 함수는 자동적으로 100개의 점을 생성한다.

logspace 함수는 지수적으로 등간격인 행벡터를 생성시킨다.

```
logspace(x1, x2, n)
```

여기서 10^{x1}과 10^{x2} 사이에 지수적으로 등간격인 n개의 점을 생성한다. 예를 들어 다음과 같다.

```
>> logspace(-1,2,4)
ans =
     0.1000    1.0000    10.0000    100.0000
```

만일 n을 생략하면 이 함수는 자동적으로 50개의 점을 생성한다.

2.2.5 문자열

숫자 이외에 **문자 - 숫자식**(alphanumeric) 정보 또는 **문자열**(character string)은 문자 등을 작은

따옴표(' ') 내에 위치시킴으로써 나타낼 수 있다. 예를 들면,

```
>> f = 'Miles ';
>> s = 'Davis';
```

문자열 내의 각 문자는 배열 내의 한 원소이다. 따라서 문자열을 다음과 같이 **합할** 수 있다.

```
>> x = [f s]

x =
Miles Davis
```

매우 긴 줄은 **생략부호**(...)를 계속해서 작성할 줄의 끝에 위치시킴으로써 그 줄을 연속시킬 수 있다. 예를 들면 행벡터는 다음과 같이 입력할 수 있다.

```
>> a = [1 2 3 4 5 ...
6 7 8]

a =
     1     2     3     4     5     6     7     8
```

그러나 문자열을 연속하여 쓰기 위해서, 작은따옴표 내에 생략부호를 바로 사용할 수는 없다. 한 줄을 넘는 문자열을 입력하기 위해서는 다음과 같이 작은 문자열을 조각내어 붙인다.

```
>> quote = ['Any fool can make a rule,' ...
' and any fool will mind it']

quote =
Any fool can make a rule, and any fool will mind it
```

문자열을 다루기 위해 사용되는 MATLAB 내장함수는 많다. 표 2.2는 자주 사용되는 함수들 중에서 몇 가지를 열거한 목록이다. 예를 들면,

```
>> x1 = 'Canada'; x2 = 'Mexico'; x3 = 'USA'; x4 = '2010'; x5 = 810;
>> strcmp(a1,a2)
```

표 2.2 유용한 문자열 함수들.

Function	Description
n=length(s)	Number of characters, n, in a string, s.
b=strcmp(s1,s2)	Compares two strings, s1 and s2; if equal returns true ($b = 1$). If not equal, returns false ($b = 0$).
n=str2num(s)	Converts a string, s, to a number, n.
s=num2str(n)	Converts a number, n, to a string, s.
s2=strrep(s1,c1,c2)	Replaces characters in a string with different characters.
i=strfind(s1,s2)	Returns the starting indices of any occurrences of the string s2 in the string s1.
S=upper(s)	Converts a string to uppercase.
s=lower(S)	Converts a string to lowercase.

```
ans =
0
>> strcmp(x2,'Mexico')
ans =
1
>> str2num(x4)
ans =
2010
>> num2str(x5)
ans =
810
>> strrep
>> lower
>> upper
```

만일 여러 줄로 출력하기를 원한다면, sprint 함수를 사용하고 문자열 사이에 2-문자 구문 \n을 끼워 넣으면 된다. 예를 들면 다음과 같다.

```
>> disp(sprintf('Yo\nAdrian!'))
```

이는 다음의 결과를 보여준다.

```
Yo
Adrian!
```

2.3 수학적 연산

스칼라 양의 계산은 다른 컴퓨터 언어와 마찬가지로 간단하게 다룰 수 있다. 일반적인 연산자를 우선 계산순위로 표현하면 다음과 같다.

^	:	지수계산
−	:	음부호
* /	:	곱셈과 나눗셈
\	:	왼쪽 나눗셈[2]
+ −	:	덧셈과 뺄셈

이러한 연산자는 계산기 방식으로 작동된다.

---

2) 왼쪽 나눗셈은 행렬 연산에 적용된다. 이 책의 뒷부분에서 자세히 다룬다.

```
>> 2*pi

ans =
    6.2832
```

또한 스칼라 실수 변수는 다음과 같이 포함될 수 있다.

```
>> y = pi/4;
>> y ^ 2.45

ans =
    0.5533
```

위의 두 예 중 첫 번째처럼 계산결과를 변수에 배정할 수도 있고, 두 번째처럼 단순히 화면에 나타낼 수도 있다.

계산의 우선순위는 다른 컴퓨터 프로그램 계산에서처럼 괄호에 의해 바뀔 수 있다. 예를 들면 지수는 음부호보다 우선순위가 앞서므로 다음의 결과를 얻는다.

```
>> y = -4 ^ 2

y =
   -16
```

따라서 먼저 4를 제곱한 다음에 음부호가 붙여진다. 괄호는 이러한 우선순위를 다음과 같이 바꿀 수 있다.

```
>> y = (-4) ^ 2

y =
    16
```

연산자들이 모두 같은 우선순위를 가지는 단계에서는 왼쪽에서 오른쪽으로 계산된다. 예를 들면,

```
>> 4^2^3
>> 4^(2^3)
>> (4^2)^3
```

첫 번째 경우, $4^2 = 16$이 먼저 계산되고 다음으로 세제곱되어 4096이 된다. 두 번째 경우는 $2^3 = 8$이 먼저 계산되고 다음으로 $4^8 = 65,536$이 된다. 세 번째 경우는 첫 번째 경우와 같으나 명확하게 하기 위하여 괄호를 사용한다.

한 가지 혼란스러운 연산은 음부호에 관련된 것이다. 즉, 부호 변화를 표시하기 위하여 음부호가 한 개의 인수에 적용될 때이다. 예를 들면,

```
>> 2*-4
```

여기서 −4가 숫자로 간주되며, 따라서 −8이 된다. 이것을 확신할 수 없으면, 연산을 명확하게 하기 위하여 괄호를 사용할 수도 있다.

```
>> 2*(-4)
```

다음은 (−)가 음부호로 사용되는 마지막 예이다.

```
>> 2^-4
```

여기서 −4는 역시 숫자로 간주되며, 따라서 $2\text{\textasciicircum}-4 = 2^{-4} = 1/2^4 = 1/16 = 0.0625$이다. 괄호를 사용하면 연산 과정은 더욱 명확해진다.

```
>> 2^(-4)
```

또한 복소수 계산도 가능하다. 앞에서 정의된 값 x (2 + 4i)와 y (16)을 사용한 예는 다음과 같다.

```
>> 3 * x
ans =
   6.0000 + 12.0000i
>> 1 / x
ans =
   0.1000 - 0.2000i
>> x ^ 2
ans =
  -12.0000 + 16.0000i
>> x + y
ans =
  18.0000 + 4.0000i
```

MATLAB의 실제적인 강점은 벡터-행렬 계산에 있다. 이러한 계산은 8장에서 구체적으로 설명하므로, 여기서는 일부만 소개하도록 한다.

두 벡터의 **내적**(inner product, dot product)은 연산자 *를 사용하여 계산할 수 있다.

```
>> a * b
ans =
   110
```

마찬가지로 **외적**(outer product)도 다음과 같다.

```
>> b * a
ans =
    2     4     6     8    10
    4     8    12    16    20
    6    12    18    24    30
    8    16    24    32    40
   10    20    30    40    50
```

벡터-행렬의 곱셈을 더 설명하기 위해 a와 b를 다음과 같이 다시 정의하도록 한다.

```
>> a = [1 2 3];
```

그리고

```
>> b = [4 5 6]';
```

이제 다음과 같이 시도해 보자.

```
>> a * A
ans =
    30    36    42
```

또는

```
>> A * b
ans =
    32
    77
   122
```

행렬은 차원이 맞지 않으면 곱해질 수 없다. 차원이 맞지 않는 계산은 어떻게 될까? 다음과 같이 시도해 보자.

```
>> A * a
```

MATLAB은 자동적으로 에러 메시지를 보여준다.

```
??? Error using ==> mtimes
Inner matrix dimensions must agree.
```

행렬과 행렬의 곱셈은 다음과 같이 수행된다.

```
>> A * A
ans =
    30    36    42
    66    81    96
   102   126   150
```

또한 스칼라와 혼합 계산은 다음과 같이 가능하다.

```
>> A/pi
ans =
   0.3183   0.6366   0.9549
   1.2732   1.5915   1.9099
   2.2282   2.5465   2.8648
```

MATLAB은 가능하다면 벡터와 행렬의 계산에 있어서도 간단한 산술 연산자를 활용한다. 때때로 행렬 또는 벡터에서 항목끼리 계산을 수행할 필요가 있는 경우가 있다. MATLAB은 이러한 것이 가능하다. 예를 들면 다음과 같다.

```
>> A^2
ans =
    30    36    42
    66    81    96
   102   126   150
```

이것은 행렬 A에 그 자신을 곱한 결과이다.

행렬 A의 각 원소의 제곱을 계산하려면 다음과 같이 수행한다.

```
>> A.^2
ans =
    1     4     9
   16    25    36
   49    64    81
```

$^$ 연산자 앞에 있는 $.$은 원소끼리의 연산을 뜻한다. 이것을 MATLAB에서는 **배열연산**(array operation)이라 한다. 또한 이것을 **원소끼리의 연산**(element-by-element operation)이라고도 한다.

MATLAB에서는 이미 수행된 계산을 쉽게 다시 수행할 수 있다. 위쪽 화살표 키를 누르면 된다. 그러면 직전에 수행한 마지막 줄의 명령을 다시 볼 수 있다.

```
>> A.^2
```

이제 엔터 키를 누르면 다시 계산이 수행된다. 또한 이 줄을 편집할 수도 있다. 예를 들면 아래 줄과 같이 수정한 후 엔터 키를 누르면 다음의 결과가 나온다.

```
>> A.^3
ans =
    1     8     27
   64   125   216
  343   512   729
```

위쪽 화살표 키를 사용하면 이미 입력하였던 어떠한 명령어로도 돌아갈 수 있다. 다음의 명령으로 돌아갈 때까지 위쪽 화살표 키를 눌러보자.

```
>> b * a
```

또 다른 방법으로는 b를 입력한 후 위쪽 화살표 키를 누르면, 자동적으로 b로 시작하는 마지막 명령어가 나타난다. 위쪽 화살표 키는 전체 줄을 다시 입력하지 않고 에러를 수정하는 빠른 방법을 제공한다.

2.4　내장함수의 사용

MATLAB과 그 툴박스(Toolbox)에는 많은 내장함수가 있다. 온라인의 도움(help)을 사용하면 이들에 대해 보다 많은 것을 알 수 있다. 예를 들어 log 함수에 대해 알고 싶다면 다음과 같이 입력하면 된다.

```
>> help log

 LOG    Natural logarithm.

    LOG(X) is the natural logarithm of the elements of X.
    Complex results are produced if X is not positive.

    See also LOG2, LOG10, EXP, LOGM.
```

모든 기본적인 함수의 목록을 원한다면 다음과 같이 입력하면 된다.

```
>> help elfun
```

MATLAB 내장함수의 중요한 성질 중 하나는 내장함수가 벡터와 행렬에 직접 작용하는 것이다. 예를 들면 다음과 같다.

```
>> log(A)
ans =
          0    0.6931    1.0986
     1.3863    1.6094    1.7918
     1.9459    2.0794    2.1972
```

자연로그 함수는 행렬 A에 대해 배열연산 방식으로 적용된다. 즉 행렬 A의 원소별로 적용된다는 것을 알 수 있다. sqrt, abs, sin, acos, tanh 그리고 exp와 같은 많은 함수들은 배열연산의 방식으로 계산된다. 또한 지수, 제곱근과 같은 특정 함수들도 행렬의 정의를 갖는다. MATLAB에서는 함수명에 m자를 붙이면 행렬의 방식으로 계산된다.

```
>> sqrtm(A)
ans =
     0.4498 + 0.7623i    0.5526 + 0.2068i    0.6555 - 0.3487i
     1.0185 + 0.0842i    1.2515 + 0.0228i    1.4844 - 0.0385i
     1.5873 - 0.5940i    1.9503 - 0.1611i    2.3134 + 0.2717i
```

반올림에 관한 몇 가지 함수가 있다. 예를 들어 어떤 벡터를 입력한다고 하자.

```
>> E = [-1.6 -1.5 -1.4 1.4 1.5 1.6];
```

round 함수는 E의 원소를 가장 가까운 정수로 반올림한다.

```
>> round(E)
ans =
    -2    -2    -1     1     2     2
```

ceil 함수는 양의 무한대 쪽으로 가장 가까운 정수로 올림한다.

```
>> ceil(E)
ans =
    -1    -1    -1     2     2     2
```

floor 함수는 음의 무한대 쪽으로 가장 가까운 정수로 내림한다.

```
>> floor(E)

ans =
    -2    -2    -2     1     1     1
```

행렬과 배열의 원소에 특수하게 작용하는 함수들도 있다. 예를 들어 sum 함수는 원소들의 합을 생성한다.

```
>> F = [3 5 4 6 1];
>> sum(F)

ans =
    19
```

같은 방식으로, 다음의 명령들이 무슨 역할을 하는지 분명히 알 수 있을 것이다.

```
>> min(F),max(F),mean(F),prod(F),sort(F)

ans =
    1

ans =
    6

ans =
    3.8000

ans =
    360

ans =
    1     3     4     5     6
```

함수는 일반적으로 여러 인수를 포함하는 수식을 계산하기 위해 사용한다. 자유낙하하는 사람의 속도는 다음과 같이 구할 수 있다[식 (1.9)].

$$v = \sqrt{\frac{gm}{c_d}} \tanh\left(\sqrt{\frac{gc_d}{m}}\, t\right)$$

여기서 v 는 속도(m/s), g 는 중력가속도(9.81 m/s^2), m 은 질량(kg), c_d 는 항력계수(kg/m), 그리고 t 는 시간(s)이다.

열벡터 t를 0에서 20까지 간격이 2가 되도록 만든다.

```
>> t = [0:2:20]'

t =
     0
     2
     4
     6
     8
    10
    12
    14
    16
    18
    20
```

t 배열에서 항의 개수는 length 함수로 확인할 수 있다.

```
>> length(t)
ans =
    11
```

매개변수에 값을 배정한다.

```
>> g = 9.81; m = 68.1; cd = 0.25;
```

MATLAB에서는 $v = f(t)$와 같은 수식을 계산할 수 있다. 이 수식은 t 배열의 각 값에 대해 계산된다. 그리고 결과는 v 배열 내의 상응하는 위치에 배정된다. 예를 들면 다음과 같다.

```
>> v = sqrt(g*m/cd)*tanh(sqrt(g*cd/m)*t)
v =
         0
   18.7292
   33.1118
   42.0762
   46.9575
   49.4214
   50.6175
   51.1871
   51.4560
   51.5823
   51.6416
```

2.5 그래픽

MATLAB에서는 빠르고 편리하게 그래프를 그릴 수 있다. 예를 들면 앞의 데이터에서 t와 v 배열의 그래프를 그리려면 다음과 같이 입력하면 된다.

```
>> plot(t, v)
```

그래프는 그래프창에 나타난다. 그리고 이 그래프는 인쇄할 수 있으며 클립보드(clipboard)를 통해 다른 프로그램에 전달할 수 있다.

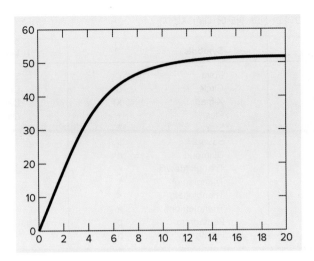

또한 다음과 같은 명령어로 그래프를 원하는 대로 수정할 수 있다.

```
>> title('Plot of v versus t')
>> xlabel('Values of t')
>> ylabel('Values of v')
>> grid
```

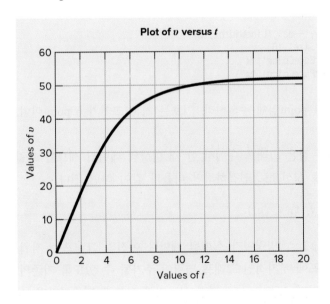

plot 명령어는 기본적으로 가늘고 파란 실선을 그린다. 만약 각 점들을 기호로 표시하기를 원하면 plot 함수에서 지정자를 작은따옴표 내에 포함시키면 된다. 표 2.3은 가능한 지정자 목록이다. 예를 들면 각 점들을 원으로 표시하려면 다음과 같이 입력한다.

```
>> plot(t, v, 'o')
```

또한 여러 지정자를 합할 수 있다. 예를 들면 녹색 점선과 녹색 사각형 기호를 함께 원하면, 다음과 같이 입력한다.

표 2.3 색상, 기호, 그리고 선의 형태에 대한 지정자.

Colors		Symbols		Line Types	
Blue	b	Point	.	Solid	−
Green	g	Circle	o	Dotted	:
Red	r	X-mark	x	Dashdot	-.
Cyan	c	Plus	+	Dashed	--
Magenta	m	Star	*		
Yellow	y	Square	s		
Black	k	Diamond	d		
White	w	Triangle(down)	v		
		Triangle(up)	^		
		Triangle(left)	<		
		Triangle(right)	>		
		Pentagram	p		
		Hexagram	h		

```
>> plot(t, v, 's--g')
```

또한 기호의 크기 및 그 변과 면(즉 내부)의 색뿐만 아니라 선의 폭을 조절할 수 있다. 예를 들면 다음 명령어는 두꺼운(2 point), 청록색(cyan)의 점선으로 검은색 변과 자홍색(magenta) 면을 가진 큰(10 point) 다이아몬드 형상의 기호를 연결한다.

```
>> plot(x,y,'--dc','LineWidth', 2,...
   'MarkerSize',10,...
   'MarkerEdgeColor','k',...
   'MarkerFaceColor','m')
```

기본선의 폭은 1 point임에 주의하라. 기호는 기본 크기가 6 point이며, 변은 파란색이며, 면은 색이 없다.

MATLAB은 같은 그래프 내에서 한 개 이상의 데이터 세트를 그릴 수 있다. 예를 들어 각 데이터의 기호를 실선으로 연결하려면 다음과 같이 하면 된다.

```
>> plot(t, v, t, v, 'o')
```

기본적으로 plot 명령어가 실행될 때마다 이전의 그래프는 지워진다. hold on 명령어는 기존의 그래프에 부가적인 그래프 명령이 추가될 수 있도록 기존의 그래프와 모든 축의 성질을 계속 유지한다. hold off 명령어는 기본 모드로 되돌아간다. 예를 들어 다음의 명령어를 입력한다면, 마지막 그래프는 단지 기호만 그릴 것이다.

```
>> plot(t, v)
>> plot(t, v, 'o')
```

반면에 다음의 명령어는 선과 기호를 모두 나타나게 한다.

```
>> plot(t, v)
>> hold on
>> plot(t, v, 'o')
>> hold off
```

hold 이외에도 그래프창을 작은 창(subwindows) 또는 **구획**(panes)으로 나눌 수 있게 하는 간편한 함수 subplot이 있다. 이것의 구문은 다음과 같다.

subplot(*m*, *n*, *p*)

이 명령은 그래프창을 작은 축의 $m \times n$ 행렬로 세분하고, 현재 그래프를 위해 p번째 축을 선택한다.

subplot을 설명하기 위해 3차원 그래프를 생성하는 MATLAB의 능력을 살펴보자. 이 능력을 가장 간단하게 보여주는 것이 다음과 같은 plot3 명령어이다.

plot3(*x*, *y*, *z*)

여기서 x, y, z는 같은 길이의 세 벡터이다. 이 결과는 좌표가 x, y, z 벡터의 원소인 점들을 통과하는 3차원 공간에서의 어떤 선이다.

나선을 그리는 것은 그 유용성을 설명하는 좋은 예이다. 먼저 매개변수 식인 $x = \sin(t)$와 $y = \cos(t)$를 이용하여 2차원 plot 함수로 원을 그려보자. 그리고 3차원 그래프를 계속하여 추가할 수 있도록 subplot 명령어를 사용한다.

```
>> t = 0:pi/50:10*pi;
>> subplot(1,2,1);plot(sin(t),cos(t))
>> axis square
>> title('(a)')
```

그림 2.1a에서처럼 그 결과는 원이 된다. 만약 axis square 명령어를 사용하지 않으면 이 원이 일그러진다는 것에 주의해야 한다.

이제 그래프의 오른쪽 구획에 나선을 추가하자. 이를 위해 매개변수 식인 $x = \sin(t)$, $y = \cos(t)$, 그리고 $z = t$를 사용한다.

```
>> subplot(1,2,2);plot3(sin(t),cos(t),t);
>> title('(b)')
```

그림 2.1b는 그 결과를 보여준다. 어떻게 보이는가? 시간이 지나감에 따라 x, y 좌표가 2차원 그래프와 같은 방식으로 x-y 평면에 원의 둘레를 그린다. 그러나 동시에 z 좌표가 시간에 따라 선형적으로 증가함에 따라, 곡선도 수직방향으로 위로 올라간다. 그래프의 최종 결과는 나선 특유의 스프링이나 소용돌이 모양의 계단 형태가 된다.

그래프에 관한 또 다른 유용한 특성이 있다. 예를 들면 선 대신에 물체 도면 그리기, 곡선군의 도면, 복소수 평면 위의 도면, log-log 또는 semilog 도면, 3차원 그물도면(mesh plot)과 등고선도(contour plot) 등이 있다. 다음에 기술된 것처럼 이와 같은 것 외에도 다른 MATLAB 능력을 배우는 데 있어 이용 가능한 다양한 자원들이 있다.

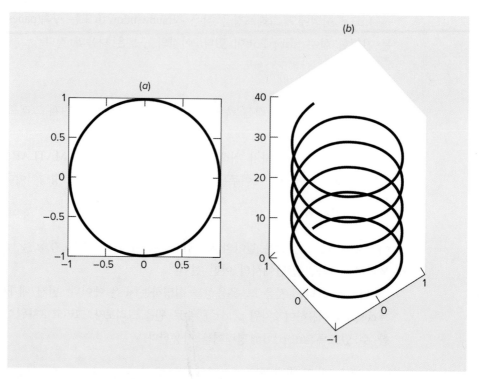

그림 2.1   (a) 2차원 원 (b) 3차원 나선에 대한 두 개의 구획 그래프.

2.6   기타 자원

앞서 설명한 내용은 이 책의 나머지 부분에서 사용할 MATLAB의 특성에 초점을 맞추었다. 그 내용은 분명 모든 MATLAB 능력을 다루지는 않았다. 만약 더 배우고자 한다면 MATLAB에 관한 훌륭한 책을 참조하길 바란다(예를 들면 Attaway, 2009; Palm, 2007; Hanselman과 Littlefield, 2005; Moore, 2008).

더욱이 패키지 그 자체에는 명령창에서 Help 메뉴를 클릭하면 접근할 수 있는 광범위한 Help 기능들이 있다. 이는 여러분들이 MATLAB에 내장된 Help 자료를 통하여 탐색할 수 있도록 많은 다른 선택 사양을 제공해준다. 게다가 Help 메뉴는 다양하고 유익한 설명들을 볼 수 있도록 해준다.

이 장에서 설명된 것처럼 도움말은 `help` 명령어 다음에 명령어 또는 함수의 이름을 입력함으로써 대화식 모드에서도 사용이 가능하다.

만일 이름을 모르는 경우에는 MATLAB Help 파일을 찾기 위해 `lookfor` 명령어를 사용할 수 있다. 예를 들면 로그 함수에 관련된 모든 명령어와 함수를 찾기 위해 다음과 같이 입력할 수 있다.

```
>> lookfor logarithm
```

MATLAB은 `logarithm`이라는 단어를 포함하는 모든 참고자료를 보여준다.

끝으로 MathWorks사의 웹사이트인 www.mathworks.com을 방문하면 제품 정보, 뉴스그룹, 책, 기술지원뿐만 아니라 여러 가지 유용한 자원에 관한 링크를 찾을 수 있다.

2.7 사례연구 탐색적인 데이터 해석

배경. 전공서적에는 유명한 과학자나 공학자가 과거에 개발한 공식들로 가득 차 있다. 이러한 공식들은 매우 유용하게 쓰이지만, 공학자와 과학자는 자신들의 데이터를 수집하고 해석하여 이 관계식들을 보완해야 한다. 때때로 이것은 새로운 공식을 이끌어내기도 한다. 그러나 최종 예측 공식을 만들기 전에 우리는 일반적으로 계산을 수행하고 그래프를 그려봄으로써 데이터를 "탐색하는" 작업을 한다. 대부분의 경우에 우리의 의도는 데이터 속에 내포된 패턴과 메커니즘을 이해하는 것이다.

이 사례연구에서는 MATLAB이 어떻게 이러한 탐색적인 데이터 해석을 쉽게 하는지를 설명한다. 이를 위해 식 (2.1)과 표 2.1의 데이터에 기초하여 자유낙하하는 사람의 항력계수를 구할 것이다. 단지 항력계수를 계산하는 것 이외에도, 데이터의 패턴을 파악하기 위해 MATLAB의 그래프 기능을 사용할 것이다.

풀이 표 2.1의 데이터와 중력가속도를 다음과 같이 입력한다.

```
>> m =[83.6 60.2 72.1 91.1 92.9 65.3 80.9];
>> vt =[53.4 48.5 50.9 55.7 54 47.7 51.1];
>> g =9.81;
```

항력계수는 식 (2.1)로 계산할 수 있다. 벡터에서 원소끼리의 연산을 수행하기 때문에 연산자 앞에 구두점을 포함하여야 한다.

```
>> cd =g*m./vt.^2
cd =
   0.2876  0.2511  0.2730  0.2881  0.3125  0.2815  0.3039
```

이제 MATLAB 내장함수를 사용하여 결과에 대한 통계값을 산출할 수 있다.

```
>> cdavg =mean(cd),cdmin =min(cd),cdmax =max(cd)
cdavg =
   0.2854
cdmin =
   0.2511
cdmax =
   0.3125
```

따라서 0.2511부터 0.3125 kg/m까지의 범위에서 평균값은 0.2854이다.

이제 평균 항력계수에 기초하여 종단속도를 예측하기 위해 이들 데이터와 식 (2.1)을 이용한다.

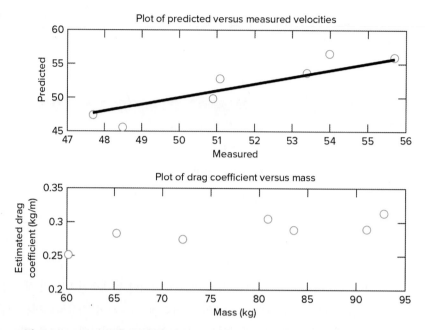

그림 2.2   MATLAB으로 생성한 두 개의 그래프.

```
>> vpred=sqrt(g*m/cdavg)

vpred =
  53.6065  45.4897  49.7831  55.9595  56.5096  47.3774  52.7338
```

이 식에서 연산자 앞에 구두점을 사용하지 않았다는 것에 주목하자. 그 이유는 무엇일까?

이제 우리는 이들 값과 실제로 측정된 종단속도를 비교하여 그래프로 그릴 수 있다. 이 결과를 평가하기 위해 정확한 예측을 표시하는 선(1 : 1 선)을 추가하여 같이 그린다. 또한 궁극적으로는 두 번째 그래프를 만들어야 하기 때문에 subplot 명령어를 사용한다.

```
>> subplot(2,1,1);plot(vt,vpred,'o',vt,vt)
>> xlabel('measured')
>> ylabel('predicted')
>> title('Plot of predicted versus measured velocities')
```

그림 2.2의 위쪽 그림에서 보듯이 예측값이 일반적으로 1 : 1 선을 따르기 때문에, 처음에는 평균 항력계수가 잘 산출되었다고 결론지을 수 있을 것이다. 그러나 이 모델이 낮은 속도에서는 작게 예측하고 높은 속도에서는 크게 예측하는 경향에 대해 주목하라. 이는 항력계수가 일정한 상수가 아니고 어떤 경향이 있음을 암시한다. 이는 질량에 대한 항력계수의 그래프를 그려봄으로써 알 수 있다.

```
>> subplot(2,1,2);plot(m,cd,'o')
>> xlabel('mass (kg)')
>> ylabel('estimated drag coefficient (kg/m)')
>> title('Plot of drag coefficient versus mass')
```

그림 2.2의 아래쪽에 있는 결과 그래프는 번지점프하는 사람의 질량이 증가할수록 항력계

수가 일정한 값이 아니라 증가하는 것을 보여준다. 이러한 결과에 기초하여 이 모델은 개선되어야 한다고 결론지을 수 있다. 적어도 이러한 예비 결과를 확인하기 위해 여러분은 보다 많은 번지점프하는 사람들에 대한 실험을 수행하고 싶을 것이다.

더욱이 이 결과는 여러분이 유체역학 문헌을 찾아 항력에 관하여 더 공부하도록 자극할 것이다. 앞서 1.4절에서 기술한 대로 매개변수 c_d는 실제 항력과 함께 점프하는 사람의 정면도 면적과 공기 밀도와 같은 다른 요인들을 포함하는 집중 항력계수임을 알 수 있을 것이다.

$$c_d = \frac{C_D \rho A}{2} \tag{2.2}$$

여기서 C_D는 무차원 항력계수, ρ는 공기 밀도(kg/m^3), 그리고 A는 속도 방향에 수직인 면에 투영된 면적인 정면도 면적(m^2)이다.

데이터를 수집하는 동안, 밀도가 비교적 일정하다면(모든 사람들이 같은 날, 같은 높이에서 점프한다면 가장 좋은 가정임), 식 (2.2)는 더 무거운 사람이 더 큰 면적을 가진다는 것을 암시한다. 이 가설은 서로 다른 질량을 가지는 사람들의 정면도 면적을 측정함으로써 입증될 수 있을 것이다.

연습문제

2.1 다음 명령어를 실행한 출력물은 무엇인가?
```
A=[1:3;2:2:6;3:-1:1]
A=A'
A(:,3)=[]
A=[A(:,1) [4 5 7]' A(:,2)]
A=sum(diag(A))
```

2.2 다음 식을 이용하여 y 벡터 값을 계산하는 MATLAB 식을 쓰고자 한다.

(a) $y = \dfrac{6t^3 - 3t - 4}{8 \sin(5t)}$

(b) $y = \dfrac{6t - 4}{8t} - \dfrac{\pi}{2}t$

여기서 t는 벡터이다. MATLAB 식이 벡터 연산을 제대로 할 수 있도록 반드시 필요한 곳에만 구두점을 사용하도록 한다. 여분의 구두점은 틀린 것으로 처리될 것이다.

2.3 다음 식을 이용하여 x 벡터의 값을 계산하고, 화면에 출력하게 하는 MATLAB 식을 쓰라.

$$x = \frac{y(a + bz)^{1.8}}{z(1 - y)}$$

여기서 y와 z는 같은 길이를 갖는 벡터이며, a와 b는 스칼라로 가정하라.

2.4 다음의 MATLAB 구문이 실행되면 무엇이 출력되는가?

(a) `A=[1 2; 3 4; 5 6]; A(2,:)'`

(b) `y=[0:1.5:7]'`

(c) `a=2; b=8; c=4; a + b / c`

2.5 MATLAB humps 함수는 구간 $0 \le x \le 2$에서 높이가 다른 두 개의 최대값(정점)을 가지는 곡선을 정의한다.

$$f(x) = \frac{1}{(x-0.3)^2 + 0.01} + \frac{1}{(x-0.9)^2 + 0.04} - 6$$

MATLAB을 이용하여 다음 x값에 대한 $f(x)$를 그려라.

x = [0:1/256:2];

$f(x)$ 값을 구하는데 MATLAB의 내장 humps 함수는 사용하지 마라. 또한 그래프에 사용할 $f(x)$ 값을 구하는 데 필요한 벡터 연산을 수행할 때, 구두점의 개수는 최소로 하라.

2.6 콜론 표기법으로 나타낸 다음과 동일한 벡터를 만들기 위하여 linspace 함수를 사용하라.

(a) t = 4:6:35

(b) x = -4:2

2.7 linspace 함수로 나타낸 다음과 동일한 벡터를 만들기 위하여 콜론 표기법을 사용하라.

(a) v = linspace(-2,1.5,8)

(b) r = linspace(8,4.5,8)

2.8 명령어 linspace(a, b, n)은 a와 b 사이에 n개의 등간격 점을 갖는 행벡터를 만든다. 같은 벡터를 만들기 위해 콜론 표기법을 사용하는 한 줄 명령을 쓰라. 이를 a = −3, b = 5, n = 6에 대해 확인하라.

2.9 다음 행렬을 MATLAB에 입력한다.

>> A=[3 2 1;0:0.5:1;linspace(6, 8, 3)]

(a) 결과 행렬을 쓰라.

(b) 콜론 표기법을 사용하여 두 번째 행을 세 번째 열에 곱하고, 그 결과를 변수 c에 배정하는 한 줄의 MATLAB 명령어를 쓰라.

2.10 다음 식은 x의 함수로서 y값을 계산하는 데 사용된다.

$$y = be^{-ax}\sin(bx)(0.012x^4 - 0.15x^3 + 0.075x^2 + 2.5x)$$

여기서 a와 b는 매개변수이다. MATLAB을 실행할 수 있는 식을 쓰라. 여기서 $a = 2$, $b = 5$ 그리고 x는 증분 $\triangle x = \pi/40$로 0에서 $\pi/2$까지의 값을 가지는 벡터이다. 식이 최소 개수의 구두점(점 표기)을 사용하여 y에 대한 벡터를 구할 수 있도록 하라. 또한 벡터 $z = y^2$을 계산하라. 여기서 z의 각 원소는 y의 각 원소의 제곱이다. x, y와 z를 병합하여 행렬 w로 만들라. 여기서 행렬 w의 각 열은 x, y, z 변수들 중 한 개를 나타내게 하고, short g 포맷을 사용하여 w를 출력하라. 또한 x에 대한 y와 z의 그래프를 라벨을 포함시켜 그려라. 그래프에 설명문(legend)을 포함하

라(설명문을 포함시키는 방법을 알기 위해서는 help를 사용하라). y에 대해서는 1.5 point의 붉은색의 점선과 14 point의 붉은색 변, 흰색 면의 오각별 모양(pentagram) 기호를 사용하라. z에 대하여는 표준 크기의(즉 기본값) 파란색 실선과 표준 크기의 파란색 변과 녹색 면의 사각형 기호를 사용하라.

2.11 저항기, 콘덴서, 유도자로 구성된 간단한 전기회로는 그림 P2.11로 나타낼 수 있다. 콘덴서의 전하 $q(t)$는 시간의 함수로서 다음 식으로 계산할 수 있다.

$$q(t) = q_0 e^{-Rt/(2L)} \cos\left[\sqrt{\frac{1}{LC} - \left(\frac{R}{2L}\right)^2}\, t\right]$$

여기서 t는 시간, q_0는 초기 전하, R은 저항, L은 유도계수, 그리고 C는 전기용량이다. $q_0 = 10$, $R = 60$, $L = 9$ 그리고 $C = 0.00005$일 때, t가 0에서 0.8까지 구간에서 이 함수의 그래프를 MATLAB을 이용하여 그려라.

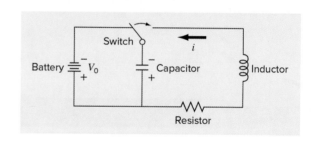

그림 P2.11

2.12 표준정규확률밀도 함수는 다음과 같이 종 모양의 곡선으로 나타낼 수 있다.

$$f(z) = \frac{1}{\sqrt{2\pi}} e^{-z^2/2}$$

MATLAB을 이용하여 z가 −5에서 5까지 구간에서 이 함수의 그래프를 그려라. 수평축과 수직축의 라벨을 각각 z와 주파수로 하라.

2.13 힘 F(N)이 스프링을 압축하기 위해 작용할 때, 변위 x(m)는 Hooke의 법칙에 의해 다음과 같이 표현할 수 있다.

$$F = kx$$

여기서 k는 스프링 상수(N/m)이다. 스프링에 저장된 포텐셜에너지 U(J)는 다음 식으로 계산할 수 있다.

$$U = \frac{1}{2}kx^2$$

5개의 스프링으로 실험을 하여 다음과 같은 데이터를 수집하였다.

F, N	14	18	8	9	13
x, m	0.013	0.020	0.009	0.010	0.012

MATLAB을 이용하여 F와 x를 벡터로 저장하라. 그리고 스프링 상수와 포텐셜에너지의 벡터를 계산하라. max 함수를 이용하여 최대 포텐셜에너지를 구하라.

2.14 민물의 밀도는 다음과 같이 온도의 3차식으로 계산할 수 있다.

$$\rho = 5.5289 \times 10^{-8} T_C^3 - 8.5016 \times 10^{-6} T_C^2$$

$$+ 6.5622 \times 10^{-5} T_C + 0.99987$$

여기서 ρ는 밀도(g/cm³), T_C는 온도(℃)이다. MATLAB을 이용하여 32 °F에서 93.2 °F까지 증분 3.6 °F로 온도의 벡터를 생성하라. 이 벡터를 섭씨로 변환하고 위의 3차식으로부터 밀도의 벡터를 계산하라. ρ를 T_C에 대한 그래프로 그려라. $T_C = 5/9(T_F - 32)$를 상기하라.

2.15 Manning 방정식은 직사각형 단면의 개수로 내에서 물의 속도를 계산하는 데 사용된다.

$$U = \frac{\sqrt{S}}{n} \left(\frac{BH}{B + 2H} \right)^{2/3}$$

여기서 U는 속도(m/s), S는 수로의 기울기, n은 거칠기 계수, B는 폭(m), 그리고 H는 깊이(m)이다. 다음의 데이터는 5개의 수로에서 얻은 것이다.

n	S	B	H
0.035	0.0001	10	2
0.020	0.0002	8	1
0.015	0.0010	20	1.5
0.030	0.0007	24	3
0.022	0.0003	15	2.5

이 값을 행렬에 저장하는데, 각 행은 각 수로를 표시하고 각 열은 각 매개변수를 표시하도록 하라. 매개변수 행렬 내의 값을 기초로 속도에 대한 열벡터를 계산하는 MATLAB 문장을 한 줄로 기술하라.

2.16 공학과 과학 분야에서 방정식은 실선으로 나타내고 이산데이터는 기호로 나타내는 것이 일반적이다. 수성 브롬(aqueous bromine)의 광감손(photodegradation)에 대한

시간(t) 대 농도(c)의 데이터는 다음과 같다.

t, min	10	20	30	40	50	60
c, ppm	3.4	2.6	1.6	1.3	1.0	0.5

이들 데이터는 다음의 함수로 표현할 수 있다.

$$c = 4.84 e^{-0.034t}$$

MATLAB을 이용하여 데이터(붉은색으로 채워진 다이아몬드 기호)와 함수(녹색의 점선)를 나타내는 그래프를 그려라. 함수를 t가 0에서 70분까지의 구간에 대해 그려라.

2.17 semilogy 함수는 y축을 로그(기저 10) 스케일로 하는 것을 제외하고는 plot 함수와 같다. 이 함수를 이용하여 연습문제 2.16에서 기술한 데이터와 함수를 그래프로 그려라. 그리고 결과를 설명하라.

2.18 어떤 풍동에서 측정한 속도(v)에 대한 힘(F)의 데이터는 다음과 같다.

v, m/s	10	20	30	40	50	60	70	80
F, N	25	70	380	550	610	1220	830	1450

이 데이터는 다음의 함수로 표현할 수 있다.

$$F = 0.2741 v^{1.9842}$$

MATLAB을 이용하여 데이터(자홍색의 원 기호)와 함수(검은색의 점선)를 나타내는 그래프를 그려라. 함수를 v가 0에서 100 m/s까지에 대해 그리고, 그래프의 축에 라벨을 표시하라.

2.19 loglog 함수는 x와 y축을 모두 로그 스케일로 만드는 것을 제외하고는 plot 함수와 같다. 이 함수를 이용하여 연습문제 2.18에서 기술한 데이터와 함수에 대한 그래프를 그려라. 그리고 결과를 설명하라.

2.20 Maclaurin 급수전개로 cosine을 나타내면 다음과 같다.

$$\cos x = 1 - \frac{x^2}{2!} + \frac{x^4}{4!} - \frac{x^6}{6!} + \frac{x^8}{8!} - \cdots$$

MATLAB을 이용하여 $x^8 / 8!$의 항이 포함될 때까지의 급수전개에 대한 그래프(검은색의 점선)와 함께 cosine의 그래프(실선)를 그려라. 급수전개를 계산하는 데 내장함수 factorial을 사용하라. 그리고 x축의 범위는 0에서 $3\pi/2$

까지로 하라.

2.21 표 2.1의 데이터를 만드는 데 동원된 점프하는 사람들을 만나 그들의 정면도 면적을 구한다. 그 결과를 표 2.1에 대응하는 값과 같은 순서로 다음과 같이 나타낸다.

A, m^2	0.455	0.402	0.452	0.486	0.531	0.475	0.487

(a) 공기 밀도 ρ가 1.223 kg/m^{3}일 때, MATLAB으로 무차원 항력계수 C_D의 값을 구하라.

(b) 이들 결과값의 평균값, 최소값, 그리고 최대값을 구하라.

(c) 한 개의 그래프 내에서, 위쪽 구획에는 m에 대한 A를 그리고, 아래쪽 구획에는 m에 대한 C_D를 그려라. 그래프의 제목과 축의 라벨을 표시하라.

2.22 다음의 매개변수 방정식은 원뿔형 나선(conical helix)을 나타낸다.

$$x = t \cos(6t)$$
$$y = t \sin(6t)$$
$$z = t$$

범위 $t = 0$에서 6π까지 증분 $\Delta t = \pi/64$로 x, y 및 z의 값을 계산하라. subplot을 사용하여 위쪽 구획에 (x, y)의 2차원 그래프(붉은색 실선)를, 아래쪽 구획에 (x, y, z)의 3차원 그래프(청록색 실선)를 그려라. 두 그래프 모두 축에 라벨을 표시하라.

2.23 다음의 MATLAB 명령어를 입력하면 무엇이 화면에 출력되는가?

(a)
```
>> x = 5;
>> x ^ 3;
>> y = 8 - x
```
(b)
```
>> q = 4:2:12;
>> r = [7 8 4; 3 6 –5];
>> sum(q) * r(2, 3)
```

2.24 어떤 물체의 궤적을 다음과 같이 모델링할 수 있다.

$$y = (\tan \theta_0)x - \frac{g}{2v_0^2\cos^2\theta_0} x^2 + y_0$$

여기서 y는 높이(m), θ_0는 초기 각도(radians), x는 수평거리(m), g는 중력가속도($= 9.81$ m/s^2), v_0는 초기 속도(m/s), 그리고 y_0은 초기 높이이다. MATLAB을 이용하여 초기 각도가 15°에서 75°까지의 범위에서 15°의 증분으로, $y_0 = 0$과 $v_0 = 28$ m/s인 경우의 궤적을 구하라. 수평거리의

범위를 $x = 0$에서 80 m까지 5 m의 증분으로 적용하라. 이들 결과를 배열로 나타내되, 거리는 첫 번째 차원(행)에, 그리고 초기 각도들은 두 번째 차원(열)에 나타낸다. 이 행렬을 이용하여 각각의 초기 각도에서 수평거리에 대한 높이를 나타내는 그래프를 그려라. 각각의 경우를 구별하는 설명문(legend)을 넣고, axis 명령어를 사용하여 최소 높이가 0이 되도록 그래프의 스케일을 조절하라.

2.25 화학반응의 온도에 대한 의존성은 다음과 같은 Arrhenius 방정식으로 계산할 수 있다.

$$k = Ae^{-E/(RT_a)}$$

여기서 k는 반응속도(s^{-1}), A는 지수 앞자리(또는 주파수) 인자, E는 활성에너지(J/mol), R은 기체상수[8.314 J / (mole·K)] 그리고 T_a는 절대온도(K)이다. 혼합물의 경우, $E = 1 \times 10^5$ J/mol이며 $A = 7 \times 10^{16}$이다. MATLAB을 사용하여 온도 253에서 325 K까지의 범위에서 반응속도를 구하라. subplot을 사용하여 (a) T_a에 대한 k (녹색 선)와 (b) $1/T_a$에 대한 $\log_{10} k$ (붉은색 선)의 그래프를 나란히 그려라. semilogy 함수를 적용하여 (b)를 그린다. 두 subplot에 축 라벨과 제목을 포함하라. 이들 결과를 설명하라.

2.26 그림 P2.26a는 선형적으로 증가하는 분포하중을 받는 균일 보를 보여준다. 그림 P2.26b에 보이는 것처럼 처짐 $y(m)$는 다음과 같이 계산된다.

$$y = \frac{w_0}{120EIL} (-x^5 + 2L^2x^3 - L^4x)$$

여기서 E는 탄성계수, I는 관성모멘트(m^4)이다. 이 식과 미적분학을 사용하여 보의 길이에 대한 다음 변수의 그래프를 MATLAB으로 그려라.

(a) 처짐 (y)
(b) 기울기 $[\theta(x) = dy/dx]$
(c) 모멘트 $[M(x) = EId^2y/dx^2]$
(d) 전단력 $[V(x) = EId^3y/dx^3]$
(e) 하중 $[w(x) = -EId^4y/dx^4]$

다음의 매개변수를 사용하여 계산하라. $L = 600$ cm, $E = 50{,}000$ kN/cm^2, $I = 30{,}000$ cm^4, $w_0 = 2.5$ kN/cm 그리고 $\Delta x = 10$ cm이다. subplot 함수를 사용하여, 모든 그래프를 같은 페이지에 세로 방향으로 (a)부터 (e)까지의 순서

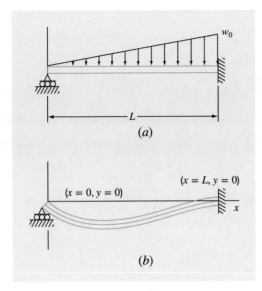

그림 P2.26

로 그려라. 그래프를 그릴 때, 라벨을 포함시키고 MKS 단위를 일관되게 사용하라.

2.27 다음 **버터플라이 곡선**은 다음과 같은 매개변수 식으로 주어진다.

$$x = \sin(t)\left(e^{\cos t} - 2\cos 4t - \sin^5 \frac{t}{12}\right)$$

$$y = \cos(t)\left(e^{\cos t} - 2\cos 4t - \sin^5 \frac{t}{12}\right)$$

범위 $t = 0$에서 100까지의 범위에서 증분 $\triangle t = 1/16$로 x와 y 값을 구하라. (a) t에 대한 x와 y (b) x에 대한 y의 그래프를 그려라. subplot을 사용하여 그래프들을 세로 방향으로 포개어 그리고, (b)의 그래프는 정사각형으로 그려라. 두 그래프 모두에 제목과 축 라벨을 포함시키고, 그래프 (a)에는 설명문(legend)을 포함시켜라. 그래프 (a)에서는 x와 구별하기 위해 y는 점선으로 그려라.

2.28 연습문제 2.27의 버터플라이 곡선은 다음과 같은 극좌표계로 나타낼 수 있다.

$$r = e^{\sin \theta} - 2\cos(4\theta) - \sin^5\left(\frac{2\theta - \pi}{24}\right)$$

범위 $\theta = 0$에서 8π까지의 범위에서 증분 $\triangle \theta = \pi/32$로 r 값을 구하라. MATLAB 함수 polar를 사용하여 버터플라이 곡선의 극좌표 그래프를 붉은색의 점선으로 그려라. 그래프를 어떻게 생성하는지를 알기 위해서는 MATLAB Help를 참조하라.

MATLAB
프로그래밍

학습목표

이 장의 주요 목표는 수치해법을 수행하기 위해 M-파일 프로그램을 작성하는 방법을 배우는 것이다. 특정한 목표와 다루는 주제는 다음과 같다.

- 편집창에서 M-파일을 만들어 명령창에서 불러내는 방법
- 스크립트 파일과 함수 파일의 차이점에 대한 이해
- 함수 내에 help 설명을 작성하는 방법에 대한 이해
- 명령창에 대화식으로 정보를 입력하고, 결과를 출력하는 M-파일 작성법
- 부함수의 역할과 호출 방법에 대한 이해
- 데이터 파일을 만들고 불러오는 방법
- 구조 프로그램을 이용하여 논리와 반복을 수행하기 위한 M-파일 작성법
- if...elseif와 switch 구조의 차이점에 대한 인식
- for...end와 while 구조의 차이점에 대한 인식
- MATLAB 그래프를 동영상으로 만드는 방법
- 벡터화의 의미와 그 유용성에 대한 이해
- 무명함수를 이용하여 function 함수 M-파일로 함수를 전달하는 방법

이런 문제를 만나면

1 장에서 번지점프하는 사람의 낙하속도를 예측하는 수학적 모델을 개발하기 위해 힘의 평형을 이용하였다. 이 모델은 다음 미분방정식의 형태를 갖는다.

$$\frac{dv}{dt} = g - \frac{c_d}{m} v|v|$$

또한 이 식의 수치해는 Euler법으로 얻을 수 있음을 배웠다.

$$v_{i+1} = v_i + \frac{dv_i}{dt} \Delta t$$

이 식은 시간의 함수인 속도를 계산하기 위해 반복적으로 수행된다. 그러나 충분한 정확도를 얻기 위해서는 작은 간격을 많이 사용해야 하므로, 손으로 풀기에는 너무나 많은 노력과

시간이 소요된다. 그러나 MATLAB을 이용하면 쉽게 계산할 수 있다.

이제 문제는 이를 어떻게 수행할지를 살펴보는 것이다. 이 장에서는 해를 구하기 위해 MATLAB M-파일이 어떻게 사용되는지를 소개할 것이다.

3.1 M-파일

MATLAB을 실행시키는 가장 일반적인 방법은 명령창에 한 번에 한 개씩 명령을 입력하는 것이다. M-파일을 이용하면 MATLAB의 문제풀이 능력을 크게 확장시킬 수 있다. M-파일은 한 번에 모든 것을 실행시키는 일련의 명령들을 포함하고 있다. "**M-파일**"로 명명한 것은 이러한 파일들이 .m 확장자를 가지고 저장되기 때문이다. M-파일에는 스크립트 파일과 함수 파일이 있다.

3.1.1 스크립트 파일

스크립트 파일은 파일에 저장된 일련의 MATLAB 명령이다. 이들은 여러분들이 한 번 이상 실행하기를 원하는 일련의 명령을 보존하는 데 유용하다. 스크립트는 명령창에 파일 이름을 입력하거나 Run 버튼을 누르면 실행된다.

예제 3.1 스크립트 파일

문제 설명. 초기 속도가 0인 경우에 번지점프하는 사람의 자유낙하 속도를 계산하는 스크립트 파일을 작성하라.

풀이 **New**, **Script** 순으로 선택하여 편집기를 연다. 특정 시각에서 자유낙하하는 사람의 속도를 계산하는 다음과 같은 문장을 입력한다[식 (1.9) 참조].

```
g = 9.81; m = 68.1; t = 12; cd = 0.25;
v = sqrt(g * m / cd) * tanh(sqrt(g * cd / m) * t)
```

이 파일을 scriptdemo.m에 저장한다. 명령창으로 돌아가서 다음과 같이 입력한다.

```
>>scriptdemo
```

그 결과는 다음과 같이 나타난다.

```
v =
   50.6175
```

따라서 명령창에서 각 라인을 입력했을 때처럼 스크립트는 실행된다.

마지막 단계로 다음과 같이 입력함으로써 g를 구한다.

```
>> g
g =
    9.8100
```

g가 스크립트 안에서 정의되었더라도 이 값은 명령 작업공간에 여전히 보존되고 있음을 알 수 있다. 다음 절에서 보겠지만 이것은 스크립트와 함수 사이의 중요한 차이점이다.

3.1.2 함수 파일

함수 파일은 function이라는 단어로 시작하는 M-파일이다. 스크립트 파일과 달리 함수 파일은 입력 인수를 받아들이고 출력할 수 있다. 그래서 함수 파일은 Fortran, Visual Basic, 또는 C와 같은 프로그래밍 언어의 사용자-정의 함수와 비슷하다.

함수 파일의 구문은 일반적으로 다음과 같이 표현된다.

```
function outvar = funcname(arglist)
% helpcomments
statements
outvar = value;
```

여기서 *outvar* 는 출력변수의 이름, *funcname* 은 함수의 이름, *arglist* 는 함수의 인수 목록(함수로 전달되는 값들이며, 이들은 콤마로 구분됨), *helpcomments* 는 이 함수에 관한 정보를 사용자에게 제공하는 문장(이들은 명령창에 Help *funcname* 을 입력하여 불러낼 수 있음)이며, 그리고 *statements* 는 *outvar* 에 배정되는 *value* 를 계산하는 MATLAB 문장이다.

*helpcomments*의 첫 번째 줄은(*H1 line*이라 함) 함수를 설명하는 역할 외에도, lookfor 명령에 의해 검색되는 줄이다(2.6절 참조). 따라서 파일에 관련되는 주요한 설명을 이 줄에 포함시켜야 한다.

M-파일은 반드시 *funcname*.m 으로 저장시켜야 한다. 이 함수는 다음의 예제에 보이는 것처럼 명령창에 *funcname* 을 입력하면 실행된다. MATLAB은 대문자와 소문자를 구별하지만, 컴퓨터의 운영시스템에서는 그렇지 않을 수도 있음에 유의한다. MATLAB에서는 함수 이름 freefall과 FreeFall은 두 개의 다른 변수로 취급하지만, 컴퓨터의 운영시스템에서는 그렇지 않을 수도 있다.

예제 3.2 함수 파일

문제 설명.   예제 3.1에서와 같이 번지점프하는 사람의 자유낙하 속도를 함수 파일을 사용하여 구하라.

풀이 파일 편집기에서 다음의 문장을 입력하라.

```
function v = freefall(t, m, cd)
% freefall: bungee velocity with second-order drag
% v=freefall(t,m,cd) computes the free-fall velocity
%                    of an object with second-order drag
% input:
%   t = time (s)
%   m = mass (kg)
%   cd = second-order drag coefficient (kg/m)
% output:
%   v = downward velocity (m/s)

g = 9.81;      % acceleration of gravity
v = sqrt(g * m / cd)*tanh(sqrt(g * cd / m) * t);
```

이 파일을 `freefall.m` 으로 저장하라. 이 함수를 불러내기 위해 명령창으로 돌아가서 다음과 같이 입력한다.

```
>> freefall(12,68.1,0.25)
```

그 결과는 다음과 같다.

```
ans =
    50.6175
```

함수 M-파일의 장점은 다른 인수값에 대하여 M-파일을 반복적으로 불러낼 수 있다는 것이다. 100 kg인 번지점프하는 사람의 8초 후의 속도를 계산하기 원하면 다음과 같이 입력한다.

```
>> freefall(8,100,0.25)

ans =
    53.1878
```

help 설명을 불러내려면 다음과 같이 입력한다.

```
>> help freefall
```

이는 다음과 같은 설명을 화면에 보여준다.

```
freefall: bungee velocity with second-order drag
  v=freefall(t,m,cd) computes the free-fall velocity
                     of an object with second-order drag
input:
  t = time (s)
  m = mass (kg)
  cd = second-order drag coefficient (kg/m)
output:
  v = downward velocity (m/s)
```

만약 나중에 함수의 이름은 잊어버리고 번지점프만 기억한다면, 다음과 같이 입력할 수 있다.

```
>> lookfor bungee
```

그러면 다음의 정보가 화면에 나타날 것이다.

```
freefall.m - bungee velocity with second-order drag
```

앞의 예제의 끝에 다음과 같이 입력한다고 하자.

```
>> g
```

다음과 같은 메시지가 나타날 것이다.

```
??? Undefined function or variable 'g'.
```

비록 g가 M-파일 안에서 9.81이더라도 명령 작업공간에서는 어떠한 값도 갖지 않는다. 앞서 예제 3.1의 마지막 부분에서 언급한 것처럼 이는 함수와 스크립트 사이의 중요한 차이이다. 함수 안의 변수들은 그곳에서 **국부적으로** 사용되기 때문에 이 함수가 실행된 이후에는 지워진다. 반면에 스크립트 안에서의 변수들은 스크립트가 실행된 이후에도 존재한다.

함수 M-파일은 한 개 이상의 결과를 반환할 수 있다. 이 경우 결과를 나타내는 변수들은 대괄호 안에 콤마로 구분된다. 예를 들면 다음의 함수 stats.m은 벡터의 평균과 표준편차를 구하는 것이다.

```
function [mean, stdev] = stats(x)
n = length(x);
mean = sum(x)/n;
stdev = sqrt(sum((x-mean).^2/(n-1)));
```

다음은 이 함수가 어떻게 적용되는지를 보여주는 예이다.

```
>> y = [8 5 10 12 6 7.5 4];
>> [m,s] = stats(y)

m =
    7.5000

s =
    2.8137
```

이 책의 나머지 부분에서 스크립트 M-파일도 사용하겠지만 함수 M-파일을 주 프로그래밍 도구로 사용할 것이다. 따라서 종종 함수 M-파일을 단순히 M-파일로 부를 것이다.

3.1.3 변수의 유효범위

MATLAB 변수는 **유효범위**(scope)라는 성질을 가지며, 이는 특정한 계산환경 내에서 그 변수가 고유한 존재이며, 고유한 값을 가지는 것을 의미한다. 일반적으로 어떤 변수의 유효범위는 MATLAB의 작업공간이나 함수 내로 국한된다. 이 규칙은 프로그래머가 의도치 않게 같은 이름을 서로 다른 환경에 있는 변수들에 부여할 때 발생하는 오류를 방지한다.

　　명령줄을 통해 정의된 모든 변수는 MATLAB의 **작업공간** 내에 있으므로, 여러분들은 명령줄에 변수명을 입력함으로써 작업공간 변수의 값을 알 수 있다. 그러나 작업공간 변수는 함수에 바로 접근할 수 없고, 인수를 통해 함수로 전달된다. 예를 들면, 다음과 같이 두 숫자를 더하는 함수를 보자.

```
function c = adder(a,b)
x = 88
a
c = a + b
```

명령창에 다음을 입력한다고 하자.

```
>> x = 1; y = 4; c = 8
c =
     8
```

예상했듯이 작업공간 내의 c 값은 8이다. 만일 다음을 입력하면,

```
>> d = adder(x,y)
```

결과는 다음과 같다.

```
x =
     88
a =
     1
c =
     5
d =
     5
```

그러나 만일 다음을 입력하면,

```
>> c, x, a
```

결과는 다음과 같다.

```
c =
     8
x =
     1

Undefined function or variable 'a'.
Error in ScopeScript (line 6)
c, x, a
```

　　여기서 주목할 점은 x가 함수 안에서 새로운 값이 배정되었지만, MATLAB 작업공간 내에서 같은 이름을 가지는 변수는 바뀌지 않는다. 그들이 같은 이름을 가진다 해도, 각 변수의 유효범위는 그들의 환경 안에 제한되고, 중복되지는 않는다. 함수에서의 변수 a와 b는 유효범위가 그 함수 내에 국한되고, 함수가 실행되는 동안만 존재한다. 이러한 변수들을 일반적으로

지역 변수(local variables)라 부른다. 따라서 a값을 작업공간에 출력하고자 할 때, 작업공간은 함수 내의 a에 접근할 수 없기 때문에 에러 메시지가 나타난다.

유효범위 변수에 대한 또 다른 당연한 결과는 함수가 필요로 하는 매개변수는 입력 인수 또는 기타의 명시적 수단으로 전달되어야 한다는 것이다. 그렇지 않으면 함수는 작업공간 또는 다른 함수의 변수에 접근할 수 없다.

3.1.4 전역 변수

방금 설명하였듯이, 함수의 인수 목록은 작업공간과 함수 사이 또는 두 개의 함수 사이에서 정보가 선택적으로 전달되는 창과 같다. 그러나 종종 여러 환경에서 변수를 인수로 전달하지 않고, 변수에 바로 접근할 수 있으면 편리할 것이다. 이는 변수를 **전역**(global)으로 정의하면 가능해지며, 다음과 같은 전역 명령으로 실행된다.

```
global X Y Z
```

여기서 X, Y와 Z의 유효범위는 전역이다. 만일 여러 함수들(가능하면 작업공간도) 모두가 어떤 특정한 변수명을 전역으로 선언하면, 모든 함수는 그 변수의 값을 공유하게 된다. 어떤 함수에서 변수를 변경하면 그 변수를 전역으로 선언한 다른 모든 함수에도 그 변경이 적용된다. 구문의 형식적인 면에서 MATLAB은 전역 변수에 모두 대문자를 쓰도록 권장하지만, 필수적인 것은 아니다.

예제 3.3 전역 변수의 사용

문제 설명. Stefan-Boltzmann 법칙은 다음과 같이 흑체(black body)[1]로부터의 복사열 플럭스를 계산하는 데 사용한다.

$$J = \sigma T_a^4$$

여기서 J = 복사열 플럭스[W/(m² s)], σ = Stefan-Boltzmann 상수(5.670367 × 10⁻⁸ W m⁻² K⁻⁴) 그리고 T_a = 절대온도(K)이다. 이 식은 물 온도에 미치는 기후 변화의 영향을 평가할 때, 어떤 수역(waterbody)의 열평형에 나타나는 복사항을 계산하는 데 사용된다. 예를 들면, 대기로부터 수역 쪽으로 향하는 긴 파장의 복사열 플럭스, J_{an} [W/(m² s)]은 다음과 같이 계산할 수 있다.

$$J_{an} = 0.97\sigma(T_{air} + 273.15)^4 (0.6 + 0.031 \sqrt{e_{air}})$$

---

1) 흑체는 주파수나 입사각도와 무관하게 모든 입사되는 전자기파를 흡수하는 물체이다. 백체(white body)는 모든 입사되는 전자기파를 완전히, 그리고 모든 방향으로 균일하게 반사하는 물체이다.

여기서 T_{air} = 수역 위 공기의 온도(°C)이고, e_{air} = 수역 위 공기의 증기압(mmHg)이다.

$$e_{air} = 4.596e^{\frac{17.27T_d}{237.3 + T_d}} \tag{E3.3.1}$$

여기서 T_d = 이슬점 온도(°C)이다. 역방향인 수면으로부터 대기로의 복사열 플럭스, J_{br} [W/(m² s)]은 다음과 같이 계산할 수 있다.

$$J_{br} = 0.97\sigma(T_w + 273.15)^4 \tag{E3.3.2}$$

여기서 T_w = 물의 온도(°C)이다. 덥고(T_{air} = 30 °C), 습한(T_d = 27.7 °C) 여름날에 수면 온도 T_w = 15 °C인 차가운 호수에서 긴 파장의 유효 복사열 플럭스(즉, 대기로부터의 복사열과 물에서 대기 쪽으로의 복사열의 차이)를 계산하기 위해서 두 개의 함수를 이용하는 스크립트를 작성하라. 스크립트와 함수가 Stefan-Boltzmann 상수를 공유하도록 전역 변수를 사용하라.

풀이 다음은 스크립트이다.

```
clc, format compact
global SIGMA
SIGMA =5.670367e-8;
Tair = 30; Tw = 15; Td = 27.7;
Jan = AtmLongWaveRad(Tair, Td)
Jbr = WaterBackRad(Tw)
JnetLongWave=Jan-Jbr
```

대기로부터 호수 쪽으로 향하는 긴 파장의 복사열 플럭스를 계산하는 함수는 다음과 같다.

```
function Ja = AtmLongWaveRad(Tair, Td)
global SIGMA
eair=4.596*exp(17.27*Td/(237.3+Td));
Ja=0.97*SIGMA*(Tair+273.15)^4*(0.6+0.031*sqrt(eair));
end
```

그리고 반대로 호수에서 대기로 향하는 긴 파장의 복사열 플럭스를 계산하는 함수는 다음과 같다.

```
function Jb = WaterBackRad(Twater)
global SIGMA
Jb=0.97*SIGMA*(Twater+273.15)^4;
end
```

스크립트를 실행하면, 출력은 다음과 같다.

```
Jan =
  354.8483
Jbr =
  379.1905
JnetLongWave =
  -24.3421
```

이번 경우 역방향 복사가 입사방향 복사보다 크므로, 두 긴 파장의 복사열 플럭스에 따라 호수는 24.3421 W/(m² s)의 손실률로 열을 잃는다.

전역 변수에 대한 추가적인 정보가 필요하면 `help global`을 명령어 프롬프트에 입력하면 된다. 또한 `persistent`와 같은 유효범위(scope)를 다루는 다른 MATLAB 명령어를 알고자 하면, help 기능을 호출하면 된다.

3.1.5 부함수

함수는 다른 함수를 호출할 수 있다. 비록 이러한 함수들은 별개의 여러 M-파일로 존재할 수 있지만, 하나의 M-파일 내에 포함될 수도 있다. 예를 들어 예제 3.2의 M-파일은(도움 설명은 제외) 두 개의 함수로 분리한 후, 이들을 하나의 M-파일로 저장할 수도 있었다.[2]

```
function v = freefallsubfunc(t, m, cd)
v = vel(t, m, cd);
end

function v = vel(t, m, cd)
g = 9.81;
v = sqrt(g * m / cd)*tanh(sqrt(g * cd / m) * t);
end
```

이 M-파일을 `freefallsubfunc.m`에 저장한다. 이와 같은 경우에 첫 번째 함수를 주함수(main 또는 primary function)라 한다. 이 주함수는 명령창과 다른 함수 및 스크립트로 접근할 수 있는 유일한 함수이다. 다른 모든 함수(여기서는 `vel`)는 부함수(subfunction)라고 한다.

부함수는 오직 주함수와 이 부함수가 들어 있는 M-파일 안의 다른 부함수에서만 접근할 수 있다. 만약 명령창에서 `freefallsubfunc`을 실행한다면, 그 결과는 예제 3.2의 것과 동일하다.

```
>> freefallsubfunc(12,68.1,0.25)

ans =
   50.6175
```

그러나 만약 부함수 `vel`을 실행하면, 다음과 같이 에러 메시지가 나타날 것이다.

```
>> vel(12,68.1,.25)
??? Undefined function or method 'vel' for input arguments of type 'double'.
```

---

[2] `end` 문은 단일함수 M-파일을 종료시키는 데 사용되지는 않지만, 부함수를 포함하고 있는 경우에는 주함수와 부함수 사이의 경계를 강조하기 위해 사용된다.

3.2   입력-출력

3.1절에서 정보는 인수 목록을 통하여 함수로 전달되며 함수명을 통하여 출력된다는 것을 설명하였다. 다음의 두 함수는 직접 명령창을 이용하여 정보를 입력하고 출력하는 방법을 보여준다.

input 함수.   이 함수는 사용자가 명령창에 직접 값을 입력해야 한다. 그 구문은 다음과 같다.

n = input('*promptstring*')

이 함수는 *promptstring*을 화면에 보여주고, 키보드 입력을 대기하며, 키보드 입력값을 반환한다. 예를 들면 다음과 같다.

m = input('Mass (kg): ')

이 줄이 실행되면 사용자는 다음 메시지를 받는다.

Mass (kg):

사용자가 어떤 값을 입력하면 변수 m에 그 값이 배정된다.

input 함수는 문자열을 받을 수도 있으며, 이를 위해서는 's'를 함수의 인수 목록에 추가해야 한다. 예를 들면 다음과 같다.

name = input('Enter your name: ','s')

disp 함수.   이 함수는 어떤 값을 화면에 손쉽게 출력한다. 그 구문은 다음과 같다.

disp(*value*)

여기서 *value*는 화면에 출력하고 싶은 값이다. 이 값으로는 상수, 변수, 또는 작은따옴표에 둘러싸여 있는 문자열 메시지가 가능하다. 다음 예제에 그 응용 방법을 설명한다.

예제 3.4 대화식 M-파일 함수

문제 설명.   예제 3.2에서와 같이 번지점프하는 사람의 자유낙하 속도를 계산한다. 입출력으로 input과 disp 함수를 사용하라.

풀이 파일 편집기에 다음의 문장을 입력하라.

```
function freefalli
% freefalli: interactive bungee velocity
%    freefalli interactive computation of the
%             free-fall velocity of an object
%             with second-order drag.
g = 9.81;     % acceleration of gravity
```

```
m = input('Mass (kg): ');
cd = input('Drag coefficient (kg/m): ');
t = input('Time (s): ');
disp(' ')
disp('Velocity (m/s):')
disp(sqrt(g * m / cd)*tanh(sqrt(g * cd / m) * t))
```

이 파일을 `freefalli.m`에 저장하라. 이 함수를 불러오기 위해 명령창으로 돌아가서 다음을 입력하라.

```
>> freefalli
Mass (kg): 68.1
Drag coefficient (kg/m): 0.25
Time (s): 12

Velocity (m/s):
   50.6175
```

fprintf 함수. 이 함수는 정보를 출력할 때, 그 출력을 추가적으로 제어하는 방법을 제공한다. 이 구문의 간단한 표현은 다음과 같다.

```
fprintf('format', x, ...)
```

여기서 *format*은 변수 x 값을 어떻게 출력할지를 규정하는 문자열이다. 이 함수는 다음의 예로 잘 설명될 수 있다.

간단한 예는 메시지와 함께 어떤 값을 출력하는 것이다. 예를 들면 변수 velocity는 50.6175의 값을 가지고 있다고 가정하자. 메시지와 함께 이 값을 소수점 이하 4자리를 가지는 8자리 숫자로 출력하기 위해, 다음과 같이 입력하면 그 결과가 출력된다.

```
>> fprintf('The velocity is %8.4f m/s\n', velocity)
The velocity is 50.6175 m/s
```

이 예는 포맷 문자열이 어떻게 작동하는지를 분명히 보여준다. MATLAB은 문자열의 왼쪽 끝에서 시작해서 기호 % 또는 \ 중 하나가 탐지될 때까지 라벨을 출력한다. 위의 예에서 처음 %를 만나면 다음의 텍스트는 **포맷 코드**(format code)라는 것을 인식한다. 표 3.1에서 포맷 코드는 수치값이 정수, 소수, 또는 과학표기 포맷 중 어느 것인지를 규정한다. velocity 의 값을 출력한 후 MATLAB은 기호 \ 가 탐지될 때까지 계속해서 문자 정보(여기서는 m/s)를 출력한다. 이 기호 \ 는 뒤따르는 텍스트가 **제어 코드**(control code)라는 것을 MATLAB에게 알린다. 표 3.1에서 제어 코드는 다음 줄로 건너뛰라는 등의 행위를 지시하는 것이다. 앞의 예에서 코드 \n을 생략하면 다음 줄이 아닌 m/s 바로 뒤에 명령어 프롬프트가 나타날 것이다.

fprintf 함수는 한 줄에 여러 값을 다른 포맷으로 출력할 수 있다. 예를 들면 다음과

표 3.1   `fprintf` 함수에 일반적으로 사용되는 포맷 코드와 제어 코드.

Format Code	Description
%d	Integer format
%e	Scientific format with lowercase e
%E	Scientific format with uppercase E
%f	Decimal format
%g	The more compact of **%e** or **%f**

Control Code	Description
\n	Start new line
\t	Tab

같다.

```
>> fprintf('%5d %10.3f %8.5e\n',100,2*pi,pi);
    100        6.283 3.14159e+000
```

이 함수는 벡터와 행렬을 출력하는 데도 사용될 수 있다. 여기에 두 데이터 세트의 값을 벡터로 입력하는 M-파일은 다음과 같다. 이러한 벡터들을 행렬로 조합하여 머리말과 함께 표로 출력하기 위해 다음과 같이 작성한다.

```
function fprintfdemo
x = [1 2 3 4 5];
y = [20.4 12.6 17.8 88.7 120.4];
z = [x;y];
fprintf('    x        y\n');
fprintf('%5d %10.3f\n',z);
```

이 M-파일의 실행 결과는 다음과 같다.

```
>> fprintfdemo

    x        y
    1    20.400
    2    12.600
    3    17.800
    4    88.700
    5   120.400
```

3.2.1   파일의 생성과 접근

MATLAB은 데이터 파일을 읽고 쓰는 두 가지 기능을 가지고 있다. 가장 간단한 방법은 **MAT-파일**이라고 하는 이진 파일(binary file)의 특수한 형태를 포함하는데, 이는 MATLAB 안에서 실행하기 위해 특별히 설계된 것이다. 이러한 파일은 `save`와 `load` 명령어를 이용하여 생성하고 접근한다.

　`save` 명령어는 작업공간의 모든 변수 또는 몇몇 선택된 변수를 저장하는 MAT-파일을 만드는 데 사용된다. 이 구문의 간단한 표현은 다음과 같다.

```
    save filename var1 var2 ... varn
```

이 명령은 *filename*.mat 이라는 MAT-파일을 만들어 변수 *var1* 에서 *varn* 까지를 저장한다. 만약 이 변수를 생략하면 작업공간의 모든 변수가 저장된다. load 명령어는 다음과 같이 *filename*.mat 에서 변수 *var1* 에서 *varn* 까지를 불러오는 데 사용된다.

```
    load filename var1 var2 ... varn
```

save 경우와 마찬가지로 변수를 생략하면 모든 변수를 불러오게 된다.

예를 들어 식 (1.9)를 사용하여 일련의 항력계수에 대한 속도를 구하려면 다음과 같다.

```
>> g=9.81;m=80;t=5;
>> cd=[.25 .267 .245 .28 .273]';
>> v=sqrt(g*m ./cd).*tanh(sqrt(g*cd/m)*t);
```

다음과 같이 항력계수와 속도의 값을 저장하는 파일을 생성할 수 있다.

```
>> save veldrag v cd
```

이들 값을 나중에 어떻게 불러오는지를 설명하기 위해, 작업공간에 있는 모든 변수를 clear 명령어로 지운다.

```
>> clear
```

여기서 속도를 출력하려고 한다면 다음과 같은 결과를 얻는다.

```
>> v
??? Undefined function or variable 'v'.
```

그러나 다음과 같이 입력하면 이들을 다시 불러올 수 있다.

```
>> load veldrag
```

다음에서 확인되듯이 이제 속도는 이용할 수 있는 변수가 된다.

```
>> who
Your variables are:
cd  v
```

MAT-파일이 MATLAB 환경 내에서 사용될 때 대단히 유용하지만, 다른 프로그램과 호환성을 지니려면 다른 접근법이 필요하다. 이런 경우에 간단한 접근법은 ASCII 형식으로 텍스트 파일을 만드는 것이다.

MATLAB에서 ASCII 파일은 save 명령어에 -ascii를 추가하여 만들 수 있다. 작업공간 전체를 저장하려는 MAT-파일과는 달리, 하나의 사각형 행렬의 값을 저장하려면 다음과 같다.

```
>> A=[5 7 9 2;3 6 3 9];
>> save simpmatrix.txt -ascii
```

이런 경우에 save 명령어는 A의 값을 8자리 ASCII 형식으로 저장한다. 배정도(double precision)로 숫자를 저장하기를 원한다면, 단지 -ascii -double을 추가하면 된다. 어떤 경우에도 이 파일은 스프레드시트나 워드프로세서와 같은 다른 프로그램에 의해 접근될 수 있다. 예를 들어 텍스트 편집기로 이 파일을 열면 다음과 같다.

```
5.0000000e+000    7.0000000e+000    9.0000000e+000    2.0000000e+000
3.0000000e+000    6.0000000e+000    3.0000000e+000    9.0000000e+000
```

다른 방법으로는 load 명령어를 사용하여 MATLAB 내로 다시 이 값을 읽을 수 있다.

```
>> load simpmatrix.txt
```

simpmatrix.txt는 MAT-파일이 아니기 때문에, MATLAB은 *filename*의 이름을 따르는 배정도 배열을 생성한다.

```
>> simpmatrix
simpmatrix =
     5     7     9     2
     3     6     3     9
```

다른 방법으로는 load 명령어를 함수로 사용하여 이 값을 어떤 변수에 다음과 같이 할당한다.

```
>> A = load('simpmatrix.txt')
```

앞서 설명한 내용은 단지 MATLAB의 파일을 다루는 기능의 일부분에 불과하다. 예를 들어 편리한 가져오기(import) 기능은 메뉴(**File**, **Import Data**)를 선택하여 불러올 수 있다. 연습으로 가져오기 기능을 이용하여 simpmatrix.txt를 열어보면 이 기능의 편리함을 알 수 있다. 더욱이 이들 및 다른 특성들에 대해 더 알기를 원한다면 항상 help를 참고하면 된다.

3.3   구조 프로그래밍

모든 M-파일의 가장 간단한 형태는 순차적으로 명령을 수행하는 것이다. 프로그램 명령은 함수의 처음부터 시작하여 끝까지 한 줄씩 실행된다. 이러한 엄격한 제한 때문에 모든 컴퓨터 언어는 프로그램이 비순차적인 경로를 취하도록 허용하는 문장들이 있다. 이들은 다음과 같이 분류될 수 있다.

- **판정**(또는 선택). 판정에 기초를 둔 흐름의 분기점이다.
- **루프**(또는 반복). 반복을 허용하는 흐름의 루프이다.

3.3.1 판정

if 구조. 이 구조는 논리 조건이 참일 때 일련의 문장을 실행하는 것이다. 일반적인 구문은 다음과 같다.

```
if condition
  statements
end
```

여기서 *condition*은 논리식인데 참 또는 거짓을 갖는다. 예를 들어 다음은 성적이 통과되는지를 평가하는 간단한 M-파일이다.

```
function grader(grade)
% grader(grade):
%   determines whether grade is passing
% input:
%   grade = numerical value of grade (0-100)
% output:
%   displayed message
if grade >= 60
  disp('passing grade')
end
```

다음은 결과를 나타낸 것이다.

```
>> grader(95.6)
passing grade
```

다음은 단 하나의 문장으로 if 구조가 실행되는 것이다.

```
if grade > 60, disp('passing grade'), end
```

이러한 구조를 **한 줄 if**(single-line if)라 한다. 하나 이상의 문장으로 수행되는 경우에는 여러 줄 if(multiline if)가 읽기 쉽기 때문에 선호된다.

에러 함수. 한 줄 if의 유용성을 보여주는 좋은 예는 이를 초보적인 오차함정(error trap)으로 사용하는 것이다. 이것은 다음과 같은 error 함수를 사용하는 것을 말한다.

```
error(msg)
```

이 함수를 만나면 텍스트 메시지 msg가 나타나서 에러가 발생하는 위치를 알려준 후, M-파일을 끝내고 명령창으로 돌아간다.

예로서 0으로 나누는 것을 피하기 위해 그 나눗셈이 발생하는 곳에서 M-파일을 끝내기를 원한다고 하자. 다음의 M-파일은 이것이 어떻게 수행될 수 있는지를 보여준다.

```
function f = errortest(x)
if x == 0, error('zero value encountered'), end
f = 1/x;
```

여기서 0이 아닌 인수가 사용되면 다음과 같이 나눗셈은 성공적으로 수행될 것이다.

```
>> errortest(10)
ans =
    0.1000
```

그러나 인수가 0인 경우에는 함수는 나눗셈을 수행하기 전에 끝나고, 에러 메시지가 빨간 글씨로 다음과 같이 표시될 것이다.

```
>> errortest(0)
??? Error using ==> errortest at 2
zero value encountered
```

논리 조건. 이 *condition*의 가장 단순한 형태는 다음과 같이 두 값을 비교하는 단일 관계식이다.

value$_1$ *relation value*$_2$

여기서 *values*는 상수, 변수, 또는 식이 될 수 있으며, *relation*은 표 3.2에 있는 관계연산자 중 하나이다.

또한 MATLAB은 논리 연산자를 도입하여 한 개 이상의 논리 조건(logical condition)을 사용할 수 있도록 한다. 따라서 다음을 강조한다.

- ~(*Not*). 식에서 논리적 부정을 수행할 때 사용.

  ~*expression*

  만일 *expression*이 참이면 결과는 거짓이다. 반대로 *expression*이 거짓이면 결과는 참이다.

- &(*And*). 두 식에서 논리적 곱을 수행할 때 사용.

  expression$_1$ & *expression*$_2$

  만일 두 *expression*이 모두 참이면 결과는 참이다. 그러나 두 *expression* 중 하나 또는 모두가 거짓이면 결과는 거짓이다.

표 3.2 MATLAB에서 사용되는 관계연산자의 요약.

Example	Operator	Relationship
x == 0	==	Equal
unit ~= 'm'	~=	Not equal
a < 0	<	Less than
s > t	>	Greater than
3.9 <= a/3	<=	Less than or equal to
r >= 0	>=	Greater than or equal to

표 3.3 MATLAB의 논리 연산자에 대한 가능한 모든 결과를 요약한 표. 연산자의 우선순위는 표의 상단에 있다.

x	y	Highest ──────────────────────────────▶ Lowest		
		~x	x & y	x || y
T	T	F	T	T
T	F	F	F	T
F	T	T	F	T
F	F	T	F	F

- || (*Or*). 두 식에서 논리적 합을 수행할 때 사용.

  *expression*₁ || *expression*₂

  만일 두 *expression* 중 하나 또는 모두가 참이면 결과는 참이다.

  표 3.3은 이러한 각각의 연산자에 대해 가능한 모든 결과를 보여준다. 그리고 산술연산과 같이 논리연산에도 우선순위가 있다. 높은 순서부터 낮은 순서로 열거하면 ~, &, || 등이다. MATLAB에서 같은 우선순위의 연산자인 경우에는 왼쪽에서 오른쪽의 순서로 수행한다. 끝으로 산술 연산자처럼 우선순위를 뒤엎기 위해 괄호가 사용될 수 있다.

  이제 컴퓨터가 논리식을 계산하기 위해 어떻게 우선순위를 사용하는지를 알아보자. a = -1, b = 2, x = 1, 그리고 y = 'b'라 하면, 다음 식이 참인지 거짓인지 계산해 보라.

  a * b > 0 & b == 2 & x > 7 || ~(y > 'd')

보다 쉽게 계산하기 위해 변수에 값을 대입해 보자.

  -1 * 2 > 0 & 2 == 2 & 1 > 7 || ~('b' > 'd')

  MATLAB이 먼저 수행하는 것은 산술연산이다. 이 예에서는 -1*2이다.

  -2 > 0 & 2 == 2 & 1 > 7 || ~('b' > 'd')

다음으로 모든 관계식을 계산한다.

  -2 > 0 & 2 == 2 & 1 > 7 || ~('b' > 'd')
    F & T & F || ~   F

이때 논리 연산자는 우선순위에 따라 계산된다. ~ 연산자는 가장 높은 우선순위를 가지기 때문에 마지막 식(~F)은 다음과 같이 먼저 계산된다.

  F & T & F || T

다음으로 연산자 &가 계산된다. 두 개가 있기 때문에 왼쪽에서 오른쪽으로 수행되어 첫 번째 식(F & T)이 계산된다.

  F & F || T

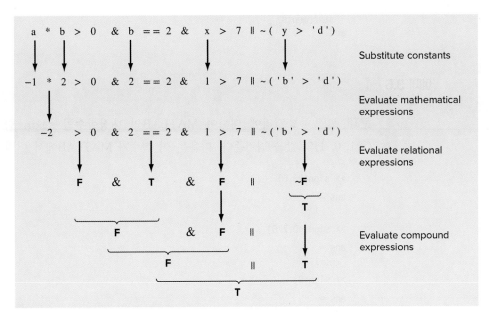

그림 3.1 복잡한 논리식의 단계별 계산.

연산자 &는 계속 높은 우선순위를 가지므로 이 식은 다음과 같이 계산된다.

   F ∥ T

끝으로 연산자 ∥로 인하여 이 식은 참으로 계산된다. 전체 과정은 그림 3.1에 나타나 있다.

`if...else 구조.` 이 구조는 논리조건이 참이면 첫 번째 문장을, 거짓이면 두 번째 문장을 수행한다. 이 구조의 일반적인 구문은 다음과 같다.

```
if condition
   statements₁
else
   statements₂
end
```

`if...elseif 구조.` 이 구조는 `if...else` 구조에서 거짓인 경우에 대해 또 다른 판정이 필요할 때 사용된다. 이 구조 형태는 특수한 문제에서 두 개 이상의 옵션을 가질 때 나타난다. 이 같은 경우를 처리하기 위해, 특수한 형태의 판정 구조로서 `if...elseif` 구조가 개발되었다. 이것의 일반적인 구문은 다음과 같다.

```
if condition₁
   statements₁
elseif condition₂
   statements₂
elseif condition₃
   statements₃
      .
      .
      .
else
```

```
        statements_else
    end
```

예제 3.5   if 구조

문제 설명. 스칼라에 대하여 MATLAB의 내장함수인 sign 함수는 인수의 부호에 따라 (−1, 0, 1)의 값을 넘겨준다. 다음은 이 함수가 MATLAB에서 어떻게 수행되는지를 나타낸다.

```
>> sign(25.6)
ans =
     1
>> sign(-0.776)
ans =
     -1
>> sign(0)
ans =
     0
```

같은 기능을 수행하기 위한 M-파일을 개발하라.

풀이 먼저 if 구조는 인수가 양수이면 1을 반환하기 위해 사용된다.

```
function sgn = mysign(x)
% mysign(x) returns 1 if x is greater than zero.
if x > 0
  sgn = 1;
end
```

이 함수를 실행하면 다음과 같다.

```
>> mysign(25.6)
ans =
     1
```

함수가 양수에 대해서는 올바로 처리하지만, 음수나 0인 인수에 대해서는 아무것도 출력하지 않는다. 이러한 결점을 부분적으로 보완하기 위해, 조건이 거짓이면 if... else 구조가 −1을 표시하도록 사용된다.

```
function sgn = mysign(x)
% mysign(x) returns 1 if x is greater than zero.
%                   -1 if x is less than or equal to zero.
if x > 0
  sgn = 1;
else
  sgn = -1;
end
```

이 함수를 실행하면 다음과 같다.

```
>> mysign(-0.776)
ans =
    -1
```

양수와 음수의 경우는 현재 맞게 처리되지만, 0의 인수에 대해서는 틀린 값인 −1이 반환된다. 이 마지막 경우를 고려하여 `if...elseif` 구조를 다음과 같이 사용한다.

```
function sgn = mysign(x)
% mysign(x) returns 1 if x is greater than zero.
%                  -1 if x is less than zero.
%                   0 if x is equal to zero.
if x > 0
  sgn = 1;
elseif x < 0
  sgn = -1;
else
  sgn = 0;
end
```

이제 이 함수는 다음과 같이 모든 경우를 처리한다. 예를 들면 다음과 같다.

```
>> mysign(0)
ans =
     0
```

`switch` **구조.** `switch` 구조는 `if...elseif` 구조와 비슷하다. 그러나 분기(branching)가 개별 조건에 의하지 않고 단일 검증식의 값에 의해 이루어진다. 이 값에 따라 다른 블록의 코드가 실행된다. 더욱이 식이 먼저 지정된 값들 중 어떤 값에도 해당되지 않으면, 선택적 블록이 실행된다. 이것의 일반적인 구문은 다음과 같다.

```
switch testexpression
  case value₁
    statements₁
  case value₂
    statements₂
     .
     .
     .
  otherwise

    statements_otherwise
end
```

그 예로 문자 변수 `grade`의 값에 따라 메시지를 출력하는 함수가 있다.

```
grade = 'B';
switch grade
  case 'A'
    disp('Excellent')
```

```
    case 'B'
      disp('Good')
    case 'C'
      disp('Mediocre')
    case 'D'
      disp('Whoops')
    case 'F'
      disp('Would like fries with your order?')
    otherwise
      disp('Huh!')
  end
```

이 코드가 실행되면 "Good"이라는 메시지가 출력될 것이다.

변동 인수 목록. MATLAB은 함수에 전달하는 인수의 수를 변동시킬 수 있다. 이러한 특성은 **기본값**(default value)을 함수에 포함시키는 데 편리하다. 기본값은 사용자가 함수에 인수값을 전달하지 않는 경우 자동적으로 배정되는 수이다.

이 장의 앞부분의 예제에서 세 개의 인수를 갖는 `freefall` 함수를 개발하였다.

```
v = freefall(t,m,cd)
```

사용자가 시간과 질량의 값은 구체적으로 지정해야 하지만, 적절한 항력계수에 대해서는 잘 모를 것이다. 이런 경우에 인수 목록에서 항력계수가 생략되면 프로그램이 자동으로 어떤 값을 제공하는 것이 바람직할 것이다.

MATLAB에는 사용자가 함수에 공급하는 입력 인수들의 개수를 나타내는 `nargin`이라는 함수가 있다. 이는 함수에 기본값과 에러 메시지를 포함시키기 위해 `if` 또는 `switch` 구조와 같은 판정 구조와 함께 이용할 수 있다. 다음의 코드는 이를 어떻게 `freefall`에서 처리하는지를 설명한다.

```
function v = freefall2(t, m, cd)
% freefall2: bungee velocity with second-order
%   v=freefall2(t,m,cd) computes the free-fall
%                       of an object with secon
% input:
%   t = time (s)
%   m = mass (kg)

%   cd = drag coefficient (default = 0.27 kg/m)
% output:
%   v = downward velocity (m/s)
switch nargin
  case 0
    error('Must enter time and mass')
  case 1
    error('Must enter mass')
  case 2
    cd = 0.27;
end
g = 9.81;      % acceleration of gravity
v = sqrt(g * m / cd)*tanh(sqrt(g * cd / m) * t);
```

여기서 `switch` 구조는 사용자에 의해 전달되는 인수의 개수에 따라 에러 메시지를 출력하거나 기본값을 설정하기 위해 사용되었다. 결과를 보여주는 명령창은 다음과 같다.

```
>> freefall2(12,68.1,0.25)
ans =
    50.6175
>> freefall2(12,68.1)
ans =
    48.8747
>> freefall2(12)
??? Error using ==> freefall2 at 15
Must enter mass
>> freefall2()
??? Error using ==> freefall2 at 13
Must enter time and mass
```

명령창에서 nargin을 부를 때는 조금 다르게 작동한다는 것에 유의하라. 명령창에서 nargin은 함수를 규정하는 문자열 인수를 포함시켜야 하며, 그 결과로 함수 내의 인수 개수를 반환한다. 그 예는 다음과 같다.

```
>> nargin('freefall2')
ans =
     3
```

3.3.2 루프

이름이 의미하는 것처럼 루프는 반복적으로 작업을 수행하는 것이다. 어떻게 반복을 끝내느냐에 따라 두 종류가 있다. *for* **루프**는 지정된 횟수만큼 반복한 후 끝내고, *while* **루프**는 논리 조건을 기초로 하여 끝낸다.

for...end 구조. for 루프는 정해진 횟수만큼 문장을 반복한다. 일반적인 구문은 다음과 같다.

```
for index = start:step:finish
    statements
end
```

for 루프는 다음과 같이 작동한다. *index*는 초기값인 *start*로 지정되는 변수이다. 그 다음에 프로그램은 *index*를 원하는 최종값 *finish*와 비교한다. *index*가 *finish*보다 작거나 같으면 프로그램은 *statements*를 실행한다. 루프의 마지막에 표시되어 있는 end 행에 도달하면 *index* 변수는 *step*만큼 증가하고 프로그램 루프는 for 문장으로 되돌아간다. 이 과정은 *index*가 *finish* 값보다 커질 때까지 계속한다. 이때 프로그램이 end 문장의 바로 다음 행으로 건너 내려가면서 루프는 끝난다.

증분이 1이면 다음과 같이 *step*은 생략될 수 있음을 유의하라. 예를 들면 다음과 같다.

```
for i = 1:5
  disp(i)
end
```

이 구문이 실행되면, MATLAB은 연속하여 1, 2, 3, 4, 5를 출력할 것이다. 다시 말하면 *step*의 기본값은 1이다.

*step*의 크기는 기본값 1에서 다른 값으로 바꿀 수 있다. 정수 또는 양수가 아니어도 되며, 예를 들면 0.2, -1, -5 등의 *step* 크기도 가능하다.

음수 *step*이 사용되면 루프는 역순으로 진행한다. 이런 경우 루프의 논리는 반대로 된다. 따라서 *finish*는 *start*보다 작게 되고, 루프는 index가 *finish*보다 작아질 때 끝난다. 예를 들면 다음과 같다.

```
for j = 10:-1:1
  disp(j)
end
```

이 구문이 실행되면, MATLAB은 전형적인 "카운트다운" 순서인 10, 9, 8, 7, 6, 5, 4, 3, 2, 1의 순으로 출력할 것이다.

예제 3.6 순차곱셈 계산을 위한 for 루프

문제 설명. 순차곱셈(factorial)[3]을 계산하기 위한 M-파일을 만들어라.

$$0! = 1$$
$$1! = 1$$
$$2! = 1 \times 2 = 2$$
$$3! = 1 \times 2 \times 3 = 6$$
$$4! = 1 \times 2 \times 3 \times 4 = 24$$
$$5! = 1 \times 2 \times 3 \times 4 \times 5 = 120$$
$$\vdots$$

풀이 이 계산을 수행하기 위한 간단한 함수는 다음과 같다.

```
function fout = factor(n)
% factor(n):
%   Computes the product of all the integers from 1 to n.
x = 1;
for i = 1:n
  x = x * i;
end
fout = x;
end
```

이를 실행하면 다음과 같다.

---

3) MATLAB에는 이 계산을 수행하는 내장함수 factorial이 있음을 유의하라.

```
>> factor(5)
ans =
    120
```

이 루프는 1부터 5까지 5번 실행할 것이다. 마지막으로 x는 5!($1 \times 2 \times 3 \times 4 \times 5 = 120$)의 값을 가질 것이다.

$n = 0$이면 어떻게 되는지 유의하라. 이 경우에는 for 루프가 실행되지 않고 원하는 결과인 $0! = 1$을 얻을 것이다.

벡터화. for 루프는 수행하기도 쉽고 이해하기도 쉽다. 그러나 MATLAB에서는 이것이 문장을 특정한 횟수 동안 반복하기 위한 가장 효과적인 방법이 아닐 수도 있다. MATLAB은 배열에 직접 연산하는 능력을 가지고 있으므로 **벡터화**가 더욱 효과적인 옵션이 된다. 예를 들어 다음의 for 루프 구조를 살펴보자.

```
i = 0;
for t = 0:0.02:50
  i = i + 1;
  y(i) = cos(t);
end
```

이 구조는 다음과 같이 벡터화된 형태로 표현될 수 있다.

```
t = 0:0.02:50;
y = cos(t);
```

코드가 복잡한 경우, 그 코드를 벡터화하는 방법은 쉽지 않을지도 모른다. 하지만 가능하다면 벡터화를 권한다.

메모리의 사전할당. MATLAB은 새로운 원소를 추가할 때마다 배열의 크기를 자동적으로 증가시킨다. 이것은 루프 안에서 한 번에 한 개씩 새로운 값을 추가하는 작업을 할 때 시간이 많이 소요될 수 있다. 예를 들어 t 값이 1보다 큰지 아닌지에 따라 y의 원소값이 정해지는 코드가 있다.

```
t = 0:.01:5;
for i = 1:length(t)
  if t(i)>1
    y(i) = 1/t(i);
  else
    y(i) = 1;
  end
end
```

이 경우 MATLAB은 새로운 값이 결정될 때마다 매번 y의 크기를 바꿔야 한다. 다음의 코드는 루프에 들어가기 이전에 y에 1을 할당하기 위해 벡터화된 문장을 사용하여 적절한 양의 메모리를 미리 할당하는 것을 보여준다.

```
t = 0:.01:5;
y = ones(size(t));
for i = 1:length(t)
  if t(i)>1
    y(i) = 1/t(i);
  end
end
```

따라서 배열은 단 한 번에 크기가 정해진다. 또한 사전할당은 메모리 단편화(memory fragmentation)를 줄여 프로그램의 효율을 향상시킨다.

while 구조. while 루프는 논리조건이 참인 동안에만 반복한다. 이 구조의 일반적인 구문은 다음과 같다.

```
while condition
  statements
end
```

while과 end 사이의 statements는 condition이 참인 동안에는 반복된다. 예를 들면 다음과 같다.

```
x = 8
while x > 0
  x = x - 3;
  disp(x)
end
```

이 코드를 실행하면 다음과 같다.

```
x =
    8
    5
    2
   -1
```

while...break 구조. while 구조는 매우 유용하지만, 항상 거짓 결과가 시작될 때 구조 밖으로 나간다는 사실은 다소 제약적이다. 이러한 이유로 Fortran 90과 Visual Basic과 같은 언어는 루프 안의 어디에서든지 참인 조건에서 루프가 끝나는 것을 허용하는 특수한 구조를 가진다. 그와 같은 구조는 MATLAB에서 일반적으로 사용 가능하진 않지만, 그 기능들은 while 루프의 특수한 버전에 의해 모방될 수 있다. 바로 *while...break* **구조**이며 다음과 같이 사용된다.

```
while (1)
  statements
  if condition, break, end
  statements
end
```

여기서 break는 루프의 실행을 종료한다. 따라서 한 줄 if는 조건이 참으로 판정되면 루프를 나가기 위해 사용된다. break는 위 구문에서 보이듯이 루프의 중간에 위치할 수 있음에 유의하라(문장이 break 전후에 있음). 이런 구조를 **중간점검 루프**(midtest loop)라 한다.

문제에 따라서는 **초기점검 루프**(pretest loop)를 만들기 위해 break가 제일 앞에 위치할 수도 있다. 예를 들면 다음과 같다.

```
while (1)
  If x < 0, break, end
  x = x - 5;
end
```

각 반복마다 x에서 어떻게 5가 감해지는지를 유의하라. 이렇게 감하는 과정을 통해 루프가 끝나게 되는 구조를 볼 수 있다. 모든 판정 루프는 이러한 구조를 가져야 하며, 그렇지 않으면 무한히 반복한다.

또한 **후기점검 루프**(posttest loop)를 만들기 위해 가장 마지막에 if...break 문장을 위치시킬 수도 있다. 예를 들면 다음과 같다.

```
while (1)
  x = x - 5;
  if x < 0, break, end
end
```

사실 세 가지 구조는 본질적으로 모두 같다. 단지 출구를 위치시키는 곳(루프의 처음, 중간, 끝)에 따라 초기, 중간 혹은 후기점검 루프를 갖게 된다는 점만 다르다. 이러한 단순함이 Fortran 90과 Visual Basic을 개발한 컴퓨터 과학자들로 하여금 이 구조를 전형적인 while 구조와 같은 판정 루프 형태보다 더 선호하게 하였다.

break와 continue 명령어. *while...break* 구조에서 설명한 대로 *break* 명령어는 *for* 또는 while 루프에서 빠져나갈 때 사용되며 나머지 프로그램은 계속해서 실행된다. 즉 *break* 명령어가 수행되면 프로그램은 루프의 end 문장으로 점프하여 end 이후의 문장을 계속하게 된다. *continue* 명령어도 역시 end 문장으로 점프하지만, 루프의 처음 문장으로 (*for* 또는 *while*) 다시 돌아가서 종결 조건을 만족할 때까지 루프는 계속 실행하게 된다. *while...break* 구조에서 설명한 대로 두 가지 모두 주로 *if* 문장과 같이 사용된다.

다음 코드는 *continue* 문장이 1에서 100까지의 정수 중에서 17의 배수를 나타내기 위해 *for* 루프와 함께 어떻게 사용되는지를 보여준다.

```
for i = 1:100
  if mod(i,17)~=0
    continue
  end
  disp([num2str(i) ' is evenly divisible by 17'])
end
```

***modulo* 함수** mod(x, n)는 x를 n으로 나눌 때 나머지를 반환한다. 따라서 나머지가 반환되는 경우 if 문장은 참인지를 확인하고, continue 문장은 루프의 end 문장으로 점프하게 하여 새로운 반복을 시작하게 한다. 만약 나머지가 0이면, 즉 x가 n으로 나누어떨어지는 경

우, continue 문장을 건너뛰고 결과로서 숫자를 표시하게 된다. 다음은 출력 결과이다.

```
17 is evenly divisible by 17
34 is evenly divisible by 17
51 is evenly divisible by 17
68 is evenly divisible by 17
85 is evenly divisible by 17
```

pause 명령어. 프로그램을 잠시 멈추고 싶을 때가 있을 것이다. pause 명령어는 어떤 키든지 간에 키를 누를 때까지 멈추어서 기다리게 한다. 좋은 예로는 일련의 그래프를 그릴 때, 다음 그래프로 가기 전에 시간을 가지고 살펴보기 원할 경우이다. 다음 코드는 이러한 방법으로 볼 수 있는 일련의 그래프를 만들기 위해 for 루프를 적용한 것이다.

```
for n = 3:10
  mesh (magic(n))
  pause
end
```

또한 pause에서 n초 동안 실행 과정을 멈추고 싶을 경우에는 pause(n)의 형식으로 나타낼 수 있다. 이 특성은 pause 명령을 다른 몇몇의 유용한 MATLAB 함수와 함께 실행함으로써 보여줄 수 있다. beep 명령어는 컴퓨터가 삑하는 소리를 내게 하는 명령이다. 다른 두 함수 tic과 toc은 경과시간을 측정하기 위해 함께 작동한다. tic 명령은 현재의 시간을 저장하고 toc은 경과시간을 나타낸다. 다음의 코드를 통해 pause(n)이 소리 효과와 함께 작동하는 것을 확인할 수 있다.

```
tic
beep
pause(5)
beep
toc
```

이 코드가 실행되면 컴퓨터는 삑하는 소리를 낼 것이다. 5초 후 다시 삑 소리가 나고 다음과 같은 메시지가 나타날 것이다.

```
Elapsed time is 5.006306 seconds.
```

한편 pause(inf)를 사용한다면 MATLAB은 무한 루프로 들어갈 것이다. 이런 경우 **Ctrl + c** 또는 **Ctrl + Break** 키를 누르면 명령어 프롬프트로 돌아갈 수 있다.

앞의 예제가 다소 하찮게 보여도 이 명령들은 제법 유용하다. 예를 들면 tic과 toc은 가장 많은 실행시간을 소모하는 알고리즘 부분을 확인하는 데 적용된다. 더욱이 부주의하여 M-파일에 무한 루프가 발생하는 경우는 **Ctrl + c** 또는 **Ctrl + Break** 키를 누르면 그 루프에서 쉽게 빠져나올 수 있다.

3.3.3 동영상

MATLAB에서 그림을 동영상으로 만드는 데는 두 가지 간단한 방법이 있다. 먼저 계산이 충분히 빠르다면 동영상이 부드럽게 보일 수 있도록 하기 위해 일반적인 plot 함수를 사용할 수 있다. 아래에 있는 코드의 일부는 for 루프와 일반적인 plot 함수를 이용하여 어떻게 그림을 동영상으로 만드는지를 보여준다.

```
% create animation with standard plot functions
for j=1:n
  plot commands
end
```

이 코드는 hold on을 포함하지 않으므로 루프를 반복할 때마다 그림은 새로이 갱신된다. 따라서 이는 축 명령을 잘 사용하면 부드럽게 바뀌는 이미지를 보일 것이다.

두 번째로 일련의 그림들을 저장해서 이들을 다시 실행시키는 getframe과 movie의 특수한 함수가 있다. 이름이 의미하듯이 getframe 함수는 현재 축 또는 그림의 스냅사진(**pixmap**)을 저장한다. 이 함수는 동영상 프레임들의 배열을 만들기 위해 보통 for 루프 내에서 사용되며, 다음 구문을 가지는 movie 함수로 다시 재생시킬 수 있다.

```
movie(m,n,fps)
```

여기서 m은 동영상을 구성하는 일련의 프레임을 저장하는 벡터 또는 행렬, n은 동영상을 반복하여 실행하는 횟수를 지정하는 옵션 변수(생략되면 동영상은 한 번만 실행된다) 그리고 fps는 동영상의 **프레임율**을 지정하는 옵션 변수이다(생략되면 기본값은 초당 12 프레임이다). 아래의 코드는 동영상을 만들기 위해 어떻게 for 루프가 두 함수와 함께 사용되는지를 보여준다.

```
% create animation with getframe and movie
for j=1:n
  plot commands
  M(j) = getframe;
end
movie(M)
```

루프가 실행될 때마다 *plot commands*는 업데이트된 그림을 생성하고, 이는 벡터 M에 저장된다. 루프가 끝나면 n개의 이미지가 movie에 의해 재생된다.

예제 3.7 **발사체 운동에 대한 동영상**

문제 설명. 초기 속도(v_0)와 각도(θ_0)로 발사된 발사체의 직교좌표는 다음과 같이 계산된다. 공기 저항은 없다고 가정한다.

$$x = v_0 \cos(\theta_0)t$$
$$y = v_0 \sin(\theta_0)t - 0.5gt^2$$

여기서 g는 9.81 m/s^{2}이다. $v_0 = 5$ m/s이고 $\theta_0 = 45°$인 경우, 발사체의 궤적에 대한 동영상을 만드는 스크립트를 작성하라.

풀이 동영상을 만드는 스크립트는 다음과 같다.

```
clc,clf,clear
g=9.81; theta0=45*pi/180; v0=5;
t(1)=0;x=0;y=0;
plot(x,y,'o','MarkerFaceColor','b','MarkerSize',8)
axis([0 3 0 0.8])
M(1)=getframe;
dt=1/128;
for j = 2:1000
  t(j)=t(j-1)+dt;
  x=v0*cos(theta0)*t(j);
  y=v0*sin(theta0)*t(j)-0.5*g*t(j)^2;
  plot(x,y,'o','MarkerFaceColor','b','MarkerSize',8)
  axis([0 3 0 0.8])
  M(j)=getframe;
  if y<=0, break, end
end
pause
movie(M,1)
```

이 스크립트의 몇 가지 특성을 언급한다. 먼저 x와 y축의 범위를 고정시켰다. 이렇게 하지 않으면 축이 재조정되며 동영상은 여기저기를 돌아다니게 된다. 두 번째로 발사체의 높이 y가 0 이하로 떨어질 때 for 루프를 종료시킨다.

스크립트가 실행되면 두 개의 동영상이 나타난다(두 동영상 사이에 pause를 사용하였다). 첫 번째는 루프 내에서 프레임을 순차적으로 생성하는 것에 해당되고, 두 번째는 실제 동영상에 해당된다. 여기서 결과를 보여줄 수 없지만 두 경우의 궤적은 그림 3.2와 유사하다. 실제 동영상을 보기 위해서는 MATLAB에서 앞의 스크립트를 입력하고 실행해야 한다.

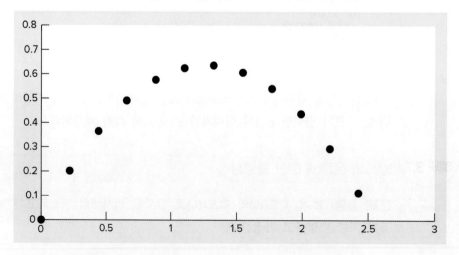

그림 3.2 발사체의 궤적에 대한 그림.

3.4   내포화와 들여쓰기

구조는 상호 간에 "내포화"될 수 있음을 이해할 필요가 있다. **내포화**(nesting)는 다른 구조 안에 구조를 배치하는 것이다. 다음 예제가 이러한 개념을 설명하고 있다.

예제 3.8 **내포 구조**

문제 설명. 다음의 2차 방정식이 있다.

$$f(x) = ax^2 + bx + c$$

위 식을 아래와 같은 근의 공식으로 풀 수 있다.

$$x = \frac{-b \pm \sqrt{b^2 - 4ac}}{2a}$$

계수의 값이 주어질 때 이 식을 실행하기 위한 함수를 만들어라.

풀이 **하향식 설계**는 근을 계산하는 알고리즘을 설계하기 위한 좋은 접근법이다. 이는 개괄적인 구조를 먼저 프로그래밍한 다음 알고리즘을 다듬게 된다. 먼저 매개변수 a 가 0인지 아닌지에 따라 "특수한" 경우(예를 들면 단일 해 또는 무용 해)나 근의 공식을 사용하는 전형적인 경우를 만날 것이다. "주 구조"는 다음과 같이 프로그래밍될 수 있다.

```
function quadroots(a, b, c)
% quadroots: roots of quadratic equation
%   quadroots(a,b,c): real and complex roots
%                     of quadratic equation

% input:
%   a = second-order coefficient
%   b = first-order coefficient
%   c = zero-order coefficient
% output:
%   r1 = real part of first root
%   i1 = imaginary part of first root
%   r2 = real part of second root
%   i2 = imaginary part of second root
if a == 0
  %special cases
else
  %quadratic formula
end
```

다음으로 "특수한" 경우를 다루기 위해 자세한 코드를 개발한다.

```
%special cases
if b ~= 0
  %single root
  r1 = -c / b
```

```
else
  %trivial solution
  disp('Trivial solution. Try again')
end
```

그리고 근의 공식을 다루기 위해 더 자세한 코드를 개발한다.

```
%quadratic formula
d = b ^ 2 - 4 * a * c;
if d >= 0
  %real roots
  r1 = (-b + sqrt(d)) / (2 * a)
  r2 = (-b - sqrt(d)) / (2 * a)
else
  %complex roots
  r1 = -b / (2 * a)
  i1 = sqrt(abs(d)) / (2 * a)
  r2 = r1
  i2 = -i1
end
```

마지막 결과를 얻기 위해 이러한 블록들을 간단한 "주 구조" 속으로 다시 끼워 넣을 수 있다.

```
function quadroots(a, b, c)
% quadroots: roots of quadratic equation
%   quadroots(a,b,c): real and complex roots
%                     of quadratic equation

% input:
%   a = second-order coefficient
%   b = first-order coefficient
%   c = zero-order coefficient
% output:
%   r1 = real part of first root
%   i1 = imaginary part of first root
%   r2 = real part of second root
%   i2 = imaginary part of second root
if a == 0

  %special cases
  if b ~= 0
    %single root
    r1 = -c / b
  else
    %trivial solution
    disp('Trivial solution. Try again')
  end

else

  %quadratic formula
  d = b ^ 2 - 4 * a * c;     %discriminant
  if d >= 0
    %real roots
    r1 = (-b + sqrt(d)) / (2 * a)
    r2 = (-b - sqrt(d)) / (2 * a)
```

```
  else
    %complex roots
    r1 = -b / (2 * a)
    i1 = sqrt(abs(d)) / (2 * a)
    r2 = r1
    i2 = -i1
  end

end
```

음영에 의해 강조 표시된 것처럼 들여쓰기는 논리구조를 명확하게 이해하는 데 도움을 주고 있다. 또한 구조가 어떻게 "모듈화(modular)"되는지를 유의하라. 다음은 이 함수가 명령창에서 어떻게 실행되는지 잘 설명하고 있다.

```
>> quadroots(1,1,1)
r1 =
   -0.5000
i1 =
    0.8660
r2 =
   -0.5000
i2 =
   -0.8660
>> quadroots(1,5,1)
r1 =
   -0.2087

r2 =
   -4.7913
>> quadroots(0,5,1)

r1 =
   -0.2000
>> quadroots(0,0,0)
Trivial solution. Try again
```

3.5 M-파일로 함수 전달

이 책의 나머지 부분에서는 다른 함수들의 값을 수치적으로 구하기 위한 함수를 개발하는 것을 다룬다. 우리가 해석하는 모든 새로운 방정식에 대해 맞춤식 함수를 개발할 수 있지만, 더 좋은 대안은 범용적인 함수를 설계하고 그 함수의 인수로 해석하기 원하는 특정한 방정식을 전달하는 것이다. MATLAB의 용어로 이 함수는 **function 함수**(function functions)라는 특별한 이름을 갖는다. 이들이 어떻게 작동되는지를 설명하기 전에, 완전한 M-파일을 개발하지 않고도 간단한 사용자-정의 함수를 쉽게 정의할 수 있는 무명함수를 소개한다.

3.5.1 무명함수

무명함수(anonymous function)는 M-파일을 만들지 않고도 간단한 함수를 생성할 수 있게 한다. 명령창에서 다음과 같은 구문으로 정의할 수 있다.

fhandle = @(arglist) expression

여기서 *fhandle*은 함수를 불러내는 함수 처리기(function handle), *arglist*는 함수에 전달되는 입력인수의 목록인데 콤마로 분리된다. 그리고 *expression*은 하나의 유효한 MATLAB 식이다. 예를 들면 다음과 같다.

```
>> f1=@(x,y) x^2 + y^2;
```

이러한 함수가 명령창에서 일단 정의되면 다른 함수와 마찬가지로 이들을 사용할 수 있다.

```
>> f1(3,4)
ans =
    25
```

무명함수는 인수 목록 내의 변수들 외에 그 함수가 만들어진 작업공간 내에 존재하는 변수들을 포함할 수 있다. 예를 들어 무명함수 $f(x) = 4x^2$을 다음과 같이 만들 수 있다.

```
>> a = 4;
>> b = 2;
>> f2=@(x) a*x^b;
>> f2(3)

ans = 36
```

계속해서 a와 b에 새로운 값을 입력해도 무명함수는 바뀌지 않는다는 것에 유의하라.

```
>> a = 3;
>> f2(3)

ans = 36
```

그러므로 이 함수 처리기는 만들어졌을 때의 함수 형태를 유지한다. 변수가 새로운 값이 되면 이 함수를 반드시 다시 만들어야 한다. 예를 들어 a를 3으로 바꾸었기 때문에 다음과 같이 입력하면

```
>> f2=@(x) a*x^b;
```

그 결과는 다음과 같다.

```
>> f2(3)
ans =
    27
```

MATLAB 7 이전에는 `inline` 함수가 무명함수와 같은 역할을 수행하였다. 예를 들어 앞에서 개발한 무명함수 f1은 다음과 같이 만들어졌을 것이다.

```
>> f1=inline('x^2 + y^2','x','y');
```

무명함수로 인해 `inline` 함수는 퇴색되었지만, 여러분 중 일부는 이전 버전을 사용하고 있을 것이므로 그에 대해 언급하는 것이 도움이 되리라 생각한다. 이들의 사용법과 제약에 대해 더 많은 것을 알려면 MATLAB help를 참조하라.

3.5.2 function 함수

function 함수(function functions)는 다른 함수에 작용하는 함수이며, 이 다른 함수는 입력 인수로 function 함수에 전달된다. function 함수에 전달되는 함수를 **전달함수**(passed function)라 한다. 간단한 예로서 함수의 그래프를 그리는 내장함수 `fplot`이 있다. 간단한 구문은 다음과 같다.

fplot(*func*,*lims*)

여기서 *func*은 *lims* = [*xmin xmax*]로 규정된 *x* 축 범위 사이에 그려질 함수이다. 이 경우에 *func*은 전달함수이다. 이 함수는 그래프가 함수의 모든 특성을 표현하기 위해, 자동적으로 함수를 해석하고 얼마나 많은 값들을 사용하는지를 결정한다는 점에서 매우 "영리하다"고 할 수 있다.

아래는 번지점프하는 사람의 자유낙하하는 속도를 도시하기 위해 `fplot`을 사용하는 예이다. 이 함수는 다음과 같은 무명함수를 이용하여 만들 수 있다.

```
>> vel=@(t) ...
sqrt(9.81*68.1/0.25)*tanh(sqrt(9.81*0.25/68.1)*t);
```

다음과 같이 *t* = 0에서 12까지 그래프를 만들 수 있다.

```
>> fplot(vel,[0 12])
```

그 결과는 그림 3.3과 같다.

이 책의 나머지 부분에서는 MATLAB에 내장된 function 함수를 사용할 기회가 많을 것이다. 다음의 예처럼 우리 스스로 개발할 수도 있다.

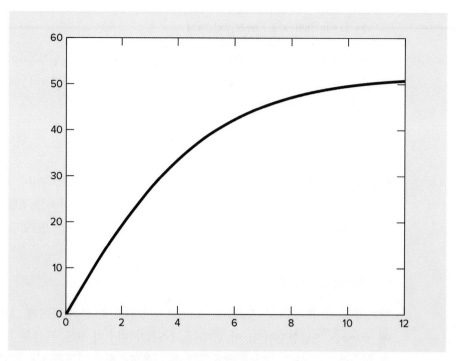

그림 3.3 `fplot` 함수로 구한 시간에 대한 속도 그래프.

예제 3.9 function 함수 만들기와 실행하기

문제 설명. 어떤 범위 내에서 함수의 평균값을 구하는 M-파일 function 함수를 개발하라. 그리고 번지점프하는 사람의 $t = 0$에서 12초까지의 속도에 대해 이 function 함수를 적용하라.

$$v\,(t) = \sqrt{\frac{gm}{c_d}}\,\tanh\left(\sqrt{\frac{gc_d}{m}}t\right)$$

여기서 $g = 9.81$, $m = 68.1$, 그리고 $c_d = 0.25$이다.

풀이 이 함수의 평균값은 다음과 같은 MATLAB의 표준 명령어로 구할 수 있다.

```
>> t=linspace(0,12);
>> v=sqrt(9.81*68.1/0.25)*tanh(sqrt(9.81*0.25/68.1)*t);
>> mean(v)
ans =
   36.0870
```

이 함수의 그래프(그림 3.3)를 살펴보면, 이 결과는 곡선의 평균 높이를 잘 반영하고 있다.
같은 계산을 수행하기 위해 다음과 같이 M-파일을 만들 수 있다.

```
function favg = funcavg(a,b,n)
% funcavg: average function height
%   favg=funcavg(a,b,n): computes average value
%                        of function over a range
```

```
% input:
%   a = lower bound of range
%   b = upper bound of range
%   n = number of intervals
% output:
%   favg = average value of function
x = linspace(a,b,n);
y = func(x);
favg = mean(y);
end

function f = func(t)
f=sqrt(9.81*68.1/0.25)*tanh(sqrt(9.81*0.25/68.1)*t);
end
```

주함수에서 먼저 linspace를 사용하여 주어진 범위에서 등간격의 *x*값을 구한다. 그리고 이들 값을 부함수 func에 전달하여 해당되는 *y*값을 구한다. 마지막으로 평균값이 계산된다. 이 함수는 다음과 같이 명령창에서 실행된다.

```
>> funcavg (0,12,60)

ans =
    36.0127
```

이제 M-파일을 재작성하여 func를 구체적으로 지정하기보다는 인수로 전달되는 불특정 함수인 f를 계산한다.

```
function favg = funcavg (f,a,b,n)
% funcavg: average function height
%   favg=funcavg(f,a,b,n): computes average value
%                          of function over a range
% input:
%   f = function to be evaluated
%   a = lower bound of range
%   b = upper bound of range
%   n = number of intervals
% output:
%   favg = average value of function
x = linspace(a,b,n);
y = f(x);
favg = mean(y);
```

부함수 func를 제거했기 때문에 이 버전은 범용적인 프로그램이다. 이는 다음과 같이 명령창에서 실행된다.

```
>> vel=@(t) ...
sqrt(9.81*68.1/0.25)*tanh(sqrt(9.81*0.25/68.1)*t);
>> funcavg(vel,0,12,60)

ans =
    36.0127
```

이 프로그램의 범용적인 특성을 보여주기 위해 funcavg에 다른 함수를 전달하는 또 다른 경우를 살펴보자. 예를 들면 0에서 2π까지 내장 sin 함수의 평균값을 구하는 것이다.

```
>> funcavg(@sin,0,2*pi,180)
ans =
  -6.3001e-017
```

이 결과가 타당한가?

이제 `funcavg`는 모든 유효한 MATLAB 식을 계산하도록 설계되었음을 알 수 있다. 이 책의 나머지 부분에서는 비선형방정식의 풀이로부터 미분방정식의 해에 이르기까지 많은 경우에 대하여 이를 다룬다.

3.5.3 매개변수의 전달

1장을 기억해 보면 수학적 모델의 항들은 종속변수, 독립변수, 매개변수, 그리고 강제함수로 나눌 수 있었다. 번지점프하는 모델에서 속도(v)는 종속변수, 시간(t)은 독립변수, 질량(m)과 항력계수(c_d)는 매개변수이며, 그리고 중력가속도(g)는 강제함수이다. **민감도 해석**(sensitivity analysis)을 수행하여 이러한 모델의 거동을 조사하는 것은 흔한 일이다. 이 해석은 매개변수와 강제함수가 변함에 따라 종속변수가 어떻게 변하는지를 관찰하는 것이다.

예제 3.9에서 function 함수인 `funcavg`를 개발하였고, 이를 이용하여 매개변수 $m = 68.1$과 $c_d = 0.25$인 경우에 번지점프하는 사람의 평균 속도를 구하였다. 매개변수만 다르게 하여 같은 함수를 해석한다고 하자. 물론 각 경우에 대해 새로운 값을 가지는 함수를 다시 작성할 수 있지만, 매개변수만을 바꾸는 것을 선호할 것이다.

3.5.1절에서 보았듯이 매개변수를 무명함수에 포함시키는 것이 가능하다. 예를 들어 복잡한 수치값을 넣는 대신에 다음과 같이 수행할 수 있다.

```
>> m=68.1;cd=0.25;
>> vel=@(t) sqrt(9.81*m/cd)*tanh(sqrt(9.81*cd/m)*t);
>> funcavg(vel,0,12,60)

ans =
    36.0127
```

그렇지만 매개변수가 새로운 값을 갖게 하기를 원한다면 무명함수를 다시 만들어야 한다.

MATLAB은 function 함수의 마지막 입력인수로서 `varargin`이라는 항을 추가하여 더 나은 대안을 제공하고 있다. 또한 function 함수 내에서 전달함수를 매번 부를 때마다 인수목록 끝에 `varargin{:}`항이 추가되어야 한다(중괄호에 유의). 다음은 `funcavg`에서 이 두 가지 수정이 어떻게 실행되는지를 보여준다(간결함을 위해 도움 설명은 생략함).

```
function favg = funcavg(f,a,b,n,varargin)
x = linspace(a,b,n);
y = f(x,varargin{:});
favg = mean(y);
```

전달함수가 정의되면 실제 매개변수는 인수목록의 끝에 추가되어야 한다. 무명함수를 사용한다면 다음과 같이 수행된다.

```
>> vel=@(t,m,cd) sqrt(9.81*m/cd)*tanh(sqrt(9.81*cd/m)*t);
```

이렇게 고치면 다른 매개변수를 해석하는 것은 쉬워진다. $m = 68.1$과 $c_d = 0.25$인 경우라면 다음과 같이 입력한다.

```
>> funcavg(vel,0,12,60,68.1,0.25)
ans =
    36.0127
```

또한 $m = 100$, $c_d = 0.28$인 경우에도 단지 인수의 값만 바꾸면 된다.

```
>> funcavg(vel,0,12,60,100,0.28)
ans =
    38.9345
```

매개변수를 전달하는 새로운 방법. 이번 판을 만들 때, MATLAB은 function 함수에 매개변수를 전달하는 데 있어 새롭고 더 나은 방법으로 전환하는 과정에 있었다. 앞의 예와 같이 만약 전달될 함수가 다음과 같다면,

```
>> vel=@(t,m,cd) sqrt(9.81*m/cd)*tanh(sqrt(9.81*cd/m)*t);
```

다음과 같이 함수를 부른다.

```
>> funcavg(vel,0,12,60,68.1,0.25)
```

Mathworks사 개발자들은 이 방법이 복잡하다고 생각하여 다음의 방법을 고안하였다.

```
>> funcavg(@(t) vel(t,68.1,0.25),0,12,60)
```

따라서 추가되는 매개변수가 끝부분에 나열되지 않고, 그 매개변수의 목록이 명확히 함수 내에 있도록 만든다.

저자는 매개변수를 전달하는 "이전(old)" 방식과 새로운 방식 모두를 설명하였다. 이는 MATLAB이 하위 버전과의 비호환성을 최소화하기 위해 함수에서의 "이전" 방식도 유지하기 때문이다. 따라서 과거에 작동했던 구 코드는 새로운 방식으로 변경할 필요가 없다. 그러나 코드를 새로 작성할 때는 읽기 쉽고 효용성도 좋기 때문에 새로운 방식을 사용하기를 적극 권장한다.

3.6 사례연구   번지점프하는 사람의 속도

배경. 이 절에서는 이 장의 앞부분에 제시된 번지점프 문제를 풀기 위해 MATLAB을 사용할 것이다. 이는 다음과 같은 식의 해를 얻는 것이다.

$$\frac{dv}{dt} = g - \frac{c_d}{m} v|v|$$

시간과 속도에 대한 초기조건이 주어진다면, 이 문제는 다음 식을 반복적으로 푸는 것임을 상기하라.

$$v_{i+1} = v_i + \frac{dv_i}{dt} \Delta t$$

좋은 정확도를 얻기 위해 작은 간격 크기를 사용해야 한다. 그러므로 초기 시각부터 시작해서 최종 시각의 값을 얻기 위해 반복해서 식을 적용해야 한다. 따라서 이 문제를 풀기 위한 알고리즘은 루프에 기초하게 된다.

풀이 $t = 0$에서 계산을 시작하고, $\Delta t = 0.5$ 초의 시간 간격을 사용하여 $t = 12$ 초에서의 속도를 예측한다고 가정해 보자. 그러면 식을 24번 반복하여야 한다.

$$n = \frac{12}{0.5} = 24$$

여기서 n은 루프의 반복 횟수이다. 이 결과는 정확하기 때문에(즉 비율이 정수이므로) 알고리즘의 기초로서 for 루프를 사용할 수 있다. 이 계산을 위해 미분방정식을 정의하는 부함수를 포함하는 M-파일은 다음과 같다.

```
function vend = velocity1(dt, ti, tf, vi)
% velocity1: Euler solution for bungee velocity
%   vend = velocity1(dt, ti, tf, vi)
%         Euler method solution of bungee
%         jumper velocity
% input:
%   dt = time step (s)
%   ti = initial time (s)
%   tf = final time (s)
%   vi = initial value of dependent variable (m/s)
% output:
%   vend = velocity at tf (m/s)
t = ti;
v = vi;
n = (tf - ti) / dt;
for i = 1:n
  dvdt = deriv(v);
  v = v + dvdt * dt;
  t = t + dt;
end
vend = v;
end

function dv = deriv(v)
dv = 9.81 - (0.25 / 68.1) * v*abs(v);
end
```

이 함수를 명령창에서 부르면 그 결과는 다음과 같다.

```
>> velocity1(0.5,0,12,0)
ans =
  50.9259
```

해석해로부터 얻은 참값이 50.6175라는 것을 유의하라(예제 3.1). 다음으로 보다 정확한 수치적 결과를 얻기 위해 dt의 값을 더 작게 놓고 시도한다.

```
>> velocity1(0.001,0,12,0)
ans =
  50.6181
```

이 함수가 프로그램하기에는 쉽지만, 그렇다고 완전한 것은 아니다. 특히 계산 구간이 시간 간격에 의해 균등하게 나누어떨어지지 않는다면 이 함수는 작동하지 않을 것이다. 이런 경우를 대비하여 음영 처리된 부분에 while...break 루프를 대체할 수 있다(간결함을 위해 도움 설명은 생략함).

```
function vend = velocity2(dt, ti, tf, vi)
t = ti;
v = vi;
h = dt;
while(1)
  if t + dt > tf, h = tf - t; end
  dvdt = deriv(v);
  v = v + dvdt * h;
  t = t + h;
  if t >= tf, break, end
end
vend = v;
end

function dv = deriv(v)
dv = 9.81 - (0.25 / 68.1) * v*abs(v);
end
```

while 루프에 들어가자마자 증가된 t + dt가 구간의 끝을 넘어서는지를 확인하기 위해 한 줄 if 구조를 사용한다. 만약 넘어서지 않는다면(처음에는 대개 이런 경우임) 아무것도 하지 않는다. 만약 넘어선다면 구간을 줄인다. 즉 가변 간격 h를 남는 구간 tf - t로 정하는 것이다. 이렇게 하면 마지막 단계가 tf로 되는 것을 확실히 보장한다. 이 마지막 단계를 실행한 후, 루프는 조건 t >= tf가 참으로 판정되기 때문에 끝날 것이다.

루프에 들어가기 전에 시간 간격 dt값을 다른 변수 h로 지정함에 유의하라. 이와 같이 **임시변수**(dummy variable)를 만드는 것은 만일 시간 간격을 짧게 할 경우 주어진 dt값을 변화시키지 않도록 하기 위함이다. 이는 만약 이 코드가 더 큰 프로그램 안에 통합될 경우에 어딘가 다른 곳에서 dt의 원래 값을 사용할 수도 있기 때문이다.

이 새 버전을 수행하면 결과는 for 루프 구조에 기초한 버전에서 얻은 결과와 같게 될 것이다.

```
>> velocity2(0.5,0,12,0)
```

```
ans =
  50.9259
```

또한 tf - ti를 균등하게 나눌 수 없는 dt를 사용할 수 있다.

```
>> velocity2(0.35,0,12,0)

ans =
  50.8348
```

알고리즘이 여전히 완전하지 않다는 점에 유의해야 한다. 예를 들어 사용자가 실수로 계산 구간보다 큰 간격 크기(예를 들어 tf - ti = 5와 dt = 20)를 입력할 수도 있다. 따라서 이러한 에러를 발견하여 사용자로 하여금 실수를 수정하도록 하는 오차함정을 코드에 포함시킬 수 있다.

마지막으로 앞의 코드가 범용적이지 않다는 점을 인식해야 한다. 즉 번지점프하는 사람의 속도에 관한 특정한 문제만을 풀도록 코드를 설계하였다. 코드를 보다 더 범용적으로 만들려면 다음과 같이 쓸 수 있다.

```
function yend = odesimp(dydt, dt, ti, tf, yi)
t = ti; y = yi; h = dt;
while (1)
  if t + dt > tf, h = tf - t; end
  y = y + dydt(y) * h;
  t = t + h;
  if t >= tf, break, end
end
yend = y;
```

해를 구하는 기법의 본질적인 특성을 유지하면서, 번지점프 예제(미분방정식을 정의하는 부함수를 포함하여)에 한정된 일부 알고리즘을 어떻게 떼어냈는지를 주목하라. 이 루틴을 사용하여 번지점프 문제를 풀기 위하여, 미분방정식을 무명함수로 규정하고, 그 함수 처리기를 odesimp에 전달하여 해를 구한다.

```
>> dvdt=@(v) 9.81-(0.25/68.1)*v*abs(v);
>> odesimp(dvdt,0.5,0,12,0)

ans =
  50.9259
```

위와 같이 하면 M-파일에 들어가서 수정하지 않고도 다른 함수를 해석할 수 있다. 예를 들어 $t = 0$에서 $y = 10$이라면, 미분방정식 $dy/dt = -0.1y$는 해석해인 $y = 10e^{-0.1t}$을 갖는다. 그러므로 $t = 5$에서 해는 $y(5) = 10e^{-0.1(5)} = 6.0653$일 것이다. odesimp 함수를 이용하여 다음과 같이 수치적으로 같은 결과를 얻을 수 있다.

```
>> odesimp(@(y) -0.1*y,0.005,0,5,10)

ans =
  6.0645
```

마지막으로 보다 나은 코드를 작성하기 위해, varargin과 새로운 매개변수 전달 방식을 사용할 수 있다. 이를 위해 아래와 같이 강조 표시된 코드를 추가하여 odesimp 함수를 먼저 수정한다.

```
function yend = odesimp2(dydt, dt, ti, tf, yi, varargin)
t = ti; y = yi; h = dt;
while (1)
  if t + dt > tf, h = tf - t; end
  y = y + dydt(y, varargin{:}) * h;
  t = t + h;
  if t >= tf, break, end
end
yend = y;
```

다음으로 계산을 수행하는 스크립트를 작성한다.

```
clc
format compact
dvdt=@(v,cd,m) 9.81-(cd/m)*v*abs(v);
odesimp2(@(v) dvdt(v,0.25,68.1),0.5,0,12,0)
```

다음과 같이 정확한 결과를 얻는다.

```
ans =
  50.9259
```

연습문제

3.1 그림 P3.1은 밑부분이 원뿔형인 원통형 탱크이다. 액체의 높이가 상당히 낮아 원뿔형 부분에만 있다면 유체의 부피는 원뿔형의 부피와 같을 것이다. 액체가 원통형 부분까지 차게 되면 액체의 총 부피는 원뿔형 부분의 액체 부피와 원통형 부분에 있는 액체 부피를 더한 것과 같다.

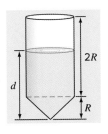

그림 P3.1

탱크의 부피를 R과 d 값의 함수로 계산하기 위한 M-

파일을 판정구조를 이용하여 작성하라. 깊이가 $3R$보다 작은 모든 경우에 대해 부피를 계산하는 함수를 설계하라. 만약 $d > 3R$ 인 경우에는 "Overtop"이라는 에러 메시지를 반환할 수 있도록 하라. 다음의 데이터를 가지고 검증하라. 탱크의 반경이 R임에 유의하라.

R	0.9	1.5	1.3	1.3
d	1	1.25	3.8	4.0

3.2 연말에 이자가 복리로 계산되는 계좌에 금액 P의 자금이 투자되었다. 미래의 원리금 F는 이자율 i로 n번의 기간 후에 다음의 공식으로 결정된다.

$$F = P(1 + i)^n$$

1에서부터 n까지 매년 투자의 미래 가치를 계산하는 M-

파일을 만들어라. 함수의 입력인수로 초기 투자금 P, 이자율 i(소수점 수), 미래 가치가 계산되는 동안의 연수 n을 포함해야 한다. 출력은 표의 형태로 n과 F에 대한 제목과 열이 포함되어야 한다. $P = \$100,000$, $i = 0.05$, $n = 10$년에 대해 프로그램을 실행하라.

3.3 대출에 대한 연간 상환금을 계산하는 경제 공식이 있다. 빌린 돈의 총합은 P이고 i의 이자율로 n번의 연간 지불로 상환하기로 동의하였다고 하자. 연간 상환금 A를 계산하는 공식은 다음과 같다.

$$A = P \frac{i(1+i)^n}{(1+i)^n - 1}$$

A를 계산하기 위한 M-파일을 만들어라. $P = \$100,000$과 3.3%의 이자율($i = 0.033$)의 경우에 대해 검증하라. $n = 1$, 2, 3, 4, 5의 경우에 대한 결과를 계산하고, n과 A에 대한 제목과 열을 포함하는 표로 나타내라.

3.4 어떤 지역의 하루 평균 온도는 다음과 같은 함수로 근사될 수 있다.

$$T = T_{\text{mean}} + (T_{\text{peak}} - T_{\text{mean}}) \cos(\omega(t - t_{\text{peak}}))$$

여기서 T_{mean}은 연평균 온도, T_{peak}는 최고 온도, ω는 연간 변동 진동수(frequency of annual variation)로 $2\pi/365$, 그리고 t_{peak}는 온도가 제일 높은 날($\cong 205$ d)이다. 미국 내 여러 도시의 데이터는 다음과 같다.

City	T_{mean} (°C)	T_{peak} (°C)
Miami, FL	22.1	28.3
Yuma, AZ	23.1	33.6
Bismarck, ND	5.2	22.1
Seattle, WA	10.6	17.6
Boston, MA	10.7	22.9

특정 도시에 대해 한 해 중에 두 날짜 사이의 평균온도를 구하는 M-파일을 작성하라. 이를 다음에 대하여 시험하라.

(a) Yuma, AZ에서 1 – 2월($t = 0$에서 59까지).

(b) Seattle, WA에서 7 – 8월($t = 180$에서 242까지).

3.5 sin 함수는 다음의 무한급수에 의해 계산된다.

$$\sin x = x - \frac{x^3}{3!} + \frac{x^5}{5!} - \cdots$$

이 무한급수에서 각 항이 더해질 때마다 $\sin x$의 값을 계산하고 출력하는 M-파일을 작성하라. 다시 말하면 다음 식에 대해 선택할 수 있는 차수의 항까지의 값을 순차적으로 계산하고 출력하라.

$$\sin x = x$$

$$\sin x = x - \frac{x^3}{3!}$$

$$\sin x = x - \frac{x^3}{3!} + \frac{x^5}{5!}$$

$$\vdots$$

각각의 경우에 대해 다음의 백분율 상대오차를 계산하고 출력하라.

$$\% \text{오차} = \frac{\text{참값} - \text{급수근사}}{\text{참값}} \times 100\%$$

$\sin(0.9)$를 계산하기 위해 시범적으로 여덟 번째 항인 $x^{15}/15!$까지 포함하도록 프로그램을 실행하라.

3.6 2차원 공간에서 한 점의 위치를 나타내는 데 원점을 기준으로 두 개의 거리가 필요하다(그림 P3.6).

- 직교좌표계에서 수평과 수직 거리(x, y).
- 극좌표계에서 반지름과 각도(r, θ).

극좌표계 (r, θ)를 기초로 하여 직교좌표계 (x, y)를 구하는 것은 상대적으로 간단하다. 그러나 반대 과정은 간단하지 않다. 반지름은 다음 식에 의해 계산된다.

$$r = \sqrt{x^2 + y^2}$$

만약 좌표가 1사분면과 4사분면(즉, $x > 0$인 경우)에 있다면, θ를 구하기 위한 간단한 식은 다음과 같다.

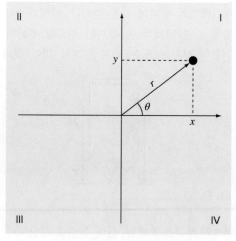

그림 P3.6

$$\theta = \tan^{-1}\left(\frac{y}{x}\right)$$

다른 경우에 대해서는 어려워진다. 다음 표는 그 가능성을 요약한 것이다.

x	y	θ
<0	>0	$\tan^{-1}(y/x) + \pi$
<0	<0	$\tan^{-1}(y/x) - \pi$
<0	=0	π
=0	>0	$\pi/2$
=0	<0	$-\pi2$
=0	=0	0

r과 θ를 x와 y의 함수로 계산하기 위해 if... else if 구조를 사용하여 M-파일을 작성하라. θ에 대한 최종 결과를 각도로 표시하라. 다음의 경우를 계산하여 프로그램을 검증하라.

x	y	r	θ
2	0		
2	1		
0	3		
−3	1		
−2	0		
−1	−2		
0	0		
0	−2		
2	2		

3.7 연습문제 3.6에서 설명한 바와 같이 극좌표를 결정하기 위한 M-파일을 작성하라. 한 가지 경우를 계산하는 함수를 설계하기보다는 벡터 x와 벡터 y를 전달하라. 함수가 x, y, r, θ를 열로 가지는 표로 결과를 출력할 수 있도록 하라. 연습문제 3.6에 기술한 경우에 대해 프로그램을 검증하라.

3.8 0에서부터 100까지의 점수를 전달하면, 다음 표를 기준으로 하여 성적을 문자로 반환하는 M-파일 함수를 작성하라.

Letter	Criteria
A	90 ≤ numeric grade ≤ 100
B	80 ≤ numeric grade < 90
C	70 ≤ numeric grade < 80
D	60 ≤ numeric grade < 70
F	numeric grade < 60

함수의 첫 번째 줄은 다음과 같아야 한다.

```
function grade = lettergrade(score)
```

사용자가 0보다 작거나 100보다 큰 score 값을 입력하는 경우, 함수가 에러 메시지를 출력하고 종료하도록 함수를 설계하라. 89.9999, 90, 45와 120을 사용하여 함수를 시험하라.

3.9 Manning 방정식은 직사각형 개수로 내의 물의 속도를 계산하는 데 사용될 수 있다.

$$U = \frac{\sqrt{S}}{n}\left(\frac{BH}{B + 2H}\right)^{2/3}$$

여기서 U는 속도(m/s), S는 수로 기울기, n은 거칠기 계수, B는 폭(m), 그리고 H는 깊이(m)이다. 다음의 데이터는 다섯 개의 수로에 대한 값이다.

n	S	B	H
0.036	0.0001	10	2
0.020	0.0002	8	1
0.015	0.0012	20	1.5
0.030	0.0007	25	3
0.022	0.0003	15	2.6

각 수로의 속도를 계산하는 M-파일을 작성하라. 각 행은 수로를, 각 열은 매개변수를 나타내는 행렬이 되도록 값을 입력하라. M-파일이 입력 데이터와 계산된 속도를 표로 출력하도록 하되, 속도는 다섯 번째 열에 위치하도록 하라. 열을 표시하기 위해 표에 제목을 포함시켜라.

3.10 단순 지지보가 그림 P3.10에 나타나 있다. 특이함수 (singularity function)를 사용하면 보를 따라 생기는 처짐을 다음 식과 같이 나타낼 수 있다.

$$u_y(x) = \frac{-5}{6}\left[\langle x - 0\rangle^4 - \langle x - 5\rangle^4\right] + \frac{15}{6}\langle x - 8\rangle^3$$

$$+ 75\langle x - 7\rangle^2 + \frac{57}{6}x^3 - 238.25x$$

특이함수는 다음과 같이 정의할 수 있다.

$$\langle x - a\rangle^n = \begin{cases} (x - a)^n & \text{when } x > a \\ 0 & \text{when } \mathrm{x} \le a \end{cases}$$

보를 따르는 거리 x에 대한 처짐(점선)의 그래프를 만드는 M-파일을 작성하라. 보의 왼쪽 끝에서 $x = 0$이 됨을 유의하라.

3.11 반지름이 r이고 길이가 L인 속이 빈 수평 실린더 안

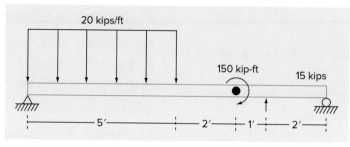

그림 P3.10

에 있는 액체의 체적 V는 액체의 깊이 h와 다음의 관계에 있다.

$$V = \left[r^2 \cos^{-1}\left(\frac{r-h}{r}\right) - (r-h)\sqrt{2rh-h^2} \right] L$$

깊이에 대한 체적의 그래프를 만들기 위한 M-파일을 작성하라. 다음은 M-파일의 처음 몇 줄을 보여준다.

```
function cylinder(r, L, plot_title)
% volume of horizontal cylinder
% inputs:
% r = radius
% L = length
% plot_title = string holding plot title
```

다음을 사용하여 프로그램을 시험하라.

```
>> cylinder(3,5,...
'Volume versus depth for horizontal... cylindrical
tank')
```

3.12 다음의 코드를 벡터화하라.

```
tstart=0; tend=20; ni=8;
t(1)=tstart;
y(1)=12 + 6*cos(2*pi*t(1)/(tend-tstart));
for i=2:ni+1
  t(i)=t(i-1)+(tend-tstart)/ni;
  y(i)=12 + 6*cos(2*pi*t(i)/ ...
      (tend-tstart));
end
```

3.13 어떤 양수 a의 제곱근을 근사적으로 구하는 방법으로써 오래된 방법인 "나눔과 평균" 방법은 다음과 같다.

$$x = \frac{x + a/x}{2}$$

이 알고리즘을 수행하기 위해 while...break 루프 구조를 기초로 하는 M-파일 함수를 개발하라. 구조를 명확하게 볼 수 있도록 적절한 들여쓰기를 적용하라. 각 단계에서 다음 식으로 근사값의 오차를 구하라.

$$\varepsilon = \left| \frac{x_{new} - x_{old}}{x_{new}} \right|$$

ε이 설정된 값보다 작거나 같을 때까지 이 루프를 반복하라. 결과와 오차 모두를 산출하는 프로그램을 설계하라. 0 또는 0보다 작은 수의 제곱근을 계산할 수 있도록 하라. 후자의 경우에는 허수로 결과를 나타내라. 예를 들어 -4의 제곱근은 $2i$를 산출해야 한다. $\varepsilon = 1 \times 10^{-4}$로 $a = 0, 2, 10, -4$인 경우에 대해 프로그램을 시험하라.

3.14 **소구간별 함수**(piecewise function)는 독립변수와 종속변수 사이의 관계를 단일 방정식으로 표현하기 어려울 경우에 유용하다. 예를 들어 로켓의 속도는 다음과 같이 기술될 수 있다.

$$v(t) = \begin{cases} 10t^2 - 5t & 0 \le t \le 8 \\ 624 - 3t & 8 \le t \le 16 \\ 36t + 12(t-16)^2 & 16 \le t \le 26 \\ 2136e^{-0.1(t-26)} & t > 26 \\ 0 & \text{otherwise} \end{cases}$$

t의 함수로 v를 계산하는 M-파일 함수를 작성하라. 그리고 이 함수를 사용하여 t가 -5에서 50까지 t에 대한 v의 그래프를 만드는 스크립트를 작성하라.

3.15 어떤 수 x를 반올림하여 소수점 이하 n자리까지 나타내는 M-파일 함수 rounder를 작성하라. 이 함수의 첫 번째 줄은 다음과 같이 설정되어야 한다.

```
function xr = rounder(x, n)
```

x가 477.9587, -477.9587, 0.125, 0.135, -0.125, 그리고 -0.135일 때, 각각을 소수점 2자리까지 반올림함으로써 이 프로그램을 시험하라.

3.16 어떤 연도에서 지나간 날싸를 구하는 M-파일 함수를 개발하라. 이 함수의 첫 번째 줄은 다음과 같이 설정되어야

한다.

```
function nd = days(mo, da, leap)
```

여기서 mo는 달(1-12), da는 일(1-31), 그리고 leap는 평년일 때는 0이고 윤년일 때는 1이다. 1997년 1월 1일, 2004년 2월 29일, 2001년 3월 1일, 2004년 6월 21일 그리고 2008년 12월 31일에 대해 이 프로그램을 시험하라. 힌트: 이를 위한 좋은 방법은 for와 switch 구조를 결합시키는 것이다.

3.17 어떤 연도에서 지나간 날짜를 구하는 M-파일 함수를 개발하라. 이 함수의 첫 번째 줄은 다음과 같이 설정되어야 한다.

```
function nd = days(mo, da, year)
```

여기서 mo는 달(1-12), da는 일(1-31), 그리고 year는 년이다. 1997년 1월 1일, 2004년 2월 29일, 2001년 3월 1일, 2004년 6월 21일 그리고 2008년 12월 31일에 대해 이 프로그램을 시험하라.

3.18 독립변수의 주어진 범위에 대해 전달함수의 최대값과 최소값 사이의 차이를 반환하는 function 함수 M-파일을 개발하라. 또한 이 함수는 주어진 범위에 대해 함수의 그래프를 만들 수 있어야 한다. 다음의 경우에 대해 이 프로그램을 시험하라.

(a) t가 0에서 6π일 때, $f(t) = 8e^{-0.25t}\sin(t-2)$.

(b) x가 0.01에서 0.2일 때, $f(x) = e^{4x}\sin(1/x)$.

(c) x가 0에서 2일 때, 내장 humps 함수.

3.19 3.6절의 마지막 부분에서 개발한 function 함수 odesimp가 전달함수의 인수를 받을 수 있도록 수정하라. 다음의 경우에 대해 이 프로그램을 시험하라.

```
>> dvdt=@(v,m,cd) 9.81-(cd/m)*v*abs(v);
>> odesimp(dvdt,0.5,0,12,-10,70,0.23)
```

3.20 직교좌표 벡터는 x-, y-, z-축 방향의 크기에 단위벡터 (i, j, k)를 곱한 것으로 생각할 수 있다. 이런 경우 두 벡터 $\{a\}$와 $\{b\}$의 내적은 그들 벡터의 크기와 그들 벡터 사이의 각도의 cosine과의 곱에 해당한다.

$$\{a\}\cdot\{b\} = ab\cos\theta$$

외적은 또 다른 벡터 $\{c\} = \{a\} \times \{b\}$를 만들며, 이 벡터는 $\{a\}$와 $\{b\}$에 의해 정의되는 면에 수직이고, 그 방향은 오른손 법칙에 의해 규정된다. 두 개의 벡터 $\{a\}$와 $\{b\}$가 전달되면 θ, $\{c\}$ 그리고 $\{c\}$의 크기를 반환하고, 원점은 0에 있는 세 벡터 $\{a\}$, $\{b\}$와 $\{c\}$의 3차원 그래프를 그리는 M-파일 함수를 작성하라. $\{a\}$와 $\{b\}$에 대하여는 점선을, $\{c\}$에 대하여는 실선을 사용하라. 다음의 경우에 대해 이 프로그램을 검증하라.

(a) a = [6 4 2]; b = [2 6 4];

(b) a = [3 2 -6]; b = [4 -3 1];

(c) a = [2 -2 1]; b = [4 2 -4];

(d) a = [-1 0 0]; b = [0 -1 0];

3.21 예제 3.7에 기초하여 튀는 공의 동영상을 만드는 스크립트를 작성하라. 여기서 $v_0 = 5$ m/s이고 $\theta_0 = 50°$이다. 이를 위해 언제 공이 바닥에 부딪치는지를 정확히 예측할 수 있어야 한다. 이때 방향이 바뀌고(새로운 각도는 바닥과 충돌 시 각도의 음과 같다), 공이 바닥과 충돌할 때 발생하는 에너지 손실을 반영하기 위해 속도는 감소한다. 이 속도의 변화는 **복원계수**(coefficient of restitution) C_R에 의해 정량화할 수 있으며, 여기서 복원계수는 충돌 전 속도에 대한 충돌 후 속도의 비와 같다. 현재의 경우, $C_R = 0.8$을 사용하라.

3.22 직교좌표계에서 반경방향 좌표에 기초하여 원 운동하는 입자의 동영상을 만드는 함수를 작성하라. 반경 r은 일정하다고 가정하고, 각도 θ는 0에서 2π까지 같은 크기의 증분으로 증가하도록 한다. 이 함수의 앞부분 줄들은 다음과 같아야 한다.

```
function phasor(r, nt, nm)
% function to show the orbit of a phasor
% r = radius
% nt = number of increments for theta
% nm = number of movies
```

다음 구문을 이용하여 함수를 시험하라.

```
phasor(1, 256, 10)
```

3.23 연습문제 2.22의 버터플라이 그래프에 대한 동영상을 만드는 스크립트를 작성하라. 그래프가 시간에 따라 어떻게 전개되는지를 시각화하기 위해 x-y 좌표에 위치한 입자를 사용하라.

3.24 연습문제 1.28에서 기술한 열기구의 속도 v와 위치 z를 계산하는 MATLAB 스크립트를 작성하라. 간격 크기

는 1.6초로 놓고 $t = 0$에서 60초까지 계산하라. $z = 200$ m 에서 탑재물의 일부(100 kg)가 열기구 밖으로 떨어져나간 다고 가정하라. 스크립트의 구조는 다음과 같아야 한다.

```
% YourFullName
% Hot Air Balloon Script

clear,clc,clf

g=9.81;
global g

% set parameters
r=8.65; % balloon radius
CD=0.47; % dimensionless drag coefficient
mP=265; % mass of payload
P=101300; % atmospheric pressure
Rgas=287; % Universal gas constant for dry air
TC=100; % air temperature
rhoa=1.2; % air density
zd=200; % elevation at which mass is jettisoned
md=100; % mass jettisoned
ti=0; % initial time (s)
tf=60; % final time (s)
vi=0; % initial velocity
zi=0; % initial elevation
dt=1.6; % integration time step

% precomputations
d = 2 * r; Ta = TC + 273.15; Ab = pi / 4 * d ^ 2;
Vb = pi / 6 * d ^ 3; rhog = P / Rgas / Ta; mG = Vb *
rhog;
FB = Vb * rhoa * g; FG = mG * g; cdp = rhoa * Ab *
CD / 2;

% compute times, velocities and elevations
[t,y] = Balloon(FB, FG, mG, cdp, mP, md, zd,
ti,vi,zi,tf,dt);

% Display results
Your code to display a nice labeled table of times,
velocities, and elevations

% Plot results
Your code to create a nice labeled plot of velocity
and elevation versus time.
```

함수의 구조는 다음과 같아야 한다.

```
function [tout,yout]=Balloon(FB, FG, mG, cdp, mP, md,
zd, ti,vi,zi,tf,dt)
global g

% balloon
% function [tout,yout]=Balloon(FB, FG, mG, cdp, mP1,
md, zd, ti,vi,zi,tf,dt)
% Function to generate solutions of vertical
```

```
velocity and elevation
% versus time with Euler's method for a hot air
balloon
% Input:
% FB = buoyancy force (N)
% FG = gravity force (N)
% mG = mass (kg)
% cdp=dimensional drag coefficient
% mP= mass of payload (kg)
% md=mass jettisoned (kg)
% zd=elevation at which mass is jettisoned (m)
% ti = initial time (s)
% vi=initial velocity (m/s)
% zi=initial elevation (m)
% tf = final time (s)
% dt=integration time step (s)
% Output:
% tout = vector of times (s)
% yout[:,1] = velocities (m/s)
% yout[:,2] = elevations (m)
% Code to implement Euler's method to compute output
and plot results
```

3.25 사인함수에 대한 일반적인 식은 다음과 같이 쓸 수 있다.

$$y(t) = \bar{y} + \Delta y \sin(2\pi f t - \phi)$$

여기서 y = 종속변수, $\bar{y}$ = 평균값, Δy = 진폭, f = 일반 주파수(단위 시간당 발생하는 진동수), t = 독립변수(이 경우는 시간), 그리고 ϕ = 위상 변이이다. MATLAB 스크립트를 작성하여 매개변수의 변화에 따라 함수가 어떻게 변하는지를 보여주는 5개의 구획으로 구성된 세로 방향 그림을 만든다. 각각의 그림에 간단한 사인파인 $y(t) = \sin(2\pi t)$를 붉은 선으로 그리고, 다음 함수들을 5개 구획의 각각에 검은 선으로 추가한다.

subplot	Function	Title
5,1,1	$y(t) = 1 + \sin(2\pi t)$	(a) Effect of mean
5,1,2	$y(t) = 2\sin(2\pi t)$	(b) Effect of amplitude
5,1,3	$y(t) = \sin(4\pi t)$	(c) Effect of frequency
5,1,4	$y(t) = \sin(2\pi t - \pi/4)$	(d) Effect of phase shift
5,1,5	$y(t) = \cos(2\pi t - \pi/2)$	(e) Relationship of sine to cosine

t의 범위는 $t = 0$에서 2π까지로 하고, 각 subplot에서는 수평축은 0에서 2π까지로, 수직축은 -2에서 2까지로 범위를 조절한다. 각 subplot에 제목을 표시하고, 각 subplot의 수직축의 라벨은 'f(t)'로, 가장 아래쪽에 있는 subplot의 수평축의 라벨은 't'로 표시한다.

3.26 **프랙털**(fractal)은 어떤 곡선이나 기하학적 형상인데,

그 형상의 각 부분과 전체가 같은 통계적인 특성을 가진다. 프랙털은 유사한 패턴이 점점 더 작은 스케일로 반복해서 나타나는 구조(침식된 해안선 또는 눈송이와 같은)를 모델링하는데, 그리고 크리스털의 성장, 난류 유동, 은하수의 형성과 같은 부분적으로 무작위한 또는 무질서한 (chaotic) 현상을 기술하는 데 유용하다. Devaney(1990)는 재미있는 프랙털 패턴을 만드는 간단한 알고리즘을 보여주는 작지만 좋은 책을 저술하였다. 다음은 이 알고리즘을 단계별로 기술한 것이다.

1단계 : m과 n에 값을 배정하고, hold on을 설정한다.

2단계 : for 루프를 시작하고, i = 1:100000 동안 반복한다.

3단계 : 난수(random number)를 계산한다. q = 3*rand(1)

4단계 : q 값이 1보다 작으면 단계 5로 간다. 그렇지 않으면 단계 6으로 간다.

5단계 : m = m/2과 n = n/2에 대한 새로운 값을 계산하고 단계 9로 간다.

6단계 : q 값이 2보다 작으면 단계 7로 간다. 그렇지 않으면 단계 8로 간다.

7단계 : m = m/2과 n = (300+n)/2에 대한 새로운 값을 계산하고 단계 9로 간다.

8단계 : m = (300+m)/2과 n = (300+n)/2에 대한 새로운 값을 계산한다.

9단계 : i 값이 100000보다 작으면 단계 10으로 간다. 그렇지 않으면 단계 11로 간다.

10단계 : 좌표 (m, n)에서 점을 도시한다.

11단계 : i 루프를 종료한다.

12단계 : hold off를 설정한다.

for와 if 구조를 사용하여 이 알고리즘에 대한 MATLAB 스크립트를 작성하라. 다음 두 가지 경우에 대하여 실행하라. (a) m = 2와 n = 1 (b) m = 100과 n = 200.

3.27 m×n 행렬의 Frobenius 놈을 계산할 수 있는 이름이 Fnorm인 MATLAB 함수를 작성하라.

$$\|A\|_f = \sqrt{\sum_{i=1}^{m} \sum_{j=1}^{n} a_{i,j}^2}$$

함수를 사용하는 스크립트는 다음과 같다.

```
A = [5 7 9; 1 8 4; 7 6 2];
Fn = Fnorm(A)
```

함수의 첫 번째 줄은 다음과 같다.

```
function Norm = Fnorm(x)
```

다음 두 가지 버전의 함수를 개발하라. (a) 내포화된 for 루프를 이용한다. (b) sum 함수를 사용한다.

3.28 대기의 압력과 온도는 고도, 위도/경도, 하루 중 시각과 계절 등 여러 가지 인자에 따라 항상 변화한다. 비행기의 설계와 성능을 고려할 때, 이러한 변화들을 모두 감안하는 것은 비현실적이다. 그러므로 **표준대기**는 엔지니어와 과학자들의 연구 개발을 위해 공통 기준으로 흔히 사용된다. **국제표준대기**는 지구 대기의 조건이 광범위한 고도 또는 높이에서 어떻게 변하는지를 나타내는 대기 모델이다. 아래 표는 몇몇 선택된 고도에서의 온도와 압력을 보여준다. 각 고도에서의 온도는 다음과 같이 계산할 수 있다.

$$T(h) = T_i + \gamma_i (h - h_i) \qquad h_i < h \le h_{i+1}$$

여기서 $T(h)$ = 고도 h에서의 온도(°C), $T_i = i$ 층에 대한 기준 온도(°C), $\gamma_i = i$ 층에서 고도의 증가에 따른 선형적인 대기온도 감소율(°C/km) 그리고 $h_i = i$ 층에서 평균 해수면(Mean Sea Level, MSL) 위의 기준 지오퍼텐셜 고도이다.

Layer Index, i	Layer Name	Base Geopotential Altitude Above MSL, h (km)	Lapse Rate (°C/km)	Base Temperature T (°C)	Base Pressure, p (Pa)
1	Troposphere	0	−6.5	15	101,325
2	Tropopause	11	0	−56.5	22,632
3	Stratosphere	20	1	−56.5	5474.9
4	Stratosphere	32	2.8	−44.5	868.02
5	Stratopause	47	0	−2.5	110.91
6	Mesosphere	51	−2.8	−2.5	66.939
7	Mesosphere	71	−2.0	−58.5	3.9564
8	Mesopause	84.852	−	−86.28	0.3734

각 고도에서의 압력은 다음과 같이 계산할 수 있다.

$$p(h) = p_i + \frac{p_{i+1} - p_i}{h_{i+1} - h_i}(h - h_i)$$

여기서 $p(h)$ = 고도 h에서의 압력(Pa $\equiv$ N/m^2), $p_i = i$ 층에 대한 기준 압력이다(Pa). 밀도 ρ(kg/m^3)는 다음과 같은 몰 형태의 이상기체 법칙에 따라 계산할 수 있다.

$$\rho = \frac{pM}{RT_a}$$

여기서 M= 몰 질량($\cong 0.0289644$ kg/mol), R = 일반기체 상수(8.3144621 J/(mol·K) 그리고 T_a = 절대온도(K) = T + 273.15이다.

주어진 고도에서 세 가지 물성값(온도, 압력, 밀도)을 계산하는 MATLAB 함수, StdAtm을 작성하라. 만일 사용자가 고도 범위 밖의 값을 요구하면, 함수가 에러 메시지를 출력하고 작업을 종료시킬 수 있도록 한다. 다음의 스크립트로 시작하여 물성값 대 고도에 대한 3구획 그림을 그린다.

```
% Script to generate a plot of temperature, pressure
and density
% for the International Standard Atmosphere
clc,clf
h=[0 11 20 32 47 51 71 84.852];
gamma=[-6.5 0 1 2.8 0 -2.8 -2];
T=[15 -56.5 -56.5 -44.5 -2.5 -2.5 -58.5 -86.28];
p=[101325 22632 5474.9 868.02 110.91 66.939 3.9564
0.3734];
hint=[0:0.1:84.852];
for i=1:length(hint)
  [Tint(i),pint(i),rint(i)]=StdAtm(h,T,p,gamma,hint
(i));
end

% Create plot

% Function call to test error trap
[Tint(i),pint(i),rint(i)]=StdAtm(h,T,p,gamma,85);
```

3.29 온도 벡터를 섭씨에서 화씨로 그리고 반대로 변환하는 MATLAB 함수를 작성하라. 다음과 같은 Death Valley, CA와 남극에서의 월 평균온도에 대한 데이터를 이용하여 함수를 시험하라.

Day	°F	°C
15	54	−27
45	60	−40
75	69	−53
105	77	−56
135	87	−57
165	96	−57
195	102	−59
225	101	−59
255	92	−59
285	78	−50
315	63	−38
345	52	−27

다음의 스크립트로 시작하여 온도 대 날짜에 대한 2구획 세로 방향 그림을 만들되, 위쪽에 섭씨-날짜 그림을, 아래쪽에 화씨-날짜 그림을 배치한다. 만일 사용자가 'C' 또는 'F' 이외의 단위를 요구하면, 함수가 에러 메시지를 출력하고 작업을 종료시킬 수 있도록 한다.

```
% Script to generate stacked plots of temperatures
versus time
% for Death Valley and the South Pole with Celsius
time series
% on the top plot and Fahrenheit on the bottom.

clc,clf
t=[15 45 75 105 135 165 195 225 255 285 315 345];
TFDV=[54 60 69 77 87 96 102 101 92 78 63 52];
TCSP=[-27 -40 -53 -56 -57 -57 -59 -59 -59 -50
-38 -27];
TCDV=TempConv(TFDV,'C');
TFSP=TempConv(TCSP,'F');

% Create plot

% Test of error trap
TKSP=TempConv(TCSP,'K');
```

3.30 연습문제 3.29에서와 같이 두 가지 가능성만 있으므로, 섭씨와 화씨 온도 단위 사이의 변환은 비교적 쉽다. 압력에는 공통으로 사용되는 단위가 더 많이 있으므로, 압력 단위 사이의 변환이 더욱 도전해볼 만하다. 다음 표에 각각 Pascal 수로 표시된 몇 가지 단위를 보여주고 있다. 표에 있는 정보는 변환 계산을 위해 사용될 수 있다. 변환 계산을 위한 한 가지 방법은 단위와 그에 해당하는 Pascal 수를 개별 배열에 저장하며, 배열의 첨자는 각 항목의 번호에 해당한다. 예를 들면 다음과 같다.

Index, i	Unit, U_i	Description or Usage	# of Pa, C_i
1	psi	Tire pressure, above ambient pressure	6894.76
2	atm	Used for high pressure experiments	101,325
3	inHg	Atmospheric pressure given by weatherperson	3376.85
4	kg/cm^2	Europe metric unit in situations where psi used in U.S.	98,066.5
5	inH$_2$O	Used in heating/ventilating systems in buildings	248.843
6	Pa	Standard SI (metric) unit of pressure, 1 N/m^2	1
7	bar	Frequently used by meteorologists	100,000
8	dyne/cm^2	Older scientific pressure unit from the CGS system	0.1
9	ftH$_2$O	American and English low value pressure unit	2988.98
10	mmHg	Used in laboratory pressure measurements	133.322
11	torr	Same as 1 mmHg but used in vacuum measurement	133.322
12	ksi	Used in structural engineering	6,894,760

```
U(1)='psi'  C(1)=6894.76
U(2)='atm'  C(2)=101325.
     .           .
     .           .
     .           .
```

한 단위에서 다른 단위로의 변환은 다음의 일반적인 식에 의해 계산될 수 있다.

$$P_d = \frac{C_j}{C_i} P_g$$

여기서 P_g = 주어진 압력, P_d = 원하는 압력, j = 원하는 단위의 번호 그리고 i = 주어진 단위의 번호이다. 예를 들면, 약 28.6 psi의 타이어 압력을 atm으로 변환하기 위하여 다음과 같이 계산한다.

$$P_d = \frac{C_2}{C_1} P_g = \frac{101325.\ \text{atm/Pa}}{6894.76\ \text{psi/Pa}}\ 28.6\ \text{psi} = 420.304\ \text{atm}$$

따라서 한 단위에서 다른 단위로의 변환은 먼저 주어진 단위 그리고 원하는 단위에 해당하는 번호를 알고, 다음으로 변환식을 실행하게 된다. 다음은 이를 위한 단계별 알고리즘이다.

1. 단위 U와 변환 C의 배열에 값을 배정한다.
2. 사용자가 i 값을 입력함으로써 입력 단위를 선택한다.
   만약 사용자가 1~12 범위 내의 맞는 값을 입력하면 단계 3으로 진행한다.
   만약 사용자가 범위 밖의 값을 입력하면 에러 메시지를 출력하고 단계 2를 반복한다.
3. 사용자가 압력 P_i의 주어진 값을 입력한다.
4. 사용자가 j 값을 입력함으로써 원하는 단위를 선택한다.
   만약 사용자가 1~12 범위 내의 맞는 값을 입력하면 단계 5로 진행한다.
   만약 사용자가 범위 밖의 값을 입력하면 에러 메시지를 출력하고 단계 4를 반복한다.
5. 공식을 사용하여 입력 단위의 양을 원하는 결과물 단위의 값으로 변환한다.
6. 원래의 양과 단위 그리고 결과물의 양과 단위를 함께 출력하라.
7. 같은 입력 정보에 대해 또 다른 결과물을 원하는지를 묻는다.
   만일 그렇다면, 단계 4로 가서 다시 시작한다.
   만일 그렇지 않다면, 단계 8로 진행한다.
8. 또 다른 변환을 원하는지를 묻는다.
   만일 그렇다면, 단계 2로 가서 다시 시작한다.
   만일 그렇지 않다면, 알고리즘을 끝낸다.

루프와 if 구조를 이용하여 이 알고리즘을 실행하는 MATLAB 스크립트를 작성하라. 다음을 수행하여 코드를 시험하라.

(a) 28.6 psi의 입력에 약 420.304 atm을 얻는지를 확인하기 위해 앞의 손 계산의 예를 다시 하라.
(b) $i = 13$의 선택 번호를 입력해본다. 프로그램이 에러를 잡아내고, 사용자가 수정할 수 있도록 하는가? 만약 그렇지 않다면, 위와 같이 할 수 있도록 프로그램을 만들어야 한다. 이제 선택 번호에 글자 Q를 입력해본다. 어떻게 되는가?

반올림오차와 절단오차

이 장의 주요목표는 수치해법에서 발생하는 오차의 주된 원인을 살펴보는 것이다. 특정한 목표와 다루는 주제는 다음과 같다.

- 정확도와 정밀도 사이의 차이점
- 오차를 정량화하는 방법
- 오차 추정값을 이용한 반복계산의 종료 판정
- 수에 대한 표현능력이 제한된 디지털 컴퓨터에서 발생하는 반올림오차
- 부동소수점 수가 가지는 범위와 정밀도의 한계
- 수학적 공식을 근사식으로 표현할 때 발생하는 절단오차
- Taylor 급수를 이용한 절단오차의 추정
- 전향, 후향, 중심 유한차분 근사를 이용한 1차와 2차 도함수의 표현
- 절단오차를 최소로 할 때 발생할 수 있는 반올림오차의 증가

이런 문제를 만나면

1장에서 번지점프하는 사람의 속도를 구하는 수치모델을 개발하였다. 컴퓨터로 이 문제를 풀기 위해 속도의 도함수를 다음과 같이 유한차분 근사식으로 나타내었다.

$$\frac{dv}{dt} \cong \frac{\Delta v}{\Delta t} = \frac{v(t_{i+1}) - v(t_i)}{t_{i+1} - t_i}$$

따라서 이 식으로 얻는 해는 완전하지 않기 때문에 오차를 가진다.

또한 우리가 해를 구하기 위해 사용하는 컴퓨터도 완벽한 도구가 아니다. 컴퓨터는 디지털 기기이기 때문에 수의 크기와 정밀도를 표현하는 능력에 한계를 가진다. 따라서 컴퓨터 그 자체는 오차를 포함하는 결과를 산출한다.

종합하면 수학적 근사식과 디지털 컴퓨터는 둘 다 모델의 예측에 불확실성을 야기한다. 문제는 그러한 불확실성을 어떻게 다룰 것인가에 있다. 특히 타당한 결과를 얻기 위해 이러한 오차를 이해하고, 성량화하고, 제어하는 것이 가능한가? 이 장에서는 공학자나 과학자들이 이러한 문제를 다루는 몇몇 방법과 개념을 소개한다.

4.1 오차

공학자와 과학자는 불확실한 정보를 가지고 목적을 수행하기 위해 노력한다. 비록 완벽함은 칭찬받을 만한 목표이지만 좀처럼 얻기 어렵다. 예를 들면 Newton의 제 2법칙으로부터 개발한 모델은 우수한 근사식이지만, 실제로는 번지점프하는 사람의 낙하를 완벽하게 예측할 수는 없다. 바람과 공기 저항의 약간의 변동과 같은 다양한 요인이 예측에 오차를 나타나게 한다. 이러한 오차가 체계적으로 높거나 낮다면 새로운 모델을 개발할 수 있을 것이다. 그러나 오차가 임의로 분포되어 있고 예측값 주위에 밀집되어 있다면, 이 오차는 무시될 수 있으며 이 모델은 적절한 것으로 받아들일 수 있다. 수치적 근사도 역시 해석에 있어서 유사한 오차를 야기한다.

이 장에서는 이러한 오차의 정의, 정량화 그리고 최소화에 관련된 기본 주제를 다룬다. 오차의 정량화에 관한 일반적인 사항은 이 절에서 검토한다. 그리고 4.2와 4.3절에서는 수치오차의 두 가지 주된 형태인 반올림오차(컴퓨터 근사에 기인함)와 절단오차(수학적 근사에 기인함)를 다룬다. 또한 절단오차를 감소시키는 방법이 종종 어떻게 반올림오차를 증가시키는지도 설명한다. 끝으로 수치해법 그 자체와 직접 연관되지 않는 오차를 간단하게 논의한다. 이들은 실책, 모델오차 그리고 자료의 불확실성이다.

4.1.1 정확도와 정밀도

계산과 측정에 수반된 오차는 그 정확도와 정밀도에 연관해서 특징지을 수 있다. **정확도**(accuracy)는 계산값이나 측정값이 참값에 얼마나 가까운가를 의미한다. **정밀도**(precision)는 각각의 계산값이나 측정값들이 서로 얼마나 가까운가를 의미한다.

이런 개념들은 사격연습과의 유사성을 이용하여 그림으로 설명될 수 있다. 그림 4.1에서 과녁의 탄환 구멍을 수치해법의 추정값으로, 그리고 한가운데 점을 참값이라고 생각할 수 있다. **부정확성**(inaccuracy, 편심)은 참값으로부터 떨어져 있는 정도로 정의된다. 그림 4.1c의 탄환 구멍들이 그림 4.1a의 것보다 더 밀집되어 있지만, 두 경우 모두 중앙점의 왼쪽 위로 치우쳐 분포하기 때문에 같은 편심으로 볼 수 있다. 한편 **비정밀도**(imprecision, 불확실성)는 분산의 크기를 말한다. 따라서 그림 4.1b와 d는 똑같이 정확(중앙점에 중심이 모임)하다고 할지라도 후자가 더 밀집되어 있기 때문에 더 정밀하다.

수치해법이 특정한 공학 문제의 요구를 만족시키기 위해서는 충분히 정확하거나 또는 비편심이어야 한다. 그리고 적합한 설계를 위해서 충분히 정밀해야 한다. 이 책에서는 추정값의 부정확성과 비정밀도를 표현하기 위해 **오차**라는 총칭적 용어를 사용할 것이다.

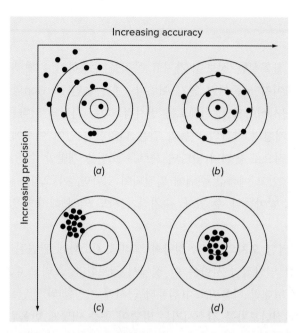

그림 4.1   정확도와 정밀도의 개념을 설명하기 위한 탄착지. (a) 부정확과 비정밀, (b) 정확과 비정밀, (c) 부정확과 정밀, (d) 정확과 정밀.

4.1.2 오차의 정의

수치오차는 정확한 수학적 연산과 양을 근사값으로 나타내기 때문에 발생된다. 이러한 오차의 경우에 참값과 근사값 사이의 관계식은 다음과 같이 표시될 수 있다.

$$참값 = 근사값 + 오차 \tag{4.1}$$

식 (4.1)을 다시 정리하면 수치오차는 다음과 같이 참값과 근사값 사이의 차이와 같다는 것을 알 수 있다.

$$E_t = 참값 - 근사값 \tag{4.2}$$

여기서 E_t는 오차의 정확한 값을 표현하기 위해 사용되었다. 하첨자 t는 이 양이 "참(true)" 오차라는 것을 표현하기 위해 사용되었다. 이것은 뒤에서 정의되는 "근사(approximate)" 오차와 대조된다. 참오차는 보통 절대값으로 표현하며, 따라서 **절대오차**(absolute error)라고 부르는 것에 유의하라.

　위와 같은 정의의 단점은 다루고 있는 수치의 크기에 대한 고려가 없는 것이다. 예를 들어 1센티미터의 오차는 다리를 다룰 때보다는 못의 길이를 측정할 때 매우 심각해진다. 다루고 있는 양의 크기를 고려하여 오차를 정의하는 한 가지 방법은 다음과 같이 오차를 참값으로 정규화하는 것이다.

$$참 \; 상대오차 = \frac{참값 - 근사값}{참값}$$

이 상대오차(relative error)는 100%를 곱하여 다음과 같이 표시할 수 있다.

$$\varepsilon_t = \frac{\text{참값} - \text{근사값}}{\text{참값}} 100\% \tag{4.3}$$

여기서 ε_t는 참 백분율 상대오차(true percent relative error)이다.

예를 들어 다리와 못의 길이를 측정하는 일을 수행하고 있다고 가정하자. 다리와 못의 길이가 9999 cm와 9 cm로 측정되었다. 이들의 참값이 10,000 cm와 10 cm라면 오차는 각각 1 cm이다. 그러나 이들의 백분율 상대오차는 식 (4.3)으로부터 0.01%와 10%가 된다. 따라서 측정에서 절대오차가 모두 1 cm이지만 상대오차는 못의 경우가 훨씬 크다. 다리의 길이를 측정하는 데는 적절한 작업을 수행하였다고 볼 수 있지만, 못의 경우는 그렇지 않다고 결론지을 수 있다.

식 (4.2)와 (4.3)에서 하첨자 t가 있는 E와 ε은 참값에 기준을 둔 오차이며, 다리와 못의 예에서 이 값을 구할 수 있다. 그러나 실제 상황에서는 이러한 정보를 얻을 수 없을 것이다. 수치해법에서는 해석적으로 해를 구할 수 있는 함수를 취급하는 경우에만 참값을 알 수 있다. 그와 같은 경우는 매우 단순한 시스템을 이론적으로 해석하는 경우에 주로 발생한다. 그러나 실제 응용문제에서는 참값을 **미리** 알지 못하는 경우가 대부분이며, 이와 같은 상황에서의 대안은 참값을 가장 잘 나타내는 근사값 그 자체를 사용하여 오차를 정규화하는 것이다.

$$\varepsilon_a = \frac{\text{근사오차}}{\text{근사값}} 100\% \tag{4.4}$$

여기서 하첨자 a는 오차가 근사값으로 정규화되었음을 나타낸다. 또한 실제 응용에서는 식 (4.2)가 식 (4.4)의 분자에 있는 오차를 계산하는 데 사용될 수 없다. 수치해법에서 해결되어야 할 문제 중의 하나는 참값을 알지 못하는 상태에서 오차를 예측하는 것이다. 예를 들어 어떤 수치해법은 해를 구하는 데 **반복법**(iteration)을 사용한다. 그와 같은 방법에서는 현재의 근사값이 이전의 근사값에 기초하여 얻어진다. 이와 같은 과정은 매번 더욱 개선된 근사값을 계산하기 위해 반복적으로 되풀이된다. 이러한 경우에 오차는 이전과 현재의 근사값의 차이로 가정된다. 따라서 백분율 상대오차는 다음과 같이 계산된다.

$$\varepsilon_a = \frac{\text{현재 근사값} - \text{이전 근사값}}{\text{현재 근사값}} 100\% \tag{4.5}$$

오차를 표현하는 데 사용하는 이 식과 그 외의 방법은 이후의 장에서 상세히 설명된다.

식 (4.2)에서 (4.5)까지의 부호는 양 또는 음이 될 수 있다. 만일 근사값이 참값보다 크다면(또는 이전 근사값이 현재 근사값보다 크다면) 오차는 음수가 되며, 근사값이 참값보다 작다면 오차는 양수가 된다. 또한 식 (4.3)에서 (4.5)까지의 경우에 분모가 0보다 작으면 이 오차도 음수가 된다. 계산을 수행할 때 종종 오차의 부호는 중요하지 않으며, 백분율 상대오차의 절대값이 미리 규정한 백분율 허용값 ε_s 보다 작아지는지에 관심이 있다. 따라서 식 (4.5)의 절대값을 사용하여 다음과 같은 조건이 만족될 때까지 반복계산된다.

$$|\varepsilon_a| < \varepsilon_s \tag{4.6}$$

이러한 관계를 **종료 판정기준**(stopping criterion)이라 한다. 만일 위 관계식이 성립한다면, 계산 결과는 미리 주어진 허용값 ε_s 이내로 들어왔다고 가정할 수 있다. 이 책의 나머지 부분에서 상대오차를 사용할 때 거의 대부분 절대값을 적용한다는 것에 유의하라.

근사값에서 이러한 오차를 유효숫자의 개수와 연관 짓는 것이 편리하다. 또한 다음과 같은 조건이 만족된다면, **적어도** n개의 유효숫자 내에서 그 결과가 정확하다는 것이 알려져 있다 (Scarborough, 1966).

$$\varepsilon_s = (0.5 \times 10^{2-n})\% \tag{4.7}$$

예제 4.1 반복법에서 오차 추정

문제 설명. 수학에서 함수는 무한급수로 표현할 수 있다. 예를 들어 지수함수를 다음과 같은 식으로 계산할 수 있다.

$$e^x = 1 + x + \frac{x^2}{2} + \frac{x^3}{3!} + \cdots + \frac{x^n}{n!} \tag{E4.1.1}$$

따라서 수열에서 더 많은 항을 더하면 근사값은 e^x의 참값에 더 가까워질 것이다. 식 (E4.1.1)을 **Maclaurin 급수전개**라 한다.

$e^{0.5}$을 계산하기 위해 가장 간단하게 $e^x = 1$로 시작하여 항을 하나씩 더하면서 계산한다. 새로운 항을 하나씩 더한 후에는 식 (4.3)과 (4.5)를 이용하여 참 백분율 상대오차와 근사 백분율 상대오차를 구한다. $e^{0.5}$의 참값은 $1.648721\ldots$이다. 3자리 유효숫자까지 일치하도록 미리 규정한 오차 판정기준인 ε_s 보다 근사 백분율 상대오차 ε_a 의 절대값이 작아질 때까지 항을 더한다.

풀이 먼저 식 (4.7)은 최소한 3자리 유효숫자를 만족하는 결과를 얻기 위한 오차 판정기준으로 사용된다.

$$\varepsilon_s = (0.5 \times 10^{2-3})\% = 0.05\%$$

따라서 ε_a 가 이 기준보다 작아질 때까지 급수의 항을 하나씩 더한다.

첫 번째 추정은 식 (E4.1.1)에서 항이 한 개인 경우이다. 따라서 첫 번째 추정값은 1이다. 두 번째 추정값은 다음 식과 같이 두 번째 항을 더한 것으로 계산한다.

$$e^x = 1 + x$$

$x = 0.5$이므로 다음과 같다.

$$e^{0.5} = 1 + 0.5 = 1.5$$

식 (4.3)의 참 백분율 상대오차는 다음과 같다.

$$\varepsilon_t = \left| \frac{1.648721 - 1.5}{1.648721} \right| \times 100\% = 9.02\%$$

식 (4.5)를 사용하여 다음과 같이 오차의 근사 추정값을 구할 수 있다.

$$\varepsilon_a = \left| \frac{1.5 - 1}{1.5} \right| \times 100\% = 33.3\%$$

요구한 ε_s 보다 ε_a 가 작지 않기 때문에 다음 항인 $x^2/2!$을 더한 후 계산한다. 또한 오차도 반복해서 계산한다. 이러한 과정을 $|\varepsilon_a| < \varepsilon_s$일 때까지 계속한다. 전체 계산결과를 요약하면 다음 표와 같다.

Terms	Result	ε_t, %	ε_a, %
1	1	39.3	
2	1.5	9.02	33.3
3	1.625	1.44	7.69
4	1.645833333	0.175	1.27
5	1.648437500	0.0172	0.158
6	1.648697917	0.00142	0.0158

따라서 여섯 번째 항까지 더해지면 근사오차는 $\varepsilon_s = 0.05$ % 이하가 되고 계산은 종료된다. 여기서 주목할 것은 결과가 3자리가 아닌 4자리 유효숫자까지 만족한다는 것이다. 이 경우는 식 (4.5)와 (4.7)이 보수적으로 오차를 최대한으로 표현한 식이기 때문이다. 그래서 결과가 최소로 규정한 것만큼 좋다는 것이 보장된다. 식 (4.5)의 경우에 항상 그런 것은 아니지만 대개는 좋은 결과가 보장된다.

4.1.3 반복계산에 대한 컴퓨터 알고리즘

이 책의 나머지 부분에서 기술할 많은 수치해법들은 예제 4.1에 예시한 것과 같은 반복계산을 포함한다. 이들은 초기 가정으로부터 시작하여 연속적으로 해에 대한 근사값을 계산함으로써 수학 문제를 풀게 된다.

이러한 반복계산을 컴퓨터에서 실행하기 위해서는 루프가 필요하다. 3.3.2절에서 보았듯이 여기에는 두 가지 기본적인 루프, 즉 반복횟수 조절 루프와 판정 루프가 있다. 대부분의 반복계산은 판정 루프를 사용한다. 따라서 미리 설정된 반복횟수를 사용하기보다는 근사오차 추정값이 예제 4.1에 있는 것과 같은 종료 판정기준 이하로 떨어질 때까지 과정을 반복한다.

예제 4.1과 같은 문제에 대해 급수전개는 다음과 같이 나타낼 수 있다.

$$e^x \cong \sum_{i=0}^{n} \frac{x^n}{n!}$$

```
function [fx,ea,iter] = IterMeth(x,es,maxit)
% Maclaurin series of exponential function
%   [fx,ea,iter] = IterMeth(x,es,maxit)
% input:
%   x = value at which series evaluated
%   es = stopping criterion (default = 0.0001)
%   maxit = maximum iterations (default = 50)
% output:
%   fx = estimated value
%   ea = approximate relative error (%)
%   iter = number of iterations

% defaults:
if nargin    <2||isempty(es),es      =0.0001;end
if nargin    <3||isempty(maxit),maxit       =50;end
% initialization
iter = 1; sol = 1; ea = 100;
% iterative calculation
while (1)
  solold = sol;
  sol = sol + x ^ iter / factorial(iter);
  iter = iter + 1;
  if sol~     =0
    ea    =abs((sol − solold)/sol)*100;
  end
  if ea<     =es || iter>       =maxit,break,end
end
fx = sol;
end
```

그림 4.2   반복계산을 실행하기 위한 M-파일. 이 예는 예제 4.1에 기술한 e^x에 대한 Maclaurin 급수전개를 계산하기 위한 것이다.

그림 4.2는 이 식을 실행하는 M-파일을 보여준다. 종료 판정기준(es)과 최대 허용 반복횟수(maxit)가 구하고자 하는 값(x)과 함께 함수에 전달된다. 만약 사용자가 종료 판정기준과 최대 허용 반복횟수 중 한 개를 생략한다면 함수는 기본값을 배정한다.

다음으로 함수는 세 개의 변수를 초기화한다. (a) iter, 이는 반복횟수를 추적한다. (b) sol, 이는 해의 현재 값을 저장한다. (c) 변수 ea, 이는 근사 백분율 상대오차를 저장한다. 루프가 적어도 한 번은 실행하는 것을 보장하기 위하여 ea는 초기에 100으로 설정된다는 것에 유의하라.

이러한 초기화 뒤로 반복계산을 실제로 수행하는 판정 루프가 뒤따른다. 새로운 해를 산출하기 전에 이전 값 sol은 먼저 solold로 배정된다. 다음으로 새로운 sol 값이 계산되고 반복횟수는 증가한다. 만약 새로운 sol 값이 0이 아니면 백분율 상대오차 ea가 계산된다. 다음으로 종료 판정기준이 작동한다. 만약 두 개 모두 거짓이면, 루프는 반복하고, 둘 중에 한 개라도 참이면 루프는 종료되어 최종해는 다시 호출 함수로 돌아가게 된다.

M-파일을 실행하면 지수함수에 대한 추정값이 산출되며, 이 값은 근사오차와 반복횟수와 함께 반환된다. 예를 들면 e^1은 다음과 같이 계산할 수 있다.

```
>> format long
>> [approxval, ea, iter] = IterMeth(1,1e-6,100)
```

```
approxval =
    2.718281826198493
ea =
    9.216155641522974e-007
iter =
    12
```

12번의 반복 후, 결과 값 = 2.7182818과 근사오차 = 9.2162 × 10^{-7}%를 얻는다. 이 결과는 내장함수 exp를 사용하여 정확한 값과 참 백분율 상대오차를 계산하여 증명할 수 있다.

```
>> trueval=exp(1)
trueval =
    2.718281828459046
>> et=abs((trueval- approxval)/trueval)*100
et =
    8.316108397236229e-008
```

예제 4.1의 경우와 같이 참오차가 근사오차보다 작은 바람직한 결과를 얻는다.

4.2 반올림오차

반올림오차(roundoff error)는 디지털 컴퓨터가 어떤 수량을 완전하게 표현할 수 없기 때문에 발생한다. 이 반올림오차는 잘못된 결과를 도출할 수 있기 때문에 공학이나 과학 문제의 풀이에서 중요하다. 어떤 경우에는 실제로 이 반올림오차가 계산을 불안정하게 이끌어, 명백히 잘못된 결과를 도출하게 하기도 한다. 이와 같은 계산을 **불량조건**(ill-conditioned)이라 한다. 더욱 나쁜 것은 반올림오차가 발견하기 어려운 미묘한 차이로 이어질 수 있다는 점이다.

수치계산에 수반되는 반올림오차는 두 가지 주된 특성을 가진다.

1. 디지털 컴퓨터는 수를 표현하는 능력에 있어서 크기와 정밀도에 제한이 있다.
2. 어떤 수치계산은 반올림오차에 매우 민감하다. 반올림오차는 컴퓨터가 산술연산을 수행하는 방식뿐만 아니라 수학적인 방법에서도 기인할 수 있다.

4.2.1 컴퓨터상에서의 수의 표현

반올림오차는 숫자가 컴퓨터에 저장되는 방법과 직접적으로 연관된다. 정보가 저장되는 기본 단위를 워드(word)라 한다. 이는 일련의 **이진수**(binary digit) 또는 **비트**(bit)라는 것으로 구성되어 있는데, 숫자는 보통 한 개 또는 그 이상의 워드에 저장된다. 이 과정이 어떻게 수행되는지를 알아보기 위해 수의 체계(number system)와 관련된 내용을 살펴보기로 한다.

수의 체계는 단지 수량을 표현하는 방식이다. 사람들은 10개의 손가락과 10개의 발가락을 가지고 있기 때문에, **십진법** 즉 **기저-10**(base-10)을 가지는 수의 체계에 익숙해 있다. 기저 (base)는 수를 구성하는 기준으로 사용되는 숫자이다. 십진법의 체계는 숫자를 표현하기 위해 10개의 기본 숫자 - 0, 1, 2, 3, 4, 5, 6, 7, 8, 9 - 를 사용한다. 이들은 0부터 9까지의 수를 표현하는 데 아무런 문제가 없다.

　매우 큰 숫자를 나타내기 위해서는, 이들 기본 숫자의 조합과 더불어 크기를 규정하는 위치값 또는 **자리값**(place value)을 이용한다. 어떤 숫자가 주어졌을 때, 가장 오른쪽에 위치한 수는 0부터 9 사이의 값을 나타내고, 끝에서 두 번째 수는 10의 배수를 의미하며, 세 번째는 100의 배수 등으로 표시된다. 예를 들어 8642.9의 경우에는 여덟 개의 1000, 여섯 개의 100, 네 개의 10, 두 개의 1 그리고 아홉 개의 0.1이 있다.

$$(8 \times 10^3) + (6 \times 10^2) + (4 \times 10^1) + (2 \times 10^0) + (9 \times 10^{-1}) = 8642.9$$

이와 같은 표현 형식을 **위치표기법**(positional notation)이라고 한다.

　우리는 10진수 체계에 매우 익숙해 있으므로, 다른 대안이 있을 수 있다는 사실을 잘 인식하지 못한다. 예를 들어 인간이 8개의 손가락과 8개의 발가락을 가지고 있다면, 아마 의심할 여지없이 **팔진법** 또는 **기저-8**을 가지는 수의 체계를 사용했을 것이다. 이와 같은 의미에서 컴퓨터는 0과 1 두 개의 상태만을 표시할 수 있는, 두 개의 손가락을 가진 동물과 유사하다고 할 수 있다. 이는 디지털 컴퓨터의 기본 논리단위(logic unit)가 on/off 의 전기 요소라는 사실과 관련이 있다. 따라서 컴퓨터상에서 숫자는 **이진법** 또는 **기저-2**를 가지는 시스템으로 표시되는데, 십진법에서와 마찬가지로 위치표기법으로 수가 표시될 수 있다. 예를 들어 2진수 101.1은 십진법으로는 $(1 \times 2^2) + (0 \times 2^1) + (1 \times 2^0) + (1 \times 2^{-1}) = 4 + 0 + 1 + 0.5 = 5.5$가 된다.

정수 표현. 2진수가 10진수와 어떻게 연계되는지 살펴보았으므로(이 시점에서 역은 아직 명확하지 않다.) 컴퓨터 내에서 정수가 어떻게 표현되는지 이해하기 쉬울 것이다. 그렇지만 한계와 문제점이 있다. 한계는 정수를 표현하는데 사용되는 바이트 수이다. 만약 1 바이트이면 8 비트로 제한되며, 4 바이트이면 32 비트로 제한된다. 문제점은 음수를 어떻게 표현하는가이다.

　이들을 해결하기 위해 워드 길이가 1 바이트인 이진수 개수를 세어보면, 2^8개 또는 256개의 수가 된다. 이외의 다른 어떤 숫자도 표현될 수 없다. 0(모두가 0인 경우)에서 시작하여 올림순으로 세어본다. 이진법에서는 1 + 1 = 0이며 올림수(carry)가 1이다. 그렇다면 마지막 수 11111111에 1을 더하면 어떻게 되는지 보자. 결과는 00000000이며, 이는 마지막 올림수가 버려지기 때문이다.[1] 즉, 마지막 수에 1을 더하니 결과는 첫 번째 수가 된다. 이러한 수 체계를 열 형태 대신 원형으로 표현하면(그림 4.3), 음수가 원형의 왼쪽 부분의 숫자로 나타나게 된다. 실제로 00000000의 양쪽의 값을 더하면, 00000001 + 11111111 = 00000000을 얻는다. 따라서 두 번째 숫자는 −1과 같은 의미이며, +1과 더해질 때 0이 된다. 원형의 왼쪽 부분의 숫자의 특성은 첫 번째 비트가 1이라는 점이다. 이는 일반적으로 **부호 비트**라 불리며, 0일 때 숫자는 양수이며 1일 때 숫자는 음수이다. 나머지 남은 문제점은 원형의 바닥 쪽에 있는 숫자 10000000을 어떻게 처리하는가이다. 이 숫자는 자신과 같은 수를 더하면 0이 되므로 스스로 음수(self-negative)임을 주목한다. 또한 규약에 따라서 부호 비트가 1이므로 음수로 간주할 수

---

1) 흔히 마지막 올림수는 이진수를 위한 "쓰레기통"인 비트 통으로 들어간다고 한다.

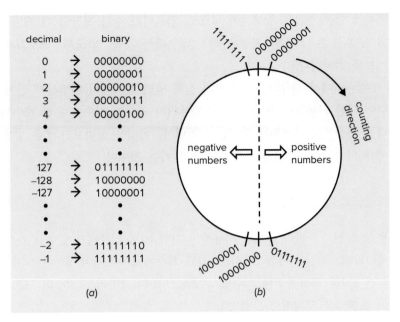

그림 4.3 1바이트 정수 표현

있다. 이와 같은 방법을 일반적으로 2의 보수 표현법(2's complement representation)으로 부른다. 원형의 제일 윗부분을 포함하여 오른쪽 부분의 숫자들을 10진법으로 변환하면 0에서 127까지의 숫자를 얻는다. 그리고 바닥을 포함하는 왼쪽 부분에서는 −1에서 −128까지의 숫자를 얻는다. 따라서 1 바이트의 정수 표현은 −128에서 127까지이다.

컴퓨터 프로그래밍 시스템에서 쓰이는 일반적인 범위는 2 바이트(16 비트)와 4 바이트(32 비트)를 사용하여 결정된다. 4 바이트 또는 "긴 정수(long integer)" 방식은 우리가 숫자를 세는 데 필요한 것보다 훨씬 큰 범위를 가진다. 2 바이트 표현의 장점은 메모리가 반만 필요하다는 점이지만, 범위는 −32768에서 32767까지로 제한된다.

부동소수점의 표현. 컴퓨터에서 소수(소숫점의 오른쪽 숫자)를 가지는 수는 보통 **부동소수점**(floating-point) **형식**으로 표현된다. 이 방법에서는 과학표기법과 아주 비슷하게 다음과 같이 수를 표현한다.

$$\pm s \times b^e$$

여기서 s 는 **가수**(significand 또는 mantissa), b 는 사용하고 있는 수 체계의 기저, 그리고 e 는 지수이다.

이 형식으로 표현하기 전에, 수는 소수점의 왼쪽에 유효 숫자 중에 하나만 남도록 소수점 위치를 옮겨 정규화(normalization)된다. 이는 컴퓨터 메모리에 유효하지 않은 0을 불필요하게 저장하여 메모리를 낭비하는 것을 막아준다. 예를 들어 0.005678 과 같은 값을 낭비적인 방식인 0.005678×10^0 으로 표현할 수 있을 것이다. 하지만 정규화를 통하여 필요 없는 0을 제거하여 5.678×10^{-3} 으로 나타낼 수 있다. 기저-2의 수를 정규화하고자 할 때는 2진 소수점의 왼쪽에 있는 숫자는 항상 1이 되므로, 컴퓨터가 수를 저장할 때 제일 앞의 1을 저장할 필요가 없다. 1은 존재하지만 저장은 하지 않는다는 것을 "알도록" 프로그래밍 할 수 있다. 이는 1비트를 절약한다.

컴퓨터에서 사용되는 기저-2의 실행 방법을 자세히 설명하기 전에, 이러한 부동소수점 표현에 대한 근본적인 의미를 보자. 컴퓨터가 가수와 지수를 유한 개수의 한정된 비트에 저장한다는 사실에서 파생되는 결과는 무엇일까? 이것을 살펴보기 좋은 방법은 다음의 예처럼 우리에게 익숙한 기저-10의 십진법 체계로 가는 것이다.

예제 4.2 / 부동소수점 표현의 의미

문제 설명. 5-자리 워드를 사용하는 기저-10의 컴퓨터가 있다고 가정하자. 그리고 부호에 대해 1자리, 지수에 대해 2자리, 그리고 가수에 2자리를 배정한다고 가정한다. 단순하게 지수를 위한 2자리 중 1자리는 지수의 부호로, 나머지 1자리는 지수의 크기를 나타내기로 가정한다. 이 표현법을 구체적으로 설명하라.

풀이 정규화를 따르는 일반적인 수의 표현은 다음과 같다.

$$s_1 d_1 \cdot d_2 \times 10^{s_0 d_0}$$

여기서 s_0와 s_1은 부호, d_0는 지수의 크기, 그리고 d_1과 d_2는 가수 자리의 크기이다.

이제 이 시스템으로 시작해 보자. 먼저 표현할 수 있는 가장 큰 양수는 무엇인가? 분명히 그것은 양수의 부호와 모든 크기 자리에 십진법에서 가장 큰 값인 9로 설정하는 것이다.

최대값 $= +9.9 \times 10^{+9}$

그래서 가장 큰 수는 100억보다 조금 작다. 이것은 큰 수처럼 보이지만 실제로는 그렇지 않다. 이 시스템으로는 Avogadro 수(6.023×10^{23})와 같이 일반적으로 사용하는 상수를 표현할 수 없을 것이다.

마찬가지로 표현할 수 있는 가장 작은 양수는 다음과 같다.

최소값 $= +1.0 \times 10^{-9}$

이 수도 매우 작은 값으로 보이지만 흔히 사용되는 Planck 상수(6.626×10^{-34} J·s)와 같은 양을 표현할 수 없다.

음수도 비슷하게 나타낼 수 있다. 그 결과의 범위는 그림 4.4와 같다. 범위 밖에 있는 큰 양수와 음수는 **오버플로우(overflow) 오류**를 야기한다. 마찬가지로 매우 작은 양수와 음수에 대해서도 0에 "구멍"이 있으나, 이런 작은 숫자는 일반적으로 0으로 변환된다.

지수는 이러한 범위의 한계를 결정하는데 매우 중요한 역할을 한다. 예를 들어 가수를 한 자리 증가시키면 최대값은 $+9.99 \times 10^{+9}$로 조금 증가한다. 반면에 지수를 한 자리 증가시키면 최대값은 $+9.9 \times 10^{+99}$로 크기의 차수가 90이나 증가한다.

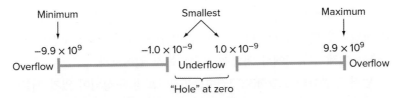

그림 4.4 예제 4.2에서 설명한 기저-10 부동소수점 체계에 상응하는 범위를 나타내는 수의 선분.

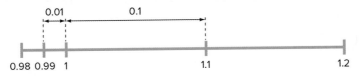

그림 4.5 예제 4.2에서 설명한 기저-10 부동소수점 체계에 상응하는 수의 일부 작은 영역. 수들은 정확하게 표현할 수 있는 값을 표시하고 있다. 이들 값 사이의 "구멍"에 들어가는 모든 다른 숫자는 반올림오차를 수반한다.

정밀도에 관하여는 상황이 반대로 된다. 가수는 범위를 정의하는 데 있어서 중요하지 않지만, 정밀도를 규정하는 데 지대한 영향을 갖는다. 이것은 단지 2자리의 가수로 제한한 이 예제에서 극적으로 설명된다. 그림 4.5에서 보듯이 0에 "구멍"이 있는 것처럼 숫자들 사이에도 구멍이 있다.

예를 들어 $2^{-5} = 0.03125$처럼 유한 자리수를 갖는 간단한 유리수는 3.1×10^{-2} 또는 0.031로 저장되어야 한다. 따라서 반올림오차(roundoff error)가 발생한다. 이 경우에 백분율 상대오차는 다음과 같다.

$$\frac{0.03125 - 0.031}{0.03125} \cdot 100 = 0.8\%$$

0.03125와 같은 숫자는 가수의 자리수를 추가하여 정확하게 저장할 수 있지만, 무한 자리수의 숫자는 항상 근사되어야 한다. 예를 들어 일반적으로 사용되는 $\pi(= 3.14159\ldots)$와 같은 상수는 3.1×10^0으로 표현되어야 할 것이다. 이 경우에 백분율 상대오차는 다음과 같다.

$$\frac{3.14159\ldots - 3.1}{3.14159\ldots} \cdot 100 \cong 1.32\%$$

이러한 숫자들은 가수의 자리수를 더하여 근사값을 개선할 수 있지만, 컴퓨터에 저장될 때 항상 어느 정도의 반올림오차를 갖는다.

부동소수점 표현에서 발생하는 포착하기 힘든 결과는 그림 4.5에서 설명된다. 숫자들 사이의 간격이 크기의 차수 변화에 따라 어떻게 증가하는지 주목하라. 지수가 -1인 수(즉, 0.1과 1 사이의 수)는 간격이 0.01이다. 1부터 10까지의 범위에서는 간격이 0.1로 증가한다. 이는 어떤 수의 반올림오차는 그 크기에 비례한다는 것을 의미한다. 더욱이 이는 상대오차가 상한을 갖는다는 것을 의미한다. 이 예제에서 최대 상대오차는 0.05이다. 이 값을 **기계엡실론**(machine epsilon) 또는 기계정밀도(machine precision)라 한다.

예제 4.2에서 보듯이, 지수와 가수 자리수가 유한하다는 사실은 부동소수점 표현에서 범위와 정밀도가 한계를 갖는다는 것을 의미한다. 이제 부동소수점 수가 기저-2 또는 2진수를 사용하는 실제 컴퓨터에서 어떻게 표현되는지 알아보자.

먼저 정규화를 고찰하자. 2진수는 0과 1로만 구성되어 있기 때문에, 이를 정규화하면 특별한 일이 일어난다. 즉 2진 소수점의 왼쪽에 있는 비트는 항상 1일 것이다. 이는 첫 번째의 비트는 저장할 필요가 없다는 것을 의미한다. 따라서 0이 아닌 2진 부동소수점 수는 다음과 같이 표현된다.

$$\pm(1 + f) \times 2^e$$

여기서 f는 가수(mantissa, 정규화된 가수의 소수 부분)이다. 예를 들어 2진수 1101.1을 정규화하면 결과는 1.1011×2^3 또는 $(1 + 0.1011) \times 2^3$이다. 따라서 비록 원래의 수는 5개의 유효 숫자 비트를 갖지만 단지 4개의 소수 비트만 저장해야 한다(1011).

MATLAB은 부동소수점 수를 **IEEE 754 배정도 표준**(IEEE 754 double precision standard)에 따라 저장하며, 이는 많은 소프트웨어 프로그램이 채택하는 방법이다. 부동소수점 수를 표현하는 데 8개의 바이트(64 비트)가 사용된다. 그림 4.6처럼 왼쪽의 첫 번째 비트는 수의 부호로 사용되며, 0이면 양수, 1이면 음수이다. 정수가 저장되는 방식과 같은 방법으로 지수와 그 부호가 다음 11개의 비트에 저장된다. 마지막으로 52개의 비트는 가수를 위해 설정된다. 그렇지만 정규화로 인해 첫 번째 비트는 항상 1이므로 실제로는 53개 비트에 해당한다.

IEEE 표준에 따르면 지수는 2의 보수표현 방식(2's complement format)이 아닌 편향지수 방식(biased or offset-zero format)으로 저장된다. 다음 표가 이를 예시한다. 숫자 00000000000과 11111111111은 특수한 경우이며, 이들은 지수를 표현하는데 사용되지 않는다.[2]

Binary Value	Decimal Value
11111111110	1023
	.
	.
10000000000	1
01111111111	0
01111110111	−1
	.
	.
00000000001	−1022

따라서 예제 4.2처럼 수는 제한된 범위와 정밀도를 가진다는 것을 의미한다. 그러나 IEEE 형식은 상당히 많은 비트를 사용하므로, 이와 같은 수 체계는 공학과 과학 계산 그리고 관련된 수치해석에 실질적으로 사용될 수 있다.

---

2) IEEE 표준에 따르면 11111111111은 "NaN" 또는 "not a number"를 표현하기 위해 사용된다. 이는 수치계산이 무한대로 가는 경우의 결과일 수 있다. 지수 00000000000은 "부호 있는 0(signed zero)"으로서의 특별한 용도가 있다. 더 자세한 것은 https://en.wikipedia.org/wiki/Double-precision_floating-point_format을 참조하라.

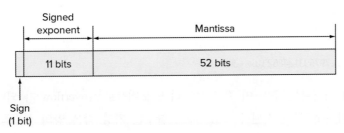

그림 4.6 부동소수점 수가 IEEE 배정도 형식에서 8-바이트 워드에 저장되는 방식.

범위. 위에서 보인 바와 같이, 규정에 따라 지수에 사용되는 11개 비트는 −1023에서 1023에 이르는 범위를 나타낸다. 이 범위는 $2^{11} - 1 = 2047$개의 숫자를 포함하며 0에 대해 대칭적이다. 가장 큰 양수는 비트 단위로 다음과 같이 저장된다.

0	1	2	3	4	5	6	7	8	9	10	11	12	13	14	15	16	17	18	19	20	21	22	23	24	25	26	27	28	29	30	31	32	33	34	35	36	37	38	39	40	41	42	43	44	45	46	47	48	49	50	51	52	53	54	55	56	57	58	59	60	61	62	63
0	1	1	1	1	1	1	1	1	1	1	0	1	1	1	1	1	1	1	1	1	1	1	1	1	1	1	1	1	1	1	1	1	1	1	1	1	1	1	1	1	1	1	1	1	1	1	1	1	1	1	1	1	1	1	1	1	1	1	1	1	1	1	1
sign		exponent																mantissa																																														

이는 다음과 같은 간략한 형식으로 기술할 수 있다.

최대값 $= +1.111\ldots 111 \times 2^{+1023}$

여기서 가수는 2진 소수점 오른쪽으로 52개 비트를 가지며 모두 1이다. 가수의 값은 10진수로 2 (2진수 10) 보다 약간 작으며 실제로는 $2 - 2^{-52} \cong 2$ 이다. 가장 큰 값은 다음과 같이 10진수로 변환할 수 있다.

$+2^{+1023} \cong 1.7977 \times 10^{308}$

같은 방법으로 가장 작은 양수는 다음과 같다.

최소값 $= +1.000\ldots 000 \times 2^{-1022}$

이 수는 기저-10의 값으로 $2^{-1022} \cong 2.2251 \times 10^{-308}$이다. 따라서 IEEE 64 비트 표준으로 가능한 범위는 공학과 과학 계산을 수행하는데 충분히 크다

정밀도. 가수를 위한 52개의 비트는 기저-10으로 약 15에서 16자리에 해당된다. 따라서 π는 다음과 같이 표현된다.

```
>> format long
>> pi

ans =
   3.14159265358979
```

기계엡실론은 $2^{-52} = 2.2204 \times 10^{-16}$임을 주목하라.

MATLAB은 수를 표현하는 방식과 관련되는 많은 내장함수를 가지고 있다. 예를 들면 *realmax* 함수는 가장 큰 양의 실수를 표현한다.

```
>> format long
>> realmax

ans =
    1.797693134862316e+308
```

계산에서 나타나는 수가 이 값을 초과하면 오버플로우(overflow)가 되며, MATLAB에서 이것
은 무한대 inf로 표시된다. *realmin* 함수는 가장 작은 양의 실수를 표현한다.

```
>> realmin

ans =
    2.225073858507201e-308
```

이 값보다 작은 수는 **언더플로우**(underflow)를 일으키며 MATLAB에서 0으로 처리된다. 마지
막으로 *eps* 함수는 기계엡실론을 나타낸다.

```
>> eps

ans =
    2.220446049250313e-016
```

4.2.2 컴퓨터의 산술적 연산

컴퓨터에서 사용되는 수의 체계 그 자체가 가지는 한계 이외에도, 이들 수와 관련된 실제 산
술적 연산과정도 반올림오차를 발생시킬 수 있다. 반올림오차가 어떻게 발생하는지를 이해하
기 위해 컴퓨터가 단순한 덧셈과 뺄셈을 어떻게 수행하는지 살펴보자.

간단한 덧셈과 뺄셈에 미치는 반올림오차의 영향을 알아보기 위해 우리에게 친숙한 정규
화된 10진수를 사용하자. 기저가 다른 수도 비슷한 양상을 보여줄 것이다. 설명을 간단히 하
기 위해 네 자리의 가수와 한 자리의 지수를 가지는 가상의 십진 컴퓨터를 고려하자.

두 개의 부동소수점 수들을 더할 때 먼저 모든 수가 같은 지수를 갖도록 표현한다. 예를
들면 1.557 + 0.04341의 덧셈에서 컴퓨터는 $0.1557 \times 10^1 + 0.004341 \times 10^1$으로 표현한다. 그
리고 가수들이 더해져서 0.160041×10^1으로 계산된다. 이 가상의 컴퓨터는 단지 4자리 가수
만 사용하기 때문에 초과되는 자리의 수를 버려 결과적으로 0.1600×10^1을 얻게 된다. 오른
쪽으로 이동한 두 번째 수의 마지막 두 자리의 수(41)는 계산의 결과로 없어졌다는 것에 유의
하자.

뺄셈은 감수의 부호가 다르다는 것을 제외하고는 덧셈과 동일한 방법으로 수행된다. 예를
들어 36.41에서 26.86을 뺀다고 하자.

$$
\begin{array}{r}
0.3641 \times 10^2 \\
-0.2686 \times 10^2 \\
\hline
0.0955 \times 10^2
\end{array}
$$

이 경우 첫 번째 0은 불필요하므로 결과는 정규화되어야 한다. 따라서 소수점을 오른쪽으
로 한 자리 옮겨 $0.9550 \times 10^1 = 9.550$을 얻는다. 가수의 마지막에 있는 0은 유효한 숫자가 아

니며, 단순히 소수점의 이동으로 생긴 공간을 채우기 위해 더해진 것이다. 아주 가까운 두 수에서는 더욱 극적인 결과가 얻어진다.

$$0.7642 \times 10^3$$
$$\underline{-0.7641 \times 10^3}$$
$$0.0001 \times 10^3$$

결과는 $0.1000 \times 10^0 = 0.1000$로 변환된다. 따라서 이 경우 유효하지 않은 세 개의 0이 추가되었다.

거의 비슷한 두 수 사이에서 빼기를 하는 것을 **뺄셈의 무효화**(subtractive cancellation)라고 한다. 이는 컴퓨터로 수학 계산을 다룰 때 어떻게 수치적 문제가 발생하는지를 보여주는 전형적인 예이다. 문제를 일으키는 계산들은 다음과 같다.

대규모 계산. 어떤 방법들은 최종 결과를 얻기 위해 매우 많은 산술연산을 필요로 한다. 많은 경우 이 계산들은 상호 연관성을 가진다. 즉 나중의 계산은 이전 계산의 결과에 의존하게 된다. 결과적으로 각각의 연산에서 발생되는 반올림오차는 매우 작다 하더라도 대규모 계산 과정을 통해 누적된 오차는 상당히 커질 수 있다. 아주 단순한 예로 십진법으로는 정확하지만 이진법으로는 정확하지 않는 수를 더하는 경우이다. 다음의 M-파일을 보자.

```
function sout = sumdemo()
s = 0;
for i = 1:10000
  s = s + 0.0001;
end
sout = s;
```

이 함수가 실행되면 결과는 다음과 같다.

```
>> format long
>> sumdemo

ans =
   0.99999999999991
```

MATLAB에서 `format long` 명령어는 15자리의 유효숫자로 나타나게 한다. 위 함수의 답은 1이어야 한다. 0.0001은 십진법으로는 정확하게 표현되지만 이진법으로는 정확하게 표현될 수 없다. 따라서 위의 결과가 1보다 조금 다르게 계산된 것이다. MATLAB에서는 이러한 오차를 최소로 하기 위해 설계된 기능이 있다. 예를 들면 다음과 같은 벡터를 입력한다고 하자.

```
>> format long
>> s = [0:0.0001:1];
```

다음에 볼 수 있듯이 이 경우의 마지막 값은 0.99999999999991이 되는 대신, 정확히 1이 된다.

```
>> s(10001)

ans =
   1
```

큰 수와 작은 수의 덧셈.   4자리 가수와 1자리 지수를 가지는 가상의 컴퓨터를 사용하여 큰 수 4000에 작은 수 0.0010을 더하는 경우를 가정하자. 작은 수의 지수가 큰 수의 것과 같아지도록 표현을 수정한다.

$$
\begin{array}{r}
0.4000 \quad\ \times 10^4 \\
\underline{0.0000001 \times 10^4} \\
0.4000001 \times 10^4
\end{array}
$$

결과는 버림을 적용하여 0.4000×10^4이 된다. 따라서 이는 덧셈을 수행하지 않은 것과 같다. 이와 같은 종류의 오차는 무한급수의 계산에서 일어날 수 있다. 이와 같은 급수에서는 많은 경우 첫 번째 항은 나머지 항들에 비해 상대적으로 크다. 따라서 처음 몇 개의 항들이 더해진 후에는 큰 수에 작은 수를 더하는 것과 같은 상황이 발생하게 된다. 이와 같은 종류의 오차를 줄이는 한 가지 방법은 급수의 덧셈을 역순으로, 즉 내림차순이 아닌 오름차순으로 수행하는 것이다. 이 경우 더해지는 새로운 항은 누적된 항의 크기와 비슷하게 된다.

오염.   오염(smearing)은 덧셈의 과정에서 각 항들이 합산 자체보다 클 때 발생한다. 부호가 번갈아가며 바뀌는 급수에서 그 예를 볼 수 있다.

내적.   앞서 언급한 바와 같이 어떤 무한급수는 반올림오차가 발생하기 매우 쉽다. 다행히 급수의 계산은 수치해법에서 많이 사용되는 연산은 아니다. 더 자주 접하게 되는 연산은 다음과 같은 내적의 계산이다.

$$
\sum_{i=1}^{n} x_i\, y_i = x_1\, y_1 + x_2\, y_2 + \cdots + x_n\, y_n
$$

이와 같은 연산은 특히 연립 선형대수방정식의 해를 구할 때 많이 발생한다. 이러한 합산은 반올림오차에 매우 민감하다. 따라서 이와 같은 계산은 MATLAB에서 자동적으로 수행되는 것처럼 배정도로 계산하는 것이 바람직하다.

4.3   절단오차

절단오차(truncation error)는 수학적 연산을 근사적으로 표현하기 때문에 발생되는 오차이다. 예를 들어 1장에서는 번지점프하는 사람의 속도의 도함수를 식 (1.11)의 형태와 같이 유한차분(finite difference) 식을 사용하여 근사하였다.

$$
\frac{dv}{dt} \cong \frac{\Delta v}{\Delta t} = \frac{v(t_{i+1}) - v(t_i)}{t_{i+1} - t_i} \tag{4.8}
$$

차분방정식(difference equation)은 도함수의 참값에 대한 근사이므로, 수치해법으로 얻은 해에는 질단오차가 발생하게 된다(그림 1.3 참조). 이와 같이 발생한 오차의 특성을 이해하기 위하여, 수치해법에서 함수를 근사적으로 표현할 때 널리 사용하는 수학 공식인 Taylor 급수에 대해 알아보기로 한다.

4.3.1 Taylor 급수

Taylor 정리와 이에 관련한 공식인 Taylor 급수는 수치해법의 학습에 매우 중요하다. **Taylor 정리**의 핵심은 매끄러운 함수(smooth function)는 다항식으로 근사될 수 있다는 것이다. **Taylor 급수**는 이러한 아이디어를 수학적으로 실제 결과를 얻기 위한 형태로 표현할 수 있는 방법을 제공한다.

Taylor 급수를 이해하는 좋은 방법은 항을 한 개씩 추가해 가면서 급수를 구성해 보는 것이다. 이러한 연습으로 좋은 예는 한 점에서의 함수값을 다른 점에서의 함수값과 도함수로 예측하는 것이다.

눈을 가린 채 밑으로 기울어진 언덕에 서 있다고 가정해 보자(그림 4.7). 그 위치는 수평위치 x_i 와 언덕의 밑에서부터의 수직거리 $f(x_i)$로 나타낼 수 있다. 현 위치에서 h 만큼 떨어진 x_{i+1} 에서의 높이를 예측한다고 하자.

먼저 여러분이 완전히 수평인 플랫폼에 위치하고 있고, 멀리 떨어진 곳에 있는 언덕이 아래쪽으로 기울어져 있는 것을 모른다고 하자. 이때 x_{i+1}에서의 높이에 대한 가장 좋은 가정은 무엇일까? 발 앞의 정보를 전혀 모르기 때문에 가장 좋은 가정은 지금 서 있는 위치와 같은 높이를 생각하는 것이다. 이러한 예측을 수학적으로 표현하면 다음과 같다.

$$f(x_{i+1}) \cong f(x_i) \tag{4.9}$$

이 관계식은 **0차 근사**(zero-order approximation)라고 하는데, 새로운 위치에서의 f값은 이전 위치에서의 함수값과 같다는 것을 보여준다. 그 결과 만약 x_i와 x_{i+1}이 가깝다면 새로운 값은 이전 값과 비슷할 것이라고 예측할 수 있다.

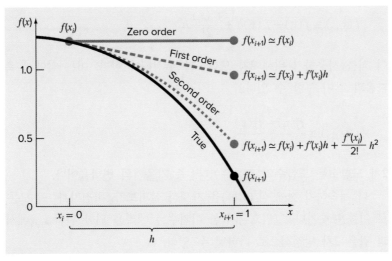

그림 4.7 0차, 1차, 2차 Taylor 급수전개를 이용한 $x = 1$ 에서의 함수 $f(x) = -0.1x^4 - 0.15x^3 - 0.5x^2 - 0.25x + 1.2$ 의 근사.

만일 근사하려는 함수가 상수라면 식 (4.9)로부터 완벽한 예측값을 얻을 수 있다. 완전히 평평한 대지에서는 이 결과가 정확할 것이다. 그러나 함수가 구간의 모든 점에서 변한다면 더 나은 예측을 위해서 Taylor 급수의 추가항이 필요하게 된다.

이제 플랫폼에서 한쪽 발만 언덕에 내려 보자. 한 발이 다른 발보다 낮게 느껴질 것이다. 두 발의 높이 차를 측정하고 그것을 두 발 사이의 거리로 나눔으로써 언덕의 기울기를 정량적으로 추정할 수 있다.

이러한 추가적인 정보로 x_{i+1}에서의 높이인 $f(x_{i+1})$을 보다 잘 예측할 수 있다. 즉 이 기울기를 사용하여 x_{i+1}까지 직선으로 나타낸다. 수학적으로 이러한 예측을 다음과 같이 표현할 수 있다.

$$f(x_{i+1}) \cong f(x_i) + f'(x_i)h \tag{4.10}$$

이 식은 **1차 근사**(first-order approximation)라고 한다. 왜냐하면 추가된 1차항이 기울기 $f'(x_i)$에 x_i와 x_{i+1} 사이의 거리 h가 곱해진 것으로 이루어져 있기 때문이다. 따라서 수식은 x_i와 x_{i+1} 사이에서 함수의 증가와 감소를 예측할 수 있는 직선 형태인 것이다.

식 (4.10)은 어떤 변화를 예측할 수 있지만 직선 또는 **선형**인 경우에만 정확하다. 보다 나은 예측을 위해 위 식에 항을 추가할 필요가 있다. 이제 언덕 위에 서서 두 위치를 측정할 수 있다고 하자. x_i에 있는 한 발과 나머지 한 발을 뒤로 Δx 만큼 움직여서 기울기를 측정한다. 이 기울기를 $f_b'(x_i)$라 하자. 그리고 x_i에 있는 한 발과 나머지 한 발을 앞으로 Δx만큼 움직여서 기울기를 측정한다. 이 기울기를 $f_f'(x_i)$라 하자. 뒤쪽의 기울기가 앞쪽의 기울기보다 덜 가파르다는 것을 알 수 있다고 하자. 높이의 낮아짐이 앞쪽으로 더 심하다고 할 수 있다. 그러므로 이러한 차이는 앞에서 선형으로 예측한 것보다 $f(x_{i+1})$의 값이 더 낮아진다는 것을 말한다.

이제 예상하듯이 위 식에 2차항을 추가하여 포물선 방정식으로 만든다. Taylor 급수에서 이것을 표현하면 다음과 같다.

$$f(x_{i+1}) \cong f(x_i) + f'(x_i)h + \frac{f''(x_i)}{2!}h^2 \tag{4.11}$$

이 식을 사용하기 위해 2차 도함수를 추정해야 한다. 이는 앞에서 측정한 두 개의 기울기로 다음과 같이 구할 수 있다.

$$f''(x_{i+1}) \cong \frac{f_f'(x_i) - f_b'(x_i)}{\Delta x} \tag{4.12}$$

2차 도함수는 도함수의 도함수이다. 즉 기울기의 변화율이다.

더 계속하기 전에 식 (4.11)을 자세히 살펴보자. 하첨자가 i인 모든 값은 이미 추정한 값으로 이들은 숫자다. 그리고 유일한 미지수는 예측을 위한 위치 x_{i+1}에서의 값이다. 따라서 다음과 같은 2차 방정식으로 나타낼 수 있다.

$$f(h) \cong a_2 h^2 + a_1 h + a_0$$

따라서 2차 Taylor 급수가 함수를 2차 다항식으로 근사시키는 것을 볼 수 있다.

함수의 곡률을 더 반영하기 위해서는 보다 높은 차수의 도함수를 더하면 된다. 따라서 완전한 Taylor 급수전개식은 다음과 같다.

$$f(x_{i+1}) = f(x_i) + f'(x_i)h + \frac{f''(x_i)}{2!}h^2 + \frac{f^{(3)}(x_i)}{3!}h^3 + \cdots + \frac{f^{(n)}(x_i)}{n!}h^n + R_n \qquad (4.13)$$

식 (4.13)은 무한급수이므로 식 (4.9)에서 (4.11)까지 사용되었던 근사부호가 등호로 바뀌었음에 유의하자. 나머지 항은 $n+1$부터 무한대까지의 항을 나타낸다.

$$R_n = \frac{f^{(n+1)}(\xi)}{(n+1)!}h^{n+1} \qquad (4.14)$$

여기서 하첨자 n은 이 식이 n차 근사의 나머지라는 것을 나타내며, ξ는 x_i와 x_{i+1} 사이의 구간에 존재하는 x값이다.

따라서 위로부터 Taylor 정리는 모든 매끄러운 함수를 다항식으로 근사할 수 있으며, Taylor 급수는 이러한 개념을 수학적으로 제공한다는 것을 알 수 있다.

일반적으로 n차 Taylor 급수전개를 사용하면 n차 다항식을 정확하게 나타낼 수 있다. 지수함수나 sine 함수와 같이 미분 가능하고 연속적인 함수의 경우에는 유한 개수의 항으로 함수를 정확히 표현할 수 없다. 항을 추가함에 따라 매우 작은 정도이기는 하나 근사값이 계속 개선된다. 이는 예제 4.3에서 설명될 것이다. 무한 개의 항이 추가되는 경우에만 Taylor 급수는 정확한 해를 줄 것이다.

위의 설명이 사실이지만, 많은 경우에 있어서 Taylor 급수의 실용적 가치는 단지 몇 개의 항만을 포함시킴으로써 참값에 충분히 근접한 결과를 얻을 수 있다는 것이다. "충분히 근접한" 값을 얻기 위해 얼마나 많은 항들이 필요한지에 대한 평가는 급수의 나머지 항을 기초로 하여 결정된다[식 (4.14)]. 이 식의 두 가지 큰 단점은 첫째로 ξ가 정확히 알려져 있지 않고 단지 x_i와 x_{i+1} 사이에 위치한다는 것이고, 둘째로 식 (4.14)를 계산하기 위해 $f(x)$의 $(n+1)$차 도함수를 알아야 한다는 것이다. 이를 위해서는 $f(x)$를 미리 알아야 하는데, 만일 $f(x)$를 안다면 Taylor 급수전개를 수행할 필요가 없게 된다.

이와 같은 모순에도 불구하고 식 (4.14)는 절단오차를 이해하는 데 매우 유용하다. 이는 h항을 통해 이 식을 제어할 수 있기 때문이다. 다시 말하면 $f(x)$ 값을 얻기 위해 x로부터 얼마나 떨어지는지를 선택할 수 있고, 따라서 급수에 포함할 항의 개수를 제어할 수 있다. 결과적으로 식 (4.14)는 보통 다음과 같이 표현된다.

$$R_n = O(h^{n+1})$$

여기서 $O(h^{n+1})$의 기호는 절단오차가 h^{n+1} 정도의 크기를 갖는다는 것을 의미한다. 즉 오차는 h의 $(n+1)$ 거듭제곱에 비례한다. 위 식이 h^{n+1}에 곱해지는 도함수의 크기에 대해 아무런 정보도 주지 않지만, Taylor 급수에 기초한 수치해법들의 상대적인 오차를 판단하는 데 매우 유용하게 사용될 수 있다. 예를 들어 오차가 $O(h)$라면, 간격을 반으로 줄일 때 오차도 반으로 줄어들게 된다. 반면에 오차가 $O(h^2)$라면, 간격을 반으로 줄이면 오차는 1/4로 줄어들게 된다.

일반적으로 절단오차는 Taylor 급수에 항들을 추가하면 줄어든다고 생각할 수 있다. 만일 h가 충분히 작다면, 많은 경우에 1차와 낮은 차수의 항들이 보통 오차의 상당한 부분을 차지한다. 따라서 적절한 근사값을 얻기 위해서는 단지 몇 개의 항들만 포함시키면 된다. 이와 같은 특성은 다음 예제에서 잘 설명되고 있다.

예제 4.3 / Taylor 급수전개를 이용한 함수의 근사

문제 설명. $x_{i+1} = \pi/3$에서 $f(x) = \cos x$를 근사하기 위해, $x_i = \pi/4$에서의 $f(x)$값 및 그 도함수 값들을 이용하여 Taylor 급수전개를 $n = 0$부터 6까지 수행하라. 이는 $h = \pi/3 - \pi/4 = \pi/12$임을 의미한다.

풀이 함수가 미리 알려져 있으므로, $f(\pi/3) = 0.5$라는 참값을 계산할 수 있다. 0차 근사는 식 (4.9)를 이용한다.

$$f\left(\frac{\pi}{3}\right) \cong \cos\left(\frac{\pi}{4}\right) = 0.707106781$$

이는 다음과 같은 백분율 상대오차를 나타낸다.

$$\varepsilon_t = \left|\frac{0.5 - 0.707106781}{0.5}\right| 100\% = 41.4\%$$

1차 근사의 경우에는 1차 도함수 $f'(x) = -\sin x$ 항을 추가한다.

$$f\left(\frac{\pi}{3}\right) \cong \cos\left(\frac{\pi}{4}\right) - \sin\left(\frac{\pi}{4}\right)\left(\frac{\pi}{12}\right) = 0.521986659$$

이 결과는 $|\varepsilon_t| = 4.40\%$ 가 된다. 2차 근사의 경우에는 2차 도함수 $f''(x) = -\cos x$ 항을 추가한다.

$$f\left(\frac{\pi}{3}\right) \cong \cos\left(\frac{\pi}{4}\right) - \sin\left(\frac{\pi}{4}\right)\left(\frac{\pi}{12}\right) - \frac{\cos(\pi/4)}{2}\left(\frac{\pi}{12}\right)^2 = 0.497754491$$

이는 $|\varepsilon_t| = 0.449\%$가 된다. 따라서 항을 추가함에 따라 개선된 결과를 얻는다. 이와 같은 과정을 반복하면 다음과 같은 결과를 얻을 수 있다.

Order n	$f^{(n)}(x)$	$f(\pi/3)$	$|\varepsilon_t|$
0	$\cos x$	0.707106781	41.4
1	$-\sin x$	0.521986659	4.40
2	$-\cos x$	0.497754491	0.449
3	$\sin x$	0.499869147	2.62×10^{-2}
4	$\cos x$	0.500007551	1.51×10^{-3}
5	$-\sin x$	0.500000304	6.08×10^{-5}
6	$-\cos x$	0.499999988	2.44×10^{-6}

이 도함수는 다항식의 경우와는 달리 결코 0이 되지 않는다. 항을 추가할 때마다 개선된 근사값을 얻지만, 처음 몇 항을 추가하였을 때 가장 향상되는 것에 주목하라. 이 경우 3차 항을 추가할 때까지 오차는 0.026%로 줄어들게 되는데, 이는 근사값이 참값의 99.974%에 도달했다는 것을 의미한다. 따라서 항을 더 이상 추가하면 오차를 줄일 수 있겠지만, 개선되는 정도는 무시할 만할 것이다.

4.3.2 Taylor 급수전개의 나머지 항

Taylor 급수전개가 어떻게 수치오차를 예측하는지를 설명하기 전에, 식 (4.14)에 왜 ξ가 포함되어 있는지를 설명해야 한다. 이를 위해 단순하게 시각적으로 설명할 것이다.

Taylor 급수전개[식 (4.13)]에서 0차 항 이후의 항들을 절단하면 다음과 같다.

$$f(x_{i+1}) \cong f(x_i)$$

이러한 0차 예측 식을 시각적으로 표현하면 그림 4.8과 같다. 이 예측 식의 나머지(또는 오차)는 그림에서 보듯이 절단된 무한급수의 항으로 구성되어 있다.

$$R_0 = f'(x_i)h + \frac{f''(x_i)}{2!}h^2 + \frac{f^{(3)}(x_i)}{3!}h^3 + \cdots$$

나머지를 이러한 무한급수의 항으로 다루는 것은 불편하다. 단순화하는 한 가지 방법은 다음과 같이 나머지 자체를 다시 절단하는 것이다.

$$R_0 \cong f'(x_i)h \tag{4.15}$$

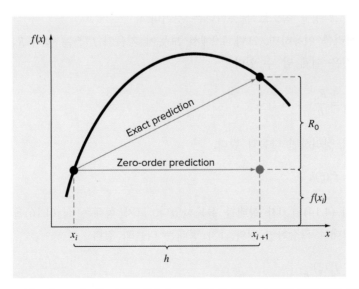

그림 4.8 그래프를 이용한 0차 Taylor 급수의 예측과 나머지 항에 대한 설명.

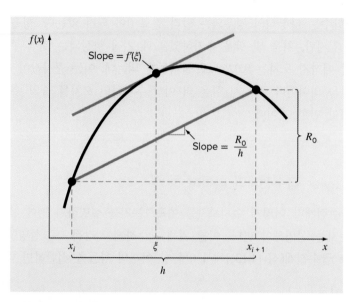

그림 4.9   그래프를 이용한 도함수 평균값 정리의 설명.

앞 절에서 설명했듯이 일반적으로 낮은 차수의 도함수 항들이 높은 차수의 항들에 비해 나머지의 상당한 부분을 차지하지만, 2차 이상의 항들을 무시하였기에 이 결과는 여전히 정확하다고 할 수 없다. 이 "부정확성"을 식 (4.15)에서 근사등호(≅)로 표시하고 있다.

그래프를 이용한 방법을 기초로 하여 근사값을 등호 관계로 변환시키는 다른 방법이 있다. 그림 4.9에서 보듯이 **도함수 평균값 정리**(derivative mean-value theorem)는 x_i 와 x_{i+1} 사이의 구간에서 함수 $f(x)$와 그 1차 도함수가 연속이라면, 이 구간 내에 적어도 한 점 ξ가 존재하여, 이 점에서 함수의 기울기 $f'(\xi)$는 $f(x_i)$와 $f(x_{i+1})$의 두 점을 연결하는 선에 평행하게 된다는 것을 말한다. 매개변수 ξ는 이와 같은 기울기가 발생하는 곳에서의 x값이 된다(그림 4.9). 이 정리의 물리적인 설명은 주어진 두 점 사이를 어떤 평균 속도로 이동한다면, 이동 중 적어도 한 순간에는 그 평균 속도로 운동한다는 것이다.

이 정리를 이용하면, 그림 4.9에서 보듯이 기울기 $f'(\xi)$는 높이 R_0를 거리 h로 나눈 것과 같다는 것을 쉽게 알 수 있다.

$$f'(\xi) = \frac{R_0}{h}$$

이를 다시 정리하면 다음과 같다.

$$R_0 = f'(\xi)h \tag{4.16}$$

따라서 식 (4.14)의 0차 형태를 유도하였다. 고차 형태는 식 (4.16)을 유도하기 위해 이용한 논리를 그대로 확장하면 된다. 1차 형태는 다음과 같다.

$$R_1 = \frac{f''(\xi)}{2!} h^2 \tag{4.17}$$

이 경우에 ξ의 값은 식 (4.17)을 만족하는 2차 도함수에 해당하는 x값이 된다. 마찬가지로 고차 형태는 식 (4.14)로부터 계산할 수 있다.

4.3.3 절단오차를 추정하기 위한 Taylor 급수

Taylor 급수가 이 책 전체에서 절단오차를 추정하는 데 매우 유용하게 사용되겠지만, 이 급수 전개가 실제로 수치해법에 어떻게 적용되는지는 명확하지 않을 수 있다. 사실 번지점프하는 사람의 예제에서 이미 이것을 다룬 바 있다. 예제 1.1과 1.2의 목적은 속도를 시간의 함수로 예측하려고 한 것이다. 즉 $v(t)$를 구하는 데 목적이 있었다. 식 (4.13)과 같이 $v(t)$는 Taylor 급수로 전개될 수 있다.

$$v(t_{i+1}) = v(t_i) + v'(t_i)(t_{i+1} - t_i) + \frac{v''(t_i)}{2!}(t_{i+1} - t_i)^2 + \cdots + R_n$$

이제 1차 도함수 항 이후에 있는 모든 항을 R_1으로 표현하면 다음과 같다.

$$v(t_{i+1}) = v(t_i) + v'(t_i)(t_{i+1} - t_i) + R_1 \tag{4.18}$$

식 (4.18)로부터 다음을 구할 수 있다.

$$v'(t_i) = \underbrace{\frac{v(t_{i+1}) - v(t_i)}{t_{i+1} - t_i}}_{\text{1차 근사}} - \underbrace{\frac{R_1}{t_{i+1} - t_i}}_{\text{절단오차}} \tag{4.19}$$

식 (4.19)의 첫 항은 예제 1.2에서 도함수를 근사시키기 위해 사용한 식과 같다[식 (1.11)]. 어쨌든 Taylor 급수 방법으로 이 도함수의 근사값과 관련된 절단오차의 추정값을 알아낼 수 있게 되었다. 식 (4.14)와 (4.19)를 사용하면 다음과 같다.

$$\frac{R_1}{t_{i+1} - t_i} = \frac{v''(\xi)}{2!}(t_{i+1} - t_i)$$

또는

$$\frac{R_1}{t_{i+1} - t_i} = O(t_{i+1} - t_i)$$

따라서 도함수의 추정값[식 (1.11) 또는 식 (4.19)의 첫 부분]은 $(t_{i+1} - t_i)$ 차수의 절단오차를 갖는다. 다시 말하면 도함수 근사값의 오차는 간격 크기에 비례한다. 따라서 간격 크기를 반으로 줄이면 도함수의 오차도 반으로 준다.

4.3.4 수치미분

식 (4.19)는 수치해법에서 **유한차분**이라고 하며 일반적으로 다음과 같이 나타낸다.

$$f'(x_i) = \frac{f(x_{i+1}) - f(x_i)}{x_{i+1} - x_i} + O(x_{i+1} - x_i) \tag{4.20}$$

또는

$$f'(x_i) = \frac{f(x_{i+1}) - f(x_i)}{h} + O(h) \tag{4.21}$$

여기서 h는 간격 크기, 즉 근사값이 구해지는 구간의 길이 $(x_{i+1} - x_i)$이다. 이 식은 "전향 (forward)" 차분이라고 하며, 그 이유는 i와 $i+1$에서의 데이터를 이용하여 도함수를 구하기 때문이다(그림 4.10a).

이 전향차분은 Taylor 급수를 사용하여 도함수를 수치적으로 근사하기 위해 개발된 여러 방법 중의 하나이다. 예를 들어 1차 도함수의 후향(backward) 또는 중심차분(centered difference) 근사도 식 (4.19)의 유도 방법과 매우 유사한 방법으로 구할 수 있다. 전자는 x_{i-1}과 x_i에서의 값을 이용하고(그림 4.10b), 후자는 도함수를 구하고자 하는 점을 중심으로 등간격으로 떨어져 있는 주위의 점에서의 값을 이용한다(그림 4.10c). 1차 도함수에 대한 더 정확한 근사법은 Taylor 급수에 고차항들을 포함시킴으로써 얻을 수 있다. 마지막으로 2차, 3차 또는 그 이상의 고차 도함수를 근사하기 위한 식들도 위와 같은 방법으로 얻게 된다. 다음 절은 몇 가지 경우에 대해 이를 유도하는 방법을 간단하게 요약한다.

1차 도함수의 후향차분 근사. 현재 값을 기초로 하여 이전의 값을 계산하기 위해 Taylor 급수를 다음과 같이 후향전개(backward expansion)한다.

$$f(x_{i-1}) = f(x_i) - f'(x_i)h + \frac{f''(x_i)}{2!}h^2 - \cdots \tag{4.22}$$

1차 도함수 이후의 항들을 절단하여 재배열하면 다음과 같다.

$$f'(x_i) \cong \frac{f(x_i) - f(x_{i-1})}{h} \tag{4.23}$$

여기서 오차는 $O(h)$이다.

1차 도함수의 중심차분 근사. 1차 도함수를 근사적으로 구하기 위한 세 번째 방법이다. 먼저 전향 Taylor 급수전개는 다음과 같다.

$$f(x_{i+1}) = f(x_i) + f'(x_i)h + \frac{f''(x_i)}{2!}h^2 + \cdots \tag{4.24}$$

이 전향 Taylor 급수전개에서 식 (4.22)를 빼면 다음 식을 얻을 수 있다.

$$f(x_{i+1}) = f(x_{i-1}) + 2f'(x_i)h + 2\frac{f^{(3)}(x_i)}{3!}h^3 + \cdots$$

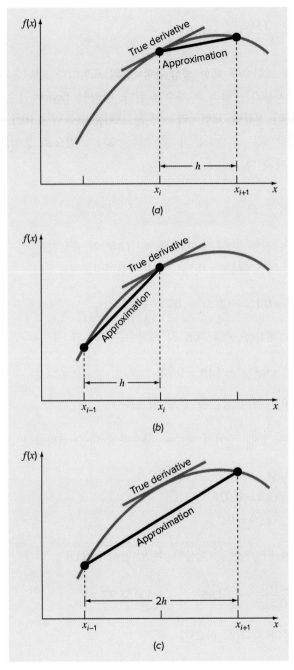

그림 4.10 1차 도함수를 근사적으로 구하기 위한 (a) 전향 (b) 후향 (c) 중심 유한차분 근사의 그래프를 이용한 표현.

이를 $f'(x_i)$ 에 대해 정리하면 다음과 같다.

$$f'(x_i) = \frac{f(x_{i+1}) - f(x_{i-1})}{2h} - \frac{f^{(3)}(x_i)}{6} h^2 + \cdots$$

또는

$$f'(x_i) = \frac{f(x_{i+1}) - f(x_{i-1})}{2h} - O(h^2) \tag{4.25}$$

식 (4.25)는 1차 도함수에 대한 **중심 유한차분**의 표현이다. 절단오차는 이 경우에는 h 차수 인 전향 또는 후향차분과는 달리 h^2 차수가 된다. 따라서 Taylor 급수해석은 중심차분이 도함 수를 나타내는 데 더 정확한 표현이라는 것을 보여준다(그림 4.10c). 예를 들어 간격 크기를 반으로 줄이면, 전향 또는 후향차분의 경우에는 오차가 반으로 줄어들지만, 중심차분의 경우 에는 1/4로 줄어들게 된다.

예제 4.4 도함수의 유한차분 근사

문제 설명. $O(h)$의 전향 및 후향차분 근사와 $O(h^2)$의 중심차분 근사를 사용하여, 다음 함수 의 1차 도함수를 $x = 0.5$에서 $h = 0.5$로 놓고 계산하라.

$$f(x) = -0.1x^4 - 0.15x^3 - 0.5x^2 - 0.25x + 1.2$$

또 $h = 0.25$로 놓고 계산을 반복하라. 위 도함수는 다음과 같이 직접 계산될 수 있다.

$$f'(x) = -0.4x^3 - 0.45x^2 - 1.0x - 0.25$$

따라서 $f'(0.5) = -0.9125$의 참값을 얻을 수 있다.

풀이 $h = 0.5$의 경우, 앞에 주어진 함수를 사용하여 다음 결과를 얻을 수 있다.

$$
\begin{aligned}
x_{i-1} &= 0 & f(x_{i-1}) &= 1.2 \\
x_i &= 0.5 & f(x_i) &= 0.925 \\
x_{i+1} &= 1.0 & f(x_{i+1}) &= 0.2
\end{aligned}
$$

이 결과를 이용하여 전향차분을 계산할 수 있다[식 (4.21)].

$$f'(0.5) \cong \frac{0.2 - 0.925}{0.5} = -1.45 \qquad |\varepsilon_t| = 58.9\%$$

또 후향차분은 다음과 같다[식 (4.23)].

$$f'(0.5) \cong \frac{0.925 - 1.2}{0.5} = -0.55 \qquad |\varepsilon_t| = 39.7\%$$

중심차분은 다음과 같다[식 (4.25)].

$$f'(0.5) \cong \frac{0.2 - 1.2}{1.0} = -1.0 \qquad |\varepsilon_t| = 9.6\%$$

$h = 0.25$인 경우,

$$x_{i-1} = 0.25 \qquad f(x_{i-1}) = 1.10351563$$
$$x_i = 0.5 \qquad f(x_i) = 0.925$$
$$x_{i+1} = 0.75 \qquad f(x_{i+1}) = 0.63632813$$

이를 사용하여 전향차분을 계산하면 다음과 같다.

$$f'(0.5) \cong \frac{0.63632813 - 0.925}{0.25} = -1.155 \qquad |\varepsilon_t| = 26.5\%$$

후향차분은 다음과 같다.

$$f'(0.5) \cong \frac{0.925 - 1.10351563}{0.25} = -0.714 \qquad |\varepsilon_t| = 21.7\%$$

그리고 중심차분은 다음과 같다.

$$f'(0.5) \cong \frac{0.63632813 - 1.10351563}{0.5} = -0.934 \qquad |\varepsilon_t| = 2.4\%$$

위 두 가지 간격 크기의 결과에서 중심차분 근사의 결과가 전향 또는 후향차분의 결과보다 더 정확하다. Taylor 급수해석에서 예측한 대로 간격 크기를 반으로 줄이면, 후향 또는 전향차분의 경우에는 오차가 반으로 줄어들지만, 중심차분의 경우에는 1/4로 줄어든다.

고차 도함수의 유한차분 근사.   Taylor 급수전개를 사용하면 1차 도함수뿐만 아니라 고차 도함수의 근사식을 유도할 수 있다. 이를 위해 $f(x_{i+2})$를 $f(x_i)$의 항으로 전향 Taylor 급수전개하면 다음과 같다.

$$f(x_{i+2}) = f(x_i) + f'(x_i)(2h) + \frac{f''(x_i)}{2!}(2h)^2 + \cdots \qquad (4.26)$$

식 (4.24)에 2를 곱한 후, 식 (4.26)으로부터 빼면 다음과 같다.

$$f(x_{i+2}) - 2f(x_{i+1}) = -f(x_i) + f''(x_i)h^2 + \cdots$$

따라서 다음을 얻을 수 있다.

$$f''(x_i) = \frac{f(x_{i+2}) - 2f(x_{i+1}) + f(x_i)}{h^2} + O(h) \qquad (4.27)$$

이 식을 **2차 전향 유한차분**이라고 한다. 비슷한 과정을 통해 다음과 같은 2차 후향 유한차분을 구할 수 있다.

$$f''(x_i) = \frac{f(x_i) - 2f(x_{i-1}) + f(x_{i-2})}{h^2} + O(h)$$

2차 도함수에 대한 중심차분 근사는 식 (4.22)와 식 (4.24)를 더한 후, 다시 정리하여 다음과 같이 유도할 수 있다.

$$f''(x_i) = \frac{f(x_{i+1}) - 2f(x_i) + f(x_{i-1})}{h^2} + O(h^2)$$

따라서 1차 도함수의 근사와 마찬가지로 중심차분의 경우가 더 정확하다. 중심차분은 다음과 같이 다른 방법으로도 표현될 수 있다.

$$f''(x_i) \cong \frac{\dfrac{f(x_{i+1}) - f(x_i)}{h} - \dfrac{f(x_i) - f(x_{i-1})}{h}}{h}$$

2차 도함수가 1차 도함수의 도함수인 것처럼, 2차 유한차분 근사는 두 개의 1차 유한차분 근사의 차이와 같다[식 (4.12) 참조].

4.4 전체 수치오차

전체 수치오차(total numerical error)는 절단오차와 반올림오차의 합이다. 일반적으로 반올림오차를 최소화하는 유일한 방법은 컴퓨터 유효숫자의 수를 **증가시키는** 것이다. 또한 반올림오차는 뺄셈의 무효화 또는 계산량의 증가에 따라 커진다. 반면에 예제 4.4는 절단오차가 간격 크기를 줄임으로써 감소한다는 것을 보여주었다. 간격의 축소는 뺄셈의 무효화나 계산량의 증가를 초래할 수 있으므로, 절단오차는 **감소하지만** 반올림오차가 **증가하게** 된다.

따라서 다음과 같은 곤경에 빠지게 된다. 즉 전체오차의 한 성분을 줄이기 위한 전략은 다른 성분의 증가를 가져온다. 계산을 수행할 때 절단오차를 최소화하기 위해 간격 크기를 줄이게 되는데, 이때 반올림오차가 크게 증가하여 전체 수치오차가 증가할 수도 있다. 그러므로 이에 대한 해결방법이 중요한 문제가 된다(그림 4.11). 현재 당면한 문제는 주어진 특정 계산에 적합한 간격 크기를 결정하는 것이며, 이를 위해 절단오차의 큰 증가 없이 계산량과 반올림오차를 줄일 수 있는 비교적 큰 간격 크기를 사용하고자 한다. 만일 전체 수치오차가 그림 4.11과 같다면, 반올림오차가 간격 축소의 이점을 무효화하는 전환점(point of diminishing return)을 찾는 것이 과제가 될 것이다.

MATLAB을 사용할 때, 이러한 상황은 15에서 16자리의 정밀도로 인해 비교적 흔하지 않다. 그럼에도 불구하고 이러한 경우가 때때로 발생하며, 이는 컴퓨터로 처리되는 수치해법의 정확도에 절대적인 한계가 있다는 "수치적 불확실성의 원리(numerical uncertainty principle)"를 암시한다. 다음 절에서 이러한 사례를 살펴본다.

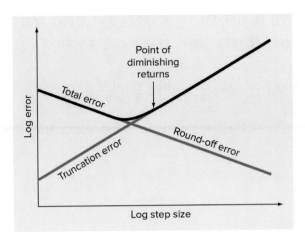

그림 4.11 수치해법의 과정에서 나타나는 반올림오차와 절단오차 사이의 득실 관계에 대한 그래프를 이용한 설명. 반올림오차가 간격 축소의 이점을 무효화하는 전환점을 보여준다.

4.4.1 수치미분의 오차해석

4.3.4절에서 설명하였듯이 1차 도함수에 대한 중심차분 근사는 다음 식으로 표현할 수 있다 [식 (4.25)].

$$f'(x_i) = \frac{f(x_{i+1}) - f(x_{i-1})}{2h} - \frac{f^{(3)}(\xi)}{6} h^2 \tag{4.28}$$

참값   유한차분 근사   절단오차

따라서 유한차분 근사의 분자에 있는 두 함수값이 반올림오차를 가지지 않는다면, 유일한 오차는 절단에서 비롯된다.

그렇지만 우리는 디지털 컴퓨터를 사용하고 있기 때문에, 이 함수값은 다음과 같이 반올림오차를 포함하고 있다.

$$f(x_{i-1}) = \tilde{f}(x_{i-1}) + e_{i-1}$$
$$f(x_{i+1}) = \tilde{f}(x_{i+1}) + e_{i+1}$$

여기서 $\tilde{f}$들은 반올림된 함수값이며, e들은 관련된 반올림오차이다. 이 값을 식 (4.28)에 대입하면 다음과 같이 된다.

$$f'(x_i) = \frac{\tilde{f}(x_{i+1}) - \tilde{f}(x_{i-1})}{2h} + \frac{e_{i+1} - e_{i-1}}{2h} - \frac{f^{(3)}(\xi)}{6} h^2$$

참값   유한차분 근사   반올림오차   절단오차

유한차분 근사에서 전체오차는 간격 크기가 커질 때 감소하는 반올림오차와 증가하는 절단오차로 구성되어 있다는 것을 알 수 있다.

반올림오차의 각 성분의 절대값이 상한 ε을 갖는다고 가정하면, 차이 $e_{i+1} - e_{i-1}$의 가능한

최대값은 2ε일 것이다. 더 나아가서 3차 도함수는 최대 절대값 M을 갖는다고 가정한다. 그러므로 전체오차의 절대값에 대한 상한은 다음과 같이 표현된다.

$$\text{전체 오차} = \left| f'(x_i) - \frac{\tilde{f}(x_{i+1}) - \tilde{f}(x_{i-1})}{2h} \right| \le \frac{\varepsilon}{h} + \frac{h^2 M}{6} \tag{4.29}$$

최적의 간격 크기는 식 (4.29)를 미분하여, 그 결과를 0으로 놓고 풀면 다음과 같이 구할 수 있다.

$$h_{opt} = \sqrt[3]{\frac{3\varepsilon}{M}} \tag{4.30}$$

예제 4.5 수치미분에서 반올림오차와 절단오차

문제 설명. 예제 4.4에서 $O(h^2)$의 중심차분 근사를 이용하여 $x = 0.5$에서 다음 함수의 1차 도함수를 구했다.

$$f(x) = -0.1x^4 - 0.15x^3 - 0.5x^2 - 0.25x + 1.2$$

$h = 1$로 시작하여 같은 계산을 수행하라. 그리고 간격 크기가 감소함에 따라 어떻게 반올림오차가 지배적이 되는지를 보여주기 위해, 간격 크기를 10으로 계속하여 나눈다. 결과를 식 (4.30)과 관련지어 설명하라. 이 도함수의 참값은 -0.9125임을 상기하라.

풀이 결과를 계산하고 그래프를 그리기 위해 다음과 같은 M-파일을 개발할 수 있다. 함수와 그 함수의 해석적 도함수를 인수로서 전달하는 것에 유의하라.

```
function diffex(func,dfunc,x,n)
format long
dftrue=dfunc(x);
h=1;
H(1)=h;
D(1)=(func(x+h)-func(x-h))/(2*h);
E(1)=abs(dftrue-D(1));
for i=2:n
  h=h/10;
  H(i)=h;
  D(i)=(func(x+h)-func(x-h))/(2*h);
  E(i)=abs(dftrue-D(i));
end
L=[H' D' E']';
fprintf('   step size   finite difference    true error\n');
fprintf('%14.10f %16.14f %16.13f\n',L);
loglog(H,E),xlabel('Step Size'),ylabel('Error')
title('Plot of Error Versus Step Size')
format short
```

그리고 이 M-파일은 다음과 같은 명령으로 실행될 수 있다.

```
>> ff=@(x) -0.1*x^4-0.15*x^3-0.5*x^2-0.25*x+1.2;
>> df=@(x) -0.4*x^3-0.45*x^2-x-0.25;
>> diffex(ff,df,0.5,11)

   step size     finite difference      true error
   1.0000000000  -1.26250000000000    0.3500000000000
   0.1000000000  -0.91600000000000    0.0035000000000
   0.0100000000  -0.91253500000000    0.0000350000000
   0.0010000000  -0.91250035000001    0.0000003500000
   0.0001000000  -0.91250000349985    0.0000000034998
   0.0000100000  -0.91250000003318    0.0000000000332
   0.0000010000  -0.91250000000542    0.0000000000054
   0.0000001000  -0.91249999945031    0.0000000005497
   0.0000000100  -0.91250000333609    0.0000000033361
   0.0000000010  -0.91250001998944    0.0000000199894
   0.0000000001  -0.91250007550059    0.0000000755006
```

　그림 4.12에서 볼 수 있는 것처럼 결과는 예상한 대로다. 먼저 반올림오차는 극미하고, 절단오차가 이 예측값에 지배적으로 작용한다. 따라서 식 (4.29)에서 보듯이, 전체오차는 구간을 10으로 나눌 때마다 100배로 떨어진다. 그렇지만 $h = 0.0001$에서 시작하여, 반올림오차가 서서히 개입하여 전체오차의 감소 비율을 쇠퇴시킨다. 최소오차가 발생하는 간격 크기는 $h = 10^{-6}$이다. 이 점을 지나면 전체오차는 반올림오차가 지배하여 증가한다.

　쉽게 미분할 수 있는 함수이기 때문에, 이러한 결과가 식 (4.30)과 일치하는지를 조사할 수 있다. 먼저 다음과 같이 함수의 3차 도함수를 계산하여 M을 구할 수 있다.

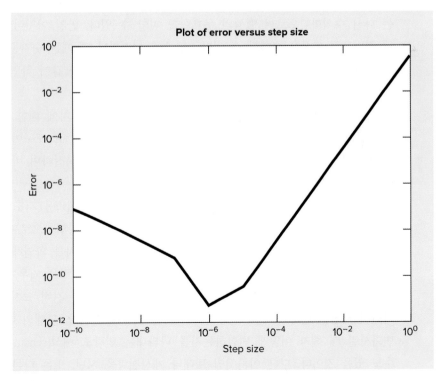

그림 4.12

$$M = |f^{(3)}(0.5)| = |-2.4(0.5) - 0.9| = 2.1$$

MATLAB은 기저-10으로 15에서 16자리의 정밀도를 갖기 때문에, 반올림오차에 대한 상한의 대략적인 값은 $\varepsilon = 0.5 \times 10^{-16}$일 것이다. 이 값을 식 (4.30)에 대입하면 다음과 같다.

$$h_{opt} = \sqrt[3]{\frac{3(0.5 \times 10^{-16})}{2.1}} = 4.3 \times 10^{-6}$$

이는 MATLAB에서 얻은 1×10^{-6}의 결과와 같은 차수이다.

4.4.2   수치오차의 제어

대부분의 실제적인 경우에서 수치해법에 의해 발생되는 정확한 오차는 알 수 없다. 물론 정확한 해를 얻을 수 있어 수치해석이 불필요한 예외적인 경우도 있지만, 대부분의 공학과 과학적 응용에서는 불만스럽지만 오차의 추정값을 받아들여야 한다.

모든 문제에서 수치오차를 정확하게 예측하는 체계적이고도 일반적인 방법은 없다. 많은 경우에 오차의 추정은 공학자와 과학자의 경험과 판단에 의존하게 된다.

오차해석이 어느 정도까지는 경험에 의한 것이지만, 몇 가지 실제적인 프로그래밍 지침이 있다. 첫 번째이자 가장 중요한 것은 크기가 비슷한 두 수의 뺄셈을 피하는 것이다. 이와 같은 과정에서는 거의 대부분 유효숫자의 손실이 일어나게 된다. 종종 문제를 다시 배열하거나 또는 다시 수식화함으로써 뺄셈의 무효화를 피할 수 있다. 만일 이것이 가능하지 않다면, 확장된 정밀도로 연산을 수행할 수 있다. 또 수를 더하거나 뺄 때는 숫자들을 재배열하여 가장 작은 수부터 연산을 수행하는 것이 최선의 방법이 된다. 이와 같이 하면 유효숫자의 손실을 피할 수 있다.

이와 다른 방법으로는 이론적 공식을 통해 전체 수치오차에 대한 예측을 시도해 보는 것이다. Taylor 급수는 이러한 오차를 해석하는 데 사용되는 주요 도구이다. 비교적 적당한 크기의 문제의 경우라 할지라도 전체 수치오차의 예측은 매우 복잡하며 비관적일 수 있다. 따라서 오차해석은 일반적으로 작은 규모의 문제에 국한된다.

수치 계산을 먼저 수행하고 그 결과의 정확성에 대한 예측을 시도하는 것이 추세이다. 이는 결과가 주어진 어떤 조건이나 방정식을 만족하는지를 확인함으로써 알아볼 수 있다. 또는 결과를 원래의 방정식에 다시 대입하여 그 식이 만족되는지를 확인해 볼 수도 있다.

마지막으로 수치오차나 불량조건의 문제를 인식하는 능력을 키우기 위해 여러 가지 수치실험을 수행할 준비가 되어 있어야 한다. 그와 같은 실험은 간격 크기 또는 수치해법을 바꿔가면서 계산을 반복하고 그 결과를 비교하는 것을 포함한다. 모델의 매개변수 또는 입력값을 변화시킬 때 해가 어떻게 변화하는지를 나타내는 민감도 해석(sensitivity analysis)을 수행할 수도 있을 것이다. 다른 이론적인 토대나 계산전략을 지닌, 또는 다른 수렴성과 안정성을 가지는 수치 알고리즘을 시도해 볼 수도 있다.

수치계산의 결과가 극히 중대하거나, 인명의 손실이나 매우 심각한 경제적 파탄을 야기하는 경우에는 특별한 주의가 요구된다. 이와 같은 경우에는 둘 또는 그 이상의 독립적인 그룹에서 같은 문제를 풀고 그 결과를 서로 비교해야 할 것이다.

오차의 역할은 이 책의 모든 부분에서 매우 중요한 관심과 해석의 주제이다. 이에 대한 자세한 연구는 이 책의 여러 부분에서 다시 다룰 것이다.

4.5 실책, 모델오차 그리고 자료의 불확실성

다음에 설명하는 오차의 원인은 이 책의 모든 수치해법과 직접 연계되지는 않겠지만, 종종 모델링 결과의 성공에 지대한 영향을 끼친다. 따라서 수치적 기법을 실제 문제에 적용할 때는 언제나 이것들을 명심해야 한다.

4.5.1 실책

우리는 큰 실수를 하기 쉽다. 컴퓨터가 출현한 초창기에 잘못된 수치결과는 컴퓨터 자체의 결함 때문에 생기는 경우가 있었다. 오늘날, 오차의 이런 원인은 매우 드물고, 대부분의 실책은 인간이 완벽하지 않기 때문에 일어난다.

실책은 수학적 모델링 과정 어느 단계에서도 일어날 수 있고, 다른 오차의 요소에 영향을 미칠 수 있다. 이것은 기본적인 원리에 대한 완전한 이해와 문제 해결에 대한 접근과 설계에 주의함으로써 피할 수 있다.

실책은 수치해법 논의에서 항상 제외되어 왔다. 왜냐하면 어떻게 하든 어느 정도까지는 실수를 피할 수 없기 때문이다. 그러나 실수를 최소화하는 여러 가지 방법이 있다. 특히 3장에서 논의한 좋은 프로그래밍 습관은 프로그래밍 실수를 줄이는 데 매우 유용하다. 또한 보통의 경우, 특정한 수치해법이 잘 수행되고 있는지를 확인할 수 있는 간단한 방법이 있다. 이 책 전체에 걸쳐 수치계산의 결과를 확인하는 방법에 대해 논의한다.

4.5.2 모델오차

모델오차(model error)는 불완전한 수학적 모델과 관련이 있다. Newton의 제2법칙이 상대성 효과를 감안하지 않는다는 사실은 무시할 수 있는 모델오차의 예다. 예제 1.1에서 번지점프 문제와 관련된 시간과 공간 스케일에 대해서 모델오차는 극미하기 때문에 해의 정확도를 줄이지 않는다.

그러나 식 (1.7)과 다르게 공기 저항이 낙하속도의 제곱에 비례하지 않고 다른 방법으로 속도와 다른 인자에 관련이 있다고 가정하자. 이러한 경우라면 1장에서 얻은 해석해와 수치해는 모델오차 때문에 잘못된 것이다. 만약 졸렬한 모델로 작업을 한다면 어떤 수치해법도 적합한 결과를 제공하지 못한다는 것을 인식해야 한다.

4.5.3 자료의 불확실성

모델이 기초를 두고 있는 물리적 자료의 불확실성 때문에 때때로 해석에 오차가 개입된다. 예를 들면 어떤 사람으로 하여금 번지점프를 계속 반복시키고 규정된 시간 후의 속도를 측정함으로써 번지점프의 모델을 검증한다고 가정하자. 낙하하는 사람이 경우에 따라 더 빨리 떨어지는 것으로 측정되는 것은 불확실성과 관련이 있다. 이런 오차들은 부정확도와 비정밀도로 나타난다. 만약 측정기기가 일관되게 속도를 높게 측정하거나 낮게 측정한다면 부정확하거나 편차가 있는 기기인 것이다. 반면에 측정값이 임의로 높고 낮다면 정밀도의 문제로 다루어야 한다.

측정오차는 자료의 특성에 관한 최대한 많은 정보를 이용하여, 하나 또는 그 이상의 잘 선택한 통계로 자료를 정리함으로써 정량화될 수 있다. 이러한 기술통계는 (1) 자료 분산의 중심위치와 (2) 자료 분산의 정도를 나타내기 위해서 가장 많이 선택된다. 그래서 이들은 각각 편차와 비정밀도의 척도를 제공한다. 4부에서 회귀분석을 논의할 때 다시 자료의 불확실성에 대해서 언급할 것이다.

실책과 모델오차 그리고 자료의 불확실성을 인식해야 하지만 모델을 구축하는 데 사용되는 수치해법은 이러한 오차와 무관하게 연구될 수 있다. 이 책의 대부분에서는 큰 실수가 없고 올바른 모델을 갖는다고 가정하며, 또한 오차가 없는 측정을 다룬다고 가정한다. 이러한 조건 아래에서 복잡한 요인을 고려하지 않고 수치오차를 연구할 수 있다.

연습문제

4.1 어떤 양수 a의 제곱근을 근사적으로 구하는 방법으로서 오래된 방법인 "나눔과 평균" 방법은 다음과 같다.

$$x = \frac{x + a/x}{2}$$

이 알고리즘을 실행하기 위한 잘 구조화된 함수를 그림 4.2에 기술된 알고리즘에 기초하여 작성하라.

4.2 다음의 2진수를 10진수로 변환하라.

(a) 1011001 (b) 0.01011 (c) 110.01001

4.3 다음의 8진수를 10진수로 변환하라.

61,565와 2.71

4.4 컴퓨터에서 기계엡실론 ε은 1보다 더 큰 수를 만들기 위해 더할 수 있는 가장 작은 수로 생각할 수 있다. 이 아이디어를 기초로 한 알고리즘은 다음과 같다.

단계 1: $\varepsilon = 1$이라 놓는다.

단계 2: $1 + \varepsilon$이 1보다 작거나 같으면 단계 5로 가고, 그렇지 않으면 단계 3으로 간다.

단계 3: $\varepsilon = \varepsilon/2$

단계 4: 단계 2로 되돌아간다.

단계 5: $\varepsilon = 2 \times \varepsilon$

이 알고리즘에 기초하여 기계엡실론을 계산하는 M-파일을 개발하라. 결과를 검증하기 위해 내장함수 eps로 구한 값과 비교하라.

4.5 연습문제 4.4와 같은 방식으로 MATLAB에서 사용되는 가장 작은 양의 실수를 구하는 M-파일을 개발하라. 알고리즘은 컴퓨터가 0과 구하려는 이 수보다 작은 양을 구별할 수 없다는 개념에 기초하라. 이 결과와 realmin

으로 계산한 결과가 다르다는 것에 유의하라. 도전 질문: 코드에서 구한 수와 realmin에서 구한 수에 기저-2 로 그를 취하여 나온 결과를 검토하라.

4.6 일반적이지는 않지만 MATLAB은 단정도로 표현하는 수를 허용한다. 각각의 값은 부호를 위한 1비트, 가수를 위한 23비트, 부호가 있는 지수를 위한 8비트로 4개의 바이트에 저장된다. 단정도 표현에서 최소 및 최대 부동소수점 수(양수)와 기계엡실론을 구하라. 지수의 범위는 −126에서 127인 것에 유의하라.

4.7 예제 4.2의 가상적인 기저-10 컴퓨터에서 기계엡실론이 0.05임을 증명하라.

4.8 $f(x) = 1/(1-3x^2)$의 도함수는 다음과 같다.

$$\frac{6x}{(1-3x^2)^2}$$

$x = 0.577$에서 이 함수의 값을 구하는데 어려움이 있겠는가? 3자리와 4자리 연산(버림)을 하여 값을 구하라.

4.9 (a) $x = 1.37$에서 다음 다항식의 값을 구하라.

$$y = x^3 - 7x^2 + 8x - 0.35$$

3자리 연산(버림)을 하라. 백분율 상대오차를 구하라.

(b) 다음 식으로 표현된 y를 (a)와 같이 수행하라.

$$y = ((x-7)x+8)x - 0.35$$

오차를 구하고 (a)의 경우와 비교하라.

4.10 e^x를 근사시키기 위한 무한급수는 다음과 같다.

$$e^x = 1 + x + \frac{x^2}{2} + \frac{x^3}{3!} + \cdots + \frac{x^n}{n!}$$

(a) 이 Maclaurin 급수전개는 $x_i = 0$과 $h = x$인 특수한 형태의 Taylor 급수전개[식 (4.13)]인 것을 증명하라.

(b) 이 Taylor 급수를 사용해서 $x_i = 0.25$일 때, $x_{i+1} = 1$에서 $f(x) = e^{-x}$ 값을 구하라. 0차, 1차, 2차, 그리고 3차의 형태를 적용하고, 각 경우에 대해서 $|\varepsilon_t|$를 계산하라.

4.11 $\cos x$의 Maclaurin 급수전개는 다음과 같다.

$$\cos x = 1 - \frac{x^2}{2} - \frac{x^4}{4!} + \frac{x^6}{6!} - \frac{x^8}{8!} - \cdots$$

$\cos(\pi/3)$를 구하기 위해서 가장 간단한 형태인 $\cos x = 1$로

시작해서 한 번에 한 개 항씩 추가하라. 한 개 항이 추가될 때마다 참 및 근사 백분율 상대오차를 계산하라. 휴대용 계산기나 MATLAB을 사용하여 참값을 구하라. 근사 오차 추정값의 절대값이 두 자리 유효숫자를 만족하는 오차 판정기준 이하로 될 때까지 항을 추가하라.

4.12 다음과 같은 $\sin x$의 Maclaurin 급수전개를 사용해서 $\sin(\pi/3)$를 구하기 위해 연습문제 4.11과 같은 계산을 수행하라.

$$\sin x = x - \frac{x^3}{3!} + \frac{x^5}{5!} - \frac{x^7}{7!} + \cdots$$

4.13 다음 함수에서 $f(3)$을 계산하기 위해 $x = 1$을 기준점으로 하여 0차부터 3차까지의 Taylor 급수전개를 사용하라. 각 근사값에 대한 참 백분율 상대오차를 구하라.

$$f(x) = 25x^3 - 6x^2 + 7x - 88$$

4.14 만약 $f(x) = ax^2 + bx + c$이면 모든 x값에 대해 식 (4.11)이 정확하다는 것을 증명하라.

4.15 $x = 1$을 기준점으로 하여 0차부터 4차까지의 Taylor 급수전개를 사용하여 $f(x) = \ln x$에 대해 $f(2)$를 구하라. 각 근사값에 대한 참 백분율 상대오차 ε_t를 구하고, 결과가 의미하는 것에 대해 논의하라.

4.16 연습문제 4.13에 있는 함수의 1차 도함수를 계산하기 위해 $O(h)$의 전향 및 후향차분 근사와 $O(h^2)$의 중심차분 근사를 사용하라. 간격 크기 h를 0.25로 놓고, $x = 2$에서의 도함수를 구하라. 계산결과를 도함수의 참값과 비교하고, Taylor 급수전개의 나머지 항을 기초로 하여 그 결과를 검토하라.

4.17 연습문제 4.13에 있는 함수의 2차 도함수를 구하기 위해 $O(h^2)$의 중심차분 근사를 사용하라. 간격 크기 $h = 0.2$와 0.1에 대해 $x = 2$에서의 값을 구하라. 그 결과를 2차 도함수의 참값과 비교하고, Taylor 급수전개의 나머지 항을 기초로 하여 그 결과를 검토하라.

4.18 $|x| < 1$이면 다음 식이 성립한다.

$$\frac{1}{1-x} = 1 + x + x^2 + x^3 + \cdots$$

$x = 0.1$의 경우에 연습문제 4.11과 같은 계산을 반복하라.

4.19 혹성의 공간 좌표를 구하기 위해 다음 식의 해를 구

해야 한다.

$$f(x) = x - 1 - 0.5 \sin x$$

구간 $[0, \pi]$에서 기준점을 $x_i = \pi/2$라 하자. 주어진 구간에서 최대오차가 0.015가 되는 가장 높은 차수의 Taylor 급수전개를 구하라. 여기서 오차는 주어진 함수값과 Taylor 급수전개로 얻은 값 차이의 절대값과 같다(힌트: 그래프를 이용하여 문제를 풀어라).

4.20 구간 $[-2, 2]$에서 함수 $f(x) = x^3 - 2x + 4$를 고려하자. $h = 0.25$로 한다. 전향, 후향, 그리고 중심차분 근사를 사용하여 1차와 2차 도함수를 구하고, 어떤 근사법이 가장 정확한지를 그래프를 그려 설명하라. 세 가지 유한차분법으로 구한 1차 도함수의 결과를 정해와 함께 그래프로 나타내고, 2차 도함수의 경우에 대해서도 같은 방법으로 반복하라.

4.21 식 (4.30)을 유도하라.

4.22 $x = \pi/6$에서 $f(x) = \cos(x)$를 구하기 위해 예제 4.5를 반복하여 풀어라.

4.23 전향차분 [식 (4.21)]으로 예제 4.5를 반복하여 풀어라.

4.24 뺄셈의 무효화가 발생하는 한 가지 흔한 예는 근의 공식을 이용한 2차 방정식, $ax^2 + bx + c$의 근을 찾는 것과 관련된다.

$$x = \frac{-b \pm \sqrt{b^2 - 4ac}}{2a}$$

$b^2 \gg 4ac$ 인 경우, 분자에 있는 차이값이 매우 작게 되어 반올림오차가 발생할 수 있다. 이런 경우 다른 수식을 사용하여 뺄셈의 무효화를 최소화시킬 수 있다.

$$x = \frac{-2c}{b \pm \sqrt{b^2 - 4ac}}$$

두 가지 근의 공식을 이용하고, 5자리 연산(버림)을 사용하여 다음 식의 근을 구하라.

$$x^2 - 5000.002x + 10$$

4.25 연습문제 4.11에 기술한 cosine 함수에 대한 Maclaurin 급수전개를 계산하는 MATLAB 함수를 작성하라. 특히 그림 4.2에 있는 지수함수에 대한 프로그램과 유사하게 함수를 작성하라. 작성한 프로그램을 $\theta = \pi/3 (60°)$ 그리고 θ

$= 2\pi + \pi/3 = 7\pi/3 (420°)$에 대하여 시험하라. 원하는 근사 절대오차($\varepsilon_a$)를 가지는 결과를 얻는데 필요한 반복횟수가 왜 차이가 나는지를 설명하라.

4.26 연습문제 4.12에 기술한 sine 함수에 대한 Maclaurin 급수전개를 계산하는 MATLAB 함수를 작성하라. 특히 그림 4.2에 있는 지수함수에 대한 프로그램과 유사하게 함수를 작성하라. 작성한 프로그램을 $\theta = \pi/3 (60°)$ 그리고 $\theta = 2\pi + \pi/3 = 7\pi/3 (420°)$에 대하여 시험하라. 원하는 근사 절대오차($\varepsilon_a$)를 가지는 결과를 얻는데 필요한 반복횟수가 왜 차이가 나는지를 설명하라.

4.27 미적분학 시간에 스코틀랜드 수학자 Colin Maclaurin (1698-1746)의 이름을 따서 명명한 **Maclaurin 급수전개**는 어떤 함수를 원점(0) 근처에서 Taylor 급수전개한 것과 같음을 배웠다. 연습문제 4.11과 4.25에 언급한 cosine 함수에 대하여 Taylor 급수를 이용하여 Maclaurin 급수의 처음 4개 항을 유도하라.

4.28 $|x| \leq 1$에 대한 arctangent x의 Maclaurin 급수전개는 다음과 같다.

$$\arctan x = \sum_{n=0}^{\infty} \frac{(-1)^n}{2n+1} x^{2n+1}$$

(a) 처음 4개의 항을 쓰라 ($n = 0, ..., 3$).

(b) arctan$(\pi/6)$를 구하기 위해 가장 간단한 형태인 arctan $x = x$로 시작하여 한 번에 한 개 항씩 추가하라. 한 개 항이 추가될 때마다 참 및 근사 백분율 상대오차를 계산하라. 계산기를 사용하여 참값을 구하라. 근사 오차 추정값의 절대값이 두 자리 유효숫자를 만족하는 오차 판정기준 이하로 떨어질 때까지 항을 추가하라.

4.29 정수의 범위를 바이트 개수의 함수로 계산하는 MATLAB 함수를 작성하라. 이 함수의 첫 부분 줄들은 다음과 같아야 한다(여기서 XXX는 독자의 이니셜이다).

```
function [minint, maxint] = Integer_range(nbytes)
% integer range 2's complement
% [minint, maxint] = Integer_range(nbytes)
% Function to compute the range of integers as a
function of the
% number of bytes for 2's complement representation.
% Input:
%   nbytes = number of bytes
% Output:
```

```
%    minint = minimum integer
%    maxint = maximum integer
% Error trap to test whether nbytes is a positive
integer. If not,
% display error message and terminate
```

nbytes = 2.2, −4와 0을 이용하여 오차 함정을 시험하라. 작성한 함수가 nbytes = 1, 2와 4에 대해 바르게 작동하는지 시험하라. nbytes = 4인 계산을 할 때, 큰 정수 값을 볼 수 있도록 format longg를 사용하라.

근과 최적화

2.1 개요

다음과 같은 2차 방정식의 근의 공식을 사용하여

$$x = \frac{-b \pm \sqrt{b^2 - 4ac}}{2a} \qquad \text{(PT2.1)}$$

다음의 2차 방정식의 해를 구하는 방법을 배웠다.

$$f(x) = ax^2 + bx + c = 0 \qquad \text{(PT2.2)}$$

식 (PT2.1)으로 계산된 값을 식 (PT2.2)의 "근"이라고 하며, 식 (PT2.2)를 0으로 하는 값이다. 이런 이유로 근은 방정식의 **영점**(zero)이라고 한다.

비록 근의 공식으로 식 (PT2.2)를 쉽게 풀 수 있지만, 근을 쉽게 구하지 못하는 함수도 많다. 디지털 컴퓨터가 출현하기 전에는 이러한 방정식의 근을 구하는 여러 가지 방법이 있었

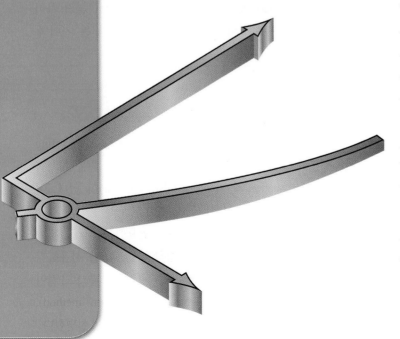

다. 일부 경우에 식 (PT2.1)과 같은 식을 사용하여 직접적인 방법으로 근을 구할 수 있었다. 이렇게 직접적으로 풀 수 있는 방정식들도 있지만, 그렇지 못한 경우가 더 많다. 이런 경우에 유일한 대안은 근사해 기법을 사용하는 것이다.

근사해를 구하는 한 가지 방법은 함수의 그래프를 그려 x 축과 만나는 점을 찾는 것이다. $f(x) = 0$을 만족하는 x 값인 점이 근이다. 그래프를 사용하는 방법은 개략적인 근을 구할 수는 있으나 정밀성이 결여되기 때문에 한계가 있다. 다른 대안은 **시행착오법**(trial and error)을 이용하는 것이다. 이 "기법"은 x의 값을 가정해서 $f(x)$가 0이 되는지를 평가하

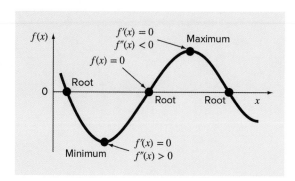

그림 PT2.1   근과 최적값의 차이점을 보여주는 단일변수의 함수.

는 것이다. 만약 $f(x)$가 0이 아니면(대부분 여기에 해당) 다른 가정값을 설정하여, 이것이 보다 좋은 근사값인가를 알기 위해서 이 값에서의 $f(x)$를 다시 계산한다. 이와 같은 과정을 $f(x)$가 0에 가까워지는 가정값을 도출할 때까지 반복한다.

이렇게 막연히 근을 구하는 방법을 공학과 과학 문제에 적용하기에는 비효율적이며 적합하지 못하다. 수치해법은 근사적이지만 참근으로 가기 위한 체계적 전략을 적용할 수 있는 대안이 된다. 다음에 설명할 체계적인 방법과 컴퓨터를 동시에 사용하면 단순하고 효율적으로 대부분 방정식의 근을 구할 수 있다.

근 이외에도 공학자와 과학자들이 흥미를 가지는 함수의 또 다른 특성은 최소값과 최대값이다. 이러한 최적값의 결정을 **최적화**(optimization)라 한다. 미적분학에서 배웠듯이 이러한 해는 그래프가 평평한 곳, 즉 도함수가 0인 곳의 값으로 해석적으로 구할 수 있다. 때때로 이러한 해석해가 가능하지만, 대부분 실제 최적화 문제는 수치적인 컴퓨터 해를 요구한다. 수치적 관점에서 최적화 기법은 이미 언급한 근 구하는 방법과 유사하다. 즉 두 가지 방법 모두 함수상의 어떤 위치를 가정하는 것과 찾는 것을 포함하고 있다. 두 문제 유형 사이의 근본적 차이점은 그림 PT2.1에서 설명된다. 근 구하는 방법은 함수의 값이 0이 되는 곳을 찾는 것이다. 반면에 최적화 기법은 함수의 극점을 찾는 것이다.

2.2   구성

2부의 처음 두 장은 근 구하는 방법에 대해 다룬다. 5장은 근을 찾기 위한 **구간법**(bracketing method)에 초점을 두고 있다. 이 방법은 근을 포함하는 구간을 설정하여 구간의 폭을 체계적으로 줄여 나가는 것이다. 구간법에는 **이분법**(bisection)과 **가위치법**(false position)이 있다. 이러한 방법을 시각적으로 이해하기 위해 그래프를 사용하는 방법을 이용한다. 오차 공식을 개발하여 미리 설정된 정밀도로 근을 추정하는 데 얼마나 많은 계산 노력이 필요한지를 결정한다.

6장은 **개방법**(open method)을 다룬다. 이 방법 또한 체계적인 시행착오 반복법을 사용하지만 근이 초기가정 구간 내에 존재할 필요는 없다. 이 방법은 일반적으로 구간법보다 효율적이지만 항상 근을 찾을 수 있는 것은 아니다. 고정점 반복법(fixed-point iteration method), Wegstein법, Newton-Raphson법, 할선법(secant method) 등의 여러 가지 개방법을 설명한다.

각각의 개방법에 대해 설명한 후에 구간법의 신뢰성과 개방법의 수렴속도를 갖는 혼합법인 **Brent의 근 구하는 방법**을 다룬다. 이 방법은 MATLAB의 근 구하는 함수인 fzero의 기초가 된다. 공학과 과학 분야의 문제를 푸는 데 fzero가 어떻게 사용되는지 설명한 후, 6장의 끝에는 **다항식**의 근을 찾는 특수한 방법에 대해 간단히 설명한다. 특히 이러한 작업을 위한 MATLAB의 뛰어난 내장기능들을 설명한다.

7장은 **최적화**를 다룬다. 먼저 어떤 단일변수의 함수에서 최적값을 구하기 위한 구간법으로 **황금분할탐색법**(golden-section search)과 **2차 보간법**(parabolic interpolation)에 대해 설명한다. 그 후에 황금분할탐색법과 2차 보간법을 결합하여 만든 강건한 혼합법을 설명한다. 이 방법도 역시 Brent가 고안한 것으로 MATLAB의 1차원 근 구하기 함수인 fminbnd의 기초가 된다. fminbnd를 설명한 후에 이 장의 마지막 부분에는 다차원 함수의 최적화를 설명한다. 이러한 분야에서 MATLAB의 기능인 fminsearch 함수를 강조하여 설명한다. 마지막으로 이 장의 끝부분에서 공학과 과학 분야의 최적화 문제를 푸는 데 어떻게 MATLAB이 적용되는지 예를 들어 설명한다.

근: 구간법

학습목표

이 장의 주요 목표는 단일 비선형방정식의 근을 구하기 위한 구간법을 이해하는 것이다. 특정한 목표와 다루는 주제는 다음과 같다.

- 공학과 과학 분야에서 발생하는 근 구하는 문제의 이해
- 그래프를 이용하여 근을 구하는 방법
- 증분탐색법과 그 한계점의 이해
- 이분법으로 근을 구하는 방법
- 이분법과 다른 근 구하기 알고리즘에서의 오차 비교
- 가위치법과 이분법의 차이점

이런 문제를 만나면

의 학 연구에 의하면 속도가 자유낙하 4초 후에 36 m/s를 초과하면 심각한 척추 손상을 입을 가능성이 매우 높다고 한다. 항력계수가 0.25 kg/m로 주어질 때 이러한 기준을 초과하는 질량을 결정하는 일이 주어졌다고 하자.

앞서 공부한 것처럼 다음 식은 시간의 함수로 낙하속도를 예측할 수 있는 해석이다.

$$v(t) = \sqrt{\frac{gm}{c_d}} \tanh\left(\sqrt{\frac{gc_d}{m}}\, t\right) \tag{5.1}$$

위의 방정식은 외재적으로 m에 대해 풀 수 없다. 그 이유는 질량 m을 방정식의 좌변으로 따로 분리할 수 없기 때문이다.

이 문제를 풀 수 있는 대안은 양변에서 $v(t)$를 빼서 다음과 같이 새로운 함수로 만드는 것이다.

$$f(m) = \sqrt{\frac{gm}{c_d}} \tanh\left(\sqrt{\frac{gc_d}{m}}\, t\right) - v(t) \tag{5.2}$$

이제 이 문제의 답은 함수를 0으로 만드는 m의 값이다. 따라서 우리는 이것을 "근 구하는 문제"라 한다. 이 장에서는 이러한 해를 구하기 위한 도구로 컴퓨터가 어떻게 사용되는지를 소개한다.

5.1 공학과 과학 분야에서의 근

방정식의 근을 구하는 문제는 다른 분야에서도 발생하지만, 공학 설계 분야에서 자주 발생한다. 표 5.1은 설계작업 시에 사용되는 많은 기본적인 원리를 정리한 것이다. 1장에서 소개한바와 같이 이러한 원리로부터 유도된 수학 방정식 또는 수학적 모델은 독립변수, 강제함수 그리고 매개변수의 함수로써 종속변수를 예측하는 데 사용된다. 이런 경우에 종속변수는 시스템의 성능 또는 상태를 나타내고, 매개변수는 시스템의 성질이나 구성을 나타낸다.

이러한 모델의 한 예가 번지점프하는 사람의 속도를 나타내는 식이다. 매개변수를 알고 있다면 식 (5.1)은 번지점프하는 사람의 속도를 예측하는 데 사용될 수 있다. 이러한 계산은 속도 v가 모델 매개변수의 함수로서 **외재적**(explicit)으로 표현될 수 있기 때문에 직접 수행될 수 있다. 즉 속도 v는 등호의 한 편에 분리되어 있다.

이 장의 앞부분에서 제시했듯이 어떤 시간 구간에서 미리 규정한 속도에 도달하기 위해, 주어진 항력계수로 낙하하는 사람의 질량을 구한다고 가정하자. 식 (5.1)은 모델변수와 매개변수 사이의 관계를 수학적으로 표현한 식이지만 외재적으로 질량을 구할 수 없다. 이러한 경우에 m을 **내재적**(implicit)이라 한다.

이것은 실제로 어려운 일인데 그 이유는 많은 설계 문제에서 원하는 거동(변수들로 표현되는)을 얻기 위해서는 시스템의 성질이나 구성(매개변수들로 표현되는)을 지정해야 하기 때문이다. 그래서 이들 문제는 종종 내재적인 매개변수의 결정이 요구된다.

수치해법을 이용해서 방정식의 근을 구하면 이러한 문제점을 해결할 수 있다. 수치해법을 이용해서 문제를 풀기 위해서는, 식 (5.1)의 양변에서 종속변수 v를 뺌으로써 식 (5.1)을 식 (5.2)의 형태로 표현하는 것이 일반적이다. $f(m) = 0$을 만족하는 m값이 방정식의 근이다. 또한 이 값은 설계 문제의 답인 질량을 나타낸다.

지금부터 식 (5.2)와 같은 방정식의 근을 구하기 위해서 다양한 수치해법과 그래프를 사용하는 방법을 다룬다. 이런 기법은 공학과 과학 분야에서 일상적으로 마주치는 다양한 문제에 적용될 수 있다.

표 5.1 설계 문제에서 사용되는 기본 원리.

기본원리	종속변수	독립변수	매개변수
열평형	온도	시간과 위치	재료의 열적 성질, 시스템의 형상
질량보존	농도 혹은 질량	시간과 위치	재료의 화학적 거동, 물질전달, 시스템의 형상
힘의 평형	힘의 크기 및 방향	시간과 위치	재료의 강도, 구조적 성질, 시스템의 형상
에너지보존	운동에너지 및 포텐셜에너지의 변화	시간과 위치	열적 성질, 재료의 질량, 시스템의 형상
Newton 운동법칙	가속도, 속도 및 위치	시간과 위치	재료의 질량, 시스템의 형상, 소산 매개변수
Kirchhoff 법칙	전류 및 전압	시간	전기적 성질(저항, 콘덴서, 유도자)

5.2   그래프를 이용하는 방법

방정식 $f(x) = 0$에 대한 근의 추정값을 구하기 위한 간단한 방법은 함수를 그려 x축과 만나는 곳을 찾는 것이다. $f(x) = 0$이 되게 하는 x값을 근의 대략적인 근사값으로 간주할 수 있다.

예제 5.1 그래프를 이용하는 방법

문제 설명.   자유낙하 4초 후의 속도가 36 m/s가 되는 번지점프하는 사람의 질량을 그래프를 이용하는 방법으로 구하라. 항력계수는 0.25 kg/m이고, 중력가속도는 9.81 m/s²이다.

풀이   다음의 MATLAB 구문은 질량에 대한 식 (5.2)를 그리기 위한 것이다.

```
clear,clc,format compact
cd = 0.25; g = 9.81; v = 36; t = 4;
mp = linspace(50,200);
fp = sqrt(g*mp/cd).*tanh(sqrt(g*cd./mp)*t)- v;
plot(mp,fp),grid
```

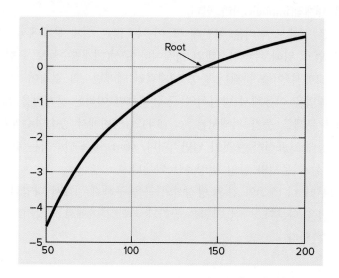

이 함수는 질량이 140에서 150 kg 사이에서 m축을 지난다. 그림을 살펴보면 근이 대략 145 kg (약 320 lb)이 된다. 그래프로 구한 추정값의 타당성은 이 값을 식 (5.2)에 대입하여 식의 값이 0에 가까운지를 확인하면 된다.

```
>> sqrt(g*145/cd)*tanh(sqrt(g*cd/145)*t)-v

ans =
    0.0456
```

이 값은 0에 가깝다. 또한 이 예제의 매개변수 값과 질량을 식 (5.1)에 대입하여 확인할 수도 있다.

```
>> sqrt(g*145/cd)*tanh(sqrt(g*cd/145)*t)

ans =
   36.0456
```

이 값은 원했던 낙하속도인 36 m/s에 가까운 것이다.

그래프를 이용하는 기법은 정밀하지 못하기 때문에 원하는 근의 실제값을 구하는 데 한계가 있다. 그러나 근의 대략적인 추정값을 얻기 위해서 유용하게 사용될 수 있다. 이러한 추정값은 앞으로 이 장에서 다루게 될 수치해법에 대한 초기 가정값으로 사용될 수 있다.

그래프를 이용하는 방법은 근의 개략적인 추정값을 제공하는 것 외에도 함수의 특성을 이해하고 수치해법의 문제점을 예측하는 데 도움이 된다. 예를 들면 그림 5.1은 하한 경계값 x_l과 상한 경계값 x_u의 구간에서 근이 존재할 수 있는 여러 가지 경우를 보여주고 있다. 그림 5.1b는 한 개의 근이 $f(x)$의 양의 값과 음의 값에 의해 둘러싸이는 경우를 보여준다. 반면에 그림 5.1d에서 $f(x_l)$과 $f(x_u)$는 서로 다른 부호를 가지고 있으나, 구간 x_l과 x_u 사이에 세 개의 근이 있음을 보여주고 있다. 일반적으로 $f(x_l)$과 $f(x_u)$의 부호가 반대이면 구간 내에 홀수 개의 근이 존재한다. 그림 5.1a와 c에서 볼 수 있듯이 $f(x_l)$과 $f(x_u)$의 부호가 같으면 구간 내에 근이 없거나 또는 짝수 개의 근을 갖는다.

대부분의 경우 이러한 일반적 원리들이 맞지만, 이들이 적용될 수 없는 경우도 있다. 예를 들어 그림 5.2a와 같이 x축에 접하는 함수나 그림 5.2b와 같이 불연속인 함수의 경우에는 위의 원리가 적용되지 않는다. 3차 방정식 $f(x) = (x-2)(x-2)(x-4)$는 x축에 접하는 함수의 한 예이다. $x = 2$는 이 다항식의 두 항을 0으로 만든다. 수학적으로 $x = 2$를 **중근**이라 한다. 이 책의 범위를 벗어나지만 중근의 위치를 찾는 특별한 기법이 있다(Chapra와 Canale, 2010 참조).

그림 5.2와 같은 문제의 경우, 구간 내에 존재하는 모든 근을 찾을 수 있는 일반적인 컴퓨터 알고리즘을 개발하기는 어렵다. 그러나 다음에 기술된 방법들을 그래프를 이용하는 방법과 더불어 사용하면 공학자, 과학자 또는 응용 수학자가 일상적으로 접하게 되는 여러 가지 문제를 푸는 데 도움이 될 수 있다.

5.3 구간법과 초기 가정

컴퓨터가 출현하기 이전에 근을 구하는 문제를 만났다면 근을 찾기 위해 "시행착오법"을 이용하라는 말을 들었을 것이다. 다시 말하면 함수의 값이 0에 충분히 가까울 때까지 반복적으로 근을 가정한다. 이러한 과정은 스프레드시트와 같은 소프트웨어의 출현으로 매우 쉽게 되었다. 이러한 도구는 많은 가정값을 신속하게 만들 수 있으므로 어떤 문제들에 대해서는 실제로 시행착오법을 매혹적인 것으로 만든다.

그러나 많은 다른 문제에서는 정확한 답을 자동적으로 찾아낼 수 있는 방법을 선호한다. 흥미롭게도 이러한 방법에서도 시행착오법처럼 초기 가정값이 필요하다. 그리고 이 방법들은 반복적인 방식으로 근이 있는 곳으로 체계적으로 접근한다.

이러한 방법은 초기 "가정값"의 유형에 따라 다음과 같이 두 가지 종류로 구분된다.

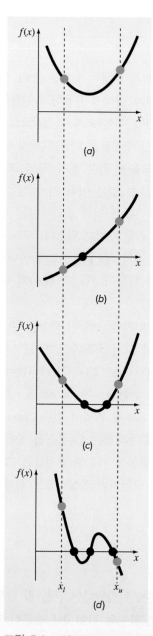

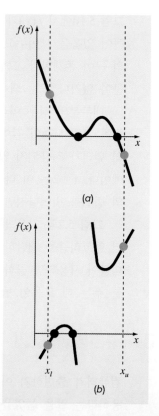

그림 5.1 하한 경계값 x_l과 상한 경계값 x_u 사이의 구간에서 근이 존재할 수 있는 몇 가지 경우를 나타낸 것이다. (a)와 (c)는 $f(x_l)$과 $f(x_u)$의 부호가 같으면 구간 내에 근이 존재하지 않거나 짝수 개의 근이 있음을 나타낸다. (b)와 (d)는 함수가 구간의 양끝점에서 부호가 서로 다르면 구간 내에 홀수 개의 근이 존재함을 나타낸다.

그림 5.2 그림 5.1의 일반적인 경우에서 제외되는 몇 가지 예를 나타낸 것이다. (a) 함수가 x 축에 접했을 때 발생하는 중근의 경우. 이 경우에는 구간의 양끝점의 부호가 서로 반대일지라도 구간 내에 짝수 개의 근이 존재한다. (b) 구간의 양끝점의 부호가 서로 반대인 불연속함수의 경우. 구간 내에서 짝수 개의 근이 존재한다. 이러한 경우에는 근을 구하기 위해서 특수한 방법을 사용하여야 한다.

- **구간법**. 이름이 의미하듯이 이 방법은 근을 포함하고 있는 "구간"의 양끝을 나타내는 두 개의 초기 가정값에 기초를 둔다.
- **개방법**. 이 방법은 한 개 또는 그 이상의 초기 가정값을 필요로 하나, 이들이 근을 포함하고 있는 구간의 양 끝값은 아니다.

잘 정립된 문제에서 구간법은 천천히 수렴하지만 항상 작동한다. 즉 근에 접근하기 위해 더 많은 반복이 요구된다. 반면에 개방법은 항상 작동하지는 않아서 발산할 수도 있지만, 작동하는 경우에는 빠르게 수렴한다.

두 경우 모두 초기 가정값이 필요하다. 이 값들은 해석하고 있는 문제의 물리적 배경으로부터 자연스럽게 얻을 수 있다. 어떤 경우에는 좋은 초기 가정값이 얻어지지 않을 수도 있다. 이러한 경우에는 자동적으로 가정값을 구하는 방법이 유용할 것이다. 이러한 방법 중의 하나인 증분탐색법을 다음에서 설명한다.

5.3.1 증분탐색법

예제 5.1에서 그래프를 이용하는 방법을 적용할 때 근의 양쪽에서 함수값의 부호가 서로 반대로 변하는 것을 보았다. 일반적으로 $f(x)$가 x_l에서 x_u까지의 구간에서 실수이고 연속이며, $f(x_l)$과 $f(x_u)$가 서로 반대의 부호를 가지면, 즉,

$$f(x_l)f(x_u) < 0 \tag{5.3}$$

그러면 x_l과 x_u 사이에는 적어도 하나 이상의 실근이 존재한다.

증분탐색법(incremental search)은 함수의 부호가 바뀌는 구간을 찾는 것이다. 증분탐색법의 현안 문제는 증분의 구간 길이에 대한 선택이다. 구간이 너무 작으면 찾는 데 시간이 너무 많이 소비될 것이다. 반면에 구간이 너무 넓으면 그림 5.3과 같이 아주 가까이 있는 근들을 놓칠 수 있다. 이러한 문제는 중근이 있는 경우에는 더욱 심화된다.

함수 func의 근을 찾기 위해 xmin에서 xmax까지의 범위에서 증분탐색법을 실행하는

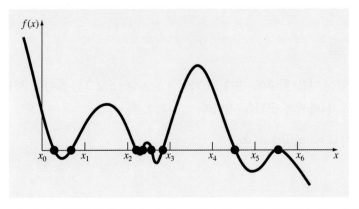

그림 5.3 증분탐색 구간이 너무 커서 근을 놓치는 경우. 오른쪽에 있는 마지막 한 개의 근은 중근이며, 증분 크기에 무관하게 놓치고 있다.

```
function xb = incsearch(func,xmin,xmax,ns)
% incsearch: incremental search root locator
%   xb = incsearch(func,xmin,xmax,ns):
%      finds brackets of x that contain sign changes
%      of a function on an interval
% input:
%   func = name of function
%   xmin, xmax = endpoints of interval
%   ns = number of subintervals (default = 50)
% output:
%   xb(k,1) is the lower bound of the kth sign change
%   xb(k,2) is the upper bound of the kth sign change
%   If no brackets found, xb = [].
if nargin < 3, error('at least 3 arguments required'), end
if nargin < 4, ns = 50; end %if ns blank set to 50

% Incremental search
x = linspace(xmin,xmax,ns);
f = func(x);
nb = 0; xb = []; %xb is null unless sign change detected
for k = 1:length(x)-1
  if sign(f(k)) ~        = sign(f(k+1)) %check for sign change
    nb = nb + 1;
    xb(nb,1) = x(k);
    xb(nb,2) = x(k+1);
  end
end
if isempty(xb)    %display that no brackets were found
  disp('no brackets found')
  disp('check interval or increase ns')
else
  disp('number of brackets:') %display number of brackets
  disp(nb)
end
```

그림 5.4   증분탐색법을 실행하기 위한 M-파일.

M-파일이 개발되었다[1].(그림 5.4) 옵션 인수 ns는 사용자로 하여금 주어진 범위에서 구간의 수를 결정할 수 있게 한다. 만약 ns가 생략되면 자동적으로 50으로 설정된다. 각 구간을 단계 별로 거치기 위해 for 루프가 사용된다. 부호가 변하게 되는 경우 상한과 하한 경계값이 배 열 xb에 저장된다.

예제 5.2 증분탐색법

문제 설명.   다음 함수에 대해 M-파일 incsearch(그림 5.4)를 사용하여 구간 [3, 6] 사이 에서 부호가 바뀌는 구간을 찾아라.

$$f(x) = \sin(10x) + \cos(3x) \tag{5.4}$$

---

1) 이 함수는 원래 Recktenwald (2000)에 의해 제시된 M-파일의 수정 버전이다.

풀이 구간의 수를 생략한 경우에 (기본값, ns = 50) MATLAB 과정은 다음과 같다.

```
>> incsearch(@(x) sin(10*x)+cos(3*x),3,6)
number of brackets:
     5
ans =

    3.2449    3.3061
    3.3061    3.3673
    3.7347    3.7959
    4.6531    4.7143
    5.6327    5.6939
```

근의 위치와 식 (5.4)의 그림은 다음과 같다.

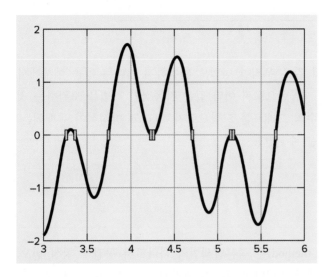

비록 5개의 부호 변화가 탐지되었지만 소구간이 너무 넓어서 이 함수는 $x \cong 4.25$와 5.2의 근을 놓치고 있다. 겉으로 보기에 이들 근은 중근인 것처럼 보인다. 그러나 이 그림을 확대해서 보면, 각각의 놓친 근은 매우 가까이 있는 두 실근임을 알 수 있다. 이 함수를 더욱 작은 소구간으로 나누어 다시 계산하면 모두 9개의 부호 변화를 찾을 수 있다.

```
>> incsearch(@(x) sin(10*x)+cos(3*x),3,6,100)
number of brackets:
     9
ans =
    3.2424    3.2727
    3.3636    3.3939
    3.7273    3.7576
    4.2121    4.2424
    4.2424    4.2727
    4.6970    4.7273
    5.1515    5.1818
    5.1818    5.2121
    5.6667    5.6970
```

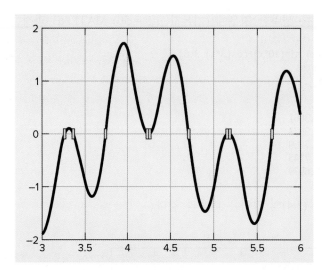

증분탐색법과 같은 우직한 방법도 완전하지 않다는 것을 예제에서 알 수 있다. 근의 위치에 대한 정보를 제공함으로써 이와 같은 자동적인 기법을 보완하는 것이 바람직할 것이다. 이러한 정보는 함수의 그래프를 그림으로써, 그리고 방정식이 유래되는 물리적 문제에 대한 이해를 통하여 얻을 수 있다.

5.4   이분법

이분법(bisection method)은 증분탐색법의 하나로서 구간을 항상 반으로 나눈다. 만일 함수의 부호가 구간 내에서 바뀐다면 구간의 중간점에서 함수값을 계산한다. 근의 위치는 나뉜 두 소구간 중에서 부호가 바뀌는 소구간 내에 놓이게 된다. 이 소구간이 다음 반복을 위한 새 구간이 된다. 보다 정밀한 추정값을 얻기 위해 이 과정을 반복한다. 이 방법을 그래프를 이용하여 설명하면 그림 5.5와 같다. 다음 예제에서 이분법을 사용하여 실제로 근을 구해 보자.

예제 5.3   **이분법**

문제 설명.   예제 5.1에서 그래프를 사용하여 접근했던 문제를 이분법을 이용하여 풀어라.

풀이 이분법의 첫 단계는 $f(m)$이 서로 다른 부호를 갖도록 미지수(이 예제에서는 m)의 두 값을 가정하는 것이다. 예제 5.1의 그래프에서 m이 50과 200에서 함수의 부호가 변하는 것을 알 수 있다. 물론 그래프로부터 보다 좋은 초기 가정값(예를 들면, 140과 150)을 얻을 수 있다. 그러나 설명을 위해 그래프에서 얻는 이점을 이용하지 않고 보수적인 가정값을 사용한다. 그러므로 근 x_r의 초기 추정값은 이 구간의 중간점이 된다.

$$x_r = \frac{50 + 200}{2} = 125$$

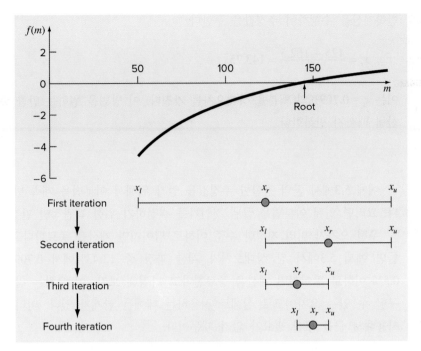

그림 5.5 그래프를 이용한 이분법의 설명. 이 그림은 예제 5.3에서 네 번 반복한 것을 나타낸다.

근의 참값은 142.7376이다. 지금 구한 125로부터 참 백분율 상대오차를 구하면 다음과 같다.

$$|\varepsilon_t| = \left| \frac{142.7376 - 125}{142.7376} \right| \times 100\% = 12.43\%$$

다음으로 하한 경계에서의 함수값과 중간점에서의 함수값의 곱을 계산한다.

$$f(50)\,f(125) = -4.579(-0.409) = 1.871$$

이는 0보다 크다. 그러므로 하한 경계와 중간점 사이에서는 부호가 변하지 않는다. 따라서 125와 200 사이에 근이 존재하게 된다. 그러므로 125를 하한 경계로 다시 정의하여 새로운 구간을 만든다.

이제 새로운 구간은 $x_l = 125$에서 $x_u = 200$까지이다. 수정되는 근의 추정값은 다음과 같이 계산된다.

$$x_r = \frac{125 + 200}{2} = 162.5$$

참 백분율 오차는 $|\varepsilon_t| = 13.85\%$이다. 보다 정밀한 추정값을 구하기 위해 이 과정을 반복한다. 예를 들면 다음과 같다.

$$f(125)\,f(162.5) = -0.409(0.359) = -0.147$$

그러므로 근은 이제 125와 162.5 사이에 있다. 상한 경계로 162.5를 다시 정의한 후, 세 번째 반복계산을 수행하여 추정값을 구한다.

$$x_r = \frac{125 + 162.5}{2} = 143.75$$

이는 $\varepsilon_t = 0.709\%$의 백분율 상대오차를 가진다. 이 방법을 원하는 만큼 충분히 정확한 값이 계산될 때까지 반복한다.

예제 5.3에서 근의 정확한 추정값을 얻기 위해서 이분법을 계속 반복시킬 수 있다고 하였다. 그러면 언제 이분법을 끝낼 것인가를 결정하기 위한 객관적인 판정기준에 대해 살펴보자.

우선 오차가 미리 지정한 수준 이하로 떨어지면 계산을 종료한다고 생각할 수 있다. 예를 들면 예제 5.3에서 참 상대오차가 계산 과정 중 12.43%에서 0.709%로 내려갔다. 오차가 0.5% 이하로 떨어지면 계산을 종료한다고 가정해 보자. 이 오차는 참근을 알고 있는 경우에 구할 수 있는 오차이므로 실제로 적용하는 데에는 한계가 있다. 미리 근을 안다면 이분법을 사용해서 근을 구할 필요가 없기 때문이다.

그러므로 근을 미리 알지 못해도 사용할 수 있는 오차 추정법이 필요하다. 한 가지 방법은 식 (4.5)에서와 같이 근사 백분율 상대오차를 계산하는 것이다.

$$|\varepsilon_a| = \left| \frac{x_r^{\text{new}} - x_r^{\text{old}}}{x_r^{\text{new}}} \right| 100\% \tag{5.5}$$

여기서 x_r^{new}는 현재의 반복계산으로부터 구한 근이며, x_r^{old}는 이전의 반복계산에서 구했던 근이다. ε_a가 미리 지정된 종료 판정기준 ε_s보다 작으면 계산을 종료시킨다.

예제 5.4 이분법에 대한 오차 추정

문제 설명.   근사오차가 $\varepsilon_s = 0.5\%$의 종료 판정기준 이하가 될 때까지 예제 5.3의 계산을 계속하라. 오차를 계산하기 위해 식 (5.5)를 사용하라.

풀이 예제 5.3의 처음 두 번째 반복 결과는 125와 162.5 사이였다. 이 값을 식 (5.5)에 대입하면 다음과 같다.

$$|\varepsilon_a| = \left| \frac{162.5 - 125}{162.5} \right| 100\% = 23.08\%$$

근사 추정값 162.5에 대한 참 백분율 상대오차가 13.85%였으므로 $|\varepsilon_a|$는 $|\varepsilon_t|$보다 크다. 다른 반복횟수에서도 이와 같이 $|\varepsilon_a|$가 $|\varepsilon_t|$보다 크게 나타나는 것을 볼 수 있다.

Iteration	x_l	x_u	x_r	$|\varepsilon_a|$ (%)	$|\varepsilon_t|$ (%)
1	50	200	125		12.43
2	125	200	162.5	23.08	13.85
3	125	162.5	143.75	13.04	0.71
4	125	143.75	134.375	6.98	5.86
5	134.375	143.75	139.0625	3.37	2.58
6	139.0625	143.75	141.4063	1.66	0.93
7	141.4063	143.75	142.5781	0.82	0.11
8	142.5781	143.75	143.1641	0.41	0.30

결국 여덟 번 반복 후에 $|\varepsilon_a|$가 $\varepsilon_s = 0.5\%$ 이하로 떨어져 계산은 종료될 수 있다.

이들 결과를 그림 5.6에 나타내었다. 이분법에서 참오차의 "들쭉날쭉"한 성질은 정의된 구간 내에서 어느 점이나 참근이 될 수 있기 때문이다. 참근이 구간의 중앙에 있을 때는 참오차와 근사오차의 차이는 크나, 참근이 구간의 어느 한쪽 끝에 위치해 있으면 참오차와 근사오차의 차이는 작아진다.

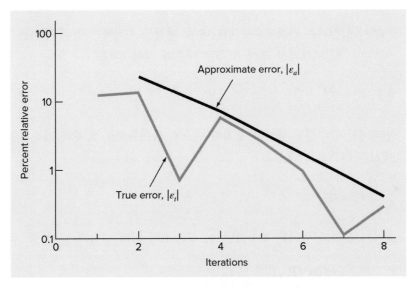

그림 5.6 이분법에서의 오차. 반복횟수에 대한 참오차와 근사오차를 도시한다.

비록 근사오차가 참오차에 대한 정확한 추정값을 제공할 수는 없지만, 그림 5.6은 반복계산이 진행됨에 따라 $|\varepsilon_a|$가 $|\varepsilon_t|$와 같이 줄어드는 경향을 가지고 있음을 보여준다. 또한 $|\varepsilon_a|$가 항상 $|\varepsilon_t|$보다 크다는 매우 매력적인 특성을 보여준다. 따라서 $|\varepsilon_a|$가 ε_s 이하로 떨어지면 적어도 근이 미리 정한 정밀도 수준까지 정확하게 계산되었다는 확신을 가지고 계산을 종료할 수 있다.

하나의 예제로부터 일반적인 결론을 이끌어내는 것은 위험하지만, 이분법에 대해서는 $|\varepsilon_a|$가 $|\varepsilon_t|$보다 항상 크다는 것을 증명할 수 있다. 이분법에서는 매번 근사 근이 $x_r = (x_l + x_u) / 2$로 구해지는데, 참근은 $\Delta x = x_u - x_l$ 의 구간 내 어딘가에 있게 된다. 따라서 근은 추정값의 $\pm \Delta x$

/ 2 내에 존재해야 한다. 그러므로 예제 5.4가 종료될 때 다음과 같이 표현할 수 있다.

$$x_r = 143.1641 \pm \frac{143.7500 - 142.5781}{2} = 143.1641 \pm 0.5859$$

식 (5.5)는 참오차의 상한 경계를 정확하게 제공한다. 이 경계를 초과하게 되면 참근은 구간의 외부에 놓이게 되는데, 이는 이분법의 정의에 의하면 결코 일어날 수 없다. 근을 찾는 다른 방법들이 항상 이분법과 같은 좋은 특성을 가지는 것은 아니다. 비록 이분법이 다른 방법들보다 수렴하는 속도는 일반적으로 느리지만 오차해석이 간명하기 때문에 특정 분야의 공학과 과학적인 응용에는 매력적일 수 있다.

이분법의 다른 이점은 반복계산을 수행하기 전에 주어진 절대오차를 만족하는 근을 구하기 위해 필요한 반복횟수를 **미리** 알 수 있다는 것이다. 이는 계산을 수행하기 전에 절대오차가 다음과 같이 표시됨을 알기 때문이다.

$$E_a^0 = x_u^0 - x_l^0 = \Delta x^0$$

여기서 상첨자는 반복횟수를 나타내며, 계산을 시작하기 전에 우리는 "0번 반복계산"을 한 것이 된다. 첫 반복계산 후에 오차는 다음과 같이 된다.

$$E_a^1 = \frac{\Delta x^0}{2}$$

반복계산이 수행될 때마다 오차가 반으로 줄어들므로 오차와 반복횟수 n에 대한 일반적인 관계식은 다음과 같다.

$$E_a^n = \frac{\Delta x^0}{2^n}$$

$E_{a,d}$ 가 우리가 원하는 오차라면 이 식은 n에 대해 다음과 같이 풀 수 있다.[2]

$$n = \frac{\log(\Delta x^0/E_{a,d})}{\log 2} = \log_2\left(\frac{\Delta x^0}{E_{a,d}}\right) \tag{5.6}$$

위의 식을 확인해 보자. 예제 5.4에서 초기 구간의 크기는 $\Delta x_0 = 200 - 50 = 150$이다. 8번의 반복계산 후에 절대오차는 다음과 같다.

$$E_a = \frac{|143.7500 - 142.5781|}{2} = 0.5859$$

이 값을 식 (5.6)에 대입하면 다음과 같은 결과를 얻게 된다.

---

[2] MATLAB에서는 기저-2인 로그함수를 직접 계산하는 log2 함수를 제공한다. 여러분이 사용하는 휴대용 계산기나 컴퓨터 언어가 기저-2인 로그함수를 내장함수로 포함하지 않는다면 이 식으로 손쉽게 계산할 수 있다. 일반적으로 $\log_b(x) = \log(x)/\log(b)$이다.

$$n = \log_2(150/0.5859) = 8$$

따라서 계산 전에 0.5859보다 작은 오차를 원한다면 여덟 번의 반복계산으로 원하는 결과를 얻을 수 있다는 것을 알 수 있다.

상대오차가 명백하게 중요함에도 불구하고 문제에 따라서는 절대오차를 제시하는 경우도 있다. 이와 같은 경우에는 이분법과 식 (5.6)은 근을 찾는 유용한 알고리즘이 될 수 있다.

5.4.1 MATLAB M–파일: `bisect`

이분법을 수행하기 위한 M-파일은 그림 5.7과 같다. 이 M-파일은 하한 가정값(xl) 및 상한 가정값(xu)과 함께 함수(func)를 받는다. 또한 옵션인 종료 판정기준(es)과 최대 반복횟수(maxit)를 입력할 수 있다. 함수는 먼저 인수의 개수가 충분한지 그리고 초기가정 구간의 경계에서 서로 다른 부호를 갖는지를 확인한다. 그렇지 않으면 에러 메시지를 출력하며 작업을

```
function [root,fx,ea,iter]=bisect(func,xl,xu,es,maxit,varargin)
% bisect: root location zeroes
%   [root,fx,ea,iter]=bisect(func,xl,xu,es,maxit,p1,p2,...):
%     uses bisection method to find the root of func
% input:
%   func = name of function
%   xl, xu = lower and upper guesses
%   es = desired relative error (default = 0.0001%)
%   maxit = maximum allowable iterations (default = 50)
%   p1,p2,... = additional parameters used by func
% output:
%   root = root estimate
%   fx = function value at root estimate
%   ea = approximate relative error (%)
%   iter = number of iterations

if nargin<3,error('at least 3 input arguments required'),end
test = func(xl,varargin{:})*func(xu,varargin{:});
if test>0,error('no sign change'),end
if nargin<4 || isempty(es), es=0.0001;end
if nargin<5 || isempty(maxit), maxit=50;end
iter = 0; xr = xl; ea = 100;
while (1)
  xrold = xr; xr = (xl + xu)/2;
  iter = iter + 1;
  if xr ~      = 0,ea = abs((xr − xrold)/xr) * 100;end
  test = func(xl,varargin{:})*func(xr,varargin{:});
  if test < 0
    xu = xr;
  elseif test > 0
    xl = xr;
  else
    ea = 0;
  end
  if ea <= es || iter >= maxit,break,end
end
root = xr; fx = func(xr, varargin{:});
```

그림 5.7 이분법을 수행하기 위한 M–파일.

끝낸다. maxit와 es를 입력하지 않으면 기본값이 배정된다. 그리고 while ... break 루프는 근사오차가 es보다 작을 때까지 또는 반복횟수가 maxit을 초과할 때까지 이분법 알고리즘을 수행한다.

이 장의 앞부분에서 다룬 문제를 풀기 위해 이 함수를 적용해 보자. 번지점프하는 사람이 4초 후에 속도가 36 m/s를 초과하게 되는 경우(항력계수는 0.25 kg/m로 주어짐), 이 사람의 질량을 구하는 문제임을 상기하자. 따라서 다음 식의 근을 구해야 한다.

$$f(m) = \sqrt{\frac{9.81m}{0.25}} \tanh\left(\sqrt{\frac{9.81(0.25)}{m}} \, 4\right) - 36$$

예제 5.1에서 질량에 대한 이 함수의 그래프를 그렸고, 근이 140에서 150 kg 사이에 있다는 것을 추정하였다. 그림 5.7의 bisect 함수를 사용하여 다음과 같이 근을 구한다.

```
fm=@(m,cd,t,v) sqrt(9.81*m/cd)*tanh(sqrt(9.81*cd/m)*t)-v;
[mass fx ea iter]=bisect(@(m) fm(m,0.25,4,36),40,200)

mass =
      142.7377
fx =
   4.6089e-007
ea =
   5.345e-005
iter =
     21
```

따라서 21번 반복하고 나서 얻는 결과인 $m = 142.74$ kg은 근사 상대오차 $\varepsilon_a = 0.00005345\%$를 갖는다. 구한 근을 이 함수에 다시 대입하면 함수의 값이 0에 근접한다는 것을 확인할 수 있다.

5.5 가위치법

가위치법(false position)은 선형보간법이라고도 부르는 잘 알려진 또 다른 구간법이다. 이는 이분법과 매우 비슷하나 근을 추적하는 방법이 다르다. 이 방법은 구간을 반으로 나누지 않고 $f(x_l)$과 $f(x_u)$를 직선으로 연결시켜 근을 찾는다(그림 5.8). 이 직선과 x축이 만나는 점이 개선된 추정값이 된다. 따라서 함수의 형상이 새로운 근을 추정하는 데 영향을 준다. 닮은꼴 삼각형을 사용해 x축과 직선의 교점을 다음과 같이 계산한다(Chapra와 Canale, 2010 참조).

$$x_r = x_u - \frac{f(x_u)(x_l - x_u)}{f(x_l) - f(x_u)} \tag{5.7}$$

이 식이 **가위치법 공식**이다. 식 (5.7)로 x_r값을 계산한 후, 두 개의 초기 가정값 x_l과 x_u 중에서 함수값이 $f(x_r)$과 같은 부호를 가지는 가정값을 x_r로 대체한다. 이렇게 하면 x_l과 x_u 사이에 항상 참근이 존재하게 된다. 정확한 근을 구할 때까지 이 과정을 반복한다. 이 알고리즘은 식 (5.7)을 사용하는 것을 제외하면 이분법과 같다(그림 5.7).

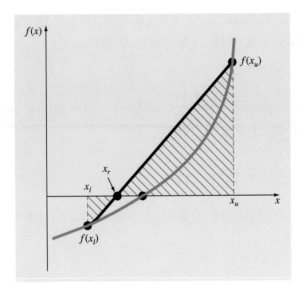

그림 5.8 가위치법.

예제 5.5 가위치법

문제 설명. 예제 5.1과 5.3에서 그래프를 이용하는 방법과 이분법으로 접근한 문제를 가위치법을 사용해서 풀어라.

풀이 예제 5.3에서와 같이 양 끝점을 $x_l = 50$과 $x_u = 200$으로 가정해서 계산을 시작한다.
첫 번째 반복에 의해

$$x_l = 50 \qquad f(x_l) = -4.579387$$

$$x_u = 200 \qquad f(x_u) = 0.860291$$

$$x_r = 200 - \frac{0.860291(50 - 200)}{-4.579387 - 0.860291} = 176.2773$$

여기서 참 상대오차는 23.5 %이다.
두 번째 반복에 의해

$$f(x_l)\,f(x_r) = -2.592732$$

그러므로 근은 첫 번째 소구간에 존재하고, x_r은 다음 반복계산을 위한 상한이 된다. 즉 $x_u = 176.2773$이 된다.

$$x_l = 50 \qquad\qquad f(x_l) = -4.579387$$

$$x_u = 176.2773 \qquad f(x_u) = 0.566174$$

$$x_r = 176.2773 - \frac{0.566174(50 - 176.2773)}{-4.579387 - 0.566174} = 162.3828$$

참 백분율 상대오차는 13.76%이고, 근사 백분율 상대오차는 8.56%이다. 보다 정확한 근의 추정값을 구하기 위해서 반복계산을 계속 수행할 수 있다.

가위치법이 종종 이분법에 비해 낮지만 항상 그런 것은 아니다. 다음의 예제와 같이 이분법이 보다 좋은 결과를 내는 경우도 있다.

예제 5.6 / 이분법을 가위치법보다 선호하는 경우

문제 설명. 이분법과 가위치법을 사용해서 $x = 0$과 $x = 1.3$ 사이에서 다음 함수의 근을 구하라.

$$f(x) = x^{10} - 1$$

풀이 이분법을 사용하는 경우에 결과는 다음과 같다.

Iteration	x_l	x_u	x_r	ε_a (%)	ε_t (%)
1	0	1.3	0.65	100.0	35
2	0.65	1.3	0.975	33.3	2.5
3	0.975	1.3	1.1375	14.3	13.8
4	0.975	1.1375	1.05625	7.7	5.6
5	0.975	1.05625	1.015625	4.0	1.6

다섯 번 반복계산 후에 참오차는 2% 이하가 되었다. 가위치법을 사용하면 매우 다른 결과가 얻어진다.

Iteration	x_l	x_u	x_r	ε_a (%)	ε_t (%)
1	0	1.3	0.09430		90.6
2	0.09430	1.3	0.18176	48.1	81.8
3	0.18176	1.3	0.26287	30.9	73.7
4	0.26287	1.3	0.33811	22.3	66.2
5	0.33811	1.3	0.40788	17.1	59.2

다섯 번 반복 후에 참오차는 약 59% 정도로 줄었다. 위와 같은 결과를 얻게 된 경위에 대해 함수의 그림을 가지고 살펴보자. 그림 5.9에서 볼 수 있는 바와 같이, 이 함수는 $f(x_u)$ 보다 $f(x_l)$의 값이 0에 가까우면 근이 x_u 보다 x_l 에 가깝다는 가위치법의 전제 조건에서 벗어나 있다(그림 5.8 참조). 현재와 같은 형태의 함수에서는 위 전제조건의 반대가 맞게 된다.

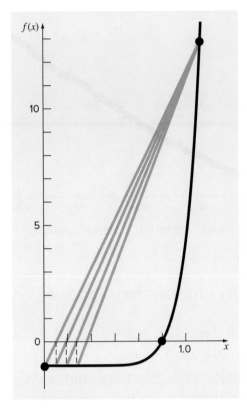

그림 5.9 $f(x) = x^{10} - 1$의 그림은 가위치법의 느린 수렴을 나타낸다.

앞의 예제는 근을 구하는 방법에 관해 전체적으로 일반화하는 것은 가능하지 않다는 것을 보여주고 있다. 비록 가위치법과 같은 방법이 이분법보다 종종 우수하지만, 이러한 일반적 결론을 위배하는 경우가 항상 존재한다. 따라서 식 (5.5)를 사용함과 동시에, 구한 근을 본래의 방정식에 대입시켜 계산결과가 0에 가까운지를 확인해야 한다.

또한 앞의 예제는 가위치법의 주된 약점이 한 방향으로만 수렴한다는 것을 말해주고 있다. 즉 반복이 진행되고 있는 동안에 구간의 끝점 중의 하나가 고정된다는 것이다. 이것이 수렴을 느리게 하고 있으며, 특히 심한 곡률을 갖는 함수의 경우는 더욱 그렇다. 이러한 결점을 해결하기 위한 방법은 다른 책에서 찾아볼 수 있다(Chapra와 Canale, 2010 참조).

5.6 사례연구 온실 가스와 빗물

배경. 여러 가지 "온실(greenhouse)" 가스가 대기 중에 지난 50년 동안 지속적으로 증가하였다는 사실이 잘 기록되어 있다. 예를 들어 1958년부터 2008년까지 Hawaii의 Mauna Loa에서 수집한 이산화탄소(CO_2)의 분압에 대한 자료는 그림 5.10과 같다. 이 자료의 경향은 2차 다항

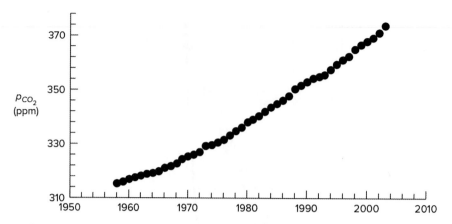

그림 5.10 Hawaii의 Mauna Loa에서 측정한 대기 중 이산화탄소(ppm)의 연간 평균 분압.

식으로 잘 접합될 수 있다.[3]

$$p_{CO_2} = 0.012226(t - 1983)^2 + 1.418542(t - 1983) + 342.38309$$

여기서 p_{CO_2}는 이산화탄소의 분압(ppm)이다. 자료에서 이 기간 동안 수준이 315에서 386 ppm 까지 22% 이상 증가하였다는 것을 알 수 있다.

　여기서 한 가지 의문은 이러한 경향이 빗물의 산성도(pH)에 어떤 영향을 미치는가이다. 도 시와 산업화된 지역 밖에서도 이산화탄소가 빗물의 pH를 결정하는 주요 원인이라는 것을 잘 알고 있다. pH는 수소 이온의 활동성의 척도이며, 따라서 이것이 산성 또는 알칼리성을 결정 한다. 희석 수용액의 경우 pH는 다음과 같이 계산될 수 있다.

$$pH = -\log_{10}[H^+] \tag{5.8}$$

여기서 $[H^+]$는 수소 이온의 몰농도이다.

　다음의 다섯 개의 방정식이 빗물의 화학적 성질을 지배한다.

$$K_1 = 10^6 \frac{[H^+][HCO_3^-]}{K_H p_{CO_2}} \tag{5.9}$$

$$K_2 = \frac{[H^+][CO_3^{-2}]}{[HCO_3^-]} \tag{5.10}$$

$$K_w = [H^+][OH^-] \tag{5.11}$$

$$c_T = \frac{K_H p_{CO_2}}{10^6} + [HCO_3^-] + [CO_3^{-2}] \tag{5.12}$$

$$0 = [HCO_3^-] + 2[CO_3^{-2}] + [OH^-] - [H^+] \tag{5.13}$$

---

3) 4부에서 이러한 다항식을 구하는 방법을 공부한다.

여기서 K_H 는 Henry 상수 그리고 K_1, K_2, K_w는 평형상수이다. 다섯 개의 미지수로 c_T는 총 무기탄소, $[\text{HCO}_3^-]$는 중탄산염, $[\text{CO}_3^{-2}]$는 탄산염, $[\text{H}^+]$는 수소 이온 그리고 $[\text{OH}^-]$는 수산기 이온이다. CO_2의 분압이 식 (5.9)와 (5.12)에 어떻게 나타나는지 유의하라.

$K_H = 10^{-1.46}$, $K_1 = 10^{-6.3}$, $K_2 = 10^{-10.3}$, $K_w = 10^{-14}$의 값에 대해 이들 방정식을 사용하여 빗물의 pH를 구하라. p_{CO_2}가 315 ppm인 1958년과 386 ppm인 2008년의 pH를 비교하라. 수치해법을 선택할 때 다음을 고려하라.

- 청결한 지역의 빗물의 pH는 항상 2~12 사이에 있다.
- pH는 단지 소수점 이하 두 자리까지 측정된다.

풀이 다섯 개의 연립방정식을 푸는 데는 여러 가지 방법이 있다. 한 가지 방법은 단지 $[\text{H}^+]$에만 의존하는 단일 함수를 만들기 위해 이들을 결합하여 미지수를 소거하는 것이다. 이를 위해 먼저 식 (5.9)와 (5.10)를 풀어 다음을 얻는다.

$$[\text{HCO}_3^-] = \frac{K_1}{10^6[\text{H}^+]}K_H p_{CO_2} \tag{5.14}$$

$$[\text{CO}_3^{-2}] = \frac{K_2[\text{HCO}_3^-]}{[\text{H}^+]} \tag{5.15}$$

식 (5.14)를 식 (5.15)에 대입하면 다음과 같다.

$$[\text{CO}_3^{-2}] = \frac{K_2 K_1}{10^6[\text{H}^+]^2}K_H p_{CO_2} \tag{5.16}$$

식 (5.14)와 (5.16) 그리고 식 (5.11)을 식 (5.13)에 대입하면 다음과 같다.

$$0 = \frac{K_1}{10^6[\text{H}^+]}K_H p_{CO_2} + 2\frac{K_2 K_1}{10^6[\text{H}^+]^2}K_H p_{CO_2} + \frac{K_w}{[\text{H}^+]} - [\text{H}^+] \tag{5.17}$$

비록 명백해 보이지 않지만 이 결과는 $[\text{H}^+]$의 3차 다항식이다. 따라서 이 방정식의 근을 이용하여 빗물의 pH를 구할 수 있다.

이제 해를 구하기 위해 적용하는 수치해법을 결정해야 한다. 이분법이 좋은 이유는 두 가지가 있다. 첫 번째로는 pH는 항상 2~12 사이에 있으므로 두 개의 좋은 초기 가정값을 제공한다. 두 번째는 pH는 소수점 이하 두 자리의 정밀도로 측정되기 때문에, 절대오차 $E_{a,d} = \pm 0.005$를 만족한다는 것이다. 초기 구간과 허용 오차가 주어져 있으므로 반복횟수를 **미리** 계산할 수 있다는 점을 상기하라. 현재의 값을 식 (5.6)에 대입하면 다음과 같다.

```
>> dx =12-2;
>> Ead =0.005;
>> n =log2(dx/Ead)

n =
  10.9658
```

이분법으로 11번 반복계산하면 원하는 정밀도를 얻을 수 있을 것이다.

이분법을 실행하기 전에 우선 식 (5.17)을 함수로 표현해야 한다. 이것은 비교적 복잡하기 때문에 M-파일로 저장한다.

```
function f = fpH(pH,pCO2)
K1=10^-6.3;K2=10^-10.3;Kw=10^-14;
KH=10^-1.46;
H=10^-pH;
f =K1/(1e6*H)*KH*pCO2+2*K2*K1/(1e6*H)*KH*pCO2+Kw/H
```

해를 구하기 위해 그림 5.7의 M-파일을 사용한다. 다음과 같이 허용 상대오차를 $\varepsilon_a = 1 \times 10^{-8}$로 아주 낮게 설정하였기 때문에 최대 반복횟수(maxit)에 먼저 도달하여 11번의 반복이 수행된다.

```
>> [pH1958 fx ea iter] =bisect(@(pH) fpH(pH,315),2,12,1e-8,11)
pH1958 =
    5.6279
fx =
 -2.7163e-008
ea =
    0.0868
iter =
    11
```

따라서 pH는 상대오차 0.0868%를 갖는 5.6279로 계산된다. 반올림한 5.63이 소수점 이하 두 자리로 정확하다는 확신을 가질 것이다. 이는 다시 더 많은 반복을 실행하면 확인이 가능하다. 예를 들어 maxit를 50으로 설정하면 다음과 같다.

```
>> [pH1958 fx ea iter] =bisect(@(pH) fpH(pH,315),2,12,1e-8,50)
pH1958 =
    5.6304
fx =
    1.615e-015
ea =
    5.1690e-009
iter =
    35
```

2008년에 대하여 그 결과는 다음과 같다.

```
>> [pH2008 fx ea iter] =bisect(@(pH) fpH(pH,386),2,12,1e-8,50)
pH2008 =
  5.5864
fx =
  3.2926e-015
ea =
  5.2098e-009
iter =
  35
```

흥미롭게도 이 결과는 대기 중 CO_2 수준의 22.5% 증가가 pH를 단지 0.78%만 떨어뜨리고 있다는 것을 의미한다. 이것이 확실한 사실이지만 pH는 식 (5.8)에 정의된 것처럼 로그 스케일로 표현된다는 것을 기억하라. 결과적으로 pH가 1만큼 떨어진다는 것은 수소 이온이 1차수(즉 10배) 증가한다는 것을 나타낸다. 농도는 $[H^+] = 10^{-pH}$로 계산되며, 그 백분율 변화는 다음과 같이 계산된다.

```
>> ((10^- pH2008- 10^-pH1958)/10^-pH1958)*100
ans =
   10.6791
```

따라서 수소 이온의 농도는 약 10.7% 증가한다.

온실가스 경향의 의미에 대해서는 많은 논쟁이 있다. 이 논쟁의 대부분은 온실가스의 증가가 지구 온난화에 관련이 있느냐 하는 것이다. 여하튼 궁극적인 영향에 관계없이 상대적으로 짧은 기간 동안에 대기가 크게 변화해왔다는 사실은 과장이 아니다. 이 사례연구는 이러한 경향을 해석하고 이해하는 데 어떻게 수치해석과 MATLAB을 적용할 수 있는지를 보여주고 있다. 다가올 시대에는 공학자와 과학자들이 이러한 도구를 사용하여 대기 현상에 대해 보다 잘 이해하고, 대기 현상의 영향에 대한 논쟁을 합리화하는 데 도움을 얻을 수 있을 것이다.

연습문제

5.1 95 kg인 번지점프하는 사람이 자유낙하 9초 후에 속도가 46 m/s가 되기 위한 항력계수를 이분법으로 구하라. 중력가속도는 9.81 m/s²이다. $x_l = 0.2$, $x_u = 0.5$의 초기 가정값으로 시작하여 근사 상대오차가 5% 이하로 떨어질 때까지 반복하라.

5.2 그림 5.7과 비슷한 형식으로 이분법에 대한 M-파일을 개발하라. 종료 판정기준으로 최대 반복횟수와 식 (5.5)를 사용하는 대신에 식 (5.6)을 적용하라. 식 (5.6)의 결과를 올림하여 정수로 근사하도록 하라(힌트: ceil 함수를 사용하는 것이 손쉬운 방법이다). 함수의 첫 번째 줄은 다음과 같아야 한다.

```
function [xr,fxr,Ea,ea,n] = bisectnew(func,xl,xu,Ead,
varargin)
```

출력을 위한 변수들, Ea = 근사 절대오차이고, ea = 근사 백분율 상대오차이다. 연습문제 5.1을 풀기 위해 **LastName Hmwk04Script**라는 이름의 스크립트를 개발하라. 반드시 매개변수를 인수를 통해 전달해야 한다. 추가로 Ead = 0.000001이 기본값이 되도록 함수를 설정한다.

5.3 그림 P5.3은 균일한 하중을 받는 핀접합 보(pinned fixed beam)를 보여준다. 처짐에 대한 방정식은 다음과 같다.

$$y = -\frac{w}{48EI}(2x^4 - 3Lx^3 + L^3x)$$

다음을 수행하는 MATLAB 스크립트를 작성하라.

(a) 함수 $dydx$ 대 x(적절한 제목과 함께)를 그린다.

(b) **LastNameBisect**를 이용하여 최대 처짐의 위치(즉, $dydx = 0$인 x 값)를 계산한다. 이 값을 처짐 방정식에 대입하여 최대 처짐값을 구한다. 초기 가정값으로 $x_l = 0$, $x_u = 0.9L$을 사용한다. 계산에 다음의 매개변수 값을 적용하라(일관된 단위를 사용하도록 유의하라). 여기서 $L = 400$ cm, $E = 52,000$ kN/cm², $I = 32,000$ cm⁴ 그리고 $w = 4$ kN/cm이다. 추가로 Ead = 0.0000001 m을 사용한다. 또한 스크립트에 format long을 설정하여 결과를 15자리 유효숫자로 출력하게 한다.

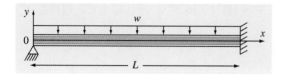

그림 P5.3

5.4 그림 P5.4에서 볼 수 있는 바와 같이 원통형 탱크로부터 긴 파이프를 통해 배출되는 물의 속도 v (m/s)는 다음 식으로 계산할 수 있다.

$$v = \sqrt{2gH} \tanh\left(\sqrt{\frac{2gH}{2L}}\,t\right)$$

여기서 $g = 9.81$ m/s^2, H = 초기 높이(m), L = 파이프 길이(m) 그리고 t = 경과된 시간(s)이다. 다음을 수행하는 MATLAB 스크립트를 작성하라.

(a) $H = 0$에서 4 m까지에 대하여 함수 $f(H)$ 대 H를 그린다(그림에 제목을 붙인다).

(b) **LastNameBisect**를 이용하여 4 m 길이의 파이프에 대해 2.5 s에 $v = 5$ m/s이 되는데 필요한 초기 높이를 계산한다. 초기 가정값으로 $x_l = 0$, $x_u = 4$ m를 사용한다. 추가로 Ead = 0.0000001이다. 또한 스크립트에 format long을 설정하여 결과를 15자리 유효숫자로 출력하게 한다.

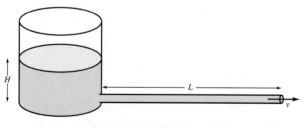

그림 P5.4

5.5 가위치법으로 연습문제 5.1을 풀어라.

5.6 가위치법에 대한 M-파일을 개발하라. 연습문제 5.1을 풀어서 개발한 M-파일을 시험하라.

5.7 (a) 그래프를 이용하는 방법으로 $f(x) = -12 - 21x + 18x^2 - 2.75x^3$의 근을 구하라.

(b) 이분법으로 방성식의 첫 번째 근을 구하라.

(c) 가위치법으로 방정식의 첫 번째 근을 구하라.

(b)와 (c)의 경우에 초기 가정값은 $x_l = -1$과 $x_u = 0$ 이고 종료 판정기준은 1%이다.

5.8 x가 라디안일 때 $\sin(x) = x^2$의 첫 번째 비자명(nontrivial) 근을 구하라. 초기 구간을 0.5와 1 사이로 설정하고 그래프를 이용하는 방법과 이분법을 사용하라. ε_a가 $\varepsilon_s = 2\%$보다 작아질 때까지 계산을 수행하라.

5.9 $\ln(x^2) = 0.7$의 양의 실근을 구하라.

(a) 그래프를 그려서 구하라.

(b) $x_l = 0.5$와 $x_u = 2$를 초기 가정값으로 하고 이분법을 세 번 반복해서 구하라.

(c) (b)와 같은 초기 가정값을 사용하고 가위치법을 세 번 반복해서 구하라.

5.10 민물에 용해되는 산소의 포화농도는 다음 식을 사용하여 계산할 수 있다.

$$\ln o_{sf} = -139.34411 + \frac{1.575701 \times 10^5}{T_a}$$
$$- \frac{6.642308 \times 10^7}{T_a^2} + \frac{1.243800 \times 10^{10}}{T_a^3}$$
$$- \frac{8.621949 \times 10^{11}}{T_a^4}$$

여기서 o_{sf}는 1 기압에서 민물에 용해된 산소의 포화농도(mg/L)이며, T_a는 절대온도(K)이다. 섭씨온도 T(°C)와 T_a의 관계는 $T_a = T + 273.15$이다. 이 식에 의하면 포화농도는 온도의 증가에 따라 감소한다. 온화한 기후에서 대표적인 자연수에 대하여, 이 식으로 0°C의 14.621 mg/L에서부터 35°C의 6.949 mg/L까지의 산소농도를 결정할 수 있다. 산소농도가 주어진 경우에 이 공식과 이분법을 사용해서 온도 T(°C)를 구하라.

(a) 초기 가정값이 0°C와 35°C로 주어질 때, 0.05°C의 절대오차를 갖는 온도를 구하기 위해서는 몇 번 반복 계산해야 하는가?

(b) (a)번에 기초하여, 주어진 산소농도에 대한 함수로 온도 T를 구하는 이분법 M-파일 함수를 개발하고 시험하라. o_{sf}가 8, 10과 14 mg/L인 경우에 대해 M-파일을 시험하고 결과를 검토하라.

5.11 그림 P5.11과 같이 보에 하중이 걸려 있다. 이분법을 사용해서 보에서 모멘트가 0이 되는 위치를 구하라.

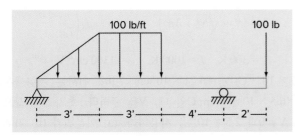

그림 P5.11

5.12 사다리꼴 수로에 $Q = 20$ m³/s의 유량으로 물이 흐르고 있다. 이러한 수로에서 임계 깊이 y는 다음 식을 만족해야 한다.

$$0 = 1 - \frac{Q^2}{gA_c^3}B$$

여기서 g는 9.81 m/s², A_c는 단면적(m²) 그리고 B는 표면에서 수로의 폭(m)이다. 이 경우에 폭과 단면적은 깊이 y와 다음과 같은 관계를 갖는다.

$$B = 3 + y$$

그리고

$$A_c = 3y + \frac{y^2}{2}$$

다음의 방법으로 임계 깊이를 구하라.

(a) 그래프를 이용하는 방법
(b) 이분법
(c) 가위치법

(b)와 (c)의 경우에 초기 가정값은 $x_l = 0.5$와 $x_u = 2.5$로 하고, 근사오차가 1% 이하로 떨어질 때까지 또는 반복횟수가 10번을 초과할 때까지 계산하라. 결과를 논의하라.

5.13 Michaelis-Menten 모델은 효소전달 반응속도론을 설명한다.

$$\frac{dS}{dt} = -v_m \frac{S}{k_s + S}$$

여기서 S는 기질농도(moles/L), v_m은 최대 흡수율(moles/L/d) 그리고 k_s는 흡수가 최대의 절반일 때의 기질수준인 반포화상수(moles/L)이다. $t = 0$에서 초기 기질수준이 S_0이면, 이 미분방정식은 다음과 같은 해를 갖는다.

$$S = S_0 - v_m t + k_s \ln(S_0/S)$$

$S_0 = 8$ moles/L, $v_m = 0.7$ moles/L/d 그리고 $k_s = 2.5$ moles/L인 경우에, t에 대한 S의 그래프를 생성하는 M-파일을 개발하라.

5.14 다음의 가역화학반응식이 있다.

$$2A + B \leftrightharpoons C$$

평형상태에서 다음 관계식이 성립한다.

$$K = \frac{c_c}{c_a^2 c_b}$$

여기서 c_i는 성분 i의 농도를 나타낸다. 생성되는 C의 몰수로 변수 x를 정의하면 질량보존 방정식으로부터 평형 관계식을 다시 쓸 수 있다.

$$K = \frac{(c_{c,0} + x)}{(c_{a,0} - 2x)^2(c_{b,0} - x)}$$

여기서 하첨자 0은 각 성분의 초기 농도를 나타낸다. $K = 0.016$, $c_{a,0} = 42$, $c_{b,0} = 28$ 그리고 $c_{c,0} = 4$일 때 x를 구하라.

(a) 그래프로 해를 구하라.
(b) (a)번에 기초하여 초기 가정값 $x_l = 0$, $x_u = 20$과 $\varepsilon_s = 0.5\%$로 근을 구하라. 이분법이나 가위치법 중에서 선택하라. 선택의 정당함을 설명하라.

5.15 그림 P5.15a는 선형적으로 증가하는 하중을 받는 균일보(uniform beam)를 나타낸 것이다. 탄성곡선(그림 P5.15b)에 대한 방정식은 다음과 같다.

$$y = \frac{w_0}{120EIL}(-x^5 + 2L^2x^3 - L^4x) \tag{P5.15}$$

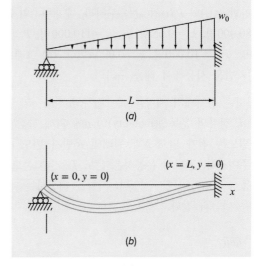

그림 P5.15

이분법을 사용하여 최대 처짐의 위치($dy/dx = 0$인 x값)를 구하라. 그리고 이 값을 식 (P5.15)에 대입하여 최대 처짐의 값을 구하라. 계산 시 다음 매개변수를 사용하라. $L = 600$ cm, $E = 50,000$ kN/cm², $I = 30,000$ cm⁴ 그리고 $w_0 = 2.5$ kN/cm이다.

5.16 35,000달러의 자동차를 계약금 없이 구매하는데 7년 동안 매년 8500달러씩 분할 지급하기로 하였다. 그림 5.7의 `bisect` 함수를 사용해서 지불해야 할 이자율을 구하라. 이자율에 대한 초기 가정값을 0.01과 0.3으로 하고, 종료 판정기준을 0.00005로 하라. 현재의 가치 P, 매년 지불액 A, 총 지불 연수 n, 이자율 i에 대한 관계식은 다음과 같다.

$$A = P \frac{i(1 + i)^n}{(1 + i)^n - 1}$$

5.17 공학의 여러 분야에서는 정확한 인구의 추정을 필요로 한다. 예를 들어 교통공학자들은 도시와 인접한 근교의 인구 성장 추세를 분리하여 구할 필요가 있다. 도시 지역의 인구는 다음 식에 의해 시간이 지남에 따라 감소한다.

$$P_u(t) = P_{u,max}e^{-k_u t} + P_{u,min}$$

반면에 도시 근교의 인구는 다음과 같이 증가한다.

$$P_s(t) = \frac{P_{s,max}}{1 + [P_{s,max}/P_0 - 1]e^{-k_s t}}$$

여기서 $P_{u,max}$, k_u, $P_{s,max}$, P_0 그리고 k_s는 실험적으로 유도된 매개변수들이다. 근교의 인구가 도시의 인구보다 20% 많을 때의 시간과 $P_u(t)$와 $P_s(t)$의 값을 구하라. 매개변수의 값은 $p_{u,max} = 80,000$명, $k_u = 0.05$/yr, $p_{u,min} = 110,000$명, $P_{s,max} = 320,000$명, $P_0 = 10,000$명, $k_s = 0.09$/yr이다. (a) 그래프와 (b) 가위치법을 사용해서 해를 구하라.

5.18 실리콘 첨가제의 저항률 ρ는 전자의 전하 q와 전자의 밀도 n, 전자의 운동성(mobility)인 μ에 의해 결정된다. 전자의 밀도는 첨가 밀도 N과 원래의 운반자 밀도 n_i의 항으로 주어진다. 전자의 운동성은 온도 T, 기준 온도 T_0, 기준 운동성 μ_0로 표시할 수 있다. 저항을 계산하는 데 필요한 식은 다음과 같다.

$$\rho = \frac{1}{qn\mu}$$

여기서

$$n = \frac{1}{2}\left(N + \sqrt{N^2 + 4n_i^2}\right) \quad \text{and} \quad \mu = \mu_0\left(\frac{T}{T_0}\right)^{-2.42}$$

이다. $T_0 = 300$ K, $T = 1000$ K, $\mu_0 = 1360$ cm²(V s)⁻¹, $q = 1.7 \times 10^{-19}$C, $n_i = 6.21 \times 10^9$ cm⁻³이며, 원하는 저항률은 $\rho = 6.5 \times 10^6$ V s cm/C일 때, N을 구하라. 초기 가정값으로 $N = 0$과 2.5×10^{10}을 사용하라. (a) 이분법과 (b) 가위치법을 사용하라.

5.19 총 전하 Q는 반지름 a의 반지 모양의 도체 주위에 균일하게 분포되어 있다. 그림 P5.19와 같이 전하 q가 반지 모양의 중심으로부터 x만큼 떨어진 곳에 위치하고 있다. 반지에 의해 전하에 가해지는 힘은 다음과 같다.

$$F = \frac{1}{4\pi e_0}\frac{qQx}{(x^2 + a^2)^{3/2}}$$

여기서 $e_0 = 8.9 \times 10^{-12}$ C²/(N m²)이다. q와 Q가 2×10^{-5}C이고 반지의 반지름이 0.85 m인 경우, 작용하는 힘이 1.25 N인 곳의 거리 x의 값을 구하라.

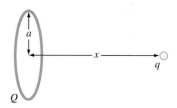

그림 P5.19

5.20 파이프의 내부 유동에서 마찰은 무차원수인 **Fanning 마찰계수** f로 나타낼 수 있다. Fanning 마찰계수는 파이프의 크기와 유체 등의 많은 매개변수에 의존하며, 이들 매개변수는 또 다른 무차원수인 **Reynolds 수(Re)**로 나타낼 수 있다. 주어진 Re에서 f를 예측하는 공식을 **von Karman**식이라 하며 다음과 같다.

$$\frac{1}{\sqrt{f}} = 4\log_{10}\left(\text{Re}\sqrt{f}\right) - 0.4$$

난류 유동에 대한 대표적인 Reynolds 수는 10,000에서부터 500,000까지이며, Fanning 마찰계수는 0.001에서 0.01까지이다. 사용자가 2500에서 1,000,000까지의 Re를 정하면, f를 이분법으로 구하는 함수를 개발하라. 결과에서 절대오차가 $E_{a,d} < 0.000005$를 만족하도록 함수를 설계하라.

5.21 대부분의 다른 기술자처럼 기계공학 기술자도 열역학을 많이 사용한다. 다음과 같은 다항식은 건공기의 영압

력(zero pressure) 비열 c_p kJ/(kg K)를 온도(K)의 함수로 구하기 위해 사용된다.

$$c_p = 0.99403 + 1.671 \times 10^{-4}T + 9.7215 \times 10^{-8}T^2$$
$$-9.5838 \times 10^{-11}T^3 + 1.9520 \times 10^{-14}T^4$$

$T = 0$에서 1200 K의 범위에 대한 c_p의 그래프를 그리고, 이분법을 사용하여 비열 1.1 kJ/(kg K)에 해당하는 온도를 구하라.

5.22 로켓의 위쪽 방향의 속도는 다음과 같은 공식으로 계산할 수 있다.

$$v = u \ln \frac{m_0}{m_0 - qt} - gt$$

여기서 v는 위쪽 방향의 속도, u는 배출되는 연료의 로켓에 대한 상대속도, m_0는 시간 $t = 0$에서의 로켓의 초기 질량, q는 연료의 소비율, g는 아래 방향의 중력가속도로 9.81 m/s^{2}으로 가정한다. $u = 1800$ m/s, $m_0 = 160,000$ kg 그리고 $q = 2600$ kg/s일 때, $v = 750$ m/s에 도달하는 시간을 구하라. (힌트: t는 10과 50초 사이의 값이다.) 오차가 참값의 1% 이내에 들도록 해를 구하라. 또한 답을 확인하라.

5.23 5.6절에서 언급하지 않았지만 식 (5.13)은 **전기적 중성**(electroneutrality)을 나타내는 식이다. 즉 양과 음의 전하가 평형을 이루어야 한다. 이는 식을 다음과 같이 쓰면 명확하게 알 수 있다.

$$[H^+] = [HCO_3^-] + 2[CO_3^{2-}] + [OH^-]$$

다시 말하면, 양전하는 음전하와 반드시 같아야 한다. 따라서 호수와 같은 자연수의 pH를 계산할 때 혹시 있을지도 모르는 다른 이온들도 고려하여야 한다. 이들 이온이 비반응 소금에서 나올 때, 이들 이온에 기인한 음전하와 양전하의 차이는 알칼리도라고 부르는 양으로 한꺼번에 나타낼 수 있으며, 따라서 위 식은 다음과 같이 다시 쓸 수 있다.

$$Alk + [H^+] = [HCO_3^-] + 2[CO_3^{2-}] + [OH^-] \qquad (P5.23)$$

여기서 Alk = 알칼리도(eq/L)이다. 예를 들면 Superior 호수의 알칼리도는 약 0.4×10^{-3} eq/L이다. 2008년도의 Superior 호수의 pH를 구하기 위하여 5.6절에서와 같은 계산을 수행하라. 빗물과 같이 호수는 대기 중 CO_2와 평형상태에 있다고 가정하라. 그러나 식 (P5.23)의 알칼리도

는 고려한다.

5.24 **Archimedes의 원리**에 따라 부력은 물체의 잠겨 있는 부분에 의해 배제되는 유체의 무게와 같다. 그림 P5.24에 있는 구에 대하여, 이분법을 사용하여 수면 위에 있는 부분의 높이 h를 구하라. 계산을 위하여 다음 값들을 사용하라. $r = 1$ m, ρ_s = 구의 밀도 = 200 kg/m^3, ρ_w = 물의 밀도 = 1000 kg/m^{3}이다. 수면 위에 있는 구의 부피는 다음과 같이 계산할 수 있다.

$$V = \frac{\pi h^2}{3}(3r - h)$$

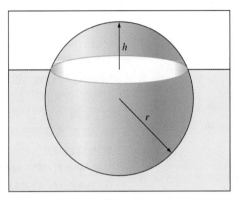

그림 P5.24

5.25 연습문제 5.24와 같은 계산을 그림 P5.25에 있는 원뿔의 절두체(frustum)에 대해 수행하라. 계산을 위하여 다음 값들을 사용하라. $r_1 = 0.5$ m, $r_2 = 1$ m, $h = 1$ m, ρ_f = 절두체의 밀도 = 200 kg/m^3, ρ_w = 물의 밀도 = 1000 kg/m^{3}이다. 절두체의 부피는 다음과 같다.

$$V = \frac{\pi h}{3}(r_1^2 + r_2^2 + r_1 r_2)$$

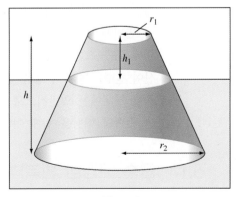

그림 P5.25

근: 개방법

학습목표

이 장의 주요 목표는 단일 비선형방정식의 근을 구하기 위한 개방법을 이해하는 것이다. 특정한 목표와 다루는 주제는 다음과 같다.

- 근을 구하기 위한 구간법과 개방법의 차이
- 고정점 반복법과 그 수렴특성
- Newton–Raphson법으로 근을 구하는 것과 2차 수렴의 개념
- 고정점 반복법의 연장으로서 수렴성과 안전성을 향상시키기 위한 Wegstein법
- 할선법과 수정 할선법의 실행 방법
- 강건하고 효율적인 방법으로 근을 찾기 위해 신뢰성 있는 구간법과 수렴이 빠른 개방법을 조합하는 Brent법
- 근을 구하기 위한 MATLAB `fzero` 함수의 사용법
- MATLAB으로 다항식의 근을 다루고 구하는 방법

5 장에서 공부한 구간법에서는 미리 설정된 하한과 상한 경계값으로 이루어지는 구간 내에서 근을 구하였다. 이와 같은 방법을 반복적으로 적용하면 근의 참값에 가까운 근의 추정값을 구할 수 있다. 이와 같은 방법은 계산이 진행됨에 따라 추정값이 참값에 접근하기 때문에 **수렴**한다고 말한다(그림 6.1a).

반면에 이 장에서 기술되는 **개방법**(open method)은 한 개의 초기값에서 시작하거나 구간 내에 근을 포함하지 않을 수도 있는 두 개의 초기값으로부터 시작하는 방법이다. 개방법은 계산이 진행됨에 따라 종종 **발산**하거나 근에서 멀어지기도 한다(그림 6.1b). 그러나 개방법이 수렴할 경우에는 일반적으로 구간법보다 빠르게 수렴한다(그림 6.1c). 개방법의 일반적인 형태와 수렴의 개념을 쉽게 이해할 수 있도록 우선 간단한 개방법부터 살펴보자.

6.1 단순 고정점 반복법

위에서 언급했듯이 개방법에서는 근을 예측하기 위해 공식을 사용한다. 함수 $f(x) = 0$을 재배열함으로써 **단순 고정점 반복법**(fixed-point iteration 또는 **단일점 반복법**, 또는 **연속대입법**)을 유

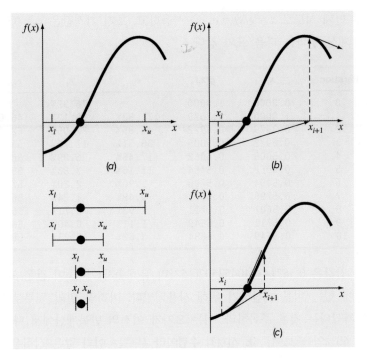

그림 6.1 근을 구하기 위한 (a)의 구간법과 (b)와 (c)의 개방법의 근본적인 차이를 그래프로 나타낸다. 이 분법을 사용하는 (a)에서는 x_l과 x_u로 설정된 구간 내에 근이 존재하나, 개방법(여기서는 Newton-Raphson법)을 사용하는 (b)와 (c)에서는 x_i로부터 x_{i+1}을 추정하는 공식을 반복적으로 사용한다. 따라서 이 방법은 함수의 형상이나 초기 가정값에 따라서 (b) 발산하거나 (c) 빠르게 수렴할 수 있다.

도할 수 있다. 우선 다음과 같이 x를 방정식의 좌변에 오게 한다.

$$x = g(x) \tag{6.1}$$

이것은 대수적 조작이나 원래의 방정식의 양변에 x를 더함으로써 얻을 수 있다.

식 (6.1)은 이전 계산 단계에서의 x 값을 사용하여 새로운 x 값을 예측하는 공식이다. 따라서 근 x_i로 초기 가정값이 주어지면, 식 (6.1)을 사용하여 새로운 추정값 x_{i+1}을 계산한다. 이를 반복 공식으로 표현하면 다음과 같다.

$$x_{i+1} = g(x_i) \tag{6.2}$$

이 책에 있는 다른 반복 공식들과 마찬가지로 상대오차의 절대값은 다음 식을 사용하여 계산한다.

$$\varepsilon_a = \left| \frac{x_{i+1} - x_i}{x_{i+1}} \right| \cdot 100\% \tag{6.3}$$

예제 6.1 단순 고정점 반복법

문제 설명. 고정점 반복법을 사용하여 $f(x) = e^{-x} - x$ 의 근을 구하라.

풀이 첫 번째 시도로 $x = g(x) = e^{-x}$을 사용하고, 초기 가정값은 $x_0 = 0$으로부터 시작하여 해를 구한다. 계산 결과는 다음 표와 같다.

Iteration	x_i	$g(x_i)$	ε_a	ε_t	$\varepsilon_{t,i}/\varepsilon_{t,i-1}$
0	0.0000	1.0000		76.32%	
1	1.0000	0.3679	171.83%	35.13%	46.03%
2	0.3679	0.6922	46.85%	22.05%	62.76%
3	0.6922	0.5005	38.31%	11.76%	53.31%
4	0.5005	0.6062	17.45%	6.89%	58.65%
5	0.6062	0.5454	11.16%	3.83%	55.62%
6	0.5454	0.5796	5.90%	2.20%	57.34%
7	0.5796	0.5601	3.48%	1.24%	56.36%
8	0.5601	0.5711	1.93%	0.71%	56.91%
9	0.5711	0.5649	1.11%	0.40%	56.60%
10	0.5649	0.5684	0.62%	0.23%	56.78%

근의 참값은 0.567143140453502(15자리 유효숫자)이며, 이 값은 표에서 절대오차 ε_t와 마지막 열에 있는 비를 계산하기 위해 사용되었다. 마지막 열의 뒷부분에 나오는 값들이 모두 57%에 가깝다는 것을 주목하라. 이는 오차가 이전의 반복계산에서 나온 오차에 비례하며, 이 경우 약 60%임을 보여준다. **선형적 수렴**이라 부르는 이와 같은 성질은 고정점 반복법의 특징이다.

또 다른 예로서 식 $x = g(x) = -\ln(x)$를 사용하고, 초기 가정값은 참 해에 근접한 $x_0 = 0.5$으로부터 시작하여 해를 구한다. 다음 표를 보자.

Iteration	x_i	$g(x_i)$	ε_a	ε_t	$\varepsilon_{t,i}/\varepsilon_{t,i-1}$
0	0.5000	0.6931		11.84%	
1	0.6931	0.3665	27.87%	22.22%	1.8766
2	0.3665	1.0037	89.12%	35.38%	1.5923
3	1.0037	−0.0037	63.48%	76.98%	2.1760

이 경우 고정점 반복법이 발산하는 것은 명백하다.

우선 수렴 "속도"보다 수렴 "가능성"에 대해 살펴보자. 수렴과 발산의 개념은 그래프를 사용하면 쉽게 이해할 수 있다. 5.2절에서 함수의 형태를 알아보기 위해 함수를 그래프로 나타냈었다. 그림 6.2a는 같은 방법으로 함수 $f(x) = e^{-x} - x$ 의 그래프를 그린 것이다. 그래프를 사용하는 또 다른 방법은 한 개의 방정식을 다음과 같이 두 개의 방정식으로 분리하는 것이다.

$$f_1(x) = f_2(x)$$

두 방정식은 다음과 같다.

$$y_1 = f_1(x) \tag{6.4}$$

그리고

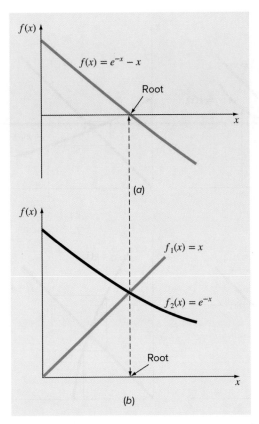

그림 6.2 $f(x) = e^{-x} - x$의 근을 구하기 위해 그래프로 나타낼 수 있는 두 가지 방법. (a) 함수가 x축과 교차하는 점이 근, (b) 두 함수의 교차점이 근.

$$y_2 = f_2(x) \tag{6.5}$$

이것을 각각 그래프로 그릴 수 있다(그림 6.2b). 이들 함수가 교차하는 x 값이 $f(x) = 0$의 근이 된다.

두 곡선을 사용하는 방법을 사용해서 고정점 반복법의 수렴과 발산을 살펴보자. 우선 식 (6.1)은 $y_1 = x$와 $y_2 = g(x)$의 한 쌍의 방정식으로 다시 표현할 수 있으며, 두 방정식은 각각 그래프로 그릴 수 있다. 식 (6.4)와 (6.5)와 같이 $f(x) = 0$의 근은 두 곡선이 교차하는 x 좌표 값이다. 함수 $y_1 = x$와 $y_2 = g(x)$의 가능한 네 가지 다른 형태를 그림 6.3에 나타내었다.

첫 번째 경우(그림 6.3a), 초기 가정값 x_0는 이에 대응하는 y_2 곡선 위의 점 [x_0, $g(x_0)$]을 결정하는 데 사용된다. 점 [x_1, x_1]은 y_1 곡선 쪽으로(왼쪽 방향) 수평이동하여 생긴 점이다. 이는 고정점 반복법에서의 첫 번째 반복에 해당한다.

$$x_1 = g(x_0)$$

이와 같이 방정식과 그래프 모두에서, x_0의 초기값이 x_1의 근사값을 구하는 데 사용된다. 다음의 반복계산에서 [x_1, $g(x_1)$]으로, 그리고 [x_2, x_2]로 이동하게 된다. 이 반복은 다음 식과 같다.

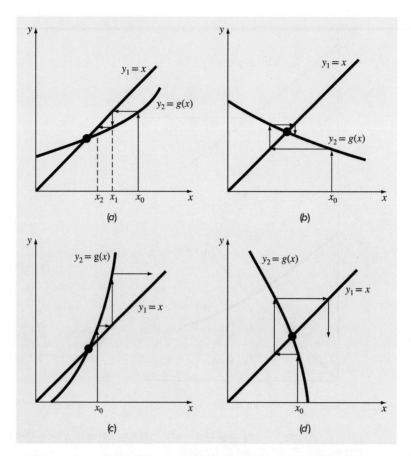

그림 6.3   단순 고정점 반복법에서 수렴하거나 [(a)와 (b)], 발산하는 [(c)와 (d)] 경우를 "거미줄 그래프"
로 나타낸 것이다. 그래프 (a)와 (c)는 단조형태라 하고, (b)와 (d)는 진동 또는 나선형태라 한다. $|g'(x)|$
< 1인 경우에 수렴함을 주의하라.

$$x_2 = g(x_1)$$

추정값 x가 반복계산 때마다 근에 가깝게 이동하므로 그림 6.3a의 해는 **수렴**한다. 그림
6.3b에서도 수렴한다. 그러나 그림 6.3c와 d는 다른데, 이 경우에는 반복계산 때마다 근으로부
터 발산한다.

이론적인 유도를 통해 이 과정을 이해할 수 있다. Chapra와 Canale (2010)이 언급한 것처
럼, 반복계산에서 발생하는 오차는 이전 반복에서의 오차에 g의 기울기의 절대값을 곱한 것에
선형적으로 비례한다.

$$E_{i+1} = g'(\xi)E_i$$

결과적으로 $|g'|$ < 1이면 반복이 진행됨에 따라 오차는 감소한다. $|g'|$ > 1이면 오차는 증가
한다. 또한 도함수가 양의 값이면 오차는 양이 되어, 오차는 같은 부호가 될 것이다(그림 6.3a
와 c). 만약 도함수가 음의 값이면 오차는 반복할 때마다 부호가 바뀔 것이다(그림 6.3b와 d).

6.1.1 MATLAB M-파일: `fixpt`

고정점 반복법을 실행하기 위한 M-파일은 그림 6.4와 같다. 이 M-파일은 초기 가정값(x_0)과 함께 함수(`func`)를 받는다. 또한 옵션인 종료 판정기준(`es`)과 최대 반복횟수(`maxit`)를 입력할 수 있다. 함수는 먼저 인수의 개수가 충분한지를 확인한다. 그렇지 않으면 에러 메시지를 출력하며 작업을 끝낸다. `maxit`와 `es`를 입력하지 않으면 기본값이 배정된다. 그리고 `while ... break` 루프는 근사오차가 `es` 보다 작을 때까지 또는 반복횟수가 `maxit`을 초과할 때까지 고정점 반복법 알고리즘을 수행한다.

$f(x) = e^{-x} - x$ 의 근을 구하는 문제인 예제 6.1을 풀기 위해 이 함수를 적용해 보자. 먼저 함수를 분리해서 $g(x) = e^{-x}$를 구한다. 그림 6.4의 `fixpt` 함수를 사용하여 근을 구할 수 있는 스크립트는 다음과 같다.

```
clear,clc,format compact
g=@(x) exp(-x);
x0 = 0;
[xr,ea,iter] = fixpt(g,x0,1e-6);
X = ['The root = ',num2str(xr),' (ea = ',num2str(ea),'% in ',...
                              num2str(iter),' iterations)'];

disp(X)
```

```
function [x1,ea,iter] = fixpt(g,x0,es,maxit)
% fixpt: fixed point root locator
%   [x1,ea,iter] = fixpt(g,x0,es,maxit)
% This function determines the root of x = g(x) with fixed-point iteration.
% The method is repeated until either the percent relative error (ea)
% is equal to or less than es (default:1.e-6) or the number of iterations
% exceeds maxit (default:50).
% Input:
%   g = the function for g(x)
%   x0 = initial guess for x
%   es = relative error stopping criterion (%)
%   maxit = maximum number of iterations
% Output:
%   x1 = solution estimate
%   ea = relative error
%   iter = number of iterations

if nargin < 2, error('at least 2 arguments required'), end
if nargin < 3||isempty(es),es = 1e-6;end %if es is blank set to 1e-6
if nargin < 4||isempty(maxit),maxit = 50;end %if maxit is blank set to 50

iter = 0; ea = 100;
while (1)
  x1 = g(x0);
  iter = iter + 1;
  if x1 ~= 0, ea = abs((x1 - x0)/x1)*100; end
  if (ea <= es || iter >= maxit),break,end
  x0=x1;
end


end
```

그림 6.4 고정점 반복법을 실행하기 위한 M-파일.

스크립트를 실행하면 다음과 같은 결과를 얻는다.

```
The root = 0.56714 (ea = 7.6775e-07% in 35 iterations)
```

따라서 35번 반복 후에 얻는 근인 $x = 0.56714$는 근사 상대오차 $\varepsilon_a = 7.7 \times 10^{-7}\%$를 갖는다. 발산하는 식인 $g = @(x) -\log(-x)$를 실행하면 다음 결과를 얻는다.

```
The root = -Inf (ea = NaN% in 50 iterations)
```

고정점 반복법을 해석하고, 예시하고, 이해하고 나서 생기는 의문점은 두 가지이다.

- 5장에서 공부한 이분법에 대한 개선 방안으로서 가위치법을 개발한 것과 같이, 고정점 반복법을 개선할 수 있는 가능성이 있는가?
- 고정점 반복법이 발산하는 경우, 이 방법이 수렴할 수 있도록 수정할 수 있는가?

이들 의문점에 대해서는 다음 절에서 논의한다.

6.2 Wegstein법

가위치법에서는 직선과 x 축이 만나는 점을 다음 추정값으로 결정하기 위해 두 개의 가정값 사이에 선형 식을 사용하였다. 고정점 반복법에서는 식 $x = g(x)$에 대하여, 해는 x축 상이 아니라 $g(x)$ 대 x 그래프에서 45°선 위에 놓인다. 이는 해의 다음 추정값을 결정하기 위해 두 개의 가정값을 지나 45°도 선과의 교점을 잇는 직선을 사용할 수 있는 가능성을 보여준다. 이것이 **Wegstein법**[1])의 근거이며, 그림 6.5에 예시되어 있다.

그림은 다음과 같이 해석할 수 있다. 두 개의 초기 가정값 x_0와 x_1이 필요하지만, 이분법과 달리 이들이 근을 포함할 필요는 없다. 두 점 $[x_0, g(x_0)]$와 $[x_1, g(x_1)]$을 지나는 직선을 45°도

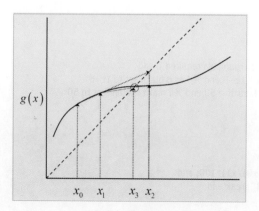

그림 6.5 Wegstein법을 그래프로 나타냄.

---

1) 이 방법은 J. H. Wegstein에 의해 개발되었다. **Communications of the ACM, 1**: 9-13, 1958.

선과 만날 때까지 연장하고, 그 교점을 x_2라 한다. 이번에는 두 점 $[x_1, g(x_1)]$과 $[x_2, g(x_2)]$를 사용해서 x_3를 찾는 과정을 반복한다. 각 반복마다 두 개의 이전 추정값 x_i와 x_{i-1}을 사용해서 새로운 추정값 x_{i+1}을 찾는다. 그림은 빠르게 근으로 수렴하는 것을 보여준다.

Wegstein법을 어떻게 알고리즘으로 나타낼 수 있을까? 먼저 $[x_i, g(x_i)]$와 $[x_{i-1}, g(x_{i-1})]$ 사이의 직선을 다음과 같은 일반적인 형태의 식으로 쓴다.

$$\frac{x - x_i}{g(x) - g(x_i)} = \frac{x - x_{i-1}}{g(x) - g(x_{i-1})}$$

그러나 이 직선이 45°도 선과 교차하게 되는 경우, $x_{i+1} = g(x_{i+1})$이다. 따라서

$$\frac{x_{i+1} - x_i}{g(x_{i+1}) - g(x_i)} = \frac{x_i - x_{i-1}}{g(x_i) - g(x_{i-1})}$$

그리고 x_{i+1}에 대해 대수적으로 풀면 다음과 같은 Wegstein 반복 공식을 구한다.

$$x_{i+1} = \frac{x_i g(x_{i-1}) - x_{i-1} g(x_i)}{x_i - x_{i-1} - g(x_i) + g(x_{i-1})} \tag{6.6}$$

초기 가정값이 주어지면, 식 (6.6)을 반복적으로 적용하여 새로운 추정값을 구한다. 고정점 반복법과 같이 식 (6.3)을 이용하여 상대오차를 계산할 수 있다.

예제 6.2 Wegstein법의 적용

문제 설명. Wegstein법을 예제 6.1의 두 가지 $x = g(x)$ 함수 형태에 대해 적용한다.
(a) $x = e^{-x}$ (b) $x = -\ln(x)$.

풀이 (a) 주어진 초기 가정값 $x_0 = 0$과 $x_1 = 0.25$에 대해 $g(x_0) = 1$과 $g(x_1) = 0.7780$을 계산한다. 식 (6.6)을 사용하여 다음을 계산한다.

$$x_2 = \frac{0.25(1) - 0(0.7780)}{0.25 - 0 - 0.7780 + 1} = 0.53056$$

백분율 상대오차는 다음과 같다.

$$\varepsilon_a = \left| \frac{0.53056 - 0.25}{0.53056} \right| = 52.88\%$$

이 방법을 계속해서 적용한 결과를 다음 표에 요약하였다.

i	x_{i-1}	x_i	x_{i+1}	$g(x_{i-1})$	$g(x_i)$	$g(x_{i+1})$	ε_a	ε_t	$\varepsilon_{t,i}/\varepsilon_{t,i-1}$
1	0	0.25	0.53056	1.00000	0.77880	0.58827	52.88%	6.45%	
2	0.25	0.53056	0.56493	0.77880	0.58827	0.56840	6.08%	0.39%	6.04%
3	0.53056	0.56493	0.56713	0.58827	0.56840	0.56715	0.39%	0.00%	0.66%
4	0.56493	0.56713	0.56714	0.56840	0.56715	0.56714	0.00%	0.00%	0.99%

예제 6.1의 고정점 반복법과 비교하여 이 방법이 훨씬 더 빠르게 수렴한다. 이는 참오차의 절대값의 상대적 감소율이 연속되는 반복횟수 간에 1% 이하가 되는 것을 보고 확인할 수 있다.

(b) 다음으로 Wegstein 공식을 $x = -\ln(x)$에 적용한다.

i	x_{i-1}	x_i	x_{i+1}	$g(x_{i-1})$	$g(x_i)$	$g(x_{i+1})$	ε_a	ε_t	$\varepsilon_{t,i}/\varepsilon_{t,i-1}$
1	0.45	0.5	0.56216	0.79851	0.69315	0.57597	11.06%	0.88%	
2	0.5	0.56216	0.56695	0.69315	0.57597	0.56749	0.84%	0.03%	3.95%
3	0.56216	0.56695	0.56714	0.57597	0.56749	0.56714	0.03%	0.00%	0.27%

이 계산에서 고정점 반복법이 발산하는 것을 기억하자. Wegstein법은 불안정한 순환 계산을 수렴하도록 "강제하는" 것을 볼 수 있다.

예제 6.2에서 확인한 바와 같은 이유로 Wegstein법이 선호되며, 순환 계산이 자주 나타나는 상용 소프트웨어에서 일반적으로 실행된다.

6.2.1　MATLAB M-파일: `wegstein`

Wegstein법을 실행하기 위한 M-파일은 그림 6.6과 같다. 이 M-파일은 초기 가정값(x_0)과 함께 함수(`func`)를 받는다. 또한 옵션인 종료 판정기준(`es`)과 최대 반복횟수(`maxit`)를 입력할 수 있다. 함수는 먼저 인수의 개수가 충분한지를 확인한다. 그렇지 않으면 에러 메시지를 출력하며 작업을 끝낸다. `maxit`와 `es`를 입력하지 않으면 기본값이 배정된다. 그리고 `while... break` 루프는 근사오차가 `es` 보다 작을 때까지 또는 반복횟수가 `maxit`을 초과할 때까지 Wegstein법 알고리즘을 수행한다.

두 개의 식 $g(x) = e^{-x}$와 $g(x) = -\ln(x)$를 이용하여 $f(x) = e^{-x} - x$의 근을 구하는 문제인 예제 6.1을 풀기 위해 그림 6.6의 `wegstein` 함수를 사용한다. 다음 스크립트는 두 가지 해 모두를 구할 수 있도록 작성되었다.

```
clear,clc,format compact
g1=@(x) exp(-x);
g2=@(x) -log(x);
x0 = 0.4; x1 = 0.45;
[xr,ea,iter] = wegstein(g1,x0,1e-6);
X = ['The root = ',num2str(xr),' (ea = ',num2str(ea),'% in ',...
                        num2str(iter),' iterations)'];
disp(X)
[xr,ea,iter] = wegstein(g2,x0,1e-6);
X = ['The root = ',num2str(xr),' (ea = ',num2str(ea),'% in ',...
                        num2str(iter),' iterations)'];
```

스크립트를 실행하면 다음과 같이 두 개의 식에 대한 수렴 해를 구할 수 있다.

```
The root = 0.56714 (ea = 4.8999e-07% in 5 iterations)
The root = 0.56714 (ea = 1.7877e-07% in 8 iterations)
```

```
function [x2,fx2,ea,iter] = wegstein(g,x0,x1,es,maxit)
% wegstein: fixed point root locator
%   [x2,fx2,ea,iter] = wegstein(g,x0,x1,es,maxit)
% This function determines the root of x = g(x) with the Wegstein method.
% The method is repeated until either the percent relative error (ea)
% is equal to or less than es (default:1.e-6) or the number of iterations
% exceeds maxit (default:50).
% Input:
%   g = the function for g(x)
%   x0, x1 = initial guesses for x
%   es = relative error stopping criterion (%)
%   maxit = maximum number of iterations
% Output:
%   x2 = root
%   fx2 = function value at root
%   ea = relative error
%   iter = number of iterations

if nargin < 3, error('at least 3 arguments required'), end
if nargin < 4||isempty(es),es = 1e-6;end %if es is blank set to 1e-6
if nargin < 5||isempty(maxit),maxit = 50;end %if maxit is blank set to 50

iter = 0; ea = 100;
while (1)
  x2 = (x1*g(x0)-x0*g(x1))/(x1-x0-g(x1)+g(x0));
  iter = iter + 1;
  if x2 ~= 0, ea = abs((x2 - x1)/x2)*100; end
  if (ea <= es || iter >= maxit), break, end
  x0 = x1; x1 = x2;
end

fx2=g(x2);

end
```

그림 6.6 Wegstein법을 실행하기 위한 M-파일.

따라서 두 가지 경우 모두, 같은 종료 판정기준에 대하여 비슷한 반복횟수로 정확한 결과 $x = 0.56714$를 얻는다.

앞으로 더 나아가기 전에, 세 가지 언급할 가치가 있는 설명이 있다.

- 앞서 언급하였듯이 많은 공학과 과학 문제는 $x = g(x)$ 형태로 자연스럽게 나타나며, 이들은 종종 고정점 반복법에 대해서는 발산한다. 이러한 경우 순환적 방법을 이용해서 해를 구하는 방법이 바람직하다. Wegstein법은 수렴을 가속시키고, 자연적으로 발산하는 계산을 안정화시키는 것을 보여주었다.

- 순환적 계산은 단일 식에 비해 훨씬 더 복잡해서 코드가 수십에서 수백 줄에 이른다. 이러한 경우에도 이 절에서 소개한 같은 원리와 방법들이 적용된다. 그러나 시스템은 $f(x) = x - g(x) = 0$의 식으로 쉽게 변환되지 않으며, 간단한 수치 해도 구하기 어려운 비선형 연립방정식을 만들게 된다. 이와 같은 비선형 시스템은 12장에서 다룰 것이다.

- 식 $x = g(x)$ 또는 $f(x) = 0$의 해는 종종 다른 반복 계산에 포함되어, 더 큰 문제의 해를 구

하기 위해 수천 번 실행될 수도 있다. 이러한 경우 효율과 빠른 수렴의 중요성이 커지게 된다. 또한 장점으로서는 방정식을 풀 때 초기 가정값은 종종 이전 반복단계에서 취하게 되고 이는 다음 단계의 해와 매우 근접하게 되므로 수렴속도를 향상시키게 된다.

6.3   Newton-Raphson법

근을 구하는 공식 중에서 가장 널리 사용되는 것이 **Newton-Raphson**법이다(그림 6.7). 근에 대한 초기 가정값이 x_i라면, 점 $[\,x_i, f(x_i)\,]$에 접하는 접선을 구할 수 있다. 이 접선이 x축과 만나는 점이 근에 대한 개선된 추정값이 된다.

Newton-Raphson법은 이와 같은 기하학적 해석을 기초로 유도될 수 있다. 그림 6.7에서와 같이 x에서의 1차 도함수는 다음의 기울기와 같다.

$$f'(x_i) = \frac{f(x_i) - 0}{x_i - x_{i+1}}$$

위 식은 다음과 같이 정리될 수 있다.

$$x_{i+1} = x_i - \frac{f(x_i)}{f'(x_i)} \tag{6.7}$$

이 식을 **Newton-Raphson** 공식이라고 한다.

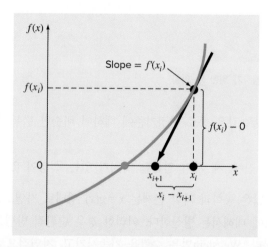

그림 6.7   Newton–Raphson법을 그래프로 나타냄. x_i에서의 함수의 접선[즉 $f'(x_i)$]은 x_{i+1}에서의 근의 추정값을 구하기 위해 x축까지 연장된다.

예제 6.3   Newton-Raphson법

문제 설명.   Newton-Raphson법을 사용해서 $f(x) = e^{-x} - x$ 의 근을 추정하라. 초기 가정값은 $x_0 = 0$이다.

풀이 주어진 함수의 1차 도함수는 다음과 같다.

$$f'(x) = -e^{-x} - 1$$

1차 도함수와 본래의 함수를 식 (6.7)에 대입하면 다음과 같다.

$$x_{i+1} = x_i - \frac{e^{-x_i} - x_i}{-e^{-x_i} - 1}$$

초기 가정을 $x_0 = 0$으로 놓고, 이 방정식을 반복계산한다.

i	x_i	$|e_t|$, %
0	0	100
1	0.500000000	11.8
2	0.566311003	0.147
3	0.567143165	0.0000220
4	0.567143290	$<10^{-8}$

이 방법은 빠르게 참근에 수렴한다. 반복계산이 진행될 때마다 참 백분율 상대오차는 단순 고정점 반복법보다 훨씬 빠르게 감소한다(예제 6.1과 비교).

근을 구하는 다른 방법들과 마찬가지로 식 (6.3)은 종료 판정기준에 사용된다. 또한 이론적인 해석(Chapra와 Canale, 2010)은 다음과 같은 수렴속도를 제시한다.

$$E_{t,i+1} = \frac{-f''(x_r)}{2f'(x_r)} E_{t,i}^2 \tag{6.8}$$

따라서 오차는 이전 단계에서의 오차의 제곱에 비례한다는 것을 알 수 있다. 이는 근사해의 정확한 유효자리 숫자가 각 반복단계마다 두 배로 늘어난다는 것을 의미한다. 이와 같은 성질을 **2차 수렴**(quadratic convergence)이라 하며 본 방법이 널리 사용되는 주된 이유 중의 하나다.

Newton-Raphson법은 매우 효율적이지만 제대로 작동하지 못하는 경우도 있다. 중근과 같이 특수한 경우는 Chapra와 Canale (2010) 등에서 다루고 있다. 또한 단순한 근을 구할 때도 다음 예제와 같이 종종 어려움이 발생한다.

예제 6.4 / Newton-Raphson법의 사용 시 느리게 수렴하는 함수

문제 설명. Newton-Raphson법을 사용해서 $f(x) = x^{10} - 1$의 양의 근을 구하라. 초기 가정은 $x = 0.5$로 하라.

풀이 이 경우에 Newton-Raphson 공식은 다음과 같다.

$$x_{i+1} = x_i - \frac{x_i^{10} - 1}{10x_i^9}$$

이 공식을 사용하여 계산한 결과는 다음과 같다.

i	x_i	$|\varepsilon_a|$, %
0	0.5	
1	51.65	99.032
2	46.485	11.111
3	41.8365	11.111
4	37.65285	11.111
⋮		
40	1.002316	2.130
41	1.000024	0.229
42	1	0.002

이 방법은 첫 번째 반복계산에서 형편없는 근사값을 계산한 후, 근의 참값 1에 수렴은 하지만 수렴속도가 매우 느리다.

왜 이러한 일이 일어나는가? 그림 6.8에 보인 바와 같이 처음 몇 번의 반복에 대한 단순한 그림을 보면 이를 이해할 수 있다. 초기 가정값이 기울기가 거의 0인 영역에 있음에 주의하자. 따라서 첫 번째 반복에서 해는 초기 가정값으로부터 멀리 떨어져서 $f(x)$가 매우 큰 값을 갖는 새로운 값($x = 51.65$)이 된다. 적절한 정확도를 갖는 해에 수렴할 때까지 40번 이상 느리게 반복해야 할 것이다.

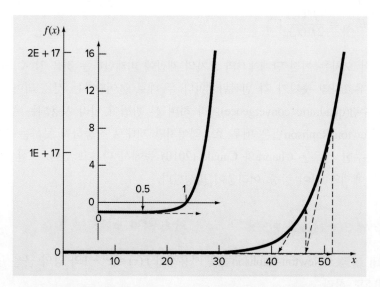

그림 6.8   느리게 수렴하는 Newton–Raphson법을 그래프로 나타냄. 삽입된 그림은 초기에 0에 가까운 기울기로 인해 해가 근으로부터 멀리 떨어지게 되는 것을 보여준다. 그로부터 해는 매우 느리게 근에 수렴한다.

그림 6.9는 함수의 특성 때문에 느리게 수렴하는 경우 외에도 또 다른 어려움이 발생하는 경우를 보여주고 있다. 예를 들어 그림 6.9a는 근 주위에 변곡점[즉 $f''(x) = 0$]이 존재하는 경우를 다룬 것이다. 반복계산이 진행됨에 따라 x_0에서 시작한 추정값이 근으로부터 계속 멀어진다. 그림 6.9b는 Newton-Raphson법이 국부적인 최대값 또는 최소값 부근에서 진동하는 것을 보여준다. 이러한 진동은 계속 지속되거나, 그림 6.9b에서처럼 0에 가까운 기울기를 가지게 되면 그 추정값은 관심 영역에서부터 멀리 떨어지게 된다. 그림 6.9c는 한 근에 가까운 초기 가정이 어떻게 해서 몇 개의 근을 뛰어넘게 되는지를 보여준다. 관심 영역으로부터 추정값

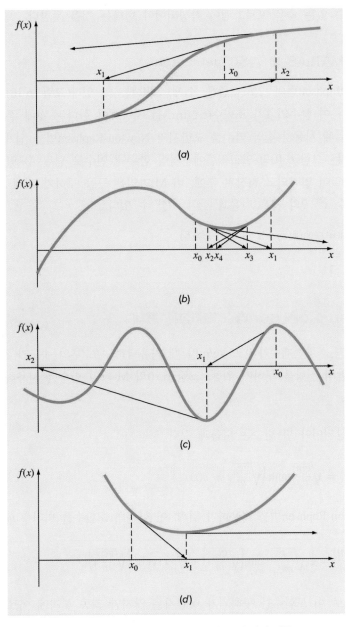

그림 6.9 Newton–Raphson법이 수렴되지 않는 네 가지 경우.

이 멀어지는 이런 현상은 0에 가까운 기울기를 만나기 때문이다. 분명히 0인 기울기 $[f'(x) = 0]$를 가지게 되면 Newton-Raphson 공식[식 (6.7)]은 0으로 나누는 것이 발생하기 때문에 실패한다. 그림 6.9d를 보면, 추정해를 예측하는 접선이 수평이 되며 x축과 절대로 만나지 못한다.

따라서 Newton-Raphson법을 위한 일반적인 수렴판정 기준은 없다. 수렴은 함수의 특성과 초기 가정의 정확도에 의존한다. 유일한 해결책은 근에 "충분히" 가까운 초기 가정값을 사용하는 것이다. 어떤 함수에 대해서는 어떠한 초기 가정값도 소용이 없다. 훌륭한 초기 가정값은 문제에 대한 물리적 이해나 해의 형태에 대한 정보를 제공하는 그래프와 같은 기능에 기반하여 얻을 수 있다. 일반적인 수렴판정 기준이 없다는 것은 수렴이 늦거나 발산하는 경우를 인식할 수 있는 좋은 프로그램이 작성되어야 한다는 것을 뜻한다.

6.3.1 MATLAB M-파일: `newtraph`

Newton-Raphson법의 알고리즘은 쉽게 개발될 수 있다(그림 6.10). 이 프로그램은 함수(`func`)와 이 함수의 1차 도함수(`dfunc`)를 사용해야 한다는 것에 주의하라. 이러한 양을 계산하기 위해 사용자-정의 함수를 포함시켜 Newton-Raphson법을 쉽게 수행할 수 있다. 다른 방법으로는 그림 6.10의 알고리즘에서처럼 함수에 인수로 넘길 수 있다.

M-파일이 입력되고 저장된 후에, 이 M-파일은 근을 구하기 위해 호출된다. 예를 들어 단순한 함수 $x^2 - 9$의 근을 다음과 같이 구할 수 있다.

```
>> newtraph(@(x) x^2-9,@(x) 2*x,5)

ans =
     3
```

예제 6.5 Newton-Raphson법과 번지점프 문제

문제 설명. 항력계수가 0.25 kg/m일 때 자유낙하 4초 후의 속도가 36 m/s가 되는 번지점프하는 사람의 질량을 구하기 위해, 그림 6.10의 M-파일 함수를 사용하라. 중력가속도는 9.81 m/s²이다.

풀이 계산되어야 할 함수는 다음과 같다.

$$f(m) = \sqrt{\frac{gm}{c_d}} \tanh\left(\sqrt{\frac{gc_d}{m}}\,t\right) - v(t) \tag{E6.5.1}$$

Newton-Raphson법을 적용하기 위해, 이 함수의 도함수를 미지수 m에 대하여 구해야 한다.

$$\frac{df(m)}{dm} = \frac{1}{2}\sqrt{\frac{g}{mc_d}}\tanh\left(\sqrt{\frac{gc_d}{m}}\,t\right) - \frac{g}{2m}t\,\text{sech}^2\left(\sqrt{\frac{gc_d}{m}}\,t\right) \tag{E6.5.2}$$

원칙적으로 이 도함수를 구하기가 어렵지는 않지만 최종 결과에 이르기 위해서는 약간의 집중과 노력이 필요하다.

```
function [root,ea,iter]=newtraph(func,dfunc,xr,es,maxit,varargin)
% newtraph: Newton-Raphson root location zeroes
% [root,ea,iter] = newtraph(func,dfunc,xr,es,maxit,p1,p2,...):
%        uses Newton-Raphson method to find the root of func
% input:
%   func = name of function
%   dfunc = name of derivative of function
%   xr = initial guess
%   es = desired relative error (default = 0.0001%)
%   maxit = maximum allowable iterations (default = 50)
%   p1,p2,... = additional parameters used by function
% output:
%   root = real root
%   ea = approximate relative error (%)
%   iter = number of iterations

if nargin<3,error('at least 3 input arguments required'),end
if nargin<4 || isempty(es),es=0.0001;end
if nargin<5 || isempty(maxit),maxit =50;end
iter = 0;
while (1)
  xrold = xr;
  xr = xr - func(xr)/dfunc(xr);
  iter = iter + 1;
  if xr ~= 0, ea = abs((xr - xrold)/xr) * 100; end
  if ea <= es || iter >= maxit, break, end
end
root = xr;
```

그림 6.10 Newton-Raphson법을 실행하기 위한 M-파일.

근을 구하기 위해 위의 두 수식이 `newtraph` 함수와 연계하여 사용된다.

```
>> y = @(m) sqrt(9.81*m/0.25)*tanh(sqrt(9.81*0.25/m)*4)-36;
>> dy = @(m) 1/2*sqrt(9.81/(m*0.25))*tanh((9.81*0.25/m) ...
       ^(1/2)*4)-9.81/(2*m)*sech(sqrt(9.81*0.25/m)*4)^2;

>> newtraph(y,dy,140,0.00001)

ans =
   142.7376
```

6.4 할선법

예제 6.5에서처럼 Newton-Raphson법을 수행하는 데 생길 수 있는 문제점은 도함수의 계산이다. 다항식이나 대부분의 함수에서는 문제되지 않는다고 하더라도 어떤 함수에서는 도함수를 계산하는 것이 매우 어려울 수 있다. 그러한 경우에 도함수는 후향 유한차분으로 근사시킬 수 있다.

$$f'(x_i) \cong \frac{f(x_{i-1}) - f(x_i)}{x_{i-1} - x_i}$$

아래의 반복계산식을 만들기 위해서 위의 근사식을 식 (6.7)에 대입시킨다.

$$x_{i+1} = x_i - \frac{f(x_i)(x_{i-1} - x_i)}{f(x_{i-1}) - f(x_i)} \tag{6.9}$$

식 (6.9)는 **할선법**(secant method)을 위한 공식이다. 할선법은 x의 두 개의 초기값이 필요하다. 그러나 추정값 사이에서 $f(x)$의 부호가 변하는 것을 요구하지 않기 때문에 구간법으로 분류되지 않는다.

도함수를 계산하기 위해서 임의의 두 값을 사용하기보다 $f'(x)$를 추정하기 위해서 독립변수에 약간의 변동을 주는 방법을 고려할 수 있다.

$$f'(x_i) \cong \frac{f(x_i + \delta x_i) - f(x_i)}{\delta x_i}$$

여기서 δ는 작은 변동율이다. 식 (6.7)에 위의 식을 대입하면 다음과 같은 반복계산식을 얻을 수 있다.

$$x_{i+1} = x_i - \frac{\delta x_i f(x_i)}{f(x_i + \delta x_i) - f(x_i)} \tag{6.10}$$

이것을 **수정 할선법**(modified secant method)이라 한다. 다음의 예제에서와 같이 이 방법은 도함수를 계산하지 않고도 Newton-Raphson법의 효율성을 얻을 수 있는 훌륭한 수단을 제공한다.

예제 6.6 / 수정 할선법

문제 설명.   수정 할선법으로 항력계수가 0.25 kg/m일 때 자유낙하 4초 후의 속도가 36 m/s가 되는 번지점프하는 사람의 질량을 구하라. 중력가속도는 9.81 m/s² 이다. 질량의 초기 가정값을 50 kg으로 놓고, 변동율을 10^{-6}의 값으로 하라.

풀이   식 (6.10)에 매개변수의 값을 대입하면 다음과 같다.
첫 번째 반복에 대해서

$$x_0 = 50 \qquad\qquad\qquad f(x_0) = -4.57938708$$

$$x_0 + \delta x_0 = 50.00005 \qquad\qquad f(x_0 + \delta x_0) = -4.579381118$$

$$x_1 = 50 - \frac{10^{-6}(50)(-4.57938708)}{-4.579381118 - (-4.57938708)}$$

$$= 88.39931(|\varepsilon_t| = 38.1\%; \ |\varepsilon_a| = 43.4\%)$$

두 번째 반복에 대해서

$$x_1 = 88.39931 \qquad\qquad f(x_1) = -1.69220771$$

$$x_1 + \delta x_1 = 88.39940 \qquad\qquad f(x_1 + \delta x_1) = -1.692203516$$

$$x_2 = 88.39931 - \frac{10^{-6}(88.39931)(-1.69220771)}{-1.692203516 - (-1.69220771)}$$

$$= 124.08970(|\varepsilon_t| = 13.1\%;\ |\varepsilon_a| = 28.76\%)$$

계산을 계속하면 다음과 같은 결과를 얻는다.

i	x_i	$|\varepsilon_t|$, %	$|\varepsilon_a|$, %
0	50.0000	64.971	
1	88.3993	38.069	43.438
2	124.0897	13.064	28.762
3	140.5417	1.538	11.706
4	142.7072	0.021	1.517
5	142.7376	4.1×10^{-6}	0.021
6	142.7376	3.4×10^{-12}	4.1×10^{-6}

δ 값을 적절하게 선택하는 것은 자동적으로 되지 않는다. 만약 δ가 너무 작으면, 이 방법은 식 (6.10)의 분모에서 뺄셈의 무효화로 야기된 반올림오차로 인해 어려움에 빠질 수 있다. 만약 너무 크면 이 방법은 비효율적이고 심지어 발산할 수 있다. 그러나 올바로 선택하면, 도함수를 계산하기 어렵고 두 개의 초기 가정값을 구하는 것이 불편할 경우에 훌륭한 대안을 제공해준다.

더욱이 가장 일반적인 의미에서 단변량 함수는 그것에 전달되는 값의 답으로 단일 값을 반환한다. 이러한 의미를 안다면, 함수는 이 장의 앞선 예제에서 풀이된 한 줄짜리 방정식과 같이 항상 간단한 공식은 아니다. 예를 들어 함수는 계산을 하기 위해 상당한 실행 시간이 요구되는 여러 줄의 코드로 구성될 수 있다. 어떤 경우에는 함수가 독립적인 컴퓨터 프로그램이 될 수 있다. 이러한 경우 할선법과 수정 할선법이 유용하다.

6.5　Brent법

신뢰성 있는 구간법과 빠른 수렴속도의 개방법을 조합한 방법을 가지면 좋지 않을까? **Brent 의 근 구하는 방법**은 가능한 곳에는 빠른 수렴속도의 개방법을 적용하나, 필요하면 신뢰성 있는 구간법으로 돌아가는 영리한 알고리즘이다. 이 방법은 Theodorus Dekker (1969)의 알고리즘에 기초하여 Richard Brent (1973)에 의해 개발되었다.

구간법은 믿을 수 있는 이분법(5.4절)인 반면, 개방법은 두 가지 방법을 사용한다. 첫 번째는 6.4절에서 설명한 할선법이며, 두 번째는 다음에 설명할 역 2차 보간법이다.

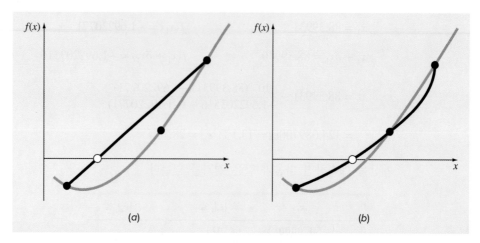

그림 6.11   (a) 할선법과 (b) 역 2차 보간법의 비교. (b) 방법은 2차 함수가 x 대신 y에 대한 것이므로 "역"이라고 한다.

6.5.1   역 2차 보간법

역 2차 보간법(inverse quadratic interpolation)은 본질적으로 할선법과 유사하다. 그림 6.11a에서와 같이 할선법은 두 개의 가정값을 통과하는 직선을 계산하는 데 기초한다. 이 직선과 x축의 교점은 새로운 근의 추정값을 나타낸다. 이러한 이유로 이 방법은 종종 **선형보간법**이라 한다.

이제 세 개의 점이 있다고 하자. 이 경우 세 점을 통과하는 x의 2차 함수를 구할 수 있다(그림 6.11b). 선형할선법과 마찬가지로 포물선과 x축의 교점은 새로운 근의 추정값을 나타낸다. 그림 6.11b에서 볼 수 있듯이 직선 대신에 곡선을 사용하는 것이 종종 보다 나은 추정값을 산출한다.

이 방법은 크게 개선된 것처럼 보이지만, 근본적인 결점을 가진다. 즉 포물선이 x축과 교차하지 않을 수도 있다. 이러한 경우는 포물선이 복소수 근을 가질 때이며, 그림 6.12는 이러

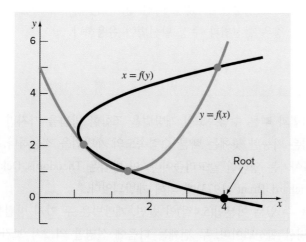

그림 6.12   세 점을 접합하는 두 개의 포물선. x에 대한 포물선 $y = f(x)$는 복소수 근을 가지므로 x축과 교차하지 않는다. 반면에 변수를 바꿔서 만든 포물선 $x = f(y)$는 x축과 교차한다.

한 포물선 $y = f(x)$를 예시한다.

이러한 문제는 역 2차 보간법을 사용하여 극복할 수 있다. 즉 x에 대한 포물선을 사용하는 대신, 점들을 y에 대한 포물선으로 접합한다. 이는 축을 바꿔서 "옆으로 놓인" 포물선을 만드는 것과 같다[그림 6.12의 곡선, $x = f(y)$].

만약 세 점을 (x_{i-2}, y_{i-2}), (x_{i-1}, y_{i-1})와 (x_i, y_i)로 지정하면, 이들 점을 통과하는 y에 대한 2차 함수는 다음과 같이 쓸 수 있다.

$$g(y) = \frac{(y - y_{i-1})(y - y_i)}{(y_{i-2} - y_{i-1})(y_{i-2} - y_i)} x_{i-2} + \frac{(y - y_{i-2})(y - y_i)}{(y_{i-1} - y_{i-2})(y_{i-1} - y_i)} x_{i-1}$$
$$+ \frac{(y - y_{i-2})(y - y_{i-1})}{(y_i - y_{i-2})(y_i - y_{i-1})} x_i \tag{6.11}$$

18.2절에서 배우겠지만, 이 식은 **Lagrange 다항식**이라 불린다. 근 x_{i+1}는 $y = 0$에 해당하며, 이를 식 (6.11)에 대입하면 다음과 같게 된다.

$$x_{i+1} = \frac{y_{i-1} y_i}{(y_{i-2} - y_{i-1})(y_{i-2} - y_i)} x_{i-2} + \frac{y_{i-2} y_i}{(y_{i-1} - y_{i-2})(y_{i-1} - y_i)} x_{i-1}$$
$$+ \frac{y_{i-2} y_{i-1}}{(y_i - y_{i-2})(y_i - y_{i-1})} x_i \tag{6.12}$$

그림 6.12에서 볼 수 있듯이, 이와 같이 "옆으로 놓인" 포물선은 항상 x축과 교차한다.

예제 6.7 / 역 2차 보간법

문제 설명. 그림 6.12에 나타나는 데이터 점들 [(1, 2), (2, 1), (4, 5)]에 대해 x와 y에 대한 2차 함수를 개발한다. 먼저 $y = f(x)$에 대해 2차 공식을 사용하여 근이 복소수임을 보인다. 다음으로 $x = g(y)$에 대해 식 (6.11)의 역 2차 보간법을 사용하여 근의 추정값을 구하라.

풀이 x와 y를 바꿈으로써, 식 (6.11)을 이용하여 x에 대한 2차식을 만든다.

$$f(x) = \frac{(x - 2)(x - 4)}{(1 - 2)(1 - 4)} 2 + \frac{(x - 1)(x - 4)}{(2 - 1)(2 - 4)} 1 + \frac{(x - 1)(x - 2)}{(4 - 1)(4 - 2)} 5$$

또는 항들을 모으면,

$$f(x) = x^2 - 4x + 5$$

이 식을 사용하여 그림 6.12에 있는 포물선 $y = f(x)$를 만든다. 그리고 근의 공식을 사용하여 근이 복소수임을 알 수 있다.

$$x = \frac{4 \pm \sqrt{(-4)^2 - 4(1)(5)}}{2} = 2 \pm i$$

식 (6.11)을 사용하여 y에 대한 2차식을 만든다.

$$g(y) = \frac{(y-1)(y-5)}{(2-1)(2-5)}1 + \frac{(y-2)(y-5)}{(1-2)(1-5)}2 + \frac{(y-2)(y-1)}{(5-2)(5-1)}4$$

또는 항들을 모으면,

$$g(y) = 0.5x^2 - 2.5x + 4$$

마지막으로 식 (6.12)를 이용하여 근을 구한다.

$$x_{i+1} = \frac{-1(-5)}{(2-1)(2-5)}1 + \frac{-2(-5)}{(1-2)(1-5)}2 + \frac{-2(-1)}{(5-2)(5-1)}4 = 4$$

Brent 알고리즘을 더 설명하기 전에, 역 2차 보간법이 작동하지 않는 한 가지 경우를 더 언급할 필요가 있다. 세 개의 y값이 서로 다르지 않다면(즉 $y_{i-2} = y_{i-1}$ 또는 $y_{i-1} = y_i$), 역 2차 함수는 존재하지 않는다. 이런 경우 할선법이 그 역할을 수행하게 된다. y값이 서로 다르지 않은 상황이 되면, 두 점을 사용하여 근을 구하기 위해 항상 덜 효율적인 할선법으로 돌아갈 수 있다. 만약 $y_{i-2} = y_{i-1}$이면 x_{i-1}과 x_i를 이용한 할선법을 사용하고, 만약 $y_{i-1} = y_i$이면 x_{i-2}와 x_{i-1}을 이용한다.

6.5.2 Brent법의 알고리즘

Brent의 근 구하는 방법 뒤에 내재되어 있는 생각은 언제라도 가능하면 빠른 개방법을 사용하는 것이다. 만약 개방법이 수용할 수 없는 결과(즉 구간 밖으로 벗어나는 근의 추정값)를 산출하면 알고리즘은 보다 보수적인 이분법으로 돌아간다. 이분법이 수렴은 느리지만 추정값은 반드시 구간 내에 존재하게 한다. 이 과정은 허용오차 내에서 근을 찾을 때까지 반복된다. 예상할 수 있듯이, 이 과정에서 먼저 이분법이 주로 사용되고, 근으로 다가감에 따라 수렴속도가 빠른 개방법으로 전환된다.

그림 6.13은 Cleve Moler (2004)에 의해 개발된 MATLAB M-파일에 기초한 함수를 보여준다. 이는 MATLAB에 포함되어 있는 전문적인 근 구하기 함수인 fzero 함수를 단순화시킨 버전이며, 이러한 이유로 이 버전을 fzerosimp라고 한다. 이 함수는 근을 구하고자 하는 방정식을 저장하는 다른 함수 f를 필요로 한다는 점에 유의하라.

fzerosimp 함수에 근을 반드시 포함하는 두 개의 초기 가정값이 전달된다. 그리고 탐색 구간 (a, b, c)를 정의하는 세 변수가 초기화되고, f가 양 끝점에서 계산된다.

다음으로 주 루프가 실행된다. 필요하면, 알고리즘이 효과적으로 작동하는 데 필요한 조건을 만족시키기 위해 세 점은 재배열된다. 이때 만약 종료 판정기준이 만족되면, 루프는 종료된다. 그렇지 않으면 판정 구조는 세 가지 방법 중에서 선택하여, 결과가 맞는지를 확인한다.

```
function b = fzerosimp(xl,xu)
a = xl; b = xu; fa = f(a); fb = f(b);
c = a; fc = fa; d = b − c; e = d;
while (1)
  if fb == 0, break, end
  if sign(fa) == sign(fb)  %If needed, rearrange points
    a = c; fa = fc; d = b − c; e = d;
  end
  if abs(fa) < abs(fb)
    c = b; b = a; a = c;
    fc = fb; fb = fa; fa = fc;
  end
  m = 0.5*(a − b); %Termination test and possible exit
  tol = 2 * eps * max(abs(b), 1);
  if abs(m) <= tol || fb == 0.
    break
  end
  %Choose open methods or bisection
  if abs(e) >= tol & abs(fc) > abs(fb)
    s = fb/fc;
    if a == c                %Secant method
      p = 2*m*s;
      q = 1 − s;
    else          %Inverse quadratic interpolation
      q = fc/fa; r = fb/fa;
      p = s * (2*m*q * (q − r) − (b − c)*(r − 1));
      q = (q − 1)*(r − 1)*(s − 1);
    end
    if p > 0, q = −q; else p = −p; end;
    if 2*p < 3*m*q − abs(tol*q) & p < abs(0.5*e*q)
      e = d; d = p/q;
    else
      d = m; e = m;
    end
  else                        %Bisection
    d = m; e = m;
  end
  c = b; fc = fb;
  if abs(d) > tol, b = b+d; else b = b−sign(b −a)*tol; end
  fb = f(b);
end
```

그림 6.13 Cleve Moler (2004)에 의해 개발된 MATLAB M−파일에 기초한 Brent의 근 구하는 알고리즘에 대한 함수.

마지막 부분은 새로운 점에서 f를 계산하고, 루프는 반복된다. 종료 판정기준을 만족하면 루프는 종료되며, 최종 근이 반환된다.

6.6 MATLAB 함수: fzero

fzero 함수는 단일 방정식에서 실근을 구하도록 설계되어 있다. 이 함수의 구문은 다음과 같이 표현할 수 있다.

fzero(*function*,*x0*)

여기서 *function*은 계산될 함수의 이름이고, *x0*는 초기 가정값이다. 또한 근을 포함하는 두 개의 가정값이 다음과 같이 벡터로 전달될 수 있다.

```
fzero(function,[x0 x1])
```

여기서 *x0*와 *x1*은 함수값의 부호를 서로 다르게 하는 가정값이다.

이제 간단한 2차식 x^2-9의 근을 MATLAB으로 구해 보자. 두 근은 −3과 3이다. 음의 근은 다음과 같이 구한다.

```
>> x = fzero(@(x) x^2-9,-4)
x =
    -3
```

만일 양의 근을 구하려면, 근에 가까운 초기 가정값을 사용하여야 한다.

```
>> x = fzero(@(x) x^2-9,4)
x =
    3
```

초기 가정값을 0으로 하면 다음과 같이 음의 근이 구해진다.

```
>> x = fzero(@(x) x^2-9,0)
x =
    -3
```

양의 근을 확실하게 구하기를 원한다면 다음과 같이 두 개의 초기 가정값을 이용해야 한다.

```
>> x = fzero(@(x) x^2-9,[0 4])
x =
    3
```

또한 두 개의 초기 가정값 사이에서 부호가 변하지 않으면 다음과 같이 에러 메시지가 나타난다.

```
>> x = fzero(@(x) x^2-9,[-4 4])
??? Error using ==> fzero
The function values at the interval endpoints must ...
differ in sign.
```

`fzero` 함수는 다음과 같이 작동한다. 어떤 한 개의 초기 가정값이 전달되면, 먼저 부호 변화를 찾기 위한 탐색을 수행한다. 이 방법은 한 개의 초기 가정값에서 시작하여 부호 변화가 감지될 때까지 양과 음의 방향으로 점점 더 넓은 간격을 취한다는 점에서 5.3.1절에서 설명한 증분탐색법과는 다르다.

그런 후에 수용할 수 없는 결과가 나타나지 않는 한(예를 들면 추정 근이 구간 밖으로 벗어남), 빠른 방법(할선법과 역 2차 보간법)이 사용된다. 만약 수용할 수 없는 결과가 나타나면 수용할 수 있는 근을 얻을 때까지 이분법이 실행되고, 그 이후에 빠른 방법 중의 하나가 수행된다. 예상할 수 있듯이, 처음에는 이분법이 주로 사용되고, 근으로 다가감에 따라 수렴속도가 빠른 방법으로 전환된다.

fzero 구문의 보다 완전한 표현은 다음과 같다.

$$[x,fx] = fzero(function,x0,options,p1,p2,\ldots)$$

여기서 $[x, fx]$는 근 x와 근에서 계산되는 함수값 fx를 포함하는 벡터이며, $options$는 optimset 함수에 의해 생성되는 데이터 구조이고, $p1, p2\ldots$은 함수가 요구하는 매개변수이다. $options$를 사용하지 않고 매개변수를 전달하려면 그 자리에 빈 벡터 $[]$를 전달한다.

optimset 함수는 다음과 같은 구문을 갖는다.

$$options = optimset('par_1',val_1,'par_2',val_2,\ldots)$$

여기서 매개변수 par_i는 값 val_i를 갖는다. 모든 가능한 매개변수를 알아보려면 명령어 프롬프트에 optimset을 입력한다. fzero 함수와 함께 많이 사용하는 매개변수는 다음과 같다.

display : 'iter'로 지정되면, 모든 반복에 대한 자세한 기록을 표시한다.

tolx : x에 대한 종료 허용값을 지정하는 양수의 스칼라 값.

예제 6.8 / fzero 와 optimset 함수

문제 설명. 예제 6.4에서 $f(x) = x^{10} - 1$의 양근을 초기 가정값 0.5를 이용하여 Newton-Raphson법으로 구하였다. 같은 문제를 optimset와 fzero로 풀어라.

풀이 대화식 MATLAB으로 다음과 같이 실행할 수 있다.

```
>> options = optimset('display','iter');
>> [x,fx] = fzero(@(x) x^10-1,0.5,options)
 Func-count        x            f(x)          Procedure
    1            0.5        -0.999023         initial
    2         0.485858      -0.999267         search
    3         0.514142      -0.998709         search
    4          0.48         -0.999351         search
    5          0.52         -0.998554         search
    6         0.471716      -0.999454         search
     .
     .
     .
   23         0.952548      -0.385007         search
   24          -0.14           -1             search
   25          1.14          2.70722          search

 Looking for a zero in the interval [-0.14, 1.14]

   26         0.205272         -1             interpolation
   27         0.672636      -0.981042         bisection
   28         0.906318      -0.626056         bisection
   29         1.02316        0.257278         bisection
   30         0.989128      -0.103551         interpolation
```

```
31        0.998894    -0.0110017        interpolation
32        1.00001   7.68385e-005        interpolation
33             1  -3.83061e-007        interpolation
34             1    -1.3245e-011        interpolation
35             1               0        interpolation
Zero found in the interval: [-0.14, 1.14].
x =
     1
fx =
     0
```

따라서 25번의 반복 탐색 후에 `fzero`는 부호 변화를 찾는다. 추정해가 근에 충분히 접근할 때까지는 보간법과 이분법을 사용한다. 그 후에 근에 빠르게 수렴시키기 위해 보간법을 사용한다.

이번에는 덜 엄격한 허용오차를 원한다고 하자. 낮은 값의 최대 허용오차를 설정하기 위하여 `optimset` 함수를 사용할 수 있으며, 그런 경우 덜 정확한 추정값을 얻는다.

```
>> options = optimset ('tolx', 1e-3);
>> [x,fx] = fzero(@(x) x^10-1,0.5,options)
x =
    1.0009
fx =
    0.0090
```

6.7 다항식

다항식은 비선형 대수방정식의 특수한 형태로 다음과 같다.

$$f_n(x) = a_1 x^n + a_2 x^{n-1} + \cdots + a_{n-1} x^2 + a_n x + a_{n+1} \tag{6.13}$$

여기서 n은 다항식의 차수이며, a는 상수 계수이다. 많은 경우에 상수는 실수이다. 이러한 경우는 근이 실수 또는 허수가 될 수 있다. 일반적으로 n차 다항식은 n개의 근을 갖는다.

다항식은 공학과 과학 분야의 많은 문제에 적용될 수 있다. 예를 들면 다항식은 곡선접합에서 광범위하게 사용된다. 그러나 이들의 가장 흥미롭고 강력한 응용 분야 중 하나는 동적 시스템, 특히 선형 시스템의 특성을 나타내는 것이다. 이러한 예로는 반응기, 기계장치, 구조물 및 전기회로 등이 있다.

6.7.1 MATLAB 함수: `roots`

다항식에서 한 개의 실근을 구하려면 이분법이나 Newton-Raphson법을 사용할 것이다. 그러나 많은 경우 공학자는 모든 근(실근과 복소수근)을 구하기를 원한다. 불행하게도 이분법과

Newton-Raphson법과 같은 간단한 기법들은 고차 다항식의 모든 근을 구하지 못한다. MATLAB에는 이러한 작업을 위해 뛰어난 내장함수인 roots 함수가 있다.

roots 함수는 다음과 같은 구문을 갖는다.

$x = \text{roots}(c)$

여기서 x는 근을 포함하는 열벡터이고, c는 다항식의 계수를 포함하는 행벡터이다.

어떻게 roots 함수가 작동할까? MATLAB은 행렬의 고유값을 찾는 데 매우 우수하다. 따라서 근을 구하는 작업을 고유값 문제로 바꾸어서 접근한다. 고유값 문제는 이 책에서 나중에 설명하기 때문에 여기서는 단지 개략적으로만 소개한다.

다음의 다항식이 있다.

$$a_1 x^5 + a_2 x^4 + a_3 x^3 + a_4 x^2 + a_5 x + a_6 = 0 \tag{6.14}$$

양변을 a_1으로 나누고 정리하면 다음과 같다.

$$x^5 = -\frac{a_2}{a_1} x^4 - \frac{a_3}{a_1} x^3 - \frac{a_4}{a_1} x^2 - \frac{a_5}{a_1} x - \frac{a_6}{a_1}$$

다음과 같이 우변의 계수를 사용한 첫 번째 행과 1과 0으로 된 나머지 행으로 구성된 특수 행렬을 만들 수 있다.

$$\begin{bmatrix} -a_2/a_1 & -a_3/a_1 & -a_4/a_1 & -a_5/a_1 & -a_6/a_1 \\ 1 & 0 & 0 & 0 & 0 \\ 0 & 1 & 0 & 0 & 0 \\ 0 & 0 & 1 & 0 & 0 \\ 0 & 0 & 0 & 1 & 0 \end{bmatrix} \tag{6.15}$$

식 (6.15)를 다항식의 **동반행렬**(companion matrix)이라 한다. 이 행렬의 고유값은 다항식의 근이 되는 유용한 성질이 있다. roots 함수의 알고리즘은 동반행렬을 설정하는 부분과 MATLAB의 강력한 고유값을 구하는 함수를 사용하여 근을 구하는 부분으로 구성되어 있다. 다음의 예제에서는 다항식을 다루는 함수와 관련된 명령어들과 함께 roots 함수의 응용에 대해 설명한다.

roots는 poly라는 역함수를 갖는데, 근의 값이 전달되면 다항식의 계수를 반환한다. 그 구문은 다음과 같다.

$c = \text{poly}(r)$

여기서 r은 근을 포함하고 있는 열벡터이고, c는 다항식의 계수를 포함하고 있는 행벡터이다.

예제 6.9 MATLAB을 사용하여 다항식을 조작하고 근을 구하는 방법

문제 설명. 다음 방정식으로 MATLAB이 다항식을 어떻게 조작하는지를 살펴보자.

$$f_5(x) = x^5 - 3.5x^4 + 2.75x^3 + 2.125x^2 - 3.875x + 1.25$$

(E6.9.1)

이 다항식은 세 개의 실근 0.5, −1.0, 2와 한 쌍의 복소수 근 $1 \pm 0.5i$를 갖는다.

풀이 계수를 행벡터로 저장하여 다항식을 MATLAB에 입력한다. 예를 들어 다음과 같이 입력하면 벡터 a에 계수가 저장된다.

```
>> a = [1 -3.5 2.75 2.125 -3.875 1.25];
```

그리고 다항식을 조작한다. 예를 들면 $x = 1$일 때 다항식의 값을 구하기 위해 다음과 같이 입력한다.

```
>> polyval(a,1)
```

결과는 $1(1)^5 - 3.5(1)^4 + 2.75(1)^3 + 2.125(1)^2 - 3.875(1) + 1.25 = -0.25$이므로 다음과 같이 나타난다.

```
ans =
   -0.2500
```

식 (E6.9.1)의 두 실근 0.5와 −1을 갖는 2차식을 만든다. 이 2차식은 $(x-0.5)(x+1) = x^2 + 0.5x - 0.5$이다. 이 식을 MATLAB에 벡터 b로 입력할 수 있다.

```
>> b = [1 .5 -.5]
b =
   1.0000    0.5000    -0.5000
```

`poly` 함수도 같은 작업을 수행할 수 있다.

```
>> b = poly([0.5 -1])
b =
   1.0000    0.5000    -0.5000
```

원래의 다항식을 이 다항식으로 나누면

```
>> [q,r] = deconv(a,b)
```

다음과 같이 몫(3차 다항식, q)과 나머지(r)의 결과가 된다.

```
q =
   1.0000    -4.0000    5.2500    -2.5000
r =
   0    0    0    0    0    0
```

이 다항식은 완전히 나누어지므로 나머지 다항식의 계수는 0이 된다. 이제 몫 다항식의 근을 다음과 같이 구한다.

```
>> x = roots(q)
```

이 식의 결과는 원래의 다항식인 식 (E6.9.1)의 나머지 근이 되는 것이다.

```
x =
2.0000
1.0000 + 0.5000i
1.0000 - 0.5000i
```

이제 q와 b를 곱하여 원래의 다항식을 만들 수 있다.

```
>> a = conv(q,b)

a =
    1.0000   -3.5000    2.7500    2.1250   -3.8750    1.2500
```

원래의 다항식에서 모든 근을 다음과 같이 구한다.

```
>> x = roots(a)

x =
    2.0000
   -1.0000
    1.0000 + 0.5000i
    1.0000 - 0.5000i
    0.5000
```

끝으로 poly 함수를 사용하여 다시 원래의 다항식으로 돌아갈 수 있다.

```
>> a = poly(x)

a =
    1.0000   -3.5000    2.7500    2.1250   -3.8750    1.2500
```

6.8 사례연구 | 파이프 마찰

배경. 파이프와 튜브 내를 흐르는 유량을 알아내는 것은 공학과 과학의 많은 분야에서 중요하다. 공학 분야에서의 대표적인 응용 예는 파이프 라인과 냉각 장치를 통해서 흐르는 액체와 가스의 유량을 포함한다. 과학자는 혈관 내의 유동으로부터 식물의 관 시스템을 통한 영양분의 전달까지와 같은 넓은 범위의 주제에 관심이 있다.

이러한 관 내의 유동에 대한 저항을 매개변수로 나타내기 위하여 **마찰계수**(friction factor)라고 하는 무차원수를 이용한다. 난류의 경우에는 **Colebrook 방정식**으로 이러한 마찰계수를 구할 수 있다.

$$0 = \frac{1}{\sqrt{f}} + 2.0 \log\left(\frac{\varepsilon}{3.7D} + \frac{2.51}{\mathrm{Re}\,\sqrt{f}}\right) \tag{6.16}$$

여기서 ε은 거칠기(m), D는 직경(m) 그리고 Re는 **Reynolds** 수이다.

$$\text{Re} = \frac{\rho v D}{\mu}$$

여기서 ρ는 유체의 밀도(kg/m^3), v는 유체속도(m/s) 그리고 μ는 점성계수(N·s/m^2)이다. 또한 식 (6.16)에 있는 Reynolds 수는 유동이 난류(Re > 4000)인지 아닌지에 대한 판정기준이 된다.

이 사례연구에서는 매끄럽고 얇은 관을 통과하는 공기유동에서 f를 구하기 위해 어떻게 수치해법을 적용할 수 있는지 설명한다. 이 경우의 매개변수는 $\rho = 1.23$ kg/m^3, $\mu = 1.79 \times 10^{-5}$ N·s/m^2, $D = 0.005$ m, $v = 40$ m/s 그리고 $\varepsilon = 0.0015$ mm이다. 마찰계수는 대략 0.008에서 0.08 까지의 범위 내에 있다. 더욱이 **Swamee-Jain 방정식**이라 부르는 외재적 공식에서 다음의 근 사값을 구할 수 있다.

$$f = \frac{1.325}{\left[\ln \left(\dfrac{\varepsilon}{3.7\,D} + \dfrac{5.74}{\text{Re}^{0.9}} \right) \right]^2} \tag{6.17}$$

풀이 Reynolds 수는 다음과 같이 계산된다.

$$\text{Re} = \frac{\rho v D}{\mu} = \frac{1.23(40)0.005}{1.79 \times 10^{-5}} = 13{,}743$$

이 값을 다른 매개변수의 값과 함께 식 (6.16)에 대입하면 다음과 같다.

$$g(f) = \frac{1}{\sqrt{f}} + 2.0 \log \left(\frac{0.0000015}{3.7(0.005)} + \frac{2.51}{13{,}743\sqrt{f}} \right)$$

근을 구하기 전에 초기 가정값을 추정하고, 또 일어날 수 있는 어려움을 예견하기 위해 이 함수의 그래프를 그려보는 것이 바람직하다. 이는 MATLAB으로 쉽게 할 수 있다.

```
>> rho =1.23;mu =1.79e − 5;D =0.005;V =40;e =0.0015/1000;
>> Re =rho*V*D/mu;
>> g =@(f) 1/sqrt(f)+2*log10(e/(3.7*D)+2.51/(Re*sqrt(f)));
>> fplot(g,[0.008 0.08]),grid,xlabel('f'),ylabel('g(f)')
```

그림 6.14에서 보듯이 근은 대략 0.03에 위치하고 있다.

초기 가정값($x_l = 0.008$, $x_u = 0.08$)이 주어지기 때문에, 5장의 구간법 중 어떤 방법도 사용할 수 있을 것이다. 예를 들어 그림 5.7의 bisect 함수로 22번 반복하여 백분율 상대오차 5.926×10^{-5}으로 $f = 0.0289678$의 값을 얻는다. 가위치법은 26번 반복하여 비슷한 정밀도의 결과를 얻는다. 비록 이 방법들은 정확한 값을 산출했지만 다소 비효율적이다. 이와 같은 비효율성은 단일 계산에서는 중요하지 않겠지만, 만일 많은 계산이 필요할 때는 너무 커질 것이다.

개방법을 이용하여 개선된 성능을 얻을 수 있다. 식 (6.16)은 비교적 수월하게 미분할 수 있어, Newton-Raphson법은 훌륭한 후보가 될 수 있다. 예를 들어 범위의 하한에서의 초기 가정값($x_0 = 0.008$)을 사용하면, 그림 6.10에 있는 newtraph 함수는 빠르게 수렴한다.

```
>> dg =@(f) -2/log(10)*1.255/Re*f^(-3/2)/(e/D/3.7 ...
                              +2.51/Re/sqrt(f))-0.5/f^(3/2);
>> [f ea iter]    =newtraph(g,dg,0.008)

f =
   0.02896781017144

ea =
   6.870124190058040e-006
iter =
   6
```

그러나 범위의 상한에서 초기 가정값($x_0 = 0.08$)을 설정하면 이 프로그램은 발산한다.

```
>> [f ea iter] =newtraph(g,dg,0.08)

f =
              NaN +         NaNi
```

그림 6.14에서 보듯이, 이는 이 초기 가정값에서 함수의 기울기가 첫 번째 반복의 추정값을 음으로 만들기 때문이다. 이 경우에 더 실행하면, 초기 가정값이 대략 0.066보다 작을 때만 수렴한다.

따라서 Newton-Raphson법은 매우 효율적이지만, 좋은 초기 가정값을 필요로 함을 알 수 있다. Colebrook 방정식에 대해 좋은 전략은 초기 가정값을 구하기 위해 다음과 같은 Swamee-Jain 방정식[식 (6.17)]을 적용하는 것이다.

```
>> fSJ=1.325/log(e/(3.7*D)+5.74/Re^0.9)^2

fSJ =
   0.02903099711265
>> [f ea iter] =newtraph(g,dg,fSJ)

f =
   0.02896781017144
```

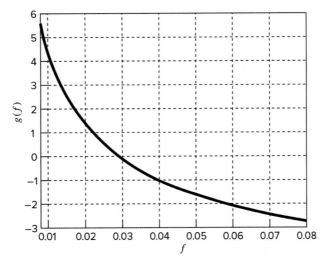

그림 6.14

```
ea =
   8.510189472800060e-010
iter =
   3
```

손수 만든 함수 이외에도, MATLAB의 내장함수인 `fzero` 함수를 사용할 수도 있다. 하지만 Newton-Raphson법과 같이 `fzero` 함수도 한 개의 가정값을 사용하면 발산하게 된다. 그러나 이 경우에는 범위의 하한에서의 가정값이 문제를 야기한다. 예를 들면 다음과 같다.

```
>> fzero(g,0.008)

Exiting fzero: aborting search for an interval containing a sign
change because complex function value encountered ...
                                          during search.
(Function value at -0.0028 is -4.92028-20.2423i.)
Check function or try again with a different starting value.
ans =
   NaN
```

만일 `optimset`을 사용하여 반복과정을 화면에 나타낸다면(예제 6.8 참조), 부호가 바뀌는 것이 발견되기 전의 탐색 과정 동안에 음의 값이 발생하고, 그리고 이 루틴이 중단되는 것을 볼 수 있다. 그렇지만 대략 0.016을 넘는 초기 가정값에서는 이 루틴이 잘 작동한다. 예를 들어 0.08의 가정값은 Newton-Raphson법에서는 문제를 야기하지만, `fzero`는 잘 수행된다.

```
>> fzero(g,0.08)

ans =
   0.02896781017144
```

마지막으로 단순 고정점 반복법에서 수렴하는지를 살펴보자. 가장 쉽고 직접적인 방법은 식 (6.16)을 첫 번째 f에 대해 풀어보는 것이다.

$$f_{i+1} = \frac{0.25}{\left(\log \left(\dfrac{\varepsilon}{3.7\,D} + \dfrac{2.51}{Re\sqrt{f_i}} \right) \right)^2} \tag{6.18}$$

이 함수를 나타내는 두 개의 곡선은 놀라운 결과를 보이고 있다(그림 6.15). 고정점 반복법은 y_2 곡선이 상대적으로 평평한 기울기를 가질 때 수렴한다는 것을 상기하자($|g'(\xi)| < 1$). 그림 6.15에 나타나듯이, y_2 곡선이 $f = 0.008$에서 0.08까지 거의 평평하다는 것은 고정점 반복법이 수렴할 뿐만 아니라 상당히 빠르게 수렴한다는 것을 의미한다. 사실 초기 가정값이 0.008과 0.08 사이에 어디 있어도 고정점 반복법은 6번 이하의 작은 반복으로 백분율 상대오차 0.008% 이하의 예측을 할 수 있다. 따라서 오직 한 개의 가정값만 필요로 하고, 도함수도 구하지 않는 이 간단한 방법은 이러한 특수한 사례에 아주 잘 수행된다.

이 사례연구로부터 배워야 할 점은 MATLAB처럼 우수하고 전문적으로 개발된 소프트웨어도 항상 완전하지는 않다는 것이다. 더욱이 모든 문제에 대해 완벽하게 작동하는 방법은 없다. 고급 사용자들은 이용할 수 있는 수치기법들의 강점과 약점을 이해한다. 또한 그들은 기초 이론을 충분히 이해하고 있어, 어떤 한 가지 방법이 작동하지 않아도 이러한 상황을 효과적으로 다룰 수 있다.

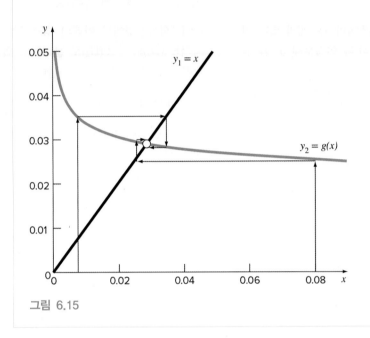

그림 6.15

연습문제

6.1 고정점 반복법을 사용하여 다음 함수의 근을 구하라.

$$f(x) = \sin(\sqrt{x}) - x$$

초기 가정값으로 $x_0 = 0.5$를 사용하고 $\varepsilon_a \le 0.01\%$까지 반복하라. 이 과정이 6.1절의 마지막 부분에 기술한 대로 선형 수렴하는지를 증명하라.

6.2 (a) 고정점 반복법과 (b) Newton-Raphson법을 사용하여 $f(x) = -0.9x^2 + 1.7x + 2.5$의 한 근을 구하라. $x_0 = 5$를 사용하라. ε_a가 $\varepsilon_s = 0.01\%$보다 작아질 때까지 계산을 수행하고 최종 결과를 검토하라.

6.3 $f(x) = x^3 - 6x^2 + 11x - 6.1$의 가장 큰 실근을 구하라.

(a) 그래프를 사용하여 구하라.

(b) Newton-Raphson법을 사용하라(세 번 반복계산, $x_0 =$

3.5).

(c) 할선법을 사용하라(세 번 반복계산, $x_{-1} = 2.5$, $x_0 = 3.5$).

(d) 수정 할선법을 사용하라(세 번 반복계산, $x_0 = 3.5$, $\delta = 0.01$).

(e) MATLAB으로 모든 근을 구하라.

6.4 $f(x) = 7\sin(x)e^{-x} - 1$의 가장 작은 양근을 구하라.

(a) 그래프를 사용하여 구하라.

(b) Wegstein법을 사용하라.

(c) Newton-Raphson법을 사용하라(세 번 반복계산, $x_0 = 0.3$).

(d) 수정 할선법을 사용하라(다섯 번 반복계산, $x_0 = 0.3$, $\delta = 0.01$).

6.5   (a) Newton-Raphson법과 (b) 수정 할선법($\delta = 0.05$)을 사용하여 $f(x) = x^5 - 16.05x^4 + 88.75x^3 - 192.0375x^2 + 116.35x + 31.6875$의 근을 구하라. 초기 가정값은 $x = 0.5825$이며 $\varepsilon_s = 0.01\%$이다. 결과를 설명하라.

6.6   할선법을 위한 M-파일을 개발하라. 두 개의 초기 가정값과 함께 함수를 인수로 전달하라. 연습문제 6.3을 풀어 이 M-파일을 시험하라.

6.7   수정 할선법을 위한 M-파일을 개발하라. 초기 가정값, 변동율과 함께 함수를 인수로 전달하라. 연습문제 6.3을 풀어 이 M-파일을 시험하라.

6.8   식 (E6.5.2)를 구하기 위해 식 (E6.5.1)을 미분하라.

6.9   Newton-Raphson법을 이용하여 $f(x) = -2 + 6x - 4x^2 + 0.5x^3$의 한 개의 실근을 구하라. 초기 가정값은 (a) 4.5 와 (b) 4.43이다. 결과의 특이성을 설명하기 위해 그래프를 이용하는 방법과 해석적인 방법을 이용하라.

6.10   어떤 양수 a의 제곱근을 근사적으로 구하는 방법으로서 오래된 방법인 "나눔과 평균" 방법은 다음과 같다.

$$x_{i+1} = \frac{x_i + a/x_i}{2}$$

이 방법이 Newton-Raphson 알고리즘에 기초한 것임을 증명하라.

6.11   (a) Newton-Raphson법을 사용하여 $f(x) = \tanh (x^2 - 9)$의 실근인 $x = 3$을 구하라. 초기 가정값으로 $x_0 = 3.2$를 사용하고 최소한 세 번 반복계산하라. (b) 이 방법이 실제 근에 수렴하는가? 각 반복계산 횟수에 대하여 결과를 그려서 판단해보라.

6.12   다항식 $f(x) = 0.0074x^4 - 0.284x^3 + 3.355x^2 - 12.183x + 5$는 15와 20 사이에서 한 개의 실근을 갖는다. 초기 가정값 $x_0 = 16.15$와 Newton-Raphson법을 사용해서 해를 구하고 결과에 대해 논의하라.

6.13   대부분의 다른 기술자처럼 기계공학 기술자는 열역학을 많이 사용한다. 다음 다항식은 건조한 공기의 영압력(zero pressure) 비열 c_p kJ/(kg K)를 온도(K)의 함수로 구하기 위해 사용된다.

$$c_p = 0.99403 + 1.671 \times 10^{-4}T + 9.7215 \times 10^{-8}T^2 - 9.5838 \times 10^{-11}T^3 + 1.9520 \times 10^{-14}T^4$$

다음 경우에 대한 MATLAB 스크립트를 작성하라. (a) $T = 0$에서 1200 K의 범위에 대한 c_p의 그래프를 그려라. (b) MATLAB 다항식 함수를 사용하여 비열 1.1 kJ/(kg K)에 해당하는 온도를 구하라.

6.14   화학공정에서 아래의 식과 같이 수증기(H_2O)를 각각 산소(O_2)와 수소(H_2)로 분리하기 위해서는 물을 충분히 높은 온도로 가열시켜야만 한다.

$$H_2O \rightleftharpoons H_2 + \tfrac{1}{2} O_2$$

위의 반응만 일어나는 경우, H_2O의 몰분율 x 는 다음과 같이 표현될 수 있다.

$$K = \frac{x}{1 - x} \sqrt{\frac{2p_t}{2 + x}} \qquad\qquad \text{(P6.14.1)}$$

여기서 K는 반응의 평형상수이고, p_t 는 혼합물의 전 압력이다. $p_t = 3$기압이고, $K = 0.05$인 경우에 식 (P6.14.1)을 만족하는 x의 값을 구하라.

6.15   **Redlich-Kwong**의 상태 방정식은 다음과 같다.

$$p = \frac{RT}{v - b} - \frac{a}{v(v + b)\sqrt{T}}$$

여기서 R은 일반기체상수[$= 0.518$ kJ/(kg K)], T는 절대온도(K), p는 절대압력(kPa) 그리고 v는 비체적(m^3/kg)이다. 매개변수 a와 b는 다음과 같이 계산된다.

$$a = 0.427 \frac{R^2 T_c^{2.5}}{p_c} \qquad b = 0.0866R \frac{T_c}{p_c}$$

여기서 p_c는 4600 kPa이며, T_c 는 191 K이다. 화학공학자는 온도 $-40°C$, 압력 65,000 kPa의 3 m^3의 탱크에 저장할 메탄 연료의 양을 결정해야 한다. 근 구하는 방법을 선택해서 v를 계산하고 탱크에 저장된 메탄의 질량을 구하라.

6.16   반지름이 r 이고 길이가 L인 속이 빈 수평 실린더 내에 깊이가 h인 액체의 체적 V 는 다음과 같은 관계에 있다.

$$V = \left[r^2\cos^{-1}\left(\frac{r - h}{r}\right) - (r - h)\sqrt{2rh - h^2} \right]L$$

$r = 2$ m, $L = 5$ m 그리고 $V = 8$ m^3인 경우에 h를 구하라.

6.17   같은 수직 위치에 있지 않은 두 점 사이에 걸려 있는 케이블이 있다. 그림 P6.17a와 같이 케이블 자체의 무

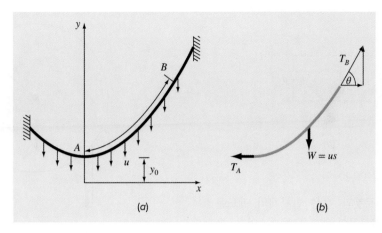

그림 P6.17

게 외에는 아무런 하중을 받지 않는다. 따라서 케이블 자체의 무게가 케이블을 따라서 단위 길이당 일정한 하중 w(N/m)으로 작용한다. AB 부분에 대한 자유 물체도가 그림 P6.17b에 그려져 있다. 여기서 T_A 와 T_B 는 양끝에서의 인장력이다. 케이블 모델에 대해 수직 및 수평 방향으로의 힘의 평형에서 다음과 같은 미분방정식을 유도할 수 있다.

$$\frac{d^2 y}{dx^2} = \frac{w}{T_A}\sqrt{1 + \left(\frac{dy}{dx}\right)^2}$$

미적분학을 사용하면 케이블의 높이 y를 거리 x의 함수로 다음과 같이 구할 수 있다.

$$y = \frac{T_A}{w}\cosh\left(\frac{w}{T_A}x\right) + y_0 - \frac{T_A}{w}$$

(a) $w = 10$과 $y_0 = 5$인 경우, $x = 50$에서의 높이 $y = 15$가 되도록 하는 T_A 의 값을 수치해법을 사용해서 구하라.

(b) x 가 -50에서 100까지 변할 때 x에 대한 y의 그래프를 그려라.

6.18 전기회로에서 진동하는 전류를 $I = 9e^{-t}\sin(2\pi t)$로 나타낼 수 있다고 가정하자. 여기서 t 는 초 단위의 시간이다. $I = 3.5$가 되는 t의 모든 값을 구하라.

6.19 그림 P6.19는 저항기, 유도자, 콘덴서를 병렬로 연결한 회로를 나타낸 것이다. Kirchhoff의 법칙을 사용하면 시스템의 임피던스는 다음과 같이 나타낼 수 있다.

$$\frac{1}{Z} = \sqrt{\frac{1}{R^2} + \left(\omega C - \frac{1}{\omega L}\right)^2}$$

여기서 Z는 임피던스(Ω), ω는 각주파수이다. 초기 가정값을 1과 1000으로 하고, 임피던스가 100 Ω일 때 `fzero` 함수를 사용해서 ω를 구하라. $R = 225$ Ω, $C = 0.6 \times 10^{-6}$ F 그리고 $L = 0.5$ H이다.

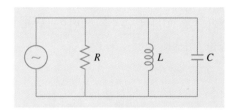

그림 P6.19

6.20 실제 기계시스템에서는 비선형 스프링의 변위가 생길 수 있다. 그림 P6.20에서 질량 m이 비선형 스프링에 의해 h만큼 변위를 가진다. 스프링의 저항력 F는 다음과 같이 주어진다.

$$F = -(k_1 d + k_2 d^{3/2})$$

에너지보존법칙에 따르면 다음과 같다.

$$0 = \frac{2k_2 d^{5/2}}{5} + \frac{1}{2}k_1 d^2 - mgd - mgh$$

다음과 같이 매개변수가 주어질 때 d를 구하라.
$k_1 = 40{,}000$ g/s^2, $k_2 = 40$ g/(s^2 m$^{0.5}$), $m = 95$ g, $g = 9.81$ m/s^2 그리고 $h = 0.43$ m이다.

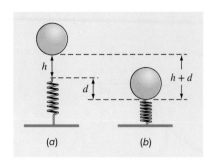

그림 P6.20

6.21 항공공학자는 종종 로켓과 같은 발사체의 궤도를 계산한다. 연관된 문제로 야구공의 궤도를 들 수 있다. 우익수가 던진 공의 궤도를 (x, y) 좌표로 그림 P6.21에 나타내었다. 이러한 궤도 방정식은 다음과 같다.

$$y = (\tan \theta_0)x - \frac{g}{2v_0^2 \cos^2 \theta_0}x^2 + y_0$$

$v_0 = 30$ m/s이고 포수까지의 거리는 90 m일 때, 적절한 초기 각도 θ_0를 구하라. 공은 지면으로부터 1.8 m의 위치에서 우익수의 손을 떠나며, 포수는 지면으로부터 1 m의 위치에서 공을 받는다.

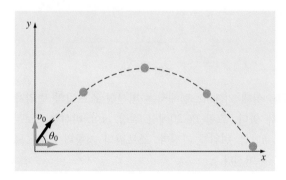

그림 P6.21

6.22 개발도상국가의 작은 마을에 물을 담을 구형 탱크를 설계하고 있다(그림 P6.22). 물의 체적은 다음 식으로 구할 수 있다.

$$V = \pi h^2 \frac{[3R - h]}{3}$$

여기서 V는 부피(m^3), h는 탱크 속의 물의 깊이(m) 그리고 R은 탱크의 반지름(m)이다.

만약 R이 3 m라면, 30 m^3를 담기 위해 탱크 내의 물의 깊이가 어느 정도가 되어야 하는가? 답을 찾기 위해 가

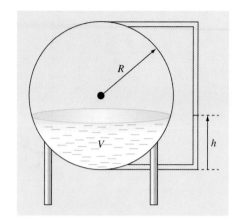

그림 P6.22

장 효율적인 수치해법을 세 번 반복하라. 각각의 반복마다 근사 상대오차를 구하라. 또한 왜 이 방법을 선택했는지를 정당화하라. 추가 정보로 (a) 구간법에서 초기 가정값 0과 R은 이 예제에서 단일 근을 포함할 것이고, (b) 개방법에서 초기 가정값 R은 항상 수렴할 것이다.

6.23 예제 6.9와 동일한 MATLAB 연산을 사용하여 다음 다항식의 모든 근을 구하라.

$$f_5(x) = (x + 2)(x + 5)(x - 6)(x - 4)(x - 8)$$

6.24 제어시스템 해석에서 전달함수는 시스템의 입력과 출력의 동적거동을 수학적으로 연계한다. 로봇 위치시스템의 전달함수는 다음과 같다.

$$G(s) = \frac{C(s)}{N(s)} = \frac{s^3 + 9s^2 + 26s + 24}{s^4 + 15s^3 + 77s^2 + 153s + 90}$$

여기서 $G(s)$는 시스템 게인(gain), $C(s)$는 시스템 출력, $N(s)$는 시스템 입력 그리고 s는 라플라스 변환 복소주파수이다. MATLAB을 이용하여 분자와 분모의 근을 구하고, 이것을 다음의 형태로 인수분해하라.

$$G(s) = \frac{(s + a_1)(s + a_2)(s + a_3)}{(s + b_1)(s + b_2)(s + b_3)(s + b_4)}$$

여기서 a_i와 b_i는 각각 분자와 분모의 근이다.

6.25 직사각형 개수로에 대한 Manning 방정식은 다음과 같다.

$$Q = \frac{\sqrt{S}(BH)^{5/3}}{n(B + 2H)^{2/3}}$$

여기서 Q는 유량(m^3/s), S는 기울기(m/m), H는 깊이(m) 그리고 n은 Manning 거칠기 계수이다. $Q = 5$, $S = 0.0002$, $B = 20$ 그리고 $n = 0.03$일 때, H를 구하기 위한 고정점 반복법을 개발하라. ε_a가 $\varepsilon_s = 0.05$%보다 작아질 때까지 계산을 수행하라. 0보다 크거나 같은 모든 초기 가정값에 대해, 이 방법이 수렴함을 증명하라.

6.26 6.8절의 Colebrook 방정식에 기초하여 마찰계수를 계산하는 완전한 함수를 개발하라. 이 함수는 Reynolds 수가 4000에서 10^7까지, ε/D는 0.00001에서 0.05까지에 대해 정밀한 결과를 도출하여야 한다.

6.27 Newton-Raphson법으로 다음 식의 근을 구하라.

$$f(x) = e^{-0.5x}(4 - x) - 2$$

초기 가정값으로 (a) 2 (b) 6 그리고 (c) 8을 적용하라. 결과를 설명하라.

6.28 다음과 같은 식이 있다.

$$f(x) = -2x^6 - 1.5x^4 + 10x + 2$$

근 구하는 방법을 사용하여 이 함수의 최대값을 구하라. 근사 상대오차가 5% 이하가 될 때까지 반복을 수행하라. 구간법을 사용한다면 초기 가정값을 $x_l = 0$, $x_u = 1$로 하고, Newton-Raphson법이나 수정 할선법을 사용한다면 초기 가정값을 $x_i = 1$로 하라. 할선법을 사용한다면 초기 가정값을 $x_{i-1} = 0$과 $x_i = 1$로 하라. 수렴에 대한 쟁점이 없다고 가정하고, 이 문제에 대한 가장 적절한 방법을 선택하라. 그 정당성을 설명하라.

6.29 다음과 같이 쉽게 미분할 수 있는 함수의 근을 구한다.

$$e^{0.5x} = 5 - 5x$$

가장 좋은 수치해법을 선택하고, 그 선택의 정당성을 설명하라. 그리고 선택한 방법으로 해를 구하라. 양의 초기 가정값에 대하여 고정점 반복법을 제외한 모든 방법이 수렴한다는 것에 유의하라. 근사 상대오차가 2% 이하로 떨어질 때까지 반복을 수행하라. 구간법을 사용한다면 초기 가정값을 $x_l = 0$과 $x_u = 2$로 하고, Newton-Raphson법이나 수정 할선법을 사용한다면 초기 가정값을 $x_i = 0.7$로 하라. 할선법을 사용한다면 초기 가정값을 $x_{i-1} = 0$과 $x_i = 2$로 하라.

6.30 (a) Brent의 근 구하는 방법을 실행하기 위한 M-파일 함수를 개발하라. 이 함수는 그림 6.13에 기초하여 개발하지만, 함수의 앞부분은 다음과 같이 변경한다.

```
function [b,fb] = fzeronew(f,xl,xu,varargin)
% fzeronew: Brent root location zeroes
% [b,fb] = fzeronew(f,xl,xu,p1,p2,...):
%   uses Brent's method to find the root of f
% input:
%   f = name of function
%   xl, xu = lower and upper guesses
%   p1,p2,... = additional parameters used by f
% output:
%   b = real root
%   fb = function value at root
```

함수가 위 프로그램에 설명된 대로 수행될 수 있도록 적절하게 수정하라. 또한 함수의 세 인자 (f, xl, xu)가 미리 설정되고, 초기 가정값들 사이에 근이 들어가도록 보장하는 에러 함정(error trap)을 포함하라.

(b) 예제 5.6의 함수의 근을 풀기 위해 이 함수와 다음 문구를 사용하여 시험하라.

```
>> [x,fx] = fzeronew(@(x,n) x^n-1,0,1.3,10)
```

6.31 그림 P6.31은 광봉 위어(broad crested weir)의 측면도를 보여준다. 그림 P6.31에 표시된 기호는 다음과 같이 정의된다. H_w = 위어의 높이(m), H_h = 위어 위의 수두(m) 그리고 $H = H_w + H_h$ = 위어 상류에 있는 강의 깊이(m)이다.

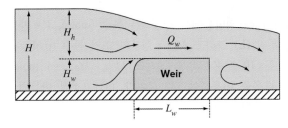

그림 P6.31 강의 깊이와 속도를 조절하는 데 사용하는 광봉 위어.

위어를 지나는 유량, Q_w(m^3/s)는 다음과 같이 계산할 수 있다(Munson et al., 2009).

$$Q_w = C_w B_w \sqrt{g} \left(\frac{2}{3}\right)^{3/2} H_h^{3/2} \tag{P6.31.1}$$

여기서 C_w = 위어 계수(무차원), B_w = 위어 폭(m) 그리고 g = 중력상수(m/s^2)이다. C_w는 다음과 같은 위어 높이(H_w)를 이용하여 구할 수 있다.

$$C_w = 1.125 \sqrt{\frac{1 + H_h/H_w}{2 + H_h/H_w}} \qquad \text{(P6.31.2)}$$

$g = 9.81$ m/s^2, $H_w = 0.8$ m, $B_w = 8$ m 그리고 $Q_w = 1.3$ m^3/s일 때, 다음을 이용하여 상류 깊이 H를 구하라. (a) $\delta = 10^{-5}$인 수정 할선법 (b) Wegstein법 (c) MATLAB fzero 함수. 모든 경우에 초기 가정값은 $0.5 H_w = 0.4$를 적용하라.

6.32 다음의 가역 화학반응식은 폐쇄된 반응기 안에서 어떻게 기체 상태의 메탄과 물이 반응하여 이산화탄소와 수소를 형성하는지를 보여준다.

$$CH_4 + 2H_2O \Leftrightarrow CO_2 + 4H_2$$

평형관계식은 다음과 같다.

$$K = \frac{[CO_2][H_2]^4}{[CH_4][H_2O]^2}$$

여기서 K = 평형계수이고 괄호 [ ]는 몰농도 (mole/L)이다. 질량보존법칙을 사용하면 평형관계식을 다음과 같이 다시 쓸 수 있다.

$$K = \frac{\left(\frac{x}{V}\right)\left(\frac{4x}{V}\right)^4}{\left(\frac{M_{CH_4} - x}{V}\right)\left(\frac{M_{H_2O} - 2x}{V}\right)^2}$$

여기서 x = 정반응에서 생성되는 몰수 (mole), V = 반응기의 부피 (L) 그리고 $M_i = i$ 성분의 초기 몰수 (mole)이다. $K = 7 \times 10^{-3}$, $V = 20$ L 그리고 $M_{CH_4} = M_{H_2O} = 1$ moles일 때, 다음을 이용하여 x를 구하라. (a) 고정점 반복법 (b) fzero 함수.

6.33 호수에서 세균 오염원의 농도 c는 다음 식에 따라 감소한다.

$$c = 77e^{-1.5t} + 20e^{-0.08t}$$

세균농도를 15로 줄이는 데 필요한 시간을 Newton-Raphson법으로 구하라. 초기 가정값 $t = 6$이고 종료 판정기준은 1%이다. 결과를 fzero 함수를 사용하여 확인하라.

6.34 다음 식의 근을 고정점 반복법으로 구하고자 한다.

$$x^4 = 5x + 10$$

$0 < x < 7$의 범위 내의 초기 가정값에 대해 수렴하는 수치해법을 결정하라. 결정한 수치해법이 주어진 범위 내에서 항상 수렴함을 그래프를 이용하는 방법 또는 해석적인 방법으로 증명하라.

6.35 새 주철로 만든 파이프가 체적유량 $Q = 0.3$ m^3/s로 물을 수송한다. 그리고 파이프 유동은 비압축성, 정상상태, 완전발달된 유동으로 가정한다. **Darcy-Weisbach** 식은 다음과 같이 수두 손실, 마찰과 직경의 관계를 나타낸다.

$$h_L = f \frac{L v^2}{D\, 2g} \qquad \text{(P6.35.1)}$$

여기서 f = 마찰계수(무차원), L = 길이(m), D = 파이프 내경(m), v = 속도(m/s) 그리고 g = 중력상수($= 9.81$ m/s^2)이다. 속도와 유량의 관계식은 다음과 같다.

$$Q = A_c v \qquad \text{(P6.35.2)}$$

여기서 A_c = 파이프의 단면적(m^2) $= \pi D^2/4$이고, 마찰계수는 Colebrook 식에 의해 결정된다. 만약 수두 손실이 파이프 단위 길이당 0.006 m보다 작기를 원한다면, 이를 위해 가장 작은 직경의 파이프를 구하는 MATLAB 함수를 작성하라. 다음의 매개변수 값을 사용하라. $v = 1.16 \times 10^{-6}$ m^2/s, $\varepsilon = 0.4$ mm.

6.36 그림 P6.36은 비대칭인 다이아몬드 형상의 초음속 에어포일을 보여준다. 그림에서 유동 방향에 상대적인 에어포일의 방향은 몇 가지 각도로 표현된다. 이들은 α = 영각(angle of attack), β = 충격파 각도(shock angle)와 θ = 편향각(deflection angle)이다. 또한 하첨자 "l"과 "u"는 에어포일의 아래쪽과 위쪽 표면을 나타낸다. 다음 식은 편향각을 경사충격파 각도와 속도의 항으로 표현하고 있다.

$$\tan\theta = \frac{2\cot\beta(M^2 \sin^2\beta - 1)}{M^2(k + \cos^2\beta + 2)}$$

여기서 M = **마하수**(Mach number)는 비행기 속도(v, m/s)

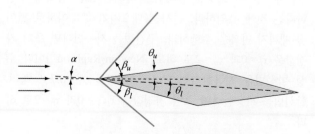

그림 P6.36 다이아몬드 형상의 에어포일.

와 음속(c, m/s)의 비이다. 음속은 다음과 같이 계산된다.

$$c = \sqrt{kRT_a}$$

여기서 k = 공기의 비열비(c_p/c_v = 1.4), R = 공기의 기체상수(= 287 N m/(kg K)) 그리고 T_a = 공기의 절대온도(K)이다. M, k와 θ의 값이 주어지면, 충격파의 각도 β는 다음 식의 근으로 구할 수 있다.

$$f(\beta) = \frac{2\cot\beta(M^2\sin^2\beta - 1)}{M^2(k + \cos^2\beta + 2)} - \tan\theta$$

다음으로 에어포일 표면의 압력 p_a (kPa)는 다음과 같이 계산된다.

$$p_a = p\left(\frac{2k}{k+1}(M\sin\beta)^2 - \frac{k-1}{k+1}\right)$$

에어포일은 공기 중을 v = 625 m/s의 속도로 비행하는 항공기에 부착되어 있다. 공기의 온도 T = 4 ℃, 압력 p = 110 kPa이고 θ_u = 4°이다. 다음을 수행할 MATLAB 스크립트를 작성하라. (a) β_u = 2°~88°에 대한 $f(\beta_u)$의 그림을 생성한다. (b) 에어포일 윗면의 압력을 계산한다.

6.37 1.4절에서 기술했듯이, 매우 낮은 속도로 유체 속에서 낙하하는 물체에 대해서는 물체 주위의 유동장은 층류가 되고, 항력과 속도 사이의 관계식은 선형이 된다. 더욱이 이런 경우에는 부력도 작용한다. 따라서 힘의 평형에 대한 식은 다음과 같이 쓸 수 있다.

$$\frac{dv}{dt} = g - \frac{\rho_f V}{m}g - \frac{c_d}{m}v \qquad \text{(P6.37)}$$
$$\quad\text{(중력)} \quad\text{(부력)} \quad\text{(항력)}$$

여기서 v = 속도(m/s), t = 시간(s), m = 입자의 질량(kg), g

= 중력상수(= 9.81 m/s²), ρ_f = 유체 밀도(kg/m³), V = 입자의 부피(m³) 그리고 c_d = 선형 항력계수(kg/m)이다. 입자의 질량은 $V\rho_s$로 계산되고, 여기서 ρ_s = 입자의 밀도(kg/m³)임에 유의하라. Stokes는 작은 구에 대한 항력계수의 식, c_d = $6\pi\mu r$을 개발하였다. 여기서 μ = 유체의 점성계수(N s/m²) 그리고 r = 구의 반경(m)이다.

철구를 꿀로 채워진 용기의 수면(x = 0)에 놓은 후(그림 P6.37 참조), 철구가 바닥(x = L)으로 가라앉는 데 걸리는 시간을 측정한다. 이 정보와 다음 매개변수에 기초하여 꿀의 점성계수를 구하라. ρ_f = 1420 kg/m³, ρ_s = 7850 kg/m³, r = 0.02 m, L = 0.5 m 그리고 $t(x = 0.5)$ = 3.6 s이다. 실험이 층류조건에서 수행되는지를 Reynolds 수(Re = $\rho_f v d/\mu$, d = 직경)를 통해 확인하라. [힌트: 이 문제는 식 (P6.37)을 두 번 적분하여 x를 시간 t의 함수로 나타내는 식을 도출함으로써 푼다.]

6.38 그림 P6.38a에서 볼 수 있듯이, 점수판이 스포츠 경기장 위에 A, B와 C에 핀으로 고정된 두 개의 케이블로 매달려 있다. 초기에 케이블은 수평이고, 길이는 L이다. 점수판이 매달린 후, B점에서의 자유물체도는 그림 P6.38b와 같다. 각 케이블의 무게를 무시하고, 점수판의 무게가 W = 9000 N일 때 처짐 d (m)를 구하라. 또한 케이블이 얼마나 많이 늘어나는지를 계산하라. 각 케이블은 Hooke의 법칙을 따르므로, 축방향으로 늘어난 길이는 L' $- L = FL/(A_cE)$이다. 여기서 F = 축방향 힘(N), A_c = 케이블의 단면적(m²) 그리고 E = 탄성계수(N/m²)이다. 계산에 다음 매개변수를 사용하라. L = 45 m, A_c = 6.362 × 10⁻⁴ m²

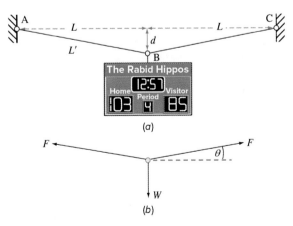

그림 P6.38 (a) A, B와 C에 핀으로 고정된 두 개의 얇은 케이블. 점수판이 B 점에 매달려 있다. (b) 점수판이 매달린 후, B 점에서의 핀의 자유물체도.

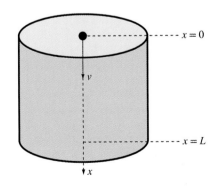

그림 P6.37 점성이 큰 꿀로 채워진 원통 용기 속에서 가라앉는 구.

그리고 $E = 1.5 \times 10^{11}$ N/m^{2}이다.

6.39 그림 P6.39와 같이 저수탑(water tower)은 끝에 밸브가 부착된 파이프와 연결되어 있다. 몇 가지 단순화시키는 가정을 통해서 (예를 들면, 작은 마찰손실을 무시함) 다음의 에너지평형식을 유도할 수 있다.

$$gh - \frac{v^2}{2} = f\left(\frac{L+h}{d} + \frac{L_{e,e}}{d} + \frac{L_{e,v}}{d}\right)\frac{v^2}{2} + K\frac{v^2}{2}$$

여기서 g = 중력가속도(= 9.81 m/s^2), h = 탑의 높이(m), v = 파이프 내부의 평균 물 속도(m/s), f = 파이프의 마찰계수, L = 파이프의 수평 길이(m), d = 파이프 직경(m), $L_{e,e}$ = 엘보우의 등가길이(m), $L_{e,v}$ = 밸브의 등가길이(m) 그리고 K = 탱크 바닥에 있는 수축부에 대한 손실계수이다. 밸브를 통해 나가는 유량 Q를 구하는 MATLAB 스크립트를 작성하라. 다음 매개변수를 사용하라. $h = 24$ m, $L = 65$ m, $d = 100$ mm, $L_{e,e}/d = 30$, $L_{e,v}/d = 8$ 그리고 $K = 0.5$이다. 또한 물의 동점성계수 $v = \mu/\rho = 1.2 \times 10^{-6}$ m^2/s이다.

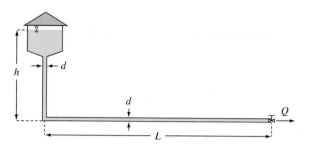

그림 P6.39 끝에 밸브가 부착된 파이프와 연결되어 있는 저수탑.

6.40 한 개의 미지수를 가지는 함수를 전달받으며, 또한 vararigin을 사용하여 함수의 매개변수를 전달할 수 있도록 fzerosimp 함수(그림 6.13)를 수정하라. 6.8절에 기초하여 파이프 마찰에 대한 해를 구하기 위해, 이 수정된 함수와 다음 스크립트를 이용하여 검증하라.

```
clc
format long, format compact
rho=1.23;mu=1.79e-5;D=0.005;V=40;e=0.0015/1000;
Re=rho*V*D/mu;
g=@(f,e,D) 1/sqrt(f)+2*log10(e/(3.7*D)+2.51/
(Re*sqrt(f)));
f=fzerosimp(@(x) g(x,e,D),0.008,0.08)
```

7 최적화

학습목표

이 장의 주요 목표는 최소값 및 최대값을 결정하기 위해 최적화가 1차원과 다차원 함수에서 어떻게 사용되는지를 소개하는 것이다. 특정한 목표와 다루는 주제는 다음과 같다.

- 공학과 과학 문제 풀이에서 최적화가 필요한 이유와 경우
- 1차원과 다차원 최적화 사이의 차이
- 전체 최적값과 국부 최적값 사이의 차이
- 최소화 알고리즘으로 최대화 문제를 풀기 위한 수정
- 황금비의 정의와 이것이 1차원 최적화를 효율적으로 하는 이유
- 황금분할탐색법으로 단일변수 함수의 최적값 결정
- 2차 보간법으로 단일변수 함수의 최적값 결정
- 1차원 함수의 최소값을 구하기 위한 `fminbnd` 함수의 적용
- 2차원 함수를 시각화하기 위한 MATLAB 등고선도와 그물도면
- 다차원 함수의 최소값을 구하기 위한 `fminsearch` 함수의 적용

이런 문제를 만나면

어떤 물체를 특정한 속도로 위쪽으로 발사할 수 있다. 만약 선형항력을 받는다면, 물체의 높이는 다음과 같이 시간의 함수로 계산될 수 있다.

$$z = z_0 + \frac{m}{c}\left(v_0 + \frac{mg}{c}\right)\left(1 - e^{-(c/m)t}\right) - \frac{mg}{c}t \tag{7.1}$$

여기서 z는 지구표면($z = 0$) 위의 높이(m), z_0은 초기 높이(m), m은 질량(kg), c는 선형항력계수(kg/s), v_0는 초기 속도(m/s) 그리고 t는 시간(s)이다. 이 식에서 양의 속도는 위쪽 방향의 속도이다. 다음의 주어진 매개변수값 $g = 9.81$ m/s^2, $z_0 = 100$ m, $v_0 = 55$ m/s, $m = 80$ kg 그리고 $c = 15$ kg/s를 사용하여, 식 (7.1)로 물체의 높이를 계산할 수 있다. 그림 7.1에서와 같이 물체는 $t = 4$ 초에서 최고 높이인 약 190 m에 도달한다.

최고 높이에 도달하는 정확한 시간을 결정하도록 하자. 이러한 극한값의 결정은 최적화에 속하는 것이다. 이 장은 컴퓨터가 이러한 결정을 하는 데 어떻게 사용되는지를 소개한다.

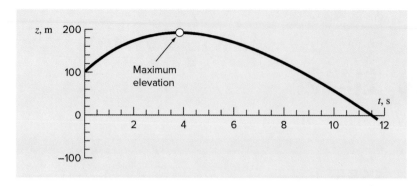

그림 7.1   어떤 초기 속도로 위쪽으로 발사된 물체의 높이를 시간의 함수로 나타냄.

7.1   소개 및 배경

일반적으로 최적화는 어떤 것을 가장 효과적으로 만드는 과정이다. 공학자는 최소 경비로 효율적인 방식을 통하여 작동하는 장치나 제품을 계속해서 설계해야 한다. 따라서 공학자는 항상 성능과 제약조건 사이에 이해득실을 다루는 최적화 문제에 부딪치게 된다. 더욱이 과학자는 발사체의 최고 높이로부터 최소 자유에너지 영역에 이르기까지 최적 현상에 관심을 가진다.

수학적으로 보면 최적화는 하나 또는 그 이상의 변수에 의존하는 함수의 최대값과 최소값을 찾는 것이다. 그 목적은 함수의 최대값과 최소값을 산출하는 변수들의 값을 결정하는 것이다. 그리고 이들 값은 함수에 다시 대입되어 그 함수의 최적값을 계산하게 된다.

이러한 해는 종종 해석적으로 구해지지만, 대부분의 실제 최적화 문제는 수치적 컴퓨터 풀이가 요구된다. 수치적인 관점에서 최적화는 우리가 5장과 6장에서 다룬 근 구하는 방법과 유사하다. 즉 이 두 가지 방법은 함수상의 한 점을 찾기 위한 가정과 검색을 모두 포함하고 있다. 두 가지 방법의 기본적인 차이점은 그림 7.2에서 설명된다. 근 구하기 방법은 함수가 0이 되는 위치를 찾는 것이며, 반면에 최적화는 함수의 극점을 찾는 것이다.

그림 7.2에서 보듯이 최적값은 곡선이 평탄하게 되는 점이 된다. 수학적 용어로 나타내면 도함수 $f'(x)$가 0이 되는 x 값에 해당한다. 또한 2차 도함수인 $f''(x)$는 최적값이 최소값인지 최대값인지를 나타낸다. 만일 $f''(x) < 0$ 이면 최대값, $f''(x) > 0$ 이면 최소값을 나타낸다.

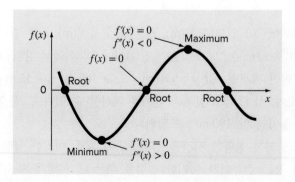

그림 7.2   근과 최적값 사이의 차이를 보여주는 단일 변수의 함수.

이제 근과 최적값 사이의 관계를 이해하면 최적값을 찾기 위한 전략이 떠오르게 될 것이다. 즉 주어진 함수를 미분한 다음, 이 새로운 함수의 근을 구하는 것이다. 실제로 어떤 최적화 방법은 $f'(x) = 0$의 근을 구해서 최적값을 찾게 된다.

예제 7.1 근 구하는 방법을 사용하여 해석적으로 최적값을 구함

문제 설명. 식 (7.1)로 최고 높이에 대한 시간과 크기를 구하라. 계산을 위해 사용하는 매개변수의 값은 $g = 9.81 \text{ m/s}^2$, $z_0 = 100 \text{ m}$, $v_0 = 55 \text{ m/s}$, $m = 80 \text{ kg}$, $c = 15 \text{ kg/s}$이다.

풀이 식 (7.1)을 미분하면 다음과 같다.

$$\frac{dz}{dt} = v_0 e^{-(c/m)t} - \frac{mg}{c}\left(1 - e^{-(c/m)t}\right) \tag{E7.1.1}$$

$v = dz/dt$이므로 위 식은 속도 방정식이다. 최대 높이는 이 방정식이 0이 되는 t 값에서 발생한다. 따라서 이 문제는 근을 구하는 것에 해당된다. 이를 위해 이 도함수를 0으로 놓고 식 (E7.1.1)을 해석적으로 풀면 다음과 같다.

$$t = \frac{m}{c} \ln\left(1 + \frac{c v_0}{mg}\right)$$

매개변수의 값을 대입하면 다음과 같다.

$$t = \frac{80}{15} \ln\left(1 + \frac{15(55)}{80(9.81)}\right) = 3.83166 \text{ s}$$

이 값을 매개변수의 값과 함께 식 (7.1)에 대입하면 최대 높이를 구할 수 있다.

$$z = 100 + \frac{80}{15}\left(50 + \frac{80(9.81)}{15}\right)\left(1 - e^{-(15/80)3.83166}\right) - \frac{80(9.81)}{15}(3.83166) = 192.8609 \text{ m}$$

2차 도함수를 구하기 위해 식 (E7.1.1)을 미분함으로써 이 결과가 최대값이라는 것을 확인할 수 있다.

$$\frac{d^2z}{dt^2} = -\frac{c}{m} v_0 e^{-(c/m)t} - g e^{-(c/m)t} = -9.81 \frac{\text{m}}{\text{s}^2}$$

2차 도함수가 음의 값을 갖는 것은 최대값이라는 것을 말한다. 더욱이 최고 높이에 도달했을 때 속도가 0이기 때문에 항력도 0이 되고, 가속도는 중력과 같아야 하므로 이 결과는 물리적으로 타당하다.

비록 이 경우는 해석해가 가능하지만, 5장과 6장에서 설명한 근 구하는 방법을 사용하여도 같은 결과를 구할 수 있었을 것이다. 이것은 숙제로 남겨둔다.

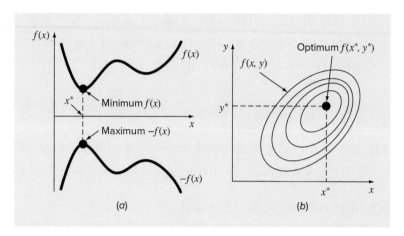

그림 7.3 (a) 1차원 최적화. 이 그림은 $f(x)$의 최소화가 $-f(x)$의 최대화와 같음을 보여준다. (b) 2차원 최적화. 이 그림은 최대값(함수의 등고선 값이 산처럼 정상에서 최대값) 혹은 최소값(함수의 등고선 값이 계곡에서 최소값)을 나타낸다.

근 문제로 최적화에 접근하는 것도 가능하지만, 직접적인 수치 최적화 방법이 다양하게 있다. 이 방법은 1차원 문제와 다차원 문제에 모두 적용이 가능하다. 이름이 의미하듯이 1차원 문제는 한 개의 독립변수에 의존하는 함수를 포함한다. 그림 7.3a에서처럼 이 탐색은 1차원의 정상과 계곡을 오르내리게 된다. 다차원 문제는 두 개 또는 그 이상의 독립변수에 의존하는 함수를 포함한다. 같은 관점에서 2차원 최적화도 정상과 계곡을 탐색하는 것으로 나타낼 수 있다(그림 7.3b). 그렇지만 실제 등산하는 것처럼 한 방향으로만 걸어가도록 구속되지 않고, 목적지에 효과적으로 도달하기 위해 지형을 탐사하게 된다.

마지막으로 $f(x)$를 최소화하는 것과 $-f(x)$를 최대화하는 것은 동일한 x^* 값이기 때문에, 최소값을 찾는 과정은 최대값을 찾는 과정과 동일하다. 이러한 동등성은 그림 7.3a의 1차원 함수에 대한 그래프로 설명된다.

다음 절에서는 1차원 최적화에 대한 보다 일반적인 접근법을 다룬다. 그리고 다차원 함수의 최적값을 결정하는 데 MATLAB을 어떻게 사용하는지에 대해 간단히 설명한다.

7.2 1차원 최적화

이 절에서는 단일변수 함수인 $f(x)$의 최대값과 최소값을 찾는 방법에 대해 설명한다. 이것과 관련된 유용한 형상은 그림 7.4에 묘사된 함수와 같은 1차원 "궤도열차(roller coaster)" 모형이다. 어떤 단일함수는 여러 개의 근을 가지기 때문에, 근 구하는 방법이 매우 복잡해진다는 것을 5장과 6장을 통해 알 수 있었다. 마찬가지로 최적화 문제에서도 국부 최적값과 전체 최적값이 모두 나타날 수 있다.

전체 최적값(global optimum)은 가장 좋은 해에 해당된다. **국부 최적값**(local optimum)은 가장 좋은 것은 아니지만 그것에 인접한 이웃 값보다는 우수하다. 국부 최적값을 포함하는 경우를 **다모드**(multimodal) 문제라고 한다. 이러한 경우 우리는 전체 최적값을 찾는 것에 거의 언

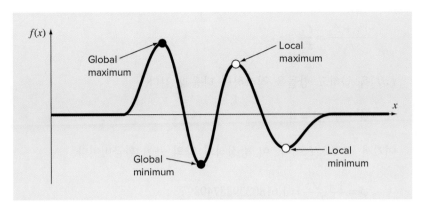

그림 7.4 $+\infty$와 $-\infty$에서 점근적으로 0의 값에 접근하며, 원점 근처에서 두 개의 최대값과 두 개의 최소값을 갖는 함수가 있다. 오른쪽에 있는 두 개의 점은 국부 최적값에 해당하고 왼쪽에 있는 두 개의 점은 전체 최적값이 된다.

제나 관심이 있다. 더욱이 국부적 결과를 전체 최적값으로 여기는 실수를 범하지 않도록 주의해야 한다.

근 구하는 방법과 같이 1차원 최적화는 구간법과 개방법으로 나누어진다. 다음 절에서 설명하듯이 황금분할탐색법은 근을 구하는 이분법과 비슷한 개념인 구간법의 예가 된다. 이어서 이 방법보다 더 정교한 구간법인 2차 보간법을 설명한다. 그리고 MATLAB의 fminbnd 함수로 이 두 가지 방법이 어떻게 조합되어 실행되는지를 보일 것이다.

7.2.1 황금분할탐색법

여러 문명에서 어떤 수들은 마법적인 의미를 갖는다. 예를 들어 서구 사람은 "행운의 숫자 7"이나 "13일의 금요일"에서의 7과 13에 익숙해 있다. 이러한 미신적인 것 이외에도 정말로 "마법적"이라 불릴 만한 흥미롭고 강력한 수학적 성질을 가지고 있는 수가 몇 가지 있다. 이들 수 중 가장 일반적인 것은 원의 지름과 둘레의 비인 π와 자연로그의 기저인 e가 있다.

널리 알려지지는 않았지만, **황금비**(golden ratio)도 놀라운 숫자 중에 반드시 포함될 것이다. 일반적으로 그리스 문자 ϕ로 표현되는 이 황금비는 Euclid(기원전 약 300년)가 최초로 정의하였는데, 오각형이나 오성별의 구조를 만드는 데 유용하기 때문이었다. 그림 7.5에 기술한 것처럼 Euclid 정의는 다음과 같다. "전체 선분에 대한 긴 선분의 비가 긴 선분에 대한 짧은 선분의 비와 같다면, 이 직선은 외중비(extreme and mean ratio, 황금비)로 나누어진다고 말한다."

황금비의 실제값은 다음과 같이 Euclid 정의에 의해 유도된다.

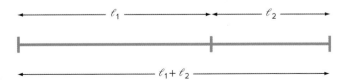

그림 7.5 황금비에 대한 Euclid 정의는 긴 선분에 대한 전체 선분의 비와 짧은 선분에 대한 긴 선분의 비가 같도록 직선을 두 선분으로 나누는 것에 기초한다. 이 비율을 황금비라 한다.

$$\frac{\ell_1 + \ell_2}{\ell_1} = \frac{\ell_1}{\ell_2} \tag{7.2}$$

ℓ_1/ℓ_2을 곱하고 항들을 정리하면 다음과 같다.

$$\phi^2 - \phi - 1 = 0 \tag{7.3}$$

여기서 $\phi = \ell_1/\ell_2$이다. 이 방정식의 양의 근이 황금비이다.

$$\phi = \frac{1 + \sqrt{5}}{2} = 1.61803398874989\dots \tag{7.4}$$

황금비는 오래 전부터 서구 문명에서 미학적으로 보기 좋은 것으로 여겨졌다. 더욱이 이것은 생물학 등 다양한 분야에서도 나타난다. 황금비는 단일변수 함수의 최적값을 구하기 위해 단순하고 일반적으로 적용 가능한 황금분할탐색법의 기초가 된다.

황금분할탐색법은 5장에서 근을 구하기 위해 사용한 이분법과 개념을 같이 한다. 이분법은 근을 둘러싼 가정값의 하한(x_l)과 상한(x_u)에 의해 규정되는 구간을 정의하는 것에 기초한다. 두 경계값 사이에 근이 존재하는지의 여부는 $f(x_l)$과 $f(x_u)$가 서로 다른 부호를 갖는지를 확인하여 결정한다. 그리고 근은 이 구간의 중간점으로 예측한다.

$$x_r = \frac{x_l + x_u}{2} \tag{7.5}$$

이분법 반복에서의 마지막 단계는 더 작은 새로운 구간을 설정하는 것이었다. 이러한 과정은 $f(x_r)$과 같은 부호의 함수값을 갖는 경계값인 x_l 또는 x_u 중 하나를 치환함으로써 이루어진다. 이 방법의 주요 장점은 이전의 경계값 중 하나를 새로운 값 x_r로 대체하는 것이다.

이제 근 대신에 1차원 함수의 최소값을 구하는 데 관심을 가져보자. 이분법에서와 같이 한 개의 답을 포함하고 있는 구간을 먼저 정의한다. 즉 그 구간에서는 한 개의 최소값이 포함되어야 한다. 이러한 경우를 **단모드**(unimodal)라고 한다. 이분법과 같은 기호를 사용하여, x_l 과 x_u 각각을 그 구간의 하한과 상한으로 정의하자. 그러나 구간 내의 최소값을 구하기 위해서는 이분법과는 다른 새로운 전략이 필요하다. 한 개의 중간값을 사용하는 대신(부호의 변화를 찾아내어 근을 찾음), 최소값의 발생 여부를 알기 위해서는 두 개의 중간 함수값이 필요하다.

이 방법이 효율적인 방법이 되기 위해서는 중간점들을 현명하게 선택해야 한다. 이분법에서처럼 이전 값을 새로운 값으로 치환함으로써 함수 계산을 최소화하는 것이 목적이다. 이분법에서는 중간점을 선택하여 수행되지만, 황금분할탐색법은 두 개의 중간점이 황금비에 따라 선택된다.

$$x_1 = x_l + d \tag{7.6}$$
$$x_2 = x_u - d \tag{7.7}$$

여기서 d는 다음과 같다.

$$d = (\phi - 1)(x_u - x_l) \tag{7.8}$$

이 함수는 두 개의 내부 점에서 계산된다. 두 가지 결과가 발생할 수 있다.

1. 그림 7.6a에서처럼 $f(x_1) < f(x_2)$이면, $f(x_1)$은 최소이고 x_2의 왼쪽 x 영역인 x_l 부터 x_2 까지는 최소값을 포함하지 않기 때문에 제거할 수 있다. 이 경우에 x_2는 다음 반복을 위한 새로운 x_l 이 된다.

2. 만약 $f(x_2) < f(x_1)$이면, $f(x_2)$는 최소이고 x_1의 오른쪽 x 영역인 x_1부터 x_u 까지를 제거한다. 이 경우에 x_1은 다음 반복을 위한 새로운 x_u 가 된다.

황금비를 사용하는 실제적인 장점은 다음과 같다. 최초의 x_1과 x_2가 황금비를 사용하여 선택하였기 때문에 그 다음의 반복 수행 시 모든 함수값을 다시 계산할 필요가 없다. 예를 들어 그림 7.6에 설명한 경우에서 이전 값 x_1은 새로운 값 x_2가 된다. 이것은 새로운 함수값 $f(x_2)$가 이전의 x_1에서의 함수값과 같으므로, 새로운 함수값 $f(x_2)$는 다시 계산할 필요가 없음을 의미한다.

알고리즘을 완성하기 위해서는 단지 새로운 x_1을 결정하는 것이 필요하다. 이것은 새로운 값 x_l 과 x_u 를 기초로 하여 식 (7.8)로 계산된 d와 함께 식 (7.6)을 이용하여 계산한다. 이 방법은 최적값이 왼쪽의 소구간에서 발생하는 다른 경우에 대해서도 동일하게 적용된다. 이 경우

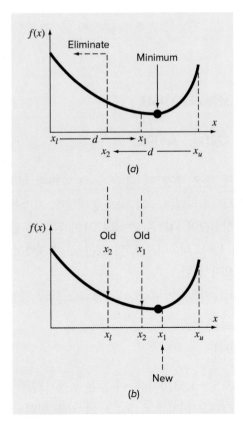

그림 7.6 (a) 황금분할탐색 알고리즘의 첫 단계는 황금비에 따라 두 개의 내부 점을 선택하는 것이다. (b) 두 번째 단계는 최적값을 포함하는 새 구간을 정의하는 것이다.

새로운 x_2는 식 (7.7)로 계산된다.

반복법이 진행됨에 따라 최적값을 포함하고 있는 구간은 급격히 줄어든다. 사실 각 반복마다 구간은 인자 $\phi - 1$(약 61.8%)의 비율로 줄어든다. 즉, 10번을 반복하면 구간은 원래 길이의 약 0.618^{10}인 0.008, 즉 0.8%로 줄어든다. 20번 반복하면 구간은 약 0.0066%가 된다. 이는 이분법에 의한 감소량(50%)에는 미치지 못하지만, 최적값을 구하는 것이 근 구하기보다 더 어려운 문제임을 인식하면 그리 나쁘지 않다.

예제 7.2 / 황금분할탐색법

문제 설명. 황금분할탐색법을 사용하여 $x_l = 0$, $x_u = 4$인 구간에서 다음 함수의 최소값을 구하라.

$$f(x) = \frac{x^2}{10} - 2\sin x$$

풀이 먼저 황금비로 두 개의 내부 점을 구하면 다음과 같다.

$$d = 0.61803(4 - 0) = 2.4721$$
$$x_1 = 0 + 2.4721 = 2.4721$$
$$x_2 = 4 - 2.4721 = 1.5279$$

내부 점에서 함수값을 구한다.

$$f(x_2) = \frac{1.5279^2}{10} - 2\sin(1.5279) = -1.7647$$

$$f(x_1) = \frac{2.4721^2}{10} - 2\sin(2.4721) = -0.6300$$

$f(x_2) < f(x_1)$이기 때문에 가장 좋은 추정 최소값은 $x = 1.5279$에 위치하며 $f(x) = -1.7647$이다. 그리고 최소값은 x_l, x_2, x_1으로 정의되는 구간 내에 존재한다. 따라서 다음 반복에서 $x_l = 0$은 계속해서 하한값이 되며, x_1은 상한값이 되므로 $x_u = 2.4721$이 된다. 또한 이전의 x_2 값은 새로운 x_1 값이 된다. 즉 $x_1 = 1.5279$가 된다. 더욱이 $f(x_1)$의 값은 전 단계에서 $f(1.5279) = -1.7647$로 주어졌으므로 다시 계산할 필요가 없다.

남은 것은 식 (7.8)과 (7.7)을 이용하여 d와 x_2의 새로운 값을 계산하는 것이다.

$$d = 0.61803(2.4721 - 0) = 1.5279$$
$$x_2 = 2.4721 - 1.5279 = 0.9443$$

x_2에서의 함수값은 $f(0.9443) = -1.5310$이다. 이 값은 x_1에서의 함수값보다 크므로 최소값은 $f(1.5279) = -1.7647$이다. 그리고 이것은 x_2, x_1, x_u에 의해 정의된 구간 내에 있다. 이 과정을 반복 수행하면 결과는 다음 표와 같게 된다.

i	x_l	$f(x_l)$	x_2	$f(x_2)$	x_1	$f(x_1)$	x_u	$f(x_u)$	d
1	0	0	1.5279	−1.7647	2.4721	−0.6300	4.0000	3.1136	2.4721
2	0	0	0.9443	−1.5310	1.5279	−1.7647	2.4721	−0.6300	1.5279
3	0.9443	−1.5310	1.5279	−1.7647	1.8885	−1.5432	2.4721	−0.6300	0.9443
4	0.9443	−1.5310	1.3050	−1.7595	1.5279	−1.7647	1.8885	−1.5432	0.5836
5	1.3050	−1.7595	1.5279	−1.7647	1.6656	−1.7136	1.8885	−1.5432	0.3607
6	1.3050	−1.7595	1.4427	−1.7755	1.5279	−1.7647	1.6656	−1.7136	0.2229
7	1.3050	−1.7595	1.3901	−1.7742	1.4427	−1.7755	1.5279	−1.7647	0.1378
8	1.3901	−1.7742	1.4427	−1.7755	1.4752	−1.7732	1.5279	−1.7647	0.0851

매 반복 시의 최소값이 음영으로 표시되어 있다. 여덟 번째 반복 이후의 최소값은 x = 1.4427에 위치하며, 함수값은 −1.7755이다. 따라서 이 결과는 x = 1.4276에서의 참값 −1.7757에 수렴하고 있다.

이분법(5.4절)에서는 각 반복 단계마다 오차의 정확한 상한값을 계산할 수 있었다. 비슷한 논리로 황금분할탐색법에 대한 오차의 상한값을 다음과 같이 유도할 수 있다. 반복이 한 번 완료되면 최적값은 두 구간 중 하나에 들어온다. 만일 최적 함수값이 x_2에 있다면 그 값은 하부구간(x_l, x_2, x_1)에 있을 것이다. 그러나 최적 함수값이 x_1에 있다면 그 값은 상부구간(x_2, x_1, x_u)에 있을 것이다. 내부 점들은 대칭이기 때문에 두 구간 중 어느 경우든지 오차를 정의하는 데 사용할 수 있다.

상부구간(x_2, x_1, x_u)을 살펴보면, 참값이 왼쪽 끝에 위치한다면 추정값으로부터 최대 거리는 다음과 같다.

$$\begin{aligned} \Delta x_a &= x_1 - x_2 \\ &= x_l + (\phi - 1)(x_u - x_l) - x_u + (\phi - 1)(x_u - x_l) \\ &= (x_l - x_u) + 2(\phi - 1)(x_u - x_l) \\ &= (2\phi - 3)(x_u - x_l) \end{aligned}$$

또는 $0.2361(x_u - x_l)$이다. 만약 참값이 오른쪽 끝에 있다면 추정값으로부터 최대 거리는 다음과 같다.

$$\begin{aligned} \Delta x_b &= x_u - x_1 \\ &= x_u - x_l - (\phi - 1)(x_u - x_l) \\ &= (x_u - x_l) - (\phi - 1)(x_u - x_l) \\ &= (2 - \phi)(x_u - x_l) \end{aligned}$$

또는 $0.3820(x_u - x_l)$이다. 그러므로 이 경우가 최대오차를 나타내게 된다. 그리고 이 최대오차 는 다음과 같이 최적값 x_{opt}으로 정규화할 수 있다.

$$\varepsilon_a = (2 - \phi) \left| \frac{x_u - x_l}{x_{opt}} \right| \times 100\% \tag{7.9}$$

이 값은 반복 과정을 종료하기 위한 근거로 활용된다.

최소화를 위한 황금분할탐색법의 M-파일 함수는 그림 7.7과 같다. 이 함수는 최소값의 위치, 함수값, 근사오차, 반복횟수를 반환한다.

예제 7.1의 문제를 M-파일을 사용하여 다음과 같이 풀 수 있다.

```
>> g=9.81;v0=55;m=80;c=15;z0=100;
>> z=@(t) -(z0+m/c*(v0+m*g/c)*(1-exp(-c/m*t))-m*g/c*t);
>> [xmin,fmin,ea]=goldmin(z,0,8)

xmin =
      3.8317
fmin =
  -192.8609
ea =
   6.9356e-005
```

이 문제는 최대화 문제이기 때문에 식 (7.1)에 음의 부호를 추가한 것에 주의해야 한다. 따라

```
function [x,fx,ea,iter] =goldmin(f,xl,xu,es,maxit,varargin)
% goldmin: minimization golden section search
% [x,fx,ea,iter]=goldmin(f,xl,xu,es,maxit,p1,p2,...):
%     uses golden section search to find the minimum of f
% input:
%   f = name of function
%   xl, xu = lower and upper guesses
%   es = desired relative error (default = 0.0001%)
%   maxit = maximum allowable iterations (default = 50)
%   p1,p2,... = additional parameters used by f
% output:
%   x = location of minimum
%   fx = minimum function value
%   ea = approximate relative error (%)
%   iter = number of iterations

if nargin <3,error('at least 3 input arguments required'),end
if nargin <4 || isempty(es), es =0.0001;end
if nargin <5 || isempty(maxit), maxit  =50;end
phi =(1+sqrt(5))/2; iter = 0;
d = (phi-1)*(xu - xl);
x1 = xl + d; x2 = xu - d;
f1 = f(x1,varargin{:}); f2 = f(x2,varargin{:});
while(1)
  xint = xu - xl;
  if f1 < f2
    xopt = x1; xl = x2; x2 = x1; f2 = f1;
    x1 = xl + (phi -1)*(xu -xl); f1 = f(x1,varargin{:});
  else
    xopt = x2; xu = x1; x1 = x2; f1 = f2;
    x2 = xu - (phi -1)*(xu -xl); f2 = f(x2,varargin{:});
  end
  iter=iter  +1;
  if xopt~ =0, ea = (2 - phi) * abs(xint / xopt) * 100;end
  if ea < = es || iter > = maxit,break,end
end
x =xopt; fx =f(xopt,varargin{:});
```

그림 7.7   황금분할탐색법으로 함수의 최소값을 구하는 M-파일.

서 fmin는 최대 높이 192.8609에 해당된다.

왜 황금분할탐색법에서 함수 계산의 수를 줄이는 것에 대해 강조하는지 의아해할 것이다. 물론 하나의 최적화문제 풀이에서는 계산시간의 절약이 미미할 수도 있다. 그러나 함수 계산의 수를 최소화시키고자 하는 데는 두 가지 중요한 이유가 있으며, 그들을 소개하면 다음과 같다.

1. 많은 계산량. 황금분할탐색 알고리즘이 대형 계산의 일부로 포함되는 경우가 있다. 이러한 경우 여러 번 황금분할탐색 부프로그램을 부르게 된다. 따라서 함수 계산의 수를 최소화하는 것이 매우 유익하다.

2. 시간이 많이 드는 계산. 교육적 목적으로 대부분의 예제에서 간단한 함수를 사용하였다. 그러나 어떤 함수는 매우 복잡하여 함수값을 구하는 데 시간이 많이 걸릴 수도 있다. 예를 들어 연립미분방정식으로 구성되는 모델의 매개변수를 구하는 데 최적화를 사용할 수 있다. 이 경우 "함수"는 많은 계산시간을 요구하는 모델의 적분을 수반한다. 따라서 이러한 함수 계산의 수를 줄이는 방법이 유리하다.

7.2.2 2차 보간법

2차 보간법은 2차 다항식이 종종 최적값 근처에서 $f(x)$의 형상을 잘 근사한다는 사실을 이용한다(그림 7.8).

두 점을 연결하는 직선은 한 개뿐인 것처럼 세 점을 연결하는 포물선도 한 개이다. 따라서 최적값을 둘러싸는 세 점이 주어지면, 세 점을 연결하는 포물선을 구할 수 있다. 따라서 그 포물선을 미분하여, 그 결과식을 0으로 만들고, 이를 만족하는 x값을 추정 최적값으로 구한다. 이 과정을 대수적으로 조작하면 다음과 같은 결과를 얻는다.

$$x_4 = x_2 - \frac{1}{2}\frac{(x_2 - x_1)^2[f(x_2) - f(x_3)] - (x_2 - x_3)^2[f(x_2) - f(x_1)]}{(x_2 - x_1)[f(x_2) - f(x_3)] - (x_2 - x_3)[f(x_2) - f(x_1)]} \tag{7.10}$$

여기서 x_1, x_2, x_3는 초기 가정값이며, x_4는 초기 가정값을 2차식으로 접합할 때 구해지는 최적값에 해당한다.

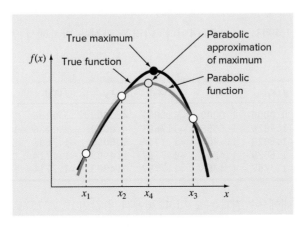

그림 7.8 그래프를 이용한 2차 보간법의 설명.

예제 7.3 / 2차 보간법

문제 설명. 초기 가정값 $x_1 = 0$, $x_2 = 1$ 그리고 $x_3 = 4$를 사용하여 2차 보간법으로 다음 함수의 최소값을 구하라.

$$f(x) = \frac{x^2}{10} - 2 \sin x$$

풀이 세 개의 초기 가정값에서의 함수값은 다음과 같다.

$$x_1 = 0 \qquad f(x_1) = 0$$
$$x_2 = 1 \qquad f(x_2) = -1.5829$$
$$x_3 = 4 \qquad f(x_3) = 3.1136$$

그리고 이 값을 식 (7.10)에 대입한다.

$$x_4 = 1 - \frac{1}{2} \frac{(1-0)^2 [-1.5829 - 3.1136] - (1-4)^2 [-1.5829 - 0]}{(1-0)[-1.5829 - 3.1136] - (1-4)[-1.5829 - 0]} = 1.5055$$

이 x의 함수값은 $f(1.5055) = -1.7691$이다.

다음으로 황금분할탐색법과 비슷한 전략으로 버릴 점을 결정한다. 새로운 점에서의 함수값은 중간점 x_2에서의 함수값보다 작으며, 새로운 x값이 중간점의 오른쪽에 있으므로 작은 가정값 x_1을 버린다. 그러므로 다음 반복은 아래와 같다.

$$x_1 = 1 \qquad f(x_1) = -1.5829$$
$$x_2 = 1.5055 \qquad f(x_2) = -1.7691$$
$$x_3 = 4 \qquad f(x_3) = 3.1136$$

이 값을 식 (7.10)에 대입하면 다음과 같다.

$$x_4 = 1.5055 - \frac{1}{2} \frac{(1.5055 - 1)^2 [-1.7691 - 3.1136] - (1.5055 - 4)^2 [-1.7691 - (-1.5829)]}{(1.5055 - 1)[-1.7691 - 3.1136] - (1.5055 - 4)[-1.7691 - (-1.5829)]}$$
$$= 1.4903$$

이 x의 함수값은 $f(1.4903) = -1.7714$이다. 이러한 과정을 반복해서 얻은 결과는 아래의 표에 기술된 것과 같다.

i	x_1	$f(x_1)$	x_2	$f(x_2)$	x_3	$f(x_3)$	x_4	$f(x_4)$
1	0.0000	0.0000	1.0000	−1.5829	4.0000	3.1136	1.5055	−1.7691
2	1.0000	−1.5829	1.5055	−1.7691	4.0000	3.1136	1.4903	−1.7714
3	1.0000	−1.5829	1.4903	−1.7714	1.5055	−1.7691	1.4256	−1.7757
4	1.0000	−1.5829	1.4256	−1.7757	1.4903	−1.7714	1.4266	−1.7757
5	1.4256	−1.7757	1.4266	−1.7757	1.4903	−1.7714	1.4275	−1.7757

다섯 번의 반복 이내에 이 결과는 $x = 1.4276$에서 참값인 −1.7757로 매우 빠르게 수렴하고 있다.

7.2.3 MATLAB 함수: `fminbnd`

6.4절에서 근 구하는 방법으로서 Brent법을 설명하였다. 이 방법은 몇 가지의 근 구하는 방법들을 신뢰성 있고 효율적인 단일 알고리즘으로 조합하고 있다. 이러한 우수한 특성으로 인해 Brent법은 내장 MATLAB 함수인 `fzero`의 기초가 된다.

또한 Brent는 1차원 최소화를 위해 유사한 방법을 개발하였으며, 이는 MATLAB `fminbnd` 함수의 기초가 된다. 이 방법은 느리지만 신뢰도가 높은 황금분할탐색법과 신뢰도는 낮으나 계산속도가 빠른 2차 보간법을 조합하고 있다. 먼저 2차 보간법을 시도하고, 수용할 수 있는 결과를 얻을 때까지 계속 적용한다. 그렇지 않으면 문제 해결을 위해 황금분할탐색법을 사용한다.

이것의 간단한 구문은 다음과 같다.

```
[xmin, fval] = fminbnd(function,x1,x2)
```

여기서 x와 `fval`은 최소값의 위치와 함수값이고, *function*은 계산하는 함수의 이름이고, *x1*과 *x2*는 탐색하는 구간의 경계값이다.

예제 7.1을 풀기 위해 `fminbnd`를 사용하는 간단한 MATLAB 작업은 다음과 같다.

```
>> g=9.81;v0=55;m=80;c=15;z0=100;
>> z=@(t) -(z0+m/c*(v0+m*g/c)*(1-exp(-c/m*t))-m*g/c*t);
>> [x,f]=fminbnd(z,0,8)

x =
    3.8317
f =
  -192.8609
```

`fzero`에서와 같이, 옵션 매개변수를 `optimset`을 사용하여 지정할 수 있다. 예를 들어 다음과 같이 자세한 계산과정을 나타낼 수 있다.

```
>> options = optimset('display','iter');
>> fminbnd(z,0,8,options)

Func-count     x          f(x)         Procedure
    1       3.05573    -189.759       initial
    2       4.94427    -187.19        golden
    3       1.88854    -171.871       golden
    4       3.87544    -192.851       parabolic
    5       3.85836    -192.857       parabolic
    6       3.83332    -192.861       parabolic
    7       3.83162    -192.861       parabolic
    8       3.83166    -192.861       parabolic
    9       3.83169    -192.861       parabolic

Optimization terminated:
 the current x satisfies the termination criteria using
OPTIONS.TolX of 1.000000e-004

ans =
    3.8317
```

그러므로 세 번의 반복 후에 황금분할탐색법에서 2차 보간법으로 교체되고, 여덟 번의 반복 후에 허용오차 0.0001 이하의 최소값이 구해진다.

7.3 다차원 최적화

최적화는 1차원 함수뿐만 아니라 다차원 함수도 다룬다. 그림 7.3a에서 1차원 탐색의 시각적 형상은 궤도열차 모형과 같다는 것을 보았다. 2차원의 경우에 시각적 형상은 산이나 계곡과 같은 모양이다(그림 7.3b). 다음의 예제에서 MATLAB의 그래픽 기능이 이러한 함수를 손쉽게 시각화하는 것을 볼 수 있다.

예제 7.4 **2차원 함수의 시각화**

문제 설명. MATLAB의 그래픽 기능을 사용하여, $-2 \leq x_1 \leq 0$, $0 \leq x_2 \leq 3$의 범위 내에서 다음의 함수와 그 최소값을 시각적으로 나타내라.

$$f(x_1, x_2) = 2 + x_1 - x_2 + 2x_1^2 + 2x_1x_2 + x_2^2$$

풀이 다음의 스크립트는 이 함수의 등고선도와 그물도면을 생성한다.

```
x=linspace(-2,0,40);y=linspace(0,3,40);
[X,Y] = meshgrid(x,y);
Z=2+X-Y+2*X.^2+2*X.*Y+Y.^2;
subplot(1,2,1);
cs=contour(X,Y,Z);clabel(cs);
xlabel('x_1');ylabel('x_2');
title('(a) Contour plot');grid;
subplot(1,2,2);
cs=surfc(X,Y,Z);
zmin=floor(min(Z));
zmax=ceil(max(Z));
xlabel('x_1');ylabel('x_2');zlabel('f(x_1,x_2)');
title('(b) Mesh plot');
```

그림 7.9의 두 그림은 대략 $x_1 = -1$, $x_2 = 1.5$인 위치에서 $f(x_1, x_2)$가 0에서 1 사이의 최소값을 가지는 함수임을 나타낸다.

다차원 비구속 최적화 기법은 여러 가지로 분류될 수 있다. 이를 설명하기 위해 최적화 기법을 도함수 계산의 필요 여부에 따라 분류한다. 도함수가 필요한 방법은 **구배법**(gradient), 또는 **하향법**[descent, 또는 상향법(ascent)]이라 하며, 도함수를 구할 필요가 없는 방법은 **비구배법**(nongradient) 또는 **직접법**(direct)이라 한다. 다음에 설명하는 내장 MATLAB 함수인 fminsearch는 직접법이다.

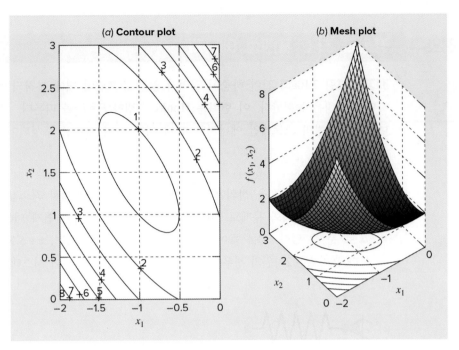

그림 7.9 2차원 함수의 (a) 등고선도 (b) 그물도면.

7.3.1 MATLAB 함수: `fminsearch`

MATLAB은 다차원 함수의 최소값을 구하는 `fminsearch`라는 함수를 가지고 있다. 이 함수는 Nelder-Mead 법에 기초를 두고 있는데, 단지 함수값만 사용(도함수값 불필요)하여 매끄럽지 않은 목적함수를 다루는 직접탐색법이다. 이것의 간단한 구문은 다음과 같다.

> [*xmin*, *fval*] = fminsearch(*function*,*x0*)

여기서 *xmin*과 *fval*은 최소값의 위치와 값이고, *function*은 계산하고자 하는 함수의 이름이며, *x0*는 초기 가정값이다. *x0*는 스칼라, 벡터 및 행렬이 될 수 있음에 유의한다.

다음은 예제 7.4에 도시된 함수의 최소값을 구하기 위해 `fminsearch`를 사용하는 간단한 MATLAB 작업이다.

```
>> f=@(x) 2+x(1)-x(2)+2*x(1)^2+2*x(1)*x(2)+x(2)^2;
>> [x,fval]=fminsearch(f,[-0.5,0.5])
x =
   -1.0000    1.5000
fval =
    0.7500
```

7.4 사례연구   평형과 최소 포텐셜 에너지

배경. 그림 7.10a와 같이 하중이 걸리지 않은 스프링이 벽에 부착되어 있다. 수평 힘이 작용하면 스프링은 늘어난다. 이 변위는 **Hooke의 법칙** $F = kx$를 따른다. 이 변형상태의 **포텐셜 에너지**는 스프링의 스트레인 에너지와 힘에 의한 일의 차이로 구성되어 있다.

$$PE(x) = 0.5kx^2 - Fx \tag{7.11}$$

식 (7.11)은 포물선을 정의한다. 포텐셜 에너지는 평형에서 최소값이기 때문에, 변위에 대한 해는 1차원 최적화 문제로 간주할 수 있다. 이 방정식은 쉽게 미분되기 때문에, 변위를 $x = F/k$로 풀 수 있다. 예를 들어 $k = 2$ N/cm이고 $F = 5$ N이면, $x = 5$ N/(2 N/cm) = 2.5 cm이다.

보다 흥미로운 2차원의 경우를 그림 7.11에서 볼 수 있다. 이 시스템은 수평과 수직으로 움직

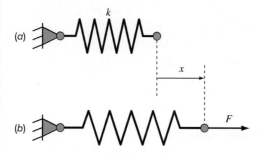

그림 7.10 (a) 벽에 부착되어 있는 하중이 걸리지 않은 스프링, (b) Hooke 법칙(힘과 변위의 관계)이 적용되는 수평 힘과 늘어난 스프링.

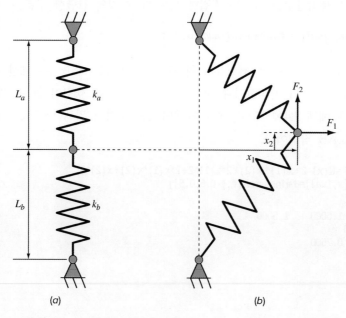

그림 7.11 (a) 하중이 작용하지 않는 (b) 하중이 작용하는 두 개의 스프링 시스템.

일 수 있는 두 개의 자유도가 있다. 1차원 시스템에 대한 접근법과 같은 방식으로 평형변형은 다음의 포텐셜 에너지를 최소로 하는 x_1과 x_2의 값이다.

$$PE(x_1, x_2) = 0.5k_a \left(\sqrt{x_1^2 + (L_a - x_2)^2} - L_a \right)^2 \\ + 0.5k_b \left(\sqrt{x_1^2 + (L_b + x_2)^2} - L_b \right)^2 - F_1 x_1 - F_2 x_2$$

(7.12)

매개변수가 $k_a = 9$ N/cm, $k_b = 2$ N/cm, $L_a = 10$ cm, $L_b = 10$ cm, $F_1 = 2$ N 그리고 $F_2 = 4$ N일 때, MATLAB을 사용하여 변위와 포텐셜 에너지를 구한다.

풀이 다음의 M-파일은 포텐셜 에너지 함수를 입력하기 위한 것이다.

```
function p = PE(x, ka, kb, La, Lb, F1, F2)
PEa = 0.5*ka*(sqrt(x(1)^2 + (La − x(2))^2) − La)^2;
PEb = 0.5*kb*(sqrt(x(1)^2 + (Lb + x(2))^2) − Lb)^2;
W = F1*x(1) + F2*x(2);
p = PEa + PEb − W;
```

해는 `fminsearch` 함수로 얻을 수 있다.

```
>> ka = 9;kb = 2;La = 10;Lb = 10;F1 = 2;F2 = 4;
>> [x,f] = fminsearch(@(x) PE(x,ka,kb,La,Lb,F1,F2),[−0.5,0.5])

x =
    4.9523    1.2769
f =
    −9.6422
```

그러므로 평형상태에서 포텐셜 에너지는 −9.6422 N·cm이다. 연결 점은 원래 위치에서 오른쪽으로 4.9523 cm, 위로 1.2759 cm만큼 이동한 곳에 있다.

연습문제

7.1 식 (E7.1.1)의 근을 구하기 위해 Newton-Raphson법을 세 번 반복 수행하라. 예제 7.1의 매개변수값과 초기 가정값 $t = 3$ 초를 이용하라.

7.2 함수가 다음과 같이 주어진다.

$$f(x) = -x^2 + 8x - 12$$

(a) 이 함수의 최대값과 이에 해당하는 x값을 해석적으로 (즉, 미분을 이용하여) 구하라.

(b) 초기 가정값이 $x_1 = 0$, $x_2 = 2$ 그리고 $x_3 = 6$일 때, 식 (7.10)을 사용하면 같은 결과를 얻을 수 있음을 입증하라.

7.3 함수가 다음과 같이 주어진다.

$$f(x) = 3 + 6x + 5x^2 + 3x^3 + 4x^4$$

이 함수의 도함수의 근을 구함으로써 최소값을 구하라. 초기 가정값 $x_l = -2$, $x_u = 1$과 이분법을 사용하라.

7.4 함수가 다음과 같이 주어진다.

$$f(x) = -1.5x^6 - 2x^4 + 12x$$

(a) 함수를 그려라.

(b) 해석적인 방법으로 함수가 모든 x값에 대하여 위로 오목함을 증명하라.

(c) 함수를 미분한 후, 근 구하는 방법으로 $f(x)$의 최대값과 이에 해당하는 x값을 구하라.

7.5 황금분할탐색법을 이용하여 연습문제 7.4의 $f(x)$를 최대로 하는 x값을 구하라. 초기 가정값으로 $x_l = 0$, $x_u = 2$를 사용하고 반복을 세 번 수행하라.

7.6 연습문제 7.5를 2차 보간법으로 다시 풀어라. 초기 가정값으로 $x_1 = 0$, $x_2 = 1$ 그리고 $x_3 = 2$를 이용하여 반복을 세 번 수행하라.

7.7 다음 함수의 최대값을 아래의 방법으로 구하라.

$$f(x) = 4x - 1.8x^2 + 1.2x^3 - 0.3x^4$$

(a) 황금분할탐색법($x_l = -2$, $x_u = 4$, $\varepsilon_s = 1\%$).

(b) 2차 보간법($x_1 = 1.75$, $x_2 = 2$, $x_3 = 2.5$, 반복횟수 = 5).

7.8 다음 함수를 고려한다.

$$f(x) = x^4 + 2x^3 + 8x^2 + 5x$$

해석적 방법과 그래프를 이용하는 방법으로 $-2 \le x \le 1$ 범위에 있는 x 값에서 최소값을 가짐을 보여라.

7.9 연습문제 7.8에서 주어진 함수의 최소값을 구하기 위하여 다음 방법을 적용하라.

(a) 황금분할탐색법($x_l = -2$, $x_u = 1$, $\varepsilon_s = 1\%$).

(b) 2차 보간법($x_1 = -2$, $x_2 = -1$, $x_3 = 1$, 반복횟수 = 5).

7.10 다음 함수를 고려한다.

$$f(x) = 2x + \frac{3}{x}$$

최소값을 구하기 위해 2차 보간법을 사용하여 10번 반복한다. 결과의 수렴성에 대해 설명하라($x_1 = 0.1$, $x_2 = 0.5$, $x_3 = 5$).

7.11 다음 함수는 $2 \le x \le 20$의 구간에서 여러 개의 서로 다른 최소값(minima)을 가지는 곡선을 나타낸다.

$$f(x) = \sin(x) + \sin\left(\frac{2}{3}x\right)$$

다음을 수행할 MATLAB 스크립트를 작성하라. (a) 주어진 구간에서 함수를 그린다. (b) `fminbnd`를 이용하여 최소값을 구한다. (c) 황금분할탐색법과 손 계산을 이용하여 최소값을 구한다. 3자리 유효숫자에 해당하는 종료 판정기준을 적용한다. (b)와 (c)번에서 초기 가정값은 [4, 8]을 사용한다.

7.12 황금분할탐색법과 손 계산을 이용하여 다음 함수의 최대값 $f(x_{max})$와 위치 x_{max}값을 구하라.

$$f(x) = -0.8x^4 + 2.2x^2 + 0.6$$

초기 가정값으로 $x_l = 0.7$, $x_u = 1.4$를 사용하고 $\varepsilon_s = 10\%$가 되도록 충분한 횟수의 반복을 수행하라. 최종 결과의 근사 상대오차를 구하라.

7.13 다음을 수행할 스크립트를 개발하라.

(a) 예제 7.4와 비슷한 방식으로 다음 온도장의 등고선도와 그물도면을 생성한다.

$$T(x, y) = 2x^2 + 3y^2 - 4xy - y - 3x$$

(b) `fminsearch`를 사용하여 최소값을 구한다.

7.14 지하수 대수층의 수두는 다음과 같은 직교좌표계로 기술된다.

$$h(x, y) = \frac{1}{1 + x^2 + y^2 + x + xy}$$

다음을 수행할 스크립트를 개발하라.

(a) 예제 7.4와 비슷한 방식으로 함수의 등고선도와 그물도면을 생성한다.

(b) `fminsearch`를 사용하여 최대값을 구한다.

7.15 최근에 경주용과 여가용 사이클링에 대한 관심이 커짐에 따라 기술자들은 산악자전거의 설계와 시험에 대한 기술 개발에 집중하여 왔다(그림 P7.15a). 어떤 힘에

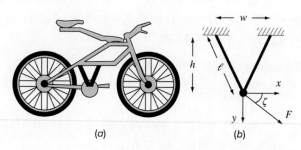

그림 P7.15 (a) 산악자전거 (b) 프레임의 일부에 대한 자유물체도.

대한 반응으로 자전거의 버팀대(bracket) 시스템의 수평과 수직 변위를 예측하고자 한다. 해석해야 할 힘은 그림 P7.15b와 같이 단순화될 수 있다고 가정한다. 각도 θ로 지정되는 모든 방향에서 작용하는 힘에 대한 트러스의 응답을 시험하는 데 관심이 있다. 이 문제의 매개변수는 $E =$ Young의 탄성계수 $= 2 \times 10^{11}$ Pa, $A =$ 단면적 $= 0.0001$ m^2, $w =$ 폭 $= 0.44$ m, $l =$ 길이 $= 0.56$ m 그리고 $h =$ 높이 $= 0.5$ m이다. 변위 x와 y는 최소 포텐셜 에너지를 산출하는 값을 결정함으로써 구할 수 있다. 10,000 N의 힘과 0°(수평)부터 90°(수직)까지의 θ의 범위에 대한 변위를 구하라.

7.16 전류가 와이어를 통해 흐르면(그림 P7.16), 저항에 의해 발생한 열은 단열층을 통해 전도되고 주위 공기로 대류된다. 와이어의 정상상태 온도는 다음과 같이 계산될 수 있다.

$$T = T_{\text{air}} + \frac{q}{2\pi}\left[\frac{1}{k}\ln\left(\frac{r_w + r_i}{r_w}\right) + \frac{1}{h}\frac{1}{r_w + r_i}\right]$$

와이어의 온도를 최소화시키는 단열재의 두께 r_i (m)를 구하라. 매개변수들은 다음과 같다. $q =$ 열발생율 $= 75$ W/m, $r_w =$ 와이어 반경 $= 6$ mm, $k =$ 단열재의 열전도계수 $= 0.17$ W/(m K), $h =$ 대류 열전달계수 $= 12$ W/(m^2 K) 그리고 T_{air} $=$ 공기 온도 $= 293$ K이다.

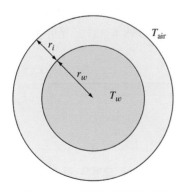

그림 P7.16 단열된 와이어의 단면.

7.17 황금분할탐색법으로 최대값의 위치를 구하는 특수한 M-파일을 개발하라. 바꿔 말하면 $-f(x)$의 최소값을 구하는 것보다 최대값을 직접 구하도록 만들어라. 함수는 다음의 특성을 가져야 한다.

- 상대오차가 종료 판정기준 이하로 떨어지거나 최대 반복횟수를 초과할 때까지 반복한다.

- 최적값 x와 $f(x)$값을 모두 반환한다.

예제 7.1의 문제로 이 프로그램을 시험하라.

7.18 황금분할탐색법으로 최소값을 구하는 M-파일을 개발하라. 최대 반복횟수나 식 (7.9)의 종료 판정기준을 사용하는 대신에 원하는 허용오차를 얻기 위해 필요한 반복횟수를 결정하라. $E_{a,d} = 0.0001$로 예제 7.2를 풀어 함수를 시험하라.

7.19 최소값을 구하기 위해 2차 보간법을 수행하는 M-파일을 개발하라. 함수는 다음의 특성을 가져야 한다.

- 두 개의 초기 가정값을 기초로 하여, 이 구간의 중간값에서 세 번째 초기값을 생성하는 프로그램이다.

- 가정값 구간 내에 최대값이 들어 있는지 확인하라. 그렇지 않으면 이 함수는 알고리즘을 수행하지 않고 에러 메시지를 반환한다.

- 상대오차가 종료 판정기준 이하로 떨어지거나 최대 반복횟수를 초과할 때까지 반복한다.

- 최적값 x와 $f(x)$값을 모두 반환한다.

예제 7.3의 문제로 이 프로그램을 시험하라.

7.20 에어포일 뒤의 어떤 점에서 시간에 따라 압력을 측정한다. 이 데이터는 x가 0부터 6초까지에서 $y = 6\cos x - 1.5\sin x$의 곡선을 가장 잘 접합한다. 최소 압력을 구하기 위해 황금분할탐색법으로 네 번 반복하라. $x_l = 2$, $x_u = 4$로 한다.

7.21 공의 궤적은 다음과 같이 계산된다.

$$y = (\tan\theta_0)x - \frac{g}{2v_0^2\cos^2\theta_0}x^2 + y_0$$

여기서 y는 높이(m), θ_0은 초기 각도(라디안), v_0는 초기 속도(m/s), g는 중력가속도(9.81 m/s^2) 그리고 y_0은 초기 높이(m)이다. $y_0 = 2$ m, $v_0 = 20$ m/s, $\theta_0 = 45°$가 주어질 때 황금분할탐색법을 이용하여 최대 높이를 구하라. 근사오차가 $\varepsilon_s = 10\%$ 이하로 떨어질 때까지 $x_l = 10$, $x_u = 30$ m의 초기 가정값을 사용하여 반복하라.

7.22 선형적으로 증가하는 분포하중이 걸리는 균일한 보의 처짐은 다음과 같이 계산될 수 있다.

$$y = \frac{w_0}{120E\,I\,L}(-x^5 + 2L^2x^3 - L^4x)$$

$L = 600$ cm, $E = 50,000$ kN/cm^2, $I = 30,000$ cm^4, $w_0 = 2.5$ kN/cm가 주어졌을 때, 최대 처짐의 위치를 구하라. (a) 그래프를 이용한다. (b) 황금분할탐색법을 이용하여 $x_l = 0$, $x_u = L$의 초기 가정값으로 근사오차가 $\varepsilon_s = 1\%$ 이하로 떨어질 때까지 반복한다.

7.23 질량이 90 kg인 물체가 지표면에서 60 m/s의 속도로 위쪽 방향으로 발사되었다. 물체가 선형적인 항력($c = 15$ kg/s)을 받고 있을 때, 황금분할탐색법을 이용하여 물체가 최고로 올라가는 높이를 구하라.

7.24 정규분포는 다음과 같은 종 모양의 곡선으로 정의된다.

$$y = e^{-x^2}$$

황금분할탐색법을 이용하여 양의 x 구간에서 곡선의 변곡점의 위치를 구하라.

7.25 `fminsearch` 함수를 이용하여 다음 함수의 최소값을 구하라.

$$f(x, y) = 2y^2 - 2.25xy - 1.75y + 1.5x^2$$

7.26 `fminsearch` 함수를 이용하여 다음 함수의 최대값을 구하라.

$$f(x, y) = 4x + 2y + x^2 - 2x^4 + 2xy - 3y^2$$

7.27 다음과 같은 함수가 있다.

$$f(x, y) = -8x + x^2 + 12y + 4y^2 - 2xy$$

(a) 그래프를 이용하여 최소값을 구하라. (b) `fminsearch` 함수를 이용하여 수치적으로 최소값을 구하라. (c) (b)의 결과를 다시 함수에 대입하여 $f(x, y)$의 최소값을 구하라.

7.28 항생물질을 생산하는 효모의 비성장률(specific growth rate)은 음식농도 c의 함수이다.

$$g = \frac{2c}{4 + 0.8c + c^2 + 0.2c^3}$$

그림 P7.28에서와 같이 음식량의 제한으로 인해 성장은 매우 낮은 농도에서 0으로 접근한다. 또한 독성 효과의 영향으로 인해 높은 농도에서도 0으로 접근한다. 성장이 최대가 되는 c의 값을 찾아라.

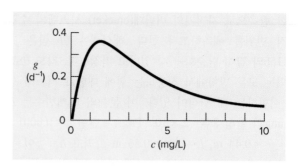

그림 P7.28 음식농도와 항생물질을 생산하는 효모의 비성장률 사이의 관계.

7.29 혼합물 A는 교반탱크 반응기 안에서 B로 전환된다. 생성물 B와 반응되지 않은 A는 분리장치에서 정제된다. 반응되지 않는 A는 반응기로 재순환된다. 프로세스 엔지니어는 시스템의 초기 비용이 전환비 x_A의 함수임을 알아내었다. 최소비용 시스템이 되는 전환비를 찾아라. C는 비례상수이다.

$$\text{Cost} = C\left[\left(\frac{1}{(1 - x_A)^2}\right)^{0.6} + 6\left(\frac{1}{x_A}\right)^{0.6}\right]$$

7.30 하중과 모멘트가 작용하는 외팔보의 유한요소 모델은 다음 함수를 최적화함으로써 얻는다(그림 P7.30).

$$f(x, y) = 5x^2 - 5xy + 2.5y^2 - x - 1.5y$$

여기서 x는 끝단의 변위이고 y는 끝단의 모멘트이다. $f(x, y)$를 최소로 하는 x, y값을 구하라.

그림 P7.30 외팔보.

7.31 **Streeter-Phelps** 모델은 하수 오물이 방류되는 지점 밑의 강물에 용해된 산소의 농도를 계산하는 데 이용된다(그림 P7.31).

$$o = o_s - \frac{k_d L_o}{k_d + k_s - k_a}\left(e^{-k_a t} - e^{-(k_d + k_s)t}\right)$$
$$- \frac{S_b}{k_a}\left(1 - e^{-k_a t}\right) \qquad\text{(P7.31)}$$

o는 용해된 산소의 농도(mg/L), o_s는 산소 포화농도(mg/L), t는 이동시간(d), L_o는 혼합 지점에서의 생화학적

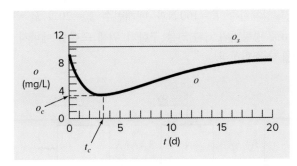

그림 P7.31 하수 오물이 강물로 방류되는 지점 밑에서의 용존 산소의 "하락".

산소요구량(BOD) 농도(mg/L), k_d 는 BOD의 분해율(d^{-1}), k_s 는 BOD의 침전율(d^{-1}), k_a 는 재통기율(d^{-1}) 그리고 S_b 는 산소요구 침전물(mg/(Ld))이다.

그림 P7.31에서 보듯이 식 (P7.31)은 방류 지점 아래쪽에서 어떤 이동시간 t_c 에 산소의 임계 최소수준 o_c 에 도달하는 산소 "하락(sag)"을 발생시킨다. 이 지점은 산소에 의존하는 생물(물고기와 같은)들이 가장 큰 스트레스를 받는 위치이기 때문에 "임계"라고 부른다. 다음을 수행할 MATLAB 스크립트를 작성하라. (a) 함수 대 이동시간의 그림을 그린다. (b) fminbnd와 다음 값을 이용하여 임계 이동시간과 농도를 구한다.

$$o_s = 10 \text{ mg/L} \qquad k_d = 0.1 \text{ d}^{-1} \qquad k_a = 0.6 \text{ d}^{-1}$$
$$k_s = 0.05 \text{ d}^{-1} \qquad L_o = 50 \text{ mg/L} \qquad S_b = 1 \text{ mg/L/d}$$

7.32 수로 안의 오염물 농도의 2차원 분포는 다음과 같다.

$$c(x, y) = 7.9 + 0.13x + 0.21y - 0.05x^2$$
$$-0.016y^2 - 0.007xy$$

주어진 함수와 $-10 \le x \le 10$, $0 \le y \le 20$ 범위에 최대값이 있다는 정보로부터 최대 농도의 정확한 위치를 구하라.

7.33 총 전하 Q는 반경 a의 고리 모양의 전도체 주위에 균일하게 분포되어 있다. 전하 q는 고리의 중심으로부터 거리 x에 위치해 있다(그림 P7.33). 고리에 의해 전하에 미치는 힘은 다음 식으로 주어진다.

$$F = \frac{1}{4\pi e_0} \frac{qQx}{(x^2 + a^2)^{3/2}}$$

여기서 $e_0 = 8.85 \times 10^{-12} \text{ C}^2/(\text{N m}^2)$, $q = Q = 2 \times 10^{-5} \text{ C}$, $a = 0.9 \text{ m}$이다. 힘이 최대가 되는 거리 x를 구하라.

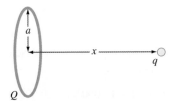

그림 P7.33

7.34 유도자 모터에 전달되는 토크는 고정자 장의 회전과 회전자 속도 사이의 미끄러짐(slip)의 함수이며, 미끄러짐은 다음과 같이 정의된다.

$$s = \frac{n - n_R}{n}$$

여기서 n은 회전하는 고정자의 초당 회전수, n_R은 회전자의 속도이다. Kirchhoff 법칙을 사용하면, 토크(무차원 형식으로 표현됨)와 미끄러짐 사이의 관계는 다음과 같게 된다.

$$T = \frac{15s(1 - s)}{(1 - s)(4s^2 - 3s + 4)}$$

그림 P7.34는 이 함수를 보여준다. 수치해법으로 최대 토크가 발생할 때의 미끄러짐을 구하라.

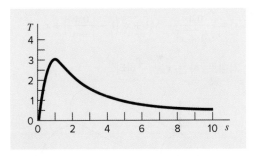

그림 P7.34 미끄러짐의 함수로서 유도자에 전달되는 토크.

7.35 에어포일에 작용하는 총 항력은 다음 식으로 추정된다.

$$D = 0.01\sigma V^2 + \frac{0.95}{\sigma}\left(\frac{W}{V}\right)^2$$

마찰력 　　 양력

여기서 D는 항력, σ는 비행고도와 해수면 사이의 공기 밀도의 비, W는 무게 그리고 V는 속도이다. 그림 P7.35에서 보듯이, 항력에 관련하는 두 인자는 속도가 증가함에 따라 다른 영향을 받는다. 마찰항력은 속도에 따라 증가하는 반면에 양력에 기인한 항력은 감소한다. 두 인자의 조합은 최소 항력에 이르게 한다.

(a) $\sigma = 0.6$, $W = 16,000$일 때, 최소 항력과 이것이 발생할 때의 속도를 구하라.

(b) 또한 $\sigma = 0.6$, $W = 12,000$부터 20,000의 범위에 대하여 이 최적값이 어떻게 변하는지를 구하는 민감도 해석을 수행하라.

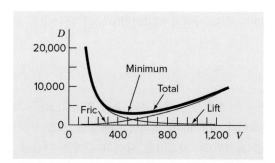

그림 P7.35 에어포일에서 속도에 대한 항력 그래프.

7.36 롤러베어링이 큰 접촉 하중 F에 의해 피로 파손이 일어난다(그림 P7.36). x축을 따라 최대 응력이 걸리는 위치를 찾는 문제는 다음 함수를 최대화하는 것과 같다는 것을 알 수 있다.

$$f(x) = \frac{0.4}{\sqrt{1+x^2}} - \sqrt{1+x^2}\left(1 - \frac{0.4}{1+x^2}\right) + x$$

$f(x)$를 최대로 하는 x를 구하라.

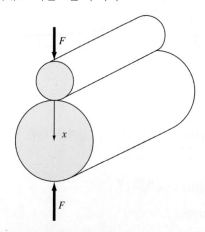

그림 P7.36 롤러베어링.

7.37 7.4절에 기술한 사례연구와 비슷한 방식으로 그림 P7.37에 묘사된 시스템에 대한 포텐셜 에너지 함수를 개발하라. MATLAB으로 등고선도와 그물도면을 그려라. 주

어진 강제함수 $F = 100$ N과 매개변수 $k_a = 20$과 $k_b = 15$ N/m로 평형변위 x_1과 x_2를 구하기 위해 포텐셜 에너지 함수를 최소화하라.

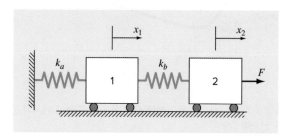

그림 P7.37 두 개의 마찰이 없는 질량이 한 쌍의 선형 탄성스프링에 의해 벽에 연결된다.

7.38 농공기사가 용수를 보내기 위해 사다리꼴의 개수로를 설계한다(그림 P7.38). 단면적 50 m²에 대해 접수 길이 (wetted perimeter)를 최소화하는 최적 치수를 구하라. 상대적인 치수는 범용적인가?

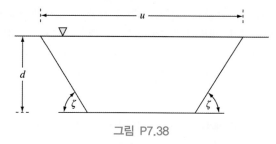

그림 P7.38

7.39 fminsearch 함수를 사용하여 땅에서 담장 위를 거쳐 건물의 벽까지 다다르는 가장 짧은 사다리의 길이를 구하라(그림 P7.39). $h = d = 4$ m인 경우에 이것을 검증하라.

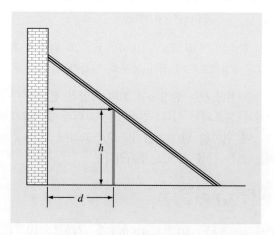

그림 P7.39 담장에 기대어 벽에 닿는 사다리.

7.40 그림 P7.40에 묘사된 모퉁이를 지나는 가장 긴 사다리의 길이는 다음 함수를 최소화하는 θ의 값을 계산함으로써 구할 수 있다.

$$L(\theta) = \frac{w_1}{\sin \theta} + \frac{w_2}{\sin(\pi - \alpha - \theta)}$$

$w_1 = w_2 = 2$ m인 경우에, 이 장에서 설명한 수치해법(MATLAB의 내장된 기능을 포함하여)으로 45°에서 135°까지의 α 범위에 대한 L의 그래프를 그려라.

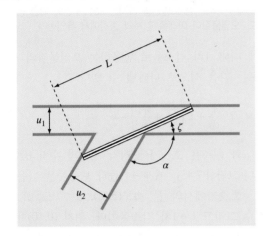

그림 P7.40 두 복도에 의해 만들어진 모퉁이를 지나는 사다리.

7.41 그림 P7.41은 균일한 하중을 받는 핀접합 보(pinned fixed beam)를 보여준다. 이와 같은 경우, 처짐에 대한 방정식은 다음과 같다.

$$y = -\frac{w}{48EI}(2x^4 - 3Lx^3 + L^3x)$$

다음을 위해 `fminbnd`를 사용하는 MATLAB 스크립트를 개발하라.

(a) 처짐 대 거리를 나타내는 그림(제목과 함께)을 생성한다.

(b) 최대 처짐의 위치와 크기를 구한다. 초기 가정값으로 0과 L을, 그리고 반복횟수를 출력하기 위해 `optimset`를 사용한다. 계산에 다음의 매개변수값을 적용하라 (일관된 단위를 사용하도록 유의한다). $L = 400$ cm, $E = 52,000$ kN/cm^2, $I = 32,000$ cm^4 그리고 $w = 4$ kN/cm이다.

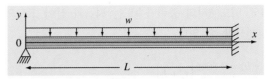

그림 P7.41

7.42 정상상태의 수평 비행을 하는 제트 비행기에 대해, 추력은 항력과, 양력은 무게와 평형을 이루게 된다(그림 P7.42). 이러한 조건에서 최적의 순항속도는 항력 대 속도의 비가 최소가 될 때 발생한다. 항력계수 C_D는 다음과 같이 계산할 수 있다.

$$C_D = C_{D0} + \frac{C_L^2}{\pi \cdot AR}$$

여기서 C_{D0} = 양력이 0일 때의 항력계수, C_L = 양력계수 그리고 AR = 종횡비이다. 정상상태의 수평 비행에서 양력계수는 다음과 같이 계산할 수 있다.

$$C_L = \frac{2W}{\rho v^2 A}$$

여기서 W = 제트 비행기의 무게(N), ρ = 공기의 밀도 (kg/m^3), v = 속도(m/s), A = 날개의 평면도 면적(m^2)이다. 항력은 다음과 같이 계산할 수 있다.

$$F_D = W\frac{C_D}{C_L}$$

이들 식을 사용하여, 해수면 위 10 km 고도에서 비행하는 무게가 670 kN인 제트 비행기의 최적의 정상상태 순항속도를 구하라. 계산에 다음의 매개변수 값을 적용하라. $A = 150$ m^2, $AR = 6.5$, $C_{D0} = 0.018$ 그리고 $\rho = 0.413$ kg/m^{3}이다.

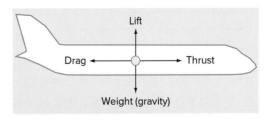

그림 P7.42 정상상태의 수평 비행을 하는 제트 비행기에 작용하는 4개의 주요한 힘.

7.43 연습문제 7.42에 있는 제트 비행기의 최적의 순항속도 대 해수면 위의 고도에 대한 그래프를 만드는 MATLAB 스크립트를 개발하라. 제트 비행기의 질량은 68,300 kg이

다. 45° 위도에서의 중력가속도는 다음과 같이 고도의 함수로 계산할 수 있다.

$$g(h) = 9.8066 \left(\frac{r_e}{r_e + h} \right)^2$$

여기서 $g(h)$ = 해수면 위의 고도 h (m)에서의 중력가속도 (m/s^2) 그리고 r_e = 지구의 평균반경(= 6.371×10^6 m)이다. 또한 공기 밀도는 고도의 함수로 다음 식과 같이 계산된다.

$$\rho(h) = -9.57926 \times 10^{-14} h^3 + 4.71260 \times 10^{-9} h^2$$
$$- 1.18951 \times 10^{-4} h + 1.22534$$

연습문제 7.42로부터 나머지 매개변수 값을 사용하고, 해수면 위의 고도 $h = 0$에서 12 km까지의 범위에 대한 그래프가 되도록 스크립트를 설계하라.

7.44 그림 P7.44에서 보듯이, 이동식 소방호스가 물줄기를 빌딩의 지붕 위에 분사하고 있다. 지붕에 대한 소화 범위를 최대로 하기 위해서(즉, $x_2 - x_1$을 최대로 만들기 위해서), 호스의 각도 θ와 호스와 빌딩 사이의 거리 x_1을 구한다. 노즐로부터 분사되는 물 속도는 각도와 무관하게 3 m/s로 일정하며, 다른 매개변수 값들은 $h_1 = 0.06$ m, $h_2 = 0.2$ m, $L = 0.12$ m이다. [힌트 : 소화 범위는 지붕의 앞 모서리를 닿지 않고 살짝 넘어가는 궤적에서 최대가 된다. 즉, $x_2 - x_1$를 최대로 만들면서, 지붕의 앞 모서리를 살짝 넘어가도록 하는 x_1과 θ를 선택하고자 한다.]

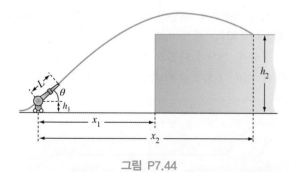

그림 P7.44

7.45 호수 둘레로부터 많은 오염물질이 호수로 들어가므로, 이로 인한 중요한 수질 문제를 해결하기 위해서는 폐기물 배출 지점 또는 강 부근에서 오염물질의 분포를 모델링할 필요가 있다. 수직 방향으로 잘 혼합된, 일정한 깊이

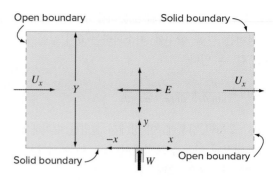

그림 P7.45 점 오염원을 가지는 호수 구간에 대한 평면도. 오염물질이 아래쪽 경계의 중간에서 유입한다.

의 층에 대해, 1차 감소율로 반응하는 오염물질의 정상상태 분포는 다음 식으로 나타낼 수 있다.

$$0 = -U_x \frac{\partial c}{\partial x} + E \left(\frac{\partial^2 c}{\partial x^2} + \frac{\partial^2 c}{\partial y^2} \right) - kc$$

여기서 x와 y 축은 호숫가에 각각 평행과 수직 방향으로 정의된다(그림 P7.45). 매개변수들과 변수들은 다음과 같다. U_x = 호숫가에서의 물 속도(m/d), c = 농도, E = 난류 확산계수 그리고 k = 1차 감소율이다. 위치 (0, 0)에서 일정한 양 W의 오염물질이 유입하는 경우, 임의의 좌표에서의 농도에 대한 해는 다음 식으로 주어진다.

$$c = 2 \left\{ c(x, y) + \sum_{n=1}^{\infty} \left[c(x, y + 2nY) - c(x, y - 2nY) \right] \right\}$$

여기서

$$c(x, y) = \frac{W}{\pi HE} e^{\frac{U_x x}{2E}} K_0 \left(\sqrt{(x^2 + y^2) \left[\frac{k}{E} + \left(\frac{U_x}{2E} \right)^2 \right]} \right)$$

여기서 Y = 폭, H = 깊이 그리고 K_0 = 제2종 변형 베셀 함수이다. $Y = 4.8$ km와 $X = -2.4 \sim 2.4$ km의 길이의 호수 구간에 대하여 $\triangle x = \triangle y = 0.32$ km를 이용하여 농도의 등고선도를 생성하는 MATLAB 스크립트를 개발하라. 계산에 다음의 매개변수 값을 적용하라. $W = 1.2 \times 10^{12}$, $H = 20$, $E = 5 \times 10^6$, $U_x = 5 \times 10^3$, $k = 1$ 그리고 $n = 3$이다.

선형 시스템

3.1 개요

선형대수방정식이란 무엇인가?

2부에서 방정식 $f(x) = 0$을 만족하는 x값을 구했다. 이제는 다음과 같이 여러 방정식을 동시에 만족하는 미지수 x_1, x_2, ..., x_n을 구하는 문제를 다룬다.

$$f_1(x_1, x_2, \ldots, x_n) = 0$$
$$f_2(x_1, x_2, \ldots, x_n) = 0$$
$$\vdots \qquad \vdots$$
$$f_n(x_1, x_2, \ldots, x_n) = 0$$

이러한 시스템은 선형이거나 비선형 중의 하나에 속한다. 3부에서는 일반적으로 다음과 같이 표시되는 **선형대수방정식**을 다루기로 한다.

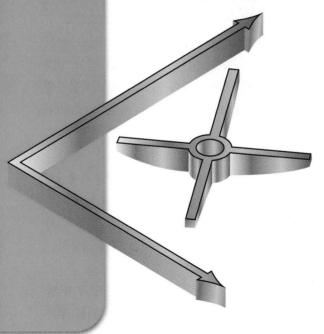

$$a_{11}x_1 + a_{12}x_2 + \cdots + a_{1n}x_n = b_1$$
$$a_{21}x_1 + a_{22}x_2 + \cdots + a_{2n}x_n = b_2$$
$$\vdots \qquad \qquad \vdots$$
$$a_{n1}x_1 + a_{n2}x_2 + \cdots + a_{nn}x_n = b_n$$

(PT3.1)

여기서 a는 상수 계수, b는 상수, x는 미지수, 그리고 n은 방정식의 개수이다. 이와 같은 경우를 제외한 방정식은 모두 비선형이다.

공학과 과학 분야에서의 선형대수방정식

공학과 과학 분야의 많은 기본방정식은 보존법칙에 기초를 두고 있다. 이러한 법칙을 따르는 물리량 중에서 친숙한 것으로는 질

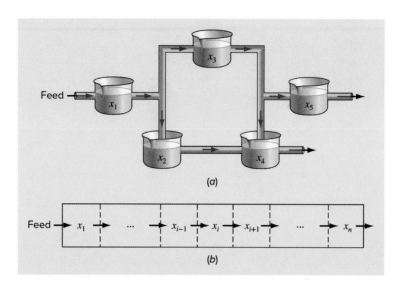

그림 PT3.1   선형대수방정식으로 모델링할 수 있는 두 종류의 시스템. (a) 연관되는 유한 개의 요소로 구성된 집중변수 시스템과 (b) 연속체로 구성된 분포변수 시스템.

량, 에너지, 운동량 등이 있다. 이러한 원리는 수학적으로 평형방정식이나 연속방정식이 된다. 이러한 방정식은 모델링되는 양의 수준이나 응답으로 나타나는 시스템의 거동을 시스템의 성질이나 특성 그리고 시스템에 작용하는 외부 자극이나 강제 함수와 연계하는 수식이다.

예를 들어 질량보존 원리는 일련의 화학 반응기(그림 PT3.1a)에 대한 모델을 수식화하는 데 사용된다. 이 경우에 모델링되는 양은 각각의 반응기에 들어 있는 화학물질의 질량이다. 시스템의 성질은 화학물질의 반응특성, 반응기의 크기, 유량 등이다. 강제 함수는 시스템으로 유입되는 화학물질의 공급률이다.

앞에서 방정식의 근에 대해 공부하면서 단일요소 시스템은 하나의 방정식으로 기술된다는 것을 알았다. 단일 방정식의 해는 근 구하기 방법을 이용하여 구할 수 있다. 많은 요소들로 구성되는 다중요소 시스템은 수학방정식들이 결합된 형태로 기술되기 때문에 방정식들을 동시에 풀어야 한다. 결합된 방정식들은 시스템의 개별 파트가 다른 파트로부터 영향을 받고 있다는 것을 나타낸다. 예를 들어 그림 PT3.1a에서 반응기 4는 반응기 2와 3으로부터 화학물질을 공급받는다. 결과적으로 반응기 4의 응답은 다른 두 반응기의 화학물질에 의존될 수밖에 없다.

이러한 의존성을 수학적으로 표현할 때 결과적으로 얻어지는 방정식은 식 (PT3.1)과 같은 선형대수 형태를 보인다. x는 일반적으로 개개의 요소에 대한 응답 크기를 나타낸다. 예를 들어 그림 PT3.1a에서 x_1은 첫 번째 반응기에서의 화학물질의 양을, x_2는 두 번째 반응기에서의 화학물질의 양을, 그리고 나머지도 마찬가지 방법으로 나타낸다. a는 전형적으로 요소 사이의 상호작용을 나타내는 성질과 특성을 표시한다. 예를 들어 그림 PT3.1a에 대해 a는 반응기 사이에서의 질량 유량을 반영한다고 볼 수 있다. 마지막으로 b는 일반적으로 시스템에 작용하는 강제 함수로 화학물질의 공급률에 해당한다.

다중요소 시스템에 관련된 문제는 집중변수 시스템 또는 분포변수 시스템 모두로부터 발생한다. **집중변수 시스템**은 서로 관계가 있는 유한 개 요소로 구성되어 있다. 8장의 처음 부분에 소개되는 세 사람이 번지점프 줄에 매달려 있는 문제는 집중변수 시스템이다. 다른 예로 트러스, 반응기, 전기회로 등을 들 수 있다.

반면에 **분포변수 시스템**에서는 시스템의 공간적인 배치가 연속성에 근거하여 기술된다. 그림 PT3.1b에서와 같이 긴 사각형의 반응기의 길이 방향으로 화학물질이 놓여 있는 경우는 연속변수 모델의 한 예라고 볼 수 있다. 보존법칙에서 유도된 미분방정식들이 이러한 시스템에 대한 종속변수의 분포를 규정짓는다. 미분방정식들의 해는 방정식들을 먼저 상응하는 연립대수방정식으로 변환시킨 후에 수치적으로 구한다.

이러한 일련의 방정식들의 해는 이후에 소개될 방법의 주요 공학적 응용 분야를 나타낸다. 방정식들이 결합되어 있는 이유는 한 지점에서의 변수값이 인접한 지역에서의 변수값의 영향을 받기 때문이다. 예를 들어 그림 PT3.1b의 반응기에서 중간 지점의 농도는 인접한 지역의 농도와 밀접한 관계가 있다. 이것과 유사한 예를 온도, 운동량, 전기량 등의 공간적인 분포에서도 들 수 있다.

물리 현상 외에도 다양한 수학 문제에서 연립 선형대수방정식이 등장한다. 이는 수학적으로 표현되는 함수들이 여러 조건을 동시에 만족해야 한다는 것을 뜻한다. 하나의 조건이 알고 있는 계수와 모르는 변수를 포함하는 하나의 방정식을 만들게 된다. 3부에서 논의되는 기법들은 방정식이 선형이고 대수적일 때 미지수를 푸는 데 사용된다. 연립방정식을 광범위하게 다루는 수치기법으로 회귀분석과 스플라인 보간법이 있다.

3.2 구성

선형대수방정식을 세우고 풀 때 필요한 **선형대수학**을 8장에서 간단하게 소개한다. 행렬 표현과 조작의 기본 원리 외에도 MATLAB에서 행렬을 다루는 방법을 기술한다.

9장에서는 선형대수방정식을 푸는 데 가장 기본적인 **Gauss 소거법**을 집중적으로 다룬다. 이 기법을 자세히 설명하기 전에 준비 과정으로 소형 시스템의 해를 구하는 간단한 방법들을 알아본다. 이러한 접근을 통해 Gauss 소거법의 기본 원리인 미지수들이 소거되는 과정을 시각적으로 살펴봄으로써 통찰력을 갖추게 한다.

이러한 준비 과정을 거치면 "순수" Gauss 소거법이 제시된다. "꾸밈이 없는" 순수한 방식으로 시작하는 것은 복잡한 세부 사항을 배제하고 근본적인 기법에 집중하기 위해서다. 이후의 절에서는 순수한 방법이 지니고 있는 문제점을 논의하고 예상되는 문제를 최소화하거나 극복하기 위한 여러 가지 수정 방안을 다룬다. 이 논의의 초점은 **부분 피봇팅**이라고 일컫는 행을 바꾸는 절차이다. 9장은 **삼중대각행렬**을 푸는 효율적인 방법을 간략히 기술하는 것으로 마무리 짓는다.

10장은 Gauss 소거법을 *LU* **분해법**으로 표현하는 방법을 알려준다. 이 해법은 우변 벡터의 값이 여럿인 경우에 각각의 해를 구할 때 효율적이다. 이 장은 MATLAB에서 선형 시스템의 해를 어떻게 구하는지를 간략히 소개하면서 맺는다.

11장은 *LU* 분해법으로 역행렬을 효율적으로 구하는 방법을 제시하는 것으로 시작한다. **역**

행렬은 물리계의 자극-응답 관계를 해석하는 데 매우 유용하게 사용된다. 후반부는 행렬 조건 이라는 중요한 개념을 집중적으로 다룬다. 불량조건인 행렬에 대해 해를 구할 때 발생할 수 있는 반올림오차의 척도를 나타내는 조건수가 소개된다.

12장은 연립방정식을 풀기 위해 사용되는 반복법을 다룬다. 이 기법들은 6장에서 논의되 었던 방정식의 근을 근사적으로 구하는 방법들과 일맥상통한다. 즉 초기해를 가정한 후 그 해 를 이용하여 보다 정확한 추정값을 산출한다. **Jacobi법**에 대해서 다루겠지만 강조할 핵심 사 항은 **Gauss-Seidel법**이다. 12장은 **비선형 연립방정식**을 어떻게 풀 수 있는지를 간략히 소개하 는 것으로 끝난다.

마지막으로 **13장**은 **고유값** 문제들을 집중적으로 다룬다. 이들은 공학과 과학 분야에 많이 응용될 뿐만 아니라 일반적인 수학 문제에도 널리 사용된다. 두 가지 간단한 방법과 더불어 고유값과 **고유벡터**를 구하는 MATLAB의 능력도 기술한다. 응용 분야로서 기계 시스템과 구 조물의 진동을 연구하기 위해 이들을 어떻게 사용하는지가 강조된다.

8 CHAPTER 선형대수방정식과 행렬

학습목표

이 장의 주요 목표는 선형대수방정식을 소개하고, 그 방정식과 행렬 및 행렬대수학 사이의 관계를 살펴보는 것이다. 특정한 목표와 다루는 주제는 다음과 같다.

- 행렬표기법의 이해
- 단위행렬, 대각행렬, 대칭행렬, 삼각행렬, 삼중대각행렬 등의 정의
- 행렬 곱셈의 수행과 그 곱셈의 가능성 여부
- 선형연립방정식을 행렬로 표시하는 방법
- MATLAB에서 왼쪽 나눗셈과 역행렬을 이용하여 선형연립방정식을 푸는 방법

이런 문제를 만나면

번 지점프 줄에 세 사람이 매달려 있다고 가정하자. 그림 8.1a는 그 사람들이 줄에 매달려 수직선상에 놓여 있는 것을 나타낸다. 이때 줄은 팽팽하지만 늘어나지는 않았다고 본다. 늘어나지 않은 각각의 위치에서 아래쪽으로 측정한 거리를 x_1, x_2, x_3 등으로 정의할 수 있다. 사람들의 체중으로 줄이 늘어나게 되고, 세 사람의 위치는 결국 그림 8.1b에서와 같이 평형위치에 도달하게 된다.

각 사람에 대한 변위를 계산한다고 하자. 각각의 줄을 Hooke의 법칙을 따르는 선형스프링으로 간주하고 각 사람에 대한 자유물체도를 그리면 그림 8.2와 같다.

Newton의 제2법칙을 사용하면 각 사람에 대한 힘의 평형식은 다음과 같다.

$$m_1 \frac{d^2 x_1}{dt^2} = m_1 g + k_2(x_2 - x_1) - k_1 x_1$$

$$m_2 \frac{d^2 x_2}{dt^2} = m_2 g + k_3(x_3 - x_2) + k_2(x_1 - x_2) \tag{8.1}$$

$$m_3 \frac{d^2 x_3}{dt^2} = m_3 g + k_3(x_2 - x_3)$$

여기서 m_i는 사람 i의 질량(kg), t는 시간(s), k_j는 줄 j의 스프링상수(N/m), x_i는 사람 i에 대해

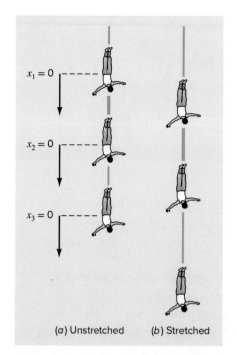

그림 8.1   번지점프 줄에 매달린 세 사람.

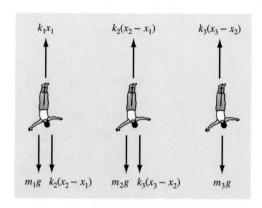

그림 8.2   자유물체도.

평형위치로부터 아래쪽으로 측정한 변위(m), 그리고 g는 중력가속도(9.81 m/s^2)이다. 여기서 정상상태에 관심이 있으므로 2차 도함수는 0이 된다. 항들을 모아서 정리하면 다음과 같다.

$$\begin{aligned}
(k_1 + k_2)x_1 \quad\quad - k_2 x_2 \quad\quad &= m_1 g \\
-k_2 x_1 + (k_2 + k_3)x_2 - k_3 x_3 &= m_2 g \\
-k_3 x_2 + k_3 x_3 &= m_3 g
\end{aligned} \tag{8.2}$$

따라서 이 문제는 세 개의 미지 변위를 구하기 위해서 세 개의 연립방정식을 푸는 것으로 귀결된다. 줄의 변형에 대해서 선형 법칙을 사용했기 때문에 이 문제는 선형대수방정식이 된다. 8장부터 12장까지는 이러한 연립방정식을 MATLAB을 이용하여 푸는 방법에 대해 다룬다.

8.1   행렬대수학의 개요

행렬에 대한 지식은 선형대수방정식의 해를 이해하는 데 필수적이다. 다음 절에서는 행렬을 이용하면 선형대수방정식을 얼마나 간략하게 표시하고 다룰 수 있는가를 설명한다.

8.1.1   행렬의 표시

행렬은 하나의 기호로 표시되는 사각형 배열의 원소들로 구성된다. 그림 8.3에서와 같이 [A]는 행렬을 간단하게 표시한 것이고, a_{ij}는 행렬의 개개의 **원소**를 나타낸 것이다.

수평으로 놓인 원소들의 모임을 **행**이라고 하며, 수직으로 놓인 것을 **열**이라고 한다. 하첨자 중에서 첫째인 i는 원소가 놓인 행의 위치를 나타낸다. 두 번째 하첨자 j는 열을 나타낸다. 예를 들어 a_{23}은 두 번째 행과 세 번째 열에 있는 원소이다.

그림 8.3의 행렬은 m개의 행과 n개의 열을 가지고 있으므로 차원은 $m \times n$ (m 곱하기 n)이다. 이 행렬을 간단하게 m 곱하기 n 행렬이라고 한다.

행의 차원이 1인 다음과 같은 행렬($m = 1$)을 **행벡터**라고 한다.

$$[b] = [b_1 \quad b_2 \quad \cdots \quad b_n]$$

여기서 간략하게 표현하기 위해 각각의 원소에서 첫 번째 하첨자는 생략하였다. 어떤 때에는 다른 종류의 행렬과 구별하여 행벡터를 특별하게 표시할 경우도 있는데, 그 중의 한 방법은 $\lfloor b \rfloor$와 같이 위가 열린 브래킷으로 표시한다.[1]

열의 차원이 1인 다음과 같은 행렬($n = 1$)을 **열벡터**라고 한다.

$$[c] = \begin{bmatrix} c_1 \\ c_2 \\ \vdots \\ c_m \end{bmatrix} \tag{8.3}$$

여기서도 간략하게 표현하기 위해 두 번째 하첨자는 생략하였다. 행벡터에서와 마찬가지로 열벡터도 다른 종류의 행렬과 구별하여 특별하게 표시할 경우가 있는데, 그중의 한 방법은 $\{c\}$와 같이 특별한 브래킷으로 표시한다.

행의 수와 열의 수가 같은 경우($m = n$)의 행렬을 **정방행렬**이라고 한다. 그 예로 3×3 행렬은 다음과 같다.

$$[A] = \begin{bmatrix} a_{11} & a_{12} & a_{13} \\ a_{21} & a_{22} & a_{23} \\ a_{31} & a_{32} & a_{33} \end{bmatrix}$$

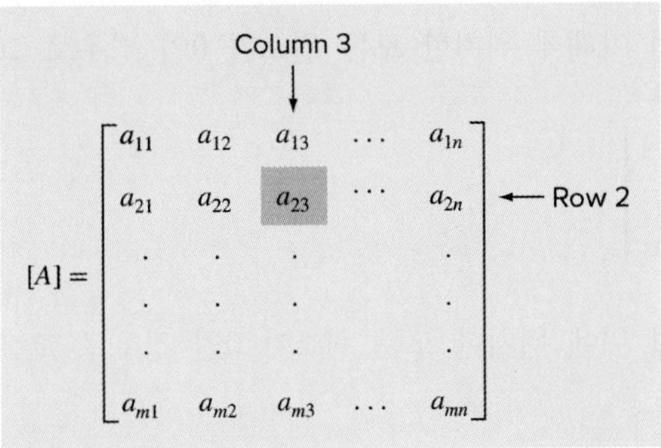

그림 8.3 행렬.

---

1) 특별한 브래킷을 사용하는 것 외에도 이 책에서는 행렬을 나타낼 때에는 대문자를, 그리고 벡터를 나타낼 때에는 소문자를 써서 구별한다.

원소 a_{11}, a_{22}, 그리고 a_{33}로 구성된 대각선을 행렬의 **기본대각선** 또는 **주대각선**이라고 한다.

정방행렬은 연립 선형방정식의 해를 구하는 데 특히 중요하다. 이때 행에 해당하는 방정식의 수와 열에 해당하는 미지수의 수가 일치해야 유일한 해를 구할 수 있다. 결과적으로 연립 선형방정식을 다룰 때에는 계수로 이루어진 정방행렬이 구성된다.

중요하기 때문에 꼭 알아야 할 몇 가지 정방행렬의 형태를 아래와 같이 소개한다.

대칭행렬은 행과 열이 일치하는, 즉 모든 i 와 j 에 대해 $a_{ij} = a_{ji}$ 의 관계가 성립하는 행렬이다. 그 예로 3×3 대칭행렬은 다음과 같다.

$$[A] = \begin{bmatrix} 5 & 1 & 2 \\ 1 & 3 & 7 \\ 2 & 7 & 8 \end{bmatrix}$$

대각행렬은 대각선상에 있는 원소를 제외하고 나머지 원소는 모두 0인 정방행렬이며, 그 예는 다음과 같다.

$$[A] = \begin{bmatrix} a_{11} & & \\ & a_{22} & \\ & & a_{33} \end{bmatrix}$$

여기서 원소의 값이 0인 비대각원소를 모두 공백으로 처리하였음에 주의한다.

단위행렬은 주대각선 상에 있는 원소의 값이 모두 1인 대각행렬로 그 예는 다음과 같다.

$$[I] = \begin{bmatrix} 1 & & \\ & 1 & \\ & & 1 \end{bmatrix}$$

단위행렬은 1과 유사한 성질을 가지고 있어 다음과 같은 관계를 만족한다.

$$[A][I] = [I][A] = [A]$$

상삼각행렬은 주대각선 아래에 위치한 모든 원소가 0인 경우로 그 예는 다음과 같다.

$$[A] = \begin{bmatrix} a_{11} & a_{12} & a_{13} \\ & a_{22} & a_{23} \\ & & a_{33} \end{bmatrix}$$

하삼각행렬은 주대각선 위에 위치한 모든 원소가 0인 경우로 그 예는 다음과 같다.

$$[A] = \begin{bmatrix} a_{11} & & \\ a_{21} & a_{22} & \\ a_{31} & a_{32} & a_{33} \end{bmatrix}$$

띠 행렬은 주대각선을 중심으로 한 띠를 제외한 모든 원소가 0인 행렬이다.

$$[A] = \begin{bmatrix} a_{11} & a_{12} & & \\ a_{21} & a_{22} & a_{23} & \\ & a_{32} & a_{33} & a_{34} \\ & & a_{43} & a_{44} \end{bmatrix}$$

위의 행렬은 띠의 폭이 3인 경우로 특별히 이러한 행렬을 **삼중대각행렬**이라고 한다.

8.1.2 행렬 연산 법칙

행렬의 의미를 이해했으므로 행렬의 사용을 규정하는 행렬 연산 법칙을 정의해 보자. 두 $m \times n$ 행렬이 같기 위한 필요충분조건은 첫 번째 행렬의 모든 원소가 두 번째 행렬의 대응하는 원소와 일치할 때이다. 즉 모든 i와 j에 대해 $a_{ij} = b_{ij}$의 관계가 성립할 때 $[A] = [B]$이다.

두 행렬 $[A]$와 $[B]$의 덧셈은 각 행렬에서 대응하는 원소를 더함으로써 성립된다. 결과적으로 얻어지는 행렬 $[C]$는 다음과 같이 계산된다.

$$c_{ij} = a_{ij} + b_{ij}$$

여기서 $i = 1, 2, \ldots, m$이고, $j = 1, 2, \ldots, n$이다. 마찬가지로 두 행렬 $[E]$와 $[F]$의 뺄셈은 각 행렬에서 대응하는 원소를 뺌으로써 이루어진다.

$$d_{ij} = e_{ij} - f_{ij}$$

여기서 $i = 1, 2, \ldots, m$이고, $j = 1, 2, \ldots, n$이다. 이와 같이 두 행렬 사이에서의 덧셈과 뺄셈은 차원이 같은 행렬일 때만 가능하다는 것을 알 수 있다.

덧셈과 뺄셈에서는 교환법칙이 성립한다.

$$[A] + [B] = [B] + [A]$$

그리고 결합법칙도 성립한다.

$$([A] + [B]) + [C] = [A] + ([B] + [C])$$

행렬 $[A]$에 스칼라 g를 곱하는 것은 $[A]$의 모든 원소에 g를 곱함으로써 얻어진다. 그 예로 3×3 행렬은 다음과 같다.

$$[D] = g[A] = \begin{bmatrix} ga_{11} & ga_{12} & ga_{13} \\ ga_{21} & ga_{22} & ga_{23} \\ ga_{31} & ga_{32} & ga_{33} \end{bmatrix}$$

두 행렬의 곱은 $[C] = [A][B]$로 나타내며 $[C]$의 원소는 다음과 같이 정의된다.

$$c_{ij} = \sum_{k=1}^{n} a_{ik} b_{kj} \tag{8.4}$$

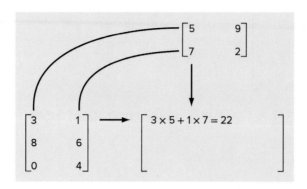

그림 8.4   행렬의 곱셈에서 행과 열의 배치에 대한 시각적 설명.

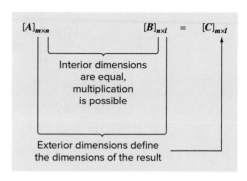

그림 8.5   행렬의 곱셈은 내부 차원이 같을 경우에만 가능하다.

여기서 n은 $[A]$의 열의 차원인 동시에 $[B]$의 행의 차원이다. 다시 말하면 c_{ij} 원소는 첫 번째 행렬인 $[A]$의 i번째 행의 각각의 원소에 두 번째 행렬인 $[B]$의 j번째 열의 원소를 곱하고 더한 것으로 얻어진다. 그림 8.4는 행렬의 곱셈에서 행과 열이 어떻게 배치되는지를 보여준다.

이러한 정의에 의하면 행렬의 곱은 첫 번째 행렬의 열의 수가 두 번째 행렬의 행의 수와 같을 때만 성립된다. 따라서 $[A]$가 $m \times n$ 행렬이라면, $[B]$는 $n \times l$ 행렬이어야 한다. 이 경우에 결과적으로 얻는 $[C]$는 $m \times l$의 차원을 갖는 행렬이 된다. 그러나 만약 $[B]$가 $m \times l$ 행렬이라면, 이 곱셈은 성립될 수가 없다. 그림 8.5는 두 행렬의 곱셈이 가능한지를 쉽게 확인할 수 있는 방법을 나타낸다.

만약 행렬의 차원이 합당하다면 행렬의 곱셈에서 **결합법칙**이 성립한다.

$$([A][B])[C] = [A]([B][C])$$

그리고 **분배법칙**도 성립한다.

$$[A]([B] + [C]) = [A][B] + [A][C]$$

또는

$$([A] + [B])[C] = [A][C] + [B][C]$$

그러나 곱셈에서는 일반적으로 **교환법칙**이 성립하지 않는다.

$$[A][B] \neq [B][A]$$

즉 행렬의 곱셈에서는 그 순서가 중요하다.

행렬에서 곱셈은 가능하지만 행렬의 나눗셈은 정의되지 않는다. 그러나 행렬 $[A]$가 정방행렬이고 특이행렬이 아니라면, **역행렬**이라고 하는 $[A]^{-1}$가 존재하며 다음의 관계가 성립한다.

$$[A][A]^{-1} = [A]^{-1}[A] = [I]$$

어떤 수를 그 수 자체로 나누면 1이 된다는 관점에서 어떤 행렬에 그것의 역행렬을 곱하는 것은 나눗셈과 유사하다고 볼 수 있다. 즉 행렬에 그 역행렬을 곱하면 결과는 단위행렬이 된다.

$[A]$가 2×2 행렬일 때 역행렬은 다음과 같이 간단하게 표시될 수 있다.

$$[A]^{-1} = \frac{1}{a_{11}a_{22} - a_{12}a_{21}} \begin{bmatrix} a_{22} & -a_{12} \\ -a_{21} & a_{11} \end{bmatrix}$$

차원이 보다 큰 행렬에 대해서도 유사한 공식을 얻을 수 있는데 계산은 훨씬 더 복잡해진다. 11장에서는 이러한 경우에 대해 역행렬을 계산하는 수치적 방법에 대해 다룰 것이다.

행렬의 **전치**(transpose)란 그 행렬에서 행과 열을 서로 바꾸는 것을 의미한다. 예를 들어 $[A]$는 다음과 같은 3×3 행렬이다.

$$[A] = \begin{bmatrix} a_{11} & a_{12} & a_{13} \\ a_{21} & a_{22} & a_{23} \\ a_{31} & a_{32} & a_{33} \end{bmatrix}$$

이 행렬의 전치행렬은 $[A]^T$라고 표시하며, 다음과 같이 정의된다.

$$[A]^T = \begin{bmatrix} a_{11} & a_{21} & a_{31} \\ a_{12} & a_{22} & a_{32} \\ a_{13} & a_{23} & a_{33} \end{bmatrix}$$

즉 전치행렬의 원소 a_{ij} 는 본래 행렬의 a_{ji} 와 같다.

행렬대수학에서 전치는 광범위한 기능을 갖는다. 그 중의 하나는 열벡터를 행벡터로 바꾸거나, 행벡터를 열벡터로 바꾸는 데 쓰인다는 것이다. 예를 들어 다음과 같은 열벡터를 고려하자.

$$\{c\} = \begin{Bmatrix} c_1 \\ c_1 \\ c_1 \end{Bmatrix}$$

이 벡터는 전치를 통해 다음과 같은 행벡터가 된다.

$$\{c\}^T = \lfloor c_1 \quad c_2 \quad c_3 \rfloor$$

더욱이 전치는 수학적으로 다양하게 응용된다.

치환행렬(permutation matrix)은 행과 열을 바꾸어 놓은 단위행렬이다. 예를 들면 다음은 3×3 단위행렬의 첫 번째와 세 번째 행과 열을 바꿈으로써 구성되는 치환행렬이다.

$$[P] = \begin{bmatrix} 0 & 0 & 1 \\ 0 & 1 & 0 \\ 1 & 0 & 0 \end{bmatrix}$$

$[P][A]$에서와 같이 치환행렬로 행렬 $[A]$에 왼쪽 곱셈을 하면 $[A]$의 행들이 교환되고, $[A][P]$에서와 같이 오른쪽 곱셈을 하면 $[A]$의 열들이 교환된다. 다음은 왼쪽 곱셈을 한 예이다.

$$[P][A] = \begin{bmatrix} 0 & 0 & 1 \\ 0 & 1 & 0 \\ 1 & 0 & 0 \end{bmatrix} \begin{bmatrix} 2 & -7 & 4 \\ 8 & 3 & -6 \\ 5 & 1 & 9 \end{bmatrix} = \begin{bmatrix} 5 & 1 & 9 \\ 8 & 3 & -6 \\ 2 & -7 & 4 \end{bmatrix}$$

행렬의 조작에 대해 이 장에서 다룰 마지막 주제는 **확장**(augmentation)이다. 행렬은 본래 행렬에 열(또는 열들)을 추가함으로써 확장될 수 있다. 예를 들어 $[A]$가 3×3 행렬일 때, 이 $[A]$에 3×3 단위행렬을 추가하여 다음과 같은 3×6 행렬을 만들 수 있다.

$$\begin{bmatrix} a_{11} & a_{11} & a_{11} & 1 & 0 & 0 \\ a_{21} & a_{21} & a_{21} & 0 & 1 & 0 \\ a_{31} & a_{31} & a_{31} & 0 & 0 & 1 \end{bmatrix}$$

이러한 표현은 서로 다른 두 행렬의 행에 일련의 연산을 동일하게 수행하고자 할 때 매우 유용하게 사용된다. 그렇기 때문에 두 행렬에 대해 따로 연산을 취하기보다는 한 개의 확장행렬에 대해 연산을 취하게 된다.

예제 8.1   MATLAB 행렬 조작

문제 설명.   다음의 예제는 MATLAB에서 얼마나 다양한 행렬 조작이 가능한지를 보여준다. 터득하기 가장 좋은 방법은 컴퓨터에서 직접 수행해 보는 것이다.

풀이 3×3 행렬을 만든다.

```
>> A = [1 5 6;7 4 2;-3 6 7]
A =
    1    5    6
    7    4    2
   -3    6    7
```

$[A]$의 전치행렬을 ` ` 연산자를 이용하여 구한다.

```
>> A'
ans =
    1    7   -3
    5    4    6
    6    2    7
```

행벡터로 시작하여 또 다른 3×3 행렬을 만든다. 먼저 세 개의 행벡터를 만든다.

```
>> x = [8 6 9];
>> y = [-5 8 1];
>> z = [4 8 2];
```

이 세 개를 합쳐서 다음과 같은 행렬 [B]를 구성할 수 있다.

```
>> B = [x; y; z]
B =
    8    6    9
   -5    8    1
    4    8    2
```

두 행렬 [A]와 [B]를 더한다.

```
>> C = A+B
C =
    9   11   15
    2   12    3
    1   14    9
```

행렬 [C]에서 행렬 [B]를 빼면 다시 행렬 [A]가 된다.

```
>> A = C-B
A =
    1    5    6
    7    4    2
   -3    6    7
```

두 행렬의 내부 차원이 같으므로 [A]와 [B]의 곱셈이 가능하다.

```
>> A*B
ans =
    7   94   26
   44   90   71
  -26   86   -7
```

두 행렬 [A]와 [B]의 곱셈을 원소 사이에 수행할 수가 있는데, 이 경우에는 다음과 같이 곱셈연산자 앞에 구두점을 추가해야 한다.

```
>> A.*B
ans =
    8   30   54
  -35   32    2
  -12   48   14
```

또 다른 2 × 3 행렬을 구성한다.

```
>> D = [1 4 3;5 8 1];
```

만약 행렬 [A]에 행렬 [D]를 곱하려고 하면 다음과 같은 에러 메시지가 나타날 것이다.

```
>> A*D
??? Error using ==> mtimes
Inner matrix dimensions must agree.
```

그러나 곱셈의 순서를 바꾸는 경우에는 내부 차원이 일치하기 때문에 다음과 같이 곱셈이 성립한다.

```
>> D*A

ans =

    20    39    35
    58    63    53
```

역행렬을 구할 때에는 inv 함수를 사용하면 된다.

```
>> AI = inv(A)

AI =

    0.2462    0.0154   -0.2154
   -0.8462    0.3846    0.6154
    0.8308   -0.3231   -0.4769
```

이 결과가 옳은지를 확인하려면 역행렬에 본래 행렬을 곱하여 단위행렬이 되는지를 보면 된다.

```
>> A*AI

ans =

    1.0000   -0.0000   -0.0000
    0.0000    1.0000   -0.0000
    0.0000   -0.0000    1.0000
```

단위행렬을 생성할 때에는 eye 함수를 사용하면 된다.

```
>> I = eye(3)

I =

    1    0    0
    0    1    0
    0    0    1
```

3 × 3 행렬의 첫 번째와 세 번째 행과 열을 바꾸기 위해 치환행렬을 구성한다.

```
>> P=[0 0 1;0 1 0;1 0 0]

P =

    0    0    1
    0    1    0
    1    0    0
```

행을 바꿀 수 있거나

```
>> PA=P*A

PA =

   -3    6    7
    7    4    2
    1    5    6
```

열을 바꿀 수 있다.

```
>> AP=A*P
AP =

     6     5     1
     2     4     7
     7     6    -3
```

최종적으로 다음과 같이 행렬을 확장시킨다.

```
>> Aug = [A I]
Aug =

     1     5     6     1     0     0
     7     4     2     0     1     0
    -3     6     7     0     0     1
```

행렬의 차원을 확인하기 위해서 다음과 같이 size 함수를 쓸 수 있음에 주의하자.

```
>> [n,m] = size(Aug)
n =
     3

m =
     6
```

8.1.3 선형대수방정식의 행렬 형태 표현

연립 선형방정식을 표현할 때 행렬을 사용하면 간략해지는 것은 자명하다. 예를 들어 세 개의 연립방정식을 고려해 보자.

$$a_{11}x_1 + a_{12}x_2 + a_{13}x_3 = b_1$$
$$a_{21}x_1 + a_{22}x_2 + a_{23}x_3 = b_2 \tag{8.5}$$
$$a_{31}x_1 + a_{32}x_2 + a_{33}x_3 = b_3$$

이 식은 다음과 같이 표현할 수 있다.

$$[A]\{x\} = \{b\} \tag{8.6}$$

여기서 $[A]$는 계수행렬이다.

$$[A] = \begin{bmatrix} a_{11} & a_{12} & a_{13} \\ a_{21} & a_{22} & a_{23} \\ a_{31} & a_{32} & a_{33} \end{bmatrix}$$

$\{b\}$는 상수를 원소로 가지는 열벡터이다.

$$\{b\}^T = \lfloor b_1 \quad b_2 \quad b_3 \rfloor$$

그리고 $\{x\}$는 미지수를 나타내는 열벡터이다.

$$\{x\}^T = \lfloor x_1 \quad x_2 \quad x_3 \rfloor$$

행렬의 곱셈을 정의하는 식 (8.4)를 기억하면 식 (8.5)와 식 (8.6)은 서로 같다는 것을 확신할 수 있다. 또한 식 (8.6)에서 행렬의 곱셈이 성립하는 것은 첫 번째 행렬 $[A]$의 열의 수 n 과 두 번째 벡터 $\{x\}$의 행의 수 n 이 일치하기 때문이다.

이 장에서는 $\{x\}$를 구하기 위해 식 (8.6)을 푸는 것을 다룬다. 행렬대수학을 이용하여 방정식의 해를 구하는 공식적인 방법은 다음과 같이 방정식의 양변에 $[A]$의 역행렬을 곱하는 것이다.

$$[A]^{-1}[A]\{x\} = [A]^{-1}\{b\}$$

$[A]^{-1}[A]$ 는 단위행렬이므로 이 방정식은 다음과 같이 된다.

$$\{x\} = [A]^{-1}\{b\} \tag{8.7}$$

따라서 방정식으로부터 $\{x\}$를 구하였다. 이는 나눗셈과 유사한 역행렬이 행렬대수학에서 어떠한 역할을 하는지를 잘 나타내는 예이다. 그러나 이 방법이 연립방정식의 해를 구하는 데 언제나 가장 효율적인 것은 아니라는 점을 유념해야 한다. 따라서 다른 접근법들이 수치 알고리즘에서 사용된다. 그러나 11.1.2절에서 논의되는 바와 같이, 역행렬 그 자체가 연립방정식으로 기술되는 공학적 해석에서 큰 가치를 지니고 있는 것은 분명하다.

미지수(열)보다 방정식(행)의 개수가 많은 경우인 $m > n$일 때 그 시스템을 **과결정시스템**(overdetermined system)이라고 한다. 이에 대한 대표적인 예는 m개의 데이터 점 (x, y)을 n개의 계수를 갖는 방정식으로 표시하고자 하는 최소제곱 회귀분석이다. 반대로 미지수보다 방정식의 개수가 작은 경우인 $m < n$일 때 그 시스템을 **부족결정시스템**(underdetermined system)이라고 한다. 이에 대한 대표적인 예는 수치적 최적화 문제이다.

8.2   MATLAB을 이용한 선형대수방정식의 풀이

MATLAB은 선형대수방정식을 풀 수 있는 두 가지 직접적인 방법을 제공한다. 가장 효율적인 방법은 다음과 같이 역슬래시 또는 "왼쪽 나눗셈"이라고 하는 연산자를 사용하는 것이다.

```
>> x = A\b
```

두 번째 방법은 다음과 같이 역행렬을 사용하는 것이다.

```
>> x = inv(A)*b
```

8.1.3절 끝 부분에서 기술하였듯이 역행렬을 사용하는 것이 역슬래시를 사용하는 것보다 비효율적이다. 이들 옵션은 다음의 예제를 통해 잘 이해될 수 있다.

예제 8.2 **MATLAB을 이용한 번지점프 문제의 풀이**

문제 설명. MATLAB을 이용하여 이 장의 처음에 기술한 번지점프 문제를 풀어 보도록 하자. 문제를 위한 매개변수의 값은 다음과 같이 주어진다.

Jumper	Mass (kg)	Spring Constant (N/m)	Unstretched Cord Length (m)
위 (1)	60	50	20
중간 (2)	70	100	20
아래 (3)	80	50	20

풀이 주어진 매개변수의 값을 식 (8.2)에 대입하면 다음과 같다.

$$\begin{bmatrix} 150 & -100 & 0 \\ -100 & 150 & -50 \\ 0 & -50 & 50 \end{bmatrix} \begin{Bmatrix} x_1 \\ x_2 \\ x_3 \end{Bmatrix} = \begin{Bmatrix} 588.6 \\ 686.7 \\ 784.8 \end{Bmatrix}$$

MATLAB을 시작하여 다음과 같이 계수행렬과 우변 벡터를 정의한다.

```
>> K = [150 -100 0;-100 150 -50;0 -50 50]

K =
   150  -100     0
  -100   150   -50
     0   -50    50

>> mg = [588.6; 686.7; 784.8]

mg =
  588.6000
  686.7000
  784.8000
```

왼쪽 나눗셈을 사용하면 다음과 같다.

```
>> x = K\mg

x =
  41.2020
  55.9170
  71.6130
```

다른 방법으로 계수 행렬의 역행렬을 우변 벡터에 곱하면 다음과 같이 동일한 결과를 얻는다.

```
>> x = inv(K)*mg
```

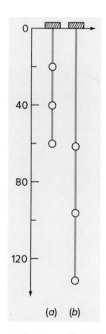

그림 8.6 번지 줄에 매달린 세 사람의 위치. (a) 초기 위치와 (b) 늘어난 위치.

```
x =
    41.2020
    55.9170
    71.6130
```

세 사람이 20 m의 줄에 연결되어 있으므로 기준점에 대한 그들의 초기 위치를 다음과 같이 입력한다.

```
>> xi = [20;40;60];
```

따라서 그들의 최종 위치는 다음과 같이 계산될 수 있다.

```
>> xf = x+xi
xf =
    61.2020
    95.9170
   131.6130
```

그 결과는 그림 8.6과 같이 나타나며 타당한 것으로 판단된다. 첫 번째 줄이 가장 길게 늘어나는데, 이는 그 줄의 스프링 상수가 가장 작을 뿐 아니라 그 줄이 가장 큰 무게(세 사람 모두에 해당하는)를 받고 있기 때문이다. 두 번째 줄과 세 번째 줄이 늘어난 길이는 거의 비슷하다는 점에 주의한다. 두 번째 줄이 두 사람에 해당하는 무게를 받고 있어서 그 줄이 세 번째 줄에 비해 더 늘어날 것으로 예상할 수 있으나, 두 번째 줄에 해당하는 스프링 상수가 더 크기 때문에 예상보다 작게 늘어난다.

8.3 사례연구   회로 내의 전류와 전압

배경. 우리는 1장(표 1.1)에서 공학에서 매우 중요한 몇 가지 모델과 그와 관련된 보존법칙을 요약하였다. 그림 8.7에서와 같이 각각의 모델은 서로 상호작용하는 요소들로 이루어진 시스템을 나타낸다. 보존 법칙에 의해 유도된 정상상태의 평형은 결국에는 연립방정식으로 귀결된다. 많은 경우에 이러한 연립방정식은 선형이므로 행렬 형태로 표현될 수 있다. 지금 다루는 사례연구는 회로 분석으로 행렬로 기술되는 것에 초점을 맞춘다.

전기공학에서 흔히 마주치는 문제는 저항 회로의 여러 곳에서 전류와 전압을 결정하는 것이다. 이런 문제는 **Kirchhoff의 전류와 전압 법칙**을 이용하여 푼다. 전류 법칙은 절점에 들어오는 모든 전류의 합은 0이 되어야 한다는 것이다(그림 8.8a). 즉

$$\sum i = 0 \tag{8.8}$$

여기서 절점에 들어오는 모든 전류는 양의 부호로 간주한다. 전류 법칙은 **전하 보존**의 원리를 응용한 경우이다(표 1.1 참조).

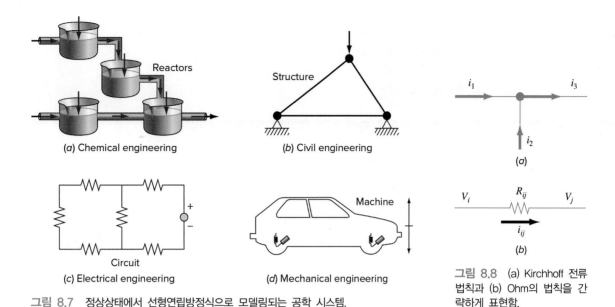

(a) Chemical engineering

(b) Civil engineering

Circuit

(c) Electrical engineering

(d) Mechanical engineering

그림 8.7 정상상태에서 선형연립방정식으로 모델링되는 공학 시스템.

그림 8.8 (a) Kirchhoff 전류 법칙과 (b) Ohm의 법칙을 간략하게 표현함.

전압 법칙은 어느 루프에서든지 전위차의 합은 0이 되어야 한다는 것이다. 저항 회로에서 이 법칙은 다음과 같이 표시된다.

$$\sum \xi - \sum iR = 0 \tag{8.9}$$

여기서 ξ는 전압 공급원의 기전력이며, R은 루프 상에서 어느 저항체의 저항이다. 두 번째 항은 **Ohm의 법칙**(그림 8.8b)을 사용하여 유도된다. 즉 이상적인 저항체를 통하여 발생하는 전압 강하는 전류와 저항의 곱과 같다는 것이다. Kirchhoff 전압 법칙은 **에너지 보존**을 나타낸다.

풀이 회로 내의 여러 루프는 서로 연결되어 있기 때문에 이러한 법칙을 응용하면 결국 선형 연립방정식이 만들어진다. 그 예로 그림 8.9와 같은 회로를 생각해 보자. 이 회로와 관련된 전류의 크기와 방향에 대해 알려진 정보는 없다. 그러나 각 전류의 방향은 단순히 가정하면 되기 때문에 별다른 어려움은 없다. Kirchhoff 법칙을 적용하여 계산한 결과가 음이라면 가정된 방향을 반대로 바꾸기만 하면 된다. 그림 8.10은 가정한 전류의 예를 보여준다.

이러한 가정에 근거하여 각 절점에 대해 Kirchhoff 전류 법칙을 적용하면 다음과 같은 식을 얻는다.

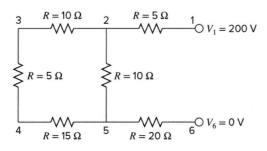

그림 8.9 선형 연립방정식으로 구해야 할 저항 회로.

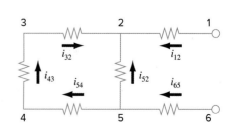

그림 8.10 가정한 전류의 방향.

$$i_{12} + i_{52} + i_{32} = 0$$
$$i_{65} - i_{52} - i_{54} = 0$$
$$i_{43} - i_{32} = 0$$
$$i_{54} - i_{43} = 0$$

두 개의 루프에 대해 전압 법칙을 적용하면 다음과 같다.

$$-i_{54}R_{54} - i_{43}R_{43} - i_{32}R_{32} + i_{52}R_{52} = 0$$
$$-i_{65}R_{65} - i_{52}R_{52} + i_{12}R_{12} - 200 = 0$$

그림 8.9의 저항을 대입하고 상수를 우변으로 옮기면 다음과 같다.

$$-15i_{54} - 5i_{43} - 10i_{32} + 10i_{52} = 0$$
$$-20i_{65} - 10i_{52} + 5i_{12} = 200$$

그러므로 주어진 회로는 6개의 미지수를 가진 6개의 방정식을 형성한다. 이 수식을 행렬 형태로 표시하면 다음과 같다.

$$
\begin{bmatrix}
1 & 1 & 1 & 0 & 0 & 0 \\
0 & -1 & 0 & 1 & -1 & 0 \\
0 & 0 & -1 & 0 & 0 & 1 \\
0 & 0 & 0 & 0 & 1 & -1 \\
0 & 10 & -10 & 0 & -15 & -5 \\
5 & -10 & 0 & -20 & 0 & 0
\end{bmatrix}
\begin{Bmatrix}
i_{12} \\ i_{52} \\ i_{32} \\ i_{65} \\ i_{54} \\ i_{43}
\end{Bmatrix}
=
\begin{Bmatrix}
0 \\ 0 \\ 0 \\ 0 \\ 0 \\ 200
\end{Bmatrix}
$$

손으로 이 연립방정식의 해를 구하는 것은 비현실적이지만 MATLAB을 이용하면 쉽게 구할 수 있다. 해를 얻는 요령은 아래와 같다.

```
>> A=[1 1 1 0 0 0
0 -1 0 1 -1 0
0 0 -1 0 0 1
0 0 0 0 1 -1
0 10 -10 0 -15 -5
5 -10 0 -20 0 0];
>> b =[0 0 0 0 0 200]';
>> current =A\b

current =
  6.1538
 -4.6154
 -1.5385
 -6.1538
 -1.5385
 -1.5385
```

계산된 결과로부터 부호를 제대로 반영하면 회로의 전류와 전압은 그림 8.11과 같게 된다. 주어진 예는 이러한 유형의 문제를 MATLAB으로 풀 때 얻을 수 있는 이점을 명확하게 보여 준다.

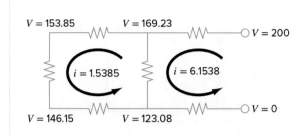

그림 8.11 MATLAB을 이용하여 얻은 전류와 전압.

연습문제

8.1 정방행렬 $[A]$가 주어질 때 그 행렬에 단위행렬 $[I]$가 추가되어 형성되는 확장행렬 $[Aug]$를 만드는 MATLAB 명령어를 한 줄로 적어라.

8.2 다음과 같이 정의되는 행렬에 대해 주어진 물음에 답하라.

$$[A] = \begin{bmatrix} 4 & 7 \\ 1 & 2 \\ 5 & 6 \end{bmatrix} \quad [B] = \begin{bmatrix} 4 & 3 & 7 \\ 1 & 2 & 7 \\ 2 & 0 & 4 \end{bmatrix}$$

$$\{C\} = \begin{Bmatrix} 3 \\ 6 \\ 1 \end{Bmatrix} \quad [D] = \begin{bmatrix} 9 & 4 & 3 & -6 \\ 2 & -1 & 7 & 5 \end{bmatrix}$$

$$[E] = \begin{bmatrix} 1 & 5 & 8 \\ 7 & 2 & 3 \\ 4 & 0 & 6 \end{bmatrix}$$

$$[F] = \begin{bmatrix} 3 & 0 & 1 \\ 1 & 7 & 3 \end{bmatrix} \quad \lfloor G \rfloor = \lfloor 7\ 6\ 4 \rfloor$$

(a) 행렬의 차원을 적어라.
(b) 정방행렬, 열벡터, 행벡터를 각각 구별하라.
(c) 원소 a_{12}, b_{23}, d_{32}, e_{22}, f_{12}, g_{12}의 값을 적어라.
(d) 다음의 연산을 수행하라.

(1) $[E] + [B]$ (2) $[A] + [F]$ (3) $[B] - [E]$
(4) $7 \times [B]$ (5) $\{C\}^T$ (6) $[E] \times [B]$
(7) $[B] \times [A]$ (8) $[D]^T$ (9) $[A] \times \{C\}$
(10) $[I] \times [B]$ (11) $[E]^T \times [E]$ (12) $\{C\}^T \times \{C\}$

8.3 다음의 방정식을 행렬 형태로 표시하라.

$$50 = 5x_3 - 7x_2$$
$$4x_2 + 7x_3 + 30 = 0$$
$$x_1 - 7x_3 = 40 - 3x_2 + 5x_1$$

MATLAB을 사용하여 미지수를 계산하라. 또한 이 결과를 이용하여 계수행렬의 전치행렬과 역행렬을 계산하라.

8.4 다음과 같이 세 개의 행렬이 정의된다.

$$[A] = \begin{bmatrix} 6 & -1 \\ 12 & 8 \\ -5 & 4 \end{bmatrix} \quad [B] = \begin{bmatrix} 4 & 0 \\ 0.5 & 2 \end{bmatrix} \quad [C] = \begin{bmatrix} 2 & -2 \\ 3 & 1 \end{bmatrix}$$

(a) 이들의 짝으로 가능한 모든 행렬의 곱셈을 계산하라.
(b) 나머지 짝들은 왜 곱셈이 불가능한지를 밝혀라.
(c) (a)의 결과를 이용하여 왜 곱셈의 순서가 중요한지를 보여라.

8.5 MATLAB으로 다음의 시스템을 풀어라.

$$\begin{bmatrix} 3 + 2i & 4 \\ -i & 1 \end{bmatrix} \begin{Bmatrix} z_1 \\ z_2 \end{Bmatrix} = \begin{Bmatrix} 2 + i \\ 3 \end{Bmatrix}$$

8.6 두 행렬의 곱, 즉 $[X] = [Y][Z]$를 계산하는 M-파일을 개발하여 오류를 수정하고 시험하라. $[Y]$는 $m \times n$ 행렬이고, $[Z]$는 $n \times p$ 행렬이다. 곱셈을 하기 위해 `for...end` 루프를 사용하고, 잘못된 경우를 알리기 위해 에러 함정을 포함시켜라. 작성된 프로그램을 연습문제 8.4의 행렬로 시험하라.

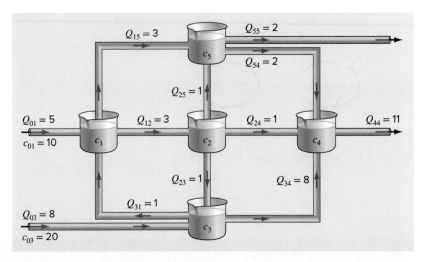

그림 P8.9

8.7 전치행렬을 생성하는 M-파일을 개발하여 오류를 수정하고 시험하라. 전치를 실행하기 위해 `for ...end` 루프를 사용하고, 작성된 프로그램을 연습문제 8.4의 행렬로 시험하라.

8.8 치환행렬을 이용하여 행렬의 행을 바꾸는 M-파일 함수를 개발하여 오류를 수정하고 시험하라. 함수의 처음 줄들은 다음과 같아야 한다.

```
function B = permut(A,r1,r2)
% Permut: Switch rows of matrix A
% with a permutation matrix
% B = permut(A,r1,r2)
% input:
% A = original matrix
% r1, r2 = rows to be switched
% output:
% B = matrix with rows switched
```

잘못된 입력을 확인하기 위해 에러 함정을 포함시켜라(예를 들면, 사용자가 원래 행렬의 차원을 초과하는 행을 규정한다).

8.9 그림 P8.9와 같이 파이프로 연결된 5개의 반응기가 있다. 각각의 파이프를 통과하는 질량 유량은 유량 Q와 농도 c의 곱으로 계산된다. 정상상태에서 각각의 반응기에 유입하고 유출하는 질량유량은 같다. 예를 들어 첫 번째 반응기에 대한 **질량평형식**은 다음과 같이 표시된다.

$$Q_{01}c_{01} + Q_{31}c_3 = Q_{15}c_1 + Q_{12}c_1$$

그림 P8.9에 도시된 나머지 반응기에 대해서도 질량평형식

을 유도하고, 그 방정식들을 행렬 형태로 표시하라. 그리고 MATLAB를 이용하여 각 반응기에서의 농도를 구하라.

8.10 구조공학에서 한 가지 중요한 문제는 그림 P8.10과 같은 정정(statically determinate) 트러스에 작용하는 힘을 구하는 것이다. 이러한 유형의 구조물은 힘의 평형을 고려하여 유도되는 연립 선형대수방정식으로 기술될 수 있다. 각 절점에 대해 자유물체도를 그려보면, 정지된 시스템에서는 각각의 절점에 작용하는 수평방향과 수직방향의 힘의 합이 0이 되어야 한다. 따라서 절점 1에서 다음과 같은 방정식이 성립된다.

$$\sum F_H = 0 = -F_1 \cos 30° + F_3 \cos 60° + F_{1,h}$$
$$\sum F_V = 0 = -F_1 \sin 30° - F_3 \sin 60° + F_{1,v}$$

절점 2에 대해서

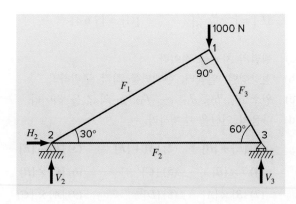

그림 P8.10

$$\sum F_H = 0 = F_2 + F_1 \cos 30° + F_{2,h} + H_2$$

$$\sum F_V = 0 = F_1 \sin 30° + F_{2,v} + V_2$$

절점 3에 대해서

$$\sum F_H = 0 = -F_2 - F_3 \cos 60° + F_{3,h}$$

$$\sum F_V = 0 = F_3 \sin 60° + F_{3,v} + V_3$$

여기서 $F_{i,h}$는 절점 i에 작용하는 수평 외력(왼쪽에서 오른쪽으로 작용하는 힘을 양의 방향으로 가정)을 나타내고, $F_{i,v}$는 절점 i에 작용하는 수직 외력(위쪽으로 작용하는 힘을 양의 방향으로 가정)을 나타낸다. 그림과 같이 절점 1에서 아래 방향으로 1000 N의 힘, 즉 $F_{i,v} = -1000$이 작용한다. 이 경우에 다른 $F_{i,h}$와 $F_{i,v}$는 모두 0이다. 이 문제의 선형연립방정식을 행렬 형태로 나타낸 후, MATLAB를 이용하여 미지수를 구하라.

8.11 그림 P8.11과 같이 세 개의 질량과 네 개의 스프링으로 구성된 시스템을 생각하자. 각각의 질량에 대해 자유물체도를 그려서 운동방정식 $\sum F_x = ma_x$를 적용하면 다음과 같은 미분방정식을 얻는다.

$$\ddot{x}_1 + \left(\frac{k_1 + k_2}{m_1}\right)x_1 - \left(\frac{k_2}{m_1}\right)x_2 = 0$$

$$\ddot{x}_2 - \left(\frac{k_2}{m_2}\right)x_1 + \left(\frac{k_2 + k_3}{m_2}\right)x_2 - \left(\frac{k_3}{m_2}\right)x_3 = 0$$

$$\ddot{x}_3 - \left(\frac{k_3}{m_3}\right)x_2 + \left(\frac{k_3 + k_4}{m_3}\right)x_3 = 0$$

여기서 $k_1 = k_4 = 10$ N/m, $k_2 = k_3 = 30$ N/m, 그리고 $m_1 = m_2 = m_3 = 1$ kg이다. 세 방정식은 다음과 같이 행렬 형태로 표시된다.

$$0 = \{가속도벡터\} + [k/m\ 행렬]\ \{변위벡터\ x\}$$

특정한 시점에서 $x_1 = 0.05$ m, $x_2 = 0.04$ m, 그리고 $x_3 = $

0.03 m이며, 행렬 형태는 삼중대각행렬이 된다. MATLAB를 이용하여 각 질량의 가속도를 구하라.

8.12 다음 표와 같이 5명이 낙하하는 경우에 대해 예제 8.2에서와 같이 계산을 수행하라.

Jumper	Mass (kg)	Spring Constant (N/m)	Unstretched Cord Length (m)
1	55	80	10
2	75	50	10
3	60	70	10
4	75	100	10
5	90	20	10

8.13 수직으로 놓인 세 질량이 모두 동일한 스프링으로 연결되어 질량 1은 꼭대기에 있고 질량 3은 바닥에 있다. $g = 9.81$ m/s^2, $m_1 = 2$ kg, $m_2 = 3$ kg, $m_3 = 2.5$ kg, 그리고 $k = 10$ kg/s^{2}일 때 MATLAB를 이용하여 변위 x를 구하라.

8.14 그림 P8.14와 같은 회로에 대해 8.3절에서와 같이 계산을 수행하라.

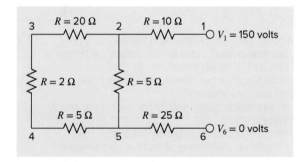

그림 P8.14

8.15 그림 P8.15와 같은 회로에 대해 8.3절에서와 같이 계산을 수행하라.

8.16 선형대수는 연립방정식의 풀이 외에도 공학과 과학

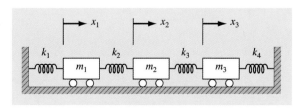

그림 P8.11

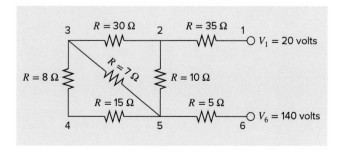

그림 P8.15

에 많이 적용되고 있다. 컴퓨터 그래픽에서는 유클리드 공간의 물체를 회전시키는 예도 있다. 다음의 **회전행렬**은 일련의 점들을 직교좌표 원점 주위로 반시계방향으로 각도 θ만큼 회전시키는데 적용될 수 있다.

$$R = \begin{bmatrix} \cos\theta & -\sin\theta \\ \sin\theta & \cos\theta \end{bmatrix}$$

그러기 위해서는, 각 점의 위치가 그 점의 좌표를 포함하는 열벡터 v로 표현되어야 한다. 예를 들면, 그림 P8.16에 있는 사각형의 x와 y 좌표로 이루어진 벡터는 다음과 같다.

x = [1 4 4 1]; y = [1 1 4 4];

행렬곱 $[R]\{v\}$를 이용하면 회전벡터가 생성된다. 이 작업을 수행하기 위한 MATLAB 함수를 개발하고 초기와 회전된 점들을 같은 그림에 채워진 기호로 표시하라. 작성된 함수를 시험해 보기 위한 스크립트는 다음과 같다.

```
clc;clf;format compact
x = [1 4 4 1]; y = [1 1 4 4];
[xt, yt] = Rotate2D(45, x, y);
```

그리고 해당 함수의 기본 구조는 다음과 같다.

```
function [xr, yr] = Rotate2D(thetad, x, y)
% two dimensional rotation 2D rotate Cartesian
% [xr, yr] = rot2d(thetad, x, y)
% Rotation of a two-dimensional object the
Cartesian coordinates
% of which are contained in the vectors x and y.
% input:
% thetad = angle of rotation (degrees)
% x = vector containing objects x coordinates
% y = vector containing objects y coordinates
% output:
% xr = vector containing objects rotated x
coordinates
% yr = vector containing objects rotated y
coordinates
```

```
% convert angle to radians and set up rotation
matrix
  •
  •  .
  •
% close shape
  •
  •  .
  •
% plot original object
hold on, grid on
  •
  •  .
  •
% rotate shape
  •
  •  .
  •
% plot rotated object
  •
  •  .
  •
hold off
```

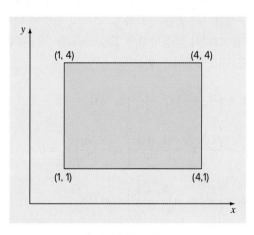

그림 P8.16

CHAPTER 9

Gauss 소거법

학습목표

이 장의 주요 목표는 선형대수방정식을 풀기 위한 Gauss 소거법 알고리즘을 설명하는 것이다. 특정한 목표와 다루는 주제는 다음과 같다.

- 소규모의 선형연립방정식의 해를 그래프를 이용하는 방법과 Cramer 공식으로 구함
- Gauss 소거법에서 전진소거와 후진대입의 이해
- 알고리즘의 효율성을 평가하기 위해서 연산 횟수를 세는 법
- 행렬에서의 특이성과 불량조건의 개념
- 부분 피봇팅을 실행하는 방법과 완전 피봇팅과의 차이점의 이해
- 부분 피봇팅과 Gauss 소거법을 이용하여 행렬식을 계산하는 방법
- 삼중대각 시스템의 띠 구조를 활용하여 가장 효율적으로 근을 구하는 방법

8장의 끝 부분에서 MATLAB이 제공하는 두 가지 연립방정식을 푸는 방법에 대해 기술하였다. 간단하고 직접적인 두 방법 중 하나는 왼쪽 나눗셈을 사용하는 것이다.

```
>> x = A\b
```

그리고 나머지 하나는 역행렬을 이용하는 것이다.

```
>> x = inv(A)*b
```

9장과 10장은 이와 같은 해를 어떻게 구할 수 있는지에 대한 배경을 설명하고, MATLAB이 어떻게 작동하는지에 대한 이해를 돕도록 하였다. 또한 MATLAB 내장함수를 사용할 수 없는 계산 환경에서 자기 자신의 알고리즘을 작성할 수 있는 방법에 대해서도 알아본다.

이 장에서 다루는 방법은 Gauss 소거법이라 하는데 그 이유는 미지수를 소거하기 위해 방정식을 조합하는 것이 포함되기 때문이다. 비록 이 방법이 연립방정식을 푸는 가장 오래된 방법 중의 하나이지만, 오늘날에도 사용되는 가장 중요한 알고리즘의 하나이며, MATLAB을 포함하여 일반적으로 사용되는 많은 소프트웨어에서 선형방정식 해법의 기본이 된다.

9.1   소규모 방정식 풀기

Gauss 소거법을 다루기 전에 우선 컴퓨터 없이도 풀 수 있는 소규모($n \leq 3$)의 연립방정식에 적합한 몇 가지 방법을 알아보자. 즉, 그래프를 이용하는 방법, Cramer 공식, 미지수 소거법이다.

9.1.1   그래프를 이용하는 방법

하나의 축이 x_1이고 또 다른 축이 x_2인 직교좌표계에 두 선형방정식을 그려서 해를 얻을 수 있다. 방정식이 선형이기 때문에 각각의 방정식은 직선으로 나타낼 수 있다. 예를 들어 다음과 같은 방정식이 있다고 하자.

$$3x_1 + 2x_2 = 18$$
$$-x_1 + 2x_2 = 2$$

만약 x_1을 가로 좌표로 놓으면 각각의 방정식을 x_2에 대해 풀 수 있다.

$$x_2 = -\frac{3}{2}x_1 + 9$$
$$x_2 = \frac{1}{2}x_1 + 1$$

이제 두 방정식이 직선의 형태, 즉 $x_2 =$ (기울기) $x_1 +$ (절편)으로 표시되었다. 이 방정식들을 그리면 그림 9.1에서와 같이 서로 교차하게 되는데, 그 교점에서의 x_1과 x_2의 값이 해가 된다. 이 경우에 해는 $x_1 = 4$와 $x_2 = 3$이다.

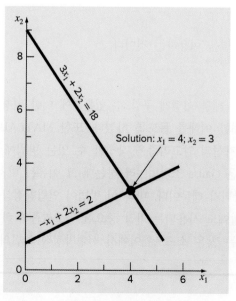

그림 9.1   그래프를 이용하여 구한 두 개의 연립 선형대수방정식의 해. 직선의 교점이 해를 나타낸다.

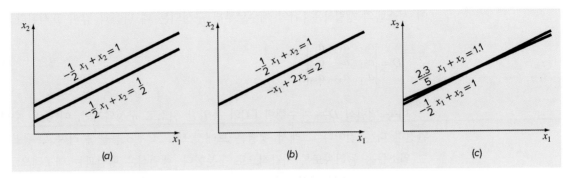

그림 9.2 특이 시스템과 불량조건 시스템을 그래프로 표현함. (a) 해가 없음, (b) 해가 무한히 많음, (c) 기울기가 너무 비슷하기 때문에 교점을 눈으로 식별하기 어려운 불량조건 시스템.

세 개의 연립방정식인 경우에는 각각의 방정식은 3차원 좌표계에서 면으로 표시된다. 따라서 세 면이 동시에 만나는 점이 해를 나타내게 된다. 방정식의 수가 세 개를 초과하면 그래프를 이용하는 방법으로는 풀기 어렵기 때문에 방정식을 푸는 방법으로서 실용적인 가치를 상실한다. 그러나 해를 시각화하는 면에서는 여전히 유용하다.

예를 들어 그림 9.2는 선형연립방정식을 풀 때 마주치는 세 가지 경우를 나타낸다. 그림 9.2a는 두 방정식이 서로 평행한 경우를 나타낸다. 이러한 경우에는 두 직선이 서로 만나지 않기 때문에 해가 존재하지 않는다. 그림 9.2b는 두 직선이 서로 일치하는 경우를 나타내며, 이러한 경우에는 해가 무수히 많이 존재한다. 시스템이 이와 같은 두 경우에 해당될 때 **특이**(singular) 시스템이라고 한다.

더욱이 시스템이 그림 9.2c와 같이 특이 시스템에 매우 가까울 때 곤란한 문제가 발생한다. 이러한 시스템을 **불량조건**에 있다고 한다. 그래프로 설명하면 이 경우는 직선들이 교차하는 정확한 점을 식별하기 어려운 경우에 해당된다. 불량조건 시스템은 선형방정식의 수치해를 구하기 어려우며, 그 이유는 해가 반올림오차에 극도로 민감하게 되기 때문이다.

9.1.2 행렬식과 Cramer 공식

Cramer 공식은 소규모의 연립방정식을 풀기에 적합한 또 다른 방법이다. 이 방법을 설명하기에 앞서 Cramer 공식에서 사용되는 행렬식(determinant)의 개념을 간단히 복습하기로 한다. 더욱이 행렬식은 행렬이 불량조건인가를 판단하는 데에도 유효하게 쓰인다.

행렬식. 다음과 같은 세 개의 방정식에 대해 행렬식을 고려해 보자.

$$[A]\{x\} = \{b\}$$

여기서 $[A]$는 다음과 같은 계수행렬이다.

$$[A] = \begin{bmatrix} a_{11} & a_{12} & a_{13} \\ a_{21} & a_{22} & a_{23} \\ a_{31} & a_{32} & a_{33} \end{bmatrix}$$

이 시스템의 **행렬식**은 [A]의 계수로부터 구성되는 데 다음과 같이 표시된다.

$$D = \begin{vmatrix} a_{11} & a_{12} & a_{13} \\ a_{21} & a_{22} & a_{23} \\ a_{31} & a_{32} & a_{33} \end{vmatrix}$$

비록 행렬식 D는 계수행렬 [A]와 동일한 원소로 구성되지만, 이 둘은 수학적으로 개념이 완전히 다른 것이다. 그래서 행렬은 브래킷으로 그 원소들을 둘러싸고, 행렬식은 수직선으로 그 원소들을 둘러싸도록 시각적으로 구분한다. 행렬식은 행렬과는 대조적으로 하나의 수이다. 예를 들어 두 개의 연립방정식에 대한 행렬식의 값은 다음과 같이 표시한다.

$$D = \begin{vmatrix} a_{11} & a_{12} \\ a_{21} & a_{22} \end{vmatrix}$$

그리고 이는 다음과 같이 계산된다.

$$D = a_{11}a_{22} - a_{12}a_{21}$$

방정식이 세 개인 경우에는 행렬식은 다음과 같이 계산된다.

$$D = a_{11} \begin{vmatrix} a_{22} & a_{23} \\ a_{32} & a_{33} \end{vmatrix} - a_{12} \begin{vmatrix} a_{21} & a_{23} \\ a_{31} & a_{33} \end{vmatrix} + a_{13} \begin{vmatrix} a_{21} & a_{22} \\ a_{31} & a_{32} \end{vmatrix} \tag{9.1}$$

여기서 2×2 행렬들을 **소행렬식**(minor)이라고 한다.

예제 9.1   행렬식

문제 설명.   그림 9.1과 9.2에 나타난 시스템에 대한 행렬식을 계산하라.

풀이 그림 9.1의 경우에는

$$D = \begin{vmatrix} 3 & 2 \\ -1 & 2 \end{vmatrix} = 3(2) - 2(-1) = 8$$

그림 9.2a의 경우에는

$$D = \begin{vmatrix} -\frac{1}{2} & 1 \\ -\frac{1}{2} & 1 \end{vmatrix} = -\frac{1}{2}(1) - 1\left(\frac{-1}{2}\right) = 0$$

그림 9.2b의 경우에는

$$D = \begin{vmatrix} -\frac{1}{2} & 1 \\ -1 & 2 \end{vmatrix} = -\frac{1}{2}(2) - 1(-1) = 0$$

그림 9.2c의 경우에는

$$D = \begin{vmatrix} -\frac{1}{2} & 1 \\ -\frac{2.3}{5} & 1 \end{vmatrix} = -\frac{1}{2}(1) - 1\left(\frac{-2.3}{5}\right) = -0.04$$

앞서의 예제에서 특이 시스템의 행렬식은 0이었다. 더욱이 계산결과는 그림 9.2c에서와 같이 시스템이 특이 시스템과 거의 같으면 행렬식이 0에 가까워진다는 것을 시사한다. 이러한 특성에 관해서는 11장에서 불량조건에 대해 다룰 때 더 깊이 있게 논의될 것이다.

Cramer 공식. 이 공식은 연립 선형대수방정식에서 각각의 미지수는 분모 D와 D에서 풀고자 하는 미지수에 해당하는 열을 우변 상수로 구성되는 $b_1, b_2, \ldots, b_n$ 의 열로 대체한 분자에 의해 정의되는 분수로 표시될 수 있음을 말한다. 예를 들어 3개의 방정식에서 미지수 x_1은 다음과 같이 계산된다.

$$x_1 = \frac{\begin{vmatrix} b_1 & a_{12} & a_{13} \\ b_2 & a_{22} & a_{23} \\ b_3 & a_{32} & a_{33} \end{vmatrix}}{D}$$

예제 9.2 / Cramer 공식

문제 설명. Cramer 공식을 이용하여 다음의 연립방정식을 풀어라.

$$0.3x_1 + 0.52x_2 + \quad x_3 = -0.01$$
$$0.5x_1 + \quad x_2 + 1.9x_3 = \quad 0.67$$
$$0.1x_1 + 0.3\ x_2 + 0.5x_3 = -0.44$$

풀이 식 (9.1)을 이용하여 행렬식 D를 다음과 같이 구할 수 있다.

$$D = 0.3\begin{vmatrix} 1 & 1.9 \\ 0.3 & 0.5 \end{vmatrix} - 0.52\begin{vmatrix} 0.5 & 1.9 \\ 0.1 & 0.5 \end{vmatrix} + 1\begin{vmatrix} 0.5 & 1 \\ 0.1 & 0.3 \end{vmatrix} = -0.0022$$

각각의 해는 다음과 같이 계산된다.

$$x_1 = \frac{\begin{vmatrix} -0.01 & 0.52 & 1 \\ 0.67 & 1 & 1.9 \\ -0.44 & 0.3 & 0.5 \end{vmatrix}}{-0.0022} = \frac{0.03278}{-0.0022} = -14.9$$

$$x_2 = \frac{\begin{vmatrix} 0.3 & -0.01 & 1 \\ 0.5 & 0.67 & 1.9 \\ 0.1 & -0.44 & 0.5 \end{vmatrix}}{-0.0022} = \frac{0.0649}{-0.0022} = -29.5$$

$$x_3 = \frac{\begin{vmatrix} 0.3 & 0.52 & -0.01 \\ 0.5 & 1 & 0.67 \\ 0.1 & 0.3 & -0.44 \end{vmatrix}}{-0.0022} = \frac{-0.04356}{-0.0022} = 19.8$$

det 함수.   행렬식은 MATLAB에서는 det 함수를 사용함으로써 직접 계산할 수 있다. 그 예로 예제 9.2에서 다룬 시스템에 대해 구하면 다음과 같다.

```
>> A=[0.3 0.52 1;0.5 1 1.9;0.1 0.3 0.5];
>> D=det(A)

D =
   -0.0022
```

Cramer 공식을 적용하여 x_1을 다음과 같이 계산한다.

```
>> A(:,1)=[-0.01;0.67;-0.44]

A =
   -0.0100    0.5200    1.0000
    0.6700    1.0000    1.9000
   -0.4400    0.3000    0.5000

>> x1=det(A)/D

x1 =
   -14.9000
```

방정식의 수가 세 개를 초과하면 Cramer 공식은 비실용적이 되는데, 그 이유는 방정식의 수가 늘어나면서 행렬식을 손이나 컴퓨터로 계산하는데 시간이 많이 소요되기 때문이다. 결과적으로 이 방법보다 더 효율적인 대안을 찾아야 한다. 대안 중의 몇몇은 9.1.3절에서 다룰 미지수 소거법이라는 컴퓨터 없이 풀 수 있는 마지막 방법에 기초를 두고 있다.

9.1.3 미지수 소거법

방정식을 조합하여 미지수를 소거하는 것은 대수적 접근법으로 다음의 두 방정식에 대해서 이 방법을 설명하기로 한다.

$$a_{11}x_1 + a_{12}x_2 = b_1 \tag{9.2}$$

$$a_{21}x_1 + a_{22}x_2 = b_2 \tag{9.3}$$

기본적인 전략은 각각의 방정식에 적절한 상수를 곱해서 얻은 두 방정식을 조합하여 미지수를 소거하는 것이다. 결과적으로 나머지 미지수에 대한 한 개의 방정식을 얻게 된다. 이 방정식에서 미지수를 구한 후, 최초의 두 방정식 중의 하나에 이 미지수의 값을 대입하면 나머지 미지수를 구할 수 있다.

그 예로 식 (9.2)에 a_{21}을 곱하고 식 (9.3)에 a_{11}을 곱하면 다음의 두 식을 얻는다.

$$a_{21}a_{11}x_1 + a_{21}a_{12}x_2 = a_{21}b_1 \tag{9.4}$$

$$a_{11}a_{21}x_1 + a_{11}a_{22}x_2 = a_{11}b_2 \tag{9.5}$$

식 (9.5)에서 식 (9.4)를 빼면 다음과 같이 x_1의 항이 소거된 방정식을 얻는다.

$$a_{11}a_{22}x_2 - a_{21}a_{12}x_2 = a_{11}b_2 - a_{21}b_1$$

x_2를 다음과 같이 구한다.

$$x_2 = \frac{a_{11}b_2 - a_{21}b_1}{a_{11}a_{22} - a_{21}a_{12}} \tag{9.6}$$

식 (9.6)을 식 (9.2)에 대입하여 x_1을 구하면 다음과 같다.

$$x_1 = \frac{a_{22}b_1 - a_{12}b_2}{a_{11}a_{22} - a_{21}a_{12}} \tag{9.7}$$

식 (9.6)과 (9.7)은 Cramer 공식을 그대로 따른다는 것에 유의하자.

$$x_1 = \frac{\begin{vmatrix} b_1 & a_{12} \\ b_2 & a_{22} \end{vmatrix}}{\begin{vmatrix} a_{11} & a_{12} \\ b_{21} & a_{22} \end{vmatrix}} = \frac{a_{22}b_1 - a_{12}b_2}{a_{11}a_{22} - a_{21}a_{12}}$$

$$x_2 = \frac{\begin{vmatrix} a_{11} & b_1 \\ a_{21} & b_2 \end{vmatrix}}{\begin{vmatrix} a_{11} & a_{12} \\ a_{21} & a_{22} \end{vmatrix}} = \frac{a_{11}b_2 - a_{21}b_1}{a_{11}a_{22} - a_{21}a_{12}}$$

미지수 소거법은 방정식의 수가 두 개 또는 세 개 이상인 시스템에 대해서도 적용할 수 있다. 그러나 이 방법은 시스템이 커질수록 상당한 계산량을 요구하기 때문에 손으로 처리하려면 매우 많은 노력이 요구된다. 그렇지만 9.2절에서 논의된 것처럼 이 방법은 수식화될 수 있으므로 컴퓨터 계산을 위한 프로그램으로 쉽게 작성될 수 있다.

9.2 순수 Gauss 소거법

9.1.3절에서 미지수 소거법으로 두 개의 연립방정식의 해를 구하였다. 이 절차는 그림 9.3에 나타난 것과 같이 두 단계로 구성되어 있다.

1. 방정식들에서 미지수 중 한 개를 소거하기 위해서 산술적 조작을 한다. 이 소거 단계의 결과는 한 개의 방정식에 한 개의 미지수만을 갖게 한다.
2. 결과적으로 이 방정식은 직접 풀 수 있으며, 그 결과를 원래의 방정식 중 한 개에 후진대입하여 나머지 미지수를 결정한다.

이와 같은 기본적인 접근법은 미지수를 소거하고 후진대입하는 체계적인 알고리즘을 개발함으로써 대규모의 연립방정식에 확대 적용할 수 있다. Gauss 소거법은 이러한 알고리즘 중에 가장 기본이 된다.

이 절에서는 Gauss 소거법을 구성하는 전진소거와 후진대입을 수행하기 위한 체계적인 방법을 다룬다. 이 방법이 이상적으로는 컴퓨터에서 사용하기에 알맞지만, 신뢰성 있는 알고리즘을 얻기 위해서는 약간의 수정이 요구된다. 특히 컴퓨터 프로그램에서는 0으로 나누는 것을 피해야 한다. 다음에 기술되는 방법은 "순수" Gauss 소거법이라고 일컫는데 그 이유는 이러한 문제를 극복하지 못하기 때문이다. 9.3절은 효율적인 컴퓨터 프로그램을 위해 요구되는 추가 사항들을 다룬다.

이 접근법은 n개의 방정식을 풀기 위한 것이다.

$$a_{11}x_1 + a_{12}x_2 + a_{13}x_3 + \cdots + a_{1n}x_n = b_1 \tag{9.8a}$$

$$a_{21}x_1 + a_{22}x_2 + a_{23}x_3 + \cdots + a_{2n}x_n = b_2 \tag{9.8b}$$

$$\vdots \qquad \qquad \vdots$$

$$a_{n1}x_1 + a_{n2}x_2 + a_{n3}x_3 + \cdots + a_{nn}x_n = b_n \tag{9.8c}$$

방정식의 개수가 두 개인 경우와 같이 n개의 방정식일 때도 접근법은 미지수를 소거하고 후진대입으로 해를 구하는 두 단계로 구성된다.

미지수의 전진소거.   첫 번째 단계는 일련의 방정식을 그림 9.3a에서와 같이 상삼각행렬의 형태로 변형시키는 것이다. 먼저 두 번째에서 n번째까지의 방정식들로부터 첫 번째 미지수인 x_1을 소거한다. 이를 수행하기 위해 식 (9.8a)에 a_{21}/a_{11}을 곱하면 다음의 결과를 얻는다.

$$a_{21}x_1 + \frac{a_{21}}{a_{11}}a_{12}x_2 + \frac{a_{21}}{a_{11}}a_{13}x_3 + \cdots + \frac{a_{21}}{a_{11}}a_{1n}x_n = \frac{a_{21}}{a_{11}}b_1 \tag{9.9}$$

식 (9.8b)에서 식 (9.9)를 빼면 다음과 같다.

$$\left(a_{22} - \frac{a_{21}}{a_{11}}a_{12}\right)x_2 + \cdots + \left(a_{2n} - \frac{a_{21}}{a_{11}}a_{1n}\right)x_n = b_2 - \frac{a_{21}}{a_{11}}b_1$$

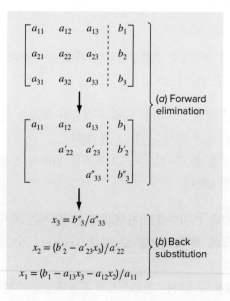

그림 9.3   Gauss 소거법의 두 단계. (a) 전진소거와 (b) 후진대입.

또는

$$a'_{22}x_2 + \cdots + a'_{2n}x_n = b'_2$$

여기서 프라임을 붙인 것은 원소들의 값이 최초의 값에서 변화되었다는 것을 의미한다.

이 과정을 나머지 방정식에 대해서도 반복해서 수행한다. 그 예로 식 (9.8a)에 a_{31}/a_{11}를 곱해 얻은 결과를 세 번째 방정식에서 뺀다. 나머지 방정식에 대해서도 계속해서 이 과정을 반복적으로 수행하면 다음과 같이 수정된 방정식들을 얻는다.

$$a_{11}x_1 + a_{12}x_2 + a_{13}x_3 + \cdots + a_{1n}x_n = b_1 \tag{9.10a}$$

$$a'_{22}x_2 + a'_{23}x_3 + \cdots + a'_{2n}x_n = b'_2 \tag{9.10b}$$

$$a'_{32}x_2 + a'_{33}x_3 + \cdots + a'_{3n}x_n = b'_3 \tag{9.10c}$$

$$\vdots \qquad \vdots$$

$$a'_{n2}x_2 + a'_{n3}x_3 + \cdots + a'_{nn}x_n = b'_n \tag{9.10d}$$

위 단계에서 식 (9.8a)를 **피봇방정식**이라 하고, a_{11}을 **피봇원소**라고 한다. 첫 번째 행에 a_{21}/a_{11}을 곱하는 것은 첫 번째 행을 a_{11}로 나누고 a_{21}을 곱하는 것과 같다는 점을 유의하라. 종종 이러한 나눗셈 연산을 **정규화**라고 한다. 피봇원소가 0이 되면 0으로 나누는 경우가 발생하기 때문에 정규화가 이루어질 수 없는 경우도 고려해야 한다. 이런 중요한 문제에 대해서는 순수 Gauss 소거법을 모두 설명한 후에 다시 논의하도록 한다.

두 번째 단계는 식 (9.10c)에서 (9.10d)까지 x_2를 소거하는 것이다. 이를 위해 식 (9.10b)에 a'_{32}/a'_{22}를 곱한 결과를 식 (9.10c)에서 뺀다. 이와 유사한 소거를 나머지 방정식들에 대해 수행하면 다음과 같은 결과를 얻는다.

$$a_{11}x_1 + a_{12}x_2 + a_{13}x_3 + \cdots + a_{1n}x_n = b_1$$

$$a'_{22}x_2 + a'_{23}x_3 + \cdots + a'_{2n}x_n = b'_2$$

$$a''_{33}x_3 + \cdots + a''_{3n}x_n = b''_3$$

$$\vdots \qquad \vdots$$

$$a''_{n3}x_3 + \cdots + a''_{nn}x_n = b''_n$$

여기서 프라임을 두 번 붙인 것은 원소들의 값이 두 번 수정되었다는 것을 의미한다.

이러한 과정을 나머지 피봇방정식을 이용하여 계속 수행할 수 있다. 마지막 단계는 $(n-1)$번째 방정식을 이용하여 n번째 방정식에서 x_{n-1} 항을 소거하는 것이다. 이제 연립방정식은 다음과 같은 상삼각행렬로 변형되었다.

$$a_{11}x_1 + a_{12}x_2 + a_{13}x_3 + \cdots + a_{1n}x_n = b_1 \tag{9.11a}$$

$$a'_{22}x_2 + a'_{23}x_3 + \cdots + a'_{2n}x_n = b'_2 \tag{9.11b}$$

$$a''_{33}x_3 + \cdots + a''_{3n}x_n = b''_3 \tag{9.11c}$$

$$\ddots \qquad \vdots$$

$$a_{nn}^{(n-1)} x_n = b_n^{(n-1)} \tag{9.11d}$$

후진대입. 이제 x_n은 식 (9.11d)로부터 다음과 같이 구할 수 있다.

$$x_n = \frac{b_n^{(n-1)}}{a_{nn}^{(n-1)}} \tag{9.12}$$

이 결과를 $(n-1)$번째 방정식에 후진대입하면 x_{n-1}을 구할 수 있다. 나머지 x들을 구하는데 반복해서 사용할 수 있는 절차는 다음 식과 같다.

$$x_i = \frac{b_i^{(i-1)} - \displaystyle\sum_{j=i+1}^{n} a_{ij}^{(i-1)} x_j}{a_{ii}^{(i-1)}} \quad \text{for } i = n-1, n-2, \ldots, 1 \tag{9.13}$$

예제 9.3 **순수 Gauss 소거법**

문제 설명. Gauss 소거법을 이용하여 다음의 방정식을 풀어라.

$$3x_1 - 0.1x_2 - 0.2x_3 = 7.85 \tag{E9.3.1}$$

$$0.1x_1 + 7x_2 - 0.3x_3 = -19.3 \tag{E9.3.2}$$

$$0.3x_1 - 0.2x_2 + 10x_3 = 71.4 \tag{E9.3.3}$$

풀이 첫 번째 단계는 전진소거이다. 식 (E9.3.1)에 0.1/3을 곱해서 나온 결과를 식 (E9.3.2)에서 뺀다.

$$7.00333x_2 - 0.293333x_3 = -19.5617$$

그리고 식 (E9.3.1)에 0.3/3을 곱한 것을 식 (E9.3.3)에서 뺀다. 이러한 과정을 거치면 결과적으로 다음과 같은 방정식을 얻는다.

$$3x_1 - 0.1x_2 - 0.2x_3 = 7.85 \tag{E9.3.4}$$

$$7.00333x_2 - 0.293333x_3 = -19.5617 \tag{E9.3.5}$$

$$-0.190000x_2 + 10.0200x_3 = 70.6150 \tag{E9.3.6}$$

전진소거를 완성하기 위해서는 식 (E9.3.6)에서 x_2를 소거해야 한다. 이를 위해 식 (E9.3.5)에 $-0.190000/7.00333$을 곱해서 나온 결과를 식 (E9.3.6)에서 뺀다. 이 과정에 의해 세 번째 방정식에서 x_2가 소거되어 연립방정식은 다음과 같이 상삼각행렬의 형태를 갖는다.

$$3x_1 - 0.1x_2 - 0.2x_3 = 7.85 \tag{E9.3.7}$$

$$7.00333x_2 - 0.293333x_3 = -19.5617 \tag{E9.3.8}$$

$$10.0120x_3 = 70.0843 \qquad\qquad \text{(E9.3.9)}$$

이제 후진대입에 의해 방정식의 해를 구할 수 있다. 먼저 식 (E9.3.9)는 다음과 같이 x_3에 대해 풀 수 있다.

$$x_3 = \frac{70.0843}{10.0120} = 7.00003$$

여기서 얻은 결과를 식 (E9.3.8)에 후진대입하면 다음과 같이 x_2를 구할 수 있다.

$$x_2 = \frac{-19.5617 + 0.293333(7.00003)}{7.00333} = -2.50000$$

마지막으로 $x_3 = 7.00003$과 $x_2 = -2.50000$을 식 (E9.3.7)에 후진대입하면 다음과 같이 x_1을 구할 수 있다.

$$x_1 = \frac{7.85 + 0.1(-2.50000) + 0.2(7.00003)}{3} = 3.00000$$

약간의 반올림오차가 포함되어 있지만, 결과는 정확한 해인 $x_1 = 3$, $x_2 = -2.5$, 그리고 $x_3 = 7$과 거의 같다. 이는 구한 결과를 원래의 방정식에 대입함으로써 다음과 같이 검증할 수 있다.

$$3(3) - 0.1(-2.5) - 0.2(7.00003) = 7.84999 \cong 7.85$$
$$0.1(3) + 7(-2.5) - 0.3(7.00003) = -19.30000 = -19.3$$
$$0.3(3) - 0.2(-2.5) + 10(7.00003) = 71.4003 \cong 71.4$$

9.2.1 MATLAB M-파일: GaussNaive

순수 Gauss 소거법을 실행하는 M-파일은 그림 9.4에 작성된 것과 같다. 계수 행렬 A와 우변 벡터 b를 합쳐서 확장행렬 Aug를 구성하였다. 따라서 연산은 A와 b에 독립적으로 수행되지 않고 Aug에 수행되었다.

두 개의 루프에 의해 전진소거 단계가 간략하게 표현된다. 외부 루프는 행렬의 첫 번째 행에서부터 $(n-1)$번째까지 하나씩 내려가면서 피봇 행을 선정하고 있다. 내부 루프는 피봇 행 아래에 위치한 모든 행에서 소거가 이루어지도록 행을 하나씩 내린다. 결국 실제적인 소거는 MATLAB 특유의 행렬 연산 능력을 이용하여 단 한 줄로 표현된다.

후진대입 단계는 식 (9.12)와 (9.13)을 그대로 따른다. 이 경우에도 식 (9.13)은 MATLAB 특유의 행렬 연산 능력을 이용하여 단 한 줄로 표현된다.

9.2.2 연산 횟수

Gauss 소거법의 실행 시간은 알고리즘에 포함된 **부동소수점 연산**(floating-point operations 또

```
function x = GaussNaive(A,b)
% GaussNaive: naive Gauss elimination
%   x = GaussNaive(A,b): Gauss elimination without pivoting.
% input:
%   A = coefficient matrix
%   b = right hand side vector
% output:
%   x = solution vector

[m,n] = size(A);
if m~=n, error('Matrix A must be square'); end
nb = n+1;
Aug = [A b];
% forward elimination
for k = 1:n−1
 for i = k+1:n
   factor = Aug(i,k)/Aug(k,k);
   Aug(i,k:nb) = Aug(i,k:nb)−factor*Aug(k,k:nb);
 end
end
% back substitution
x = zeros(n,1);
x(n) = Aug(n,nb)/Aug(n,n);
for i = n−1:−1:1
 x(i) = (Aug(i,nb)−Aug(i,i+1:n)*x(i+1:n))/Aug(i,i);
end
```

그림 9.4   순수 Gauss 소거법을 실행하는 M-파일.

는 flops) 횟수에 따라 달라진다. 최신 컴퓨터에서는 수치연산 보조 프로세서(math coprocessors)를 사용하기 때문에 덧셈과 뺄셈을 실행하는 시간이나 곱셈과 나눗셈을 실행하는 시간이 거의 같다. 따라서 사칙연산을 하는 횟수를 모두 더하면 그 알고리즘이 어떤 부분에서 가장 시간을 많이 소비하는지, 그리고 시스템이 커질수록 얼마나 계산시간이 증가하는지를 알 수 있다.

순수 Gauss 소거법을 해석하기에 앞서 연산 횟수를 산출하는 몇 개의 양들을 정의하자.

$$\sum_{i=1}^{m} cf(i) = c\sum_{i=1}^{m} f(i) \qquad \sum_{i=1}^{m} f(i) + g(i) = \sum_{i=1}^{m} f(i) + \sum_{i=1}^{m} g(i) \tag{9.14a,b}$$

$$\sum_{i=1}^{m} 1 = 1 + 1 + 1 + \cdots + 1 = m \qquad \sum_{i=k}^{m} 1 = m - k + 1 \tag{9.14c,d}$$

$$\sum_{i=1}^{m} i = 1 + 2 + 3 + \cdots + m = \frac{m(m + 1)}{2} = \frac{m^2}{2} + O(m) \tag{9.14e}$$

$$\sum_{i=1}^{m} i^2 = 1^2 + 2^2 + 3^2 + \cdots + m^2 = \frac{m(m + 1)(2m + 1)}{6} = \frac{m^3}{3} + O(m^2) \tag{9.14f}$$

여기서 $O(m^n)$는 "크기가 m^n 차수와 그보다 낮은 차수의 항"인 것을 의미한다.

그러면 그림 9.4의 순수 Gauss 소거법 알고리즘을 자세히 살펴보자. 먼저 소거 단계에서 사용된 산술연산 횟수를 세어 보자. 외부 루프의 처음 과정은 $k = 1$이다. 이때 내부 루프의 한계는 $i = 2$에서 n까지다. 식 $(9.14d)$에 의해 내부 루프에서의 반복 횟수는 다음과 같다.

$$\sum_{i=2}^{n} 1 = n - 2 + 1 = n - 1 \tag{9.15}$$

프로그램에서 이렇게 반복될 때마다 factor를 계산하기 위하여 나눗셈이 한 번씩 들어간다. 그 다음 줄에서는 곱셈과 뺄셈이 수행되는데 이때 포함되는 열은 2에서부터 nb까지다. nb = $n + 1$이므로 2에서 nb까지는 모두 n번의 곱셈과 n번의 뺄셈이 행해진다. 한 번의 나눗셈까지 합하면 내부 루프를 매번 반복할 때마다 모두 $n + 1$번의 곱셈/나눗셈과 n번의 덧셈/뺄셈이 행해진다. 외부 루프의 처음 과정에서 수행되는 총 산술연산은 결국 $(n - 1)(n + 1)$번의 곱셈/나눗셈과 $(n - 1)(n)$번의 덧셈/뺄셈이다.

이와 같은 방법으로 계속되는 외부 루프에 대해 산술연산 횟수를 추정할 수 있다. 그 결과를 정리하면 다음의 표에 요약한 것과 같다.

Outer Loop k	Inner Loop i	Addition/Subtraction Flops	Multiplication/Division Flops
1	$2, n$	$(n - 1)(n)$	$(n - 1)(n + 1)$
2	$3, n$	$(n - 2)(n - 1)$	$(n - 2)(n)$
$\vdots$	$\vdots$		
k	$k + 1, n$	$(n - k)(n + 1 - k)$	$(n - k)(n + 2 - k)$
$\vdots$	$\vdots$		
$n - 1$	n, n	$(1)(2)$	$(1)(3)$

따라서 소거를 위해 행해지는 총 덧셈/뺄셈의 횟수는 다음과 같이 계산된다.

$$\sum_{k=1}^{n-1} (n - k)(n + 1 - k) = \sum_{k=1}^{n-1} [n(n + 1) - k(2n + 1) + k^2] \tag{9.16}$$

또는

$$n(n + 1) \sum_{k=1}^{n-1} 1 - (2n + 1) \sum_{k=1}^{n-1} k + \sum_{k=1}^{n-1} k^2 \tag{9.17}$$

식 (9.14)로부터의 관계식을 적용하면 다음의 식을 얻는다.

$$[n^3 + O(n)] - [n^3 + O(n^2)] + \left[\frac{1}{3} n^3 + O(n^2)\right] = \frac{n^3}{3} + O(n) \tag{9.18}$$

곱셈/나눗셈의 연산 횟수에 대해서도 유사한 방법으로 해석하면 다음과 같다.

$$[n^3 + O(n^2)] - [n^3 + O(n)] + \left[\frac{1}{3} n^3 + O(n^2)\right] = \frac{n^3}{3} + O(n^2) \tag{9.19}$$

이 모든 결과를 합하면 아래와 같다.

$$\frac{2n^3}{3} + O(n^2) \tag{9.20}$$

표 9.1 순수 Gauss 소거법에서의 연산 횟수.

n	Elimination	Back Substitution	Total Flops	$2n^3/3$	Percent Due to Elimination
10	705	100	805	667	87.58
100	671550	10000	681550	666667	98.53
1000	6.67×10^8	1×10^6	6.68×10^8	6.67×10^8	99.85

따라서 총 산술연산 횟수는 $2n^3/3$에 크기가 n^2 차수와 그보다 낮은 차수의 항에 비례하는 값을 더한 것과 같다. 결과를 이러한 방식으로 표현하는 이유는 n이 커지면 첫 번째 항에 비해 $O(n^2)$ 이하의 항들을 무시할 수 있기 때문이다. 그러므로 n이 큰 경우, 전진소거에 들어가는 연산 횟수는 $2n^3/3$에 수렴한다고 결론지을 수 있다.

후진대입에는 단지 하나의 루프만 사용되기 때문에 연산 횟수를 추정하기가 한결 쉽다. 덧셈/뺄셈의 연산 횟수는 $n(n-1)/2$가 된다. 루프에 들어가기 직전에 추가의 나눗셈이 있기 때문에 곱셈/나눗셈의 연산 횟수는 $n(n+1)/2$가 된다. 이 둘을 합하면 총 연산 횟수는 다음과 같다.

$$n^2 + O(n) \tag{9.21}$$

따라서 순수 Gauss 소거를 위해 행해지는 연산 횟수는 다음과 같이 쓸 수 있다.

$$\underbrace{\frac{2n^3}{3} + O(n^2)}_{\substack{\text{Forward} \\ \text{elimination}}} + \underbrace{n^2 + O(n)}_{\substack{\text{Back} \\ \text{substitution}}} \xrightarrow{\text{as } n \text{ increases}} \frac{2n^3}{3} + O(n^2) \tag{9.22}$$

이상의 해석에서 두 가지의 유용하고 일반적인 결론을 내릴 수 있다.

1. 방정식 시스템이 커질수록 계산 시간이 급격하게 증가한다. 표 9.1에서 알 수 있듯이 방정식의 개수가 1차수 증가하면 연산 횟수는 대략 3차수가 증가하게 된다.
2. 대부분의 계산이 소거 단계에서 발생한다. 따라서 이 방법을 개선하려면 소거 단계에 초점을 맞춰야 한다.

9.3 피봇팅

바로 앞 절에서 다룬 방법을 "순수"라고 부르는 이유는 전진소거와 후진대입의 두 단계에서 0으로 나누는 나눗셈이 발생할 수 있기 때문이다. 그 예로 다음의 방정식들을 순수 Gauss 소거법을 이용하여 풀자.

$$\begin{aligned} 2x_2 + 3x_3 &= 8 \\ 4x_1 + 6x_2 + 7x_3 &= -3 \\ 2x_1 - 3x_2 + 6x_3 &= 5 \end{aligned}$$

첫 번째 행을 정규화하기 위해서는 $a_{11} = 0$으로 나누는 경우가 발생하게 된다. 이러한 문제는 피봇원소가 정확하게 0이 아니더라도 0에 가까울 때도 발생할 수가 있다. 이는 피봇원소가 다른 원소들에 비해 상대적으로 매우 작은 경우에 반올림오차가 개입되기 때문이다.

따라서 각각의 행을 정규화하기 전에 피봇원소가 속한 열에서 피봇원소 아래의 계수들 중에서 절대값이 가장 큰 것을 찾는 것이 유리하다. 그리고 그 계수가 포함된 행의 위치를 바꾸어 가장 큰 원소가 피봇원소가 되도록 방정식의 순서를 조절한다. 이 방법을 **부분 피봇팅**(partial pivoting)이라 한다.

행뿐만 아니라 열까지도 고려하여 가장 큰 원소를 찾아서 행과 열을 바꾸는 경우, 이 절차를 **완전 피봇팅**(complete pivoting)이라고 한다. 완전 피봇팅은 거의 사용되지 않는다. 그 이유는 부분 피봇팅으로 대부분 개선되기 때문이며, 또한 열을 바꿀 때 미지수 x의 순서가 변해 결과적으로 컴퓨터 프로그램을 작성하기가 매우 복잡해지기 때문이다.

아래의 예제는 부분 피봇팅의 이점을 설명하고 있다. 부분 피봇팅은 나눗셈에서 0으로 나누는 것을 피하게 하는 것 이외에도 반올림오차를 최소화한다. 이는 불량조건을 부분적으로 해소하는 역할도 하게 된다.

예제 9.4 부분 피봇팅

문제 설명. Gauss 소거법을 이용하여 다음 방정식을 풀어라.

$$0.0003x_1 + 3.0000x_2 = 2.0001$$
$$1.0000x_1 + 1.0000x_2 = 1.0000$$

이 형태에서 첫 번째 피봇원소 $a_{11} = 0.0003$은 0에 매우 가깝다는 것을 주의한다. 따라서 방정식의 순서를 바꾸는 부분 피봇팅을 취한다. 문제의 정해는 $x_1 = 1/3$과 $x_2 = 2/3$이다.

풀이 첫 번째 방정식의 양변에 1/0.0003을 곱하면 다음의 식을 얻는다.

$$x_1 + 10,000x_2 = 6667$$

이 식은 두 번째 방정식에서 x_1을 소거하는 데 사용할 수 있다.

$$-9999x_2 = -6666$$

이 식으로부터 $x_2 = 2/3$를 얻는다. 이 결과를 첫 번째 방정식에 후진대입하여 다음과 같이 x_1을 얻는다.

$$x_1 = \frac{2.0001 - 3(2/3)}{0.0003} \tag{E9.4.1}$$

뺄셈의 무효화로 인해, 이 계산결과는 유효숫자의 개수에 매우 민감하다.

Significant Figures	x_2	x_1	Absolute Value of Percent Relative Error for x_1
3	0.667	-3.33	1099
4	0.6667	0.0000	100
5	0.66667	0.30000	10
6	0.666667	0.330000	1
7	0.6666667	0.3330000	0.1

주의할 것은 유효숫자의 개수가 x_1의 해에 영향을 크게 미친다는 점이다. 이 사실은 식 (E9.4.1)에서 거의 같은 두 수 사이의 뺄셈으로 인한 것이다.

방정식의 순서를 바꾸어서 다시 계산해 보자. 큰 피봇원소를 지닌 행을 정규화하면 식은 다음과 같게 된다.

$$1.0000x_1 + 1.0000x_2 = 1.0000$$
$$0.0003x_1 + 3.0000x_2 = 2.0001$$

소거와 대입을 수행하면 $x_2 = 2/3$를 얻는다. 이 결과를 첫 번째 방정식에 대입하면 다음과 같이 x_1을 얻으며, 유효숫자의 개수를 변화시켰을 때 얻는 결과는 표에 기재된 것과 같다.

$$x_1 = \frac{1 - (2/3)}{1}$$

이 경우에는 x_1의 계산결과가 유효숫자의 개수에 덜 민감함을 알 수 있다.

Significant Figures	x_2	x_1	Absolute Value of Percent Relative Error for x_1
3	0.667	0.333	0.1
4	0.6667	0.3333	0.01
5	0.66667	0.33333	0.001
6	0.666667	0.333333	0.0001
7	0.6666667	0.3333333	0.0000

따라서 피봇 전략은 매우 만족할 만하다.

9.3.1 MATLAB M-파일: GaussPivot

부분 피봇팅이 포함된 Gauss 소거법을 실행하는 M-파일이 그림 9.5에 주어져 있다. 이 파일은 9.2.1절에 제시된 순수 Gauss 소거법의 M-파일과 동일하나, 단지 부분 피봇팅을 실행하는 부분만 굵게 표시하여 구별하였다.

피봇원소 아래의 열에서 가장 큰 계수를 결정하기 위해 MATLAB의 내장함수 max를 사용한다는 점에 유의한다. max 함수는 다음과 같은 구문을 가진다.

```
[y,i] = max(x)
```

```
function x = GaussPivot(A,b)
% GaussPivot: Gauss elimination pivoting
%   x = GaussPivot(A,b): Gauss elimination with pivoting.
% input:
%   A = coefficient matrix
%   b = right hand side vector
% output:
%   x = solution vector

[m,n] =size(A);
if m ~=n, error('Matrix A must be square'); end
nb =n+1;
Aug =[A b];
% forward elimination
for k = 1:n-1
  % partial pivoting
  [big,i] =max(abs(Aug(k:n,k)));
  ipr =i+k-1;
  if ipr~ =k
   Aug([k,ipr],:) =Aug([ipr,k],:);
  end
  for i = k+1:n
   factor = Aug(i,k)/Aug(k,k);
   Aug(i,k:nb) =Aug(i,k:nb)-factor*Aug(k,k:nb);
  end
end
% back substitution
x =zeros(n,1);
x(n)  =Aug(n,nb)/Aug(n,n);
for i = n-1:-1:1
 x(i) =(Aug(i,nb) -Aug(i,i+1:n)*x(i+1:n))/Aug(i,i);
end
```

그림 9.5 부분 피봇팅이 포함된 Gauss 소거법을 실행하는 M–파일.

여기서 y는 벡터 x의 최대 원소이고, i는 그 원소에 해당되는 지수이다.

9.3.2 Gauss 소거법을 이용한 행렬식의 계산

9.1.2절의 끝 부분에 소행렬식의 전개에 의한 행렬식의 계산은 대규모 방정식에서는 비현실적임을 시사하였다. 그러나 행렬식은 시스템의 조건을 평가하는 데 가치가 있으므로, 이 값을 계산할 수 있는 실용적인 방법이 있으면 유용할 것이다.

다행히도 Gauss 소거법은 이를 위한 간단한 방법을 제공한다. 이 방법은 삼각행렬의 행렬식이 대각 원소의 곱으로 간단히 계산될 수 있다는 사실에 기초한다.

$$D = a_{11}a_{22}a_{33} \cdots a_{nn}$$

이 수식의 타당성은 3×3 시스템에 대해 예시할 수 있다.

$$D = \begin{vmatrix} a_{11} & a_{12} & a_{13} \\ 0 & a_{22} & a_{23} \\ 0 & 0 & a_{33} \end{vmatrix}$$

여기서 행렬식은 다음과 같이 계산된다[식 (9.1) 참조].

$$D = a_{11} \begin{vmatrix} a_{22} & a_{23} \\ 0 & a_{33} \end{vmatrix} - a_{12} \begin{vmatrix} 0 & a_{23} \\ 0 & a_{33} \end{vmatrix} + a_{13} \begin{vmatrix} 0 & a_{22} \\ 0 & 0 \end{vmatrix}$$

또는 소행렬식을 계산함으로써,

$$D = a_{11}a_{22}a_{33} - a_{12}(0) + a_{13}(0) = a_{11}a_{22}a_{33}$$

Gauss 소거법의 전진소거 단계는 상삼각 시스템을 만드는 것을 기억하라. 행렬식의 값은 전진소거 과정에서 변하지 않으므로, 행렬식은 전진소거 과정의 마지막에서 다음과 같이 간단히 계산된다.

$$D = a_{11}a'_{22}a''_{33} \cdots a_{nn}^{(n-1)}$$

여기서 상첨자는 원소가 소거 절차에 따라 수정된 횟수를 의미한다. 따라서 시스템을 삼각 형태로 줄이는 데 드는 노력을 이용하면, 추가로 행렬식을 간단히 계산할 수 있다.

프로그램이 부분 피봇팅을 사용하는 경우, 위 방법을 약간 수정하면 된다. 이러한 경우 행렬식의 부호는 행이 바뀔 때마다 변한다. 이를 표현하는 한 가지 방법은 행렬식 계산을 다음과 같이 수정하는 것이다.

$$D = a_{11}a'_{22}a''_{33} \cdots a_{nn}^{(n-1)} (-1)^p$$

여기서 p는 행이 피봇되는 횟수를 나타낸다. 이와 같은 수정은 계산 과정에서 발생하는 피봇 횟수를 파악함으로써 프로그램에 쉽게 반영할 수 있다.

9.4 삼중대각 시스템

어떤 행렬은 특수한 구조를 갖는데 이때는 보다 효율적인 해법을 사용할 수 있다. 예를 들면, 주 대각선을 중심으로 하는 띠를 제외하고 모든 원소가 0인 정방행렬의 띠 행렬이 바로 그 경우에 해당한다.

삼중대각 시스템에서 띠의 폭은 3이며, 일반적으로 다음과 같이 표현된다.

$$\begin{bmatrix} f_1 & g_1 & & & & & \\ e_2 & f_2 & g_2 & & & & \\ & e_3 & f_3 & g_3 & & & \\ & & \cdot & \cdot & \cdot & & \\ & & & \cdot & \cdot & \cdot & \\ & & & & \cdot & \cdot & \cdot \\ & & & & & e_{n-1} & f_{n-1} & g_{n-1} \\ & & & & & & e_n & f_n \end{bmatrix} \begin{Bmatrix} x_1 \\ x_2 \\ x_3 \\ \cdot \\ \cdot \\ \cdot \\ x_{n-1} \\ x_n \end{Bmatrix} = \begin{Bmatrix} r_1 \\ r_2 \\ r_3 \\ \cdot \\ \cdot \\ \cdot \\ r_{n-1} \\ r_n \end{Bmatrix} \qquad (9.23)$$

주의할 것은 행렬 계수의 표기에서 a와 b를 e, f, g, 그리고 r로 바꾸었다는 점이다. 이렇게 바꾼 것은 정방행렬 a에서 쓸모없는 많은 원소값 0의 저장을 피하기 위함이며, 결과적으로 알고리즘이 차지하는 기억용량을 줄이는 이점을 갖게 한다.

이러한 시스템의 해를 구하는 알고리즘은 Gauss 소거법을 그대로 따르게 되어 전진소거와 후진대입의 두 단계로 이루어진다. 그러나 대부분의 원소가 이미 0이므로 전체 행렬을 취급할 때보다 노력이 훨씬 적게 든다. 다음의 예제는 이러한 효율성을 잘 보여준다.

예제 9.5   삼중대각 시스템의 해

문제 설명. 다음 삼중대각 시스템의 해를 구하라.

$$\begin{bmatrix} 2.04 & -1 & & \\ -1 & 2.04 & -1 & \\ & -1 & 2.04 & -1 \\ & & -1 & 2.04 \end{bmatrix} \begin{Bmatrix} x_1 \\ x_2 \\ x_3 \\ x_4 \end{Bmatrix} = \begin{Bmatrix} 40.8 \\ 0.8 \\ 0.8 \\ 200.8 \end{Bmatrix}$$

풀이 Gauss 소거법에서와 같이 첫 번째 단계는 상삼각 형태로 행렬을 변형시키는 것이다. 이는 첫 번째 방정식에 e_2/f_1를 곱한 결과를 두 번째 방정식에서 빼면 된다. 결과적으로 e_2의 위치에는 0이 대신 들어가게 되고, 나머지 계수들도 새로운 값을 갖게 된다.

$$f_2 = f_2 - \frac{e_2}{f_1} g_1 = 2.04 - \frac{-1}{2.04}(-1) = 1.550$$

$$r_2 = r_2 - \frac{e_2}{f_1} r_1 = 0.8 - \frac{-1}{2.04}(40.8) = 20.8$$

즉 유의할 사항은 g_2는 변함이 없다는 점인데, 이는 첫 번째 행에 있는 g_2 위의 원소가 0이기 때문이다.

마찬가지 방법으로 계산을 세 번째와 네 번째 행에 대해서 수행하면 시스템은 다음과 같은 상삼각 형태를 갖게 된다.

$$\begin{bmatrix} 2.04 & -1 & & \\ & 1.550 & -1 & \\ & & 1.395 & -1 \\ & & & 1.323 \end{bmatrix} \begin{Bmatrix} x_1 \\ x_2 \\ x_3 \\ x_4 \end{Bmatrix} = \begin{Bmatrix} 40.8 \\ 20.8 \\ 14.221 \\ 210.996 \end{Bmatrix}$$

이제 후진대입을 통해 최종해를 산출하게 된다.

$$x_4 = \frac{r_4}{f_4} = \frac{210.996}{1.323} = 159.480$$

$$x_3 = \frac{r_3 - g_3 x_4}{f_3} = \frac{14.221 - (-1)159.480}{1.395} = 124.538$$

$$x_2 = \frac{r_2 - g_2 x_3}{f_2} = \frac{20.800 - (-1)124.538}{1.550} = 93.778$$

$$x_1 = \frac{r_1 - g_1 x_2}{f_1} = \frac{40.800 - (-1)93.778}{2.040} = 65.970$$

9.4.1 MATLAB M-파일: Tridiag

삼중대각 시스템으로 주어지는 방정식의 해를 구하기 위한 M-파일은 그림 9.6과 같다. 이 알고리즘에 부분 피봇팅이 포함되어 있지 않다는 것에 유의한다. 피봇팅이 종종 필요할 때도 있지만, 공학이나 과학 분야에서 발생하는 대부분의 삼중대각 시스템은 피봇팅을 필요로 하지 않는다.

Gauss 소거법에 요구되는 계산량이 n^3에 비례한다는 점을 기억하자. 삼중대각 시스템에는 0이 많이 포함되어 있기 때문에 이 시스템의 해를 구하는 데 요구되는 계산량은 n에 비례한다. 결과적으로 그림 9.6의 알고리즘은 Gauss 소거법에 비해 매우 빠르게 수행되며, 특히 대형 시스템에 대해서 그렇다.

```
function x = Tridiag (e,f,g,r)
% Tridiag: Tridiagonal equation solver banded system
%   x = Tridiag(e,f,g,r): Tridiagonal system solver.
% input:
%   e = subdiagonal vector
%   f = diagonal vector
%   g = superdiagonal vector
%   r = right hand side vector
% output:
%   x = solution vector
n =length(f);
% forward elimination
for k = 2:n
 factor = e(k)/f(k-1);
 f(k) = f(k) - factor*g(k -1);
 r(k) = r(k) - factor*r(k -1);
end
% back substitution
x(n) = r(n)/f(n);
for k = n   -1: -1:1
 x(k) = (r(k) -g(k)*x(k+1))/f(k);
end
```

그림 9.6   삼중대각 시스템의 해를 구하기 위한 M-파일.

9.5 사례연구   가열된 봉의 모델

배경. 분포계를 모델링할 때 선형대수방정식이 나타난다. 그 예로 그림 9.7은 일정 온도로 유지되는 두 벽 사이에 가늘고 긴 봉이 놓여 있는 것을 보여준다. 열은 봉과 주변 공기 사이

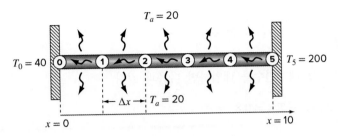

그림 9.7 서로 다른 일정 온도로 유지되는 두 벽 사이에 놓여 있는 비단열 균일 봉. 유한차분식은 네 개의 내부 절점을 이용한다.

뿐만 아니라 봉을 통해서도 흐른다. 정상상태의 경우 열량 보존에 기초한 이 시스템의 미분방정식은 다음과 같다.

$$\frac{d^2T}{dx^2} + h'(T_a - T) = 0 \tag{9.24}$$

여기서 T는 온도(℃), x는 봉 방향의 거리(m), h'은 봉과 주변 공기 사이의 열전달 계수(m^{-2}), 그리고 T_a는 공기 온도(℃)이다.

　매개변수, 외력함수, 그리고 경계 조건에 대한 값이 주어지면 미적분학을 사용하여 해석해를 얻을 수 있다. 그 예로 만약 $h' = 0.01$, $T_a = 20$, $T(0) = 40$, 그리고 $T(10) = 200$이면 해는 다음과 같다.

$$T = 73.4523e^{0.1x} - 53.4523e^{-0.1x} + 20 \tag{9.25}$$

　이 문제는 미적분학으로 해를 구할 수 있으나, 모든 문제에 대해 해석해를 구할 수 있는 것은 아니다. 해석해를 구할 수 없는 경우에 수치해석은 귀중한 대안이 된다. 이 사례연구에서는 유한차분을 사용하여 미분방정식을 선형대수방정식의 삼중대각 시스템으로 변형시킴으로써 이 장에서 다룬 수치방법으로 해를 쉽게 구하고자 한다.

풀이 봉을 일련의 절점으로 구성된 것으로 개념화하여 식 (9.24)를 연립 선형대수방정식으로 변형시킬 수 있다. 예를 들어 그림 9.7의 봉은 간격이 일정한 6개의 절점으로 나눌 수 있다. 봉은 길이가 10이므로 절점 사이의 간격은 $\Delta x = 2$이다.

　식 (9.24)는 2차 도함수를 포함하므로 이를 풀기 위해서 미적분학이 필요했다. 4.3.4절에서 공부하였듯이 유한차분 근사를 이용하면 도함수를 대수 형태로 바꿀 수 있다. 그 예로 각 절점에서의 2차 도함수를 다음과 같이 근사할 수 있다.

$$\frac{d^2T}{dx^2} = \frac{T_{i+1} - 2T_i + T_{i-1}}{\Delta x^2}$$

여기서 T_i는 절점 i에서의 온도를 나타낸다. 이 근사식을 식 (9.24)에 대입하면 다음의 식을 얻는다.

$$\frac{T_{i+1} - 2T_i + T_{i-1}}{\Delta x^2} + h'(T_a - T_i) = 0$$

항들을 정리하고 매개변수를 대입하면 다음과 같다.

$$-T_{i-1} + 2.04T_i - T_{i+1} = 0.8 \tag{9.26}$$

따라서 식 (9.24)는 미분방정식에서 대수방정식으로 변환되었다. 식 (9.26)을 각각의 내부 절점에 적용하면 다음의 연립방정식을 얻는다.

$$
\begin{aligned}
-T_0 + 2.04T_1 - T_2 &= 0.8 \\
-T_1 + 2.04T_2 - T_3 &= 0.8 \\
-T_2 + 2.04T_3 - T_4 &= 0.8 \\
-T_3 + 2.04T_4 - T_5 &= 0.8
\end{aligned} \tag{9.27}
$$

끝단에서의 고정 온도 $T_0 = 40$과 $T_5 = 200$을 방정식에 대입한 후 우변으로 옮긴다. 결과적으로 4개의 미지수를 갖는 4개의 방정식은 다음과 같은 행렬 형태로 표현된다.

$$
\begin{bmatrix}
2.04 & -1 & 0 & 0 \\
-1 & 2.04 & -1 & 0 \\
0 & -1 & 2.04 & -1 \\
0 & 0 & -1 & 2.04
\end{bmatrix}
\begin{Bmatrix}
T_1 \\
T_2 \\
T_3 \\
T_4
\end{Bmatrix}
=
\begin{Bmatrix}
40.8 \\
0.8 \\
0.8 \\
200.8
\end{Bmatrix} \tag{9.28}
$$

이렇게 원래의 미분방정식은 그것에 상응하는 연립 선형대수방정식으로 변환되었으며, 따라서 이 장에서 다룬 방법을 이용하여 온도를 구할 수 있다. 그 예로 다음과 같이 MATLAB을 이용한다.

```
>> A =[2.04 -1 0 0
-1 2.04 -1 0
0 -1 2.04 -1
0 0 -1 2.04];

>> b =[40.8 0.8 0.8 200.8]' ;
>> T =(A\b)'

T =
    65.9698  93.7785  124.5382  159.4795
```

식 (9.25)의 해석해를 수치해와 비교하기 위해 다음과 같이 그림을 그릴 수 있다.

```
>> T=[40 T 200];
>> x=[0:2:10];
>> xanal =[0:10];
>> TT= @(x) 73.4523*exp(0.1*x)-53.4523* ...
      exp(-0.1*x)+20;
>> Tanal =TT(xanal);
>> plot(x,T,'o' ,xanal,Tanal)
```

그림 9.8에서 볼 수 있듯이 수치 결과는 미적분학으로 구한 해와 거의 같다.

식 (9.28)은 선형 시스템일 뿐만 아니라 삼중대각인 것에 유의한다. 해를 구하기 위해 그

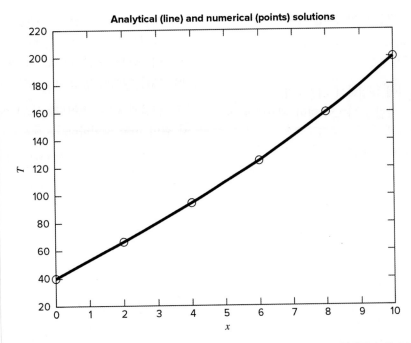

그림 9.8 가열된 봉의 길이를 따른 온도 그래프. 해석해(실선)와 수치해(점)를 모두 보여준다.

림 9.6의 M-파일과 같은 효율적인 수치기법을 이용할 수 있다.

```
>> e =[0 -1 -1 -1];
>> f =[2.04 2.04 2.04 2.04];
>> g =[-1 -1 -1 0];
>> r =[40.8 0.8 0.8 200.8];
>> Tridiag(e,f,g,r)

ans =
  65.9698  93.7785  124.5382  159.4795
```

이 시스템은 각 절점이 그것과 이웃한 절점에만 의존하기 때문에 삼중대각으로 나타난다. 절점의 번호를 순차적으로 매기기 때문에 연립방정식은 삼중대각이 된다. 이러한 경우는 가열된 봉과 같은 1차원 시스템의 연립방정식을 풀 때 종종 발생한다. 이러한 몇 가지 사례를 다음의 연습문제에서 다루어 본다.

연습문제

9.1 그림 9.6의 삼중대각 알고리즘에 대한 총 연산 횟수를 방정식의 수 n의 함수로 나타내라.

9.2 그래프를 이용하여 다음의 방정식을 풀어라.

$$4x_1 - 8x_2 = -24$$
$$x_1 + 6x_2 = 34$$

계산 결과를 방정식에 대입하여 검증하라.

9.3 그래프를 이용하여 다음의 방정식을 풀어라.

$$-1.1x_1 + 10x_2 = 120$$
$$-2x_1 + 17.4x_2 = 174$$

(a) 계산 결과를 방정식에 대입하여 검증하라.

(b) 그래프를 이용하는 방법을 기초로 하여 시스템의 조건에 대해 기술하라.

9.4 다음의 방정식에 대해 답하라.

$$-3x_2 + 7x_3 = 4$$
$$x_1 + 2x_2 - x_3 = 0$$
$$5x_1 - 2x_2 \quad\;\; = 3$$

(a) 행렬식을 구하라.

(b) Cramer 공식으로 방정식을 풀어라.

(c) 부분 피봇팅이 포함된 Gauss 소거법을 이용하여 방정식을 풀어라. 계산의 일부로서 (a)에서 구한 값을 증명하기 위해 행렬식을 계산하라.

(d) 해를 원래의 방정식에 대입하여 검증하라.

9.5 다음의 방정식에 대해 답하라.

$$0.5x_1 - \;\; x_2 = -9.5$$
$$1.02x_1 - 2x_2 = -18.8$$

(a) 그래프를 이용하는 방법으로 방정식을 풀어라.

(b) 행렬식을 구하라.

(c) (a)와 (b)를 근거로 시스템의 조건에 대해 기술하라.

(d) 미지수 소거법으로 방정식을 풀어라.

(e) 방정식에서 a_{11}을 0.52로 바꿀 때의 해를 구하고, 그 결과를 분석하라.

9.6 다음 방정식에 대해 답하라.

$$10x_1 + 2x_2 - \;\; x_3 = \;\; 27$$
$$-3x_1 - 5x_2 + 2x_3 = -61.5$$
$$x_1 + \;\; x_2 + 6x_3 = -21.5$$

(a) 순수 Gauss 소거법으로 방정식을 풀어라. 계산의 모든 과정을 보여라.

(b) 해를 원래의 방정식에 대입하여 검증하라.

9.7 다음 방정식에 대해 답하라.

$$2x_1 - 6x_2 - \;\; x_3 = -38$$
$$-3x_1 - \;\; x_2 + 7x_3 = -34$$
$$-8x_1 + \;\; x_2 - 2x_3 = -20$$

(a) 부분 피봇팅이 포함된 Gauss 소거법을 이용하여 방정식을 풀어라. 계산의 일부로서 대각 원소를 사용하여 행렬식을 계산하라. 계산의 모든 과정을 보여라.

(b) 해를 원래의 방정식에 대입하여 검증하라.

9.8 다음과 같은 삼중대각 시스템에 대하여 예제 9.5에서와 같이 해를 계산하라.

$$\begin{bmatrix} 0.8 & -0.4 & 0 \\ -0.4 & 0.8 & -0.4 \\ 0 & -0.4 & 0.8 \end{bmatrix} \begin{bmatrix} x_1 \\ x_2 \\ x_3 \end{bmatrix} = \begin{bmatrix} 41 \\ 25 \\ 105 \end{bmatrix}$$

9.9 그림 P9.9는 배관으로 연결되어 있는 잘 혼합된 세 탱크로 구성된 시스템을 나타낸다.

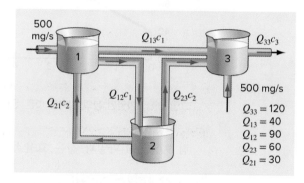

그림 P9.9   배관으로 연결되어 있는 잘 혼합된 세 탱크.

그림에서와 같이 각각의 관을 통과하는 화학물질의 전달율은 유량 $Q(\text{L/s})$와 관내의 농도 $c(\text{mg/L})$의 곱과 같다. 잘 혼합된 탱크이므로 거기에서 나오는 관내의 농도도 동일하다. 시스템이 정상상태이면 탱크로 유입하고 유출하는 전달율은 서로 같다. 각 탱크에 대해 질량-평형 방정식을 세우고, 그 결과인 세 개의 선형 연립방정식을 풀어서 탱크 농도를 구하라. 탱크 1과 3에 대한 외부 공급과 관련된 체적유량은 얼마인가?

9.10 토목 엔지니어가 건설사업을 위해 필요로 하는 모래, 작은 자갈, 그리고 굵은 자갈이 각각 4800, 5800, 그리고 5700 m^3이다. 서로 다른 세 곳의 채굴장에서 이들 자재를 얻을 수 있다. 세 채굴장에서 얻은 성분이 표에 기재된 것과 같을 때, 토목 엔지니어가 원하는 자재를 얻기 위해서 각각의 채굴장에서 몇 m^3씩 가져와야 하겠는가? 이 장에서 소개된 MATLAB 함수 중 하나를 이용하여 풀어라.

	Sand %	Fine Gravel %	Coarse Gravel %
Pit1	55	30	15
Pit2	25	45	30
Pit3	25	20	55

9.11 전기 엔지니어가 세 가지 전기 부품의 생산을 관리한다. 세 종류의 재료, 즉 금속, 플라스틱과 고무가 필요하다. 각 부품을 생산하기 위해 필요한 양은 다음 표와 같다.

Component	Metal (g/component)	Plastic (g/component)	Rubber (g/component)
1	15	0.30	1.0
2	17	0.40	1.2
3	19	0.55	1.5

매일 금속, 플라스틱, 그리고 고무를 각각 3.89, 0.095, 2.82 kg 얻는다면 하루에 각 부품들을 얼마나 생산할 수 있을까?

9.12 점성이 매우 큰 유체의 파이프나 튜브 내 유동은 유량과 압력강하 사이의 선형관계에 지배를 받으며 다음과 같은 **Poiseuille 방정식**으로 주어진다.

$$Q = \frac{\pi R^4}{8\mu L} \Delta P$$

여기서 Q = 체적유량 (m³/s), ΔP = 파이프 길이에 따른 압력강하 (Pa), R = 파이프 내부반경 (m), μ = 유체의 점성계수 (Pa·s), L = 파이프 길이 (m).

밸브와 같은 저항을 통과하는 유동도 다음과 같은 유사한 선형관계식으로 표현된다.

$$Q = C_v \Delta P$$

여기서 C_v = 디자인과 제조사에 따른 밸브 계수, m³/(s·Pa).

그림 P9.12와 같이 나타난 배관망에서는, 용적형 기어펌프가 점성이 높은 유체를 주어진 유량만큼 배출한다. 매우 비압축성인 유체는 동일한 유량으로 배관망을 흐르고 배출되지만 압력이 가해지면 낮아진다. 배관망 양쪽 갈래와 절점 0부터 6까지의 7가지 압력에 대한 유량계산이 요구된다. 다음의 계수값을 가지고 이 배관망에 대해 풀어라.

$$Q_0 = 14 \text{ liters/min}$$
$$P_7 = 200{,}000 \text{ Pa}$$

유체: 40°C의 액상과당

점도: 24 Pa·s = 24,000 centipoise

추가해서 L/min와 psi (1psi ≅ 6895 Pa)의 단위로도 유량과 압력을 보고하라.

힌트.: 파이프에는 여섯 개의 방정식, 밸브에는 두 개 그리고 세 개의 유량과 관련된 한 개의 방정식이 있다. 파이프 관련 단위를 m으로 전환하는 것에 주의하라.

9.13 다단계 추출 공정은 그림 P9.13과 같다. 이러한 시스템에서 화학물질의 무게비가 y_{in}인 수류가 F_1의 질량유량으로 왼쪽에서 흘러 들어온다. 동시에 같은 화학물질의 무게비 x_{in} (보통 0 또는 그에 가까운)의 비혼화성 용매는 F_2의 질량유량으로 오른쪽에서 흘러 들어온다. 각 단계에서 두 개의 비혼화성 수류는 접촉하며 화학물질이 한쪽에서 다른 쪽으로 전달된다. i번째 단계에서 화학물질의 질량평형은 다음과 같이 표시된다.

$$F_1 y_{i-1} + F_2 x_{i+1} = F_1 y_i + F_2 x_i \qquad (P9.13a)$$

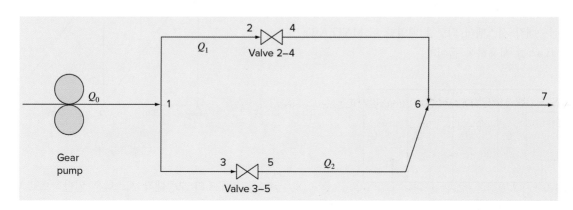

그림 P9.12

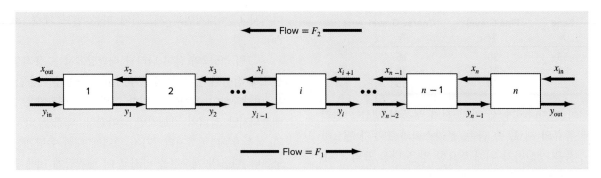

그림 P9.13

각 단계에서 혼합접촉 때문에 y_i와 x_i 사이는 평형에 접근하고 다음과 같이 분포계수로 표현된다.

$$K = \frac{x_i}{y_i} \qquad (P9.13b)$$

식 (P9.13b)를 x_i에 대해 풀고, 그것을 식 (P9.13a)에 대입하면 다음 식을 얻는다.

$$-y_{i-1} + \left(1 + \frac{F_2}{F_1}K\right)y_i - \left(\frac{F_2}{F_1}K\right)y_{i+1} = 0 \qquad (P9.13c)$$

만약 $F_1 = 500$ kg/hr, $F_2 = 1000$ kg/hr, $y_{in} = 0.1$, $x_{in} = 0$, $K = 4$이면, 5단계 추출기가 사용될 때 y_{out}과 x_{out}을 구하라. 유의 사항은 처음과 마지막 단계에 적용할 때 식 (P9.13c)는 알려진 유입비를 고려하도록 수정되어야 한다는 점이다. MATLAB 함수 `tridiag`를 사용하여 풀어라. 결과를 각 단계번호에 따른 y와 x의 그래프로 도시하라.

9.14 기어 펌프는 점성이 매우 큰 유체를 유량($Q_1 = 100$ mL/min)만큼 그림 P9.14와 같이 배관망으로 내보낸다. 모든 관은 길이와 직경이 모두 같다. 질량과 기계적 에너지 평형을 단순화하여 각 관에 흐르는 유량을 구할 수 있다. 그 유량들을 구하기 위해 다음의 연립방정식을 풀어라. 방정식들을 삼중대각 시스템이 되도록 배열한 뒤 MATLAB 함수 `tridiag`를 사용하여 풀어라.

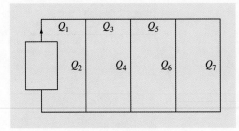

그림 P9.14

$$Q_3 + 2Q_4 - 2Q_2 = 0 \qquad Q_1 = Q_2 + Q_3$$
$$Q_5 + 2Q_6 - 2Q_4 = 0 \qquad Q_3 = Q_4 + Q_5$$
$$3Q_7 - 2Q_6 = 0 \qquad Q_5 = Q_6 + Q_7$$

9.15 트러스가 그림 P9.15에서와 같이 하중을 받고 있다. 다음 연립방정식을 이용하여 10개의 미지수 AB, BC, AD, BD, CD, DE, CE, A_x, A_y, 그리고 E_y를 구하라. 해를 구하기 위해 함수 `gausspivot`을 사용하라.

$$A_x + AD = 0 \qquad\qquad -24 - CD - \frac{4}{5}CE = 0$$
$$A_y + AB = 0 \qquad\qquad -AD + DE - \frac{3}{5}BD = 0$$
$$74 + BC + \frac{3}{5}BD = 0 \qquad CD + \frac{4}{5}BD = 0$$
$$-AB - \frac{4}{5}BD = 0 \qquad\qquad -DE - \frac{3}{5}CE = 0$$
$$-BC + \frac{3}{5}CE = 0 \qquad\qquad E_y + \frac{4}{5}CE = 0$$

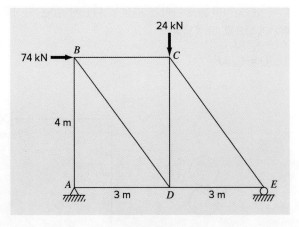

그림 P9.15

9.16 띠구조의 **오중대각** 시스템은 일반적으로 다음과 같이 표시된다.

$$\begin{bmatrix} f_1 & g_1 & h_1 & 0 & 0 & 0 & \cdots & 0 \\ e_2 & f_2 & g_2 & h_2 & 0 & 0 & \cdots & 0 \\ d_3 & e_3 & f_3 & g_3 & h_3 & 0 & \cdots & 0 \\ \vdots & \vdots & \ddots & \ddots & \ddots & \ddots & \ddots & \vdots \\ \vdots & \vdots & \ddots & \ddots & \ddots & \ddots & \ddots & \vdots \\ 0 & \cdots & 0 & d_{n-2} & e_{n-2} & f_{n-2} & g_{n-2} & h_{n-2} \\ 0 & \cdots & 0 & 0 & d_{n-1} & e_{n-1} & f_{n-1} & g_{n-1} \\ 0 & \cdots & 0 & 0 & 0 & d_n & e_n & f_n \end{bmatrix} \begin{Bmatrix} x_1 \\ x_2 \\ x_3 \\ \vdots \\ \vdots \\ x_{n-2} \\ x_{n-1} \\ x_n \end{Bmatrix} = \begin{Bmatrix} r_1 \\ r_2 \\ r_3 \\ \vdots \\ \vdots \\ r_{n-2} \\ r_{n-1} \\ r_n \end{Bmatrix}$$

이러한 선형대수방정식 시스템의 해를 효율적으로 구하기 위해 피봇팅을 사용하지 않는 방법으로 9.4.1절에서 다룬 삼중대각 시스템을 위한 알고리즘과 유사한 함수 pentadiag를 개발하라. 그 프로그램을 다음의 경우에 대해 시험하라.

$$\begin{bmatrix} 8 & -2 & -1 & 0 & 0 \\ -2 & 9 & -4 & -1 & 0 \\ -1 & -3 & 7 & -1 & -2 \\ 0 & -4 & -2 & 12 & -5 \\ 0 & 0 & -7 & -3 & -15 \end{bmatrix} \begin{Bmatrix} x_1 \\ x_2 \\ x_3 \\ x_4 \\ x_5 \end{Bmatrix} = \begin{Bmatrix} 5 \\ 2 \\ 1 \\ 1 \\ 5 \end{Bmatrix}$$

np.linalg.solve와 같은 8장의 해법을 사용하여 답을 점검하라.

9.17 부분 피봇팅을 포함하는 Gauss 소거법을 실행하기 위해 그림 9.5에 기초한 함수 gausspivot2를 개발하라. 해와 함께 행렬식(정확한 부호와 함께)을 계산하고 반환하도록 코드를 수정하라. 그 함수는 행 교환 뒤 각 피봇 원소의 절대값이 허용값보다 작은지 시험하여 특이성 또는 근접 특이성을 점검하여야 한다. 허용값은 인수 중 하나여야 하며 1×10^{-12}를 기본값으로 한다. 허용값보다 작은 값이 나올 때 함수는 에러 메시지를 반환한다. 개발한 프로그램을 허용값이 1×10^{-5}일 때 연습문제 9.5의 방정식에 대해 시험하라.

9.18 9.5절에서 기술된 바와 같이, 선형대수방정식은 유한차분 근사를 이용하여 미분방정식의 해를 구할 때 나타날 수 있다. x축 방향 흐름 속의 화학물질에 대한 정상상태의 질량평형으로부터 다음과 같은 미분방정식을 얻는다.

$$0 = D\frac{d^2 c}{dc^2} - U\frac{dc}{dx} - kc$$

여기서 c = 화학물질의 농도, x = 축 방향의 거리, D = 확산계수, U = 유속, 그리고 k = 1차 감소율이다.

(a) 유한차분법을 이용하여 이 미분방정식을 상응하는 연립 선형대수방정식으로 변환하라. 1차 도함수에는 후향차분 근사를 사용하고 2차 도함수에는 중심차분 근사를 사용하라.

(b) $\Delta x = L/(n+1)$이 되도록 n개의 내부 절점을 이용하여 영역 $0 \le x \le L$에 대해 이 방정식들을 풀 수 있는 YourLastName_StreamCalc이라는 이름의 함수를 개발하라. 함수는 농도와 거리를 반환해야 한다. 함수는 인수 D, U, k, c_0, c_L, L, 그리고 n을 포함해야 한다.

(c) 다음 값이 주어질 때, 영역 $0 \le x \le 10$ m에 대해 방정식들을 풀고 거리에 대한 농도를 도시하라. 좋은 근사값을 얻기 위해 25개의 내부 절점을 이용하라. 다음의 매개변수들로 프로그램을 시험하라.

$D = 2$ m^2/d, $U = 1$ m/d, $k = 0.2$ 1/d, $c(0) = 80$ mg/L, $c(10) = 20$ mg/L

9.19 다음의 결과는 균일한 하중을 받는 보에 대한 힘의 평형으로부터 기인한다.

$$0 = EI\frac{d^2 y}{dx^2} - \frac{wL}{2}x + \frac{w}{2}x^2$$

여기서 x = 보를 따르는 방향의 거리(m), y = 처짐(m), L = 보의 길이(m), E = 탄성계수(N/m^2), I = 관성모멘트(m^4), 그리고 w = 균일하중(N/m)이다.

(a) 2차 도함수에 대한 중심차분 근사를 이용하여 이 미분방정식을 연립 선형대수방정식으로 변환하라.

(b) 영역 $0 \le x \le L$에 대해 이 방정식들을 풀 수 있는 YourLastName_BeamCalc이라는 이름의 함수를 개발하고 처짐과 거리를 반환하라. 함수의 매개변수는 E, I, w, y_0, y_L, L, n이고 n은 내부 절점의 수이다.

(c) 이 함수를 호출하고 x에 대한 y를 도시하는 스크립트를 작성하라.

(d) 다음의 매개변수값에 대해 스크립트를 시험하라: $L = 3$ m, $\Delta x = 0.2$ m, $E = 250 \times 10^9$ N/m^2, $I = 3 \times 10^{-4}$ m^4, $w = 22{,}500$ N/m, $y(0)$와 $y(L) = 0$.

9.20 열은 두 개의 벽 사이에 위치한 금속 봉을 따라 전도되며 두 벽은 일정한 온도이다. 금속을 통한 전도와는 별도로 열은 봉과 주위 공기 사이에서 전달된다. 열에너지 평형에 기초하여, 봉 방향의 온도 분포는 다음의 2차 미분방정식으로 기술된다.

$$0 = \frac{d^2T}{dx^2} + h'(T_a - T)$$

여기서 T = 봉의 온도(K), h' = 전도에 대한 대류의 상대적 중요성을 반영하는 벌크 열전달계수, x = 봉 방향의 거리, 그리고 T_a = 주위 온도이다.

(a) 2차 도함수에 대한 중심차분 근사를 이용하여 이 미분방정식을 상응하는 연립 선형대수방정식으로 변환하라.

(b) 영역 $0 \le x \le L$에 대해 이 방정식들을 풀 수 있는 `YourLastName_RodCalc`이라는 이름의 함수를 개발하고, 온도와 거리 결과를 반환하라. 함수의 매개변수는 h', T_a, T_0, T_L, L, n이고 n은 내부 절점의 수이다.

(c) 이 함수를 호출하고 결과를 도시하는 스크립트를 작성하라.

(d) 다음의 매개변수값에 대해 스크립트와 함수를 시험하라. h' = 0.0425 m^{-2}, L = 12 m, T_a = 30 °C, $T(0)$ = 60 °C, $T(L)$ = 200 °C, 그리고 n = 50.

10 CHAPTER
LU 분해법

학습목표

이 장의 주요 목표는 *LU* 분해법을 친숙하게 다루기 위함이다. 특정한 목표와 다루는 주제는 다음과 같다.

- *LU* 분해법은 계수 행렬을 두 개의 삼각행렬로 분해하며, 이들 분해된 삼각행렬을 이용하여 다른 우변 벡터들을 효율적으로 계산하는 방법에 대한 이해
- Gauss 소거법을 *LU* 분해법으로 표현하는 방법
- 주어진 *LU* 분해법에 대해 여러 우변 벡터를 계산하는 방법
- Cholesky법이 대칭행렬을 분해하는 데 효율적이며, 이에 따라 구해지는 삼각행렬과 그 전치행렬이 우변 벡터를 계산하는 데 효율적이라는 것에 대한 인식
- 어떻게 MATLAB의 역슬래시 연산자가 선형방정식의 해를 구하는 데 사용되는지에 대한 개략적인 이해

9장에서 기술한 바와 같이 Gauss 소거법은 선형 대수방정식을 풀기 위해 고안되었다.

$$[A]\{x\} = \{b\} \tag{10.1}$$

Gauss 소거법이 분명히 이러한 시스템의 해를 구하는 데 좋은 방법이긴 하지만, 동일한 계수 [*A*]를 갖는 방정식에서 우변 상수 {*b*}가 다른 여러 경우에 대해 풀 때는 비효율적이다.

Gauss 소거법이 그림 9.3과 같이 전진소거와 후진대입의 두 단계로 이루어졌음을 상기하자. 9.2.2절에서 배운 바와 같이 전진소거 단계는 많은 계산 노력을 필요로 하며, 특히 대규모 연립방정식을 풀 때 이 현상은 두드러진다.

LU 분해법은 시간이 많이 소요되는 행렬 [*A*]의 소거를 우변 항 {*b*}의 조작과 분리시킨다. 따라서 일단 [*A*]가 "분해"되면 여러 우변 벡터를 효율적으로 계산할 수 있게 된다.

흥미롭고도 다행스러운 것은 Gauss 소거법 자체를 *LU* 분해법으로 표시할 수 있다는 점이다. 이를 어떻게 수행하는지를 다루기에 앞서 수학적으로 분해 전략의 개요를 살펴보자.

10.1　*LU* 분해법의 개요

Gauss 소거법의 경우와 마찬가지로 *LU* 분해법에서도 0으로 나누는 것을 피하기 위해서 피봇팅이 필요하다. 그러나 간략하게 기술하기 위해 피봇팅을 생략하도록 한다. 또한 다음의 설명은 세 개의 연립방정식에 한정시킨다. 이 결과는 n차 시스템에 그대로 적용될 수 있다.

식 (10.1)은 다음과 같이 정리할 수 있다.

$$[A]\{x\} - \{b\} = 0 \tag{10.2}$$

식 (10.2)는 상삼각 시스템으로 표시될 수 있다고 가정한다. 그 예로 다음의 3×3 시스템을 고려하자.

$$\begin{bmatrix} u_{11} & u_{12} & u_{13} \\ 0 & u_{22} & u_{23} \\ 0 & 0 & u_{33} \end{bmatrix} \begin{Bmatrix} x_1 \\ x_2 \\ x_3 \end{Bmatrix} = \begin{Bmatrix} d_1 \\ d_2 \\ d_3 \end{Bmatrix} \tag{10.3}$$

이는 Gauss 소거법의 첫 번째 단계에서 발생하는 조작과 유사하다는 것을 인식하자. 다시 말하면 소거는 시스템을 상삼각 형태로 만들기 위해 사용된다. 식 (10.3)은 행렬 형태로 표현될 수 있으며, 재정리하면 다음과 같다.

$$[U]\{x\} - \{d\} = 0 \tag{10.4}$$

이제 대각선상의 원소가 모두 1인 하삼각행렬을 다음과 같이 나타내자.

$$[L] = \begin{bmatrix} 1 & 0 & 0 \\ l_{21} & 1 & 0 \\ l_{31} & l_{32} & 1 \end{bmatrix} \tag{10.5}$$

이 행렬을 식 (10.4) 앞에 곱하면 그 결과는 식 (10.2)로 되는 성질을 갖는다. 즉,

$$[L]\{[U]\{x\} - \{d\}\} = [A]\{x\} - \{b\} \tag{10.6}$$

만약 이 식이 성립한다면 행렬의 곱셈 공식으로부터 다음의 관계를 얻는다.

$$[L][U] = [A] \tag{10.7}$$

그리고

$$[L]\{d\} = \{b\} \tag{10.8}$$

그림 10.1에서와 같이 해를 구하기 위한 두 단계의 전략은 식 (10.3), (10.7), 그리고 (10.8)에 기초를 둔다.

1. *LU* 분해 단계. $[A]$를 하삼각행렬 $[L]$과 상삼각행렬 $[U]$의 곱으로 "분해"한다.

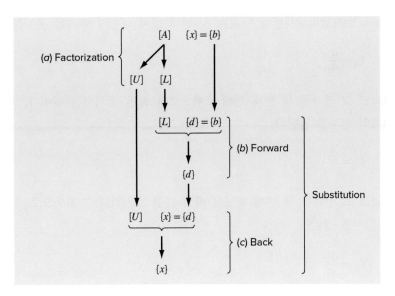

그림 10.1 *LU* 분해법의 단계.

2. 대입 단계. [*L*]과 [*U*]를 사용하여 우변 벡터 {*b*}에 대해 해 {*x*}를 구한다. 이 단계는 그 자체가 두 단계로 이루어진다. 첫째로 식 (10.8)을 사용하여 전진대입을 통해 중간 결과 {*d*}를 구한다. 둘째로 구한 결과를 식 (10.3)에 대입함으로써 후진대입에 의해 {*x*}를 얻는다.

이제 Gauss 소거법이 어떻게 이러한 *LU* 분해에 적용되는지를 살펴보자.

10.2 *LU* 분해법으로서의 Gauss 소거법

언뜻 보기에는 Gauss 소거법과 *LU* 분해법이 무관한 것 같지만, Gauss 소거법은 [*A*]를 [*L*]과 [*U*]로 분해하는 데 유용하게 사용된다. 이것은 [*U*]를 보면 쉽게 알 수 있는데, [*U*]가 바로 전진소거의 산물이기 때문이다. 전진소거는 본래의 계수 행렬 [*A*]를 다음과 같은 형태로 만드는 과정임을 기억하자.

$$[U] = \begin{bmatrix} a_{11} & a_{12} & a_{13} \\ 0 & a'_{22} & a'_{23} \\ 0 & 0 & a''_{33} \end{bmatrix} \tag{10.9}$$

여기서 [*U*]는 우리가 원하는 상삼각행렬의 형태이다.

명백하게 보이지는 않겠지만 행렬 [*L*]도 이 과정에서 생성되는 산물이다. 이것은 다음의 3 방정식 시스템을 통해 쉽게 설명된다.

$$\begin{bmatrix} a_{11} & a_{12} & a_{13} \\ a_{21} & a_{22} & a_{23} \\ a_{31} & a_{32} & a_{33} \end{bmatrix} \begin{Bmatrix} x_1 \\ x_2 \\ x_3 \end{Bmatrix} = \begin{Bmatrix} b_1 \\ b_2 \\ b_3 \end{Bmatrix}$$

Gauss 소거법의 첫 번째 단계는 첫 번째 행에 다음의 인자를 곱하는 것이다[식 (9.9) 참조].

$$f_{21} = \frac{a_{21}}{a_{11}}$$

그리고 그 결과를 두 번째 행에서 뺌으로써 a_{21}을 소거하는 것이다. 마찬가지로 첫 번째 행에 다음의 인자를 곱한다.

$$f_{31} = \frac{a_{31}}{a_{11}}$$

그리고 그 결과를 세 번째 행에서 빼서 a_{31}을 소거한다. 마지막으로 수정된 두 번째 행에 다음의 인자를 곱한다.

$$f_{32} = \frac{a'_{32}}{a'_{22}}$$

그리고 그 결과를 세 번째 행에서 빼서 a'_{32}를 소거한다.

이제 행렬 [A]에 위의 모든 조작이 이루어졌다고 가정하자. 방정식이 바뀌면 안 되므로 우변 항 {b}에도 동일한 조작이 이루어져야 한다. 그러나 이러한 조작이 반드시 동시에 행해져야 하는 것은 아니므로, f를 저장하고 {b}는 추후에 조작하도록 한다.

인자 f_{21}, f_{31}, 그리고 f_{32}를 어디에 저장할 것인가? 기억할 것은 소거법 뒤에 있는 핵심 개념은 a_{21}, a_{31}, 그리고 a_{32}를 0으로 만드는 것이었다. 그렇다면 f_{21}를 a_{21}에, f_{31}를 a_{31}에, 그리고 f_{32}를 a_{32}에 저장할 수 있다. 소거를 마치면 행렬 [A]는 다음과 같이 표현될 수 있다.

$$\begin{bmatrix} a_{11} & a_{12} & a_{13} \\ f_{21} & a'_{22} & a'_{23} \\ f_{31} & f_{32} & a''_{33} \end{bmatrix} \tag{10.10}$$

실제로 이 행렬은 [A]의 LU 분해한 결과를 효율적으로 저장할 수 있다.

$$[A] \rightarrow [L][U] \tag{10.11}$$

여기서

$$[U] = \begin{bmatrix} a_{11} & a_{12} & a_{13} \\ 0 & a'_{22} & a'_{22} \\ 0 & 0 & a''_{33} \end{bmatrix} \tag{10.12}$$

그리고

$$[L] = \begin{bmatrix} 1 & 0 & 0 \\ f_{21} & 1 & 0 \\ f_{31} & f_{32} & 1 \end{bmatrix} \tag{10.13}$$

다음의 예는 $[A] = [L][U]$가 성립됨을 보여준다.

> ### 예제 10.1 Gauss 소거법에 기초한 *LU* 분해법

문제 설명. 예제 9.3에서 수행한 Gauss 소거법을 기초로 하여 *LU* 분해를 수행하라.

풀이 예제 9.3에서 Gauss 소거법을 이용하여 다음과 같은 계수 행렬을 갖는 선형 연립방정식의 해를 구했다.

$$[A] = \begin{bmatrix} 3 & -0.1 & -0.2 \\ 0.1 & 7 & -0.3 \\ 0.3 & -0.2 & 10 \end{bmatrix}$$

전진소거 후에 얻은 상삼각행렬은 다음과 같다.

$$[U] = \begin{bmatrix} 3 & -0.1 & -0.2 \\ 0 & 7.00333 & -0.293333 \\ 0 & 0 & 10.0120 \end{bmatrix}$$

상삼각행렬을 얻기 위해 사용된 인자들이 포함된 하삼각행렬을 구성할 수 있다. 원소 a_{21}과 a_{31}은 다음의 인자들을 사용하여 소거되었다.

$$f_{21} = \frac{0.1}{3} = 0.0333333 \qquad f_{31} = \frac{0.3}{3} = 0.1000000$$

그리고 원소 a_{32}는 다음의 인자를 사용하여 소거되었다.

$$f_{32} = \frac{-0.19}{7.00333} = -0.0271300$$

따라서 하삼각행렬은 다음과 같다.

$$[L] = \begin{bmatrix} 1 & 0 & 0 \\ 0.0333333 & 1 & 0 \\ 0.100000 & -0.0271300 & 1 \end{bmatrix}$$

결과적으로 *LU* 분해는 다음과 같다.

$$[A] = [L][U] = \begin{bmatrix} 1 & 0 & 0 \\ 0.0333333 & 1 & 0 \\ 0.100000 & -0.0271300 & 1 \end{bmatrix} \begin{bmatrix} 3 & -0.1 & -0.2 \\ 0 & 7.00333 & -0.293333 \\ 0 & 0 & 10.0120 \end{bmatrix}$$

이 결과는 행렬 곱셈 $[L][U]$를 수행함으로써 아래와 같이 증명할 수 있다.

$$[L][U] = \begin{bmatrix} 3 & -0.1 & -0.2 \\ 0.0999999 & 7 & -0.3 \\ 0.3 & -0.2 & 9.99996 \end{bmatrix}$$

여기서 미세한 차이가 보이는 것은 반올림오차 때문이다.

행렬이 일단 분해되면 주어진 우변 벡터 $\{b\}$에 대해 해를 산출할 수 있다. 이 과정은 두 단계로 이루어진다. 첫 번째로 $\{d\}$에 대해 식 (10.8)을 푸는 전진대입 단계가 수행된다. 이로써 $\{b\}$에 대해 소거 조작이 이루어진다는 점을 인식하는 것이 중요하다. 이 단계의 마지막에서 우변 항의 상태는 마치 동시에 $[A]$와 $\{b\}$에 전진조작을 행한 것과 같게 된다.

전진대입 단계는 다음과 같이 간략하게 표현된다.

$$d_i = b_i - \sum_{j=1}^{i-1} l_{ij} d_j \qquad \text{for } i = 1, 2, \ldots, n$$

두 번째 단계는 식 (10.3)을 풀기 위해 후진대입을 실행하는 것이다. 이것은 전형적인 Gauss 소거법의 후진대입 과정[식 (9.12)와 (9.13) 참조]과 똑같다는 점을 다시 한 번 인식하자.

$$x_n = d_n / u_{nn}$$

$$x_i = \frac{d_i - \sum_{j=i+1}^{n} u_{ij} x_j}{u_{ii}} \qquad \text{for } i = n-1, n-2, \ldots, 1$$

예제 10.2 대입 단계

문제 설명. 예제 10.1에서 시작한 문제를 전진대입과 후진대입을 통해 최종해를 구하는 것으로 완성하라.

풀이 이미 기술하였듯이 전진대입의 의도는 $[A]$에 적용했던 것과 같이 소거조작을 우변 벡터 $\{b\}$에 부과하는 것이다. 해를 구해야 할 시스템은 다음과 같다.

$$\begin{bmatrix} 3 & -0.1 & -0.2 \\ 0.1 & 7 & -0.3 \\ 0.3 & -0.2 & 10 \end{bmatrix} \begin{Bmatrix} x_1 \\ x_2 \\ x_3 \end{Bmatrix} = \begin{Bmatrix} 7.85 \\ -19.3 \\ 71.4 \end{Bmatrix}$$

그리고 전형적인 Gauss 소거법으로 행한 전진소거 단계의 결과는 다음과 같다.

$$\begin{bmatrix} 3 & -0.1 & -0.2 \\ 0 & 7.00333 & -0.293333 \\ 0 & 0 & 10.0120 \end{bmatrix} \begin{Bmatrix} x_1 \\ x_2 \\ x_3 \end{Bmatrix} = \begin{Bmatrix} 7.85 \\ -19.5617 \\ 70.0843 \end{Bmatrix}$$

식 (10.8)을 적용하여 전진대입 단계를 다음과 같이 실행한다.

$$\begin{bmatrix} 1 & 0 & 0 \\ 0.0333333 & 1 & 0 \\ 0.100000 & -0.0271300 & 1 \end{bmatrix} \begin{Bmatrix} d_1 \\ d_2 \\ d_3 \end{Bmatrix} = \begin{Bmatrix} 7.85 \\ -19.3 \\ 71.4 \end{Bmatrix}$$

좌변을 풀어서 쓰면 다음과 같다.

$$\begin{array}{rcr} d_1 & = & 7.85 \\ 0.0333333d_1 + d_2 & = & -19.3 \\ 0.100000d_1 - 0.0271300d_2 + d_3 & = & 71.4 \end{array}$$

첫 번째 식에서 바로 $d_1 = 7.85$를 구할 수 있고, 이것을 두 번째 식에 대입하면 다음과 같이 d_2를 구할 수 있다.

$$d_2 = -19.3 - 0.0333333(7.85) = -19.5617$$

세 번째 식에 d_1과 d_2를 대입하면 다음과 같다.

$$d_3 = 71.4 - 0.1(7.85) + 0.02713(-19.5617) = 70.0843$$

따라서

$$\{d\} = \begin{Bmatrix} 7.85 \\ -19.5617 \\ 70.0843 \end{Bmatrix}$$

이 결과를 식 (10.3), 즉 $[U]\{x\} = \{d\}$에 대입하면 다음과 같다.

$$\begin{bmatrix} 3 & -0.1 & -0.2 \\ 0 & 7.00333 & -0.293333 \\ 0 & 0 & 10.0120 \end{bmatrix} \begin{Bmatrix} x_1 \\ x_2 \\ x_3 \end{Bmatrix} = \begin{Bmatrix} 7.85 \\ -19.5617 \\ 70.0843 \end{Bmatrix}$$

이 식을 후진대입으로 풀면(자세한 것은 예제 9.3 참조), 다음과 같은 최종해를 얻는다.

$$\{x\} = \begin{Bmatrix} 3 \\ -2.5 \\ 7.00003 \end{Bmatrix}$$

10.2.1 피봇팅을 이용한 *LU* 분해법

일반적인 Gauss 소거법과 마찬가지로, *LU* 분해법으로 신뢰성 있는 해를 구하기 위해서는 부분 피봇팅이 필요하다. 이를 위한 한 가지 방법은 치환행렬(permutation matrix)을 사용하는 것이다(8.1.2절을 상기하라). 이 방법은 다음 단계들로 구성된다.

1. **소거:** 피봇팅을 이용한 LU 분해법을 행렬 $[A]$에 적용하면 다음과 같은 행렬 형태로 나타낼 수 있다.

$$[P][A] = [L][U]$$

여기서 상삼각행렬 $[U]$는 피봇팅을 이용한 소거법으로 생성된다. 이때 곱셈 인자는 $[L]$에 저장하고 치환행렬 $[P]$를 사용하여 행 바꿈을 추적한다.

2. **전진대입:** 행렬 $[L]$과 $[P]$를 이용하여 중간 단계의 우변 벡터 $\{d\}$를 생성하기 위해 $\{b\}$에 피봇팅을 이용한 소거 단계를 수행한다. 이 단계는 다음 행렬 수식의 해로서 간략하게 표현된다.

$$[L]\{d\} = [P]\{b\}$$

3. **후진대입:** 최종해는 앞서의 Gauss 소거법에서와 같은 방법으로 구한다. 이 단계도 역시 다음 행렬 수식의 해로서 간략하게 표현된다.

$$[U]\{x\} = \{d\}$$

다음 예제에 이 방법을 설명한다.

예제 10.3 피봇팅을 이용한 LU 분해법

문제 설명. 예제 9.4에서 해석한 시스템에 대해 LU 분해를 계산하고 그 해를 구하라.

$$\begin{bmatrix} 0.0003 & 3.0000 \\ 1.0000 & 1.0000 \end{bmatrix} \begin{Bmatrix} x_1 \\ x_2 \end{Bmatrix} = \begin{Bmatrix} 2.0001 \\ 1.0000 \end{Bmatrix}$$

풀이 소거 단계 전에 초기 치환행렬을 정한다.

$$[P] = \begin{bmatrix} 1.0000 & 0.0000 \\ 0.0000 & 1.0000 \end{bmatrix}$$

바로 피봇팅이 필요한지 알 수 있으므로 소거 전에 행을 바꾼다.

$$[A] = \begin{bmatrix} 1.0000 & 1.0000 \\ 0.0003 & 3.0000 \end{bmatrix}$$

동시에 치환행렬의 행을 바꿈으로써 피봇을 추적한다.

$$[P] = \begin{bmatrix} 0.0000 & 1.0000 \\ 1.0000 & 0.0000 \end{bmatrix}$$

다음으로 A의 두 번째 행으로부터 인자 $l_{21} = a_{21}/a_{11} = 0.0003/1 = 0.0003$을 뺌으로써 a_{21}을 소거하고, 새로운 값 $a'_{22} = 3 - 0.0003(1) = 2.9997$을 계산한다. 따라서 소거 단계에서 다음 결과

를 얻는다.

$$[U] = \begin{bmatrix} 1 & 1 \\ 0 & 2.9997 \end{bmatrix} \qquad [L] = \begin{bmatrix} 1 & 0 \\ 0.0003 & 1 \end{bmatrix}$$

전진대입을 실행하기 전에 피봇을 반영하여 우변 벡터의 순서를 고치기 위해 치환행렬을 사용한다.

$$[P]\{b\} = \begin{bmatrix} 0.0000 & 1.0000 \\ 1.0000 & 0.0000 \end{bmatrix} \begin{Bmatrix} 2.0001 \\ 1 \end{Bmatrix} = \begin{Bmatrix} 1 \\ 2.0001 \end{Bmatrix}$$

다음으로 전진대입을 적용한다.

$$\begin{bmatrix} 1 & 0 \\ 0.0003 & 1 \end{bmatrix} \begin{Bmatrix} d_1 \\ d_2 \end{Bmatrix} = \begin{Bmatrix} 1 \\ 2.0001 \end{Bmatrix}$$

이 식을 풀면 $d_1 = 1$과 $d_2 = 2.0001 - 0.0003(1) = 1.9998$이 된다. 여기서 시스템은 다음과 같다.

$$\begin{bmatrix} 1 & 1 \\ 0 & 2.9997 \end{bmatrix} \begin{Bmatrix} x_1 \\ x_2 \end{Bmatrix} = \begin{Bmatrix} 1 \\ 1.9998 \end{Bmatrix}$$

후진대입을 적용하여 다음과 같은 최종 결과를 구한다.

$$x_2 = \frac{1.9998}{2.9997} = 0.66667$$

$$x_1 = \frac{1 - 1(0.66667)}{1} = 0.33333$$

LU 분해 알고리즘은 Gauss 소거법에서와 같은 총 연산 횟수를 필요로 한다. 유일한 차이점은 분해 단계에서 연산이 우변에 적용되지 않기 때문에 조금이나마 계산량이 줄어든다는 것이다. 대조적으로 대입 단계에서는 계산량이 약간 늘어난다.

10.2.2 MATLAB 함수: `lu`

MATLAB에는 내장함수 `lu`가 *LU* 분해를 담당한다. 이 함수는 일반적으로 다음과 같은 구문으로 이용된다.

```
[L,U] = lu(X)
```

여기서 `L`과 `U`는 각각 하삼각행렬과 상삼각행렬이고, 행렬 `X`의 *LU* 분해로부터 유도된다. 이 함수는 부분 피봇팅을 사용하므로 0으로 나누는 경우를 피한다는 것을 명심하자. 다음의 예제는 예제 10.1과 10.2에서 다룬 문제에서 이 함수를 어떻게 이용하여 분해를 수행하고 해를 구하는지를 보여준다.

예제 10.4 / MATLAB을 사용한 *LU* 분해법

문제 설명.   MATLAB을 사용하여 예제 10.1과 10.2에서 다룬 선형 시스템에 대해 *LU* 분해를 계산하고 그 해를 구하라.

$$\begin{bmatrix} 3 & -0.1 & -0.2 \\ 0.1 & 7 & -0.3 \\ 0.3 & -0.2 & 10 \end{bmatrix} \begin{Bmatrix} x_1 \\ x_2 \\ x_3 \end{Bmatrix} = \begin{Bmatrix} 7.85 \\ -19.3 \\ 71.4 \end{Bmatrix}$$

풀이 계수행렬과 우변 벡터를 다음과 같이 표준 방식으로 입력한다.

```
>> A = [3 -.1 -.2;.1 7 -.3;.3 -.2 10];
>> b = [7.85; -19.3; 71.4];
```

그 후에 다음과 같이 *LU* 분해를 계산한다.

```
>> [L,U] = lu(A)

L =
    1.0000         0         0
    0.0333    1.0000         0
    0.1000   -0.0271    1.0000

U =
    3.0000   -0.1000   -0.2000
         0    7.0033   -0.2933
         0         0   10.0120
```

이는 예제 10.1에서 손으로 계산한 결과와 같다. 두 행렬을 곱하여 본래의 행렬이 얻어지는지는 다음과 같이 확인할 수 있다.

```
>> L*U
ans =

    3.0000   -0.1000   -0.2000
    0.1000    7.0000   -0.3000
    0.3000   -0.2000   10.0000
```

해를 구하기 위하여 먼저 다음을 계산한다.

```
>> d = L\b
d =
    7.8500
  -19.5617
   70.0843
```

그리고 이 결과를 이용하여 다음과 같이 해를 구한다.

```
>> x = U\d
x =
```

```
   3.0000
  -2.5000
   7.0000
```

이 해는 예제 10.2에서 손으로 계산한 것과 동일함을 알 수 있다.

10.3 CHOLESKY 분해법

8장에서 설명하였듯이 대칭행렬은 모든 i 와 j 에 대해서 $a_{ij} = a_{ji}$ 의 관계가 성립하는 행렬이다. 다르게 표현하면 $[A] = [A]^T$ 이다. 이러한 시스템은 수학이나 공학 또는 과학 문제에서 종종 발생한다.

이러한 시스템에 대해서 특별한 해법들이 가능하다. 이 해법들은 저장 공간을 절반만 사용하고, 동시에 해를 구하는 시간도 절반으로 줄일 수 있는 계산상의 장점을 제공한다.

가장 보편적인 방법 중의 하나가 바로 **Cholesky 분해법**이다. 이 알고리즘은 대칭행렬이 다음과 같이 분해될 수 있다는 사실에 기초하고 있다.

$$[A] = [U]^T [U] \tag{10.14}$$

즉, 결과적으로 얻어지는 삼각행렬이 서로의 전치행렬이라는 점이다.

식 (10.14)의 우변 행렬들을 곱한 결과는 좌변 행렬과 서로 같아야 된다. 분해는 순차적 관계를 이용하여 효율적으로 생성된다. i 번째 행에 대해 다음과 같다.

$$u_{ii} = \sqrt{a_{ii} - \sum_{k=1}^{i-1} u_{ki}^2} \tag{10.15}$$

$$u_{ij} = \frac{a_{ij} - \sum_{k=1}^{i-1} u_{ki} u_{kj}}{u_{ii}} \qquad \text{for } j = i + 1, \dots, n \tag{10.16}$$

예제 10.5 Cholesky 분해법

문제 설명. 주어진 대칭행렬에 대해 Cholesky 분해를 수행하라.

$$[A] = \begin{bmatrix} 6 & 15 & 55 \\ 15 & 55 & 225 \\ 55 & 225 & 979 \end{bmatrix}$$

풀이 첫 번째 행 ($i = 1$)에 대해 식 (10.15)를 사용하여 계산하면 다음과 같다.

$$u_{11} = \sqrt{a_{11}} = \sqrt{6} = 2.44949$$

그리고 식 (10.16)을 이용하여 다음을 구한다.

$$u_{12} = \frac{a_{12}}{u_{11}} = \frac{15}{2.44949} = 6.123724$$

$$u_{13} = \frac{a_{13}}{u_{11}} = \frac{55}{2.44949} = 22.45366$$

두 번째 행 $(i = 2)$에 대해서 계산하면 다음과 같다.

$$u_{22} = \sqrt{a_{22} - u_{12}^2} = \sqrt{55 - (6.123724)^2} = 4.1833$$

$$u_{23} = \frac{a_{23} - u_{12}u_{13}}{u_{22}} = \frac{225 - 6.123724(22.45366)}{4.1833} = 20.9165$$

세 번째 행 $(i = 3)$에 대해서 계산하면 다음과 같다.

$$u_{33} = \sqrt{a_{33} - u_{13}^2 - u_{23}^2} = \sqrt{979 - (22.45366)^2 - (20.9165)^2} = 6.110101$$

따라서 다음과 같이 Cholesky 분해를 얻을 수 있다.

$$[U] = \begin{bmatrix} 2.44949 & 6.123724 & 22.45366 \\ & 4.1833 & 20.9165 \\ & & 6.110101 \end{bmatrix}$$

이 분해가 제대로 되었는지를 알아보기 위해서는 식 (10.14)에 이 행렬과 그 전치 행렬을 대입하여 곱한 결과가 행렬 [A]와 같다는 것을 보이면 된다. 이것은 과제로 남겨둔다.

분해를 얻은 후에는 LU 분해법에서와 마찬가지 방법으로 우변 벡터 {b}에 대해 해를 구할 수 있다. 우선, 중간 벡터 {d}를 생성하기 위해서 다음 식을 푼다.

$$[U]^T \{d\} = \{b\} \tag{10.17}$$

최종해를 구하기 위해 다음 식을 푼다.

$$[U]\{x\} = \{d\} \tag{10.18}$$

10.3.1 MATLAB 함수: chol

MATLAB에는 내장함수 chol이 Cholesky 분해를 담당한다. 이 함수는 일반적으로 다음과 같은 구문으로 이용된다.

```
U = chol(X)
```

여기서 U는 $U'*U = X$를 만족하는 상삼각행렬이다. 다음의 예제는 앞서 다루었던 예제의 행렬에 대해 이 함수를 이용하여 분해를 수행하고 해를 구하는 방법을 보여준다.

예제 10.6 / MATLAB을 사용한 Cholesky 분해법

문제 설명.   MATLAB을 사용하여 예제 10.5에서 다루었던 행렬에 대해 Cholesky 분해를 실시하라.

$$[A] = \begin{bmatrix} 6 & 15 & 55 \\ 15 & 55 & 225 \\ 55 & 225 & 979 \end{bmatrix}$$

그리고 우변 벡터의 각 행의 값이 행렬 [*A*]의 그 행에 해당하는 원소의 합으로 주어질 때의 해를 구하라. 이 경우의 해는 원소가 모두 1인 벡터가 될 것이다.

풀이 행을 다음과 같이 표준 방식으로 입력한다.

```
>> A = [6 15 55; 15 55 225; 55 225 979];
```

행렬 [*A*]의 각각의 행에 해당하는 원소의 합으로 우변 벡터의 행의 값이 주어지므로 다음과 같이 입력하면 된다.

```
>> b = [sum(A(1,:)); sum(A(2,:)); sum(A(3,:))]
b =
        76
       295
      1259
```

Cholesky 분해를 수행하면 다음과 같다.

```
>> U = chol(A)

U =
    2.4495      6.1237     22.4537
         0      4.1833     20.9165
         0           0      6.1101
```

원래의 행렬을 계산함으로써 이 분해가 제대로 되었는지를 확인한다.

```
>> U'*U

ans =
      6.0000     15.0000     55.0000
     15.0000     55.0000    225.0000
     55.0000    225.0000    979.0000
```

해를 구하기 위해서 먼저 다음을 계산한다.

```
>> d = U'\b

d =
    31.0269
    25.0998
     6.1101
```

그리고 이 결과를 이용하여 최종해를 다음과 같이 얻는다.

```
>> x = U\d

x =
    1.0000
    1.0000
    1.0000
```

10.4 MATLAB 왼쪽 나눗셈

앞서 왼쪽 나눗셈에 대해 소개하였지만 그때는 이것이 어떻게 작동하는지에 대한 설명은 없었다. 이제는 행렬이 주어질 때 해를 구하는 방법에 대한 배경 지식을 가지고 있으므로 왼쪽 나눗셈의 작동 방법을 간단하게 기술할 수 있다.

역슬래시 연산자를 사용하여 왼쪽 나눗셈을 수행할 때 MATLAB에서는 해를 얻기 위하여 고도로 정교한 알고리즘을 부른다. 핵심을 이야기하면 MATLAB은 계수행렬의 구조를 조사한 후 그것에 맞는 가장 적절한 방법을 찾아서 해를 구한다. 알고리즘의 구체적인 세부 사항을 다루는 것은 이 책의 수준을 넘어서는 것이므로 간략하게 개요만을 설명하도록 한다.

첫째로, MATLAB은 [A]가 완전한 Gauss 소거법을 사용하지 않고도 구할 수 있는 형태인가를 판별한다. 여기에 해당하는 것은 (a) 원소 중에 0이 많이 포함되어 있는 행렬이거나 띠 행렬, (b) 삼각행렬이거나 삼각 형태로 쉽게 변형될 수 있는 행렬, 또는 (c) 대칭행렬이다. 이러한 것들 중에 하나가 발견되면 그 시스템에 가장 효율적인 방법을 택하여 해를 구한다. 사용되는 방법들로는 띠 행렬 해법, 후진과 전진대입법, Cholesky 분해법 등이 있다.

이렇게 간단한 해법들을 사용할 수 없고 정방행렬인 경우라면, 부분 피봇팅이 포함된 Gauss 소거법을 이용하여 일반적인 삼각행렬 분해가 계산되고, 해는 대입 절차를 거쳐 구해진다. 참고로 [A]가 정방행렬이 아닌 경우에도 QR 분해법을 통해 최소제곱 해를 구할 수는 있다.

연습문제

10.1 Gauss 소거법에 기초한 LU 분해법에서 (a) 분해, (b) 전진대입, 그리고 (c) 후진대입의 각 단계에 해당하는 총 연산 횟수를 방정식의 개수 n의 함수로 나타내라.

10.2 행렬의 곱셈 공식을 이용하여 식 (10.6)으로부터 식 (10.7)과 (10.8)이 유도됨을 증명하라.

10.3 순수 Gauss 소거법을 이용하여 다음의 시스템을 10.2절에 기술된 대로 분해하라.

$$10x_1 + 2x_2 - x_3 = 27$$
$$-3x_1 - 6x_2 + 2x_3 = -61.5$$
$$x_1 + x_2 + 5x_3 = -21.5$$

그리고 결과로 얻은 행렬 $[L]$과 $[U]$를 곱하면 $[A]$가 되는 것을 보여라.

10.4 (a) 연습문제 10.3의 연립방정식을 *LU* 분해법으로 풀어라. 계산의 모든 과정을 보여라. (b) 또한 우변 벡터가 다음과 같이 달라질 때의 해를 구하라.

$$\{b\}^T = \lfloor 12 \quad 18 \quad -6 \rfloor$$

10.5 부분 피봇팅을 고려한 *LU* 분해법으로 다음과 같은 시스템의 해를 구하라.

$$2x_1 - 6x_2 - \ x_3 = -38$$
$$-3x_1 - \ x_2 + 7x_3 = -34$$
$$-8x_1 + \ x_2 - 2x_3 = -40$$

10.6 부분 피봇팅을 고려하지 않고 정방행렬을 *LU* 분해할 수 있는 M-파일을 작성하라. 즉 정방행렬이 전달되면 삼각행렬 [*L*]과 [*U*]를 계산하여 반환하는 함수를 작성하라. 작성된 함수를 이용하여 연습문제 10.3에서 주어진 시스템의 해를 구하라. 작성된 함수가 제대로 작동하는지를 [*L*][*U*] = [*A*]의 관계가 성립되는 것으로 보이고 또한 내장함수 lu를 사용하여 확인하라.

10.7 예제 10.5의 Cholesky 분해가 맞다는 것을 그 계산 결과를 식 (10.14)에 대입하여 [*U*]^T[*U*] = [*A*]의 관계가 성립된다는 것을 보임으로써 확인하라.

10.8 (a) 손으로 계산하여 다음과 같은 대칭 시스템에 대해 Cholesky 분해를 수행하라.

$$\begin{bmatrix} 8 & 20 & 15 \\ 20 & 80 & 50 \\ 15 & 50 & 60 \end{bmatrix} \begin{Bmatrix} x_1 \\ x_2 \\ x_3 \end{Bmatrix} = \begin{Bmatrix} 50 \\ 250 \\ 100 \end{Bmatrix}$$

(b) 내장된 chol 함수를 사용하여 손으로 계산한 결과를 확인하라.

(c) 결과로 얻은 행렬 [*U*]를 이용하여 우변 벡터에 대한 해를 구하라.

10.9 피봇팅을 고려하지 않고 대칭행렬을 Cholesky 분해할 수 있는 M-파일을 작성하라. 즉 대칭행렬이 전달되면 행렬 [*U*]를 반환하는 함수를 작성하라. 작성된 함수를 이용하여 연습문제 10.8에서 주어진 시스템의 해를 구하라. 작성된 함수가 제대로 작동하는지를 내장함수 chol을 사용하여 확인하라.

10.10 피봇팅을 고려한 *LU* 분해법으로 다음의 방정식을 풀어라.

$$3x_1 - 2x_2 + \ x_3 = -10$$
$$2x_1 + 6x_2 - 4x_3 = \ 44$$
$$-x_1 - 2x_2 + 5x_3 = -26$$

10.11 (a) 손으로 계산하여 피봇팅을 고려하지 않고 다음과 같은 행렬을 *LU* 분해하고 그 결과를 통해 [*L*][*U*] = [*A*] 가 성립되는 것을 보여라.

$$\begin{bmatrix} 8 & 2 & 1 \\ 3 & 7 & 2 \\ 2 & 3 & 9 \end{bmatrix}$$

(b) (a)의 결과를 이용하여 행렬식을 계산하라.

(c) MATLAB으로 (a)와 (b)를 반복하라.

10.12 다음의 *LU* 분해를 이용하여 (a) 행렬식을 계산하고, (b) $\{b\}^T = \lfloor -10 \ \ 44 \ \ -26 \rfloor$인 경우에 [*A*]{*x*} = {*b*}를 풀어라.

$$[A] = [L][U] = \begin{bmatrix} 1 & & \\ 0.6667 & 1 & \\ -0.3333 & -0.3636 & 1 \end{bmatrix}$$

$$\times \begin{bmatrix} 3 & -2 & 1 \\ & 7.3333 & -4.6667 \\ & & 3.6364 \end{bmatrix}$$

10.13 Cholesky 분해를 이용하여 다음과 같은 [*U*]를 결정하라.

$$[A] = [U]^T[U] = \begin{bmatrix} 2 & -1 & 0 \\ -1 & 2 & -1 \\ 0 & -1 & 2 \end{bmatrix}$$

10.14 다음의 행렬을 Cholesky 분해하라.

$$[A] = \begin{bmatrix} 9 & 0 & 0 \\ 0 & 25 & 0 \\ 0 & 0 & 4 \end{bmatrix}$$

식 (10.15)와 (10.16)의 관점에서 계산된 결과가 타당한가?

역행렬과 조건

학습목표

이 장의 주요 목표는 역행렬을 계산하는 방법과 공학과 과학에서 발생하는 복잡한 연립방정식의 해를 구하는 데 역행렬이 어떻게 이용되는지를 보여주는 것이다. 아울러 반올림오차가 행렬의 해에 얼마나 민감한지를 진단하는 방법을 기술한다. 특정한 목표와 다루는 주제는 다음과 같다.

- *LU* 분해법에 기초하여 효율적으로 역행렬을 구하는 방법
- 공학 시스템에서 자극-반응 특성을 진단할 때 역행렬을 어떻게 사용하는지에 대한 이해
- 행렬과 벡터에 대한 놈(norm)의 의미와 계산하는 방법
- 행렬의 조건수를 계산하기 위해 놈을 사용하는 방법
- 선형대수방정식의 해의 정확성을 평가하기 위해 조건수의 크기를 사용하는 방법

11.1 역행렬

행렬 연산을 논의하면서(8.1.2절 참조), 정방행렬 $[A]$에 대해 $[A]$의 역행렬이라고 하는 $[A]^{-1}$가 있으며 다음의 관계가 성립된다는 것을 알았다.

$$[A][A]^{-1} = [A]^{-1}[A] = [I] \tag{11.1}$$

이제 역행렬을 수치적으로 어떻게 계산할 수 있는지에 대해서 초점을 맞춘다. 또한 그것이 공학 해석에서 어떻게 이용되는지에 대해서 알아보도록 한다.

11.1.1 역행렬의 계산

역행렬은 우변에 단위벡터들을 놓고 각각의 단위벡터에 대한 해를 구함으로써 열 단위로 계산할 수 있다. 그 예로 우변 벡터를 첫 번째 위치에만 1이고 나머지에 0인 상수로 놓으면 다음과 같다.

$$\{b\} = \left\{ \begin{array}{c} 1 \\ 0 \\ 0 \end{array} \right\} \tag{11.2}$$

이 벡터에 대해 얻어지는 해는 결과적으로 역행렬의 첫 번째 열이 된다. 마찬가지로 우변 벡터가 두 번째만 1이고 나머지는 0인 상수인 경우는 다음과 같다.

$$\{b\} = \begin{Bmatrix} 0 \\ 1 \\ 0 \end{Bmatrix} \tag{11.3}$$

결과적으로 얻어지는 해는 역행렬의 두 번째 열이 된다.

이러한 계산을 수행하는 데 있어서 최적의 방법은 LU 분해법을 이용하는 것이다. LU 분해법의 최대 강점은 여러 개의 우변 벡터에 대해 해를 매우 효율적으로 계산한다는 것이다. 따라서 LU 분해법은 역행렬을 구하기 위해 여러 단위벡터에 해당하는 해를 계산하는 데 이상적이다.

예제 11.1 역행렬

문제 설명. 예제 10.1에서 다루었던 아래의 시스템에 대한 역행렬을 LU 분해법으로 계산하라.

$$[A] = \begin{bmatrix} 3 & -0.1 & -0.2 \\ 0.1 & 7 & -0.3 \\ 0.3 & -0.2 & 10 \end{bmatrix}$$

분해를 통해 다음과 같은 상삼각행렬과 하삼각행렬을 얻었음을 상기한다.

$$[U] = \begin{bmatrix} 3 & -0.1 & -0.2 \\ 0 & 7.00333 & -0.293333 \\ 0 & 0 & 10.0120 \end{bmatrix} \quad [L] = \begin{bmatrix} 1 & 0 & 0 \\ 0.0333333 & 1 & 0 \\ 0.100000 & -0.0271300 & 1 \end{bmatrix}$$

풀이 역행렬의 첫 번째 열은 우변 벡터로 단위벡터(첫 번째 행은 1이고 나머지는 0)를 가지고 전진대입을 수행함으로써 결정할 수 있다. 따라서 하삼각 시스템을 다음과 같이 구성한다[식 (10.8) 참조].

$$\begin{bmatrix} 1 & 0 & 0 \\ 0.0333333 & 1 & 0 \\ 0.100000 & -0.0271300 & 1 \end{bmatrix} \begin{Bmatrix} d_1 \\ d_2 \\ d_3 \end{Bmatrix} = \begin{Bmatrix} 1 \\ 0 \\ 0 \end{Bmatrix}$$

전진대입을 수행함으로써 얻은 결과는 $\{d\}^T = \lfloor 1 \quad -0.03333 \quad -0.1009 \rfloor$ 이다. 이 벡터는 상삼각 시스템의 우변 벡터로 이용될 수 있다[식 (10.3) 참조].

$$\begin{bmatrix} 3 & -0.1 & -0.2 \\ 0 & 7.00333 & -0.293333 \\ 0 & 0 & 10.0120 \end{bmatrix} \begin{Bmatrix} x_1 \\ x_2 \\ x_3 \end{Bmatrix} = \begin{Bmatrix} 1 \\ -0.03333 \\ -0.1009 \end{Bmatrix}$$

후진대입을 수행하여 얻은 결과는 $\{x\}^T = \lfloor 0.33249 \quad -0.00518 \quad -0.01008 \rfloor$ 이므로, 역행렬의

첫 번째 열은 다음과 같게 된다.

$$[A]^{-1} = \begin{bmatrix} 0.33249 & 0 & 0 \\ -0.00518 & 0 & 0 \\ -0.01008 & 0 & 0 \end{bmatrix}$$

두 번째 열을 결정하기 위해서 식 (10.8)을 사용하면 다음과 같다.

$$\begin{bmatrix} 1 & 0 & 0 \\ 0.0333333 & 1 & 0 \\ 0.100000 & -0.0271300 & 1 \end{bmatrix} \begin{Bmatrix} a_1 \\ d_2 \\ d_3 \end{Bmatrix} = \begin{Bmatrix} 0 \\ 1 \\ 0 \end{Bmatrix}$$

이것으로 $\{d\}$를 구할 수 있으며, 식 (10.3)을 사용하여 역행렬의 두 번째 열에 들어갈 해인 $\{x\}^T = \lfloor 0.004944 \quad 0.142903 \quad 0.00271 \rfloor$를 구한다. 즉

$$[A]^{-1} = \begin{bmatrix} 0.33249 & 0.004944 & 0 \\ -0.00518 & 0.142903 & 0 \\ -0.01008 & 0.002710 & 0 \end{bmatrix}$$

최종적으로 동일한 절차를 통해 $\{b\}^T = \lfloor 0 \quad 0 \quad 1 \rfloor$를 사용하여 역행렬의 세 번째 열에 들어갈 $\{x\}^T = \lfloor 0.006798 \quad 0.004183 \quad 0.09988 \rfloor$를 얻는다. 즉

$$[A]^{-1} = \begin{bmatrix} 0.33249 & 0.004944 & 0.006798 \\ -0.00518 & 0.142903 & 0.004183 \\ -0.01008 & 0.002710 & 0.099880 \end{bmatrix}$$

이 결과의 타당성은 $[A][A]^{-1} = [I]$의 관계가 성립되는 것을 보임으로써 확인할 수 있다.

11.1.2 자극–응답 계산

PT3.1절에서와 같이 공학과 과학에서 접하는 많은 선형 연립방정식은 보존법칙으로부터 유도된다. 이러한 법칙의 수학적 표현은 질량, 힘, 열, 운동량, 또는 정전기 포텐셜 등과 같은 특정한 성질이 보존된다는 평형방정식의 형태를 갖는다. 구조물에 가해지는 힘 평형의 경우에는 구조물의 각 절점에 작용하는 힘의 수평과 수직 성분이 고려할 성질이 된다. 질량평형의 경우에는 화학 공정에서 각 반응기 속의 질량이 고려할 성질이 된다. 공학과 과학의 다른 분야에서도 유사한 예를 찾을 수 있다.

시스템의 각 부분에 대해서 하나의 평형방정식이 기술되며, 이러한 방정식들이 모여 전체 시스템의 거동을 정의하는 연립방정식을 이룬다. 방정식들은 서로 연계되어 있기 때문에 각각의 방정식이 다른 방정식에서 사용되는 하나 이상의 변수를 포함하고 있다. 많은 경우에 이러한 시스템은 선형이기 때문에 다음과 같은 엄밀한 형태를 갖는다.

$$[A]\{x\} = \{b\} \tag{11.4}$$

평형방정식이라는 점에서 식 (11.4)의 항은 분명한 물리적 의미를 지닌다. 그 예로 {x}의 원소들은 시스템의 각 부분에서 평형을 이룰 성질의 수준을 나타낸다. 구조물의 힘 평형에서는 원소들은 각 부재에 작용하는 힘의 수평과 수직 성분을 나타내고, 질량의 평형에서는 각 반응기 속의 질량을 나타낸다. 어느 경우든지 {x}의 원소들은 우리가 구하고자 하는 시스템의 **상태** 또는 **응답**을 나타낸다.

우변 벡터 {b}는 시스템 거동에 무관한 평형 원소들인 상수를 포함한다. 많은 문제에서 이 원소들은 시스템을 구동하는 **힘 함수** 또는 **외부 자극**을 나타낸다.

마지막으로 계수행렬 [A]는 일반적으로 시스템의 부분들이 어떻게 **서로 작용**하는지 또는 연관되어 있는지를 나타내는 **매개변수**를 포함한다. 결과적으로 식 (11.4)는 다음과 같이 표현될 수 있다.

$$[상호작용] \ \{응답\} = \{자극\}$$

앞 장에서 살펴보았듯이 식 (11.4)의 해를 구하는 방법은 다양하다. 그러나 역행렬을 이용하면 특별히 흥미로운 결과를 얻는다. 수식적인 해는 다음과 같이 표시된다.

$$\{x\} = [A]^{-1}\{b\}$$

또는 (8.1.2절에서 다룬 행렬 곱셈의 정의를 상기하면)

$$x_1 = a_{11}^{-1}b_1 + a_{12}^{-1}b_2 + a_{13}^{-1}b_3$$
$$x_2 = a_{21}^{-1}b_1 + a_{22}^{-1}b_2 + a_{23}^{-1}b_3$$
$$x_3 = a_{31}^{-1}b_1 + a_{32}^{-1}b_2 + a_{33}^{-1}b_3$$

따라서 해를 구하는 문제를 떠나 역행렬 그 자체가 매우 유용한 특성을 지닌다. 다시 말하면 역행렬의 각각의 원소는 시스템의 다른 부분에서의 단위 자극에 대한 그 해당 부분의 응답을 나타낸다.

이러한 수식은 선형이기 때문에 중첩성과 비례성이 성립한다는 점을 유의한다. **중첩성**이란 한 시스템이 여러 개의 다른 자극을(b들) 받을 때 전체 응답은 각각의 자극에 대한 개별적인 응답을 모두 합한 것과 같다는 것을 의미한다. **비례성**이란 자극이 본래의 몇 배가 되면 그 응답은 본래 자극에 대한 응답의 동일한 배가 된다는 것을 의미한다. 따라서 계수 a_{11}^{-1}은 b_1의 단위 수준에 대해 x_1의 값을 제공하는 비례상수이다. 이 결과는 b_2와 b_3가 각각 x_1에 미치는 영향, 즉 계수 a_{12}^{-1}와 a_{13}^{-1}의 영향과는 무관하다. 그러므로 역행렬에서의 원소 a_{ij}^{-1}는 b_j의 단위량에 의해 산출되는 x_i의 값을 나타낸다는 일반적인 결론을 내릴 수 있다.

구조물을 예로 들면, 역행렬의 원소 a_{ij}^{-1}는 절점 j에 작용하는 단위 외력에 의해 부재 i에 가해지는 힘을 나타낸다. 작은 시스템에 대해서 이러한 개별적인 자극-응답 상호작용은 직관적으로 명백하게 보이지 않을 수도 있다. 이와 같이 역행렬은 복잡한 시스템의 구성 원소들 사이의 연관관계를 이해하는 데 유력한 기법을 제공한다.

예제 11.2 번지점프 문제의 해석

문제 설명. 8장의 처음 부분에서 세 사람이 번지 줄에 의해 수직으로 매달려 있는 문제를 다루었다. 각 사람에 대해 힘의 평형을 고려함으로써 다음과 같은 선형대수방정식 시스템을 유도하였다.

$$\begin{bmatrix} 150 & -100 & 0 \\ -100 & 150 & -50 \\ 0 & -50 & 50 \end{bmatrix} \begin{Bmatrix} x_1 \\ x_2 \\ x_3 \end{Bmatrix} = \begin{Bmatrix} 588.6 \\ 686.7 \\ 784.8 \end{Bmatrix}$$

예제 8.2에서 MATLAB을 사용하여 번지점프하는 사람의 수직 위치에 관한 시스템의 해를 구하였다. 이번에는 MATLAB을 이용하여 역행렬을 구하고 그 의미에 대해 알아본다.

풀이 MATLAB을 시작하여 계수 행렬을 다음과 같이 입력한다.

```
>> K = [150 -100  0;-100  150 -50;0  -50 50];
```

그리고 역행렬을 다음과 같이 계산한다.

```
>> KI = inv(K)

KI =
    0.0200    0.0200    0.0200
    0.0200    0.0300    0.0300
    0.0200    0.0300    0.0500
```

역행렬의 각각의 원소 k_{ij}^{-1}는 사람 j에 작용하는 단위 힘(N)에 의해 사람 i의 수직위치의 변화(m)를 나타낸다.

우선 첫 번째 열($j = 1$)에 있는 수를 통해 첫 번째 사람에게 작용하는 힘을 1 N 증가시키면 세 사람 모두의 위치가 0.02 m만큼 증가한다는 것을 알 수 있다. 이것은 추가적인 힘이 첫 번째 줄만 늘이기 때문에 얻게 되는 타당한 결과이다.

대조적으로 두 번째 열($j = 2$)에 있는 수는 두 번째 사람에게 작용하는 힘을 1 N 증가하면 첫 번째 사람은 0.02 m만큼 내려오지만 나머지 두 사람은 0.03 m씩 내려오는 것을 의미한다. 첫 번째 사람이 0.02 m만큼 내려오는 것은 타당한데, 이것은 첫 번째 줄이 1 N의 추가적인 힘을 받기 때문으로 힘이 누구에게 가해지는지 관계가 없기 때문이다. 그러나 두 번째 사람이 0.03 m만큼 내려오는 것은 추가적인 힘에 의해서 첫 번째 줄뿐만 아니라 두 번째 줄도 늘어났기 때문이다. 그리고 세 번째 사람은 두 번째 사람과 같은 위치의 변화를 보이는데 그 이유는 두 사람을 연결하는 세 번째 줄에 추가적인 힘이 작용하지 않기 때문이다.

예상할 수 있듯이 세 번째 열($j = 3$)은 세 번째 사람에게 작용하는 힘이 1 N 증가할 때 첫 번째와 두 번째 사람이 내려오는 양은 두 번째 사람에게 작용하는 힘이 1 N 증가할 때와 같다. 하지만 세 번째 줄이 추가적으로 늘어나서 세 번째 사람이 아래쪽으로 더 많이 내려오게 된다.

첫 번째, 두 번째, 세 번째 사람에게 추가적인 힘이 각각 10, 50, 20 N만큼 작용할 때 세 번째 사람이 얼마나 더 아래로 내려오게 되는지를 역행렬을 이용하고 중첩성과 비례성을 통해 보여줄 수 있다. 이것은 단지 계산된 역행렬의 세 번째 행에 있는 원소들을 다음과 같이 이용하기만 하면 된다.

$$\Delta x_3 = k_{31}^{-1}\,\Delta F_1 + k_{32}^{-1}\,\Delta F_2 + k_{33}^{-1}\,\Delta F_3 = 0.02(10) + 0.03(50) + 0.05(20) = 2.7\ \text{m}$$

11.2 오차 분석과 시스템 조건

공학과 과학에서의 응용 외에도 역행렬은 시스템이 얼마나 불량한지를 판별하는 수단을 제공한다. 이러한 목적을 위해 세 가지 직접적인 방법을 고안할 수 있다.

1. 행렬 [A]를 조정하여 각각의 행에서 최대 원소가 1이 되도록 한다. 조정된 행렬에 대한 역행렬의 원소들이 1에 비해 크기가 여러 차수(order of magnitude) 이상이면 그 시스템은 불량조건에 있기 쉽다.
2. 행렬 [A]에 그 역행렬을 곱해서 결과가 단위행렬에 근접한지를 확인한다. 단위행렬에 근접하지 않으면 행렬 [A]는 불량조건에 있다.
3. 계산한 역행렬의 역행렬을 구하여 그 결과가 행렬 [A]에 충분히 가까운지를 확인한다. 만약 그렇지 않으면 시스템이 불량조건에 있다는 것을 의미한다.

비록 이러한 방법들이 불량조건을 판단하는 데 사용될 수 있지만, 문제의 조건을 표시하는 데 사용될 수 있는 어떤 수가 있다면 편리할 것이다. 이 수를 공식적으로 행렬의 조건수라고 하며, 조건수는 수학적인 개념인 놈(norm)에 기초를 두고 있다.

11.2.1 벡터와 행렬의 놈

놈은 벡터나 행렬과 같이 여러 개의 원소를 갖는 수학적 실체의 크기 또는 "길이"를 나타내는 척도이다.

간단한 예로 그림 11.1과 같은 3차원 Euclidean 공간에서 다음과 같이 표시되는 벡터를 고려하자.

$$\lfloor F \rfloor = \lfloor a \quad b \quad c \rfloor$$

여기서 a, b, c 는 각각 x, y, z 축 방향으로의 거리이다. 이 벡터의 길이, 즉 좌표 (0, 0, 0)에서 (a, b, c)까지의 거리는 다음과 같이 간단히 계산된다.

$$\|F\|_e = \sqrt{a^2 + b^2 + c^2}$$

여기서 기호 $\|F\|_e$ 는 이 길이가 [F]의 **Euclidean 놈**이라고 하는 것을 의미한다.

마찬가지로 n 차원 벡터 $\lfloor X \rfloor = \lfloor x_1 \quad x_2 \ldots x_n \rfloor$에 대해서 Euclidean 놈은 다음과 같이

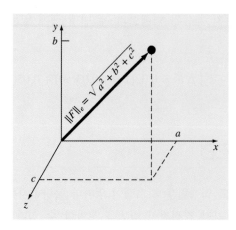

그림 11.1   Euclidean 공간에서 벡터의 그래픽 표현.

계산된다.

$$\|X\|_e = \sqrt{\sum_{i=1}^{n} x_i^2}$$

이 개념은 행렬 $[A]$로 다음과 같이 확장될 수 있다.

$$\|A\|_f = \sqrt{\sum_{i=1}^{n} \sum_{j=1}^{n} a_{i,j}^2} \tag{11.5}$$

이 식은 특별히 **Frobenius 놈**이라는 이름을 갖고 있다. 다른 벡터의 놈에서와 마찬가지로 이 것도 $[A]$의 "크기"를 하나의 값으로 나타낸다.

주의할 것은 Euclidean 놈과 Frobenius 놈 외에도 다른 놈이 있다는 점이다. 벡터에 대해서는 p 놈이라고 하는 것이 있는데 이것은 일반적으로 다음과 같이 표시된다.

$$\|X\|_p = \left(\sum_{i=1}^{n} |x_i|^p \right)^{1/p}$$

벡터에서 Euclidean 놈이 바로 2 놈으로 $\|X\|_2$인 것을 알 수 있다.

다른 중요한 예로 $p = 1$인 경우는 다음과 같다.

$$\|X\|_1 = \sum_{i=1}^{n} |x_i|$$

이 식은 원소들의 값의 절대값을 합한 것으로 놈을 정의한다. 그 외의 것으로는 최대-크기 또는 일정-벡터 놈이라는 것이 있는데 $p = \infty$인 경우로 다음과 같다.

$$\|X\|_\infty = \max_{1 \le i \le n} |x_i|$$

이 식은 원소들 중에 절대값이 가장 큰 것을 놈이라고 정의한다.

유사한 방법으로 놈은 행렬에 대해서도 정의될 수 있다. 그 예는 다음과 같다.

$$\|A\|_1 = \max_{1 \le j \le n} \sum_{i=1}^{n} |a_{ij}|$$

즉 각 열에 대해서 계수들의 절대값을 합하고, 그 합 중에서 가장 큰 것을 놈으로 취하는 것이다. 이것을 **열-합(column-sum) 놈**이라고 한다.

위에서 정의한 것과 유사하게 행에 대해서 합을 계산할 수 있는데 이것을 일정-행렬(uniform-matrix) 또는 **행-합(row-sum) 놈**이라고 한다.

$$\|A\|_\infty = \max_{1 \le i \le n} \sum_{j=1}^{n} |a_{ij}|$$

주의할 사항은 벡터의 경우와는 다르게 행렬의 Frobenius 놈은 2 놈과 같지 않다는 것이다. Frobenius 놈 $\|A\|_f$는 식 (11.5)로 쉽게 결정되며, 행렬의 2 놈은 다음과 같이 계산된다.

$$\|A\|_2 = (\mu_{max})^{1/2}$$

여기서 μ_{max}는 $[A]^T[A]$의 최대 고유값이다. 고유값에 대해서는 13장에서 자세히 다룬다. 이 시점에서 중요한 것은 $\|A\|_2$ 또는 **스펙트랄 놈**이 최소 놈이며, 크기에 대해 가장 엄격한 척도를 제공한다는 점이다(Ortega, 1972).

11.2.2 행렬의 조건수

이제까지 놈을 정의하였으므로 놈을 사용하여 다음을 정의해 보자.

$$\text{Cond}[A] = \|A\| \cdot \|A^{-1}\|$$

여기서 Cond[A]는 **행렬의 조건수**라고 한다. 행렬 [A]에 대해 조건수는 1 이상의 크기를 갖는다는 것에 주의한다. 다음과 같은 관계가 성립함을 증명할 수 있다(Ralston과 Rabinowitz, 1978; Gerald와 Wheatley, 1989).

$$\frac{\|\Delta X\|}{\|X\|} \le \text{Cond}[A] \frac{\|\Delta A\|}{\|A\|}$$

달리 표현하면 계산된 해에 대한 놈의 상대오차는 계수행렬 [A]에 대한 놈의 상대오차에 조건수를 곱한 것보다 작거나 같다. 예를 들면 [A]의 계수가 t 자릿수 정밀도(반올림오차가 10^{-t}의 크기)를 가지고, Cond[A] = 10^c이라면, 해 [X]는 $t - c$ 자릿수까지만 정확하다고(반올림오차 $\approx 10^{c-t}$) 볼 수 있다.

예제 11.3 / 행렬 조건수의 계산

문제 설명. 지극히 불량조건인 Hilbert 행렬은 일반적으로 다음과 같이 표시될 수 있다.

$$\begin{bmatrix} 1 & \frac{1}{2} & \frac{1}{3} & \cdots & \frac{1}{n} \\ \frac{1}{2} & \frac{1}{3} & \frac{1}{4} & \cdots & \frac{1}{n+1} \\ \vdots & \vdots & \vdots & & \vdots \\ \frac{1}{n} & \frac{1}{n+1} & \frac{1}{n+2} & \cdots & \frac{1}{2n-1} \end{bmatrix}$$

다음과 같은 3×3 Hilbert 행렬에 대해 조건수를 계산하기 위해 행-합 놈을 사용해 보자.

$$[A] = \begin{bmatrix} 1 & \frac{1}{2} & \frac{1}{3} \\ \frac{1}{2} & \frac{1}{3} & \frac{1}{4} \\ \frac{1}{3} & \frac{1}{4} & \frac{1}{5} \end{bmatrix}$$

풀이 우선 행렬의 각 행에서 원소의 최대값을 1이 되도록 정규화하면 다음과 같다.

$$[A] = \begin{bmatrix} 1 & \frac{1}{2} & \frac{1}{3} \\ 1 & \frac{2}{3} & \frac{1}{2} \\ 1 & \frac{3}{4} & \frac{3}{5} \end{bmatrix}$$

각각의 행에 대해 합을 구하면 1.833, 2.1667, 2.35이다. 이 결과에서 세 번째 행이 가장 합이 크므로 행-합 놈은 다음과 같다.

$$\|A\|_\infty = 1 + \frac{3}{4} + \frac{3}{5} = 2.35$$

정규화한 행렬의 역행렬을 구하면 다음과 같다.

$$[A]^{-1} = \begin{bmatrix} 9 & -18 & 10 \\ -36 & 96 & -60 \\ 30 & -90 & 60 \end{bmatrix}$$

주목할 것은 이 행렬의 원소들은 본래의 행렬에 비해 크기가 크다는 점이다. 이 사실은 행-합 놈에서도 그대로 반영되는데 그 값을 계산하면 다음과 같다.

$$\|A^{-1}\|_\infty = |-36| + |96| + |-60| = 192$$

따라서 조건수는 다음과 같이 계산된다.

$$\text{Cond}[A] = 2.35(192) = 451.2$$

조건수가 1에 비해 매우 크다는 것은 그 시스템이 불량조건에 있다는 것을 시사한다. 불량조건의 정도는 $c = \log 451.2 = 2.65$를 계산함으로써 정량화할 수 있다. 따라서 해에서 마지막 세 유효자릿수는 반올림오차를 나타낸다. 이러한 추정은 거의 대부분 실제 오차보다 과다하게 나타나지만, 반올림오차가 심각할 수 있다는 가능성을 경고해 준다는 점에서 가치가 있다.

11.2.3 MATLAB에서의 놈과 조건수

MATLAB은 놈과 조건수를 계산할 수 있는 내장함수를 갖고 있다.

```
>> norm(X,p)
```

그리고

```
>> cond(X,p)
```

여기서 X는 벡터나 행렬, 그리고 p는 놈이나 조건수의 종류(1, 2, inf, 또는 'fro')를 나타낸다. 주목할 사항은 cond 함수는 다음과 같다는 것이다.

```
>> norm(X,p) * norm(inv(X),p)
```

또한 p가 생략되면 그 값이 자동적으로 2로 정해진다는 점도 주의한다.

예제 11.4 MATLAB에서 행렬 조건수의 계산

문제 설명. 예제 11.3에서 다루었던 정규화된 Hilbert 행렬에 대해 MATLAB을 이용하여 놈과 조건수를 계산해 보자.

$$[A] = \begin{bmatrix} 1 & \frac{1}{2} & \frac{1}{3} \\ 1 & \frac{2}{3} & \frac{1}{2} \\ 1 & \frac{3}{4} & \frac{3}{5} \end{bmatrix}$$

(a) 예제 11.3에서와 같이 먼저 행-합 형태($p = \text{inf}$)를 계산한다. (b) 또한 Frobenius ($p =$ 'fro')와 스펙트랄($p = 2$) 조건수도 계산한다.

풀이 (a) 먼저 다음과 같이 행렬을 입력한다.

```
>> A = [1 1/2 1/3;1 2/3 1/2;1 3/4 3/5];
```

그리고 행-합 놈과 조건수를 다음과 같이 계산한다.

```
>> norm(A,inf)
ans =
    2.3500
>> cond(A,inf)
ans =
  451.2000
```

이 결과는 예제 11.3에서 손으로 계산했던 것과 일치한다.

(b) Frobenius 놈과 스펙트랄 놈에 근거한 조건수를 다음과 같이 계산한다.

```
>> cond(A,'fro')

ans =
  368.0866

>> cond(A)

ans =
  366.3503
```

11.3 사례연구 │ 실내 공기 오염

배경. 실내 공기 오염은 그 제목에서 알 수 있듯이 집, 사무실, 작업실 등 폐쇄된 공간에서의 공기 오염을 다룬다. 왕복 8차선 고속도로에 인접한 트럭 기사 식당의 환기 시스템에 대해 연구한다고 가정해 보자.

그림 11.2에 도시된 것과 같이 식당의 서비스 공간은 흡연석과 금연석을 위한 2개의 홀과 2개의 구역으로 나누어진 긴 주방으로 구성되어 있다. 흡연석 1과 조리실 3은 흡연과 음식 조리로 인해 일산화탄소를 발생하는 오염 공급원이다. 그 외에도 홀 1과 2는 고속도로 변에 위치하기 때문에 배기가스 중의 일산화탄소가 출입구를 통해 홀로 유입된다.

각 구역에 대해서 정상상태의 질량평형식을 세우고, 4개 구역의 일산화탄소 농도에 대한 선형대수방정식을 풀어라. 그리고 역행렬을 구해서 여러 오염 공급원이 금연석에 미치는 효과를 분석하라. 즉 (1) 흡연, (2) 불완전한 조리, (3) 출입구 유입 등에 의한 것이 각각 금연석 일산화탄소의 몇 퍼센트를 차지하는지를 결정하라. 또한 흡연을 금지하고 조리실을 개선하는 경우에 금연석 일산화탄소 농도를 얼마나 줄일 수 있는지를 계산하라. 마지막으로 칸막이를 설치하여 구역 2와 4 사이에 혼합되는 유동량을 5 m^3/hr로 줄인다면 금연석의 일산화탄소 농

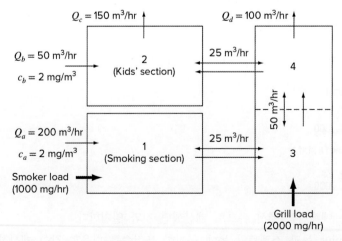

그림 11.2   식당 전체의 평면도. 한 방향 화살표는 공기 체적의 흐름을 나타내고, 양방향 화살표는 확산되어 혼합되는 것을 나타낸다. 흡연자와 조리실은 일산화탄소를 발생하나 그곳에서의 공기 유동은 무시할 정도다.

도는 어떻게 변하겠는가?

풀이 각 구역에 대해서 정상상태의 질량평형식을 세울 수 있다. 그 예로 흡연구역(홀 1)에 대한 평형식은 다음과 같다.

$$0 = W_{smoker} + \quad Q_a c_a \quad - \quad Q_a c_1 \quad + E_{13}(c_3 - c_1)$$
$$(흡연\ 발생) + (유입) \quad - \quad (유출) \quad + \quad (혼합)$$

마찬가지로 다른 구역에 대해서도 평형식을 세우면 다음과 같다.

$$0 = Q_b c_b + (Q_a - Q_d)c_4 - Q_c c_2 + E_{24}(c_4 - c_2)$$
$$0 = W_{grill} + Q_a c_1 + E_{13}(c_1 - c_3) + E_{34}(c_4 - c_3) - Q_a c_3$$
$$0 = Q_a c_3 + E_{34}(c_3 - c_4) + E_{24}(c_2 - c_4) - Q_a c_4$$

매개변수값을 대입하면 최종적으로 다음과 같은 연립방정식을 얻는다.

$$\begin{bmatrix} 225 & 0 & -25 & 0 \\ 0 & 175 & 0 & -125 \\ -225 & 0 & 275 & -50 \\ 0 & -25 & -250 & 275 \end{bmatrix} \begin{Bmatrix} c_1 \\ c_2 \\ c_3 \\ c_4 \end{Bmatrix} = \begin{Bmatrix} 1400 \\ 100 \\ 2000 \\ 0 \end{Bmatrix}$$

MATLAB을 이용하여 해를 구할 수 있다. 우선 역행렬을 구한다. 프로그램에서 다섯 자리 유효숫자로 해를 얻기 위해서 "short g" 포맷을 사용한다는 점에 유의한다.

```
>> format short g
>> A=[225 0 -25 0
0 175 0 -125
-225 0 275 -50
0 -25 -250 275];
>> AI=inv(A)

AI =
    0.0049962    1.5326e-005    0.00055172    0.00010728
    0.0034483    0.0062069      0.0034483     0.0034483
    0.0049655    0.00013793     0.0049655     0.00096552
    0.0048276    0.00068966     0.0048276     0.0048276
```

해를 다음과 같이 얻을 수 있다.

```
>> b=[1400 100 2000 0]';
>> c=AI*b

c =
    8.0996
    12.345
    16.897
    16.483
```

우리는 놀라운 결과를 얻게 되는데 그것은 바로 흡연석에서 일산화탄소 농도가 제일 낮다는 점이다. 제일 높은 곳은 주방(구역 3과 4)이며 금연석은 중간 수준이다. 이러한 결과가 나타난 이유는 (1) 일산화탄소의 양이 보존되고, (2) 공기 배출은 구역 2와 4 (Q_c와 Q_d)를 통해서만 일어나기 때문이다. 구역 3이 최악인데 그 이유는 불완전한 조리시설로 인해 일산화탄소가 발생할 뿐만 아니라 흡연석 1로부터 유입되기 때문이다.

앞에서 흥미로운 결과를 얻었지만 선형 시스템이 갖는 진정한 위력은 역행렬의 원소를 이용하여 시스템 각 부분이 어떠한 상호작용을 하는지를 이해할 수 있다는 것이다. 그 예로 역행렬의 원소를 이용하여 각각의 오염 공급원이 금연석 일산화탄소의 몇 퍼센트를 차지하는지를 알아보자.

흡연자:

$$c_{2,\text{smokers}} = a_{21}^{-1} W_{\text{smokers}} = 0.0034483(1000) = 3.4483$$

$$\%_{\text{smokers}} = \frac{3.4483}{12.345} \times 100\% = 27.93\%$$

조리시설:

$$c_{2,\text{grill}} = a_{23}^{-1} W_{\text{grill}} = 0.0034483(2000) = 6.897$$

$$\%_{\text{grill}} = \frac{6.897}{12.345} \times 100\% = 55.87\%$$

출입구:

$$c_{2,\text{intakes}} = a_{21}^{-1} Q_a c_a + a_{22}^{-1} Q_b c_b = 0.0034483(200)2 + 0.0062069(50)2$$

$$= 1.37931 + 0.62069 = 2$$

$$\%_{\text{grill}} = \frac{2}{12.345} \times 100\% = 16.20\%$$

불완전한 조리시설이 오염의 주원인이라는 것이 명백하게 나타났다.

더욱이 역행렬은 제안되는 개선책(흡연금지나 조리시설의 수리)의 영향을 알아보기 위해 사용할 수 있다. 선형 모델이기 때문에 중첩의 원리가 성립되어 결과는 각각의 영향을 더하기만 하면 된다.

$$\Delta c_2 = a_{21}^{-1} \Delta W_{\text{smokers}} + a_{23}^{-1} \Delta W_{\text{grill}} = 0.0034483(-1000) + 0.0034483(-2000)$$

$$= -3.4483 - 6.8966 = -10.345$$

동일한 계산이 MATLAB에서는 다음과 같이 이루어질 수 있다는 것에 유의하자.

```
>> AI(2,1)*(-1000)  +AI(2,3)*(-2000)

ans =
   -10.345
```

두 가지 모두를 개선하는 경우에 농도를 10.345 mg/m³만큼 줄일 수 있다. 결과적으로 금연석의 농도는 12.345 − 10.345 = 2 mg/m³이 된다. 이것은 타당성 있는 결과인데 그 이유는 흡연과 조리로 인한 유입은 완전히 제거되고 출입구 유입(2 mg/m³)만이 유일한 오염원이기 때문이다.

지금까지의 모든 계산은 강제함수를 변화시킨 결과로 해를 재차 구할 필요가 없었다. 그러나 금연석과 구역 4 사이의 혼합량이 감소하면 행렬 자체가 다음과 같이 변화한다.

$$\begin{bmatrix} 225 & 0 & -25 & 0 \\ 0 & 155 & 0 & -105 \\ -225 & 0 & 275 & -50 \\ 0 & -5 & -250 & 255 \end{bmatrix} \begin{Bmatrix} c_1 \\ c_2 \\ c_3 \\ c_4 \end{Bmatrix} = \begin{Bmatrix} 1400 \\ 100 \\ 2000 \\ 0 \end{Bmatrix}$$

이 경우의 결과는 새로운 해의 산출이다. MATLAB을 사용하면 해는 다음과 같다.

$$\begin{Bmatrix} c_1 \\ c_2 \\ c_3 \\ c_4 \end{Bmatrix} = \begin{Bmatrix} 8.1084 \\ 12.0800 \\ 16.9760 \\ 16.8800 \end{Bmatrix}$$

따라서 혼합량을 조절하는 것은 금연석의 농도를 단지 0.265 mg/m^3만 줄일 수 있을 뿐이다.

연습문제

11.1 다음의 시스템에 대해 역행렬을 구하라.

$$\begin{aligned} 10x_1 + 2x_2 - x_3 &= 27 \\ -3x_1 - 6x_2 + 2x_3 &= -61.5 \\ x_1 + x_2 + 5x_3 &= -21.5 \end{aligned}$$

계산결과를 이용하여 $[A][A]^{-1} = [I]$의 관계가 성립되는 것을 확인하라. 피봇팅은 사용하지 않는다.

11.2 다음의 시스템에 대해 역행렬을 구하라.

$$\begin{aligned} -8x_1 + x_2 - 2x_3 &= -20 \\ 2x_1 - 6x_2 - x_3 &= -38 \\ -3x_1 - x_2 + 7x_3 &= -34 \end{aligned}$$

11.3 다음의 시스템은 일련의 반응기에서 농도(c의 단위는 g/m^3)를 각각의 반응기에 들어가는 질량(우변의 단위는 g/day)의 함수로 결정하기 위해 고안되었다.

$$\begin{aligned} 15c_1 - 3c_2 - c_3 &= 4000 \\ -3c_1 + 18c_2 - 6c_3 &= 1200 \\ -4c_1 - c_2 + 12c_3 &= 2350 \end{aligned}$$

(a) 역행렬을 구하라.

(b) 역행렬을 이용하여 해를 구하라.

(c) 반응기 1의 농도를 10 g/m^3만큼 증가시키기 위해서 반응기 3의 입력 질량을 얼마로 해야 하는가?

(d) 반응기 1과 2의 입력 질량을 각각 500과 250 g/day만큼 줄일 때 반응기 3의 농도는 얼마나 줄어들겠는가?

11.4 연습문제 8.9에서 기술된 시스템의 역행렬을 구하라. 유입하는 물질의 농도가 $c_{01} = 20$과 $c_{03} = 50$으로 변할 때, 역행렬을 이용하여 반응기 5의 농도를 구하라.

11.5 연습문제 8.10에서 기술된 시스템의 역행렬을 구하라. 절점 1에 작용하는 수직 하중이 배로 증가하여 $F_{1,v} = -2000 \text{ N}$이 되고 절점 3에 작용하는 수평 하중이 $F_{3,h} = -500 \text{ N}$일 때 역행렬을 이용하여 세 부재에 작용하는 힘(F_1, F_2, F_3)을 구하라.

11.6 다음의 행렬에 대해 $\|A\|_f$, $\|A\|_1$, $\|A\|_\infty$를 구하라.

$$[A] = \begin{bmatrix} 8 & 2 & -10 \\ -9 & 1 & 3 \\ 15 & -1 & 6 \end{bmatrix}$$

세 가지 놈을 구하기 전에 각 행에서 원소의 최대값이 1이 되도록 행렬을 정규화하라.

11.7 연습문제 11.2와 11.3의 시스템에 대해 Frobenius 놈과 행-합 놈을 구하라.

11.8 다음의 시스템에 대해 스펙트랄 조건수를 MATLAB을 이용하여 구하라. 단, 시스템을 정규화하지 않는다.

$$\begin{bmatrix} 1 & 4 & 9 & 16 & 25 \\ 4 & 9 & 16 & 25 & 36 \\ 9 & 16 & 25 & 36 & 49 \\ 16 & 25 & 36 & 49 & 64 \\ 25 & 36 & 49 & 64 & 81 \end{bmatrix}$$

행-합 놈에 근거한 조건수를 계산하라.

11.9 Hilbert 행렬 외에도 본질적으로 불량조건에 있는 행렬이 있다. 그들 중의 하나가 다음과 같은 형태의 **Vandermonde 행렬**이다.

$$\begin{bmatrix} x_1^2 & x_1 & 1 \\ x_2^2 & x_2 & 1 \\ x_3^2 & x_3 & 1 \end{bmatrix}$$

(a) $x_1 = 4$, $x_2 = 2$, 그리고 $x_3 = 7$인 경우에 대해 행-합 놈에 근거한 조건수를 계산하라.

(b) MATLAB을 이용하여 스펙트랄 조건수와 Frobenius 조건수를 구하라.

11.10 MATLAB을 이용하여 10차원 Hilbert 행렬에 대해 스펙트랄 조건수를 구하라. 불량조건 때문에 얼마나 많은 정밀도의 자릿수가 잃을 것으로 예상되는가? 우변 벡터 $\{b\}$의 값이 그 행에 해당되는 계수의 합으로 주어질 때 이 시스템의 해를 구하라. 다른 말로 표현하면 모든 미지수가 정확하게 1이 되는 경우에 대해 해를 구하라. 조건수를 근거로 하여 예상되는 오차와 위 계산의 결과로 발생하는 오차를 비교하라.

11.11 6차원 Vandermonde 행렬에 대해 연습문제 11.10을 반복하라(연습문제 11.9 참조). 단, $x_1 = 4$, $x_2 = 2$, $x_3 = 7$, $x_4 = 10$, $x_5 = 3$, 그리고 $x_6 = 5$이다.

11.12 Colorado강 하류의 수계는 그림 P11.12에서와 같이 4개의 저수용 호수로 구성되어 있다. 각각의 호수에 대한 질량 보존은 다음과 같은 연립 선형대수방정식으로 표현될 수 있다.

$$\begin{bmatrix} 13.422 & 0 & 0 & 0 \\ -13.422 & 12.252 & 0 & 0 \\ 0 & -12.252 & 12.377 & 0 \\ 0 & 0 & -12.377 & 11.797 \end{bmatrix}$$

$$\times \begin{Bmatrix} c_1 \\ c_2 \\ c_3 \\ c_4 \end{Bmatrix} = \begin{Bmatrix} 750.5 \\ 300 \\ 102 \\ 30 \end{Bmatrix}$$

여기서 우변 벡터는 각각의 호수에 유입되는 염화물로 구성되어 있다. c_1, c_2, c_3, 그리고 c_4 는 각각 Powell, Mead, Mohave, 그리고 Havasu 호수의 염화물 농도다.

(a) 역행렬을 이용하여 네 호수에서의 농도를 구하라.

(b) Havasu 호수의 염화물 농도를 75로 줄이기 위해서

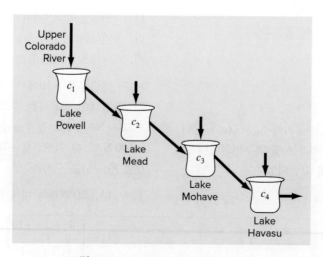

그림 P11.12 Colorado강 하류의 수계.

Powell 호수에 유입되는 염화물을 얼마나 줄여야 하는가?

(c) 열-합 놈을 사용하여 조건수를 구하라. 얼마나 많은 의심스러운 자릿수가 생성될 것으로 예상되는가?

11.13 (a) 다음의 행렬에 대해 역행렬과 조건수를 구하라.

$$\begin{bmatrix} 1 & 2 & 3 \\ 4 & 5 & 6 \\ 7 & 8 & 9 \end{bmatrix}$$

(b) a_{33} 을 조금 바꾸어 9.1로 놓고 (a)를 반복하라.

11.14 다항식보간법은 주어진 n개의 점을 지나는 유일한 $(n-1)$차 다항식을 구하는 것이다. 이러한 식은 일반적으로 다음과 같은 형식을 갖는다.

$$f(x) = p_1 x^{n-1} + p_2 x^{n-2} + \cdots + p_{n-1}x + p_n \qquad \text{(P11.14)}$$

여기서 $p_i(i = 1, 2, \ldots, n)$는 상수 계수이다. 계수를 계산하는 직접적인 방법은 계수에 대한 n개의 연립방정식을 생성하여 결정하는 것이다. 4차 다항식 $f(x) = p_1 x^4 + p_2 x^3 + p_3 x^2 + p_4 x + p_5$ 의 계수를 구하는 문제를 가정하자. 이 곡선은 5개의 점 (200, 0.746), (250, 0.675), (300, 0.616), (400, 0.525), 그리고 (500, 0.457)을 지난다. 각 점의 자료를 식 (P11.14)에 대입하면 5개의 미지수를 갖는 5개의 연립방정식을 얻을 수 있다. 이러한 방법으로 계수를 구하라. 그리고 조건수를 구하여 행렬의 상태를 해석하라.

11.15 세 반응기 사이의 화학성분 흐름이 그림 P11.15에 나타나 있다. 1차 반응속도식으로 반응하는 물질에 대해 정상상태에서의 질량평형식을 쓸 수 있다. 예를 들어 반응기 1에 대한 질량평형은 다음과 같다.

$$Q_{1,in}c_{1,in} - Q_{1,2}c_1 - Q_{1,3}c_1 + Q_{2,1}c_2 - kV_1c_1 = 0 \qquad \text{(P11.15)}$$

여기서 $Q_{1,in}$ = 반응기 1로의 체적유량(m^3/min)이며, $c_{1,in}$ = 반응기 1로 들어가는 유입 농도(g/m^3), $Q_{i,j}$ = 반응기 i에서 j로 가는 체적유량(m^3/min), c_i = 반응기 i에서의 농도 (g/m^3), k = 1차 감소율(/min) 그리고 V_i = 반응기 i의 체적 (m^3)이다.

(a) 반응기 2와 3에 대하여 질량평형식을 기술하라.

(b) 만약 $k = 0.1$/min일 때, 선형대수방정식의 시스템으로 세 반응기의 질량평형식을 기술하라.

(c) 이 시스템에 대하여 LU 분해를 수행하라.

(d) LU 분해법을 이용하여 역행렬을 계산하라.

(e) 역행렬을 이용하여 다음의 질문에 답하라. (i) 세 반응기에 대하여 정상상태 농도를 구하라. (ii) 만약 두 번째 반응기로 들어오는 유입농도가 0이라고 한다면, 반응기 1의 농도는 최종적으로 얼마까지 저감되는가? (iii) 만약 반응기 1의 유입농도가 두 배가 되고, 반응기 2의 유입농도가 절반이 된다고 하면, 반응기 3의 농도는 얼마가 되는가?

11.16 예제 8.2와 예제 11.2에서 기술한 것처럼 역행렬을 사용하여 다음에 답하라.

(a) 첫 번째 점프하는 사람의 위치 변화를 구하라. 단, 세 번째 점프하는 사람의 질량은 100 kg으로 증가했다고 가정한다.

(b) 세 번째 점프하는 사람의 최종 위치가 140 m가 되려면 얼마의 힘이 세 번째 점프하는 사람에게 가해져야 하는가?

11.17 8.3절에서 수식화된 전기회로에 대한 역행렬을 구하라. 노드 6에 200 V의 전압이 가해지고 노드 1에 가해지는 전압이 절반이 되었다고 할 때, 역행렬을 이용하여 노드 2와 5 사이의 새로운 전류(i_{52})를 계산하라.

11.18 (a) 11.3절에서 기술된 것과 같은 방법을 이용하여, 그림 P11.18에 제시되어 있는 방 배치에 대하여 정상상태 질량 보존을 유도하라.

(b) 역행렬을 구하고, 이를 이용하여 각 방에서의 최종 농도를 계산하라.

(c) 방 2에서의 농도가 20 mg/m^3를 유지하려면, 방 4의 유입 농도를 얼마나 줄여야 하는지를 역행렬을 이용하여 계산하라.

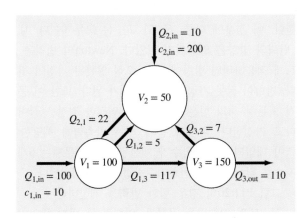

그림 P11.15

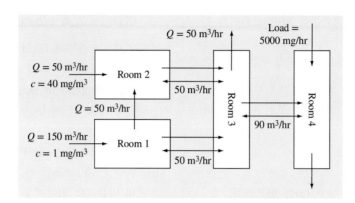

그림 P11.18

11.19 for . . . end 루프를 이용하여 $m \times n$ 행렬의 Frobenius 놈을 계산하는 Fnorm이라는 잘 구성된 MATLAB 함수를 작성하라.

$$\|A\|_f = \sqrt{\sum_{i=1}^{m} \sum_{j=1}^{n} a_{i,j}^2}$$

놈을 구하기 전에 함수가 행렬을 정규화하게 하라. 다음의 스크립트로 함수를 시험해보라.

```
A = [5 7 -9; 1 8 4; 7 6 2];
Fn = Fnorm(A)
```

함수의 첫 줄은 다음과 같다.

```
function Norm = Fnorm(x)
```

11.20 그림 P11.20은 정정(statically determinate) 트러스를 보여준다. 이러한 유형의 구조물은 그림 P11.20에 있는 각 절점에서의 힘에 대한 자유물체도를 그려보면, 상응하는 연립 선형대수방정식으로 기술할 수 있다. 정지된 시스템에서는 각각의 절점에 작용하는 수평방향과 수직방향의

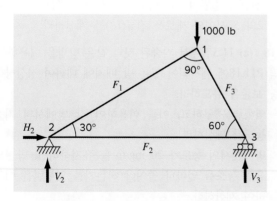

그림 P11.20 정정 트러스에 작용하는 힘.

힘의 합이 0이 되어야 한다. 따라서 절점 1에서 다음과 같은 방정식이 성립된다.

$$F_H = 0 = -F_1 \cos 30° + F_3 \cos 60° + F_{1,h}$$
$$F_V = 0 = -F_1 \sin 30° - F_3 \sin 60° + F_{1,v}$$

절점 2에 대해서

$$F_H = 0 = F_2 + F_1 \cos 30° + F_{2,h} + H_2$$
$$F_V = 0 = F_1 \sin 30° + F_{2,v} + V_2$$

절점 3에 대해서

$$F_H = 0 = -F_2 - F_3 \cos 60° + F_{3,h}$$
$$F_V = 0 = F_3 \sin 60° + F_{3,v} + V_3$$

여기서 $F_{i,h}$ 는 절점 i에 작용하는 수평 외력(왼쪽에서 오른쪽으로 작용하는 힘을 양의 방향으로 가정)을 나타내고, $F_{i,v}$ 는 절점 i에 작용하는 수직 외력(위쪽으로 작용하는 힘을 양의 방향으로 가정)을 나타낸다. 그림과 같이 절점 1에서 아래 방향으로 1000 N의 힘, 즉 $F_{i,v} = -1000$이 작용한다. 이 경우에 다른 $F_{i,h}$ 와 $F_{i,v}$ 는 모두 0이다. 내력과 반력의 방향은 알려지지 않았다. Newton의 법칙을 올바르게 적용하려면 방향에 대한 오직 일관된 가정이 필요하다. 방향이 잘못 가정되면 음의 해가 된다. 또한 이 문제에서 모든 부재의 힘은 인장력이고 인접한 절점을 끌어당긴다고 가정한다. 따라서 음의 해는 압축력에 해당한다. 외력이 대입되고 삼각함수가 계산될 때, 이 문제는 6개의 미지수를 갖는 6개의 선형대수방정식으로 정리된다.

(a) 그림 P11.20의 경우 힘과 반력을 계산하라.

(b) 시스템의 역행렬을 구하라. 역행렬 두 번째 행의 0이

의미하는 바는 무엇인가?

(c) 역행렬 원소를 이용하여 다음 질문에 답하라.

    (i) 절점 1에서의 힘 방향이 역전될 때 (위쪽으로) H_2 와 V_2에 미치는 영향을 계산하라.

    (ii) 절점 1에서의 힘이 0으로 되고 1500 N의 수평력 이 절점 1, 2에 작용한다면 ($F_{1,h} = F_{2,h} = 1500$), 절점 3에서의 반력 (V_3)은 얼마인가?

11.21 연습문제 11.20과 같은 방법으로,

(a) 그림 P11.21에 묘사된 트러스에 대해 부재와 지지점 에 작용하는 힘과 반력을 계산하라.

(b) 역행렬을 계산하라.

(c) 정점에서의 힘이 위쪽으로 작용한다면 두 지지점의 반력에 생기는 변화를 결정하라.

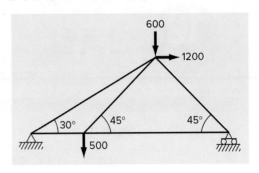

그림 P11.21

12 CHAPTER 반복법

학습목표

이 장의 주요 목표는 연립방정식을 풀기 위해 사용되는 반복법을 소개하는 것이다. 특정한 목표와 다루는 주제는 다음과 같다.

- Gauss–Seidel법과 Jacobi법의 차이점
- 대각 지배의 의미와 그것을 판단하는 방법
- 반복법의 수렴속도를 증가시키기 위해 사용되는 이완법
- 비선형 연립방정식을 풀기 위해 사용되는 연속대입법, Newton–Raphson법, 그리고 MATLAB fsolve 함수

반복법 또는 근사법은 지금까지 기술한 소거법의 대안을 제공한다. 이러한 접근법은 5장과 6장에서 다루었던 단일 방정식의 근을 구하기 위해 개발된 기법과 유사하다. 이 접근법은 값을 가정한 후에 더 좋은 근의 값을 추정하기 위해 체계적인 방법을 이용하는 것이다. 현재 위와 유사한 문제, 즉 연립방정식을 동시에 만족하는 해를 구하는 문제를 다루고 있기 때문에 이러한 근사적 방법이 유용하리라고 생각된다. 이 장에서는 선형뿐만 아니라 비선형 연립방정식을 푸는 방법을 제시한다.

12.1 선형 시스템 : Gauss-Seidel

Gauss-Seidel법은 선형대수방정식을 푸는 반복법 중에서 가장 보편적으로 사용된다. 다음과 같이 주어지는 n개의 방정식이 있다고 가정하자.

$$[A]\{x\} = \{b\}$$

간략하게 설명하기 위하여 3×3 연립방정식만으로 논의를 제한한다. 만약 대각 원소들이 모두 0이 아니라면, 첫 번째 방정식은 x_1을, 두 번째 방정식은 x_2를, 그리고 세 번째 방정식은 x_3를 구하기 위해 다음과 같이 변형될 수 있다.

$$x_1^j = \frac{b_1 - a_{12}x_2^{j-1} - a_{13}x_3^{j-1}}{a_{11}} \tag{12.1a}$$

$$x_2^j = \frac{b_2 - a_{21}x_1^j - a_{23}x_3^{j-1}}{a_{22}} \tag{12.1b}$$

$$x_3^j = \frac{b_3 - a_{31}x_1^j - a_{32}x_2^j}{a_{33}} \tag{12.1c}$$

여기서 j와 $j-1$은 현재와 직전의 반복단계를 나타낸다.

해를 구하는 절차를 시작하기 위해서는 x의 초기값들을 가정해야 한다. 가장 간편한 방법 중의 하나는 모든 초기값을 0으로 놓는 것이다. 이러한 0의 값을 식 (12.1a)에 대입하여 새로운 $x_1 = b_1 / a_{11}$을 산출하게 된다. 그리고 식 (12.1b)의 x_1에 이 값과 x_3에 0을 대입하여 새로운 x_2 값을 산출한다. 이러한 절차를 식 (12.1c)에 대해서도 반복하여 새로운 x_3 값을 산출한다. 그리고 다시 첫 번째 방정식으로 되돌아가서 수치해가 정해에 수렴할 때까지 전체 과정을 반복한다. 해가 모든 i에 대해서 다음의 기준을 만족하면 수렴된 것으로 본다.

$$\varepsilon_{a,i} = \left| \frac{x_i^j - x_i^{j-1}}{x_i^j} \right| \times 100\% \le \varepsilon_s \tag{12.2}$$

예제 12.1 Gauss-Seidel법

문제 설명. Gauss-Seidel법을 사용하여 다음 연립방정식의 해를 구하라.

$$3x_1 - 0.1x_2 - 0.2x_3 = 7.85$$
$$0.1x_1 + 7x_2 - 0.3x_3 = -19.3$$
$$0.3x_1 - 0.2x_2 + 10x_3 = 71.4$$

해는 $x_1 = 3$, $x_2 = -2.5$ 그리고 $x_3 = 7$임에 주목한다.

풀이 먼저 각각의 방정식을 대각선상에 있는 미지수에 대해서 다음과 같이 푼다.

$$x_1 = \frac{7.85 + 0.1x_2 + 0.2x_3}{3} \tag{E12.1.1}$$

$$x_2 = \frac{-19.3 - 0.1x_1 + 0.3x_3}{7} \tag{E12.1.2}$$

$$x_3 = \frac{71.4 - 0.3x_1 + 0.2x_2}{10} \tag{E12.1.3}$$

x_2와 x_3을 0으로 놓고 식 (E12.1.1)을 다음과 같이 계산한다.

$$x_1 = \frac{7.85 + 0.1(0) + 0.2(0)}{3} = 2.616667$$

이 값과 가정한 $x_3 = 0$을 식 (E12.1.2)에 대입하여 다음을 계산한다.

$$x_2 = \frac{-19.3 - 0.1(2.616667) + 0.3(0)}{7} = -2.794524$$

첫 번째 반복 절차는 앞에서 계산된 x_1과 x_2를 식 (E12.1.3)에 대입하여 다음을 계산함으로써 종료된다.

$$x_3 = \frac{71.4 - 0.3(2.616667) + 0.2(-2.794524)}{10} = 7.005610$$

두 번째 반복은 동일한 과정을 밟는데 그 결과는 다음과 같다.

$$x_1 = \frac{7.85 + 0.1(-2.794524) + 0.2(7.005610)}{3} = 2.990557$$

$$x_2 = \frac{-19.3 - 0.1(2.990557) + 0.3(7.005610)}{7} = -2.499625$$

$$x_3 = \frac{71.4 - 0.3(2.990557) + 0.2(-2.499625)}{10} = 7.000291$$

그러므로 이 방법을 통해 정해에 수렴하는 수치해를 얻게 된다. 더 정확한 해를 구하기 위해서 추가적으로 반복을 수행할 수 있다. 그러나 실제 문제에 있어서 우리는 **미리** 정해를 알 수가 없다. 결과적으로 식 (12.2)는 오차를 추정할 수 있는 수단을 제공해 준다. 그 예로 x_1에 대해서 오차를 추정하면 다음과 같다.

$$\varepsilon_{a,1} = \left| \frac{2.990557 - 2.616667}{2.990557} \right| \times 100\% = 12.5\%$$

x_2와 x_3에 대해 추정한 오차의 값은 $\varepsilon_{a,2} = 11.8\%$와 $\varepsilon_{a,3} = 0.076\%$이다. 단일 방정식의 해를 결정하는 경우와 마찬가지로 식 (12.2)와 같은 공식은 보통 수렴여부를 판별하는 보수적인 기준이 된다. 따라서 이러한 기준이 만족되면 결과는 적어도 허용오차 ε_s의 범위 내에 있다는 것을 보장한다.

Gauss-Seidel법에서 각각의 새로운 x 값이 계산되면, 그 값이 바로 다음 방정식에서 사용됨으로써 또 다른 x 값이 결정된다. 따라서 해가 수렴된다면, 가장 좋은 추정값을 사용하는 것이다. 이 방법 외에도 **Jacobi 반복법**이 있는데 이 방법은 조금 다른 전략을 사용한다. 식 (12.1)의 계산에서 직전에 산출된 x 값을 사용하기보다는 이전의 x 값을 사용하여 새로운 x 값을 계산하는 것이다. 따라서 계산된 새로운 값이 다음 반복단계에 곧바로 이용되는 것이 아니고 다음 단계를 위해 보류되는 것이다.

Gauss-Seidel법과 Jacobi법의 차이를 그림 12.1에 나타냈다. Jacobi법이 유용한 경우도 있지만, Gauss-Seidel법이 가장 좋은 추정값을 사용하기 때문에 대부분 경우에 선호되는 방법이다.

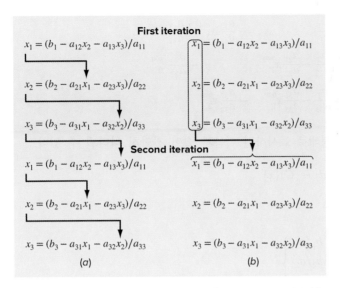

그림 12.1 연립방정식을 풀 때 사용되는 (a) Gauss–Seidel법과 (b) Jacobi법의 차이에 대한 그래픽 표현.

12.1.1 수렴과 대각지배

주목할 사항은 Gauss-Seidel법이 6.1절에서 다루었던 단일 방정식의 근을 구하는 고정점 반복법과 일맥상통한다는 점이다. 고정점 반복법에서 종종 해가 수렴하지 못했던 경우를 기억하자. 다르게 표현하면 반복이 진행될수록 수치해가 정해에서 점점 멀어졌던 경우이다.

비록 Gauss-Seidel법도 발산할 수 있지만, 선형방정식을 풀기 위해 고안되었기 때문에, 이 방법의 수렴성은 비선형방정식의 고정점 반복법보다 훨씬 더 예측하기가 용이하다. Gauss-Seidel법이 수렴하기 위한 조건은 다음과 같다고 증명할 수 있다.

$$|a_{ii}| > \sum_{\substack{j=1 \\ j \neq i}}^{n} |a_{ij}| \tag{12.3}$$

다시 말하면 각 방정식에서 대각 계수의 절대값이 그 방정식에서 다른 계수의 절대값의 합보다 커야 한다. 이러한 시스템을 **대각지배**(diagonally dominant)라고 한다. 이 기준은 수렴의 충분조건이지 필요조건은 아니다. 즉 식 (12.3)이 만족하면 Gauss-Seidel법은 반드시 수렴하지만, 비록 그 식이 만족하지 않더라도 어떤 경우에는 수렴한다. 다행히도 실제적으로 중요한 대부분의 공학과 과학 문제는 이 조건을 만족한다. 따라서 Gauss-Seidel법은 공학과 과학 문제를 해결하는 적절한 수단이라고 말할 수 있다.

12.1.2 MATLAB M-파일: `GaussSeidel`

알고리즘을 개발하기에 앞서 MATLAB에서 제공하는 행렬 연산능력을 충분히 활용할 수 있도록 Gauss-Seidel법을 정리해 보자. 이를 위해 식 (12.1)을 다음과 같이 표시한다.

$$x_1^{\text{new}} = \frac{b_1}{a_{11}} \qquad\qquad -\frac{a_{12}}{a_{11}}x_2^{\text{old}} - \frac{a_{13}}{a_{11}}x_3^{\text{old}}$$

$$x_2^{\text{new}} = \frac{b_2}{a_{22}} - \frac{a_{21}}{a_{22}}x_1^{\text{new}} \qquad\qquad -\frac{a_{23}}{a_{22}}x_3^{\text{old}}$$

$$x_3^{\text{new}} = \frac{b_3}{a_{33}} - \frac{a_{31}}{a_{33}}x_1^{\text{new}} \quad -\frac{a_{32}}{a_{33}}x_2^{\text{new}}$$

해를 행렬 형태로 표시하면 다음과 같이 간단히 나타낼 수 있다.

$$\{x\} = \{d\} - [C]\{x\} \tag{12.4}$$

여기서

$$\{d\} = \begin{Bmatrix} b_1/a_{11} \\ b_2/a_{22} \\ b_3/a_{33} \end{Bmatrix}$$

그리고

$$[C] = \begin{bmatrix} 0 & a_{12}/a_{11} & a_{13}/a_{11} \\ a_{21}/a_{22} & 0 & a_{23}/a_{22} \\ a_{31}/a_{33} & a_{32}/a_{33} & 0 \end{bmatrix}$$

식 (12.4)를 M-파일로 작성한 프로그램은 그림 12.2와 같다.

12.1.3 이완법

이완법(relaxation)은 수렴속도를 개선시키기 위해서 Gauss-Seidel법을 약간 수정한 것이다. 식 (12.1)을 이용하여 새로운 x 값을 계산한 후, 그 값을 현재와 직전에 계산된 결과의 가중평균으로 다음과 같이 놓는다.

$$x_i^{\text{new}} = \lambda x_i^{\text{new}} + (1 - \lambda)x_i^{\text{old}} \tag{12.5}$$

여기서 λ는 가중인자로 0과 2 사이의 값을 갖는다. 이 방법은 수렴하지 않는 시스템을 수렴하도록 만들거나, 진동을 감쇠시켜 수렴을 촉진시킬 목적으로 사용된다.

만약 $\lambda = 1$이면 $(1 - \lambda)$는 0이 되어, 그 결과는 전혀 수정되지 않은 것이다. 그러나 만일 λ가 0에서 1 사이의 값을 갖게 되면, 그 결과는 현재와 직전에 계산된 값들의 가중평균을 취한 것이 된다. 이러한 수정을 가한 것을 **하이완법**(underrelaxation)이라고 한다. 이 방법은 수렴하지 않는 시스템을 수렴하도록 만들거나, 진동을 감쇠시켜 수렴을 촉진시킬 목적으로 사용된다.

λ 값이 1과 2 사이가 되면, 현재 계산된 값에 더 큰 비중을 두게 된다. 이 경우는 새로운 값이 정해를 향한 방향으로 가고 있지만 그 속도가 너무 느리다는 것을 암시한다. 따라서 λ 값을 증가시키는 것은 수치해가 정해로 더 빨리 수렴하도록 밀어주기 위함이다. 이렇게 수정

```
function x = GaussSeidel(A,b,es,maxit)
% GaussSeidel: Gauss Seidel method
%   x = GaussSeidel(A,b): Gauss Seidel without relaxation
% input:
%   A = coefficient matrix
%   b = right hand side vector
%   es = stop criterion (default = 0.00001%)
%   maxit = max iterations (default = 50)
% output:
%   x = solution vector

if nargin<2,error('at least 2 input arguments required'),end
if nargin<4 || isempty(maxit),maxit=50;end
if nargin<3 || isempty(es),es=0.00001;end
[m,n] = size(A);
if m~=n, error('Matrix A must be square'); end
C = A;
for i = 1:n
  C(i,i) = 0;
  x(i) = 0;
end
x = x';
for i = 1:n
  C(i,1:n) = C(i,1:n)/A(i,i);
end
for i = 1:n
  d(i) = b(i)/A(i,i);
end
iter = 0;
while (1)
  xold = x;
  for i = 1:n
    x(i) = d(i)-C(i,:)*x;
    if x(i) ~= 0
      ea(i) = abs((x(i) - xold(i))/x(i)) * 100;
    end
  end
  iter = iter+1;
  if max(ea)<=es || iter >= maxit, break, end
end
```

그림 12.2 Gauss–Seidel법으로 해를 구하는 MATLAB M–파일.

을 가한 것을 **상이완법**(overrelaxation)이라고 한다. 이 방법은 수렴하는 것이 확정된 시스템에서 수렴을 가속시키기 위해 사용된다. 이 방법을 **연속상이완법**(successive overrelaxation, SOR)이라고도 한다.

적절한 λ 값을 선정하는 것은 문제에 따라 달라지기 때문에 대체로 경험에 의해 결정된다. 연립방정식의 해를 한 번 구하기 위해서라면 이 방법이 반드시 필요한 것은 아니다. 그러나 시스템의 해를 반복적으로 구해야 할 경우에는 λ 값을 현명하게 선택하는 것이 매우 중요하게 된다. 이러한 경우에 해당하는 좋은 예는 매우 큰 선형대수방정식을 마주칠 때인데, 이 방정식은 다양한 공학이나 과학 문제에서 편미분방정식을 풀 때 발생한다.

예제 12.2 이완법을 이용한 Gauss-Seidel법

문제 설명.   다음 시스템을 상이완법 ($\lambda = 1.2$) 및 종료 판정기준 $\varepsilon_s = 10\%$을 이용하여 풀어라.

$$-3x_1 + 12x_2 = 9$$
$$10x_1 - 2x_2 = 8$$

풀이   먼저 대각지배를 만족하도록 방정식들을 재배치한 후, 첫 번째 방정식은 x_1에 대하여, 두 번째 방정식은 x_2에 대하여 해를 구한다.

$$x_1 = \frac{8 + 2x_2}{10} = 0.8 + 0.2x_2$$
$$x_2 = \frac{9 + 3x_1}{12} = 0.75 + 0.25x_1$$

첫 번째 반복: 초기 가정으로 $x_1 = x_2 = 0$이라 하면, x_1에 대하여 다음과 같이 해를 구할 수 있다.

$$x_1 = 0.8 + 0.2(0) = 0.8$$

x_2에 대하여 해를 구하기 전에 x_1의 결과에 대하여 이완법을 먼저 적용한다.

$$x_{1,r} = 1.2(0.8) - 0.2(0) = 0.96$$

하첨자 r은 "이완된" 값을 나타낸다. 이 결과는 x_2를 계산하는 데 사용된다.

$$x_2 = 0.75 + 0.25(0.96) = 0.99$$

다음으로 이완법을 이 결과에 적용하면,

$$x_{2,r} = 1.2(0.99) - 0.2(0) = 1.188$$

여기서 식 (12.2)로부터 추정오차를 계산할 수 있다. 그러나 0을 기준으로 반복을 시작하였기 때문에 두 변수의 추정오차는 100%가 된다.

두 번째 반복: 첫 번째 반복과 같은 과정을 적용하면, 두 번째 반복은 다음과 같은 결과를 가진다.

$$x_1 = 0.8 + 0.2(1.188) = 1.0376$$
$$x_{1,r} = 1.2(1.0376) - 0.2(0.96) = 1.05312$$
$$\varepsilon_{a,1} = \left| \frac{1.05312 - 0.96}{1.05312} \right| \times 100\% = 8.84\%$$
$$x_2 = 0.75 + 0.25(1.05312) = 1.01328$$
$$x_{2,r} = 1.2(1.01328) - 0.2(1.188) = 0.978336$$
$$\varepsilon_{a,2} = \left| \frac{0.978336 - 1.188}{0.978336} \right| \times 100\% = 21.43\%$$

첫 번째 반복을 통하여 0이 아닌 값을 구했기 때문에 각각의 새로운 값을 구했을 때 근사오차 추정값을 구할 수 있다. 여기서 첫 번째 미지수에 대한 오차 추정값은 10% 종료판정기준 밑으로 떨어졌음에도 불구하고, 두 번째 변수는 종료 판정기준을 만족하지 않기 때문에 다음 반복을 수행한다.

세 번째 반복:

$$x_1 = 0.8 + 0.2(0.978336) = 0.995667$$
$$x_{1,r} = 1.2(0.995667) - 0.2(1.05312) = 0.984177$$
$$\varepsilon_{a,1} = \left| \frac{0.984177 - 1.05312}{0.984177} \right| \times 100\% = 7.01\%$$
$$x_2 = 0.75 + 0.25(0.984177) = 0.996044$$
$$x_{2,r} = 1.2(0.996044) - 0.2(0.978336) = 0.999586$$
$$\varepsilon_{a,2} = \left| \frac{0.999586 - 0.978336}{0.999586} \right| \times 100\% = 2.13\%$$

여기서 두 개의 오차 추정값이 10% 미만으로 떨어졌기 때문에 계산을 종료할 수 있다. 이 단계의 결과, $x_1 = 0.984177$과 $x_2 = 0.999586$은 엄밀해인 $x_1 = x_2 = 1$로 수렴하고 있다.

12.2 비선형 시스템

두 개의 미지수를 가진 비선형 연립방정식이 다음과 같이 주어진다.

$$x_1^2 + x_1 x_2 = 10 \tag{12.6a}$$
$$x_2 + 3x_1 x_2^2 = 57 \tag{12.6b}$$

직선으로 나타나는 선형 시스템(그림 9.1 참조)과는 대조적으로 이 방정식을 그리면 x_1에 대한 x_2의 그래프가 곡선으로 나타난다. 그림 12.3에서와 같이 해는 두 곡선의 교점이다.

단일 비선형방정식의 해를 구했을 때와 같이 연립방정식도 일반적으로 다음과 같이 표시될 수 있다.

$$\begin{aligned} f_1(x_1, x_2, \ldots, x_n) &= 0 \\ f_2(x_1, x_2, \ldots, x_n) &= 0 \\ &\vdots \\ f_n(x_1, x_2, \ldots, x_n) &= 0 \end{aligned} \tag{12.7}$$

따라서 해는 모든 방정식을 동시에 0으로 만드는 x값이다.

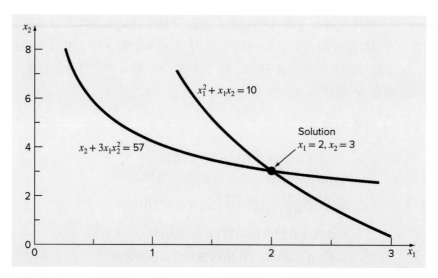

그림 12.3 두 비선형 연립방정식의 해의 그래픽 표현.

12.2.1   연속대입법

식 (12.7)의 해를 구하는 간단한 방법은 고정점 반복법과 Gauss-Seidel법에서 사용했던 전략을 그대로 사용하는 것이다. 다시 말하면 각각의 비선형방정식을 하나의 미지수에 대해 푼다. 그리고 이 방정식들을 사용하여 정해에 수렴하는 새로운 해를 반복적으로 구한다. 이 방법을 **연속대입법**(successive substitution)이라 하며, 다음 예제에서 구체적으로 설명한다.

예제 12.3   비선형방정식에 대한 연속대입법

문제 설명. 연속대입법을 이용하여 식 (12.6)의 근을 구하라. 참고로 이 방정식의 정해는 x_1 = 2와 x_2 = 3이다. 처음 계산은 해를 x_1 = 1.5와 x_2 = 3.5로 가정하고 시작한다.

풀이 식 (12.6a)를 다음과 같이 풀 수 있다.

$$x_1 = \frac{10 - x_1^2}{x_2} \tag{E12.3.1}$$

또한 식 (12.6b)를 다음과 같이 풀 수 있다.

$$x_2 = 57 - 3x_1 x_2^2 \tag{E12.3.2}$$

초기 가정을 근거로 식 (E12.3.1)을 이용하여 x_1의 새로운 값을 구하면 다음과 같다.

$$x_1 = \frac{10 - (1.5)^2}{3.5} = 2.21429$$

이 결과와 초기값 x_2 = 3.5를 식 (E12.3.2)에 대입하여 x_2의 새로운 값을 구한다.

$$x_2 = 57 - 3(2.21429)(3.5)^2 = -24.37516$$

이상의 결과에서 이 접근법은 발산할 것으로 보인다. 이 현상은 두 번째 반복에서 훨씬 두드러지게 나타난다.

$$x_1 = \frac{10 - (2.21429)^2}{-24.37516} = -0.20910$$

$$x_2 = 57 - 3(-0.20910)(-24.37516)^2 = 429.709$$

이 방법으로는 결과가 더 나빠지는 것이 명백하다.

그러면 똑같은 방정식을 다른 형태로 바꾸어 해를 계산해 보자. 그 예로 식 (12.6a)의 해를 다음과 같이 표시한다.

$$x_1 = \sqrt{10 - x_1 x_2}$$

그리고 식 (12.6b)도 다음과 같이 나타낸다.

$$x_2 = \sqrt{\frac{57 - x_2}{3x_1}}$$

이 두 식으로부터 산출되는 결과는 다음과 같이 더 만족스럽다.

$$x_1 = \sqrt{10 - 1.5(3.5)} = 2.17945$$

$$x_2 = \sqrt{\frac{57 - 3.5}{3(2.17945)}} = 2.86051$$

$$x_1 = \sqrt{10 - 2.17945(2.86051)} = 1.94053$$

$$x_2 = \sqrt{\frac{57 - 2.86051}{3(1.94053)}} = 3.04955$$

따라서 이 방법은 정해 $x_1 = 2$와 $x_2 = 3$에 수렴하는 결과를 제공한다.

앞의 예는 연속대입법을 사용할 때 발생할 수 있는 가장 심각한 결점을 보여준다. 즉 수렴의 여부가 방정식을 어떻게 수식화하는가에 달려 있다는 점이다. 더욱이 수렴되는 경우일지라도 초기 가정값이 정해에 충분히 가까이 있지 않으면 발산할 수도 있다. 이러한 기준은 너무나 제한적이기 때문에 고정점 반복법은 비선형방정식의 해를 구하는 데 있어 그 유용성에 한계가 있다.

12.2.2 Newton–Raphson법

비선형 연립방정식의 해를 구하는 데 고정점 반복법이 사용될 수 있듯이, 개방법의 또 다른 종류인 Newton-Raphson법도 동일한 목적으로 사용될 수 있다. Newton-Raphson법에서는 접선이 독립변수의 축과 만나는 교점인 근을 추정하기 위하여 도함수(기울기)를 계산해야 했던 것을 기억하자. 6장에서 이러한 추정값을 계산하기 위해 그래프를 이용하여 유도하였다. 다른 유도방법은 다음과 같이 1차 Taylor 급수전개를 사용하는 것이다.

$$f(x_{i+1}) = f(x_i) + (x_{i+1} - x_i)\,f'(x_i) \tag{12.8}$$

여기서 x_i는 근의 초기 가정값이고, x_{i+1}는 접선이 x축과 만나는 교점이다. 근의 정의에 따라 이 교점에서 $f(x_{i+1})$ 값이 0이어야 하므로 식 (12.8)은 다음과 같이 정리될 수 있다.

$$x_{i+1} = x_i - \frac{f(x_i)}{f'(x_i)} \tag{12.9}$$

이 식은 Newton-Raphson법에서 단일 방정식에 해당하는 형태이다.

연립방정식에 해당하는 형태도 같은 방법으로 유도된다. 그러나 두 개 이상의 변수가 근의 값을 결정하는 데 관계되기 때문에 다변수에 대한 Taylor 급수를 사용해야 한다. 두 변수의 경우에 비선형방정식의 1차 Taylor 급수전개는 다음과 같이 표시된다.

$$f_{1,i+1} = f_{1,i} + (x_{1,i+1} - x_{1,i})\frac{\partial f_{1,i}}{\partial x_1} + (x_{2,i+1} - x_{2,i})\frac{\partial f_{1,i}}{\partial x_2} \tag{12.10a}$$

$$f_{2,i+1} = f_{2,i} + (x_{1,i+1} - x_{1,i})\frac{\partial f_{2,i}}{\partial x_1} + (x_{2,i+1} - x_{2,i})\frac{\partial f_{2,i}}{\partial x_2} \tag{12.10b}$$

단일 방정식의 경우에서와 같이 x_1과 x_2에 해당하는 근의 추정값에 대해 $f_{1,i+1}$과 $f_{2,i+1}$의 값을 0으로 놓는다. 이 상황에서 식 (12.10)을 재정리하면 다음과 같다.

$$\frac{\partial f_{1,i}}{\partial x_1}x_{1,i+1} + \frac{\partial f_{1,i}}{\partial x_2}x_{2,i+1} = -f_{1,i} + x_{1,i}\frac{\partial f_{1,i}}{\partial x_1} + x_{2,i}\frac{\partial f_{1,i}}{\partial x_2} \tag{12.11a}$$

$$\frac{\partial f_{2,i}}{\partial x_1}x_{1,i+1} + \frac{\partial f_{2,i}}{\partial x_2}x_{2,i+1} = -f_{2,i} + x_{1,i}\frac{\partial f_{2,i}}{\partial x_1} + x_{2,i}\frac{\partial f_{2,i}}{\partial x_2} \tag{12.11b}$$

하첨자 i가 붙은 모든 값(직전의 가정이나 추정)들은 이미 알려져 있기 때문에 유일한 미지수는 $x_{1,i+1}$과 $x_{2,i+1}$뿐이다. 따라서 식 (12.11)은 이 두 미지수에 대한 연립방정식이 된다. 결과적으로 Cramer 공식과 같은 대수 조작을 통해 다음과 같이 미지수를 구할 수 있다.

$$x_{1,i+1} = x_{1,i} - \frac{f_{1,i}\dfrac{\partial f_{2,i}}{\partial x_2} - f_{2,i}\dfrac{\partial f_{1,i}}{\partial x_2}}{\dfrac{\partial f_{1,i}}{\partial x_1}\dfrac{\partial f_{2,i}}{\partial x_2} - \dfrac{\partial f_{1,i}}{\partial x_2}\dfrac{\partial f_{2,i}}{\partial x_1}} \tag{12.12a}$$

$$x_{2,i+1} = x_{2,i} - \frac{f_{2,i}\dfrac{\partial f_{1,i}}{\partial x_1} - f_{1,i}\dfrac{\partial f_{2,i}}{\partial x_1}}{\dfrac{\partial f_{1,i}}{\partial x_1}\dfrac{\partial f_{2,i}}{\partial x_2} - \dfrac{\partial f_{1,i}}{\partial x_2}\dfrac{\partial f_{2,i}}{\partial x_1}} \tag{12.12b}$$

두 식에서 나타나는 분모를 시스템의 **Jacobian 행렬식**이라고 한다.

식 (12.12)는 Newton-Raphson법에서 두 개의 방정식에 해당하는 형태이다. 아래의 예제에서와 같이 이 방법을 사용하여 두 연립방정식의 근을 반복적으로 계산할 수 있다.

예제 12.4 비선형방정식에 대한 Newton-Raphson법

문제 설명. 여러 방정식에 대한 Newton-Raphson법을 이용하여 식 (12.6)의 근을 구하라. 처음 계산은 해를 $x_1 = 1.5$와 $x_2 = 3.5$로 가정하고 시작한다.

풀이 먼저 초기 가정값 x_1과 x_2에서의 편도함수를 계산하면 다음과 같다.

$$\frac{\partial f_{1,0}}{\partial x_1} = 2x_1 + x_2 = 2(1.5) + 3.5 = 6.5 \quad \frac{\partial f_{1,0}}{\partial x_2} = x_1 = 1.5$$

$$\frac{\partial f_{2,0}}{\partial x_1} = 3x_2^2 = 3(3.5)^2 = 36.75 \quad \frac{\partial f_{2,0}}{\partial x_2} = 1 + 6x_1x_2 = 1 + 6(1.5)(3.5) = 32.5$$

따라서 첫 번째 반복을 위해 Jacobian 행렬식을 구하면 다음과 같다.

$$6.5(32.5) - 1.5(36.75) = 156.125$$

초기 가정값에서의 함수값을 계산하면 다음과 같다.

$$f_{1,0} = (1.5)^2 + 1.5(3.5) - 10 = -2.5$$
$$f_{2,0} = 3.5 + 3(1.5)(3.5)^2 - 57 = 1.625$$

위에서 계산한 값들을 식 (12.12)에 대입하면 다음을 얻는다.

$$x_1 = 1.5 - \frac{-2.5(32.5) - 1.625(1.5)}{156.125} = 2.03603$$

$$x_2 = 3.5 - \frac{1.625(6.5) - (-2.5)(36.75)}{156.125} = 2.84388$$

따라서 결과는 정해 $x_1 = 2$와 $x_2 = 3$에 수렴하는 것을 알 수 있다. 이러한 계산을 허용 정확도를 얻을 때까지 반복한다.

여러 개의 방정식에 대한 Newton-Raphson법도 단일 방정식의 경우와 마찬가지로 2차 수렴특성을 보인다. 그러나 연속대입법에서와 같이 초기 가정값이 정해에 충분히 가깝게 선정하지 않으면 Newton-Raphson법도 발산할 수 있다. 단일 방정식의 경우에는 그래픽 방법이 좋은 해를 가정하는 데 사용될 수 있었지만, 연립 방정식의 경우에는 그렇게 간단한 절차로 해를 가정할 수 없다. 초기 해를 가정하기 위해 고안된 몇몇 고급 방법이 있긴 하지만, 대체적으로 초기 가정값은 해석 대상인 물리계의 특성에 기초하여 시행착오 방법을 통하여 얻게 된다.

두 방정식에 대한 Newton-Raphson법은 n개의 연립방정식에 대해서도 일반화가 가능하다. 이를 위해 식 (12.11)을 k 번째 방정식에 대해 기술하면 다음과 같다.

$$\frac{\partial f_{k,i}}{\partial x_1} x_{1,i+1} + \frac{\partial f_{k,i}}{\partial x_2} x_{2,i+1} + \cdots + \frac{\partial f_{k,i}}{\partial x_n} x_{n,i+1} = -f_{k,i} + x_{1,i} \frac{\partial f_{k,i}}{\partial x_1} + x_{2,i} \frac{\partial f_{k,i}}{\partial x_2}$$
$$+ \cdots + x_{n,i} \frac{\partial f_{k,i}}{\partial x_n} \tag{12.13}$$

여기서 첫 번째 하첨자 k는 방정식이나 미지수를 나타내고, 두 번째 하첨자는 미지수나 함수값이 현재 (i) 또는 그 다음 ($i+1$)에 해당하는지를 나타낸다. 식 (12.13)에서 미지수는 단지 좌변에 있는 $x_{k,i+1}$ 항들뿐이라는 것에 유념한다. 그 외의 모든 것은 현재 값 (i)에 해당하는 것이기 때문에 어떤 반복계산 단계에서도 알려져 있다. 일반적으로 식 (12.13)으로 기술되는 일련의 방정식($k = 1, 2, \ldots, n$)은 결과적으로 선형 연립방정식을 이루게 되어, 앞의 여러 장에서 자세히 기술된 소거법을 이용하여 해를 수치적으로 계산할 수 있다.

행렬 표기법을 사용하여 식 (12.13)을 간단히 나타내면 다음과 같다.

$$[J]\{x_{i+1}\} = -\{f\} + [J]\{x_i\} \tag{12.14}$$

여기서 i에서 계산된 편도함수는 다음과 같은 **Jacobian 행렬**을 구성한다.

$$[J] = \begin{bmatrix} \dfrac{\partial f_{1,i}}{\partial x_1} & \dfrac{\partial f_{1,i}}{\partial x_2} & \cdots & \dfrac{\partial f_{1,i}}{\partial x_n} \\ \dfrac{\partial f_{2,i}}{\partial x_1} & \dfrac{\partial f_{2,i}}{\partial x_2} & \cdots & \dfrac{\partial f_{2,i}}{\partial x_n} \\ \vdots & \vdots & \vdots & \vdots \\ \dfrac{\partial f_{n,i}}{\partial x_1} & \dfrac{\partial f_{n,i}}{\partial x_2} & \cdots & \dfrac{\partial f_{n,i}}{\partial x_n} \end{bmatrix} \tag{12.15}$$

초기값과 최종값을 벡터로 표시하면 다음과 같다.

$$\{x_i\}^T = \lfloor x_{1,i} \quad x_{2,i} \quad \cdots \quad x_{n,i} \rfloor$$

그리고

$$\{x_{i+1}\}^T = \lfloor x_{1,i+1} \quad x_{2,i+1} \quad \cdots \quad x_{n,i+1} \rfloor$$

최종적으로 i에서 계산된 함수값은 다음과 같이 표시된다.

$$\{f\}^T = \lfloor f_{1,i} \quad f_{2,i} \quad \cdots \quad f_{n,i} \rfloor$$

식 (12.14)의 해는 Gauss 소거법과 같은 방법으로 구할 수 있다. 이 과정을 반복하면 예제 12.4에서 두 방정식에 대해 다룬 것처럼 보다 정확한 추정값을 구할 수 있다.

역행렬을 이용하여 식 (12.14)의 해를 풀면 해에 대한 통찰력을 얻을 수 있다. 단일 방정식에 대한 Newton-Raphson법을 상기하자.

$$x_{i+1} = x_i - \frac{f(x_i)}{f'(x_i)} \tag{12.16}$$

만약 Jacobian의 역행렬을 곱해서 식 (12.14)의 해를 구한다면 그 결과는 다음과 같다.

$$\{x_{i+1}\} = \{x_i\} - [J]^{-1}\{f\} \tag{12.17}$$

식 (12.16)과 (12.17)을 비교하면 두 방정식 사이의 유사성이 분명히 드러난다. 핵심을 지적한다면 Jacobian은 다변수 함수의 도함수에 상당한다는 것이다.

이러한 행렬 계산은 MATLAB에서 매우 효율적으로 이루어질 수 있다. MATLAB을 사용하여 예제 12.4의 계산을 반복함으로써 이것을 증명해 보자. 초기 가정값을 정의한 후 Jacobian과 함수값을 다음과 같이 계산할 수 있다.

```
>> x=[1.5;3.5];
>> J=[2*x(1)+x(2) x(1);3*x(2)^2 1+6*x(1)*x(2)]

J =
    6.5000    1.5000
   36.7500   32.5000

>> f=[x(1)^2+x(1)*x(2)-10;x(2)+3*x(1)*x(2)^2-57]

f =
   -2.5000
    1.6250
```

그리고 식 (12.17)을 다음과 같이 계산하여 개선된 추정값을 얻는다.

```
>> x=x-J\f

x =
    2.0360
    2.8439
```

명령 모드에서 반복적으로 해를 계산할 수 있으나 더 좋은 대안은 M-파일로 알고리즘을 작성하는 것이다. 그림 12.4에서와 같이 함수 newtmult는 주어진 값 x에 대해 함수값과 Jacobian을 계산하는 M-파일을 전달받는다. 이 함수를 호출하면 내부에서 식 (12.17)을 반복적으로 수행하게 된다. 반복계산은 규정된 반복횟수의 상한(maxit)이나 백분율 상대오차(es)에 도달할 때까지 지속된다.

지금까지 다룬 Newton-Raphson법에는 두 가지 단점이 있다는 것을 주지해야 한다. 첫째로 식 (12.15)를 계산한다는 것 자체가 종종 불편하다는 점이다. 이러한 어려움을 피하기 위해 Newton-Raphson법을 변형시킨 것이 개발되었다. 추측할 수 있듯이 대부분의 방법이 유한차분 근사에 기초하여 [J]를 구성하는 편도함수를 구한다. 둘째로 연립 방정식에 대한 Newton-Raphson법의 단점은 수렴을 보장하기 위해서 우수한 초기값을 가정해야 한다는 점이다. 이

```
function [x,f,ea,iter]=newtmult(func,x0,es,maxit,varargin)
% newtmult: Newton-Raphson root zeroes nonlinear systems
%  [x,f,ea,iter]=newtmult(func,x0,es,maxit,p1,p2,...):
%    uses the Newton-Raphson method to find the roots of
%    a system of nonlinear equations
% input:
%  func = name of function that returns f and J
%  x0 = initial guess
%  es = desired percent relative error (default = 0.0001%)
%  maxit = maximum allowable iterations (default = 50)
%  p1,p2,... = additional parameters used by function
% output:
%  x = vector of roots
%  f = vector of functions evaluated at roots
%  ea = approximate percent relative error (%)
%  iter = number of iterations

if nargin<2,error('at least 2 input arguments required'),end
if nargin<3 || isempty(es),es=0.0001;end
if nargin<4 || isempty(maxit),maxit=50;end
iter = 0;
x=x0;
while (1)
  [J,f]=func(x,varargin{:});
  dx=J\f;
  x=x-dx;
  iter = iter + 1;
  ea=100*max(abs(dx./x));
  if iter>=maxit || ea<=es, break, end
end
```

그림 12.4   Newton-Raphson법으로 비선형 연립방정식의 해를 구하는 MATLAB M-파일.

점은 때로는 해결하기가 어려워 Newton-Raphson법을 그보다는 느리지만 수렴성이 좋은 방법으로 대체하고 있다. 이러한 접근법 중의 하나가 비선형 시스템을 다음과 같은 단일 함수로 정리하여 다시 수식화하는 것이다.

$$F(x) = \sum_{i=1}^{n} [f_i(x_1, x_2, \ldots, x_n)]^2$$

여기서 $f_i(x_1, x_2, \ldots, x_n)$는 식 (12.7)로 표시되는 본래 시스템의 i번째 방정식이다. 이 함수를 최소화하는 x값이 비선형방정식의 해를 나타낸다. 따라서 비선형 최적화 기법을 사용하여 비선형방정식의 해를 구할 수 있다.

12.2.3 MATLAB 함수: fsolve

fsolve 함수는 여러 변수를 포함하는 비선형 연립방정식을 풀 수 있다. fsolve 구문의 일반적인 표현은 다음과 같다.

```
[x, fx] = fsolve(function, x0, options)
```

여기서 [x, fx]는 근 x를 포함하는 벡터와 근에서 계산되는 함수값을 포함하는 벡터이며, *function*은 풀고자 하는 방정식을 가지는 벡터를 포함하는 함수의 이름이고, *x0*는 미지수의 초기 가정값을 가지는 벡터이며, 그리고 *options*는 optimset 함수에 의해 생성되는 데이터 구조이다. *options*를 사용하지 않고 매개변수를 넘기려면 그 자리에 빈 벡터 []를 넘긴다.

optimset 함수는 다음과 같은 구문을 갖는다.

$$options = optimset('par_1', val_1, 'par_2', val_2, \ldots)$$

여기서 매개변수 *par_i*는 값 *val_i*를 갖는다. 모든 가능한 매개변수를 알아보려면 명령어 프롬프트에 optimset을 입력한다. fsolve 함수와 함께 많이 사용하는 매개변수는 다음과 같다.

display : 'iter'로 지정되면, 모든 반복에 대한 자세한 기록을 표시한다.
tolx : x에 대한 종료 허용값을 지정하는 양수의 스칼라 값.
tolfun : fx에 대한 종료 허용값을 지정하는 양수의 스칼라 값.

예로 식 (12.6)의 시스템은 다음과 같이 풀 수 있다.

$$f(x_1, x_2) = 2x_1 + x_1 x_2 - 10$$
$$f(x_1, x_2) = x_2 + 3x_1 x_2^2 - 57$$

첫째, 위의 방정식을 포함하는 함수를 설정한다.

```
function f = fun(x)
f = [x(1)^2+x(1)*x(2)-10;x(2)+3*x(1)*x(2)^2-57];
```

다음으로 해를 생성하는 스크립트를 이용한다.

```
clc, format compact
[x,fx] = fsolve(@fun,[1.5;3.5])
```

결과는 다음과 같다.

```
x =
    2.0000
    3.0000
fx =
  1.0e-13 *
        0
    0.1421
```

12.3 사례연구   화학반응

배경. 화학반응을 기술하는 데 종종 비선형 연립방정식이 나타난다. 그 예로 다음과 같은 화학반응이 폐쇄된 시스템에서 일어난다.

$$2A + B \rightleftarrows C \tag{12.18}$$

$$A + D \rightleftarrows C \tag{12.19}$$

평형상태에서 두 반응의 특성을 다음과 같이 표현할 수 있다.

$$K_1 = \frac{c_c}{c_a^2 c_b} \tag{12.20}$$

$$K_2 = \frac{c_c}{c_a c_d} \tag{12.21}$$

여기서 c_i는 성분 i의 농도를 나타낸다. 만약 x_1과 x_2가 첫 번째와 두 번째 반응으로 인한 C의 몰(mole) 수를 각각 나타낸다면, 평형관계식은 한 쌍의 두 비선형방정식으로 수식화할 수 있다. $K_1 = 4 \times 10^{-4}$, $K_2 = 3.7 \times 10^{-2}$, $c_{a,0} = 50$, $c_{b,0} = 20$, $c_{c,0} = 5$, 그리고 $c_{d,0} = 10$인 경우에 대해 이 연립방정식의 해를 Newton-Raphson법으로 구하라.

풀이 식 (12.18)과 (12.19)의 화학량론으로부터 각 성분의 농도는 x_1과 x_2를 사용하여 다음과 같이 표현된다.

$$c_a = c_{a,0} - 2x_1 - x_2 \tag{12.22}$$

$$c_b = c_{b,0} - x_1 \tag{12.23}$$

$$c_c = c_{c,0} + x_1 + x_2 \tag{12.24}$$

$$c_d = c_{d,0} - x_2 \tag{12.25}$$

여기서 하첨자 0은 각 성분의 초기 농도를 나타낸다. 이 값들을 식 (12.20)과 (12.21)에 대입하면 다음과 같다.

$$K_1 = \frac{(c_{c,0} + x_1 + x_2)}{(c_{a,0} - 2x_1 - x_2)^2 (c_{b,0} - x_1)}$$

$$K_2 = \frac{(c_{c,0} + x_1 + x_2)}{(c_{a,0} - 2x_1 - x_2)(c_{d,0} - x_2)}$$

이 두 식은 주어진 매개변수값에 대해 미지수가 두 개인 비선형방정식이다. 따라서 이 문제의 해는 다음 함수의 근을 구하는 것이다.

$$f_1(x_1, x_2) = \frac{5 + x_1 + x_2}{(50 - 2x_1 - x_2)^2 (20 - x_1)} - 4 \times 10^{-4} \tag{12.26}$$

$$f_2(x_1, x_2) = \frac{5 + x_1 + x_2}{(50 - 2x_1 - x_2)(10 - x_2)} - 3.7 \times 10^{-2} \tag{12.27}$$

Newton-Raphson법을 사용하기 위하여 식 (12.26)과 (12.27)의 편도함수를 취하여 Jacobian을 구해야 한다. 이렇게 구하는 것이 가능하나 도함수를 계산하는 것에 시간이 소요된다. 또 다른 방법은 6.3절의 수정 할선법에서 사용한 것 같이 유한차분을 이용해서 나타내는 것이다. 그 예로 Jacobian을 구성하는 편도함수를 다음과 같이 계산할 수 있다.

$$\frac{\partial f_1}{\partial x_1} = \frac{f_1(x_1 + \delta x_1, x_2) - f_1(x_1, x_2)}{\delta x_1} \qquad \frac{\partial f_1}{\partial x_2} = \frac{f_1(x_1, x_2 + \delta x_2) - f_1(x_1, x_2)}{\delta x_2}$$

$$\frac{\partial f_2}{\partial x_1} = \frac{f_2(x_1 + \delta x_1, x_2) - f_2(x_1, x_2)}{\delta x_1} \qquad \frac{\partial f_2}{\partial x_2} = \frac{f_2(x_1, x_2 + \delta x_2) - f_2(x_1, x_2)}{\delta x_2}$$

이 관계식은 다음과 같이 함수값과 Jacobian을 동시에 구하는 M-파일로 작성할 수 있다.

```
function [J,f]=jfreact(x,varargin)
del=0.000001;
df1dx1=(u(x(1)+del*x(1),x(2))-u(x(1),x(2)))/(del*x(1));
df1dx2=(u(x(1),x(2)+del*x(2))-u(x(1),x(2)))/(del*x(2));
df2dx1=(v(x(1)+del*x(1),x(2))-v(x(1),x(2)))/(del*x(1));
df2dx2=(v(x(1),x(2)+del*x(2))-v(x(1),x(2)))/(del*x(2));
J=[df1dx1 df1dx2;df2dx1 df2dx2];
f1=u(x(1),x(2));
f2=v(x(1),x(2));
f=[f1;f2];

function f=u(x,y)
f = (5 + x + y) / (50 - 2 * x - y) ^ 2 / (20 - x) - 0.0004;

function f=v(x,y)
f = (5 + x + y) / (50 - 2 * x - y) / (10 - y) - 0.037;
```

함수 newtmult (그림 12.4)에 초기값으로 $x_1 = x_2 = 3$을 대입하여 다음과 같이 근을 구할 수 있다.

```
>>> format short e, x0 =[3; 3];
>> [x,f,ea,iter]=newtmult(@jfreact,x0)

x =
  3.3366e+000
  2.6772e+000
f =
 -7.1286e-017
  8.5973e-014
ea =
  5.2237e-010
iter =
    4
```

네 번 반복 수행하여 얻은 해는 $x_1 = 3.3366$과 $x_2 = 2.6772$이다. 이 값을 식 (12.22)부터 (12.25)까지 대입하면 다음과 같이 네 성분에 대한 평형 농도를 구할 수 있다.

$$c_a = 50 - 2(3.3366) - 2.6772 = 40.6496$$
$$c_b = 20 - 3.3366 = 16.6634$$
$$c_c = 5 + 3.3366 + 2.6772 = 11.0138$$
$$c_d = 10 - 2.6772 = 7.3228$$

마지막으로, fsolve 함수는 비선형 연립방정식을 벡터 식으로 가지는 MATLAB 파일 함수를 작성하여 해를 얻는 데도 이용할 수 있다.

```
function F=myfun(x)
F=[(5+x(1)+x(2))/(50-2*x(1)-x(2))^2/(20-x(1))-0.0004;...
    (5+x(1)+x(2))/(50-2*x(1)-x(2))/(10-x(2))-0.037];
```

해는 다음과 같이 생성된다.

```
[x,fx] = fsolve(@myfun,[3;3])
```

그 결과는 다음과 같다.

```
x =
    3.3372
    2.6834
fx =
   1.0e-04 *
    0.0041
    0.6087
```

연습문제

12.1 상이완법($\lambda = 1.25$)을 이용한 Gauss-Seidel법을 3회 반복하여 다음 시스템의 해를 구하라. 필요하다면 방정식들을 재배치하고 오차 추정을 포함하는 모든 과정을 보여라. 계산의 마지막 단계에서 최종결과의 참오차를 계산하라.

$$3x_1 + 8x_2 = 11$$
$$7x_1 - x_2 = 5$$

12.2 (a) 다음의 시스템에 대해 Gauss-Seidel법을 사용하여 백분율 상대오차가 $\varepsilon_s = 5\%$보다 작은 해를 구하라.

$$\begin{bmatrix} 0.8 & -0.4 & \\ -0.4 & 0.8 & -0.4 \\ & -0.4 & 0.8 \end{bmatrix} \begin{Bmatrix} x_1 \\ x_2 \\ x_3 \end{Bmatrix} = \begin{Bmatrix} 41 \\ 25 \\ 105 \end{Bmatrix}$$

(b) $\lambda = 1.2$로 놓고 상이완법을 사용하여 (a)를 풀어라.

12.3 다음의 시스템에 대해 Gauss-Seidel법을 사용하여 백분율 상대오차가 $\varepsilon_s = 5\%$보다 작은 해를 구하라.

$$10x_1 + 2x_2 - x_3 = 27$$
$$-3x_1 - 6x_2 + 2x_3 = -61.5$$
$$x_1 + x_2 + 5x_3 = -21.5$$

12.4 연습문제 12.3을 Jacobi 반복법을 이용하여 풀어라.

12.5 다음의 시스템은 일련의 반응기에서의 농도(c의 단위는 g/m^3)를 각각의 반응기에 유입하는 질량 입력(우변의 단위는 g/day)의 함수로 나타내기 위해 고안되었다.

$$15c_1 - 3c_2 - c_3 = 3800$$
$$-3c_1 + 18c_2 - 6c_3 = 1200$$
$$-4c_1 - c_2 + 12c_3 = 2350$$

Gauss-Seidel법을 사용하여 백분율 상대오차가 $\varepsilon_s = 5\%$ 이하인 해를 구하라.

12.6 Gauss-Seidel법을 사용할 때 (a) 이완을 고려하지 않은 경우와 (b) $\lambda = 1.2$로 놓고 이완을 고려하는 경우에 대해 백분율 상대오차가 $\varepsilon_s = 5\%$ 이하가 되도록 다음 시스템의 해를 구하라. 필요하면 수렴을 위해 방정식의 순서를 바꿀 수 있다.

$$2x_1 - 6x_2 - x_3 = -38$$
$$-3x_1 - x_2 + 7x_3 = -34$$
$$-8x_1 + x_2 - 2x_3 = -20$$

12.7 표에 주어진 3개의 선형 연립방정식 중에서 Gauss-Seidel법과 같은 반복법으로 풀 수 없는 것을 선택하라. 어떤 반복 횟수를 사용하더라도 수렴하는 해를 구할 수 없음을 보여라. 수렴하지 않는 것을 어떻게 아는지 그 수렴 기준을 명확히 기술하라.

Set One	Set Two	Set Three
$x + 3y + z = 13$	$x + y + 6z = 8$	$-3x + 4y + 5z = 6$
$-6x + 8z = 2$	$x + 5y - z = 5$	$-2x + 2y - 3z = -3$
$x + 5y - z = 6$	$4x + 2y - 2z = 4$	$2y - z = 1$

12.8 다음의 비선형 연립방정식의 해를 결정하라.

$$y = -x^2 + x + 0.75$$
$$y + 5xy = x^2$$

초기 해를 $x = y = 1.2$로 가정하고 Newton-Raphson법을 사용하라.

12.9 다음 비선형 연립방정식의 해를 결정하라.

$$x^2 = 5 - y^2$$
$$y + 1 = x^2$$

(a) 그래프를 그려서 구하라.

(b) 초기 해를 $x = y = 1.5$로 가정하고 연속대입법을 사용하라.

(c) 초기 해를 $x = y = 1.5$로 가정하고 Newton-Raphson법을 사용하라.

12.10 그림 P12.10은 일련의 반응기로 구성된 화학 교환 공정을 나타낸다. 각 반응기에서 가스는 왼쪽에서 들어와서 오른쪽으로 나가면서 오른쪽에서 왼쪽으로 흐르는 액체 위를 통과한다. 각 반응기에서 가스로부터 액체로의 화학물질의 전달율은 가스와 액체의 농도 차이에 비례한다. 정상상태에서 첫 번째 반응기의 가스에 대한 질량평형은 다음과 같이 표현된다.

$$Q_G c_{G0} - Q_G c_{G1} + D(c_{L1} - c_{G1}) = 0$$

그리고 액체에 대한 질량평형은 다음과 같이 표현된다.

$$Q_L c_{L2} - Q_L c_{L1} + D(c_{G1} - c_{L1}) = 0$$

여기서 Q_G와 Q_L은 각각 가스와 액체의 유량이며, D는 가스-액체의 교환율이다. 유사한 평형식을 다른 반응기에 대해서도 얻을 수 있다. $Q_G = 2$, $Q_L = 1$, $D = 0.8$, $c_{G0} = 100$, $c_{L6} = 10$일 때 이완을 고려하지 않는 Gauss-Seidel법으로 풀어서 농도를 구하라.

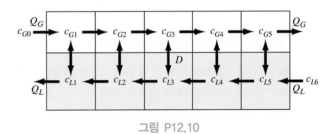

그림 P12.10

12.11 가열된 판에서 정상상태의 온도 분포는 다음과 같

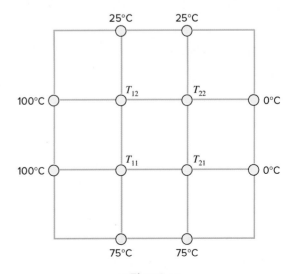

그림 P12.11

은 **Laplace** 방정식으로 모델링될 수 있다.

$$0 = \frac{\partial^2 T}{\partial x^2} + \frac{\partial^2 T}{\partial y^2}$$

판이 그림 P12.11에서처럼 일련의 노드로 표현될 때 중심 유한차분으로 2차 도함수를 대신할 수 있어 결과적으로 선형 연립방정식을 얻게 된다. Gauss-Seidel 법을 이용하여 그림 P12.11에 있는 노드에서의 온도를 구하라.

12.12 그림 12.2를 기반으로 이완을 고려하지 않는 Gauss-Seidel법에 대한 M-파일 함수를 작성하라. 단, 근사오차와 반복횟수를 반환하도록 첫 번째 줄을 수정하라.

```
function [x,ea,iter] = ...
        GaussSeidel(A,b,es, maxit)
```

작성된 함수를 예제 12.1에 적용해 보고, 연습문제 12.2a의 해를 구하는 데 적용해 보라.

12.13 이완을 고려하는 Gauss-Seidel법에 대한 M-파일 함수를 작성하라. 함수의 첫 줄은 다음과 같다:

```
function [x,ea,iter] = ...
        GaussSeidelR(A,b,lambda,es,maxit)
```

사용자가 λ값을 입력하지 않는 경우에는 λ의 기본값은 1로 한다. 작성된 함수를 예제 12.2에 적용해 보고, 연습문제 12.2b의 해를 구하는 데 적용해 보라.

12.14 그림 12.4를 기반으로 비선형시스템 방정식의 Newton-Raphson법에 대하여 M-파일 함수를 작성하라. 작성된 함수를 예제 12.4에 적용해 보고, 연습문제 12.8의 해를 구하는 데 적용해 보라.

12.15 다음 각 방법으로 비선형 연립방정식의 근을 구하라. (a) 고정점 반복법 (b) Newton-Raphson법 (c) fsolve 함수

$$y = -x^2 + x + 0.75 \qquad\qquad y + 5xy = x^2$$

초기 해를 $x = y = 1.2$로 가정하고 결과를 논하라.

12.16 비선형 연립방정식의 근을 구하라.

$$(x-4)^2 + (y-4)^2 = 5 \qquad x^2 + y^2 = 16$$

그래프를 이용하여 초기 해를 구하라. 개선된 추정값을 (a) 두 방정식에 대한 Newton-Raphson법과 (b) fsolve 함

수를 이용하여 구하라.

12.17 연습문제 12.16을 반복하되 양의 근을 구하라.

$$y = x^2 + 1 \qquad\qquad y = 2\cos x$$

12.18 다음과 같은 화학반응이 폐쇄된 시스템에서 일어난다.

$$2A + B \rightleftharpoons C$$
$$A + D \rightleftharpoons C$$

평형상태에서 두 반응의 특성을 다음과 같이 표현할 수 있다.

$$K_1 = \frac{c_c}{c_a^2 c_b} \qquad K_2 = \frac{c_c}{c_a c_d}$$

여기서 c_i는 성분 i의 농도를 나타낸다. 만약 x_1과 x_2가 첫 번째와 두 번째 반응으로 인한 C의 몰(mole) 수를 각각 나타낸다면, 각 성분의 초기농도로 평형관계식을 재수식화하는 방법을 사용하라. $K_1 = 4 \times 10^{-4}$, $K_2 = 3.7 \times 10^{-2}$, $c_{a,0} = 50$, $c_{b,0} = 20$, $c_{c,0} = 5$, 그리고 $c_{d,0} = 10$인 경우에 대해 이 비선형 연립방정식의 x_1과 x_2를 구하라.

(a) 그래프를 이용하여 초기 가정값을 설정하라. 이 가정값으로 시작해서 개선된 추정값을 다음의 방법으로 구하라.

(b) Newton-Raphson법

(c) fsolve 함수

12.19 앞서 5.6절에서 기술한 대로, 다음 다섯 개의 비선형 방정식이 빗물의 화학적 성질을 지배한다.

$$K_1 = 10^6 \frac{[\mathrm{H^+}][\mathrm{HCO_3^-}]}{\mathrm{K_H} p_{\mathrm{co_2}}} \quad K_2 = \frac{[\mathrm{H^+}][\mathrm{CO_3^{-2}}]}{[\mathrm{HCO_3^-}]} \, K_\mathrm{w} = [\mathrm{H^+}][\mathrm{OH^-}]$$

$$c_T = \frac{\mathrm{K_H} p_{\mathrm{co_2}}}{10^6} + [\mathrm{HCO_3^-}] + [\mathrm{CO_3^{-2}}]$$

$$0 = [\mathrm{HCO_3^-}] + 2\,[\mathrm{CO_3^{-2}}] + [\mathrm{OH^-}] + [\mathrm{H^+}]$$

여기서 K_H는 Henry 상수, K_1, K_2, K_w는 평형계수, c_T는 총 무기탄소, $[\mathrm{HCO_3^-}]$는 중탄산염, $[\mathrm{CO_3^{-2}}]$는 탄산염, $[\mathrm{H^+}]$는 수소 이온, 그리고 $[\mathrm{OH^-}]$는 수산기 이온이다. CO_2의 분압이 빗물의 산성도에 영향을 주는 온실가스 효과로 방정식에 어떻게 나타나는지 유의하라. $K_H = 10^{-1.46}$, $K_1 = 10^{-6.3}$, $K_2 = 10^{-10.3}$, $K_w = 10^{-14}$의 값에 대해 이들 방정식

과 fsolve 함수를 사용하여 빗물의 pH 를 구하라. p_{CO_2} 가 315 ppm인 1958년과 400 ppm인 2015년의 pH를 비교하라. 농도가 매우 낮고 여러 차수의 범위로 변화하는 경향이 있으므로 풀기 어려운 문제라는 점에 유의하라. 그러므로 미지수를 음의 로그 스케일, 즉 $pK = -\log_{10}(K)$로 표현하는 트릭을 쓰는 것이 유용하다. 다섯 개의 미지수, $[H^+]$, $[OH^-]$, $[HCO_3^-]$, $[CO_3^{-2}]$, 그리고 c_T는 다음처럼 미지수 pH, pOH, pHCO$_3$, pCO$_3$, 그리고 pc_T로 다시 표현될 수 있다.

$$[H^+] = 10^{-pH} \qquad [OH^-] = 10^{-pOH}$$

$$[HCO_3^-] = 10^{-pHCO_3}$$

$$[CO_3^{-2}] = 10^{-pCO_3} \qquad c_T = 10^{-pcT}$$

또한 해를 생성하는 데 사용할 수 있는 다음 스크립트와 같이, optimset를 사용하여 함수 허용오차에 대한 엄격한 기준을 설정하는 것이 유용하다.

```
clc, format compact
xguess = [7;7;3;7;3];
options = optimset('tolfun',1e-12)
[x1,fx1] = fsolve(@funpH,xguess,options,315);
[x2,fx2] = fsolve(@funpH,xguess,options,400);
x1',fx1',x2',fx2'
```

13 CHAPTER

고유값

학습목표

이 장의 주요 목표는 고유값을 소개하는 데 있다. 특정한 목표와 다루는 주제는 다음과 같다.

- 고유값 및 고유벡터의 수학적 정의에 대한 이해
- 고유값에 기초한 시스템의 거동을 해석하는데 필요한 개념습득
- 미분방정식 모델의 연구에서 어떻게 고유값 및 고유벡터가 유발되는지 관찰
- 순진동하는 시스템의 연구에서 고유값의 역할에 대한 이해
- 특성다항식의 해를 통해 고유값을 결정하는 방법에 대한 이해
- 최대와 최소 고유값을 찾기 위한 멱방법과 적용에 대한 이해
- MATLAB의 eig 함수의 사용 및 해석방법에 대한 이해

이런 문제를 만나면

8장의 서두에서 Newton의 제2법칙 및 힘의 평형을 이용하여 한 줄에 매달린 세 명의 번지점프하는 사람의 평형위치를 예측하였다. 번지점프 줄이 이상적인 스프링처럼 거동한다고 가정하였기 때문에(즉, Hooke의 법칙을 따라서) 정상상태의 해는 선형대수방정식 시스템의 해를 구하는 것으로 귀결된다[식 (8.1)과 예제 8.2 참조]. 역학에서는 이러한 문제를 **정역학** 문제라고 한다.

이제 같은 시스템에 대하여 **동역학** 문제를 살펴보자. 즉, 번지점프하는 사람의 운동을 시간의 함수로 나타내 보도록 한다. 이를 위하여, 초기조건(즉, 번지점프하는 사람의 초기위치 및 초기속도)이 미리 정해져야 한다. 예를 들어 번지점프하는 사람들의 초기 위치들은 예제 8.2에서 계산한 평형상태값으로 정할 수 있다. 만약 이때 초기속도들을 0으로 정한다면 시스템은 평형상태에 있게 될 것이며 아무 일도 일어나지 않을 것이다.

시스템의 동역학을 고려하기 위해서는 운동을 야기하는 값으로 시스템의 초기조건을 정해야 한다. 번지점프하는 세 명의 사람들의 초기위치가 평형상태값으로 결정되었다고 하고, 중간에 위치한 사람의 속도를 0이라 했을 때, 위쪽과 아래쪽에 위치한 두 사람의 초기속도를 가능한 극단적인 값으로 정해 보자. 즉, 사람 1의 경우 아래쪽 방향으로 200 m/s의 속도를 가진다고 하고, 사람 3의 경우 위쪽 방향으로 100 m/s의 속도를 가진다고 하자. (안전수칙: 집에서

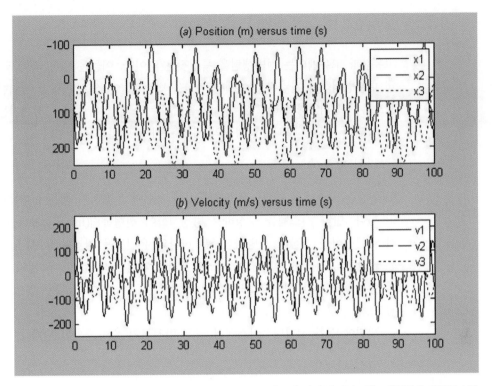

그림 13.1 예제 8.2에서 제시된, 하나의 줄에 연결되어 있는 세 명의 번지점프하는 사람들에 대하여 시간에 따른 (a) 위치 (b) 속도 그래프.

따라하지 마시오!) 이제 MATLAB을 이용하여 미분방정식[식 (8.1)]의 해를 구하면, 시간에 따른 함수로서의 위치와 속도를 구할 수 있다.[1]

그림 13.1에서 제시된 것처럼 결과적으로 번지점프하는 사람이 격하게 진동하는 것을 볼 수 있다. 마찰력이 없기 때문에, 즉 공기 저항이나 스프링 감쇠가 없기 때문에, 줄에 매달린 사람들은 겉으로 보기에는 혼란스럽게 평형상태를 중심으로 계속적으로 아래위로 요동치게 된다. 각 사람의 궤적을 자세히 살펴보면 각 진동에는 일정한 패턴이 있는 것을 알 수 있다. 예를 들어 각 고점과 저점 사이의 거리는 일정하게 보인다. 그러나 시간에 따른 수치를 관찰하였을 때 체계적이고 예측가능한 점이 있는지를 알아내기는 어렵다.

이 장에서는 이와 같이 혼돈적 현상에서 근본적인 어떤 것을 도출할 수 있는 한 가지 방법을 다룬다. 이는 시스템의 **고유값**, 혹은 **특성값**을 구하는 것을 수반하게 된다. 앞으로 자세히 기술하겠지만, 이 방법은 현재까지 우리가 수행했던 방법과는 다른 방법으로 대상 시스템을 선형대수방정식으로 수식화하고 해를 구하는 것을 포함하고 있다. 이를 위하여, 먼저 수학적 관점에서 고유값이 무엇을 의미하는지를 정확하게 기술해 보도록 하자.

---

1) 이를 어떻게 구할 수 있는지는 6부에서 상미분방정식을 다룰 때 설명하겠다.

13.1 고유값 및 고유벡터-기본사항

고유값과 고유벡터는 정방행렬을 특징짓는 양이다. 이들은 많은 과학 및 공학의 응용분야, 특히 미분방정식과 관련된 분야에서 관심을 받는다. 이 절은 이러한 강력한 수학적 도구를 살펴보도록 구성되었다(그리고 일부 독자들에게는 소개). 8장에서 12장까지는 다음과 같은 일반적인 형태의 연립 선형대수방정식의 해를 구하는 방법을 다루었다.

$$[A]\{x\} = \{b\} \tag{13.1}$$

이와 같은 시스템은 벡터 $\{b\}$가 항등식의 우변에 존재하기 때문에 **비동차**(nonhomogeneous)라고 한다. 만약 시스템을 구성하는 방정식들이 선형독립(linearly independent)일 경우(즉 0이 아닌 행렬식을 가짐), 그 방정식들은 하나의 유일해를 가진다. 다시 말하면, 방정식을 만족하는 x 값들의 집합이 존재한다. 9.1.1절에서 살펴본 바와 같이, 두 개의 미지수를 가지는 두 개의 방정식에 대한 해는 각 방정식이 표현하는 두 직선이 만나는 점으로 볼 수 있다(그림 9.1 참조).

반면에 **동차** 선형대수시스템의 경우 방정식의 우변은 0이 된다.

$$[A]\{x\} = 0 \tag{13.2}$$

이 방정식의 유일한 해는 모든 x의 값이 0이 되는 자명해를 가지게 된다. 그래픽 방법으로는 두 직선이 영점에서 서로 만나는 경우이다.

이는 당연한 사실이지만, 공학에 관련된 고유값 문제는 다음의 일반적인 형태를 가진다.

$$[[A] - \lambda[I]]\{x\} = 0 \tag{13.3}$$

여기서 매개변수 λ가 **고유값**이다. 따라서 위 문제에서 x 값을 0으로 정하는 대신에 좌변을 0으로 만드는 λ 값을 구하는 문제가 된다. 비자명해를 가지기 위한 한 가지 방법은 행렬의 행렬식을 0으로 하는 것이다.

$$|[A] - \lambda[I]| = 0 \tag{13.4}$$

행렬식을 전개하면 λ를 변수로 하는 다항식을 얻을 수 있으며, 이 다항식을 **특성다항식**(characteristic polynomial)이라고 한다. 이 다항식의 근이 고유값 문제의 해가 된다.

이 개념을 더 잘 이해하기 위하여 다음의 두 방정식으로 구성된 연립방정식을 살펴보자.

$$\begin{aligned}(a_{11} - \lambda)x_1 + \quad\quad a_{12}x_2 &= 0 \\ a_{21}x_1 + (a_{22} - \lambda)x_2 &= 0\end{aligned} \tag{13.5}$$

계수 행렬의 행렬식을 전개하면 다음과 같다.

$$\begin{vmatrix} a_{11} - \lambda & a_{12} \\ a_{21} & a_{22} - \lambda \end{vmatrix} = \lambda^2 - (a_{11} + a_{22})\lambda - a_{12}a_{21} \tag{13.6}$$

이 방정식이 **특성다항식**이며, 근의 공식으로부터 두 개의 고유값을 구할 수 있다:

$$\begin{matrix} \lambda_1 \\ \lambda_2 \end{matrix} = \frac{(a_{11} - a_{22}) \pm \sqrt{(a_{11} - a_{22})^2 - 4a_{12}a_{21}}}{2} \qquad (13.7)$$

이 고유값들은 식 (13.5)를 만족한다. 더 계속하기 전에 **다항식 방법**이라 불리는 이 방법이 맞는지에 대하여 살펴보도록 하자.

예제 13.1 다항식 방법

문제 설명. 다항식 방법을 이용하여 다음 동차시스템의 고유값을 구하라.

$$(10 - \lambda)x_1 \qquad - 5x_2 = 0$$
$$-5x_1 + (10 - \lambda)x_2 = 0$$

풀이 올바른 해를 구하기 전에, 먼저 잘못된 고유값을 얻는 경우를 생각해 보자. 예를 들어 $\lambda = 3$이라고 하면 방정식은 다음과 같이 쓸 수 있다.

$$7x_1 - 5x_2 = 0$$
$$-5x_1 + 7x_2 = 0$$

이 방정식들은 원점에서 만나는 두 직선을 나타낸다(그림 13.2a). 따라서 이 경우 유일한 해는 자명해인 $x_1 = x_2 = 0$이다.

올바른 고유값을 구하기 위해서 행렬식을 전개하면, 다음과 같은 특성다항식을 얻게 된다.

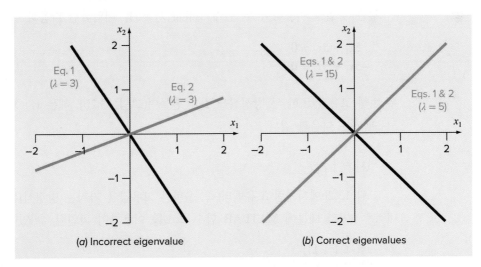

(a) Incorrect eigenvalue   (b) Correct eigenvalues

그림 13.2 고유값 문제[식 (13.5)]로 표현된 예제 13.1에서 두 동차 선형방정식 시스템이 나타내는 선도. (a) 잘못된 고유값($\lambda = 3$)은 그림에서 Eq.1과 Eq.2로 표시된 두 방정식을 별개의 직선으로 나타낸다. 이 경우 유일해는 $x_1 = x_2 = 0$인 자명해이다. (b) 반면, 올바른 고유값($\lambda = 5$, 15)의 경우에는 방정식들이 서로 겹쳐지게 되며 직교한다(즉 서로 직각).

$$\begin{vmatrix} 10-\lambda & -5 \\ -5 & 10-\lambda \end{vmatrix} = \lambda^2 - 20\lambda + 75$$

위 식은 다음과 같은 해를 가진다.

$$\begin{matrix} \lambda_1 \\ \lambda_2 \end{matrix} = \frac{20 \pm \sqrt{20^2 - 4(1)75}}{2} = 15,\, 5$$

따라서 이 시스템의 고유값은 15와 5가 된다.

이 값들 중 한 값을 다시 시스템에 대입한 후 결과를 살펴보자. $\lambda_1 = 15$의 경우, 위 두 방정식은 다음과 같이 된다.

$$-5x_1 - 5x_2 = 0$$
$$-5x_1 - 5x_2 = 0$$

따라서 올바른 고유값은 두 방정식을 같게 만든다(그림 13.2b). 본질적으로 올바른 고유값을 가지게 되는 방향으로 해가 바뀌어 나가면 두 방정식이 나타내는 두 직선은 회전하면서 서로 일치하게 되어 **고유벡터**라는 단일 방정식이 된다. 수학적으로, 이는 해의 개수가 무한대임을 의미한다. 그러나 각 방정식의 해를 구해 보면 모든 해가 $x_1 = -x_2$를 성립시키는 성질을 가지는 흥미로운 결과를 가진다. 이 결과가 자명해 보임에도 불구하고, 각 미지수들의 비율이 일정하다는 것은 매우 흥미로운 결과이다. 이 결과는 다음과 같은 벡터 형태로 표시할 수 있다.

$$\{x\} = \begin{Bmatrix} -1 \\ 1 \end{Bmatrix}$$

여기서 위 식은 고유값 $\lambda = 15$일 경우의 **고유벡터**가 된다.

같은 방법을 이용하여 두 번째 고유값 $\lambda_2 = 5$를 대입하면 다음과 같은 식을 얻을 수 있다.

$$5x_1 - 5x_2 = 0$$
$$-5x_1 + 5x_2 = 0$$

두 번째 고유값 또한 두 방정식을 같게 만들며(그림 13.2b), 해는 $x_1 = x_2$와 같게 된다. 이 경우 고유벡터는 다음과 같다.

$$\{x\} = \begin{Bmatrix} 1 \\ 1 \end{Bmatrix}$$

그림 13.2b에서처럼 고유벡터(즉, 올바른 고유값을 가지는 방정식)는 **직교**한다. 직교벡터의 내적은 0이기 때문에 MATLAB 함수 dot를 이용하여 확인할 수 있다(2.3절 참조).

```
V=[-1 1;1 1];
DotProd = dot(V(:,1),V(:,2))
```

그 결과는 다음과 같다.

```
DotProd =
     0
```

여기서 MATLAB은 다항식 방법을 수행할 수 있는 내장 함수를 가지고 있음에 유의한다. 예제 13.1에 대하여 특성다항식을 구하기 위하여 `poly` 함수를 사용할 수 있다.

```
>> A = [10 -5;-5 10];
>> p = poly(A)

p =
     1   -20    75
```

다음으로 `roots` 함수를 사용하여 고유값을 계산할 수 있다.

```
>> d = roots(p)
d =
    15
     5
```

앞서의 예제를 통하여 식 (13.3)의 형태를 가지는 n개의 동차방정식의 해는 n개의 고유값 및 고유벡터의 집합으로 구성된다는 점을 수학적으로 이해할 수 있다. 또한 고유벡터는 해를 나타내는 미지수들 사이의 비를 준다는 것을 보여준다.

다음 절에서는 이와 같은 정보가 공학이나 과학 분야에서 어떤 식으로 응용되는지를 보일 것이다. 그러나 그 전에 한 가지 더 수학적인 관점을 제시하려 한다.

식 (13.3)을 곱한 후 각 변을 분리하면 다음과 같은 식을 얻는다.

$$[A]\{x\} = \lambda\{x\}$$

이와 같은 관점에서 고유값과 고유벡터를 구하는 것은 결과적으로 행렬 $[A]$의 정보를 스칼라 λ로 바꾸는 것을 의미한다. 이것은 2×2 시스템에서는 중요하지 않게 보일 수도 있으나, $[A]$의 크기가 잠정적으로 매우 커질 수 있다는 것을 생각하면 매우 놀라운 것이다.

13.2 고유값과 고유벡터의 적용

고유값의 공학 및 과학적 응용을 위해 가장 빈번하게 사용되는 경우는 미분방정식이다. 대수 방정식과 밀접하게 연관된 다른 예도 있지만 이 장에서는 이를 고려하지 않는다.

미분방정식 모델의 거동을 연구하기 위해 고유값을 사용하는 것은 많은 공학 및 과학분야, 특히 장비, 공정 및 구조의 설계에서 필수적이다. 상미분방정식(또는 편미분방정식)의 독립변수가 시간인 경우 고유값은 모델링되는 시스템의 동적 거동에 대해 많은 것을 설명한다.

많은 실제 미분방정식 모델은 1차 또는 2차 도함수만 포함된다. 이것은 모델의 물리적 기반 때문인데, 예를 들어 Newton의 제2법칙은 위치의 2차 도함수를 적용된 힘에 연계시킨다. 우리가 첫 번째 관찰할 점은 2차 도함수가 포함된 상미분방정식을 1차 도함수만 있는 상응하는 시스템으로 줄일 수 있다는 것이다. 또한 이 기법은 고차 도함수로도 확장할 수 있다. 먼저 1차 미분방정식 시스템의 고유값을 연구하고, 다음으로 1차 도함수가 없는 2차 방정식의 특별한 경우로 돌아간다.

13.2.1   2차 미분방정식에 상응하는 1차 방정식

간단한 예로, 시간에 대한 2차 미분방정식이 1차 도함수 항을 포함하고 있다고 하자. 먼저 이 방정식의 동차형을 살펴보자.

$$\frac{d^2 y}{dt^2} + a\frac{dy}{dt} + by = 0 \tag{13.8}$$

두 개의 종속변수를 정의한다.

$$x_1 = y \qquad \text{그리고} \qquad x_2 = \frac{dy}{dt} = \frac{dx_1}{dt}$$

원래의 미분방정식, 식 (13.8)을 두 개의 1차 방정식으로 다시 기술하면,

$$\frac{dx_1}{dt} = x_2 \tag{13.9}$$

$$\frac{dx_2}{dt} = -ax_2 - bx_1$$

두 개의 방정식을 행렬 형태로 쓰면 다음과 같다.

$$\frac{d\mathbf{x}}{dt} = \begin{bmatrix} 0 & 1 \\ -b & -a \end{bmatrix} \begin{bmatrix} x_1 \\ x_2 \end{bmatrix} = \mathbf{A}\mathbf{x} \tag{13.10}$$

1차 도함수 항이 없다면 a_{22} 항은 0이 되는 것에 주의하라.

13.2.2   미분방정식의 해에서 고유값과 고유벡터의 역할

일반적인 형태의 1차 상미분방정식 시스템의 동차해(homogeneous solution)는

$$\mathbf{x} = \exp(\mathbf{A}t)\mathbf{x}_0 \tag{13.11}$$

여기서 $\exp(\mathbf{A}t)$는 **지수 행렬**(matrix exponential)이라 하고 $\mathbf{U}\exp(\mathbf{D}t)\mathbf{U}^{-1}$으로 나타낸다. 여기서 $\mathbf{U}$는 고유벡터의 행렬이고 $\mathbf{D}$는 고유값의 대각행렬이다. x 내의 각 x_i의 해는 $\exp(\lambda_j t)$, $j = 1, \ldots, n$ 형태의 선형 조합이다.

여기서 우리는 특성다항식의 해를 통해 고유값을 구하는 것을 알고 있다. 그 다항식은 실수 계수를 가지므로 고유값은 양과 음의 실수, 그리고 같은 실수부와 반대의 허수부로 이루어지는 복소수로 나타난다. 이를 바탕으로 다음과 같은 몇 가지 중요한 특성을 기술할 수 있다.

1. 양의 실수 고유값은 불안정하여 급증하는 지수가 된다.
2. 음의 실수 고유값은 소멸된다.

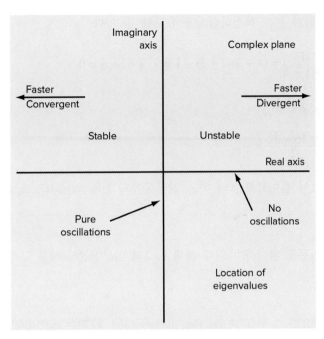

그림 13.3 복소수 평면 위에 나타난 고유값의 위치와 해의 거동.

3. 0인 실수부와 유한값의 허수부로 이루어진 고유값은 확대나 감소없이 진동하며 종종 순수 고조파 진동자(pure harmonic oscillator)로 불린다.

4. 0인 고유값은 일정한 입력에 대한 선형해의 거동에 해당한다.

5. 복소수인 고유값은 진동하는 형상을 제공한다.

6. 복소수 고유값에 대한 해의 교차 표현(alternate representation)은 sine과 cosine 함수의 조합이다.

7. 고유값의 실수부 절대값이 클수록, 그 수렴과 발산 거동이 빨라진다.

8. 복소수 고유값의 허수부가 클수록, 그 진동의 주파수(진동수)가 커진다.

이와 같은 특성들은 그림 13.3에 잘 표현되어 있다.

예제 13.2 1차 미분방정식 시스템의 고유값

문제 설명. 다음 1차 미분방정식 시스템의 고유값을 결정하고 거동을 예측하라.

$$\frac{dx_1}{dt} = -3x_1 + x_2$$

$$\frac{dx_2}{dt} = x_1 - 3x_2$$

풀이 미분방정식은 행렬 형태로 나타낼 수 있다.

$$\frac{d\mathbf{x}}{dt} = \begin{bmatrix} -3 & 1 \\ 1 & -3 \end{bmatrix} \mathbf{x} = \mathbf{Ax}$$

고유값을 결정하기 위해 특성다항식을 유도할 수 있다.

$$\begin{vmatrix} -3-\lambda & 1 \\ 1 & -3-\lambda \end{vmatrix} = (\lambda+3)(\lambda+3) - 1 = \lambda^2 + 6\lambda + 8 = 0$$

그리고 근을 결정한다.

$$\lambda = -\frac{6}{2} \pm \frac{\sqrt{36-32}}{2} = -2, -4$$

두 개의 고유값이 음이므로, x의 해는 안정적이고 진동 없이 0으로 소멸할 것이다.

시스템의 거동을 판단하기 위해 예제 13.2의 미분방정식 해를 구할 필요가 없었다는 점에 주목해야 한다.

13.2.3   고유값과 순진동(Pure Oscillations)을 가지는 상미분방정식

실제 시스템에서 자연적인 진동은 증폭하거나 소멸한다. 증폭한다면 무언가는 결국 파괴될 것이다. 진동이 지속되려면 주기적인 입력이나 강제력이 필요하다. 그렇다 해도, 우리는 지속되는 순진동을 만드는 모델을 가지는 시스템의 중요한 특성을 연구할 수 있다. 여기에 단일 2차 상미분방정식의 예가 있다.

$$\frac{d^2 y}{dt^2} = -ay \tag{13.12}$$

13.2.1절의 방법을 이용하여, 하나의 2차 방정식을 두 개의 1차 방정식으로 변환할 수 있다.

$$\frac{dx_1}{dt} = x_2 \tag{13.13}$$

$$\frac{dx_2}{dt} = -ax_1$$

그리고 이를 행렬 형태로 나타내면

$$\frac{d\mathbf{x}}{dt} = \begin{bmatrix} 0 & 1 \\ -a & 0 \end{bmatrix} \mathbf{x} = \mathbf{A}\mathbf{x} \tag{13.14}$$

다시 $\mathbf{A}$의 고유값을 결정할 수 있다.

$$\begin{vmatrix} -\lambda & 1 \\ -a & -\lambda \end{vmatrix} = \lambda^2 + a = 0 \qquad \lambda = \pm i\sqrt{a}$$

고유값이 허수축 상에 있으므로, 해는 전적으로 진동하며 진동수는 $\sqrt{a}$이고 단위는 회수/시간이 아닌 라디안/시간이다. 1회수당 2π 라디안인 것을 감안하면 회수/시간의 진동수는 $\sqrt{a}/(2\pi)$이다.

따라서 이 단순한 시스템에서 어떻게 계수 a가 고유값과 진동 주파수에 관계하는지 알 수 있다. 이 시스템의 고유벡터도 복소수이다.

$$\mathbf{U} = \begin{bmatrix} -i\,0.4082 & i\,0.4082 \\ 0.9129 & 0.9129 \end{bmatrix}$$

고유값과 순진동 시스템의 진동수를 결정하는 간단한 방법이 있으며, 이는 두 개의 2차 방정식 시스템으로 설명할 수 있다.

$$\frac{d^2 y_1}{dt^2} = -a_{11}y_1 + a_{12}y_2$$
$$\frac{d^2 y_2}{dt^2} = a_{21}y_1 - a_{22}y_2 \tag{13.15}$$

행렬 형태로 나타내면

$$\frac{d^2\mathbf{y}}{dt^2} = \begin{bmatrix} -a_{11} & a_{12} \\ a_{21} & -a_{22} \end{bmatrix}\mathbf{y} \tag{13.16}$$

이 시스템이 주기해(periodic solution)를 갖는다는 것을 알고 있으므로, 다음 형태의 해를 제시할 수 있다.[2]

$$\mathbf{y} = \mathbf{x}e^{i\omega t} \tag{13.17}$$

여기서 ω = 진동수, 그리고 x는 계수 벡터이다. 이를 미분방정식에 대입하면 다음 식을 얻는다.

$$-\omega^2\mathbf{x} = \mathbf{A}\mathbf{x} \tag{13.18}$$

이 식은 $\lambda = -\omega^2$과 x가 연관된 고유벡터일 때의 고유값 문제가 된다.

고유값이 $-\omega^2$임을 알고 있으므로, 이 시스템의 고유값은 직접 결정할 수 있다.

$$\begin{vmatrix} -a_{11} - \lambda & a_{12} \\ a_{21} & -a_{22} - \lambda \end{vmatrix} = (\lambda + a_{11})(\lambda + a_{22}) - a_{12}a_{21} = \lambda^2 + (a_{11} + a_{22})\lambda + (a_{11}a_{22} - a_{12}a_{21}) \tag{13.19}$$

따라서 고유값은 다음과 같다.

$$\lambda = -\frac{(a_{11} + a_{22})}{2} \pm \frac{\sqrt{(a_{11} + a_{22})^2 - 4(a_{11}a_{22} - a_{12}a_{21})}}{2}$$

---

2) Euler의 등식을 기억하라. $e^{\pm ix} \equiv \cos x \pm i \sin x$.

그리고 진동수는 $\omega = \sqrt{-\lambda}$ 로 주어진다. 식 (13.19)는 다음과 같이 나타낼 수도 있다.

$$\begin{vmatrix} -a_{11} + \omega^2 & a_{12} \\ a_{21} & -a_{22} + \omega^2 \end{vmatrix} = \begin{vmatrix} a_{11} - \omega^2 & -a_{12} \\ -a_{21} & a_{22} - \omega^2 \end{vmatrix}$$

여기서 결정된 진동수는 **고유** 진동수 또는 **공진** 진동수라 하고 종종 ω_n으로 표기되며, 시스템에 내재되어 외부의 영향을 받지 않는다.

예제 13.3 순진동 시스템의 고유값

문제 설명. 다음 시스템의 거동을 조사하라.

$$\frac{d^2 y_1}{dt^2} = -5y_1 + 2y_2$$

$$\frac{d^2 y_2}{dt^2} = 2y_1 - 2y_2$$

풀이 고유값은 다음과 같이 결정된다.

$$\begin{vmatrix} -5 - \lambda & 2 \\ 2 & -2 - \lambda \end{vmatrix} = (\lambda + 5)(\lambda + 2) - 4 = \lambda^2 + 7\lambda + 6 = 0$$

이 경우,

$$\lambda = -\frac{7}{2} \pm \frac{\sqrt{49 - 24}}{2} = -1, -6$$

다음으로 고유벡터에 대해 풀면,

$$\mathbf{x}_1 = \begin{bmatrix} 1 \\ 2 \end{bmatrix}, \mathbf{x}_2 = \begin{bmatrix} 2 \\ -1 \end{bmatrix}, \text{ 수치는 비례 조정될 수 있다.}$$

고유값으로부터 진동수는 $\omega = \pm 1, \pm\sqrt{6}$ 라는 것을 알 수 있다.

거동을 조사하기 위해 이 시스템의 일반해를 함께 합친다. 해에는 네 개의 가능한 성분이 있다.

$$\mathbf{x}_1 e^{\pm it} \qquad \text{그리고} \qquad \mathbf{x}_2 e^{\pm i\sqrt{6}t}$$

Euler의 등식으로부터 $e^{\pm i\theta} \equiv \cos(\theta) \pm i \sin(\theta)$이다.

$$\mathbf{x}_1 e^{\pm it} = \mathbf{x}_1(\cos(t) \pm i \sin(t))$$
$$\mathbf{x}_2 e^{\pm i\sqrt{6}t} = \mathbf{x}_2(\cos(\sqrt{6}t) \pm i \sin(\sqrt{6}t))$$

각 쌍의 해에 덧셈과 뺄셈을 거쳐 2로 나누면, 일반해를 얻는다.

$$\mathbf{y} = \mathbf{x}_1(a_1\cos(t) + b_1\sin(t)) + \mathbf{x}_2(a_2\cos(\sqrt{6}t) + b_2\sin(\sqrt{6}t))$$

여기서 a_1, b_1, a_2, b_2는 $\mathbf{y}$와 그 도함수에 대한 초기조건으로부터 결정되는 상수이다. 고유벡터를 상기하면 이들은 다음과 같이 된다.

$$y_1 = a_1\cos(t) + b_1\sin(t) + 2a_2\cos(\sqrt{6}t) + 2b_2\sin(\sqrt{6}t)$$
$$y_2 = 2a_1\cos(t) + 2b_1\sin(t) - a_2\cos(\sqrt{6}t) - b_2\sin(\sqrt{6}t)$$

동차해를 확실히 명시하기 위해 다음의 초기조건을 예로 들어본다.

$$y_1(0) = 1, y_2(0) = -1, \frac{dy_1}{dt}(0) = 0, \ \frac{dy_2}{dt}(0) = 0$$

이들을 이용하여 a_1, b_1, a_2, b_2의 값을 결정하고, 다음과 같이 해를 기술할 수 있으며,

$$y_1 = -\frac{1}{5}\cos(t) + \frac{6}{5}\cos(\sqrt{6}t)$$
$$y_2 = -\frac{2}{5}\cos(t) - \frac{3}{5}\cos(\sqrt{6}t)$$

해를 그래프로 도시할 수 있다.

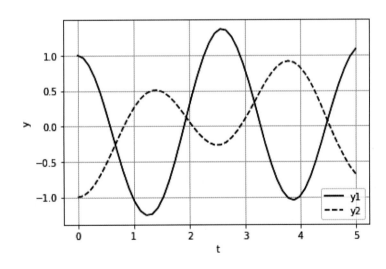

13.3 물리적인 설정: 질량-스프링 시스템

13.1절과 13.2절의 내용으로부터 이제는 진동에 집중하는 보다 세밀한 시스템을 연구할 수 있다. 이러한 연구에 유용한 모델이 그림 13.4에 묘사되었다.

해석을 간단히 하기 위해서 각각의 질량에 작용하는 외력이나 감쇠력은 없다고 가정한다. 또한 각 스프링의 원래 팽창 전 길이는 l, 스프링상수는 k로 모두 같다고 가정한다. 마지막으

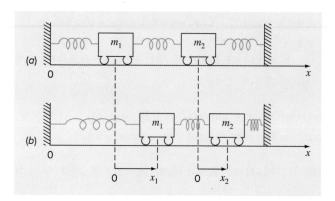

그림 13.4 고정된 두 벽 사이에 진동하는 마찰이 없는 롤러를 가지는 두 개의 질량과 세 개의 스프링으로 구성된 시스템. 질량의 위치는 (a)에서와 같이 각각의 평형위치를 원점으로 하는 국부 좌표로 기술된다. 평형위치에서 벗어난 질량의 위치는 스프링에 힘을 생성시켜 질량을 놓을 때 진동이 발생한다.

로 각 스프링의 위치는 그 평형위치를 원점으로 하는 국부 좌표계에 대해 측정된다고 가정한다. 이러한 가정하에서 Newton 제2법칙을 적용하면 각 질량에 대한 동적 힘의 평형식을 다음과 같이 유도할 수 있다.

$$m_1 \frac{d^2 x_1}{dt^2} = -k x_1 + k(x_2 - x_1)$$

$$m_2 \frac{d^2 x_2}{dt^2} = -k x_2 + k(x_1 - x_2)$$

(13.20)

식 (13.20)의 모델은 다음과 같은 행렬 형태로 정리할 수 있다.

$$\frac{d^2 \mathbf{x}}{dt^2} = \begin{bmatrix} -\dfrac{2k}{m_1} & \dfrac{k}{m_1} \\ \dfrac{k}{m_2} & -\dfrac{2k}{m_2} \end{bmatrix} \mathbf{x}$$

(13.21)

식 (13.19)를 참조하여 다음 식을 얻는다.

$$\begin{vmatrix} -\dfrac{2k}{m_1} - \lambda & \dfrac{k}{m_1} \\ \dfrac{k}{m_2} & -\dfrac{2k}{m_2} - \lambda \end{vmatrix} = \lambda^2 + 2k\left(\frac{1}{m_1} + \frac{1}{m_2}\right)\lambda + \left(\frac{4k^2}{m_1 m_2} - \frac{k^2}{m_1 m_2}\right)$$

(13.22)

고유값에 대해 풀면,

$$\lambda = -k \frac{m_1 + m_2 \pm \sqrt{m_1^2 - m_1 m_2 + m_2^2}}{m_1 m_2}$$

(13.23)

13.2.3절로부터, 진동수는 다음처럼 결정된다.

$$\omega = \sqrt{k \frac{m_1 + m_2 \pm \sqrt{m_1^2 - m_1 m_2 + m_2^2}}{m_1 m_2}}$$

(13.24)

예제 13.4 스프링-질량 시스템의 고유값 해석

문제 설명. 만약 $m_1 = m_2 = 40$ kg이고, $k = 200$ N/m라고 할 때, 두 개의 질량과 세 개의 스프링 시스템의 결과를 해석하라.

풀이 식 (13.23)을 이용하여, 고유값을 −5와 −15로 계산할 수 있다. 그에 해당하는 각 주파수 (angular frequency)는

$$\omega_1 = \sqrt{5} \text{ rad/s}, \ \omega_2 = \sqrt{15} \text{ rad/s}$$

그리고 Hz = 회수/초일 때 회수 주파수(cycle frequency)는

$$f_1 = \frac{\sqrt{5}}{2\pi} \cong 0.356 \text{ Hz}, \ f_2 = \frac{\sqrt{15}}{2\pi} \cong 0.616 \text{ Hz}$$

진동의 주기는

$$P_1 = \frac{1}{f_1} \cong 2.81 \text{ s}, \ P_2 = \frac{1}{f_2} \cong 1.62 \text{ s}$$

이 시스템의 고유벡터는

$$\mathbf{U} = \begin{bmatrix} \sqrt{2}/2 & -\sqrt{2}/2 \\ \sqrt{2}/2 & \sqrt{2}/2 \end{bmatrix} \ \text{수치 크기를 조정하면} \ \begin{bmatrix} 1 & -1 \\ 1 & 1 \end{bmatrix}$$

예제 13.3의 방식을 따르면, 일반해는 다음의 형태를 지닌다.

$$\mathbf{y} = \mathbf{x}_1(a_1\cos(\omega_1 t) + b_1\sin(\omega_2 t)) + \mathbf{x}_2(a_2\cos(\omega_1 t) + b_2\sin(\omega_2 t))$$

그리고 고유벡터를 이용하면 이는 두 개의 방정식이 된다.

$$y_1 = (a_1\cos(\omega_1 t) + b_1\sin(\omega_1 t)) - (a_2\cos(\omega_2 t) + b_2\sin(\omega_2 t))$$
$$y_2 = (a_1\cos(\omega_1 t) + b_1\sin(\omega_1 t)) + (a_2\cos(\omega_2 t) + b_2\sin(\omega_2 t))$$

우리는 각 방정식의 첫째 항과 둘째 항을 두 개의 구별되는 진동수나 두 개의 다른 진동 모드로 인식한다. 초기조건과는 관계없이 첫 번째 모드는 서로 "동조하며", 두 번째 모드는 부호 변화에 따라 반 사이클, π 또는 180° 만큼 위상차가 생긴다. 그림 13.5는 이를 보여준다. 두 모드를 결합하고, 초기조건을 신중하게 선택한다면 그림에 나타난 반응을 얻을 수 있다. 그림에서 (a)에는 첫 번째 모드만이, (b)에는 두 번째 모드만이 관찰된다.

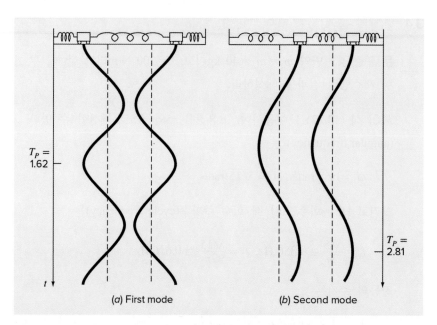

그림 13.5   고정된 두 벽 사이에 있는 세 개의 동일한 스프링에 연결된 두 개의 같은 질량의 진동의 주 모드.

13.4   멱 방법

멱 방법은 가장 크거나 지배적인 고유값을 구하기 위해 사용되는 반복법이다. 약간만 수정하면 가장 작은 고유값을 구하는 데에도 적용할 수 있다. 이 방법의 부산물로 고유값에 해당되는 고유벡터가 구해지는 추가적인 이점도 있다. 이 멱 방법을 해석 대상이 되는 시스템에 적용하기 위해서 다음과 같은 형태로 식을 정리한다.

$$[A]\{x\} = \lambda\{x\} \tag{13.25}$$

다음의 예제에서 설명되겠지만, 식 (13.25)는 반복 해법의 기초가 되며, 궁극적으로 최대 고유값과 그에 해당하는 고유벡터를 산출한다.

예제 13.5   **멱 방법을 이용한 최대 고유값의 결정**

문제 설명.   13.3절에서와 같은 방법으로 두 고정 벽 사이에 세 개의 질량과 네 개의 스프링으로 구성된 시스템에 대해 다음과 같은 동차 연립방정식을 유도할 수 있다.

$$\left(\frac{2k}{m_1} - \omega^2\right)X_1 \qquad -\frac{k}{m_1}X_2 \qquad\qquad = 0$$

$$-\frac{k}{m_2}X_1 + \left(\frac{2k}{m_2} - \omega^2\right)X_2 \qquad -\frac{k}{m_2}X_3 = 0$$

$$-\frac{k}{m_3}X_2 + \left(\frac{k}{m_3} - \omega^2\right)X_3 = 0$$

모든 질량 m 이 1 kg이고, 모든 스프링 상수 k 가 20 N/m인 경우에 시스템을 식 (13.4)의 행렬 형태로 표현하면 다음과 같다.

$$\begin{bmatrix} 40 & -20 & 0 \\ -20 & 40 & -20 \\ 0 & -20 & 40 \end{bmatrix} - \lambda[I] = 0$$

여기서 고유값 λ는 각 주파수의 제곱인 ω^2이다. 멱 방법을 사용하여 최대 고유값과 그에 해당하는 고유벡터를 구하라.

풀이 우선 시스템을 식 (13.25)의 형태로 나타낸다.

$$\begin{aligned} 40X_1 - 20X_2 &= \lambda X_1 \\ -20X_1 + 40X_2 - 20X_3 &= \lambda X_2 \\ -20X_2 + 40X_3 &= \lambda X_3 \end{aligned}$$

여기서 X 의 초기값들을 가정하고, 고유값과 고유벡터를 계산하기 위하여 방정식의 좌변을 이용한다. 첫 번째 선택으로 좋은 방법은 방정식의 좌변에 있는 모든 X를 1로 놓는 것이다.

$$\begin{aligned} 40(1) - 20(1) &= 20 \\ -20(1) + 40(1) - 20(1) &= 0 \\ -20(1) + 40(1) &= 20 \end{aligned}$$

다음으로 우변의 최대값(20)을 1이 되도록 우변을 정규화한다.

$$\begin{Bmatrix} 20 \\ 0 \\ 20 \end{Bmatrix} = 20 \begin{Bmatrix} 1 \\ 0 \\ 1 \end{Bmatrix}$$

그러면 정규화에 사용된 값인 (20)이 첫 번째 고유값이 되고, 그에 해당하는 벡터인 $\{1\ 0\ 1\}^T$ 가 고유벡터가 된다. 이러한 반복을 행렬 형태로 간결하게 나타내면 다음과 같다.

$$\begin{bmatrix} 40 & -20 & 0 \\ -20 & 40 & -20 \\ 0 & -20 & 40 \end{bmatrix} \begin{Bmatrix} 1 \\ 1 \\ 1 \end{Bmatrix} = \begin{Bmatrix} 20 \\ 0 \\ 20 \end{Bmatrix} = 20 \begin{Bmatrix} 1 \\ 0 \\ 1 \end{Bmatrix}$$

두 번째 반복에서는 계수 행렬에 이전 반복으로부터의 고유벡터 $\{1\ 0\ 1\}^T$를 곱해 다음을 얻는다.

$$\begin{bmatrix} 40 & -20 & 0 \\ -20 & 40 & -20 \\ 0 & -20 & 40 \end{bmatrix} \begin{Bmatrix} 1 \\ 0 \\ 1 \end{Bmatrix} = \begin{Bmatrix} 40 \\ -40 \\ 40 \end{Bmatrix} = 40 \begin{Bmatrix} 1 \\ -1 \\ 1 \end{Bmatrix}$$

따라서 두 번째 고유값은 40이며, 이 값을 사용하여 오차를 추정하면 상대오차는 다음과 같다.

$$|\varepsilon_a| = \left|\frac{40-20}{40}\right| \times 100\% = 50\%$$

이러한 과정을 계속해서 반복할 수 있다.

세 번째 반복의 결과는 다음과 같다.

$$\begin{bmatrix} 40 & -20 & 0 \\ -20 & 40 & -20 \\ 0 & -20 & 40 \end{bmatrix} \begin{Bmatrix} 1 \\ -1 \\ 1 \end{Bmatrix} = \begin{Bmatrix} 60 \\ -80 \\ 60 \end{Bmatrix} = -80 \begin{Bmatrix} -0.75 \\ 1 \\ -0.75 \end{Bmatrix}$$

여기서 부호 변화가 있어서 $|\varepsilon_a|$ = 150%로 크다.

네 번째 반복의 결과는 다음과 같다.

$$\begin{bmatrix} 40 & -20 & 0 \\ -20 & 40 & -20 \\ 0 & -20 & 40 \end{bmatrix} \begin{Bmatrix} -0.75 \\ 1 \\ -0.75 \end{Bmatrix} = \begin{Bmatrix} -50 \\ 70 \\ -50 \end{Bmatrix} = 70 \begin{Bmatrix} -0.71429 \\ 1 \\ -0.71429 \end{Bmatrix}$$

여기서 또 한 번의 부호 변화가 있어서 $|\varepsilon_a|$ = 214%로 크다.

다섯 번째로 반복하면 다음과 같다.

$$\begin{bmatrix} 40 & -20 & 0 \\ -20 & 40 & -20 \\ 0 & -20 & 40 \end{bmatrix} \begin{Bmatrix} -0.71429 \\ 1 \\ -0.71429 \end{Bmatrix} = \begin{Bmatrix} -48.51714 \\ 68.51714 \\ -48.51714 \end{Bmatrix} = 68.51714 \begin{Bmatrix} -0.70833 \\ 1 \\ -0.70833 \end{Bmatrix}$$

여기서 $|\varepsilon_a|$ = 2.08%이다.

따라서 고유값이 수렴함을 알 수 있다. 몇 번 더 반복을 거친 후에 고유값은 68.28427, 그리고 고유벡터는 $\{-0.707107 \ 1 \ -0.707107\}^T$에 수렴한다.

주의할 사항은 멱 방법을 사용할 때 어떤 경우에는 최대 고유값에 수렴하지 않고 오히려 두 번째로 큰 고유값에 수렴하는 경우도 발생한다는 것이다. James, Smith와 Wolford (1985)가 이러한 경우의 예를 제시하였다. Fadeev와 Fadeeva (1963)는 또 다른 특수한 경우를 논의하였다.

종종 가장 작은 고유값을 구해야 되는 경우도 발생한다. 이 문제는 멱 방법을 [A]의 역행렬에 적용하면 해결된다. 이러한 경우에는 멱 방법을 통해 얻는 결과는 $1/\lambda$의 가장 큰 값, 즉 λ의 가장 작은 값에 수렴하게 된다. 가장 작은 고유값을 구하는 문제는 연습문제로 남겨 놓는다.

마지막으로, 가장 큰 고유값을 구한 후에는 본래의 행렬을 나머지 고유값만 갖는 행렬로 대체함으로써 두 번째로 큰 고유값을 결정할 수 있다. 가장 크다고 알려진 고유값을 제외하는 이 과정을 **감차**(deflation)라고 한다.

멱 방법을 중간 크기의 고유값을 구하는 데에도 사용할 수 있지만, 이 경우에는 다음 절에서 소개될 모든 고유값들을 결정하는 더 좋은 방법을 이용한다. 따라서 멱 방법은 최대 고유값이나 최소 고유값을 구할 때 주로 사용된다.

13.5 MATLAB 함수: eig

예상할 수 있듯이 MATLAB은 고유값과 고유벡터를 구하기 위한 강력하고 견실한 프로그램을 가지고 있다. eig 함수는 이러한 목적에 사용되며, 고유값을 나타내는 벡터를 얻기 위해서 다음 구문을 이용한다.

```
>> e = eig(A)
```

여기서 e는 정방행렬 A의 고유값을 포함하는 벡터이다. 다른 방법으로는 다음과 같이 함수를 사용할 수도 있다.

```
>> [V,D] = eig(A)
```

여기서 D는 고유값을 대각 원소로 갖는 대각행렬이고, V는 각각의 고유값에 해당하는 고유벡터를 열로 갖는 전체 행렬이다.

여기서 MATLAB은 각 고유벡터를 벡터의 Euclidean 길이로 나눔으로써 크기를 조정한다는 것에 반드시 주의해야 한다. 따라서 다음 예제에서 보듯이 각 벡터의 크기가 다항식 방법을 통하여 계산된 것과는 다르더라도 각 벡터의 원소 사이의 비는 일치한다.

예제 13.6 MATLAB을 이용한 고유값과 고유벡터의 결정

문제 설명. MATLAB을 이용하여 예제 13.5에서 다룬 시스템의 고유값과 고유벡터를 구하라.

풀이 해석 대상인 행렬은 다음과 같음을 상기하라.

$$\begin{bmatrix} 40 & -20 & 0 \\ -20 & 40 & -20 \\ 0 & -20 & 40 \end{bmatrix}$$

행렬을 다음과 같이 입력한다.

```
>> A = [40 -20 0;-20 40 -20;0 -20 40];
```

단지 고유값만을 원하는 경우에는 다음과 같이 입력하면 된다.

```
>> e = eig(A)
e =
   11.7157
   40.0000
   68.2843
```

주목할 점은 최대 고유값이 68.2843으로 예제 13.5에서 멱 방법으로 구한 결과와 일치한다는 것이다.

고유값과 고유벡터를 모두 원하면 다음과 같이 입력한다.

```
>> [v,d] = eig(A)
v =
    0.5000    -0.7071    -0.5000
    0.7071    -0.0000     0.7071
    0.5000     0.7071    -0.5000
d =
   11.7157         0         0
        0   40.0000         0
        0         0    8.2843
```

비록 고유벡터에 대한 결과가 다르게 정규화되어 있지만 최대 고유값에 해당되는 고유벡터 $\{-0.5\ 0.7071\ -0.5\}^T$는 예제 13.5에서 멱 방법으로 구한 결과 $\{-0.707107\ 1\ -0.707107\}^T$ 와 일치함을 알 수 있다. 이는 멱 방법으로부터의 고유벡터를 Euclidean 놈으로 나눔으로써 보일 수 있다.

```
>> vpower = [-0.7071 1 -0.7071]';
>> vMATLAB = vpower/norm(vpower)

vMATLAB =
   -0.5000
    0.7071
   -0.5000
```

따라서 원소의 크기는 다르지만 비는 동일하다.

13.6 사례연구   고유값과 지진

배경. 공학자나 과학자들이 지진과 같은 외란에 대한 구조물의 거동을 이해하기 위해 질량-스프링 모델을 이용한다. 그림 13.6은 3층 건물에 대한 질량-스프링 모델을 나타낸다. 각 층의 질량과 강성은 각각 m_i 와 $k_i\,(i = 1,\ 2,\ 3)$로 표시된다.

이 경우에 수평운동만 해석하는 데 그 이유는 지진으로 인해 기초가 수평방향으로만 움직인

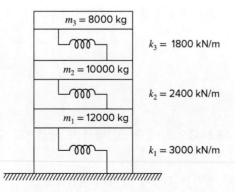

그림 13.6   질량–스프링 시스템으로 모델링한 3층 건물.

다고 가정하기 때문이다. 13.2절에서 기술된 방법을 사용하면 이 시스템에 대한 동적 힘의 평형은 다음과 같이 표현될 수 있다.

$$\left(\frac{k_1 + k_2}{m_1} - \omega_n^2\right) X_1 \qquad - \frac{k_2}{m_1} X_2 \qquad = 0$$

$$-\frac{k_2}{m_2} X_1 + \left(\frac{k_2 + k_3}{m_2} - \omega_n^2\right) X_2 \qquad - \frac{k_3}{m_2} X_3 = 0$$

$$-\frac{k_3}{m_3} X_2 + \left(\frac{k_3}{m_3} - \omega_n^2\right) X_3 = 0$$

여기서 X_i는 바닥의 수평 이동(m), ω_n 은 **고유 진동수** 또는 **공진 진동수**(radians/s)를 나타낸다. 공진 진동수를 2π(radians/cycle)로 나누면 Hertz(cycles/s)로 표시할 수 있다.

MATLAB을 사용하여 이 시스템의 고유값과 고유벡터를 구하라. 각 고유벡터에 대해 높이에 따라 진폭을 표시함으로써 구조물의 진동 모드를 그래프로 나타내라. 병진운동의 진폭을 정규화하여 3층의 진폭을 1이 되도록 하라.

풀이 힘의 평형식에 매개변수들을 대입하면 다음과 같다.

$$(450 - \omega_n^2) X_1 \qquad - 200 X_2 \qquad = 0$$

$$-240 X_1 + (420 - \omega_n^2) X_2 \qquad - 180 X_3 = 0$$

$$-225 X_2 + (225 - \omega_n^2) X_3 = 0$$

MATLAB을 사용하여 다음과 같이 고유값과 고유벡터를 구할 수 있다.

```
>> A=[450 -200 0;-240 420 -180;0 -225 225];
>> [v,d]=eig(A)
v =
  -0.5879    -0.6344     0.2913
   0.7307    -0.3506     0.5725
  -0.3471     0.6890     0.7664

d =
  698.5982          0          0
         0   339.4779          0
         0          0    56.9239
```

따라서 고유값은 698.6, 339.5, 56.92이고, 공진 진동수는 Hz 단위로 다음과 같다.

```
>> wn=sqrt(diag(d))'/2/pi
wn =
    4.2066    2.9324    1.2008
```

각각의 고유값에 해당하는 (3층의 진폭을 1로 정규화한) 고유벡터는 다음과 같다.

$$\left\{ \begin{array}{c} 1.6934 \\ -2.1049 \\ 1 \end{array} \right\} \left\{ \begin{array}{c} -0.9207 \\ -0.5088 \\ 1 \end{array} \right\} \left\{ \begin{array}{c} 0.3801 \\ 0.7470 \\ 1 \end{array} \right\}$$

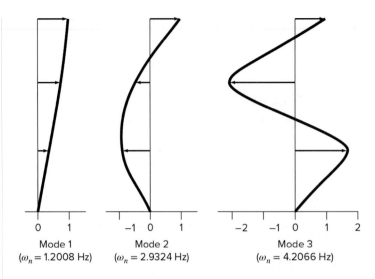

그림 13.7   3층 건물의 세 가지 주 진동 모드.

세 가지 모드를 나타내는 그래프는 그림 13.7과 같다. 구조공학에서 관례적으로 사용하는 방식에 따라 제일 낮은 고유 진동수에서 제일 높은 진동수까지의 순서로 배열하였다.

　　고유 진동수와 진동 모드는 이들 진동수에서 공진하는 경향을 나타내는 구조물의 특성이다. 전형적으로 지진의 진동수 성분은 대부분의 에너지가 0에서 20 Hz 사이에 있고, 그것은 지진의 크기, 진앙까지의 거리, 그리고 다른 요소의 영향을 받는다. 지진은 하나의 진동수가 아닌, 모든 진동수에서 다양한 진폭을 갖는 스펙트럼을 가진다. 건물은 특유의 단순한 변형 형태로 인해 그리고 낮은 모드에서 변형시키는 데 작은 스트레인 에너지가 요구되므로, 낮은 진동 모드에서 더 잘 떨린다. 이러한 진폭이 건물의 고유 진동수와 일치하게 되면 커다란 동적 응답이 발생하여 구조물의 보, 기둥, 기초 등에 큰 응력과 변형이 발생하게 된다. 이와 같은 사례연구의 해석을 바탕으로 하여, 구조 공학자는 안전율을 충분히 고려하여 지진에 잘 견디도록 건물을 현명하게 설계할 수 있다.

연습문제

13.1　예제 13.4를 세 개의 질량에 대해 모든 m이 40 kg이고 모든 k 값이 240 N/m이라고 가정하고 반복하라. 그림 13.5와 같은 그림을 그려서, 진동의 주요 모드를 구하라.

13.2　멱 방법을 사용하여 다음 행렬에 대한 최대 고유값과 그에 해당하는 고유벡터를 구하라.

$$\begin{bmatrix} 2-\lambda & 8 & 10 \\ 8 & 4-\lambda & 5 \\ 10 & 5 & 7-\lambda \end{bmatrix}$$

13.3　연습문제 13.2에 제시된 시스템에 대하여 최소 고유값과 그에 해당하는 고유벡터를 구하라.

13.4　그림 P13.4에서 제시된 3질량-4스프링 시스템에 대

하여 시간에 따른 운동을 나타내는 미분방정식들을 유도하라. 세 개의 미분방정식을 다음의 행렬 형태로 기술하라.

{가속도 벡터} + [k/m 행렬]{변위 벡터 x} = 0

각 방정식은 질량으로 나누어져 있음에 주의한다. 다음의 질량값과 스프링 강성값에 대해 고유값들과 고유 진동수를 구하라. $k_1 = k_4 = 15$ N/m, $k_2 = k_3 = 35$ N/m 그리고 $m_1 = m_2 = m_3 = 1.5$ kg.

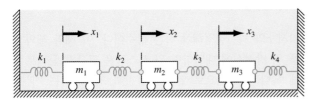

그림 P13.4

13.5 그림 P13.5의 질량-스프링 시스템을 고려하라. 질량의 진동 주파수는 고유값을 구하고 이를 $M\ddot{x} + kx = 0$에 적용하여 얻을 수 있다. 이는 다음과 같은 행렬식을 도출한다.

$$\begin{bmatrix} m_1 & 0 & 0 \\ 0 & m_2 & 0 \\ 0 & 0 & m_3 \end{bmatrix} \begin{Bmatrix} \ddot{x}_1 \\ \ddot{x}_2 \\ \ddot{x}_3 \end{Bmatrix} + \begin{Bmatrix} 2k & -k & -k \\ -k & 2k & -k \\ -k & -k & 2k \end{Bmatrix} \begin{Bmatrix} x_1 \\ x_2 \\ x_3 \end{Bmatrix} = \begin{Bmatrix} 0 \\ 0 \\ 0 \end{Bmatrix}$$

가정해로 $x = x_0 e^{i\omega t}$를 적용하면 다음의 행렬식을 얻을 수 있다.

$$\begin{bmatrix} 2k - m_1\omega^2 & -k & -k \\ -k & 2k - m_2\omega^2 & -k \\ -k & -k & 2k - m_3\omega^2 \end{bmatrix} \begin{Bmatrix} x_{01} \\ x_{02} \\ x_{03} \end{Bmatrix} e^{i\omega t} = \begin{Bmatrix} 0 \\ 0 \\ 0 \end{Bmatrix}$$

MATLAB의 `eig` 명령어를 이용하여 $k - m\omega^2$ 행렬의 고유값을 구하라. 이렇게 구한 고유값을 이용하여 진동수 (ω)를 구하라. 단, $m_1 = m_2 = m_3 = 1$ kg이며 $k = 2$ N/m이다.

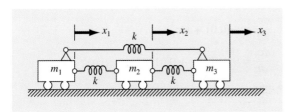

그림 P13.5

13.6 그림 P13.6에서 제시된 것과 같이 LC 회로는 다음의 미분방정식 시스템으로 모델링할 수 있다.

$$L_1 \frac{d^2 i_1}{dt^2} + \frac{1}{C_1}(i_1 - i_2) = 0$$

$$L_2 \frac{d^2 i_2}{dt^2} + \frac{1}{C_2}(i_2 - i_3) - \frac{1}{C_1}(i_1 - i_2) = 0$$

$$L_3 \frac{d^2 i_3}{dt^2} + \frac{1}{C_3} i_3 - \frac{1}{C_2}(i_2 - i_3) = 0$$

여기서 L은 인덕턴스(H), t는 시간(s), i는 전류(A), C는 커패시턴스(F)이다. 해가 $i_j = I_j \sin(\omega t)$ 형태를 갖는다고 가정하고, 이 시스템의 고유값과 고유벡터를 구하라. 단 $L = 1$ H이고, $C = 0.25$ C이다. 주 모드에서 전류가 어떻게 진동하는지를 보이는 회로망을 그려라.

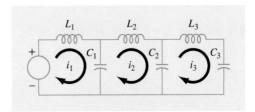

그림 P13.6

13.7 연습문제 13.6에서 두 개의 루프만 있다고 가정하고 문제를 풀어라. 즉 i_3 루프를 생략하라. 주 모드에서 전류가 어떻게 진동하는지를 보이는 회로망을 그려라.

13.8 3층을 없앤 상태에서 13.5절의 문제를 반복하라.

13.9 4층을 추가한 상태에서 13.5절의 문제를 반복하라. 단, m_4는 6000 kg이며, k_4는 1200 kN/m이다.

13.10 그림 P13.10에서 축방향 하중 P를 받는 얇은 부재의 곡률은 다음 식과 같이 모델링할 수 있다.

$$\frac{d^2 y}{dx^2} + p^2 y = 0$$

여기서

$$p^2 = \frac{P}{EI}$$

위 식에서 E는 탄성계수이며, I는 부재의 중립축을 기준으로 한 단면의 관성모멘트이다.

이 모델은 2차 미분에 대하여 아래 식과 같은 중심 유한차분 근사를 이용하면 고유값 문제로 바꿀 수 있다.

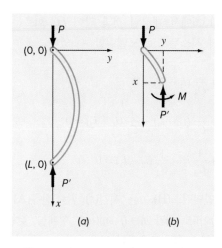

그림 P13.10 (a) 얇은 부재 (b) 부재의 자유물체도.

$$\frac{y_{i+1} - 2y_i + y_{i-1}}{\Delta x^2} + p^2 y_i = 0$$

위 식에서 i는 부재 내부의 어떤 한 위치에서의 노드이며 Δx는 노드들 사이의 간격이다. 이 방정식은 아래와 같이 쓸 수 있다.

$$y_{i-1} - (2 - \Delta x^2 p^2)y_i + y_{i+1}$$

부재의 축을 따라 내부 노드 점들에 대하여 방정식을 쓰면 동차방정식 시스템을 구할 수 있다. 예를 들어 만약 부재가 다섯 구간으로 나누어진다고 하면(즉 4개의 내부 노드 점이 있다면), 결과는 아래 식과 같다.

$$\begin{bmatrix} (2 - \Delta x^2 p^2) & -1 & 0 & 0 \\ -1 & (2 - \Delta x^2 p^2) & -1 & 0 \\ 0 & -1 & (2 - \Delta x^2 p^2) & -1 \\ 0 & 0 & -1 & (2 - \Delta x^2 p^2) \end{bmatrix} \begin{Bmatrix} y_1 \\ y_2 \\ y_3 \\ y_4 \end{Bmatrix} = 0$$

축방향 하중을 받는 목재 부재는 다음과 같은 특성을 가진다. $E = 10 \times 10^9$ Pa, $I = 1.25 \times 10^{-5}$ m^4 그리고 $L = 3$ m이다. 5 구간, 4 노드로 표현된 모델에 대하여,

(a) MATLAB으로 다항식 방법을 실행하여 이 시스템의 고유값을 구하라.

(b) MATLAB의 `eig` 함수를 이용하여 고유값과 고유벡터를 구하라.

(c) 멱 방법을 이용하여 최대 고유값을 구하고, 그에 해당하는 고유벡터를 구하라.

13.11 상수계수를 가지는 두 동차 선형 상미분방정식 시스템이 다음과 같이 주어진다.

$$\frac{dy_1}{dt} = -5y_1 + 3y_2, \qquad y_1(0) = 50$$

$$\frac{dy_2}{dt} = 100y_1 - 301y_2, \qquad y_2(0) = 100$$

여러분들이 미분방정식에 관한 수업을 들었다면, 이러한 미분방정식의 해는 다음과 같은 형식임을 알고 있을 것이다.

$$y_i = c_i e^{\lambda t}$$

여기서 c와 λ는 결정해야 하는 상수이다. 이 해와 해의 미분을 위 방정식에 대입하면 위 시스템은 고유값 문제로 바뀌게 된다. 결과적으로 얻는 고유값과 고유벡터는 미분방정식의 일반해를 구하는 데 사용할 수 있다. 예를 들어 두 개의 미분방정식의 경우에 일반해는 다음과 같은 벡터 형태의 식으로 나타낼 수 있다.

$$\{y\} = c_1\{v_1\}e^{\lambda_1 t} + c_2\{v_2\}e^{\lambda_2 t}$$

여기서 $\{v_i\}$는 i번째 고유값(λ_i)에 해당하는 고유벡터이다. c 값들은 미지계수이며, 주어진 초기조건을 이용하여 구할 수 있다.

(a) 이 시스템을 고유값 문제로 변환하라.

(b) MATLAB을 사용하여 고유값과 고유벡터를 구하라.

(c) (b)의 결과와 초기조건을 이용하여 일반해를 구하라.

(d) $t = 0$에서 1초까지의 해를 MATLAB을 이용하여 그려라.

13.12 그림 P13.12와 같이 북미의 오대호 사이에는 서로 물의 유입이 존재한다. 각 호수의 오염물질의 농도는 1차 반응속도식에 따라 줄어들게 되며, 질량평형에 기초하여 미분방정식을 다음과 같이 나타낼 수 있다.

$$\frac{dc_1}{dt} = -(0.0056 + k)c_1$$

$$\frac{dc_2}{dt} = -(0.01 + k)c_2$$

$$\frac{dc_3}{dt} = 0.01902c_1 + 0.01387c_2 - (0.047 + k)c_3$$

$$\frac{dc_4}{dt} = 0.33597c_3 - (0.376 + k)c_4$$

$$\frac{dc_5}{dt} = 0.11364c_4 - (0.133 + k)c_5$$

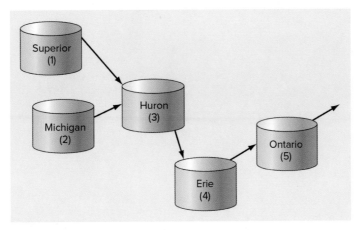

그림 P13.12 북미의 오대호. 화살표는 물이 호수들 사이에서 어떻게 흐르는 지를 나타낸다.

여기서 k는 1차 감소율(/yr)이며, 0.69315/(반감기)이다. 각 방정식의 상수는 호수 사이의 유동을 나타내는 것에 주의한다. 대기 중에서의 핵무기 실험으로 인하여 1963년 오대호의 스트론튬-90(^{90}Sr) 농도는 Bq/m^3 단위로 약 $\{c\}$ = $\{17.7 \quad 30.5 \quad 43.9 \quad 136.3 \quad 30.1\}^T$이었다. 이후로 추가적인 ^{90}Sr의 유입이 없다고 가정하고, MATLAB과 연습문제 13.11에서 설명한 방법을 이용하여 1963년에서 2010년까지의 각 호수에서의 농도를 계산하라. ^{90}Sr의 반감기는 28.8년이다.

13.13 멱 방법을 이용하여 최대 고유값과 그에 해당하는 고유벡터를 구하는 M-파일 함수를 작성하라. 작성한 프로그램을 예제 13.5에 적용하여 검증하고, 이 프로그램을 이용하여 연습문제 13.2를 풀어라.

13.14 8장의 시작 부분에서 Hooke의 법칙을 따르는 마찰 없는 번지점프 줄에 세 사람이 늘어나지 않은 상태로 매달려 있다고 가정하였다. 그림 8.1a에 묘사된 것처럼 시작 위치(줄은 팽팽하지만 늘어나지는 않은)에서 즉각적으로 해제되어 체중으로 줄이 늘어날 때 세 사람의 진동운동 및 상대위치를 특정할 고유값 및 고유벡터를 결정하라. 번지점프 줄이 실제 스프링처럼 작동하지는 않지만 적용된 힘에 선형 비례하여 늘어나고 압축된다고 가정하라. 예제 8.2의 매개변수를 사용하라.

곡선접합

4.1 개요

곡선접합이란?

데이터는 연속체(continuum)를 따라 이산적인 값으로 주어지는 경우가 많다. 만약 여러분이 그 이산적인 값들 사이에 있는 점들을 추정할 필요가 있다고 하자. 14장부터 18장은 이러한 중간 추정값들을 구하기 위하여 이산적인 데이터를 곡선으로 접합시키는 기법들을 기술한다. 이와 다른 경우로 만약 여러분이 복잡한 함수를 단순한 형태로 만들려 한다고 하자. 이 형태를 구하기 위한 한 가지 방법은 관심 있는 범위 내에 존재하는 다수의 이산점에서의 함수값을 계산하는 것이다. 그 후, 계산된 값들을 접합하여 보다 간단한 형태의 함수를 유도하는 것이다. 이와 같은 두 가지 응용방법은 **곡선접합**(curve fitting)으로 알려져 있다.

곡선접합에는 일반적으로 두 가지 방법이 있으며, 이들은 데이터와 관련된 오차의 크기를 기준으로 구분된다. 첫 번째로 데이터가 상당한 크기의 오차를 포함하거나 또는 데이터가 "산재(scatter)"하는 경우, 데이터의 일반적인 경향을 나타낼 수 있는 단일 곡선을 유도하는 방법이다. 여기서 각각의 데이터 점들이 정확하지 않을 수 있으므로, 유도된 곡선이 모든 점을 통과하도록 할 필요는 없다. 대신 유도된 곡선은 점들로 이루어진 집단의 경향을 따르도록 만들어진다. 이러한 방법을 **최소제곱 회귀분석**(least-squares regression) 이라 한다(그림 PT4.1a).

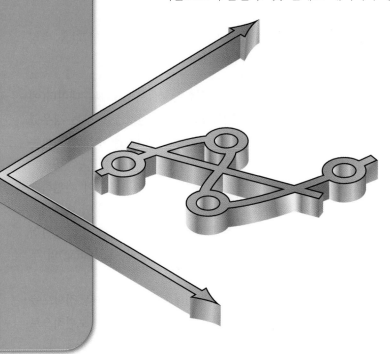

두 번째 방법은 데이터가 매우 정확하게 알려져 있는 경우, 각 데이터 점들을 직접 통과하는 하나의 곡선 또는 일련의 곡선을 만드는 방법이다. 이러한 데이터는 보통 도표로부터 얻을 수 있으며, 예를 들면 온도의 함수로서의 물의 밀도

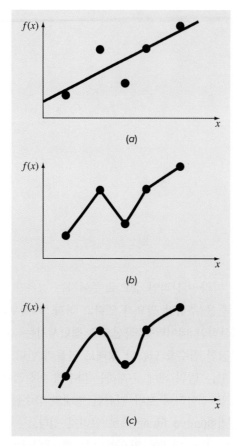

그림 PT4.1   다섯 개의 데이터 점을 "최적" 곡선으로 접합하는 세 가지 방법. (a) 최소제곱 회귀분석법,
(b) 선형보간법, (c) 곡선보간법.

나 가스의 열용량에 대한 값들이 있다. 이렇게 잘 알려져 있는 이산점들의 사이의 값을 추정하는 방법을 **보간법**(interpolation)이라 한다(그림 PT4.1 b와 c).

곡선접합의 공학과 과학적 응용   여러분이 곡선접합을 처음 경험한 것은 도표화된 데이터(예를 들어 공학경제학에서의 이율표 또는 열역학에서의 증기표)로부터 중간값을 구하는 경우였을 것이다. 또한 여러분은 앞으로도 계속 이와 같은 도표를 사용해서 중간값을 추정해야 하는 경우를 자주 접하게 될 것이다.

공학과 과학 분야에서 널리 사용되는 물성값들의 상당 부분은 도표화되어 있어 간편하게 얻을 수 있지만, 아직도 도표화되어 있지 않은 물성값들이 더 많다. 또한 자신이 직접 데이터를 측정하고, 특수한 예측 관계식을 개발해야 하는 새로운 문제상황에 당면할 수도 있다. 일반적으로 실험 데이터를 접합시킬 때 경향분석(trend analysis)과 가설검증(hypothesis testing)의 두 가지 형태의 응용 분야와 마주치게 된다.

경향분석은 예측을 위하여 데이터의 경향을 이용하는 과정이다. 데이터가 높은 정확도를 가지고 측정된 경우에는 보간다항식을 사용할 수 있으나, 정확하지 않은 데이터는 보편적으로 최소제곱 회귀분석을 이용하여 해석된다. 경향분석은 종속변수의 값을 예측하기 위하여 사용될 수도 있다. 관측된 데이터의 범위를 벗어나는 경우에는 외삽법(extrapolation)을 사용하며, 데이터 범위 내에서는 보간법(interpolation)을 사용한다. 공학과 과학의 모든 분야는 이와 같은 문제들을 포함하고 있다.

실험에 관련된 곡선접합의 두 번째 응용분야는 **가설검증**이다. 여기서는 기존에 결정된 수학적 모델이 측정된 데이터와 비교된다. 만약 그 모델의 계수(coefficient)를 알지 못한다면 관측된 데이터를 가장 잘 접합시킬 수 있는 계수를 결정하는 것이 필요하게 된다. 반면에 모델 계수의 추정값이 이미 확보되어 있다면, 모델의 타당성을 시험하기 위해 모델이 예측하는 값과 관측된 값을 비교하는 것이 적절할 것이다. 또한 대안으로 제시되는 모델과도 비교하여 실험적인 관측과 "가장" 잘 맞는 모델이 선택된다.

앞서의 공학과 과학적 응용 외에도 곡선접합은 적분값을 구하거나 미분방정식의 근사해를 구하는 수치해법에 있어서도 중요하다. 마지막으로 곡선접합 기법들은 복잡한 함수를 근사시켜 간단한 함수를 유도하는 데도 사용할 수 있다.

4.2 구성

14장에서는 통계학에 대하여 간단하게 복습한 후, 불확실한 일련의 데이터 점들의 집합을 통과하는 "최적"의 직선을 결정하는 방법인 **선형 회귀분석**(linear regression)에 초점을 맞춘다. 이 직선의 기울기와 절편을 계산하는 방법에 대한 논의 외에도, 결과가 타당한지를 평가하기 위한 정량적이고 시각적인 방법을 설명한다. 아울러 비선형방정식을 선형화시키는 여러 가지 방법뿐만 아니라 **난수 생성**(random number generation)에 대해서도 설명한다.

15장은 **다항식 회귀분석**(polynomial regression)과 **다중 선형 회귀분석**(multiple linear regression)에 대한 간단한 논의로부터 출발한다. **다항식 회귀분석**은 포물선, 3차 곡선과 그 이상의 고차 다항식을 이용한 최적 접합을 다룬다. 다음으로 종속변수 y가 두 개 이상의 독립변수 x_1, x_2, . . ., x_m의 선형 함수인 경우에 대하여 고안된 **다중 선형 회귀분석**에 대하여 설명한다. 이 방법은 여러 가지 다른 요인에 의존하는 관심변수를 가지는 실험 데이터를 평가하는 데 특히 유용하다.

다중 회귀분석에 대하여 논의한 후, 다항식과 다중 회귀분석이 어떻게 **일반 선형 최소제곱 모델**(general linear least-squares model)의 일부가 되는지를 보인다. 이는 무엇보다도 회귀분석에 대한 간결한 행렬 표현의 도입과 일반적인 통계적 특성에 대한 논의를 가능하게 한다. 마지막으로 15장의 끝 절에서는 **비선형 회귀분석**(nonlinear regression)에 대하여 설명한다. 이 방법은 데이터에 대한 비선형방정식의 최소제곱 접합을 계산하기 위해 고안되었다.

16장에서는 주기함수들의 데이터 접합에 관계되는 **Fourier 해석**을 다룬다. 그중에서도 **고속 Fourier 변환**(혹은 **FFT**)에 대하여 중점적으로 알아본다. MATLAB에서 쉽게 실행할 수 있는 이 방법은 구조물의 진동해석에서부터 신호처리까지 많은 공학적 응용범위를 가진다.

17장에서는 **보간법**(interpolation)이라 부르는 또 다른 곡선접합 기법을 설명한다. 앞서 언급하였듯이 보간법은 정확한 데이터 점들 사이의 중간값을 추정하는 데 사용된다. 17장에서는 이러한 목적을 위하여 다항식을 유도한다. 먼저 데이터 점들을 연결하기 위하여 직선과 포물선을 이용하는 다항식보간법의 기초 개념을 소개한다. 다음으로 n 차 다항식을 접합하는 일반적인 절차를 개발한다. 그리고 이들 다항식을 수식 형태로 표현하는데 두 가지 방법을 제시한다. 첫 번째 방법은 **Newton 보간다항식**(Newton's interpolating polynomial)이라 하며 다항식의 적절한 차수가 미정일 때 선호되며, 두 번째는 **Lagrange 보간다항식**(Lagrange's interpolating polynomial)이라 하고 적절한 차수를 미리 알 때 유리하다.

마지막으로 **18장**에서는 정확한 데이터 점을 접합하는 또 다른 기법을 소개한다. **스플라인 보간법**(spline interpolation)이라 하는 이 기법은 데이터에 다항식을 접합시키지만 소구간별로 접합시킨다. 또한 일반적으로 완만하지만 국부 지역에서 급격하게 변하는 데이터에 접합시키는 데 특히 적합하다. 이 장에서는 또한 소구간별 보간법, 다차원 보간법 그리고, 스플라인의 평활화를 구현하는 방법에 대한 개요도 포함된다.

선형 회귀분석

학습목표

이 장의 주요 목표는 최소제곱 회귀분석을 사용하여, 측정된 데이터에 직선을 접합시키는 방법을 소개하는 것이다. 구체적인 목표와 다루는 주제는 다음과 같다.

- 기본적인 기술통계 분야의 지식과 정규분포
- 선형 회귀분석을 사용하여 최적–접합 직선의 기울기와 절편을 계산하는 방법
- MATLAB을 이용한 난수 생성방법과 이를 Monte Carlo 시뮬레이션에 적용하는 방법
- 결정계수와 추정값의 표준오차를 계산하는 방법과 그 의미의 이해
- 선형 회귀분석을 사용하여 접합시킬 수 있도록 비선형방정식을 선형화시키는 변환 방법
- MATLAB으로 선형 회귀분석을 실행하는 방법

이런 문제를 만나면

1장에서 소개한 것처럼 번지점프하는 사람과 같이 자유낙하하는 물체는 위쪽으로 작용하는 공기저항에 의한 힘을 받는 것을 보았다. 그리고 첫 번째 근사방법으로 이 공기저항에 의한 힘은 다음 식과 같이 속도의 제곱에 비례한다고 가정하였다.

$$F_U = c_d v^2 \tag{14.1}$$

여기서 F_U는 공기저항에 의해 작용하는 위방향 힘(N = kg m/s^2), c_d는 항력계수(kg/m), 그리고 v는 속도(m/s)이다.

식 (14.1)과 같은 표현은 유체역학 분야에서 주로 사용된다. 이 관계식 중 일부는 이론으로부터 유도되지만, 위 식과 같이 수식화하기 위해서는 실험의 역할이 매우 중요하다. 그림 14.1은 이와 같은 실험을 보여준다. 어떤 사람이 풍동 속에 매달려 있으며 (누구 자원할 사람?) 여러 단계의 풍속에 대하여 이 사람이 받는 힘이 측정된다. 그 결과는 표 14.1에 기재되어 있다.

이 관계는 힘을 속도에 대해 그래프로 나타냄으로써 가시화할 수 있다. 그림 14.2에서 보이는 몇 가지 관계에 대한 특성을 언급할 필요가 있다. 첫째, 속도가 증가함에 따라 힘도 증가한다. 둘째, 점들이 부드럽게 증가하지 않으며 특히 높은 속도에서는 다소 심하게 흩어져 있다. 마지막으로, 비록 명백하지는 않지만 힘과 속도 사이의 관계가 선형이 아닐 수 있다. 이와

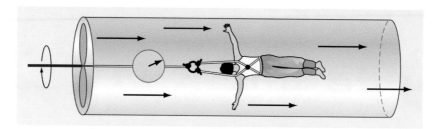

그림 14.1   공기저항 힘과 속도의 관계를 측정하는 풍동실험.

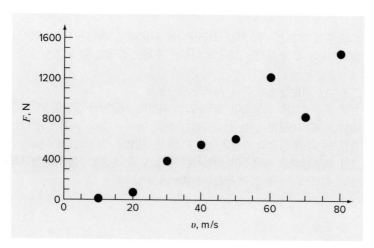

그림 14.2   풍동 내에 매달려 있는 물체에 작용하는 힘과 풍속 사이의 관계에 대한 그림.

표 14.1   풍동실험으로부터 구한 힘(N)과 속도(m/s)에 관한 실험 데이터.

v, m/s	10	20	30	40	50	60	70	80
F, N	25	70	380	550	610	1220	830	1450

같은 결론은 속도가 0일 때 힘이 0이라고 가정하면 더욱 확실해진다.

14장과 15장에서는 이와 같은 데이터에 "가장 좋은" 직선 또는 곡선을 접합시키는 방법을 살펴볼 것이다. 이를 통하여 실험 데이터로부터 식 (14.1)과 같은 관계식을 어떻게 구할 수 있는지를 알아보고자 한다.

14.1   통계학 복습

최소제곱 회귀분석에 대하여 설명하기 전에 먼저 통계 분야의 기초적 개념을 복습하자. 이와 같은 기초개념은 평균값, 표준편차, 제곱의 잔차합(residual sum of squares) 및 정규분포(normal distribution)를 포함한다. 또한 간단한 기술통계값(descriptive statistics)과 분포를 어떻게 MATLAB으로 구할 수 있는지도 설명한다. 만약 여러분이 이러한 주제에 익숙하다면, 14.1절은 생략하고 바로 14.2절로 넘어가도 무방하다. 만약 이러한 주제에 익숙하지 않거나 복습을 필요로 한다면, 다음 절에서 이러한 개념들을 간단히 소개하고 있으므로 참고가 될 것이다.

14.1.1 기술통계학(記述 統計學, Descriptive Statistics)

공학 연구를 수행하는 과정에서 어떤 특정한 양을 여러 번 측정하였다고 가정하자. 예를 들어 표 14.2는 구조용 강의 열팽창계수에 대한 24개의 측정값을 보여준다. 이 표를 살펴보면 데이터는 제한적인 양의 정보를 담고 있다. 즉, 최소 6.395에서 최대 6.775까지의 범위값을 가지는 것을 알 수 있다. 하나 또는 그 이상의 적절한 통계법을 이용하여 데이터를 요약함으로써, 데이터 집합의 특정 성질에 관해 가능한 한 많은 정보를 전달하는 전체 데이터의 추가적인 통찰을 얻을 수 있다. 이러한 기술통계법들은 (1) 해당 데이터 분포의 중심 위치와 (2) 해당 데이터 집합의 분산 정도를 나타내는 데 가장 많이 사용된다.

위치의 척도. 중심의 경향을 나타내는 가장 보편적인 척도는 **산술평균**(arithmetic mean)이다. 어떤 표본의 산술평균($\bar{y}$)은 각 데이터 값(y_i)의 합을 데이터 점의 개수(n)로 나눈 것으로 정의한다.

$$\bar{y} = \frac{\sum y_i}{n} \tag{14.2}$$

여기서 합계(그리고 이 절에서 계속해서 언급하게 될 모든 합계)는 $i = 1$부터 n까지이다.

산술평균 외에 다른 방법들도 있다. **중앙값**(median)은 데이터 그룹의 가운데 값이며, 이는 데이터를 먼저 오름차순으로 정렬하고 계산한다. 측정값의 개수가 홀수이면 중앙값은 가운데 값이며, 짝수이면 가운데 두 값의 산술평균이 된다. 중앙값은 종종 **50번째 백분위수**(퍼센타일, percentile)라고도 한다.

최빈값(mode)은 가장 빈번하게 나타나는 값이다. 이 개념은 이산적인 데이터나 크게 반올림한 데이터를 다룰 때만 직접적으로 유용하다. 표 14.2의 데이터와 같은 연속적인 변수들에 대하여는 이 개념은 실용적이지 않다. 예를 들면 이 데이터에 6.555, 6.625, 6.655와 6.715의 4개 최빈값이 있으며 이들은 두 번씩 나타난다. 이들 숫자가 소수점 셋째 자리로 반올림되지 않았다면, 어떤 숫자도 두 번씩 반복되지 않을 수도 있다. 그러나 연속적인 데이터가 등간격으로 그룹지어진다면 이는 유용한 통계일 수 있다. 이 절의 후반에 히스토그램을 설명할 때 다시 최빈값을 언급하게 될 것이다.

분산의 척도. 가장 간단한 분산의 척도는 최대값과 최소값의 차이인 **범위**(range)이다. 범위는 계산하기 확실히 간단하기는 하지만, 높은 신뢰성을 가지는 방법으로 간주되지는 않는다. 그

표 14.2 구조용 강의 열팽창계수 측정값.

6.495	6.595	6.615	6.635	6.485	6.555
6.665	6.505	6.435	6.625	6.715	6.655
6.755	6.625	6.715	6.575	6.655	6.605
6.565	6.515	6.555	6.395	6.775	6.685

이유는 표본의 크기와 극값(extreme value)에 매우 민감하기 때문이다.

　표본의 분포도에 대한 가장 보편적인 척도는 평균값을 기준으로 하는 **표준편차**(standard deviation, s_y)이며, 다음과 같이 정의된다.

$$s_y = \sqrt{\frac{S_t}{n-1}} \tag{14.3}$$

여기서 S_t는 데이터 점과 평균값 사이의 잔차(residual) 제곱의 합으로 다음 식과 같다.

$$S_t = \sum(y_i - \bar{y})^2 \tag{14.4}$$

따라서 만약 각 측정값들이 평균값 주위에 넓게 분포되어 있다면, S_t(결과적으로는 s_y)는 큰 값을 가질 것이다. 만약 측정값들이 밀집되어 있다면 표준편차는 작은 값을 가질 것이다. 또한 데이터의 분포는 **분산**(variance)이라고 하는 표준편차의 제곱으로 다음 식과 같이 나타낼 수 있다.

$$s_y^2 = \frac{\sum(y_i - \bar{y})^2}{n-1} \tag{14.5}$$

　식 (14.3)과 (14.5)에서 분모가 $n-1$임에 유의하라. 여기서 $n-1$을 **자유도**(degrees of freedom)라 하며, 따라서 S_t와 s_y는 $n-1$ 자유도에 기초한다고 말한다. 이러한 용어는 S_t가 기초하는 양(즉, $\bar{y} - y_1$, $\bar{y} - y_2$, ..., $\bar{y} - y_n$)의 합이 0이라는 사실에서 비롯된다. 결국 $\bar{y}$를 알고 $n-1$개의 데이터 값이 지정되면, 나머지 값은 정해지게 된다. 그러므로 단지 $n-1$개의 값만 자유롭게 결정될 수 있다. $n-1$로 나누는 또 다른 이유는 단일 데이터 점의 분포란 있을 수 없기 때문이다. $n=1$인 경우에는 식 (14.3)과 (14.5)는 무한대가 되어 결과는 무의미하게 된다.

　분산을 계산하는 데는 다음과 같은 보다 편리한 수식이 있다는 점에 유의한다.

$$s_y^2 = \frac{\sum y_i^2 - (\sum y_i)^2/n}{n-1} \tag{14.6}$$

이 식에서는 $\bar{y}$를 미리 계산할 필요가 없지만, 식 (14.5)와 동일한 결과를 얻는다.

　데이터 분포를 정량화하는 데 유용한 마지막 통계량은 분산계수(coefficient of variation, c.v.)이며, 이는 평균값에 대한 표준편차의 비이다. 이 계수는 분포의 정규화된 척도로서 보통 다음과 같이 100을 곱하여 백분율의 형태로 나타낸다.

$$\text{c.v.} = \frac{s_y}{\bar{y}} \times 100\% \tag{14.7}$$

예제 14.1 표본에 대한 간단한 통계

문제 설명. 표 14.2에 있는 데이터에 대한 평균값, 중앙값, 분산, 표준편차와 분산계수를 계산하라.

풀이 해당 데이터들은 표 14.3에서와 같이 도표화할 수 있으며 필요한 합도 계산할 수 있다. 평균값은 [식 (14.2)]를 이용하여 계산한다.

$$\bar{y} = \frac{158.4}{24} = 6.6$$

데이터가 짝수 개이므로 중앙값은 가운데 두 값의 산술평균을 취하여 구한다(6.605 + 6.615)/2 = 6.61.

표 14.3에서 볼 수 있는 바와 같이 잔차의 제곱합은 0.217000이고, 이 값은 표준편차를 계산하기 위하여 사용된다[식 (14.3)].

$$s_y = \sqrt{\frac{0.217000}{24 - 1}} = 0.097133$$

표 14.3 표 14.2의 열팽창계수에 대한 간단한 기술통계를 계산하기 위한 데이터 및 합산.

i	y_i	$(y_i - \bar{y})^2$	y_i^2
1	6.395	0.04203	40.896
2	6.435	0.02723	41.409
3	6.485	0.01323	42.055
4	6.495	0.01103	42.185
5	6.505	0.00903	42.315
6	6.515	0.00723	42.445
7	6.555	0.00203	42.968
8	6.555	0.00203	42.968
9	6.565	0.00123	43.099
10	6.575	0.00063	43.231
11	6.595	0.00003	43.494
12	6.605	0.00002	43.626
13	6.615	0.00022	43.758
14	6.625	0.00062	43.891
15	6.625	0.00062	43.891
16	6.635	0.00122	44.023
17	6.655	0.00302	44.289
18	6.655	0.00302	44.289
19	6.665	0.00422	44.422
20	6.685	0.00722	44.689
21	6.715	0.01322	45.091
22	6.715	0.01322	45.091
23	6.755	0.02402	45.630
24	6.775	0.03062	45.901
Σ	158.400	0.21700	1045.657

그리고 분산[식 (14.5)]은 다음과 같다.

$$s_y^2 = (0.097133)^2 = 0.009435$$

그리고 분산계수[식 (14.7)]는 다음과 같다.

$$\text{c.v.} = \frac{0.097133}{6.6} \times 100\% = 1.47\%$$

식 (14.6)이 타당한지는 다음을 계산함으로써 확인할 수 있다.

$$s_y^2 = \frac{1045.657 - (158.400)^2/24}{24 - 1} = 0.009435$$

14.1.2 정규 분포

현재 논의하고 있는 통계학과 관련되어 언급할 또 다른 특성은 데이터 분포이다. 즉 데이터가 평균값 주위에 어떤 형태로 분포되어 있는지를 아는 것이다. **히스토그램**(histogram)은 이러한 분포를 시각적으로 간단하게 표현한 것이다. 히스토그램은 측정값들을 구간별(혹은 **빈**, bin)로 분류함으로써 구성된다. 이때 측정 단위는 수평축에 표시하고, 각 구간의 발생 빈도는 수직축에 표시한다.

예를 들어 표 14.2의 데이터로 히스토그램을 만들어보자. 그 결과(그림 14.3)를 보면 대부분의 데이터들이 평균값인 6.6 부근에 모여 있음을 알 수 있다. 또한 데이터를 구간별로 분류하였을 때, 6.6에서 6.64의 범위에 데이터가 가장 많이 배치되어 있음을 알 수 있다. 최빈값은 이 구간의 중간값인 6.62라 할 수 있지만, **최빈구간폭**(modal class interval)으로 일컫는 가장 빈번한 범위를 기술하는 게 더 일반적이다.

만약 데이터가 매우 많다면 이러한 히스토그램은 완만한 곡선 형태로 근사화될 수 있다.

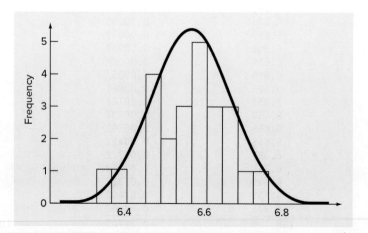

그림 14.3 데이터의 분포를 나타내기 위하여 사용된 히스토그램. 데이터 점의 개수가 증가하면 히스토그램은 정규 분포라고 부르는 완만하고 종 모양인 곡선에 접근한다.

그림 14.3에 함께 그려져 있는 대칭형의 종 모양 곡선은 근사화된 특성곡선의 하나이며, 이를 **정규분포**(normal distribution)라고 한다. 충분히 많은 추가 측정값이 주어진다면 히스토그램은 결국 정규분포에 가깝게 된다.

평균값, 표준편차, 잔차의 제곱합, 그리고 정규분포와 같은 개념들은 모두 공학과 과학 문제와 깊은 상관관계를 가지고 있다. 간단한 예로써 앞에서 언급한 통계량을 이용하여 하나의 특정한 측정값에 대한 신뢰도를 정량화시키는 용도로 사용하는 경우를 제시할 수 있다. 어떤 측정값들이 정규적으로 분포되어 있다면, $\bar{y} - s_y$와 $\bar{y} + s_y$ 사이의 범위는 전체 측정값의 약 68%를 포함하게 된다. 유사하게 $\bar{y} - 2s_y$와 $\bar{y} + 2s_y$ 사이의 범위는 약 95%를 포함하게 된다.

예를 들어 예제 14.1에서는 표 14.2의 데이터에 대하여 $\bar{y} = 6.6$과 $s_y = 0.097133$을 계산하였다. 이와 같은 해석을 근거로 약 95%의 측정값들이 6.405734와 6.794266 사이에 존재한다고 말할 수 있다. 또한 만약 누군가가 7.35라는 값을 측정하였다면, 이 값은 위의 범위를 크게 벗어나므로 그 측정값에 오류가 있다고 생각하게 될 것이다.

14.1.3 MATLAB을 이용한 기술통계학

일반적인 MATLAB은 기술통계학 계산을 위하여 여러 가지 함수를 내장하고 있다.[1] 예를 들어 산술평균은 mean (x) 를 이용하여 계산한다. 만약 x 가 벡터이면, 이 함수는 벡터 내 요소들의 평균값을 계산한다. 만약 x 가 행렬이면, 각 열벡터의 산술평균을 요소로 가지는 행벡터를 계산한다. 다음은 표 14.2의 데이터를 가지는 열벡터 s 를 해석하기 위하여 평균과 다른 통계함수를 사용한 결과를 보여준다.

```
>> format short g
>> mean(s),median(s),mode(s)

ans =
            6.6
ans =
           6.61
ans =
          6.555
>> min(s),max(s)

ans =
          6.395
ans =
          6.775
>> range=max(s) -min(s)

range =
           0.38
>> var(s),std(s)

ans =
      0.0094348
```

---

[1] MATLAB은 난수값 생성으로부터 곡선접합, 실험 설계와 통계적 공정관리까지의 광범위한 일반 통계작업을 지원하는 통계학 도구상자(Statistics Toolbox)를 제공한다.

```
ans =
    0.097133
```

이들 결과는 예제 14.1에서 얻은 결과와 일치한다. 데이터에서 두 번씩 나타나는 숫자는 모두 네 개이지만, mode 함수는 그 중 첫 번째 숫자인 6.555만 반환하는 것에 유의하라.

MATLAB은 hist 함수를 이용하여 히스토그램을 생성할 수 있다. hist 함수는 다음과 같은 구문을 갖는다.

[*n*, *x*] = hist(*y*, *x*)

여기서 *n*은 각 구간에 있는 요소의 수이며, *x*는 각 구간의 중간점으로 이루어진 벡터이고, *y*는 해석 대상이 되는 벡터이다. 표 14.2의 데이터에 대하여 결과는 다음과 같다.

```
>> [n,x] =hist(s)
n =
     1    1    3    1    4    3    5    2    2    2
x =
   6.414  6.452  6.49  6.528  6.566  6.604  6.642  6.68  6.718  6.756
```

그림 14.4의 히스토그램은 손으로 계산하여 구한 그림 14.3의 것과 유사하다. *y*를 제외하고는 모든 변수와 출력을 선택할 수 있음에 유의한다. 예를 들어 출력 변수가 없는 hist(*y*)는 *y* 벡터의 요소 값들의 범위를 기반으로 자동 결정되는 10개 구간의 히스토그램을 생성한다.

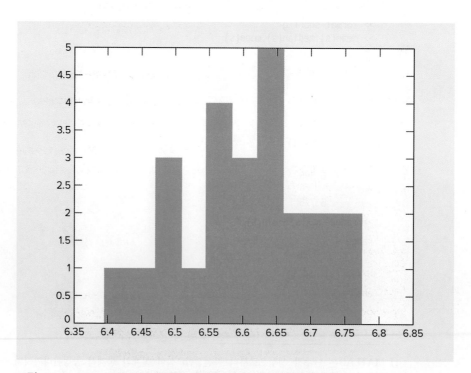

그림 14.4   MATLAB의 hist 함수를 이용하여 생성된 히스토그램.

14.2 난수와 시뮬레이션

이 절에서는 일련의 난수를 만들어낼 수 있는 두 MATLAB 함수들에 대하여 살펴본다. 첫 번째 rand 함수는 균일하게 분포된 난수를 만들어내며, randn 함수는 정규분포를 가지는 난수를 생성한다.

14.2.1 MATLAB 함수: rand

이 함수는 0과 1 사이에서 균일하게 분포된 일련의 난수를 만들어낸다. 이 함수에 대한 구문을 간단히 표현하면 다음과 같다.

    r = rand(m, n)

여기서 r은 $m \times n$의 난수 행렬이 된다. 아래 식을 이용하면, 다른 구간에서 균일 분포를 가지는 난수를 만들어낼 수 있다.

    runiform = low + (up - low) * rand(m, n)

여기서 low = 최소 한계값이고, up = 최대 한계값이다.

예제 14.2 항력을 나타내는 균일 분포의 난수 생성

문제 설명. 만약 초기속도가 0이라면, 자유낙하하고 있는 번지점프하는 사람의 아래쪽 방향의 속도는 다음의 해석해로부터 예측할 수 있다[식 (1.9)].

$$v = \sqrt{\frac{gm}{c_d}} \tanh\left(\sqrt{\frac{gc_d}{m}}\, t\right)$$

여기에서 g = 9.81 m/s², m = 68.1 kg이라 하고, c_d는 정확하게 알 수 없다고 하자. 예를 들어 이 값이 0.225에서 0.275 사이에서 균일하게 변화한다는(즉 평균값 0.25 kg/m 주위에서 약 ±10%의 변화) 것을 알고 있다고 하자. 이때 rand 함수를 이용하여 균일하게 분포된 1000개의 c_d 값을 생성하고, 이 값들과 해석해를 사용하여 t = 4초일 때의 속도 분포를 계산하라.

풀이 난수들을 생성하기 전에 평균 속도를 먼저 계산해 보면 다음과 같다.

$$v_{\mathrm{mean}} = \sqrt{\frac{9.81(68.1)}{0.25}} \tanh\left(\sqrt{\frac{9.81(0.25)}{68.1}}\, 4\right) = 33.1118\,\mathrm{m/s}$$

또한 속도의 범위를 다음과 같이 구할 수 있다.

$$v_{\mathrm{low}} = \sqrt{\frac{9.81(68.1)}{0.275}} \tanh\left(\sqrt{\frac{9.81(0.275)}{68.1}}\, 4\right) = 32.6223\,\mathrm{m/s}$$

$$v_{high} = \sqrt{\frac{9.81(68.1)}{0.225}} \tanh\left(\sqrt{\frac{9.81(0.225)}{68.1}}\,4\right) = 33.6198\,\text{m/s}$$

따라서 속도는 다음 비율과 같이 변화하는 것을 알 수 있다.

$$\Delta v = \frac{33.6198 - 32.6223}{2(33.1118)} \times 100\% = 1.5063\%$$

다음 스크립트는 c_d 값에 대한 난수를 생성하며, 아울러 평균값, 표준편차, 백분율로 표시한 분산계수 및 히스토그램을 생성한다.

```
clc,format short g
n=1000;t=4;m=68.1;g=9.81;
cd=0.25;cdmin=cd-0.025,cdmax=cd+0.025
r=rand(n,1);
cdrand=cdmin+(cdmax-cdmin)*r;
meancd=mean(cdrand),stdcd=std(cdrand)
Deltacd=(max(cdrand)-min(cdrand))/meancd/2*100.
subplot(2,1,1)
hist(cdrand),title('(a) Distribution of drag')
xlabel('cd (kg/m)')
```

결과는 다음과 같다.

```
meancd =
        0.25018
stdcd =
        0.014528
Deltacd =
         9.9762
```

이 결과와 그림 14.5a의 히스토그램으로부터 rand 함수가 원하는 평균값 및 범위를 가지는 1000개의 균일 분포값을 생성한 것을 알 수 있다. 이 값들과 해석해를 사용하여 $t = 4$초에서의 속도 분포를 계산할 수 있다.

```
vrand=sqrt(g*m./cdrand).*tanh(sqrt(g*cdrand/m)*t);
meanv=mean(vrand)
Deltav=(max(vrand)-min(vrand))/meanv/2*100.
subplot(2,1,2)
hist(vrand),title('(b) Distribution of velocity')
xlabel('v (m/s)')
```

결과는 다음과 같다.

```
meanv =
    33.1151
Deltav =
    1.5048
```

이 결과와 그림 14.5b의 히스토그램은 손으로 푼 결과와 잘 일치한다.

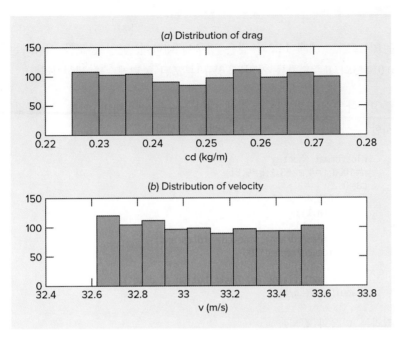

그림 14.5 히스토그램 (a) 균일하게 분포된 항력계수 (b) 속도 분포.

앞의 예제는 공식적으로는 **몬테카를로(Monte Carlo) 시뮬레이션**이라고 알려져 있다. 모나코의 몬테카를로 카지노에서 따온 이 용어는 1940년대에 핵무기 프로젝트에서 일하던 물리학자들이 처음으로 사용하였다. 앞의 단순한 예제에 대해서는 직관적인 결과가 도출되었지만, 이러한 컴퓨터 시뮬레이션이 다른 방법으로는 얻기 불가능한 놀라운 결과와 통찰을 주는 많은 예들이 있다. 이 방법은 지루하고 반복적인 계산과정을 컴퓨터를 사용하여 효과적으로 수행함으로써만 가능해진다.

14.2.2 MATLAB 함수: `randn`

이 함수는 평균값은 0이고, 표준편차는 1이며, 정규분포된 일련의 수를 만들어낸다. 이 함수에 대한 구문을 간단히 표현하면 다음과 같다.

```
r = randn(m, n)
```

여기서 r은 $m \times n$의 난수 행렬이 된다. 아래 식을 이용하여 다른 평균값(mn)과 표준편차(s)를 가지는 정규 분포를 생성할 수 있다.

```
rnormal = mn + s * randn(m, n)
```

예제 14.3 항력을 나타내는 정규 분포의 난수 생성

문제 설명. 예제 14.2와 같은 경우에 대하여, 균일 분포를 사용하는 대신 0.25의 평균값과 0.01443의 표준편차를 가지는 정규 분포된 항력계수를 생성하라.

풀이 다음 스크립트는 c_d 값에 대한 난수를 생성하며, 아울러 평균값, 표준편차, 백분율로 표시한 분산계수 그리고 히스토그램을 생성한다.

```
clc,format short g
n=1000;t=4;m=68.1;g=9.81;
cd=0.25;
stdev=0.01443;
r=randn(n,1);
cdrand=cd+stdev*r;
meancd=mean(cdrand),stdevcd=std(cdrand)
cvcd=stdevcd/meancd*100.
subplot(2,1,1)
hist(cdrand),title('(a) Distribution of drag')
xlabel('cd (kg/m)')
```

결과는 다음과 같다.

```
meancd =
        0.24988

stdevcd =
        0.014465
cvcd =
        5.7887
```

이 결과와 그림 14.6a의 히스토그램으로부터 randn 함수가 문제에서 설정된 평균값, 표준편차 및 분산계수를 가지는 1,000개의 균일 분포된 값을 생성한 것을 알 수 있다. 이 값들과 해석해를 사용하여 $t = 4$초에서의 속도 분포를 계산할 수 있다.

```
vrand=sqrt(g*m./cdrand).*tanh(sqrt(g*cdrand/m)*t);
meanv=mean(vrand),stdevv=std(vrand)
cvv=stdevv/meanv*100.
subplot(2,1,2)
hist(vrand),title('(b) Distribution of velocity')
xlabel('v (m/s)')
```

결과는 다음과 같다.

```
meanv =
        33.117
stdevv =
        0.28839
cvv =
        0.8708
```

이 결과와 그림 14.6b의 히스토그램은 속도값 역시 평균값과 해석해를 사용하여 계산된 값에 가까운 평균값을 가지고 정규분포됨을 보여준다. 또한 ± 0.8708%의 분산계수에 해당하는 표준편차를 구할 수 있다.

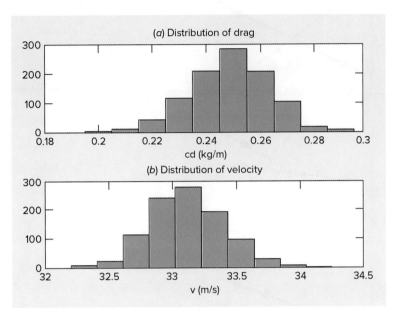

그림 14.6 히스토그램 (a) 정규분포된 항력계수, (b) 속도 분포.

앞의 예제는 MATLAB을 이용하여 얼마나 쉽게 난수를 생성할 수 있는지를 보여준다. 또한 이 장의 마지막 부분에 있는 연습문제에서 추가적인 응용사례를 제시하겠다.

14.3 선형 최소제곱 회귀분석

데이터에 상당한 오차가 포함되어 있는 경우, 가장 좋은 곡선접합 방법은 각각의 데이터 점을 반드시 통과하지는 않아도, 그 데이터의 모양이나 일반적인 경향을 반영하는 근사함수를 유도하는 것이다. 이를 위한 한 가지 방법은 그려진 데이터를 육안으로 살펴보고, 이들 데이터 점들 근처를 지나는 "가장 좋은" 선을 그리는 것이다. 이러한 "눈대중의 방법"은 상식적으로 그럴 듯하고 또 "개략적인" 계산에서 유효하지만, 방법 자체가 임의적이므로 불완전하다. 즉 모든 데이터 점들이 완전한 직선으로 배치되지 않는다면 (만약 모든 점이 하나의 직선 위에 있다면 보간법이 타당함), 분석하는 사람마다 다른 선을 그릴 것이다.

따라서 이와 같은 주관적인 임의성을 없애고 접합을 위한 원칙을 세우기 위하여 하나의 기준이 있어야 한다. 이를 위한 한 가지 방법은 데이터 점들과 곡선 사이의 차이를 최소화시키는 곡선을 유도하는 것이다. 이를 위해 먼저 그 차이를 정량화하여야 한다. 가장 간단한 예는 (x_1, y_1), (x_2, y_2), . . ., (x_n, y_n)과 같은 측정값에 직선을 접합시키는 것이다. 이 직선에 대한 수학적 표현은 다음과 같다.

$$y = a_0 + a_1 x + e \tag{14.8}$$

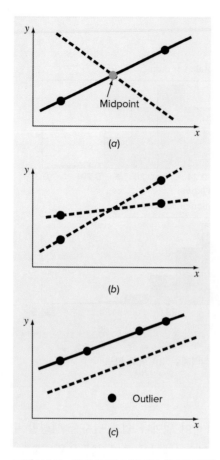

그림 14.7   회귀분석에 부적절한 "최적 접합" 기준의 예. (a) 잔차의 합을 최소화함, (b) 잔차의 절대값의
합을 최소화함, (c) 임의의 개별점의 최대오차를 최소화함.

여기서 a_0와 a_1은 각각 절편과 기울기를 나타내는 계수이고, e는 모델과 측정값 사이의 오차
또는 **잔차**(residual)이다. 식 (14.8)을 다시 정리하면 다음과 같이 표현할 수 있다.

$$e = y - a_0 - a_1 x \tag{14.9}$$

따라서 잔차는 y 의 참값과 일차방정식에 의해 예측되는 근사값 $a_0 + a_1 x$ 사이의 차이이다.

14.3.1   "가장 좋은" 접합을 위한 기준

데이터에 직선을 "가장 좋게" 접합시키는 한 가지 방법은 다음과 같이 주어진 모든 데이터에
대한 잔차의 합을 최소화시키는 것이다.

$$\sum_{i=1}^{n} e_i = \sum_{i=1}^{n} (y_i - a_0 - a_1 x_i) \tag{14.10}$$

여기서 n은 데이터 점들의 총 개수이다. 그러나 두 개의 데이터 점을 직선으로 접합시키는 그
림 14.7a의 경우에서 볼 수 있듯이 이 방법은 부적절한 기준이다. 분명히 가장 좋은 접합은

두 점을 직선으로 연결하는 것이다. 그러나 연결선의 중앙을 지나는 모든 직선(완벽한 수직선은 제외)은 양과 음의 오차가 상쇄되기 때문에 식 (14.10)의 최소값을 0이 되게 한다.

이와 같은 부호의 영향을 제거하는 한 가지 방법은 다음과 같이 잔차의 절대값의 합을 최소화시키는 것이다.

$$\sum_{i=1}^{n} |e_i| = \sum_{i=1}^{n} |y_i - a_0 - a_1 x_i| \tag{14.11}$$

그러나 왜 이 방법도 적합하지 않은지 그림 14.7b에 나타나 있다. 이 그림에 나타나는 네 개의 점에 대하여 두 개의 점선 사이에 들어가는 모든 직선들은 잔차의 절대값의 합을 최소화한다. 따라서 이 방법도 유일한 가장 좋은 접합을 도출하지 못한다.

가장 좋은 직선을 접합하는 세 번째 방법은 **최소-최대**(minimax) 기준이다. 이 방법은 직선을 결정하는 데 있어, 각 데이터 점이 그 직선으로부터 떨어진 최대거리를 최소화시키도록 하는 것이다. 그러나 이 방법도 그림 14.7c에서 볼 수 있는 바와 같이, 멀리 떨어져 있는 점(큰 오차를 갖는 점)의 과도한 영향으로 인하여 회귀분석에 부적절하다고 볼 수 있다. 하지만 어떤 경우에는 최소-최대 원리는 복잡한 함수를 단순한 함수로 표현하는 데 적절한 방법일 때도 있다는 것을 인지할 필요가 있다(Carnahan, Luther and Wilkes, 1969).

앞에서 언급한 방법들의 약점을 극복하기 위한 하나의 전략은 다음과 같은 잔차 제곱의 합을 최소화하는 방법이다.

$$S_r = \sum_{i=1}^{n} e_i^2 = \sum_{i=1}^{n} (y_i - a_0 - a_1 x_i)^2 \tag{14.12}$$

최소제곱(least squares)이라고 부르는 이 기준은 주어진 데이터 집합에 대하여 유일한 직선을 도출할 수 있다는 사실 외에도 많은 장점이 있다. 이 방법의 특성을 논의하기 전에 식 (14.12)를 최소화시키는 a_0와 a_1의 값을 결정하는 방법을 먼저 설명하기로 한다.

14.3.2 직선의 최소제곱접합

a_0와 a_1의 값을 결정하기 위하여 식 (14.12)를 각각의 미지 계수에 대하여 미분하면 다음과 같이 된다.

$$\frac{\partial S_r}{\partial a_0} = -2 \sum (y_i - a_0 - a_1 x_i)$$

$$\frac{\partial S_r}{\partial a_1} = -2 \sum [(y_i - a_0 - a_1 x_i) x_i]$$

여기서 합의 기호를 단순화시켰음에 유의하라. 따라서 달리 표시하지 않을 경우에 모든 합은 $i = 1$에서 n 까지이다. 위 도함수들의 값을 0으로 설정하게 되면 S_r 은 최소가 될 것이다. 따라서 위 식은 다음과 같이 표현된다.

$$0 = \sum y_i - \sum a_0 - \sum a_1 x_i$$

$$0 = \sum x_i y_i - \sum a_0 x_i - \sum a_1 x_i^2$$

여기서 $\sum a_0 = n a_0$이므로, 이 식들은 두 개의 미지수(a_0와 a_1)를 포함하는 선형 연립방정식으로 표현된다.

$$n \quad a_0 + \left(\sum x_i\right) a_1 = \sum y_i \tag{14.13}$$

$$\left(\sum x_i\right) a_0 + \left(\sum x_i^2\right) a_1 = \sum x_i y_i \tag{14.14}$$

이들 식을 **정규방정식**(normal equation)이라고 하며, 이를 연립하여 풀면 a_1의 해는 다음과 같게 된다.

$$a_1 = \frac{n \sum x_i y_i - \sum x_i \sum y_i}{n \sum x_i^2 - \left(\sum x_i\right)^2} \tag{14.15}$$

이 결과를 식 (14.13)에 대입하여 풀면 a_0에 대한 식을 다음과 같이 구할 수 있다.

$$a_0 = \bar{y} - a_1 \bar{x} \tag{14.16}$$

여기서 $\bar{y}$와 $\bar{x}$는 각각 y와 x의 평균값이다.

예제 14.4 선형 회귀분석

문제 설명. 표 14.1의 데이터에 직선을 접합시켜라.

풀이 이 문제에서 힘은 종속변수(y)이며 속도는 독립변수(x)이다. 표 14.4에서와 같이 데이터들은 도표화할 수 있으며 필요한 합도 계산할 수 있다.

평균값은 다음과 같이 계산된다.

$$\bar{x} = \frac{360}{8} = 45 \qquad \bar{y} = \frac{5,135}{8} = 641.875$$

표 14.4 표 14.1의 데이터에 대한 최적–접합 직선을 계산하는 데 필요한 데이터 및 합산.

i	x_i	y_i	x_i^2	$x_i y_i$
1	10	25	100	250
2	20	70	400	1,400
3	30	380	900	11,400
4	40	550	1,600	22,000
5	50	610	2,500	30,500
6	60	1,220	3,600	73,200
7	70	830	4,900	58,100
8	80	1,450	6,400	116,000
Σ	360	5,135	20,400	312,850

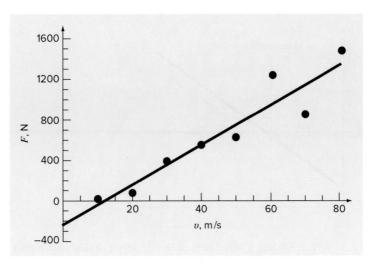

그림 14.8 표 14.1의 데이터에 대한 직선의 최소제곱접합.

기울기와 절편은 식 (14.15)와 (14.16)을 이용하면 다음과 같이 계산된다.

$$a_1 = \frac{8(312{,}850) - 360(5{,}135)}{8(20{,}400) - (360)^2} = 19.47024$$

$$a_0 = 641.875 - 19.47024(45) = -234.2857$$

y와 x 대신에 힘과 속도를 사용하면 최소제곱 접합은 다음과 같다.

$$F = -234.2857 + 19.47024v$$

그림 14.8은 이 직선을 데이터와 함께 보여주고 있다.

이 직선이 데이터를 잘 접합시키고 있지만, $v = 0$에서의 절편을 보면 이 방정식은 저속에서 물리적으로 비현실적인 음의 힘을 예측하고 있음에 유의한다. 14.4절에서는 물리적으로 더욱 의미 있는 또 다른 최적-접합 직선을 유도하기 위해 변환법(transformation)을 사용하는 방법에 대해 설명할 것이다.

14.3.3 선형 회귀분석 오차의 정량화

예제 14.4에서 계산된 직선 이외의 모든 다른 직선은 잔차의 제곱합이 더 큰 값을 가지게 된다. 따라서 이 직선은 유일한 것이며, 또 앞서 선택한 기준에서 보면 데이터 점들을 지나는 "최적" 직선이다. 잔차가 계산되는 방법을 좀 더 면밀히 살펴보면, 이 접합법의 또 다른 특성을 발견할 수 있다. 먼저 제곱합은 식 (14.12)와 같이 정의됨을 상기한다.

$$S_r = \sum_{i=1}^{n} (y_i - a_0 - a_1 x_i)^2 \tag{14.17}$$

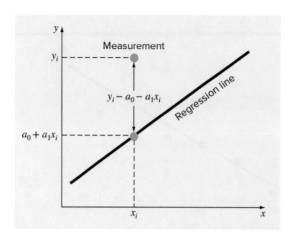

그림 14.9 선형 회귀분석의 잔차는 데이터 점과 직선 사이의 수직거리를 나타낸다.

이 식과 식 (14.4)가 유사함을 주목하라.

$$S_t = \sum (y_i - \bar{y})^2 \tag{14.18}$$

식 (14.18)에서 잔차의 제곱은 주어진 데이터와 평균값(주요 경향에 대한 단일 추정값) 사이의 차이의 제곱이다. 식 (14.17)에서 잔차의 제곱은 데이터와 직선(그림 14.9, 주요 경향에 대한 또 다른 척도) 사이의 수직거리의 제곱을 나타낸다.

다음의 두 경우에도 이러한 유사성을 확장시킬 수 있다. 즉 (1) 직선 주위의 점들의 분산이 전체 구간에서 비슷한 크기를 가지는 경우와 (2) 직선 주위의 점들의 분포가 정규분포인 경우이다. 만약 이러한 조건들이 충족된다면, 최소제곱 회귀분석은 a_0와 a_1에 대한 최적의(즉, 가장 근접한) 추정값을 도출할 수 있다(Draper & Smith, 1981). 이를 통계학에서는 **최대근접원리**(maximum likelihood principle)라고 한다. 위의 조건들이 만족된다면, 회귀분석 직선에 대한 "표준편차"는 다음과 같이 결정된다[식 (14.3)과 비교].

$$s_{y/x} = \sqrt{\frac{S_r}{n-2}} \tag{14.19}$$

여기서 $s_{y/x}$는 **추정값의 표준오차**(standard error of the estimate)라고 한다. 하첨자 "y/x"는 특정한 값 x에 대응하는 예측값 y의 오차를 나타낸다. 또한 위 식이 $n-2$로 나누어지는 것을 주목한다. 이는 데이터를 이용하여 유도되는 두 개의 추정값 a_0와 a_1이 S_r을 계산하는 데 사용되어 두 개의 자유도를 잃었기 때문이다. 표준편차에 관한 논의에서처럼, $n-2$로 나누는 또 다른 이유는 두 점을 연결하는 직선 주위에는 "데이터의 분포"라는 것이 없기 때문이다. 따라서 $n=2$인 경우 식 (14.19)는 무한대가 되므로 의미 없는 결과가 된다.

표준편차의 경우와 같이 추정값의 표준오차는 데이터의 분산을 정량화한다. 그러나 **평균값 주위**의 분산을 정량화하는 표준편차 s_y(그림 14.10a)와는 대조적으로, $s_{y/x}$는 그림 14.10b에서 볼 수 있는 바와 같이 **회귀분석 직선 주위**의 분산을 정량화한다.

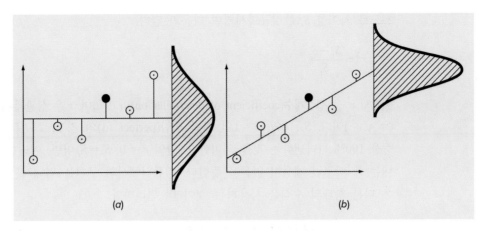

그림 14.10   (a) 종속변수의 평균값 주위의 데이터 분산을 보여주는 회귀분석 데이터. (b) 최적-접합 직선 주위의 데이터 분산을 보여주는 회귀분석 데이터. 오른쪽의 종 모양 곡선에서 볼 수 있듯이 (a)에서 (b)로 감으로써 분산의 폭이 감소하는 것은 선형 회귀분석에 의해 향상되었음을 의미한다.

이들 개념은 접합법의 "적정성(goodness)"을 정량화하는 데 사용할 수 있으며, 특히 여러 회귀분석 방법들을 비교하는 데 유용하다(그림 14.11). 이를 위하여 원래의 데이터로 돌아가서 종속변수(현재의 경우 y)의 평균값 주위의 제곱합을 계산한다. 식 (14.18)의 경우와 같이 이를 S_t로 표현하며, 이는 회귀분석을 적용하기 전에 종속변수와 관련된 잔차의 크기이다. 회귀분석을 적용한 후에는 식 (14.17)을 이용하여 회귀분석 직선 주위의 잔차의 제곱합인 S_r을 계산할 수 있다. 이는 회귀분석 후에 남아 있는 잔차를 의미하며, 따라서 이를 종종 설명되지 않는 제곱합이라고 한다. 두 양의 차이 $S_t - S_r$은 평균값 대신 회귀분석 직선을 사용해서 데이터를 표현하여 개선된 정도 또는 오차의 감소를 의미한다. 이 양의 크기는 스케일에 따라 다

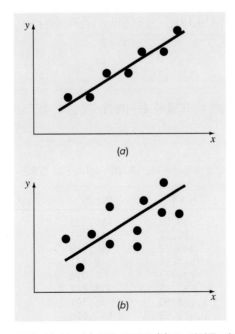

그림 14.11   (a) 작은 잔차와 (b) 큰 잔차를 가지는 선형 회귀분석의 예.

르므로 차이를 S_t에 정규화시키면 다음과 같다.

$$r^2 = \frac{S_t - S_r}{S_t} \tag{14.20}$$

여기서 r^2 을 **결정계수**(coefficient of determination)라고 하며, r 은 **상관계수**(correlation coefficient) $(= \sqrt{r^2})$ 이다. $S_r = 0$와 $r^2 = 1$인 완전 접합(perfect fit)의 경우, 회귀분석 직선은 데이터의 변동을 100% 나타낸다는 것을 의미한다. 만일 $r^2 = 0$, $S_r = S_t$ 이면, 이러한 접합은 데이터를 나타내는 데 아무런 개선이 없음을 뜻한다. 컴퓨터에서의 구현을 위해서는 r 에 대해서 다음과 같은 다른 형태의 수식을 사용하는 것이 더 편리하다.

$$r = \frac{n\sum(x_i y_i) - (\sum x_i)(\sum y_i)}{\sqrt{n\sum x_i^2 - (\sum x_i)^2}\sqrt{n\sum y_i^2 - (\sum y_i)^2}} \tag{14.21}$$

예제 14.5　선형 최소제곱접합에 대한 오차 계산

문제 설명. 예제 14.4의 접합에 대한 전체 표준편차, 추정값의 표준오차, 그리고 상관계수를 계산하라.

풀이 표 14.5에서와 같이 데이터들을 도표화할 수 있으며 필요한 합도 계산할 수 있다.
표준편차는 식 (14.3)을 이용하면 다음과 같다.

$$s_y = \sqrt{\frac{1{,}808{,}297}{8 - 1}} = 508.26$$

그리고 추정값의 표준오차는 식 (14.19)를 이용하면 다음과 같다.

$$s_{y/x} = \sqrt{\frac{216{,}118}{8 - 2}} = 189.79$$

따라서 $s_{y/x} < s_y$ 이므로 선형 회귀분석 모델이 유리하다. 개선의 정도는 식 (14.20)에 의해 다음과 같이 정량화된다.

표 14.5 표 14.1의 데이터에 대한 접합의 적정성에 대한 통계를 계산하는 데 필요한 데이터 및 합산.

i	x_i	y_i	$a_0 + a_1 x_i$	$(y_i - \bar{y})^2$	$(y_i - a_0 - a_1 x_i)^2$
1	10	25	−39.58	380,535	4,171
2	20	70	155.12	327,041	7,245
3	30	380	349.82	68,579	911
4	40	550	544.52	8,441	30
5	50	610	739.23	1,016	16,699
6	60	1,220	933.93	334,229	81,837
7	70	830	1,128.63	35,391	89,180
8	80	1,450	1,323.33	653,066	16,044
Σ	360	5,135		1,808,297	216,118

$$r^2 = \frac{1,808,297 - 216,118}{1,808,297} = 0.8805$$

또는 $r = \sqrt{0.8805} = 0.9383$이다. 이 결과는 선형 모델이 88.05%의 확실성을 가지고 데이터를 나타내고 있음을 의미한다.

더 논의를 진행하기 전에 주의할 점이 있다. 비록 결정계수가 접합의 적정성을 나타내는 손쉬운 척도라 할지라도, 더 이상의 의미를 가지지 않는다는 점에 유의하여야 한다. r^2가 1에 "가깝다"고 해서 반드시 "좋은" 접합을 의미하는 것은 아니다. 예를 들면 y와 x의 실제 관계가 선형이 아닐지라도 비교적 큰 r^2의 값을 얻을 수 있다. Draper와 Smith(1981)는 선형 회귀분석 결과를 평가하기 위한 추가적인 지침과 자료를 제공하고 있다. 아울러 여러분은 회귀분석곡선과 함께 최소한 데이터 분포에 대한 그림을 항상 검토하여야 한다.

하나의 좋은 예로서 Anscombe (1973)은 그림 14.12에서와 같이 각각 11개의 데이터를 가지는 4개의 데이터 집합을 제시하였다. 각각의 그래프는 매우 다르지만, 모두 동일한 최적-접합 방정식 $y = 3 + 0.5x$와 동일한 결정계수 $r^2 = 0.67$을 갖는다. 이 예는 그림을 그려보는 것이 얼마나 중요한지를 극적으로 보여주고 있다.

14.4 비선형 관계식의 선형화

선형 회귀분석은 데이터에 최적의 직선을 접합시키는 유력한 기법이다. 이 방법은 종속변수와 독립변수 사이의 관계가 선형 관계라는 것을 전제로 하지만, 이러한 조건이 항상 성립하는 것

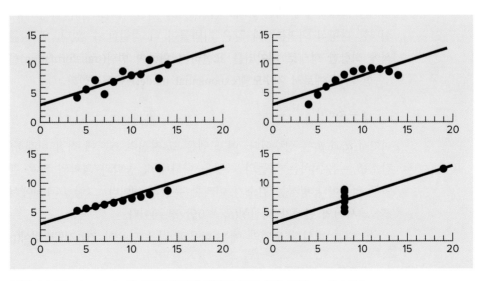

그림 14.12 Anscombe의 4개의 데이터 집합과 최적-접합 직선, $y = 3 + 0.5x$.

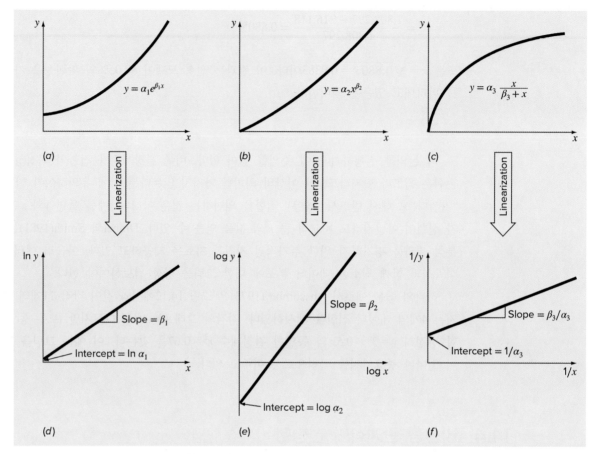

그림 14.13 (a) 지수 방정식, (b) 거듭제곱방정식, (c) 포화성장률 방정식. (d), (e), (f)는 간단한 변환을 통하여 이 방정식들을 선형화시킨 방정식.

은 아니다. 따라서 모든 회귀분석의 첫 단계는 선형모델이 적용될 수 있는지를 확인하기 위하여, 먼저 데이터에 대한 그래프를 그리고 이를 살펴보아야 한다. 경우에 따라서는 15장에서 설명할 다항식 회귀분석과 같은 기법들이 더 적절할 수 있다. 또 다른 경우로는 선형 회귀분석에 적합한 형태로 데이터를 표현하기 위하여 변환(transformation)을 사용할 수도 있다.

한 가지 예로서 **지수모델**(exponential model)을 고려한다.

$$y = \alpha_1 e^{\beta_1 x} \tag{14.22}$$

여기서 α_1과 β_1은 상수이다. 이 모델은 그 자신의 크기에 직접 비례하여 증가(β_1 = 양수) 또는 감소(β_1 = 음수)하는 양들의 특성을 나타내며, 공학과 과학의 많은 분야에서 사용되고 있다. 인구 성장이나 방사능 감소가 이러한 유형의 예이다. 그림 14.13a에서 볼 수 있듯이 이 식은 y와 x 사이의 관계가 비선형($\beta_1 \neq 0$인 경우)이다.

또 다른 비선형 모델의 예는 다음과 같은 단순한 **거듭제곱방정식**(power equation)이 있다.

$$y = \alpha_2 x^{\beta_2} \tag{14.23}$$

여기서 α_2와 β_2는 상수이다. 이 모델도 공학 및 과학의 많은 분야에서 널리 사용되고 있으며, 잠재적인 모델이 알려져 있지 않은 실험 데이터를 접합하기 위하여 자주 사용된다. 그림 14.13b에서 볼 수 있듯이 이 방정식($\beta_2 \neq 0$인 경우)은 비선형이다.

비선형 모델의 세 번째 예는 **포화성장률 방정식**(saturation-growth-rate equation)이다.

$$y = \alpha_3 \frac{x}{\beta_3 + x} \tag{14.24}$$

여기서 α_3와 β_3는 상수이다. 이 모델은 제한된 조건하의 인구 성장률을 나타내는 데 특히 적합하다. y와 x 사이는 역시 비선형 관계(그림 14.13c)이며, x가 증가함에 따라 성장이 정지 또는 "포화상태"에 이르게 된다. 이 모델은 특히 생물학과 관련된 공학 및 과학 분야를 포함한 다양한 분야에 활용되고 있다.

비선형 회귀분석 기법은 이러한 방정식들을 직접 실험 데이터에 접합시키는 데 사용할 수 있다. 그러나 보다 간단한 방법은 먼저 수학적 조작을 통하여 방정식을 선형으로 변환시키고, 그 다음으로 선형 회귀분석을 이용하여 선형화된 방정식을 데이터에 접합시키는 것이다.

예를 들어 식 (14.22)는 자연로그를 취하면 다음과 같이 선형화시킬 수 있다.

$$\ln y = \ln \alpha_1 + \beta_1 x \tag{14.25}$$

따라서 x에 대한 $\ln y$의 그림은 β_1의 기울기와 $\ln \alpha_1$의 절편을 가지는 직선으로 나타난다(그림 14.13d).

식 (14.23)은 기저 10의 상용로그를 취하면 다음과 같이 선형화시킬 수 있다.

$$\log y = \log \alpha_2 + \beta_2 \log x \tag{14.26}$$

따라서 $\log x$에 대한 $\log y$의 그림은 β_2의 기울기와 $\log \alpha_2$의 절편을 가진 직선으로 나타난다(그림 14.13e). 사용하는 기저에 상관없이 모든 로그함수는 이 모델을 선형화시킬 수 있다는 점에 유의하라. 그러나 위와 같이 기저 10의 상용로그가 가장 보편적으로 사용된다.

식 (14.24)는 역수를 취함으로써 다음과 같이 선형화시킬 수 있다.

$$\frac{1}{y} = \frac{1}{\alpha_3} + \frac{\beta_3}{\alpha_3}\frac{1}{x} \tag{14.27}$$

따라서 $1/y$과 $1/x$의 관계는 선형이 되며, β_3/α_3의 기울기와 $1/\alpha_3$의 절편을 가진다(그림 14.13f).

위 모델들은 변환된 상태에서 선형 회귀분석을 사용하여 상수 계수를 결정하게 된다. 그리고 다시 원래의 식으로 변환되어 예측 목적으로 사용된다. 다음은 이러한 과정을 거듭제곱모델에 적용한 예이다.

예제 14.6 거듭제곱방정식을 이용한 데이터의 접합

문제 설명. log 변환을 사용하여 식 (14.23)을 표 14.1의 데이터에 접합시켜라.

풀이 표 14.6에서와 같이 데이터들을 도표화할 수 있으며 필요한 합도 계산할 수 있다. 평균값은 다음과 같이 계산된다.

표 14.6 표 14.1의 데이터에 거듭제곱모델을 접합시키기 위해 필요한 데이터 및 합산.

i	x_i	y_i	$\log x_i$	$\log y_i$	$(\log x_i)^2$	$\log x_i \log y_i$
1	10	25	1.000	1.398	1.000	1.398
2	20	70	1.301	1.845	1.693	2.401
3	30	380	1.477	2.580	2.182	3.811
4	40	550	1.602	2.740	2.567	4.390
5	50	610	1.699	2.785	2.886	4.732
6	60	1220	1.778	3.086	3.162	5.488
7	70	830	1.845	2.919	3.404	5.386
8	80	1450	1.903	3.161	3.622	6.016
Σ			12.606	20.515	20.516	33.622

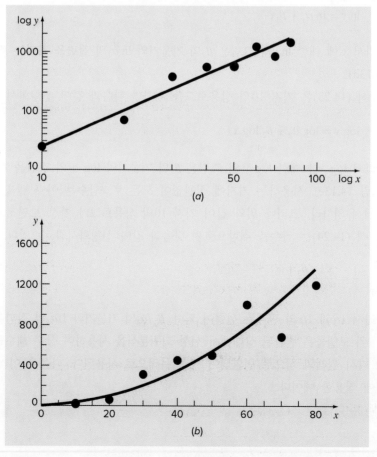

그림 14.14 표 14.1의 데이터에 대한 거듭제곱모델의 최소제곱접합 (a) 변환된 데이터의 접합, (b) 데이터와 거듭제곱방정식 접합.

$$\bar{x} = \frac{12.606}{8} = 1.5757 \qquad \bar{y} = \frac{20.515}{8} = 2.5644$$

기울기와 절편은 식 (14.15)와 (14.16)을 이용하여 다음과 같이 계산된다.

$$a_1 = \frac{8(33.622) - 12.606(20.515)}{8(20.516) - (12.606)^2} = 1.9842$$

$$a_0 = 2.5644 - 1.9842(1.5757) = -0.5620$$

최소제곱접합은 다음과 같다.

$$\log y = -0.5620 + 1.9842 \log x$$

그림 14.14a는 데이터와 함께 접합된 직선을 보여주고 있다.

이 직선은 원래의 좌표를 이용하여 나타낼 수도 있으며, 이를 위한 거듭제곱모델의 계수는 $\alpha_2 = 10^{-0.5620} = 0.2741$과 $\beta_2 = 1.9842$로 계산된다. y와 x 대신에 힘과 속도를 사용하면 최소제곱접합은 다음과 같게 된다.

$$F = 0.2741 v^{1.9842}$$

그림 14.14b는 데이터와 함께 이 식을 보여준다.

예제 14.6(그림 14.14)에서 구한 접합은 앞서 예제 14.4(그림 14.8)에서 변환되지 않은 데이터에 대하여 선형 회귀분석을 이용하여 구한 접합과 비교해 보아야 한다. 두 가지 결과가 모두 타당한 것으로 보이지만 변환된 결과는 저속에서 음의 힘을 예측하지 않는다는 장점이 있다. 더욱이 유체 속을 지나가는 물체가 받는 항력은 종종 속도 제곱의 모델로 기술된다는 점은 유체역학 분야에서 잘 알려져 있다. 따라서 여러분이 전공하는 분야로부터의 지식도 곡선접합을 위하여 사용하는 모델 방정식을 적절히 선택하는데 깊은 관계가 있을 수 있다.

14.4.1 선형 회귀분석에 대한 일반적인 논평

곡선형 회귀분석(curvilinear regression)과 다중 선형 회귀분석(multiple linear regression)에 대해 논의하기 전에, 선형 회귀분석에 대한 앞의 설명은 개론적 성격임을 강조한다. 그 동안 단지 데이터를 접합시키는 방정식의 간단한 유도과정과 이의 실질적인 사용에 초점을 맞추어왔다. 그러나 (이 책의 범위를 벗어나기는 하지만) 실제 적용에 매우 중요한 회귀분석의 이론적 측면을 인식하고 있어야 한다. 예를 들어 선형최소제곱 과정에 내재되어 있는 몇 가지 통계적 가정은 다음과 같다.

1. 각 x는 고정된 값을 갖는다. 이들은 임의의 값이 아니며 오차가 없다고 알려져 있는 값이다.
2. y 값은 독립적인 임의의 변수이며 모두 같은 분산(variance)을 가진다.
3. 주어진 x에 대한 y 값은 반드시 정규적인 분포를 가진다.

이러한 가정들은 회귀분석을 적절하게 유도하고 사용하는 데 관련된다. 예를 들어 첫 번째 가정은 (1) x에는 오차가 없어야 하며, (2) x에 대한 y의 회귀분석은 y에 대한 x의 회귀분석과 같지 않다는 것을 의미한다. 이 책의 범위를 벗어나는 회귀분석의 이론적 측면을 알기 위해서는 Draper와 Smith (1981)와 같은 문헌을 참조하기 바란다.

14.5 컴퓨터 응용

선형 회귀분석은 매우 간단하기 때문에 대부분의 휴대용 계산기에서도 실행될 수 있다. 이 절에서는 기울기와 절편을 결정하고, 데이터에 대한 그림과 최적-접합 직선을 생성할 수 있는 간단한 M-파일을 개발하는 방법을 설명한다. 또한 내장함수 `polyfit`을 사용하여 선형 회귀분석을 실행하는 방법을 설명한다.

14.5.1 MATLAB M-파일: `linregr`

선형 회귀분석에 대한 알고리즘을 개발하는 것은 간단하다(그림 14.15). 필요한 합은 바로 MATLAB의 `sum` 함수를 이용하여 계산되며, 이 결과를 가지고 식 (14.15)과 (14.16)을 이용하여 기울기와 절편을 계산한다. 프로그램은 측정값과 함께 절편, 기울기, 결정계수, 그리고 최적-접합 직선의 그림을 보여줄 것이다.

이와 같은 M-파일의 간단한 사용 예로서 예제 14.4에서 다루었던 힘-속도 데이터를 접합시키는 것을 고려한다.

```
>> x = [10 20 30 40 50 60 70 80];
>> y = [25 70 380 550 610 1220 830 1450];
>> [a, r2] = linregr(x,y)

a =
    19.4702    -234.2857

r2 =
     0.8805
```

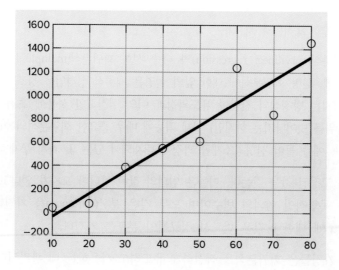

데이터에 `log10` 함수를 적용하여 거듭제곱모델(예제 14.6)을 접합시키는 것은 간단하며 다음과 같다.

```
>> [a, r2] = linregr(log10(x),log10(y))

a =
    1.9842   -0.5620

r2 =
    0.9481
```

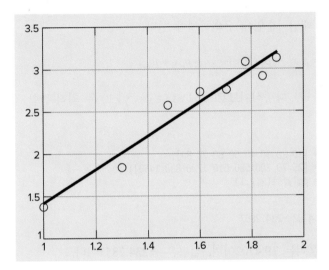

그림 14.15 선형 회귀분석을 실행하는 M-파일.

```
function [a, r2] = linregr(x,y)
% linregr: linear regression curve fitting
%    [a, r2] = linregr(x,y):Least squares fit of straight
%                line to data by solving the normal equations

% input:
%    x = independent variable
%    y = dependent variable
% output:
%    a = vector of slope, a(1), and intercept, a(2)
%    r2 = coefficient of determination

n = length(x);
if length(y)~=n, error('x and y must be same length'); end
x = x(:); y = y(:);        % convert to column vectors
sx = sum(x); sy = sum(y);
sx2 = sum(x.*x); sxy = sum(x.*y); sy2 = sum(y.*y);
a(1) = (n*sxy-sx*sy)/(n*sx2-sx^2);
a(2) = sy/n-a(1)*sx/n;
r2 = ((n*sxy-sx*sy)/sqrt(n*sx2-sx^2)/sqrt(n*sy2-sy^2))^2;
% create plot of data and best fit line
xp = linspace(min(x),max(x),2);
yp = a(1)*xp+a(2);
plot(x,y,'o',xp,yp)
grid on
```

14.5.2   MATLAB 함수: `polyfit`과 `polyval`

MATLAB은 최소제곱 n차 다항식을 데이터에 접합시키는 내장함수 `polyfit`을 포함하고 있다. 이는 다음 구문을 이용하여 적용할 수 있다.

```
>> p = polyfit(x, y, n)
```

여기서 x와 y는 각각 독립변수와 종속변수의 벡터이고, n은 다항식의 차수이다. 함수는 다항식의 계수를 포함하는 벡터 p를 반환한다. 여기서 다항식은 다음과 같이 x의 거듭제곱(power)이 내림차순임에 유의하여야 한다.

$$f(x) = p_1 x^n + p_2 x^{n-1} + \cdots + p_n x + p_{n+1}$$

직선은 1차 다항식이므로 `polyfit(x,y,1)`은 최적-접합 직선의 기울기와 절편을 반환한다.

```
>> x = [10 20 30 40 50 60 70 80];
>> y = [25 70 380 550 610 1220 830 1450];
>> a = polyfit(x,y,1)

a =
   19.4702 -234.2857
```

따라서 기울기는 19.4702이며, 절편은 -234.2857이다.

또 다른 함수 `polyval`은 위에서 구한 계수들을 이용하여 함수값을 계산하는 데 사용하며, 일반적으로 다음과 같은 형식을 취한다.

```
>> y = polyval(p, x)
```

여기서 p는 다항식의 계수이며, y는 x에서의 최적-접합 값이다. 예를 들면 다음과 같다.

```
>> y = polyval(a,45)

y =
  641.8750
```

14.6 사례연구   효소반응론

배경. **효소**는 살아있는 세포에서 화학반응속도를 높이는 촉매로 작용한다. 대부분의 경우 하나의 화학물질, 즉 **기질**(substrate)을 다른 화학물질, 즉 **생성물**로 변환시킨다. 이러한 반응을 기술하기 위하여 보통 **Michaelis-Menten** 식이 사용된다.

$$v = \frac{v_m [S]}{k_s + [S]} \tag{14.28}$$

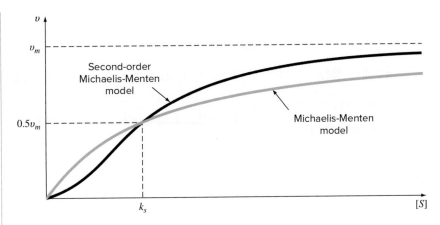

그림 14.16 효소반응론에 대한 두 가지 Michaelis–Menten 모델.

여기서 v는 초기반응속도, v_m은 최대 초기반응속도, $[S]$는 기질의 농도, 그리고 k_s는 **반포화상수**(half-saturation constant)이다. 이 식은 그림 14.16에서 볼 수 있는 바와 같이 $[S]$의 증가에 따라 평평하게 되는 포화관계식을 기술한다. 또한 이 그래프는 반포화상수가 최대속도의 절반인 곳에서의 기질의 농도와 일치함을 보여주고 있다.

비록 Michaelis-Menten 모델이 좋은 출발점이지만, 이 모델은 효소반응론의 추가적인 특성을 반영하기 위하여 개선 및 확장되었다. 한 가지 간단한 확장은 **알로스테릭 효소**(allosteric enzyme)를 포함하는 것이며, 이는 한 부위에서의 기질 분자의 결합이 다른 부위에서 계속해서 나타나는 분자들의 결합을 향상시키는 역할을 한다. 두 결합 부위가 상호작용하는 경우에는 다음의 2차 모델이 보다 나은 접합이 된다.

$$v = \frac{v_m [S]^2}{k_s^2 + [S]^2} \tag{14.29}$$

이 모델 역시 포화곡선을 나타내지만, 그림 14.16에서 볼 수 있듯이, 농도의 제곱항이 **곡선의 형태**를 보다 더 S자 모양이 되도록 한다.

다음과 같은 데이터가 주어진다고 하자.

$[S]$	1.3	1.8	3	4.5	6	8	9
v	0.07	0.13	0.22	0.275	0.335	0.35	0.36

이들 데이터를 접합하기 위해 식 (14.28)과 (14.29)를 선형화시킨 방정식을 사용하여 선형 회귀분석을 적용한다. 모델의 매개변수를 결정하고 또한 접합이 유효한지를 통계적 방법과 그래프로 평가하라.

풀이 식 (14.24)의 포화성장률 방정식 형태로 표현된 식 (14.28)은 역수를 취해서 다음과 같이 선형화시킬 수 있다[식 (14.27) 참조].

$$\frac{1}{v} = \frac{1}{v_m} + \frac{k_s}{v_m}\frac{1}{[S]}$$

최소제곱 접합을 구하기 위하여 그림 14.15의 linregr 함수를 사용한다.

```
>> S=[1.3 1.8 3 4.5 6 8 9];
>> v=[0.07 0.13 0.22 0.275 0.335 0.35 0.36];
>> [a,r2]=linregr(1./S,1./v)
a =
    16.4022     0.1902
r2 =
     0.9344
```

모델의 계수는 다음과 같이 계산된다.

```
>> vm=1/a(2)
vm =
     5.2570
>> ks=vm*a(1)
ks =
    86.2260
```

따라서 최적-접합 모델은 다음과 같다.

$$v = \frac{5.2570[S]}{86.2260 + [S]}$$

여기서 r^2 값이 커서 이 결과가 받아들일 만하다고 여겨지지만 계수를 살펴보면 의심스럽다. 예를 들어 최대 속도인 5.2570이 가장 높은 관측 속도인 0.36보다 훨씬 크다. 또한 반포화 속도(half-saturation rate)인 86.2260도 최대 기질농도 9보다 아주 크다.

데이터와 함께 접합선을 그려보면 이 문제점이 더욱 부각된다. 그림 14.17a는 변환된 경우를 보여주며, 이 그림에서 직선은 위로 향한 경향이지만 데이터는 명백히 굽어져 있는 것으로 보인다. 변환되지 않은 경우에 대해 원래의 방정식을 데이터와 함께 그려보면 접합선은 명백히 맞지 않는다(그림 14.17b). 데이터는 약 0.36 또는 0.37에서 평평해지고 있으며, 이를 눈대중으로 추정하면 v_m은 0.36 그리고 k_s는 2와 3 사이에 있어야 한다.

위와 같은 가시적인 증명 외에도 접합의 불완전성은 결정계수와 같은 통계량에 의해 반영된다. 변환되지 않은 경우에는 $r^2 = 0.6406$이 되며 이는 거의 받아들일 수 없는 값이다.

앞서의 해석을 2차 모델에 대해 반복한다. 식 (14.28)도 역수를 취함으로써 다음과 같이 선형화시킬 수 있다.

$$\frac{1}{v} = \frac{1}{v_m} + \frac{k_s^2}{v_m}\frac{1}{[S]^2}$$

최소-제곱 접합을 구하기 위하여 그림 14.15의 linregr 함수를 다시 사용한다.

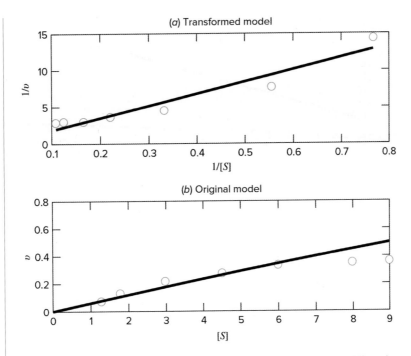

그림 14.17 Michaelis–Menten 모델의 최소–제곱 접합선과 데이터에 대한 그림. (a) 변환된 경우의 접합 (b) 변환되지 않은 원래 경우의 접합.

```
>> [a,r2]=linregr(1./S.^2,1./v)
a =
   19.3760    2.4492
r2 =
    0.9929
```

모델 계수는 다음과 같이 계산된다.

```
>> vm=1/a(2)
vm =
    0.4083
>> ks=sqrt(vm*a(1))
ks =
    2.8127
```

이들 값을 식 (14.29)에 대입하면 다음과 같이 된다.

$$v = \frac{0.4083[S]^2}{7.911 + [S]^2}$$

비록 여기서 큰 r^2 값이 좋은 접합을 반드시 보장하지는 않는다 해도, 그 값이 매우 크다는 사실(0.9929)은 바람직하다. 또한 매개변수들의 값도 데이터의 경향과 일치하는 것으로 보인다. 즉 k_m은 가장 높은 관측 속도보다 약간 크고, 반포화속도는 최대 기질 농도(9)보다 작다.

접합이 맞는지는 그래프로 판단할 수 있다. 그림 14.18a에서와 같이 변환된 결과는 선형으

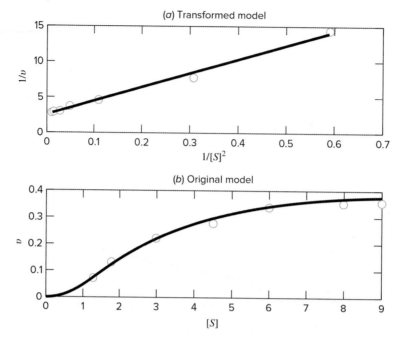

그림 14.18 2차 Michaelis–Menten 모델의 최소–제곱 접합선과 데이터에 대한 그림. (a) 변환된 경우의 접합, (b) 변환되지 않은 원래 경우의 접합.

로 보인다. 원래의 방정식을 데이터와 함께 변환되지 않은 형태로 그려도 접합은 측정값의 경향을 잘 따른다(그림 14.18b). 그래프 외에도 변환되지 않은 경우에 결정계수가 $r^2 = 0.9896$으로 계산된다는 사실에서도 본 접합이 적정함을 알 수 있다.

이러한 해석에 기초하여 2차 모델이 현재 데이터 집합에 대하여 훌륭한 접합을 도출하는 것으로 결론지을 수 있다. 이로부터 현재의 데이터가 알로스테릭 효소에 대한 것임을 유추할 수 있다.

이와 같은 구체적인 결과 외에 본 사례연구로부터 몇 가지 일반적인 결론을 얻을 수 있다. 첫 번째로 접합의 적정성을 평가하는 유일한 근거로서 r^2과 같은 통계값에만 의존해서는 안 된다. 두 번째로 회귀분석 방정식은 항상 그래프를 그려서 검토해야 한다. 그리고 변환을 적용하는 경우에는 변환되지 않은 모델과 데이터의 그래프를 항상 살펴보아야 한다.

마지막으로 변환을 사용하는 방법은 변환된 데이터에 대하여는 훌륭한 접합을 도출할 수 있지만, 그렇다고 해서 원래의 형태에서도 좋은 접합이 될 수 있음을 의미하는 것은 아니다. 그 이유는 변환된 데이터의 잔차의 제곱을 최소화시키는 것이 변환되지 않은 데이터에 대한 잔차의 제곱과 같지 않기 때문이다. 선형 회귀분석은 최적-접합선 주위의 데이터 점들의 산포가 가우스 분포를 따르며, 종속변수의 모든 값에서 표준편차가 동일하다고 가정하지만, 이는 데이터를 변환한 후에는 사실이 아니다.

위와 같은 결론으로 인하여 일부 전문가들은 곡선 데이터를 접합할 때 선형 회귀분석을 사용하는 대신 비선형 회귀분석을 사용해야 한다고 제안한다. 이 방법에서는 변환되지 않은 잔차를 직접 최소화하는 최적-접합 곡선이 개발되며, 이에 대해서는 15장에서 설명할 것이다.

연습문제

14.1 다음과 같이 주어진 데이터에 대하여 (a) 평균값, (b) 중앙값, (c) 최빈값, (d) 범위, (e) 표준편차, (f) 분산과 (g) 분산계수를 구하라.

0.90	1.42	1.30	1.55	1.63
1.32	1.35	1.47	1.95	1.66
1.96	1.47	1.92	1.35	1.05
1.85	1.74	1.65	1.78	1.71
2.29	1.82	2.06	2.14	1.27

14.2 연습문제 14.1의 데이터에 대한 히스토그램을 그려라. 단, 고려하는 범위는 0.8에서 2.4까지이며, 간격은 0.2이다.

14.3 다음과 같이 주어진 데이터에 대하여 (a) 평균값, (b) 중앙값, (c) 최빈값, (d) 범위, (e) 표준편차, (f) 분산과 (g) 분산계수를 구하라. (h) 히스토그램을 그리되, 고려하는 범위는 28에서 34까지이며, 간격은 0.4이다. (i) 분포는 정규분포이고 계산한 표준편차가 유효하다고 가정하여, 측정값의 68%를 포함하는 범위(즉 상한값과 하한값)를 계산하라. 그리고 이 값이 이 문제의 데이터에 대해 유효한 추정값인지를 결정하라.

29.65	28.55	28.65	30.15	29.35	29.75	29.25
30.65	28.15	29.85	29.05	30.25	30.85	28.75
29.65	30.45	29.15	30.45	33.65	29.35	29.75
31.25	29.45	30.15	29.65	30.55	29.65	29.25

14.4 식 (14.15)와 (14.16)을 유도할 때 사용한 방법을 이용하여, 다음 모델의 최소제곱접합을 유도하라.

$$y = a_1 x + e$$

즉, 절편이 0인 최소제곱접합 직선의 기울기를 결정하라. 이 모델을 이용하여 다음 데이터를 접합하고 그 결과를 그래프로 나타내라.

x	2	4	6	7	10	11	14	17	20
y	4	5	6	5	8	8	6	9	12

14.5 최소제곱 회귀분석을 이용하여 다음 데이터에 직선을 접합하라.

x	0	2	4	6	9	11	12	15	17	19
y	5	6	7	6	9	8	8	10	12	12

기울기, 절편과 함께 추정값의 표준오차와 상관계수(correlation coefficient)를 계산하라. 그리고 데이터와 회귀직선을 그린다. 또한 같은 문제를 변수를 바꾸어, 즉 y에 대한 x의 회귀분석을 수행하고 그 결과를 설명한다.

14.6 표 14.1의 데이터를 거듭제곱모델에 접합하라. 단, 자연로그를 이용하여 변환을 수행하라.

14.7 일정한 부피를 가지는 1 kg 질소의 압력과 온도 사이의 관계를 결정하기 위하여 다음의 데이터들을 수집하였다. 여기서 질소의 부피는 $10 \, \text{m}^3$이다.

$T, ^\circ\text{C}$	−40	0	40	80	120	160
$p, \text{N/m}^2$	6900	8100	9350	10,500	11,700	12,800

이 데이터에 기초하여 이상기체 법칙 $pV = nRT$를 적용하여 R을 계산하라. 이 법칙을 적용하는 데 있어 온도 T는 Kelvin으로 표시되어야 함에 유의한다.

14.8 그림 14.13의 예제 외에도 변환을 이용하여 선형화시킬 수 있는 다른 모델들이 있다. 예를 들면 다음과 같다.

$$y = \alpha_4 x e^{\beta_4 x}$$

이 모델을 선형화시키고, 이를 이용하여 다음 데이터에 대한 α_4와 β_4를 계산하라. 그리고 데이터와 함께 접합선을 그림으로 나타내라.

x	0.1	0.2	0.4	0.6	0.9	1.3	1.5	1.7	1.8
y	0.75	1.25	1.45	1.25	0.85	0.55	0.35	0.28	0.18

14.9 폭풍이 지나간 후, 수영이 가능한 지역에서의 $E. \, coli$ 박테리아 농도가 다음과 같이 측정되었다.

t (hr)	4	8	12	16	20	24
c (CFU/100 mL)	1600	1320	1000	890	650	560

시간은 폭풍이 끝난 후부터 시간(hour) 단위로 측정되었

고, 단위 CFU(군집형성단위)는 "colony forming unit"의 약자이다. 이 데이터를 이용하여 다음을 계산하라. (a) 폭풍이 끝난 시점($t = 0$)에서의 농도, (b) 농도가 200 CFU/100 mL에 도달하는 시간. 박테리아 농도가 절대로 음이 되지 않고, 시간에 따라 항상 감소한다는 사실에 유의하여 모델을 선택해야 한다.

14.10 기저 e의 지수모델[식 (14.22)]을 사용하는 대신 일반적으로 다음과 같이 기저 10의 모델을 사용한다.

$$y = \alpha_5 10^{\beta_5 x}$$

이 식을 곡선접합에 사용하면 기저 e의 식과 동일한 결과를 얻지만, 지수 변수(β_5)의 값은 식 (14.22)로 계산된 값(β_1)과 다르다. 기저 10의 식을 사용하여 연습문제 14.9를 풀고, 또한 β_1과 β_5를 연계시키는 관계식을 유도하라.

14.11 다음 데이터에 기초하여 물질대사율(metabolism rate)을 예측하는 수식을 질량의 함수로 구하라. 유도된 수식을 이용하여 200 kg 호랑이의 물질대사율을 예측하라.

Animal	Mass (kg)	Metabolism (watts)
Cow	400	270
Human	70	82
Sheep	45	50
Hen	2	4.8
Rat	0.3	1.45
Dove	0.16	0.97

14.12 평균적으로 사람의 표면적 A는 무게 W와 키 H에 관련된다. 무게(kg)는 서로 다르지만 키가 180 cm인 사람들을 조사하여 다음 표와 같은 $A(\text{m}^2)$에 대한 데이터를 구하였다.

W (kg)	70	75	77	80	82	84	87	90
A (m²)	2.10	2.12	2.15	2.20	2.22	2.23	2.26	2.30

거듭제곱법칙 $A = aW^b$가 이 데이터에 비교적 잘 접합함을 보여라. 상수 a와 b를 계산하고 95 kg인 사람의 표면적이 얼마인지 예측하라.

14.13 지수 모델을 다음 데이터에 접합시킨다. 이 데이터와 수식을 MATLAB의 subplot 함수를 이용하여 일반 그래프와 세미-로그 그래프에 그려라.

x	0.4	0.8	1.2	1.6	2	2.3
y	800	985	1490	1950	2850	3600

14.14 어떤 연구자가 박테리아의 성장률 k (per d)를 산소 농도 c (mg/L)의 함수로 구하기 위한 실험을 수행하여 다음과 같은 데이터를 보고하였다. 이와 같은 데이터는 다음 식으로 모델링할 수 있는 것으로 알려져 있다.

$$k = \frac{k_{max}c^2}{c_s + c^2}$$

여기서 c_s와 k_{max}는 매개변수이다. 이 식을 선형화시키기 위하여 변환을 사용하라. 그리고 선형 회귀분석을 이용하여 c_s와 k_{max}를 계산하고, $c = 2$ mg/L에서의 성장률을 예측하라.

c	0.5	0.8	1.5	2.5	4
k	1.1	2.5	5.3	7.6	8.9

14.15 일련의 값들로 구성된 벡터에 대한 기술통계를 계산하는 M-파일 함수를 작성하라. 이 함수가 데이터 개수, 평균값, 중앙값, 최빈값, 범위, 표준편차, 분산 및 분산계수를 계산하고, 화면출력을 할 수 있으며, 또한 히스토그램을 생성할 수 있도록 만든다. 그리고 이를 연습문제 14.3의 데이터에 대하여 시험하라.

14.16 그림 14.15의 linregr 함수를 다음과 같이 수정하라. (a) 추정값의 표준오차를 계산하여 반환하고 (b) subplot 함수를 이용하여 x에 대한 잔차(y의 예측값-측정값)의 그림을 화면출력할 수 있도록 한다. 이를 예제 14.2와 14.3의 데이터에 대하여 시험하라.

14.17 거듭제곱모델을 접합할 수 있는 M-파일 함수를 작성하라. 이 함수가 변환되지 않은 모델에 대하여 r^2과 함께, 최적-접합 계수 α_2와 거듭제곱지수 β_2를 반환하게 한다. 또한 subplot 함수를 이용하여 데이터와 함께 변환된 수식과 변환되지 않은 수식의 그래프를 화면출력할 수 있도록 한다. 그리고 이를 연습문제 14.11의 데이터에 대하여 시험하라.

14.18 다음 데이터는 온도와 SAE 70 오일의 점성계수 사이의 관계를 나타낸다. 데이터에 log를 취한 후, 선형 회귀분석을 사용하여 데이터를 최적 접합시키는 직선의 방정식과 r^2 값을 구하라.

Temperature, °C	26.67	93.33	148.89	315.56
Viscosity, μ, N·s/m²	1.35	0.085	0.012	0.00075

14.19 어떤 기체에 대하여 실험을 수행하여, 다양한 온도에 대한 열용량(heat capacity) c를 다음 표와 같이 구했다. 회귀분석을 이용하여 온도 T의 함수로 c를 예측할 수 있는 모델을 구하라.

T	−50	−30	0	60	90	110
c	1250	1280	1350	1480	1580	1700

14.20 플라스틱은 열처리가 되면, 그 인장강도가 시간에 따라 증가하는 것으로 알려져 있다. 다음과 같은 데이터를 얻었다.

Time	10	15	20	25	40	50	55	60	75
Tensile Strength	5	20	18	40	33	54	70	60	78

(a) 이 데이터에 직선을 접합하고, 이 식을 사용하여 32분에서의 인장강도를 구하라.

(b) 절편이 0인 직선을 구하여 위 해석을 다시 수행하라.

14.21 반응과정 $A \rightarrow B$를 수행하는 교반식 반응조로부터 다음의 데이터를 구했다. 이 데이터를 이용하여 다음 반응속도론 모델(kinetic model)의 k_{01}과 E_1에 대해 가장 좋은 추정값을 계산하라.

$$-\frac{dA}{dt} = k_{01}e^{-E_1/RT} A$$

여기서 R은 기체상수로 0.00198 kcal/mol/K이다.

−dA/dt (moles/L/s)	460	960	2485	1600	1245
A (moles/L)	200	150	50	20	10
T (K)	280	320	450	500	550

14.22 다음 중합(polymerization) 반응에 대하여 농도 데이터를 15개의 시간점에서 구했다.

$$xA + yB \rightarrow A_xB_y$$

반응은 많은 단계로 구성된 복잡한 과정을 통해 발생한다고 가정한다. 여러 가지 모델을 가정하였고, 데이터에 대한 각 모델의 접합을 위해 잔차의 제곱합을 계산하였다. 그 결과는 다음과 같다. 어떤 모델이 통계적으로 데이터를 가장 잘 나타내는가? 그리고 선택한 이유를 설명하라.

	Model A	Model B	Model C
S_r	135	105	100
Number of Model Parameters Fit	2	3	5

14.23 다음의 데이터는 박테리아 성장을 위한 회분식 반응기(batch reactor)로부터 얻었다[유도기(lag phase)가 끝난 후]. 박테리아는 초기 2.5시간에 가능한 한 빨리 성장하도록 하였고, 그 후 박테리아의 성장을 상당히 지연시키는 재조합단백질(recombinant protein)이 만들어지도록 유도하였다. 박테리아의 이론적 성장은 다음 식으로 기술된다.

$$\frac{dX}{dt} = \mu X$$

여기서 X는 박테리아의 수, μ는 박테리아의 기하급수적 성장 시의 비성장률(specific growth rate)이다. 이 데이터에 기초하여 초기 2시간과 그 다음 4시간 동안의 비성장률을 계산하라.

Time, h	0	1	2	3	4	5	6
[Cells], g/L	0.100	0.335	1.102	1.655	2.453	3.702	5.460

14.24 자전거 도로 설계를 위하여 교통공학 연구를 수행하였다. 자전거 도로의 폭과 자전거와 지나가는 차량 사이의 평균거리에 대한 데이터를 수집하였다. 9개 도로에서의 데이터는 다음과 같다.

Distance, m	2.4	1.5	2.4	1.8	1.8	2.9	1.2	3	1.2
Lane Width, m	2.9	2.1	2.3	2.1	1.8	2.7	1.5	2.9	1.5

(a) 데이터를 그려라.

(b) 선형 회귀분석을 이용하여 데이터에 직선을 접합시킨다. 위 그림에 이 직선을 추가하라.

(c) 자전거와 지나가는 차량 사이의 최소 안전 평균거리가 1.8 m로 검토되었다면, 이에 상응하는 최소 도로 폭을 결정하라.

14.25 수자원공학에서 저수지 크기의 결정은 저수할 강물의 유량을 얼마나 정확하게 예측하느냐에 달려 있다. 일부 강에 대하여는 이런 유량 데이터에 대한 장기간의 기록을 얻기 어렵다. 반면에 과거 다년간의 강수량에 대한 기상 데이터는 입수할 수 있으므로, 유량과 강수량 사이의

관계식을 구하는 것이 효과적이다. 그리고 이 식은 강수량에 대한 측정 데이터만 있는 기간 동안의 유량을 추정하는 데 사용될 수 있다. 다음의 데이터는 댐을 설치할 강에 대해 얻었다.

Precip., cm/yr	88.9	108.5	104.1	139.7	127	94	116.8	99.1
Flow, m³/s	14.6	16.7	15.3	23.2	19.5	16.1	18.1	16.6

(a) 데이터를 그려라.

(b) 선형 회귀분석을 이용하여 데이터에 직선을 접합시킨다. 위 그림에 이 직선을 추가하라.

(c) 강수량이 120 cm인 경우, 최적-접합 직선을 이용하여 연간 유량을 예측하라.

(d) 배수로 면적이 1100 km² 이라면 증발, 심부지하수 침투와 소비 수량 등을 통하여 잃게 되는 강수량의 분율을 예측하라.

14.26 경주용 보트의 돛대는 10.65 cm²의 단면적을 가지며 실험용 알루미늄 합금으로 만들어진다. 응력과 변형 사이의 관계를 구하기 위해 실험을 수행한 결과는 다음과 같다.

Strain, cm/cm	0.0032	0.0045	0.0055	0.0016	0.0085	0.0005
Stress, N/cm²	4970	5170	5500	3590	6900	1240

바람에 기인하는 응력은 F/A_c 로 계산할 수 있으며, 여기서 F 는 돛대에 작용하는 힘이고 A_c 는 돛대의 단면적이다. 이들 값을 Hooke의 법칙에 대입하면 돛대의 변형($\Delta L =$ strain × L)을 계산할 수 있다. 여기서 L 은 돛대의 길이다. 바람의 힘이 25,000 N인 경우, 위 데이터를 이용하여 9 m 길이의 돛대의 변형을 계산하라.

14.27 다음 데이터는 전선에 다양한 전압을 부과하여 전류를 측정하는 실험을 수행하여 구하였다.

V, V	2	3	4	5	7	10
i, A	5.2	7.8	10.7	13	19.3	27.5

(a) 이들 데이터에 대해 선형 회귀분석을 수행하여, 3.5 V 전압에서의 전류를 계산하라. 접합선과 데이터를 함께 그리고 본 접합을 평가하라.

(b) 회귀분석을 다시 수행하여 절편을 0으로 만들라.

14.28 전기 전도체의 연신율(% elongation)을 온도의 함수로 구하기 위하여 실험을 수행하였으며, 그 결과는 다음 표와 같다. 온도 400°C에서의 연신율을 예측하라.

Temperature, °C	200	250	300	375	425	475	600
% Elongation	7.5	8.6	8.7	10	11.3	12.7	15.3

14.29 도시 교외에 있는 작은 지역사회의 인구 p가 지난 20년간 급격하게 증가하였다.

t	0	5	10	15	20
p	100	200	450	950	2000

여러분은 전력회사에서 일하는 기술자로서 전력수요를 예측하기 위하여 미래 5년 동안의 인구를 예측하여야 한다. 지수 모델과 선형 회귀분석을 사용하여 이를 예측하라.

14.30 평판 위를 지나는 공기 유동에서, 평판 표면으로부터 y 방향으로 여러 위치에서 공기의 속도 u를 측정한다. 표면에서의($y = 0$) 속도를 0으로 가정하고 이들 데이터에 곡선을 접합하라. 이 결과를 사용하여 표면에서의 전단응력($\mu\, du/dy$)을 구하라. 여기서 $\mu = 1.8 \times 10^{-5}$ N·s/m²이다.

y, m	0.002	0.006	0.012	0.018	0.024
u, m/s	0.287	0.899	1.915	3.048	4.299

14.31 온도가 점성계수에 미치는 영향을 나타내는 모델로서 **Andrade의 방정식**이 제안되었다.

$$\mu = De^{B/T_a}$$

여기서 μ는 물의 점성계수(10^{-3} N · s/m²), T_a 는 절대온도이며(K), D와 B는 매개변수이다. 이 모델을 물에 대한 다음의 데이터에 접합하라.

T	0	5	10	20	30	40
μ	1.787	1.519	1.307	1.002	0.7975	0.6529

14.32 예제 14.2에 대하여, 항력계수뿐만 아니라 질량 또한 균일하게 ±10%가 변화한다고 할 때 계산을 다시 수행하라.

14.33 예제 14.3에 대하여, 항력계수뿐만 아니라 질량 또한 분산계수 5.7887%를 가지고 평균값을 중심으로 정규분포한다고 할 때 계산을 다시 수행하라.

14.34 사각 채널에 대한 Manning 식은 다음과 같이 쓸 수 있다.

$$Q = \frac{1}{n_m} \frac{(BH)^{5/3}}{(B+2H)^{2/3}} \sqrt{S}$$

여기서, Q = 유량(m^3/s), n_m = 거칠기 계수, B = 폭(m), H = 깊이(m), 그리고, S = 기울기이다. 이 식을 폭이 20 m이고, 깊이가 0.3 m인 개천에 적용한다고 하자. 그러나 거칠기와 기울기는 ±10%의 정확도로만 알고 있다. 즉, 거칠기는 약 0.03이며, 이는 0.027에서 0.033의 범위에 있고, 기울기는 약 0.0003이며, 이는 0.00027에서 0.00033의 범위에 있다. 균일분포로 가정하여 Monte Carlo 해석을 이용하여(n = 10,000) 유량 분포를 구하라.

14.35 Monte Carlo 해석은 최적화에도 사용될 수 있다. 예를 들어 공의 궤적은 다음 식으로 계산할 수 있다.

$$y = (\tan\theta_0)x - \frac{g}{2v_0^2 \cos^2\theta_0}x^2 + y_0 \qquad \text{(P14.35)}$$

여기서 y는 높이(m)이며 θ_0는 초기각도(radians), v_0는 초기속도(m/s), g는 중력상수 = 9.81 m/s^2, y_0는 초기높이(m)이다. y_0 = 1 m, v_0 = 25 m/s, θ_0 = 50°라고 할 때, 최대 높이와 이때의 x 거리를 구하라. (a) 미적분학을 이용한 해석적 방법, (b) Monte Carlo 시뮬레이션을 이용한 수치적 방법. 후자의 경우, 0에서 60 m 사이의 x 범위에서 10,000개의 균일 분포값을 가지는 벡터를 생성하는 스크립트를 작성하라. 이 벡터와 식 (P14.35)를 이용하여 높이들을 표시하는 벡터를 생성하라. 그리고 max 함수를 이용하여 최대 높이와 이때의 x 거리를 구하라.

14.36 **Stokes 침강법칙**(Stokes Settling Law)은 층류 조건에서 구형 입자의 침강 속도를 계산하는 방법을 제시한다.

$$v_s = \frac{g}{18} \frac{\rho_s - \rho}{\mu} d^2$$

여기서 v_s = 종단 침강속도(m/s), g = 중력 가속도(= 9.81 m/s^2), ρ = 유체 밀도(kg/m^3), ρ_s = 입자 밀도(kg/m^3), μ = 유체의 점성계수(N s/m^2) 그리고 d = 입자 직경(m)이다. 밀도가 다른 10-μm 크기의 구형 입자들의 종단 침강속도를 측정하는 실험을 수행한다고 가정한다.

ρ_s, kg/m^3	1500	1600	1700	1800	1900	2000	2100	2200	2300
v_s, 10^{-3} m/s	1.03	1.12	1.59	1.76	2.42	2.51	3.06	3	3.5

(a) 데이터에 대한 그림을 라벨을 붙여 생성한다. (b) 선형 회귀분석(polyfit)을 이용하여 데이터에 직선을 접합하고, 위 그림에 이 선을 중첩하라. (c) 구한 모델을 사용하여 2500 kg/m^3의 밀도를 가지는 구의 침강속도를 예측하라. (d) 기울기와 절편을 사용하여 유체의 점성계수와 밀도를 계산하라.

14.37 그림 14.13의 예들 외에도 변환을 사용하여 선형화할 수 있는 다른 모델이 있다. 예를 들어, 다음 모델은 반응기(batch reactor)에서 3차 화학반응에 적용된다.

$$c = c_0 \frac{1}{\sqrt{1 + 2kc_0^2 t}}$$

여기서 c = 농도(mg/L), c_0 = 초기 농도(mg/L), k = 반응속도(L²/(mg^2 d)), 그리고 t = 시간(d)이다. 이 모델을 선형화한 후, 선형화된 모델을 다음 데이터를 기반으로 k와 c_0을 구하는 데 사용하라. 변환하여 선형화된 형태와 변환하지 않은 형태 두 경우 모두에 대하여, 접합의 그림을 데이터와 함께 제시하라.

t	0	0.5	1	1.5	2	3	4	5
c	3.26	2.09	1.62	1.48	1.17	1.06	0.9	0.85

14.38 7장에서 1차원 및 다차원 함수의 최적값을 찾기 위한 최적화 기법을 제시했다. 난수는 이와 유사한 문제를 해결하기 위한 대안을 제공한다(연습문제 14.35 참조). 이 것은 임의로 선택되는 독립변수값들에 대해 함수값들을 반복적으로 계산하고, 이들 독립변수 중에서 최적화하고자 하는 함수의 최적값을 도출하는 독립변수를 추적함으로써 수행할 수 있다. 충분한 수의 샘플이 수행되면 결국 최적값을 결정할 수 있지만, 가장 간단한 경우조차 이 방법은 그리 효율적이지 않다. 그러나 이 방법들은 많은 국부 최적값(local optima)을 가진 함수에 대한 전체 최적값(global optimum)을 찾을 수 있다는 이점이 있다. humps 함수의 최대값을 찾기 위해 난수를 사용하는 함수를 x = 0에서 2 사이로 제한된 영역에서 개발하라.

$$f(x) = \frac{1}{(x-0.3)^2 + 0.01} + \frac{1}{(x-0.9)^2 + 0.04} - 6$$

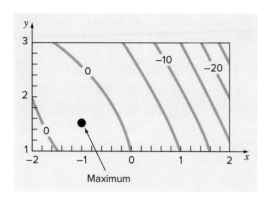

그림 P14.39 $x = -1$, $y = 1.5$에서 최대값 1.25를 가지는 2차원 함수.

다음은 개발한 함수를 시험하는 데 사용할 수 있는 스크립트이다.

```
clear,clc,clf,format compact
xmin=0;xmax=2;n=1000
xp=linspace(xmin,xmax,200); yp=f(xp);
plot(xp,yp)
[xopt,fopt]=RandOpt(@f,n,xmin,xmax)
```

14.39 연습문제 14.38에서 기술한 것과 같은 방법으로 난수를 사용하여 다음 2차원 함수의 최대값 및 해당 x 값과 y 값을 구하는 함수를 개발하라.

$$f(x, y) = y - x - 2x^2 - 2xy - y^2$$

단, $x = -2$에서 2까지, $y = 1$에서 3까지의 영역으로 제한하며, 이 영역은 그림 P14.39에 나타나 있다. 단일 최대값 1.25는 $x = -1$, $y = 1.5$에서 발생한다. 다음은 개발한 함수를 시험하는 데 사용할 수 있는 스크립트이다.

```
clear,clc,format compact
xint=[-2;2];yint=[1;3];n=10000;
[xopt,yopt,fopt]=RandOpt2D(@fxy,n,xint,yint)
```

14.40 어떤 입자 집단이 1차원의 직선을 따라 움직임이 한정되어 있다고 가정한다(그림 P14.40). 각 입자는 시간 간격 Δt에 걸쳐 거리 Δx를 왼쪽 또는 오른쪽으로 움직일 가능성이 동일하다고 가정한다. $t = 0$에서 모든 입자는 $x = 0$에서 그룹을 이루어 어느 방향으로든 한 스텝씩 이동할 수 있다. Δt 후에는 약 50%가 오른쪽으로, 50%는 왼쪽으로 이동한다. $2\Delta t$ 후 25%는 왼쪽으로 두 스텝, 25%는 오른쪽으로 두 스텝, 50%는 원점으로 되돌아갔다. 시간이 더 경과하면, 입자 집단은 퍼지게 되어 원점 근처에서 더

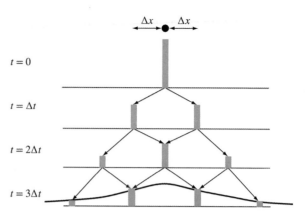

그림 P14.40 1차원 랜덤워크(random walk) 혹은 "주정뱅이" 산책 방법.

많아지고 양 끝에서는 줄어들 것이다. 최종 결과는 입자 분포가 아래쪽으로 퍼지는 종 모양 분포에 접근하게 된다. 공식적으로 **랜덤 워크**(또는 **주정뱅이 산책**)라고 불리는 이 과정은 공학과 과학에서 **브라운 운동**이라는 공통된 예를 통해 많은 현상을 설명한다. 스텝 크기(Δx), 전체 입자 수(n)와 전체 스텝 수(m)가 주어지는 경우, MATLAB 함수를 개발하라. 각 스텝에서 각 입자의 x 축 위치를 결정하고, 이 결과를 사용하여 계산이 진행됨에 따라 분포의 모양이 어떻게 전개되는지 보여주는 애니메이션 히스토그램을 생성하라.

14.41 연습문제 14.40을 2차원 랜덤워크에서 반복하라. 그림 P14.41에서 묘사된 것처럼, 각 입자는 0에서 2π 사이의 임의의 각도 θ에서 길이 Δ의 임의의 스텝을 취하게 한다. 2 패널 애니메이션 그림을 생성하되, 모든 입자의 위치를 위쪽 그림(subplot (2,1,1))에 나타내고, 입자들의 x 좌표의 히스토그램을 아래쪽 그림(subplot (2,1,2))에 나타내라.

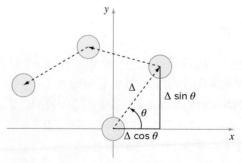

그림 P14.41 2차원 랜덤워크(random walk) 혹은 주정뱅이 산책의 스텝별 표현.

14.42 아래 표는 2015년의 야외 달리기 세계기록 및 해당 운동선수를 보여준다. 100 m와 마라톤(42,195 m)을 제외한 모든 트랙은 타원형 트랙을 따라 달리게 된다. 각 성별에 거듭제곱모델(power model)을 적용하고 이를 사용하여 하프 마라톤(21,097.5 m)의 기록 시간을 예측하라. 하프 마라톤의 실제 기록은 남녀 각각 3503초(Tadese)와 3909초(Kiplagat)이다.

Event (m)	Time (s)	Men Holder	Time (s)	Women Holder
100	9.58	Bolt	10.49	Griffith-Joyner
200	19.19	Bolt	21.34	Griffith-Joyner
400	43.18	Johnson	47.60	Koch
800	100.90	Rudisha	113.28	Kratochvilova
1000	131.96	Ngeny	148.98	Masterkova
1500	206.00	El Guerrouj	230.07	Dibaba
2000	284.79	El Guerrouj	325.35	O'Sullivan
5000	757.40	Bekele	851.15	Dibaba
10,000	1577.53	Bekele	1771.78	Wang
20,000	3386.00	Gebrselassie	3926.60	Loroupe
42,195	7377.00	Kimetto	8125.00	Radcliffe

일반적인 선형최소제곱과 비선형회귀분석

학습목표

이 장에서는 직선을 이용한 접합의 개념을 (a) 다항식을 이용한 곡선접합과 (b) 두 개 이상의 독립 변수들의 선형함수인 변수를 이용한 접합으로 확장한다. 그리고 이들 방법이 어떻게 일반화되어 보다 광범위한 문제에 적용될 수 있는지를 보이고, 마지막으로 최적화기법이 비선형회귀분석을 수행하는 데 어떻게 사용되는지를 보일 것이다. 구체적인 목표와 다루는 주제는 다음과 같다.

- 다항식 회귀분석을 실행하는 방법
- 다중 선형회귀분석을 실행하는 방법
- 일반적인 선형최소제곱 모델의 수식에 대한 이해
- 정규방정식 또는 왼쪽 나눗셈을 이용하여 일반적인 선형최소제곱 모델을 MATLAB으로 해석하는 방법
- 최적화기법을 이용하여 비선형회귀분석을 실행하는 방법

15.1 다항식 회귀분석

14장에서는 최소제곱 기준을 사용하여 직선 방정식을 유도하는 절차를 소개하였다. 그러나 일부 데이터들은 그림 15.1에서 보는 것처럼 직선으로 표현하기에는 불충분하며, 이러한 경우 곡선이 데이터를 표현하기에 더 나을 것이다. 14장에서 논의하였듯이 이러한 목적을 달성하기 위한 한 가지 방법은 변환을 사용하는 것이다. 또 다른 방법은 **다항식 회귀분석**(polynomial regression)을 이용하여 데이터에 다항식을 접합시키는 것이다.

최소제곱 과정을 확장하면 쉽게 고차 다항식을 데이터에 접합시킬 수 있다. 예를 들어 데이터를 다음과 같은 2차 다항식으로 접합시킨다고 가정하자.

$$y = a_0 + a_1 x + a_2 x^2 + e \tag{15.1}$$

이 경우 잔차의 제곱합은 다음 식과 같다.

$$S_r = \sum_{i=1}^{n} \left(y_i - a_0 - a_1 x_i - a_2 x_i^2 \right)^2 \tag{15.2}$$

최소제곱접합을 구하기 위하여 다항식의 각 미지계수에 대하여 식 (15.2)의 미분을 취하면

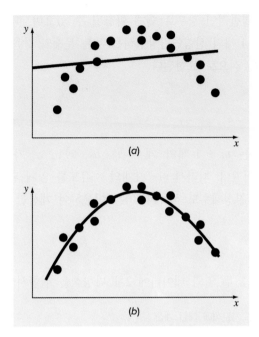

그림 15.1 (a) 선형최소제곱에 부적절한 데이터 (b) 포물선이 적합함을 보이고 있음.

다음과 같은 식을 얻는다.

$$\frac{\partial S_r}{\partial a_0} = -2 \sum \left(y_i - a_0 - a_1 x_i - a_2 x_i^2\right)$$

$$\frac{\partial S_r}{\partial a_1} = -2 \sum x_i \left(y_i - a_0 - a_1 x_i - a_2 x_i^2\right)$$

$$\frac{\partial S_r}{\partial a_2} = -2 \sum x_i^2 \left(y_i - a_0 - a_1 x_i - a_2 x_i^2\right)$$

위 식들을 0으로 놓고 다시 정리하면, 다음과 같은 정규방정식을 구할 수 있다.

$$(n)a_0 + \left(\sum x_i\right)a_1 + \left(\sum x_i^2\right)a_2 = \sum y_i$$

$$\left(\sum x_i\right)a_0 + \left(\sum x_i^2\right)a_1 + \left(\sum x_i^3\right)a_2 = \sum x_i y_i$$

$$\left(\sum x_i^2\right)a_0 + \left(\sum x_i^3\right)a_1 + \left(\sum x_i^4\right)a_2 = \sum x_i^2 y_i$$

여기서 모든 합은 $i = 1$부터 n 까지 적용된다. 위의 세 개의 방정식은 선형이며, 세 개의 미지수 a_0, a_1, a_2 를 가진다. 미지수의 계수들은 관측값으로부터 바로 계산될 수 있다.

이 경우에 최소제곱 2차 다항식을 결정하는 문제는 세 개의 선형 연립방정식을 푸는 문제와 같게 된다. 이와 같은 2차원 경우는 다음과 같은 m 차 다항식으로 쉽게 확장될 수 있다.

$$y = a_0 + a_1 x + a_2 x^2 + \cdots + a_m x^m + e$$

앞의 해석과정은 보다 일반적인 경우로 쉽게 확장될 수 있으며, 따라서 m 차 다항식의 계수를 결정하는 문제는 $m + 1$ 개의 선형연립방정식을 푸는 문제와 같음을 알 수 있다. 이 경우에 표준오차는 다음과 같은 식으로 표현된다.

$$s_{y/x} = \sqrt{\frac{S_r}{n - (m + 1)}} \tag{15.3}$$

S_r을 계산하기 위해서는 $m + 1$ 개의 계수 $a_0, a_1, \ldots, a_m$ 가 사용되므로, 위 식은 $n - (m + 1)$에 의해 나누어지며, 따라서 $m + 1$개의 자유도를 잃게 된다. 표준오차뿐만 아니라 다항식 회귀분석에서의 결정계수도 식 (14.20)을 이용하여 계산할 수 있다.

예제 15.1 다항식 회귀분석

문제 설명. 표 15.1의 처음 두 열의 데이터에 2차 다항식을 접합시켜라.

표 15.1 2차 최소제곱 접합의 오차분석에 대한 계산.

x_i	y_i	$(y_i - \bar{y})^2$	$(y_i - a_0 - a_1x_i - a_2x_i^2)^2$
0	2.1	544.44	0.14332
1	7.7	314.47	1.00286
2	13.6	140.03	1.08160
3	27.2	3.12	0.80487
4	40.9	239.22	0.61959
5	61.1	1272.11	0.09434
$\sum$	152.6	2513.39	3.74657

풀이 주어진 데이터로부터 다음을 계산할 수 있다.

$$m = 2 \qquad \sum x_i = 15 \qquad \sum x_i^4 = 979$$

$$n = 6 \qquad \sum y_i = 152.6 \qquad \sum x_i y_i = 585.6$$

$$\bar{x} = 2.5 \qquad \sum x_i^2 = 55 \qquad \sum x_i^2 y_i = 2488.8$$

$$\bar{y} = 25.433 \qquad \sum x_i^3 = 225$$

그러므로 선형연립방정식은 다음과 같다.

$$\begin{bmatrix} 6 & 15 & 55 \\ 15 & 55 & 225 \\ 55 & 225 & 979 \end{bmatrix} \begin{Bmatrix} a_0 \\ a_1 \\ a_2 \end{Bmatrix} = \begin{Bmatrix} 152.6 \\ 585.6 \\ 2488.8 \end{Bmatrix}$$

이 연립방정식들을 풀면 계수를 구할 수 있다. 예를 들어 MATLAB을 이용하면 다음과 같다.

```
>> N = [6 15 55;15 55 225;55 225 979];
>> r = [152.6 585.6 2488.8];
>> a = N\r
a =
    2.4786
    2.3593
    1.8607
```

그러므로 이 경우의 최소제곱 2차 다항식은 다음과 같다.

$$y = 2.4786 + 2.3593x + 1.8607x^2$$

다항식 회귀분석에 기초한 추정값의 표준오차는 식 (15.3)으로부터 다음과 같이 계산된다.

$$s_{y/x} = \sqrt{\frac{3.74657}{6 - (2 + 1)}} = 1.1175$$

결정계수는 다음과 같다.

$$r^2 = \frac{2513.39 - 3.74657}{2513.39} = 0.99851$$

그리고 상관계수 $r = 0.99925$이다.

이 결과는 모델이 99.851%의 확실성을 가지고 데이터를 나타내고 있음을 보여준다. 또한 그림 15.2에서 명백히 알 수 있는 바와 같이, 이 결과는 2차 다항식이 주어진 데이터에 매우 훌륭하게 접합하고 있음을 보여준다.

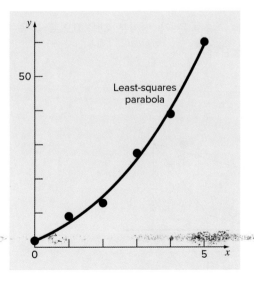

그림 15.2   2차 다항식의 접합.

15.2 다중 선형회귀분석

선형회귀분석을 유용하게 사용할 수 있는 또 다른 경우는 y가 두 개 이상의 독립변수에 대해 선형함수인 경우이다. 예를 들면 y가 다음 식과 같이 x_1과 x_2의 선형함수인 경우이다.

$$y = a_0 + a_1x_1 + a_2x_2 + e$$

이러한 방정식은 고려 대상인 변수가 두 개의 다른 변수의 함수로 표현되는 실험 데이터를 접합시킬 때 특히 유용하다. 이와 같은 2차원의 경우에 회귀분석 "직선"은 "평면"이 된다(그림 15.3).

앞서의 경우와 같이 계수들의 "최적" 값은 다음과 같이 잔차의 제곱합을 수식화함으로써 결정된다.

$$S_r = \sum_{i=1}^{n} (y_i - a_0 - a_1x_{1,i} - a_2x_{2,i})^2 \tag{15.4}$$

그리고 각 미지계수들에 대하여 미분하면 다음과 같다.

$$\frac{\partial S_r}{\partial a_0} = -2 \sum (y_i - a_0 - a_1x_{1,i} - a_2x_{2,i})$$

$$\frac{\partial S_r}{\partial a_1} = -2 \sum x_{1,i} (y_i - a_0 - a_1x_{1,i} - a_2x_{2,i})$$

$$\frac{\partial S_r}{\partial a_2} = -2 \sum x_{2,i} (y_i - a_0 - a_1x_{1,i} - a_2x_{2,i})$$

잔차의 제곱합을 최소로 하는 계수들은 각 편미분 값을 0으로 놓을 때 얻어지며, 그 결과를 행렬식으로 표현하면 다음과 같다.

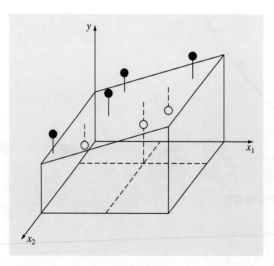

그림 15.3 y가 x_1과 x_2의 선형함수인 다중 선형회귀분석에 대한 그래픽 표현.

$$\begin{bmatrix} n & \sum x_{1,i} & \sum x_{2,i} \\ \sum x_{1,i} & \sum x_{1,i}^2 & \sum x_{1,i} x_{2,i} \\ \sum x_{2,i} & \sum x_{1,i} x_{2,i} & \sum x_{2,i}^2 \end{bmatrix} \begin{Bmatrix} a_0 \\ a_1 \\ a_2 \end{Bmatrix} = \begin{Bmatrix} \sum y_i \\ \sum x_{1,i} y_i \\ \sum x_{2,i} y_i \end{Bmatrix} \tag{15.5}$$

예제 15.2 / 다중 선형회귀분석

문제 설명. 다음 데이터는 방정식 $y = 5 + 4x_1 - 3x_2$ 로부터 계산된 값들이다.

x_1	x_2	y
0	0	5
2	1	10
2.5	2	9
1	3	0
4	6	3
7	2	27

다중 선형회귀분석을 사용하여 이 데이터를 접합시켜라.

풀이 식 (15.5)를 구성하는 데 필요한 합들은 표 15.2에 계산되어 있다. 이들 합을 식 (15.5)에 대입하면 다음과 같다.

$$\begin{bmatrix} 6 & 16.5 & 14 \\ 16.5 & 76.25 & 48 \\ 14 & 48 & 54 \end{bmatrix} \begin{Bmatrix} a_0 \\ a_1 \\ a_2 \end{Bmatrix} = \begin{Bmatrix} 54 \\ 243.5 \\ 100 \end{Bmatrix} \tag{15.6}$$

이 식을 풀면 다음과 같은 해를 얻는다.

$$a_0 = 5 \qquad a_1 = 4 \qquad a_2 = -3$$

이 결과는 데이터를 구하는 데 사용되었던 원래의 수식과 일치한다.

앞서의 2차원 문제는 다음 식과 같이 m 차원 문제로 쉽게 확장될 수 있다.

표 15.2 예제 15.2의 정규방정식을 구하는 데 필요한 계산.

y	x_1	x_2	x_1^2	x_2^2	$x_1 x_2$	$x_1 y$	$x_2 y$
5	0	0	0	0	0	0	0
10	2	1	4	1	2	20	10
9	2.5	2	6.25	4	5	22.5	18
0	1	3	1	9	3	0	0
3	4	6	16	36	24	12	18
27	7	2	49	4	14	189	54
54	16.5	14	76.25	54	48	243.5	100

$$y = a_0 + a_1x_1 + a_2x_2 + \cdots + a_mx_m + e$$

여기서 표준오차는 다음과 같이 나타낼 수 있다.

$$s_{y/x} = \sqrt{\frac{S_r}{n-(m+1)}}$$

그리고 결정계수는 식 (14.20)에서와 같이 계산된다.

하나의 변수가 두 개 이상의 변수와 선형적 관계를 가지는 문제가 있을 수 있지만, 다중 선형회귀분석은 다음과 같은 일반적 형태의 멱방정식을 유도하는 데도 역시 유용하다.

$$y = a_0 x_1^{a_1} x_2^{a_2} \cdots x_m^{a_m}$$

이러한 방정식은 실험 데이터를 접합시킬 때 매우 유용하다. 다중 선형회귀분석을 적용하기 위하여는 이 식에 로그를 취함으로써 다음과 같은 식으로 변환시킨다.

$$\log y = \log a_0 + a_1 \log x_1 + a_2 \log x_2 + \cdots + a_m \log x_m$$

15.3   일반적인 선형최소제곱

앞에서 단순 선형회귀분석, 다항식 회귀분석, 그리고 다중 선형회귀분석의 세 가지 회귀분석을 소개하였다. 사실 이 세 가지 회귀분석은 모두 다음과 같은 일반적인 선형최소제곱 모델에 속한다.

$$y = a_0z_0 + a_1z_1 + a_2z_2 + \cdots + a_mz_m + e \tag{15.7}$$

여기서 $z_0, z_1, \ldots, z_m$은 $m+1$개의 기저함수들이다. 따라서 단순 선형회귀분석과 다중 선형회귀분석이 이 모델에 속한다는 것은 쉽게 알 수 있다. 즉 $z_0 = 1, z_1 = x_1, z_2 = x_2, \ldots, z_m = x_m$이다. 더욱이 다항식 회귀분석도 기저함수가 $z_0 = 1, z_1 = x, z_2 = x^2, \ldots, z_m = x^m$과 같이 간단한 단항식인 경우 이 모델에 포함될 수 있다.

"선형"이라는 용어는 모델이 매개변수(즉, a 들)만에 종속된다는 뜻이며, 함수 그 자체는 다항식 회귀분석의 경우와 같이 매우 비선형적일 수 있다. 예를 들어 다음과 같이 z 는 사인곡선이 될 수도 있다.

$$y = a_0 + a_1 \cos(\omega x) + a_2 \sin(\omega x)$$

이러한 형태는 **Fourier** 해석의 기초가 된다.

반면에 간단하게 보이는 다음과 같은 모델은

$$y = a_0(1 - e^{-a_1 x})$$

식 (15.7)과 같은 형태로 조작시킬 수 없으므로 비선형이다.

식 (15.7)을 행렬로 표기하면 다음과 같다.

$$\{y\} = [Z]\{a\} + \{e\} \tag{15.8}$$

여기서 $[Z]$는 독립변수의 측정값에서 계산된 기저 함수값의 행렬로 다음과 같이 표현된다.

$$[Z] = \begin{bmatrix} z_{01} & z_{11} & \cdots & z_{m1} \\ z_{02} & z_{12} & \cdots & z_{m2} \\ \vdots & \vdots & & \vdots \\ z_{0n} & z_{1n} & \cdots & z_{mn} \end{bmatrix}$$

여기서 m은 모델에 나타나는 변수의 개수이고, n은 데이터 점의 개수이다. $n \geq m+1$이므로 대부분의 경우 $[Z]$는 정방행렬이 아님에 유의하여야 한다.

열벡터 $\{y\}$는 종속변수의 관측값을 포함하며 다음과 같다.

$$\{y\}^T = \lfloor y_1 \quad y_2 \quad \cdots \quad y_n \rfloor$$

열벡터 $\{a\}$는 미지계수를 포함하며 다음과 같다.

$$\{a\}^T = \lfloor a_0 \quad a_1 \quad \cdots \quad a_m \rfloor$$

열벡터 $\{e\}$는 잔차를 포함하며 다음과 같다.

$$\{e\}^T = \lfloor e_1 \quad e_2 \quad \cdots \quad e_n \rfloor$$

이 모델에 대한 잔차의 제곱합은 다음과 같이 정의된다.

$$S_r = \sum_{i=1}^{n} \left(y_i - \sum_{j=0}^{n} a_j z_{ji} \right)^2 \tag{15.9}$$

이 양은 각 계수에 대하여 편미분을 취하고, 그 결과식을 0으로 놓음으로써 최소화시킬 수 있다. 그 결과 다음과 같이 행렬로 간결하게 표현되는 정규방정식을 얻을 수 있다.

$$[[Z]^T [Z]]\{a\} = \{[Z]^T \{y\}\} \tag{15.10}$$

식 (15.10)은 사실상 앞에서 유도한 단순 선형회귀분석, 다항식 회귀분석, 다중 회귀분석에 대한 정규방정식과도 같음을 증명할 수 있다.

결정계수와 표준오차도 행렬로 수식화시킬 수 있다. r^2이 다음 식으로 정의되는 것을 상기하라.

$$r^2 = \frac{S_t - S_r}{S_t} = 1 - \frac{S_r}{S_t}$$

S_r과 S_t의 정의를 대입하면 다음과 같다.

$$r^2 = 1 - \frac{\sum(y_i - \hat{y}_i)^2}{\sum(y_i - \bar{y}_i)^2}$$

여기서 $\hat{y}$는 최소제곱접합의 예측값이다. 최적접합 곡선과 데이터 사이의 잔차 $y_i - \hat{y}$는 다음과 같은 벡터 식으로 표현된다.

$$\{y\} - [Z]\{a\}$$

다음 예제에 예시한 바와 같이 행렬 계산을 통하여 이 벡터를 조작하여, 추정값의 결정계수와 표준오차를 계산한다.

예제 15.3 MATLAB을 이용한 다항식 회귀분석

문제 설명. 이 절에서 설명한 행렬 계산을 이용하여 예제 15.1을 반복하라.

풀이 먼저 접합시킬 데이터를 입력한다.

```
>> x = [0 1 2 3 4 5]';
>> y = [2.1 7.7 13.6 27.2 40.9 61.1]';
```

다음으로 $[Z]$ 행렬을 구한다.

```
>> Z = [ones(size(x)) x x.^2]
Z =
     1     0     0
     1     1     1
     1     2     4
     1     3     9
     1     4    16
     1     5    25
```

$[Z]^T[Z]$는 정규방정식에 대한 계수 행렬을 나타냄을 증명할 수 있다.

```
>> Z'*Z
ans =
     6    15    55
    15    55   225
    55   225   979
```

이는 예제 15.1에서 합으로 구한 것과 같은 결과이다. 식 (15.10)을 실행함으로써 최소제곱 2차 다항식의 계수를 구할 수 있다.

```
>> a = (Z'*Z)\(Z'*y)
ans =
    2.4786
    2.3593
    1.8607
```

r^2과 $s_{y/x}$를 계산하기 위하여 먼저 잔차의 제곱합을 계산한다.

```
>> Sr = sum((y-Z*a).^2)
Sr =
    3.7466
```

다음으로 r^2을 계산한다.

```
>> r2 = 1-Sr/sum((y-mean(y)).^2)
r2 =
    0.9985
```

그리고 $s_{y/x}$를 다음과 같이 계산한다.

```
>> syx = sqrt(Sr/(length(x)-length(a)))
syx =
    1.1175
```

앞의 내용을 기술한 주된 동기는 세 가지 접근방법이 동일하다는 점을 설명하는 데 있으며, 또한 이들 방법들이 같은 행렬식으로 간단히 표현될 수 있다는 사실을 보여주는 데 있다. 이는 또한 식 (15.10)을 풀 수 있는 방법에 대해 설명하고 있는 다음 절에 대한 준비 단계이기도 하다. 여기서 다룬 행렬 표기는 15.5절에서 다루게 될 비선형회귀분석과도 관련된다.

15.4 QR 분해법과 역슬래시 연산자

정규방정식을 풀어서 최적 접합을 구하는 방법은 널리 사용되고 있으며, 이 방법은 공학과 과학 분야에서 많이 나타나는 곡선접합 문제에도 역시 적용할 수 있다. 그러나 정규방정식은 불량조건을 가질 수 있으므로 반올림오차에 민감하다는 점은 언급할 필요가 있다.

두 가지 고급해석 기법인 **QR 분해법**과 **특이값 분리법**(singular value decomposition)은 이런 측면에서는 더욱 강건한 방법들이다. 이들 방법에 대한 설명은 이 책의 범위를 벗어나지만, MATLAB으로 실행이 가능하므로 여기서 간단하게 언급한다.

QR 분해법은 MATLAB 내에서 두 가지 간단한 방법으로 자동적으로 사용된다. 먼저 다항식을 접합시키기 원하는 경우에 내장함수 `polyfit`은 결과를 얻기 위하여 자동적으로 QR 분해법을 사용한다.

두 번째로 일반적인 선형최소제곱 문제는 역슬래시 연산자를 이용하여 바로 풀 수 있다. 여기서 일반적인 모델은 식 (15.8)과 같이 수식화될 수 있음을 기억하라.

$$\{y\} = [Z]\{a\} \tag{15.11}$$

10.4절에서 방정식의 개수가 미지수의 개수와 같은$(n = m)$ 선형대수방정식 시스템을 풀기 위

해 역슬래시 연산자를 사용하여 왼쪽 나눗셈을 수행하였다. 일반적인 최소제곱이론으로부터 유도된 식 (15.8)의 경우, 방정식의 개수는 미지수의 개수보다 크다($n > m$). 이러한 시스템을 **과결정**(overdetermined) 시스템이라 한다. MATLAB을 이용하여 이런 시스템을 왼쪽 나눗셈으로 풀고자 하면, MATLAB은 해를 구하기 위하여 자동적으로 QR 분해법을 사용하게 된다. 다음 예제는 이와 같은 방법을 보여주고 있다.

예제 15.4 polyfit과 왼쪽 나눗셈을 이용한 다항식 회귀분석의 실행

문제 설명. 예제 15.3을 반복하되 계수를 계산하기 위하여 내장함수 polyfit과 왼쪽 나눗셈을 사용하라.

풀이 예제 15.3에서와 같이 데이터를 입력하고 [Z] 행렬을 구한다.

```
>> x = [0 1 2 3 4 5]';
>> y = [2.1 7.7 13.6 27.2 40.9 61.1]';
>> Z = [ones(size(x)) x x.^2];
```

계수들을 계산하기 위하여 polyfit 함수를 사용한다.

```
>> a = polyfit(x,y,2)
a =
    1.8607    2.3593    2.4786
```

역슬래시를 이용하여 같은 결과를 얻을 수 있다.

```
>> a = Z\y
a =
    2.4786
    2.3593
    1.8607
```

방금 설명하였듯이 이 두 가지 결과는 QR 분해법을 통하여 자동적으로 얻어진다.

15.5 비선형회귀분석

일반적인 공학과 과학 분야에서는 비선형모델로 데이터를 접합시켜야만 할 때가 많다. 여기서 비선형모델은 매개변수에 비선형적으로 종속된 것으로 정의한다. 예를 들어 다음 식을 고려한다.

$$y = a_0(1 - e^{-a_1 x}) + e \tag{15.12}$$

이 식은 식 (15.7)의 일반적 형태에 맞게 조작할 방법이 없다.

선형최소제곱에서와 같이 비선형회귀분석도 잔차의 제곱합을 최소화시키는 매개변수를 구하는 데 근거하지만, 비선형 경우의 해는 반복적인 방법에 의해서만 구할 수 있다.

비선형회귀분석만을 위해 고안된 방법들이 있다. 예를 들어 Gauss-Newton 방법은 Taylor 급수를 사용하여 원래의 비선형방정식을 근사화된 선형 형태로 표현한다. 다음으로 잔차를 최소화시키는 방향으로 다가가는 매개변수의 새로운 추정값을 얻기 위하여 최소제곱 이론을 사용한다. 이 방법에 대한 상세한 설명은 다른 문헌을 참조하기 바란다(Chapra와 Canale, 2010).

또 다른 방법은 최소제곱접합을 직접 구하기 위하여 최적화 기법을 사용하는 것이다. 예를 들어 제곱합을 계산하기 위하여 식 (15.12)를 다음과 같이 목적함수로 표현한다.

$$f(a_0, a_1) = \sum_{i=1}^{n} [y_i - a_0(1 - e^{-a_1 x_i})]^2 \tag{15.13}$$

다음으로 함수를 최소화시키는 a_0와 a_1을 결정하기 위하여 최적화 루틴을 사용한다.

7.3.1절에서 이미 기술하였듯이, MATLAB의 fminsearch 함수는 이러한 목적을 위하여 사용될 수 있으며 다음과 같은 구문을 갖는다.

```
[x, fval] = fminsearch(fun,x0,options,p1,p2,...)
```

여기서 x는 함수 fun을 최소화시키는 매개변수값의 벡터, $fval$은 최소값에서의 함수값, $x0$는 매개변수에 대한 초기 가정값 벡터, $options$는 optimset 함수로 생성한 최적변수의 값을 가지는 구조(6.5절 참조), $p1$, $p2$ 등은 목적함수로 전달되는 추가적인 변수이다. 만약 $options$가 생략된다면, MATLAB은 대부분의 문제에 타당한 기본값을 사용한다. $options$를 결정하지 않고 추가적인 변수($p1$, $p2$, $...$)를 전달하고자 한다면, 위치 지정자로 빈 괄호 [ ]를 사용한다.

예제 15.5 MATLAB을 이용한 비선형회귀분석

문제 설명. 예제 14.6에서 로그를 이용한 선형화를 통하여 표 14.1의 데이터에 멱모델을 접합시켰음을 상기하라. 이 멱모델은 다음과 같다.

$$F = 0.2741 v^{1.9842}$$

이 예제를 반복하되 비선형회귀분석을 사용하라. 계수에 대한 초기조건은 1을 사용한다.

풀이 제곱합을 계산하기 위하여 먼저 M-파일 함수를 생성해야 한다. fSSR.m이라고 하는 다음 파일은 멱방정식을 구하기 위한 것이다.

```
function f = fSSR(a,xm,ym)
yp = a(1)*xm.^a(2);
f = sum((ym-yp).^2);
```

명령 모드에서 데이터는 다음과 같이 입력된다.

```
>> x = [10 20 30 40 50 60 70 80];
>> y = [25 70 380 550 610 1220 830 1450];
```

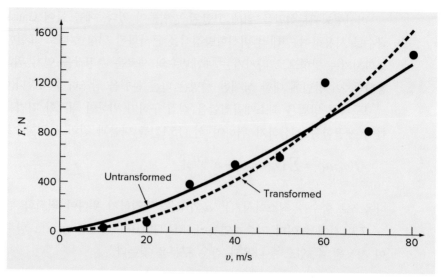

그림 15.4   표 14.1의 힘과 속도 데이터에 대한 변환모델 접합과 비변환모델 접합의 비교.

다음 구문을 이용하여 함수의 최소화를 실행한다.

```
>> fminsearch(@fSSR, [1, 1], [], x, y)
ans =
    2.5384    1.4359
```

따라서 최적-접합 모델은 다음과 같다.

$$F = 2.5384v^{1.4359}$$

그림 15.4는 원래의 변환된 접합과 현재의 접합 결과를 모두 보여준다. 모델의 계수가 서로 상당히 다르지만, 그림만을 비교해서는 어떤 것이 우월한지 판단하기 어렵다는 것을 주목하라.

이 예제는 비선형회귀분석과 변환을 사용하는 선형회귀분석이 같은 모델을 접합시킬 때, 결과적으로 얻는 최적-접합 방정식이 얼마나 다른지를 보여준다. 그 이유는 전자는 원래 데이터의 잔차를 최소화시키는 반면, 후자는 변환된 데이터의 잔차를 최소화시키기 때문이다.

15.6 사례연구   실험 데이터의 접합

배경.   15.2절의 마지막에서 언급하였듯이, 하나의 변수가 두 개 혹은 그 이상의 변수와 선형적인 관계를 가지는 경우도 많지만, 다중 선형회귀분석은 다음과 같은 일반 형태의 다변수 멱방정식의 유도에 있어서 또 다른 유용성을 가진다.

$$y = a_0 x_1^{a_1} x_2^{a_2} \cdots x_m^{a_m} \tag{15.14}$$

이 방정식들은 실험 데이터를 접합하는 데 매우 유용하다. 실험 데이터를 접합하기 위하여 위 방정식에 log를 취하여 다음과 같이 변환시킨다.

$$\log y = \log a_0 + a_1 \log x_1 + a_2 \log x_2 \cdots + a_m \log x_m \tag{15.15}$$

따라서 종속변수에 log를 취한 것은 독립변수에 log를 취한 것에 선형종속 관계이다.

간단한 예로 강이나 호수 그리고 하구와 같은 자연수 내의 기체 전달 문제를 들 수 있다. 특히, 용존산소의 물질 전달계수 K_L (m/d)은 강물의 평균 속도 U (m/s)와 깊이 H (m)에 다음 식으로 연관되어 있는 것으로 알려져 있다.

$$K_L = a_0 U^{a_1} H^{a_2} \tag{15.16}$$

위 식에 상용로그를 취하면 다음과 같다.

$$\log K_L = \log a_0 + a_1 \log U + a_2 \log H \tag{15.17}$$

다음 데이터는 일정한 온도 20°C에 있는 실험용 개수로에서 얻었다.

U	0.5	2	10	0.5	2	10	0.5	2	10
H	0.15	0.15	0.15	0.3	0.3	0.3	0.5	0.5	0.5
K_L	0.48	3.9	57	0.85	5	77	0.8	9	92

이 데이터와 일반적인 선형최소제곱을 이용하여 식 (15.16)에서의 상수들을 계산하라.

풀이 예제 15.3과 유사한 방법으로 데이터를 입력하고 [Z] 행렬을 생성하며, 최소제곱 접합을 위한 계수를 계산하는 스크립트를 작성할 수 있다.

```
% Compute best fit of transformed values
clc; format short g
U=[0.5 2 10 0.5 2 10 0.5 2 10]';
H=[0.15 0.15 0.15 0.3 0.3 0.3 0.5 0.5 0.5]';
KL=[0.48 3.9 57 0.85 5 77 0.8 9 92]';
logU=log10(U);logH=log10(H);logKL=log10(KL);
Z=[ones(size(logKL)) logU logH];
a=(Z'*Z)\(Z'*logKL)
```

결과는 아래와 같다.

```
a =
   0.57627
   1.562
   0.50742
```

따라서 최적접합 모델은 다음과 같다.

$$\log K_L = 0.57627 + 1.562 \log U + 0.50742 \log H$$

혹은 비변환 형태로 나타내면 다음과 같다(여기서 $a_0 =$ $10^{0.57627} = 3.7694$임을 주의한다).

$$K_L = 3.7694 U^{1.5620} H^{0.5074}$$

스크립트에 다음과 같은 줄을 추가함으로써 통계값을 구할 수 있다.

```
% Compute fit statistics
Sr=sum((logKL-Z*a).^2)
r2=1-Sr/sum((logKL-mean(logKL)).^2)
syx=sqrt(Sr/(length(logKL)-length(a)))

Sr =
    0.024171
r2 =
    0.99619
syx =
    0.063471
```

마지막으로 접합에 대한 그림은 다음 구문을 이용하여 그릴 수 있다. 다음은 측정값 K_L에 대한 모델의 예측값을 나타내는 구문이다. 변환 및 비변환 버전 모두에 대해 **subplot**이 사용되었다.

```
%Generate plots
clf
KLpred=10^a(1)*U.^a(2).*H.^a(3);
KLmin=min(KL);KLmax=max(KL);
dKL=(KLmax-KLmin)/100;
KLmod=[KLmin:dKL:KLmax];
subplot(1,2,1)
loglog(KLpred,KL,'ko',KLmod,KLmod,'k-')
axis square,title('(a) log-log plot')
legend('model prediction','1:1
line','Location','NorthWest')
xlabel('log(K_L) measured'),ylabel('log(K_L) predicted')
subplot(1,2,2)
plot(KLpred,KL,'ko',KLmod,KLmod,'k-')
axis square,title('(b) untransformed plot')
legend('model prediction','1:1
line','Location','NorthWest')
xlabel('K_L measured'),ylabel('K_L predicted')
```

그림 15.5는 결과를 보여준다.

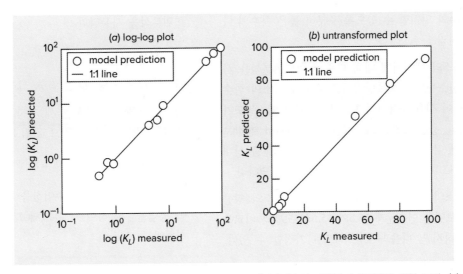

그림 15.5 다중회귀분석을 이용하여 계산한 산소 물질전달계수의 예측값과 측정값에 대한 그림. (a) log 변환에 대한 결과, (b) 변환되지 않은 경우의 결과. 완벽한 상관관계를 나타내는 1 : 1 선이 각 그림에 중첩되어 그려져 있다.

연습문제

15.1 표 14.1의 데이터에 포물선을 접합시켜라. 이 접합에 대한 r^2을 구하고, 결과의 효력에 대하여 설명하라.

15.2 식 (14.15)와 (14.16)을 유도하기 위하여 사용했던 방법으로 다음 모델에 대한 최소제곱접합을 유도하라.

$$y = a_1 x + a_2 x^2 + e$$

즉 절편이 0인 최소제곱접합 2차 다항식의 계수를 구하라. 현재의 방법을 표 14.1의 데이터에 접합시킴으로써 검증하라.

15.3 다음 데이터에 3차 다항식을 접합시켜라.

x	3	4	5	7	8	9	11	12
y	1.6	3.6	4.4	3.4	2.2	2.8	3.8	4.6

계수와 함께 r^2과 $s_{y/x}$를 구하라.

15.4 다항식 회귀분석을 실행하는 M-파일을 작성하라. 구하고자 하는 차수 m과 함께 x와 y 값을 가지는 두 개의 벡터를 M-파일로 전달한다. 이 M-파일을 이용하여 연습문제 15.3을 다시 풀어라.

15.5 표 P15.5의 데이터에 대해 다항식 회귀분석을 사용하여, 염소농도가 0인 경우에 대하여 용존산소농도의 예측 방정식을 온도의 함수로 유도하라. 예측값이 표에 나타난

표 P15.5 온도(°C)와 염소 농도(g/L)의 함수로 나타낸 물속의 용존산소 농도.

	Dissolved Oxygen (mg/L) for Temperature (°C) and Concentration of Chloride (g/L)		
T, °C	$c = 0$ g/L	$c = 10$ g/L	$c = 20$ g/L
0	14.6	12.9	11.4
5	12.8	11.3	10.3
10	11.3	10.1	8.96
15	10.1	9.03	8.08
20	9.09	8.17	7.35
25	8.26	7.46	6.73
30	7.56	6.85	6.20

유효숫자 개수와 일치할 수 있도록 충분히 높은 차수의 다항식을 사용하라.

15.6 표 P15.5의 데이터에 대해 다중 선형회귀분석을 사용하여 용존산소농도의 예측방정식을 온도와 염소의 함수로 유도하라. 이 식을 사용하여 T는 12 °C이고 염소농도가 15 g/L일 때의 용존산소농도를 계산하라. 여기서 참값은 9.09 mg/L임에 유의한다. 또한 예측값에 대한 백분율 상대오차를 계산하고, 그 차이를 유발하는 이유를 설명하라.

15.7 용존산소의 포화상태에 미치는 온도와 염소의 영향을 고려하는 모델은 연습문제 15.5와 15.6의 모델과 비교하면 다소 복잡하지만, 다음과 같은 식으로 가정할 수 있다.

$$o = f_3(T) + f_1(c)$$

즉 우수한 결과를 얻기 위해 온도에 대하여는 3차 다항식을, 염소에 대하여는 선형 관계식을 가정한다. 표 P15.5의 데이터에 이 모델을 접합시키기 위하여 일반적인 선형최소제곱 방법을 사용하라. 이 식을 사용하여 T는 12 °C에서 염소농도가 15 g/L일 때의 용존산소농도를 계산하라. 여기서 참값은 9.09 mg/L임에 유의한다. 예측값에 대한 백분율 상대오차를 계산하라.

15.8 다중 선형회귀분석을 사용하여 다음 데이터를 접합시켜라.

x_1	0	1	1	2	2	3	3	4	4
x_2	0	1	2	1	2	1	2	1	2
y	15.1	17.9	12.7	25.6	20.5	35.1	29.7	45.4	40.2

계수, 추정값의 표준오차와 상관계수를 계산하라.

15.9 다음 데이터는 원형 단면을 갖는 콘크리트 관내를 정상상태로 흐르는 물로부터 수집되었다.
이들 데이터에 다음 모델을 접합시키기 위하여 다중 선형

Experiment	Diameter, m	Slope, m/m	Flow, m³/s
1	0.3	0.001	0.04
2	0.6	0.001	0.24
3	0.9	0.001	0.69
4	0.3	0.01	0.13
5	0.6	0.01	0.82
6	0.9	0.01	2.38
7	0.3	0.05	0.31
8	0.6	0.05	1.95
9	0.9	0.05	5.66

회귀분석을 사용한다.

$$Q = \alpha_0 D^{\alpha_1} S^{\alpha_2}$$

여기서 Q는 유량, D는 직경, 그리고 S는 기울기이다.

15.10 질병을 유발하는 세 가지 유기체가 해수에서 다음 모델을 따라 기하급수적으로 감소한다.

$$p(t) = Ae^{-1.5t} + Be^{-0.3t} + Ce^{-0.05t}$$

측정값이 다음과 같이 주어졌을 때, 일반적인 선형최소제곱 방법을 사용하여 각 유기체(A, B, C)의 초기 농도를 계산하라.

t	0.5	1	2	3	4	5	6	7	9
$p(t)$	6	4.4	3.2	2.7	2	1.9	1.7	1.4	1.1

15.11 다음 모델은 태양 복사가 수초의 광합성률에 미치는 영향을 나타내는 데 사용된다.

$$P = P_m \frac{I}{I_{sat}} e^{-\frac{I}{I_{sat}} + 1}$$

여기서 P는 광합성률(mg m^{-3}d^{-1}), P_m은 최대 광합성률(mg m^{-3}d^{-1}), I는 태양복사량(μE m^{-2}s^{-1}), 그리고 I_{sat}는 최적 태양복사량(μE m^{-2}s^{-1})이다. 다음 데이터에 기초하여 비선형회귀분석을 사용하여 P_m과 I_{sat}을 계산하라.

I	50	80	130	200	250	350	450	550	700
P	99	177	202	248	229	219	173	142	72

15.12 다음 데이터가 주어졌을 때,

x	1	2	3	4	5
y	2.2	2.8	3.6	4.5	5.5

MATLAB과 일반적인 선형최소제곱 모델을 이용하여 다음 모델을 데이터에 접합시켜라.

$$y = a + bx + \frac{c}{x}$$

15.13 연습문제 14.8에서 다음 모델을 선형화하고 접합시키기 위해 변환을 사용하였다.

$$y = \alpha_4 x e^{\beta_4 x}$$

다음 데이터에 기초하여 비선형회귀분석을 사용하여 α_4

와 β_4 를 계산하라. 데이터와 함께 접합식을 그림으로 나타내라.

x	0.1	0.2	0.4	0.6	0.9	1.3	1.5	1.7	1.8
y	0.75	1.25	1.45	1.25	0.85	0.55	0.35	0.28	0.18

15.14 생물학적 매개반응의 특성을 규정하기 위하여 효소반응이 널리 사용된다. 다음은 이와 같은 반응을 접합시키기 위한 모델의 한 가지 예이다.

$$v_0 = \frac{k_m[S]^3}{K + [S]^3}$$

여기서 v_0 는 반응의 초기속도(M/s), $[S]$는 기질의 농도(M), 그리고 k_m 과 K 는 매개변수이다. 이 모델을 사용하여 다음 데이터를 접합시켜라.

$[S]$, M	v_0, M/s
0.01	6.078×10^{-11}
0.05	7.595×10^{-9}
0.1	6.063×10^{-8}
0.5	5.788×10^{-6}
1	1.737×10^{-5}
5	2.423×10^{-5}
10	2.430×10^{-5}
50	2.431×10^{-5}
100	2.431×10^{-5}

(a) 모델을 선형화시키기 위하여 변환을 사용하고, 매개변수들을 구하라. 데이터와 모델 접합식을 그래프로 나타내라.

(b) 비선형회귀분석을 이용하여 문제 (a)와 같은 계산을 수행하라.

15.15 다음 데이터에 대하여 최소제곱 회귀분석을 이용하여 다음 방법으로 접합시켜라.

x	5	10	15	20	25	30	35	40	45	50
y	17	24	31	33	37	37	40	40	42	41

(a) 직선, (b) 멱방정식, (c) 포화성장률 방정식, (d) 포물선. (b)와 (c)의 경우 데이터를 선형화시키기 위해 변환을 사용한다. 데이터와 함께 모든 곡선을 그린다. 어떤 곡선이 가장 나은가? 그 이유를 설명하라.

15.16 다음 데이터는 수일 동안 진행한 액체 배양에서의 박테리아의 성장을 보여준다.

Day	0	4	8	12	16	20
Amount × 10^6	67.38	74.67	82.74	91.69	101.60	112.58

이 데이터의 경향에 맞는 최적-접합 방정식을 구하라. 직선, 2차 방정식 및 지수함수와 같은 여러 가지 방법을 시도한다. 35일 후 박테리아의 양을 예측하는 가장 좋은 방정식을 결정하라.

15.17 물의 점성계수 $\mu(10^{-3}\,\text{N} \cdot \text{s/m}^2)$는 온도 $T(°\text{C})$와 다음과 같이 연관된다.

T	0	5	10	20	30	40
μ	1.787	1.519	1.307	1.002	0.7975	0.6529

(a) 데이터를 그려라.

(b) 선형보간법을 이용하여 $T = 7.5\,°\text{C}$에서의 μ 를 계산하라.

(c) 동일한 예측을 위하여 다항식 회귀분석을 이용하여 데이터에 포물선을 접합시켜라.

15.18 일반적인 선형최소제곱 방법을 사용하여 다음 상태방정식의 가장 좋은 비리얼 상수(virial constant) A_1과 A_2를 구하라. $R = 82.05$ mL atm/gmol K이며 $T = 303$ K이다.

$$\frac{PV}{RT} = 1 + \frac{A_1}{V} + \frac{A_2}{V^2}$$

P (atm)	0.985	1.108	1.363	1.631
V (mL)	25,000	22,200	18,000	15,000

15.19 산성비의 영향을 연구하는 환경 과학자와 공학자들은 물의 이온적(ion product) K_w를 온도의 함수로 결정해야 한다. 이 관계식을 모델링하기 위하여 과학자들은 다음 식을 제시하였다.

$$-\log_{10} K_w = \frac{a}{T_a} + b\log_{10} T_a + cT_a + d$$

여기서 T_a 는 절대온도(K), 그리고 a, b, c, d 는 매개변수들이다. 다음 데이터와 회귀분석 그리고 MATLAB을 사용하여 매개변수들을 구하라. 또한 데이터에 대한 예측값 K_w의 그림을 그려라.

T (°C)	K_w
0	1.164×10^{-15}
10	2.950×10^{-15}
20	6.846×10^{-15}
30	1.467×10^{-14}
40	2.929×10^{-14}

15.20 자동차를 정지시키는 데 필요한 거리는 자동차 속도의 함수인 지각(thinking)과 제동(braking) 성분으로 구성된다. 다음의 실험 데이터는 이 관계식을 정량화하기 위해 수집되었다. 지각과 제동 성분에 대한 최적-접합 식을 유도하라. 이 식들을 이용하여 110 km/h로 달리는 자동차의 총 제동거리를 예측하라.

Speed, km/hr	30	45	60	75	90	120
Thinking, m	5.6	8.5	11.1	14.5	16.7	22.4
Braking, m	5.0	12.3	21.0	32.9	47.6	84.7

15.21 연구자가 아래 표에 제시된 데이터를 보고하였다. 이 데이터들은 다음 수식을 통해서 모델링할 수 있다고 알려져 있다.

$$x = e^{(y-b)/a}$$

여기서 a와 b는 매개변수이다. 비선형회귀분석을 이용하여 a와 b의 값을 구하라. 해석결과를 이용하여 $x = 2.6$일 때의 y 값을 구하라.

x	1	2	3	4	5
y	0.5	2	2.9	3.5	4

15.22 아래 표의 데이터들은 다음 수식을 통해서 모델링할 수 있다고 알려져 있다.

$$y = \left(\frac{a + \sqrt{x}}{b\sqrt{x}}\right)^2$$

비선형회귀분석을 이용하여 매개변수 a와 b의 값을 구하라. 해석 결과를 이용하여 $x = 1.6$일 때의 y 값을 구하라.

x	0.5	1	2	3	4
y	10.4	5.8	3.3	2.4	2

15.23 연구자가 박테리아의 성장률 k (per d)를 산소 농도 c (mg/L)의 함수로 구하기 위한 실험을 수행하고, 다음 표로 제시된 데이터를 보고하였다. 이 데이터들은 다음 수

식을 통해서 모델링할 수 있다고 알려져 있다.

$$k = \frac{k_{\max}c^2}{c_s + c^2}$$

비선형회귀분석을 이용하여 c_s와 $k_{\max}$의 값을 구하고, $c = 2$ mg/L일 때의 성장률을 예측하라.

c	0.5	0.8	1.5	2.5	4
k	1.1	2.4	5.3	7.6	8.9

15.24 어떤 재료를 시험하여 주기적 피로 파괴를 알고자 한다. MPa 단위의 응력이 재료에 가해지고 파괴를 초래하는 주기(cycle) 수를 측정하였다. 결과는 아래 표와 같다. 비선형회귀분석을 이용하여 멱 모델을 이 데이터에 접합시켜라.

N, cycles	1	10	100	1000	10,000	100,000	1,000,000
Stress, MPa	1100	1000	925	800	625	550	420

15.25 아래의 데이터는 SAE 70 오일의 점도와 온도 사이의 관계를 나타낸 것이다. 비선형회귀분석을 이용하여 멱방정식을 이 데이터에 접합시켜라.

Temperature, T, °C	26.67	93.33	148.89	315.56
Viscosity, μ, N·s/m²	1.35	0.085	0.012	0.00075

15.26 폭풍이 지나간 후, 수영이 가능한 지역에서의 *E. coli* 박테리아 농도가 다음과 같이 측정되었다.

t (hr)	4	8	12	16	20	24
c(CFU/100 mL)	1590	1320	1000	900	650	560

시간은 폭풍이 끝난 후부터 시간(hour) 단위로 측정되었고, 단위 CFU(군집형성단위)는 "colony forming unit"의 약자이다. 비선형회귀분석을 이용하여 식 (14.22)의 지수 모델을 이 데이터에 접합시켜라. 이 모델을 이용하여 다음을 계산하라. (a) 폭풍이 끝난 시점($t = 0$)에서의 농도와 (b) 농도가 200 CFU/100 mL에 도달하는 시간.

15.27 비선형회귀분석과 아래의 압력과 부피 데이터를 이용하여 다음 상태방정식의 가장 좋은 비리얼 상수(virial constant) A_1과 A_2를 구하라. $R = 82.05$ mL atm/gmol K이며 $T = 303$ K이다.

$$\frac{PV}{RT} = 1 + \frac{A_1}{V} + \frac{A_2}{V^2}$$

P (atm)	0.985	1.108	1.363	1.631
V (mL)	25,000	22,200	18,000	15,000

15.28 질병을 유발하는 세 가지 유기체가 호수에서 다음 모델을 따라 기하급수적으로 감소한다.

$$p(t) = Ae^{-1.5t} + Be^{-0.3t} + Ce^{-0.05t}$$

측정값이 다음과 같이 주어졌을 때, 비선형회귀분석을 이용하여 각 유기체(A, B, C)의 초기 개체수를 계산하라.

t, hr	0.5	1	2	3	4	5	6	7	9
p(t)	6.0	4.4	3.2	2.7	2.2	1.9	1.7	1.4	1.1

15.29 Antoine 방정식은 순수성분의 증기압과 온도 사이의 관계를 다음과 같이 나타낸다.

$$\ln(p) = A - \frac{B}{C+T}$$

여기서 p는 증기압, T는 온도(K), A, B 및 C는 성분별 상수이다. MATLAB을 사용하여 일산화탄소에 대한 상수의 최적값을 결정하라. 다음 측정값에 기초하여 계산하라.

T (K)	50	60	70	80	90	100	110	120	130
p (Pa)	82	2300	18,500	80,500	2.3×10^5	5×10^5	9.6×10^5	1.5×10^6	2.4×10^6

위의 상수 이외에도 접합에 대한 r^2와 $s_{y/x}$를 구하라.

15.30 Arrhenius 방정식의 단순 형태에 기초한 다음 모델은 환경공학에서 오염물질 감소율, k(1일당)에 대한 온도 T(℃)의 영향을 매개변수화하기 위해 자주 사용된다.

$$k = k_{20}\,\theta^{T-20}$$

여기서 매개변수 $k_{20} = 20$ ℃에서의 감소율이며, θ = 무차원 온도 의존계수이다. 다음 데이터는 실험실에서 수집되었다.

T (℃)	6	12	18	24	30
k (per d)	0.15	0.20	0.32	0.45	0.70

(a) 변환을 사용하여 이 방정식을 선형화한 다음, 선형회귀분석을 사용하여 k_{20}과 θ를 구하라. (b) 비선형회귀분석을 사용하여 동일한 매개변수를 계산하라. (a)와 (b)의 결과를 이용하여 $T = 17$℃에서 반응속도를 예측하라.

15.31 Soave-Redlich-Kwong(SRK) 상태 방정식은 상승된 비이상적인 압력 및 온도에서 기체의 거동을 설명하는데 사용된다. 이 방정식은 이상 기체 법칙의 수정이며 다음 식과 같이 주어진다.

$$P = \frac{R\cdot T}{\hat{V} - b} - \frac{\alpha\cdot a}{\hat{V}\cdot(\hat{V} - b)}$$

여기서 P = 압력(atm), R = 기체 법칙 상수, 0.082057 L atm/(mol K), T = 온도(K), $\hat{V}$ = 비체적, L/mol 및 α, a 및 b는 해당 기체에 대한 경험적 상수이며, 다음과 같이 주어진다.

$$a = 0.42747 \cdot \frac{(R\cdot T_c)^2}{P_c} \qquad b = 0.08664 \cdot \frac{R\cdot T_c}{P_c}$$

$$\alpha = \left[1 + m\cdot\left(1 - \sqrt{\frac{T}{T_c}}\right)\right]^2$$

여기서 $m = 0.48508 + 1.5517\cdot\omega - 0.1561\cdot\omega^2$이다. T_c = 가스에 대한 임계 온도(K), P_c = 가스에 대한 임계 압력(atm), ω = 가스에 대한 Pitzer 편심 계수이다.

참고: 이상 기체 법칙은 다음과 같은 더 간단한 공식으로 표시할 수 있다.

$$P = \frac{R\cdot T}{\hat{V}}$$

표에 제시된 데이터는 이산화황 가스(SO_2)에 대한 신중한 실험실 실험을 통해 얻었다.

$\hat{V}$(L/mol)	T(K)	P(atm)	$\hat{V}$(L/mol)	T(K)	P(atm)
4.345	323.2	5.651	2.734	398.2	11.12
3.260	323.2	7.338	1.504	398.2	19.017
2.901	323.2	8.118	0.944	398.2	27.921
4.674	348.2	5.767	1.532	423.2	20.314
3.178	348.2	8.237	1.169	423.2	25.695
1.495	348.2	15.71	0.467	423.2	51.022
5.136	373.2	5.699	0.298	423.2	63.73
2.926	373.2	9.676	1.325	473.2	26.617
1.620	373.2	16.345	0.679	473.2	47.498
0.979	373.2	24.401	0.375	473.2	74.19
5.419	398.2	5.812			

이산화황(SO_2)의 분자량은 64.07 g/mol이다. 임계 특성은 $T_c = 430.7$ K 및 $P_c = 77.8$ atm이다. 이 가스의 경우 $\omega = 0.251$이다.

비선형 회귀를 사용하여 매개변수 a와 b의 값을 결정하고, 이 값을 위의 상관관계에서 제시한, 이론에 의해 예측된 값과 비교하라. 위의 공식으로 계산된 α 값을 사용하라.

마지막으로, 얻어진 모델을 사용하여 SRK 상태 방정식기반으로 하는 표의 조건에 대해 예측된 압력 및 이상

기체 법칙 대 측정된 압력을 도시하라. 이 그림에 45°선을 포함하고 동의하는지 혹은 동의하지 않는지에 대하여 논평하라.

참고: 텍스트 파일에 데이터를 입력하고 MATLAB 스크립트로 파일을 로드하는 것이 편리할 수 있다.

Fourier 해석

학습목표

이 장의 주요 목표는 Fourier 해석을 소개하는 것이다. Joseph Fourier의 이름을 딴 이 주제는 데이터의 시계열(time series) 내의 주기나 패턴을 찾아내는 것을 포함한다. 구체적인 목표와 다루는 주제는 다음과 같다.

- 사인곡선과 이를 곡선접합에 사용하는 방법
- 사인곡선을 데이터에 접합시키기 위한 최소제곱 회귀분석
- 주기함수에 Fourier 급수를 접합하는 방법
- Euler 공식에 기초한 복소 지수와 사인곡선 사이의 관계식
- 수학 함수나 신호를 주파수 영역에서(즉 주파수 함수로) 해석하는 것에 대한 장점
- Fourier 적분이나 변환을 이용하여 Fourier 해석을 비주기 함수로 확장시키는 방법
- 이산 Fourier 변환(DFT)을 이용하여 Fourier 해석을 이산 신호로 확장시키는 방법
- 이산 샘플링이 DFT의 주파수를 구분할 수 있는 능력에 미치는 영향. 특히 Nyquist 주파수를 계산하고 해석할 수 있는 방법
- 고속 Fourier 변환(FFT)이 데이터의 레코드 길이가 2의 거듭제곱인 경우에 DFT를 계산하기 위한 매우 효율적인 수단임에 대한 인식
- DFT를 계산하기 위해 MATLAB 함수 fft를 사용하는 방법과 결과를 해석하는 방법
- 파워 스펙트럼을 계산하고 해석하는 방법

이런 문제를 만나면

8장의 앞부분에서 Newton의 제2법칙과 힘의 평형을 이용하여 줄로 연결되어 있는 세 명의 번지점프하는 사람들의 평형 위치를 예측하였다. 그리고 13장에서는 같은 시스템의 공진 주파수와 진동의 주 모드를 찾기 위하여 그 시스템의 고유값과 고유벡터를 계산하였다. 이 해석 방법으로부터 분명히 유용한 결과를 얻을 수 있지만, 이 방법을 사용하기 위해서는 기본 모델과 매개변수(즉, 번지점프하는 사람들의 질량과 줄의 스프링상수)에 대한 지식 등을 포함하여 시스템의 자세한 정보가 필요하다.

따라서 여러분이 번지점프하는 사람의 위치나 속도를 등간격의 이산 시간에서 측정했다고 가정하자(그림 13.1 참조). 이와 같은 정보를 **시계열**(time series)이라고 한다. 그러나 여러분은 고유값을 계산하는 데 필요한 기본 모델이나 매개변수는 모른다고 가정하자. 이런 경우,

측정된 시계열을 이용하여 시스템의 역학관계에 대한 근본적인 것을 알아내기 위한 어떤 방법이 있을까?

이 장에서는 바로 이와 같은 목적을 달성하는 방법인 **Fourier 해석**에 대하여 기술한다. 이 방법은 복잡한 함수(예로서, 어떤 시계열 값)를 간단한 삼각함수의 합으로 나타낼 수 있다는 것을 전제로 한다. 이 방법이 어떻게 수행되는지를 설명하기에 앞서, 데이터에 사인함수를 접합하는 방법을 공부한다.

16.1   사인함수를 이용한 곡선접합

주기함수 $f(t)$는 일반적으로 다음의 관계를 만족한다.

$$f(t) = f(t + T) \tag{16.1}$$

여기에서 T는 **주기**라고 하는 상수이며, 이 값은 식 (16.1)이 성립하는 최소 시간값이다. 그림 16.1은 인공적인 신호와 자연적인 신호에 대한 일반적인 예를 보여준다.

가장 기본적인 것은 사인함수들이다. 이 논의에서 **사인 곡선**(sinusoid)은 사인이나 코사인으로 표현되는 모든 파형을 나타내는 단어로 쓰일 것이다. 사인이나 코사인 중 어떤 함수를 선택할지에 대해서는 명확한 규정이 없으며, 따라서 어떤 함수를 쓰더라도 두 함수가 단순히 시간에서 $\pi/2$ radian의 차이를 가지므로 결과는 동일하게 된다. 따라서 이 장에서는 코사인함수를 사용할 것이며, 이는 일반적으로 다음과 같이 표현된다.

$$f(t) = A_0 + C_1\cos(\omega_0 t + \theta) \tag{16.2}$$

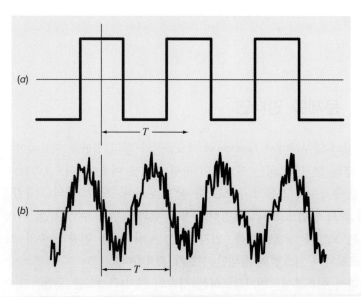

그림 16.1 사인이나 코사인과 같은 삼각함수 이외에도, 주기함수는 (a)에서 제시된 사각파와 같은 이상적인 파형을 포함한다. 이와 같은 인공적인 형태 이외에 (b)에서 제시된 공기온도와 같은 자연 상태에서의 주기신호는 노이즈에 의해 오염될 수 있다.

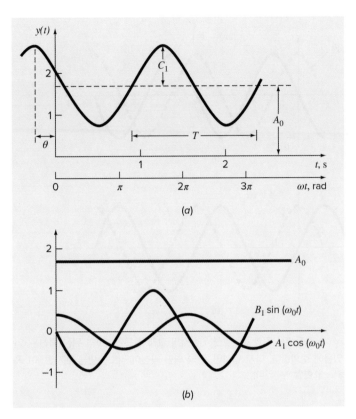

그림 16.2 (a) 사인함수의 그림, $y(t) = A_0 + C_1 \cos(\omega_0 t + \theta)$. 이 경우 $A_0 = 1.7$, $C_1 = 1$, $\omega_0 = 2\pi/T = 2\pi$ /(1.5 s), 그리고 $\theta = \pi/3$ radians = 1.0472 (= 0.25 s)이다. 이 곡선을 나타내는 데 사용한 다른 매개변수는 주파수 $f = \omega_0/(2\pi)$이다. 이 경우, 1 cycle/(1.5 s) = 0.6667 Hz이며, 주기 $T = 1.5$ s이다. (b) 같은 곡선을 나타내기 위한 또 다른 식은 $y(t) = A_0 + A_1 \cos(\omega_0 t) + B_1 \sin(\omega_0 t)$이다. 이 함수의 세 항은 (b)에 표시되어 있으며, $A_1 = 0.5$, $B_1 = -0.866$이다. (b)에 있는 세 곡선의 합은 (a)에 표시된 하나의 곡선이 된다.

식 (16.2)를 보면 사인 곡선(그림 16.2a)의 특성을 유일하게 결정하기 위해서는 네 개의 매개변수가 필요하다는 것을 알 수 있다.

- 수평축 위의 평균 높이를 나타내는 **평균값** A_0.
- 진동의 높이를 나타내는 **진폭** C_1.
- 얼마나 자주 사이클이 발생하는지를 나타내는 **각주파수** ω_0.
- 사인 곡선이 수평방향으로 이동한 크기를 매개변수화시키는 **위상각**(혹은 **위상 변이**) θ.

  각주파수(radian/시간)는 **일반적인 주파수** f (회수/시간)[2]와 다음과 같은 관계를 가진다.

$$\omega_0 = 2\pi f \tag{16.3}$$

그리고 일반적인 주파수는 다시 주기 T와 다음과 같은 관계를 가진다.

---

[2] 시간 단위가 초로 표시되는 경우, 일반적인 주파수의 단위는 사이클/초 또는 헤르츠(Hz)이다.

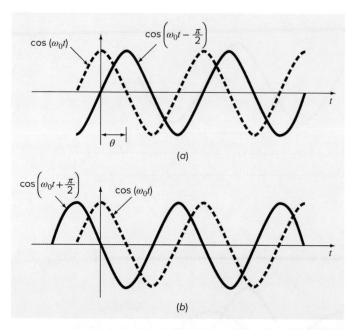

그림 16.3 (a) 뒤진 위상각과 (b) 앞선 위상각의 그래픽 표현. (a)의 뒤진 곡선은 $\cos(\omega_0 t + 3\pi/2)$로도 표현할 수 있음에 주의한다. 다시 말하면, 만약 어떤 곡선이 각도 α만큼 뒤지면, 이 곡선은 $2\pi-\alpha$만큼 앞서는 것으로도 표현할 수 있다.

$$f = \frac{1}{T} \tag{16.4}$$

또한 **위상각**은 $t = 0$에서 코사인함수가 새로운 사이클을 시작하는 점까지의 거리를 라디안으로 나타낸 것이다. 그림 16.3a에서 보듯이, 음의 값은 **뒤진 위상각**(lagging phase angle)을 나타내며, 이는 곡선 $\cos(\omega_0 t - \theta)$의 새로운 사이클이 $\cos(\omega_0 t)$보다 θ(radian)만큼 늦게 나타나기 때문이다. 따라서 $\cos(\omega_0 t - \theta)$는 $\cos(\omega_0 t)$에 뒤진다고 말한다. 반대로, 양의 값은 **앞선 위상각**(leading phase angle)이라 하며 그림 16.3b에서 볼 수 있다.

식 (16.2)가 사인 곡선을 수학적으로 적절하게 표현하고 있지만, 코사인함수의 인수에 위상 변이가 포함되기 때문에 곡선접합의 측면에서는 작업하기가 불편하다. 이러한 결함은 다음의 삼각함수 공식을 사용하면 극복된다.

$$C_1 \cos(\omega_0 t + \theta) = C_1[\cos(\omega_0 t)\cos(\theta) - \sin(\omega_0 t)\sin(\theta)] \tag{16.5}$$

식 (16.5)를 식 (16.2)에 대입하고, 항들을 정리하면 다음과 같게 된다(그림 16.2b).

$$f(t) = A_0 + A_1 \cos(\omega_0 t) + B_1 \sin(\omega_0 t) \tag{16.6}$$

여기서

$$A_1 = C_1 \cos(\theta) \qquad\qquad B_1 = -C_1 \sin(\theta) \tag{16.7}$$

식 (16.7)의 두 부분을 서로 나누면 다음과 같다.

$$\theta = \arctan\left(-\frac{B_1}{A_1}\right) \tag{16.8}$$

여기서 만약 $A_1 < 0$이면, θ에 π를 더한다. 식 (16.7)을 제곱하고 더하면 다음을 구할 수 있다.

$$C_1 = \sqrt{A_1^2 + B_1^2} \tag{16.9}$$

따라서 식 (16.6)은 식 (16.2)의 또 다른 형태가 된다. 이 식도 여전히 네 개의 매개변수를 필요로 하지만 일반적인 선형 모델의 형태로 제시되었다[식 (15.7) 참조]. 다음 절에서 논의하겠지만 이 식은 최소제곱접합의 기저로 쉽게 사용이 가능하다.

다음 절로 넘어가기 전에, 식 (16.2)의 기본 모델로 코사인함수가 아닌 사인함수를 사용할 수도 있었다는 점을 강조한다. 예를 들어 다음과 같은 식이 사용될 수도 있었다.

$$f(t) = A_0 + C_1 \sin(\omega_0 t + \delta)$$

위 두 식 사이의 변환은 다음과 같은 단순한 관계식을 적용하여 수행할 수 있다.

$$\sin(\omega_0 t + \delta) = \cos\left(\omega_0 t + \delta - \frac{\pi}{2}\right)$$

그리고

$$\cos(\omega_0 t + \delta) = \sin\left(\omega_0 t + \delta + \frac{\pi}{2}\right) \tag{16.10}$$

다시 말하면, $\theta = \delta - \pi/2$이다. 단, 두 식 중 한 개 식의 형태를 일관되게 사용해야 한다는 점이 중요하다. 따라서 앞으로의 논의에서는 코사인함수를 이용할 것이다.

16.1.1 사인 곡선의 최소제곱 접합

식 (16.6)은 선형 최소제곱 모델로 간주할 수 있다.

$$y = A_0 + A_1 \cos(\omega_0 t) + B_1 \sin(\omega_0 t) + e \tag{16.11}$$

앞의 식은 다음과 같은 일반적인 모델의 또 다른 예일 뿐이다[식 (15.7) 참조].

$$y = a_0 z_0 + a_1 z_1 + a_2 z_2 + \cdots + a_m z_m + e$$

여기서 $z_0 = 1$, $z_1 = \cos(\omega_0 t)$, $z_2 = \sin(\omega_0 t)$이고 다른 모든 z 값들은 0이다. 따라서 목표는 다음 식을 최소화시키는 계수값들을 구하는 것이다.

$$S_r = \sum_{i=1}^{N} \left\{ y_i - [A_0 + A_1 \cos(\omega_0 t) + B_1 \sin(\omega_0 t)] \right\}^2$$

이 최소화를 달성하기 위한 정규 방정식은 다음과 같은 행렬 형태로 나타낼 수 있다[식 (15.10) 참조].

$$\begin{bmatrix} N & \sum \cos(\omega_0 t) & \sum \sin(\omega_0 t) \\ \sum \cos(\omega_0 t) & \sum \cos^2(\omega_0 t) & \sum \cos(\omega_0 t)\sin(\omega_0 t) \\ \sum \sin(\omega_0 t) & \sum \cos(\omega_0 t)\sin(\omega_0 t) & \sum \sin^2(\omega_0 t) \end{bmatrix} \begin{Bmatrix} A_0 \\ B_1 \\ B_1 \end{Bmatrix} = \begin{Bmatrix} \sum y \\ \sum y\cos(\omega_0 t) \\ \sum y\sin(\omega_0 t) \end{Bmatrix} \tag{16.12}$$

이 방정식은 미지 계수를 구하기 위하여 사용할 수 있다. 그러나 이렇게 바로 계수를 구하는 대신에, 등간격 Δt로 분포된 N 개의 관찰값과 전체 레코드 길이 $T = (N-1)\Delta t$를 가지는 특수한 경우를 먼저 생각해보자. 이 경우에 평균값은 다음과 같이 구할 수 있다(연습문제 16.5 참조).

$$\frac{\sum \sin(\omega_0 t)}{N} = 0 \qquad \frac{\sum \cos(\omega_0 t)}{N} = 0$$
$$\frac{\sum \sin^2(\omega_0 t)}{N} = \frac{1}{2} \qquad \frac{\sum \cos^2(\omega_0 t)}{N} = \frac{1}{2} \tag{16.13}$$
$$\frac{\sum \cos(\omega_0 t)\sin(\omega_0 t)}{N} = 0$$

따라서 등간격 점에 대한 정규 방정식은 다음과 같다.

$$\begin{bmatrix} N & 0 & 0 \\ 0 & N/2 & 0 \\ 0 & 0 & N/2 \end{bmatrix} \begin{Bmatrix} A_0 \\ B_1 \\ B_2 \end{Bmatrix} = \begin{Bmatrix} \sum y \\ \sum y\cos(\omega_0 t) \\ \sum y\sin(\omega_0 t) \end{Bmatrix}$$

대각행렬의 역행렬은 단순히 원래 행렬의 원소 값의 역수를 원소로 가지는 또 다른 대각행렬이 된다. 따라서 각 계수는 다음과 같이 결정된다.

$$\begin{Bmatrix} A_0 \\ B_1 \\ B_2 \end{Bmatrix} = \begin{bmatrix} 1/N & 0 & 0 \\ 0 & 2/N & 0 \\ 0 & 0 & 2/N \end{bmatrix} \begin{Bmatrix} \sum y \\ \sum y\cos(\omega_0 t) \\ \sum y\sin(\omega_0 t) \end{Bmatrix}$$

또는 다음과 같다.

$$A_0 = \frac{\sum y}{N} \tag{16.14}$$

$$A_1 = \frac{2}{N} \sum y\cos(\omega_0 t) \tag{16.15}$$

$$B_1 = \frac{2}{N} \sum y\sin(\omega_0 t) \tag{16.16}$$

첫 번째 계수는 함수의 평균값을 나타냄을 주목하라.

예제 16.1 사인 곡선의 최소제곱 접합

문제 설명. 그림 16.2a의 곡선은 $y = 1.7 + \cos(4.189t + 1.0472)$를 나타내고 있다. 이 곡선에 대하여 $t = 0$에서 1.35 사이의 범위에 대하여 $\Delta t = 0.15$의 간격을 사용하여 10개의 이산값을 생성하라. 이 정보 및 최소제곱 접합을 이용하여 식 (16.11)의 계수들을 구하라.

풀이 $\omega = 4.189$일 경우에 계수를 계산하기 위한 데이터는 다음과 같다.

t	y	$y \cos(\omega_0 t)$	$y \sin(\omega_0 t)$
0	2.200	2.200	0.000
0.15	1.595	1.291	0.938
0.30	1.031	0.319	0.980
0.45	0.722	−0.223	0.687
0.60	0.786	−0.636	0.462
0.75	1.200	−1.200	0.000
0.90	1.805	−1.460	−1.061
1.05	2.369	−0.732	−2.253
1.20	2.678	0.829	−2.547
1.35	2.614	2.114	−1.536
$\sum =$	17.000	2.502	−4.330

이 결과는 식 (16.14)에서 (16.16)까지를 구하기 위하여 사용할 수 있다.

$$A_0 = \frac{17.000}{10} = 1.7 \qquad A_1 = \frac{2}{10}\,2.502 = 0.500 \qquad B_1 = \frac{2}{10}(-4.330) = -0.866$$

따라서 최소제곱 접합은 다음과 같다.

$$y = 1.7 + 0.500 \cos(\omega_0 t) - 0.866 \sin(\omega_0 t)$$

이 모델은 식 (16.8)을 계산함으로써 식 (16.2)의 형식으로 나타낼 수 있다.

$$\theta = \arctan\left(\frac{-0.866}{0.500}\right) = 1.0472$$

또한 식 (16.9)에 따른 값은 다음과 같다.

$$C_1 = \sqrt{0.5^2 + (-0.866)^2} = 1.00$$

따라서 다음과 같은 식을 구할 수 있다.

$$y = 1.7 + \cos(\omega_0 t + 1.0472)$$

또는 식 (16.10)의 사인함수를 이용하면 다음과 같이 표현할 수도 있다.

$$y = 1.7 + \sin(\omega_0 t + 2.618)$$

앞서의 해석은 다음과 같은 일반적인 모델로 확장할 수 있다.

$$f(t) = A_0 + A_1\cos(\omega_0 t) + B_1\sin(\omega_0 t) + A_2\cos(2\omega_0 t) + B_2\sin(2\omega_0 t)$$
$$+ \cdots + A_m\cos(m\omega_0 t) + B_m\sin(m\omega_0 t)$$

여기서 등간격의 데이터에 대하여 계수는 다음과 같이 계산된다.

$$A_0 = \frac{\sum y}{N}$$

$$\left. \begin{array}{l} A_j = \dfrac{2}{N} \sum y \cos(j\omega_0)t \\[2mm] B_j = \dfrac{2}{N} \sum y \sin(j\omega_0)t \end{array} \right\} \quad j = 1, 2, \ldots, m$$

이들 관계식은 데이터를 회귀분석 방법(즉, $N > 2m + 1$)으로 접합하는 데 사용할 수 있지만, 또 다른 응용 방법은 이들 관계식을 보간법이나 콜로케이션(collocation) 방법에 적용하는 것이다(즉 미지수의 개수 $2m + 1$이 데이터의 개수 N과 동일한 경우에 이들 관계식을 사용한다). 다음에 기술되는 연속 Fourier 급수가 이러한 방법을 이용한 것이다.

16.2 연속 Fourier 급수

열유동 문제를 연구하는 과정에서 Fourier는 임의의 주기함수는 조화 관계의 주파수(harmonically related frequency)를 가지는 사인 곡선들의 무한급수로 나타낼 수 있음을 보였다. 주기 T의 함수에 대하여 연속 Fourier 급수는 다음과 같이 쓸 수 있다.

$$f(t) = a_0 + a_1\cos(\omega_0 t) + b_1\sin(\omega_0 t) + a_2\cos(2\omega_0 t) + b_2\sin(2\omega_0 t) + \cdots$$

또는 다음과 같이 더 간략하게 표현할 수 있다.

$$f(t) = a_0 + \sum_{k=1}^{\infty} [a_k\cos(k\omega_0 t) + b_k\sin(k\omega_0 t)] \tag{16.17}$$

여기서 첫 번째 모드의 각주파수($\omega_0 = 2\pi/T$)는 **기본 주파수**라 하며, 이 주파수의 정수배 $2\omega_0$, $3\omega_0$ 등을 **고조파**(harmonics)라 한다. 따라서 식 (16.17)은 함수 $f(t)$를 기저 함수 1, $\cos(\omega_0 t)$, $\sin(\omega_0 t)$, $\cos(2\omega_0 t)$, $\sin(2\omega_0 t)$ 등의 선형 조합으로 나타내고 있다.

식 (16.17)의 계수는 $k = 1, 2, \ldots$에 대하여 다음 식을 통하여 계산할 수 있다.

$$a_k = \frac{2}{T} \int_0^T f(t)\cos(k\omega_0 t)\, dt \tag{16.18}$$

그리고

$$b_k = \frac{2}{T} \int_0^T f(t)\sin(k\omega_0 t)\, dt \tag{16.19}$$

그리고 a_0는 다음과 같다.

$$a_0 = \frac{1}{T} \int_0^T f(t)\, dt \tag{16.20}$$

예제 16.2 / 연속 Fourier 급수 근사

문제 설명. 연속 Fourier 급수를 이용하여 높이가 2이고, 주기 $T = 2\pi/\omega_0$인 사각파 함수(그림 16.1a)를 근사하라.

$$f(t) = \begin{cases} -1 & -T/2 < t < -T/4 \\ 1 & -T/4 < t < T/4 \\ -1 & T/4 < t < T/2 \end{cases}$$

풀이 사각파의 평균 높이는 0이므로, $a_0 = 0$을 바로 구할 수 있다. 남은 계수들은 식 (16.18)을 이용하여 다음과 같이 계산할 수 있다.

$$a_k = \frac{2}{T} \int_{-T/2}^{T/2} f(t) \cos(k\omega_0 t)\, dt$$

$$= \frac{2}{T} \left[-\int_{-T/2}^{-T/4} \cos(k\omega_0 t)\, dt + \int_{-T/4}^{T/4} \cos(k\omega_0 t)\, dt - \int_{T/4}^{T/2} \cos(k\omega_0 t)\, dt \right]$$

이 적분을 계산하면 다음과 같은 결과를 얻는다.

$$a_k = \begin{cases} 4/(k\pi) & \text{for } k = 1, 5, 9, \ldots \\ -4/(k\pi) & \text{for } k = 3, 7, 11, \ldots \\ 0 & \text{for } k = \text{even integers} \end{cases}$$

유사하게 모든 b는 0임을 계산할 수 있다. 따라서 Fourier 급수 근사는 다음과 같다.

$$f(t) = \frac{4}{\pi} \cos(\omega_0 t) - \frac{4}{3\pi} \cos(3\omega_0 t) + \frac{4}{5\pi} \cos(5\omega_0 t) - \frac{4}{7\pi} \cos(7\omega_0 t) + \cdots$$

그림 16.4는 처음 세 번째 항까지의 결과를 보여준다.

논의를 더 진행하기 전에, 이와 같은 Fourier 급수는 복소수 표현법을 이용하면 더 간략한 형태로 나타낼 수 있다. 이는 다음과 같은 **Euler 공식**에 기초한다(그림 16.5 참조).

$$e^{\pm i x} = \cos x \pm i \sin x \tag{16.21}$$

여기서 $i = \sqrt{-1}$이고, x는 radian 단위이다. 식 (16.21)을 이용하여 Fourier 급수를 다음과 같이 간략하게 표현할 수 있다(Chapra와 Canale, 2010).

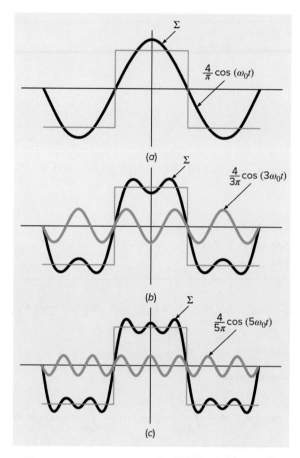

그림 16.4 사각파에 대한 Fourier 급수 근사. 일련의 그림들은 (a) 첫 번째 항까지 (b) 두 번째 항까지 (c) 세 번째 항까지의 합을 고려한 사각파에 대한 근사를 나타낸다. 각 단계에서 더하거나 빼는 개별 항들도 보여준다.

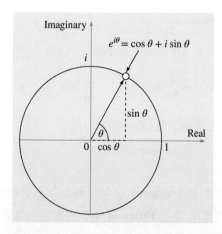

그림 16.5 Euler 공식의 그래픽 표현. 회전 벡터는 위상자(phasor)라고도 한다.

$$f(t) = \sum_{k=-\infty}^{\infty} \tilde{c}_k e^{ik\omega_0 t} \tag{16.22}$$

여기서 계수는 다음과 같다.

$$\tilde{c}_k = \frac{1}{T} \int_{-T/2}^{T/2} f(t)e^{-ik\omega_0 t}\, dt \tag{16.23}$$

여기서 물결 표시(tilde) ~는 각 계수가 복소수임을 강조하기 위해 포함되었다. 복소수 형태가 더 간략하기 때문에 이 장의 나머지 부분에서는 복소수 형태를 주로 사용할 것이며, 또한 이 방법은 사인 곡선 표현법과 동일한 것임을 기억하라.

16.3 주파수 영역과 시간 영역

지금까지 Fourier 해석에 대한 논의는 **시간 영역**에 제한되어 있었다. 이것은 일반적으로 시간 차원에서 함수의 거동을 개념화하는 것이 훨씬 쉽기 때문이다. 그러나 익숙하지는 않더라도 **주파수 영역**은 진동하는 함수의 거동을 특징짓는 데 또 다른 관점을 제공한다.

시간에 대한 진폭을 그릴 수 있는 것처럼 주파수에 대한 진폭 또한 그릴 수 있다. 그림 16.6a는 다음 사인곡선 함수의 3차원 그래프를 두 가지 경우에 대해 모두 보여준다.

$$f(t) = C_1 \cos\left(t + \frac{\pi}{2}\right)$$

이 그림에서 곡선 $f(t)$의 크기 혹은 진폭은 종속변수이며, 시간 t와 주파수 $f = \omega_0/2\pi$는 독립변수들이다. 따라서 진폭과 시간 축은 **시간면**(time plane)을 형성하며, 진폭과 주파수 축은 **주파수면**(frequency plane)을 형성한다. 그러므로 이 사인곡선은 주파수 축을 따라 $1/T$의 거리에 존재하며, 동시에 시간 축을 따라서 나란히 진행하는 것으로 생각할 수 있다. 따라서 시간 영역에서의 사인곡선의 거동은 시간면으로의 곡선의 투영을 의미하는 것이다(그림 16.6b). 유사하게 주파수 영역에서의 거동은 주파수면으로의 투영을 의미한다.

그림 16.6c에서와 같이, 이와 같은 투영은 사인곡선의 양의 최대 진폭 C_1의 척도가 된다. 대칭성으로 인하여 사인곡선의 최대값과 최소값 사이의 전체 거리는 불필요하다. 주파수 축에서의 $1/T$ 위치와 함께, 그림 16.6c는 사인곡선의 진폭과 주파수를 정의하고 있다. 이는 시간 영역에서 그 곡선의 형상과 크기를 다시 만드는 데 충분한 정보이다. 그러나 $t = 0$에 대한 곡선의 상대적인 위치를 결정하기 위하여 추가적인 매개변수(즉, 위상각)가 필요하다. 따라서 그림 16.6d와 같은 위상도(phase diagram) 또한 반드시 포함되어야 한다. 위상각은 영에서 양의 최대값이 발생하는 지점까지의 거리(radian 단위)를 나타낸 것이다. 만약 이 양의 최대값이 영점 이후에 발생하면 뒤져 있다고 표현되며(16.1절의 뒤짐과 앞섬에 대한 논의 참조), 이 경우 규약에 의해 위상각은 음의 부호를 가진다. 반대로 영점 이전의 최대값은 앞서 있다고 표현되며, 이 경우 위상각은 양이다. 따라서 그림 16.6에 대하여 최대값은 영점을 앞서며 위상각은 $+\pi/2$로 그려진다. 그림 16.7은 몇 가지 다른 가능성을 보여주고 있다.

그림 16.6c와 d는 그림 16.6a에 있는 사인곡선의 특성을 요약하는 다른 방법을 제시하고 있음을 알 수 있다. 이들을 **선스펙트럼**(line spectra)이라 한다. 선스펙트럼은 일반적으로 하나

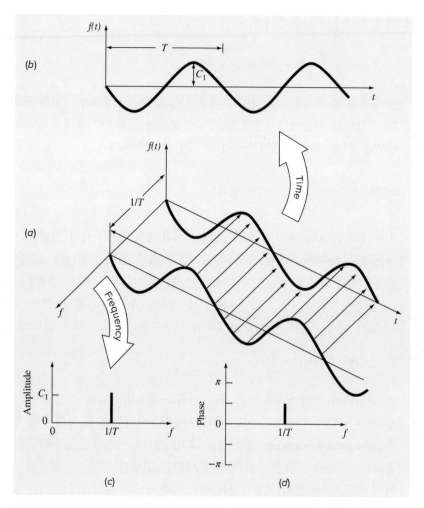

그림 16.6 (a) 사인곡선을 시간 영역과 주파수 영역에서 표현하는 방법에 대한 그림. (b)는 시간 영역에 대한 투영도를, (c)는 진폭–주파수 면에 대한 투영도를 보여준다. (d)는 위상–주파수 면에 대한 투영도를 보여준다.

의 사인곡선에 대해서는 별로 흥미롭지 않지만, Fourier 급수와 같은 보다 복잡한 상황에서는 선스펙트럼의 진정한 힘과 가치가 드러난다. 예를 들어 그림 16.8은 예제 16.2로부터의 사각파 함수에 대한 진폭 및 위상 선스펙트럼을 보여주고 있다.

이와 같은 스펙트럼은 시간 영역에서는 명확하게 보이지 않는 정보들을 제공한다. 이는 그림 16.4와 그림 16.8을 비교함으로써 알 수 있다. 그림 16.4는 시간 영역에서의 두 가지 다른 관점을 제시한다. 첫 번째로 원래의 사각파는 그 사각파를 구성하는 사인곡선들에 대하여 아무것도 알려주지 못한다. 다른 관점은 사각파를 구성하는 사인함수들, 즉 $(4/\pi)\cos(\omega_0 t)$, $-(4/3\pi)\cos(3\omega_0 t)$, $(4/5\pi)\cos(5\omega_0 t)$ 등을 보여주는 것이다. 그러나 이 관점은 이들 고조파의 구조를 시각적으로 적절하게 보여주지 못한다. 반면에 그림 16.8a와 b는 이 구조를 그림으로 보여준다. 이와 같이 선스펙트럼은 복잡한 파형을 이해하고 특징짓게 하는 "지문"(finger prints)과 같은 역할을 한다. 이 선스펙트럼은 비이상적인 경우에 특히 가치가 있으며, 이는 선

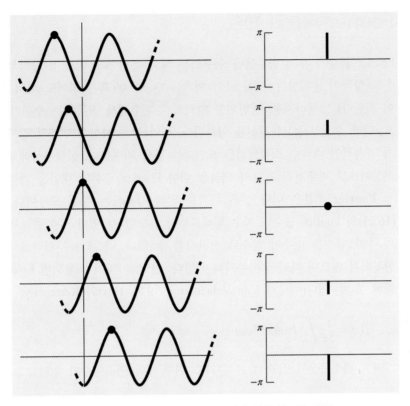

그림 16.7 사인곡선의 여러 위상들과 이에 관련된 위상 선스펙트럼들.

스펙트럼이 종종 모호한 신호의 구조를 뚜렷하게 구분할 수 있게 하기 때문이다. 다음 절에서는 이와 같은 해석을 비주기적인 파형에 확장할 수 있는 Fourier 변환에 대하여 알아본다.

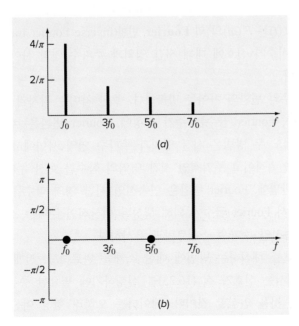

그림 16.8 그림 16.4의 사각파에 대한 (a) 진폭 선스펙트럼, (b) 위상 선스펙트럼.

16.4 Fourier 적분과 변환

Fourier 급수가 주기 함수들을 연구하는 데 유용한 도구이지만, 규칙적으로 반복하지 않는 많은 파형들이 존재한다. 예를 들어 번개는 단 한 번(혹은 적어도 다시 발생할 때까지 긴 시간이 걸린다) 발생하지만, 광범위한 영역의 주파수에서 작동하는 수신기들(예를 들어 TV, 라디오, 단파 수신기 등)과 간섭을 일으킨다. 이와 같은 사실은 번개와 같이 반복적이지 않은 신호가 연속적인 주파수 스펙트럼을 보인다는 것을 의미한다. 공학자들에게 이것은 매우 흥미로운 현상이므로 비주기적 파형의 해석을 위한 Fourier 급수의 대안은 가치가 크다.

Fourier 적분은 이와 같은 목적을 위해 사용하는 주된 도구이다. 이는 식 (16.22)와 식 (16.23)의 Fourier 급수의 지수 형태로부터 유도할 수 있다. 주기를 무한대로 다가가게 함으로써 주기 함수를 비주기 함수로 전환시킬 수 있다. 즉, T가 무한대로 가게 되면, 함수는 절대 반복되지 않으며 따라서 비주기적이 된다. 만약, 이것이 허용되면 Fourier 급수는 다음과 같이 줄여 쓸 수 있다(예로서 Van Valkenburg, 1974; Hayt와 Kemmerly, 1986).

$$f(t) = \frac{1}{2\pi} \int_{-\infty}^{\infty} F(\omega) e^{i\omega t} \, d\omega \tag{16.24}$$

그리고 계수들은 다음과 같은 주파수 변수 ω의 연속함수가 된다.

$$F(\omega) = \int_{-\infty}^{\infty} f(t) e^{-i\omega t} \, dt \tag{16.25}$$

식 (16.25)에서 정의된 함수 $F(\omega)$는 $f(t)$의 **Fourier 적분**이라고 한다. 또한 식 (16.24)와 (16.25)는 일괄하여 **Fourier 변환 쌍**(Fourier transform pair)이라고 한다. 따라서 함수 $F(\omega)$는 Fourier 적분이라 불리는 것과 함께, $f(t)$의 **Fourier 변환**이라고도 불린다. 같은 맥락에서 식 (16.24)에서 정의된 $f(t)$는 $F(\omega)$의 **역 Fourier 변환**(inverse Fourier transform)이라고 한다. 따라서 이 변환 쌍은 비주기 신호에 대해 시간 영역과 주파수 영역 사이의 변환과 역변환을 수행할 수 있게 해준다.

이제 Fourier 급수와 변환의 차이는 명확하다. 주된 차이는 각자가 다른 종류의 함수에 적용된다는 것이다. 즉, Fourier 급수는 주기 파형에, Fourier 변환은 비주기 파형에 적용된다. 이 주된 차이점 외에도 두 방법은 시간 영역과 주파수 영역 사이에서 변환하는 방법도 다르다. Fourier 급수는 연속적이고 주기적인 시간 영역의 함수를 이산 주파수에서의 주파수 영역의 크기로 바꾼다. 반면에, Fourier 변환은 연속적인 시간 영역 함수를 연속적인 주파수 영역 함수로 바꾼다. 따라서 Fourier 급수에 의해 생성된 이산적인 주파수 스펙트럼은 Fourier 변환에 의해 생성된 연속적인 주파수 스펙트럼과 유사하다.

이제 비주기 신호를 해석하는 방법에 대한 소개를 완료하고, 전개 과정의 마지막 단계로 들어간다. 다음 절에서는 신호가 식 (16.25)를 실행하기에 필요한 종류의 연속함수로 나타나는 경우가 드물다는 것을 인식할 것이다. 데이터는 오히려 항상 이산적인 형태로 주어지며, 따라서 이러한 이산 측정값에 대하여 Fourier 변환을 계산하는 방법을 보일 것이다.

16.5 이산 Fourier 변환(DFT)

공학에서 함수는 종종 한정된 개수의 이산값들의 집합으로 표현된다. 또한 데이터는 종종 이산 형태로 수집되거나 변환된다. 그림 16.9에서와 같이, 0에서 T까지의 구간은 $\Delta t = T/n$의 폭을 가지는 n개의 등간격의 소구간으로 나눠질 수 있다. 하첨자 j는 샘플링이 이루어진 이산 시간을 표시하기 위하여 사용된다. 따라서 f_j는 t_j에서 얻은 연속함수 $f(t)$의 값을 나타낸다. 데이터 점들이 $j = 0, 1, 2, \ldots, n-1$에서 지정되고 있다는 것을 주의하라. $j = n$에서의 값은 포함되지 않는다. (f_n을 제외하는 이유에 대해서는 Ramirez, 1985를 참조하라.)

그림 16.9의 시스템에 대하여 이산 Fourier 변환은 다음과 같이 쓸 수 있다.

$$F_k = \sum_{j=0}^{n-1} f_j e^{-ik\omega_0 j} \qquad \text{for } k = 0 \text{ to } n-1 \qquad (16.26)$$

그리고 역 Fourier 변환은 다음과 같이 나타난다.

$$f_j = \frac{1}{n} \sum_{k=0}^{n-1} F_k e^{ik\omega_0 j} \qquad \text{for } j = 0 \text{ to } n-1 \qquad (16.27)$$

여기서 $\omega_0 = 2\pi/n$이다.

식 (16.26)과 (16.27)은 각각 식 (16.25)와 (16.24)를 이산화한 식들이다. 따라서 위 식들은 이산 데이터에 대한 직접 Fourier 변환과 역 Fourier 변환을 계산하기 위해 사용할 수 있다. 식 (16.27)의 인자 $1/n$은 식 (16.26) 또는 (16.27) 중 하나에 포함될 수 있지만, 양쪽 모두에는 포함될 수 없는 단순한 스케일 인자임을 유의한다. 예를 들어 만약 이 인자가 식 (16.26)에 포함되면 첫 번째 계수 F_0(상수 a_0와 유사한)는 샘플들의 산술 평균과 동일하다.

논의를 더 진행하기 전에 언급할 필요가 있는 DFT의 몇몇 다른 특성은 다음과 같다. 신호에서 측정할 수 있는 가장 높은 주파수는 샘플링 주파수의 절반이며, 이 주파수를 **Nyquist 주파수**라고 부른다. 가장 짧은 샘플링 시간 간격보다 더 빠른 주기적 변화는 측정할 수 없다.

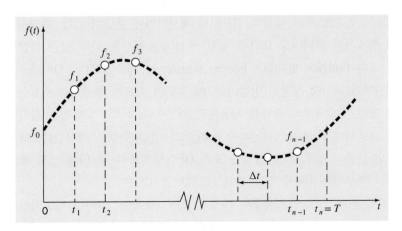

그림 16.9 이산 Fourier 급수의 샘플링 점들.

측정 가능한 가장 낮은 주파수는 총 샘플 길이의 역수이다.

예를 들어 샘플링 주파수 $f_s = 1000$ Hz(즉, 1초에 1000개의 샘플을 측정하는 비율)로 약 100개의 데이터 샘플($n = 100$ 샘플)을 취한다고 가정하자. 이는 샘플링 간격이 다음과 같다는 것을 의미한다.

$$\Delta t = \frac{1}{f_s} = \frac{1}{1000 \text{ samples/s}} = 0.001 \text{ s/sample}$$

총 샘플링 길이는 다음과 같다.

$$t_n = \frac{n}{f_s} = \frac{100 \text{ samples}}{1000 \text{ samples/s}} = 0.1 \text{ s}$$

그리고 주파수 증분은 다음과 같다.

$$\Delta f = \frac{f_s}{n} = \frac{1000 \text{ samples/s}}{100 \text{ samples}} = 10 \text{ Hz}$$

이 경우 Nyquist 주파수는 다음과 같으며,

$$f_{max} = 0.5 f_s = 0.5(1000 \text{ Hz}) = 500 \text{ Hz}$$

최소 측정가능 주파수는 다음과 같다.

$$f_{min} = \frac{1}{0.1 \text{ s}} = 10 \text{ Hz}$$

따라서 이 예제에서 DFT는 1/500 = 0.002초에서 1/10 = 0.1초까지의 주기를 가지는 신호를 측정할 수 있다.

16.5.1 고속 Fourier 변환(FFT)

식 (16.26)에 기초하여 DFT를 계산하는 알고리즘을 개발할 수 있지만, 이 방법은 n^2의 연산 횟수를 필요로 하기 때문에 컴퓨터로 계산하기에 부담이 된다. 따라서 비록 보통 크기의 데이터 샘플이라 하더라도 DFT를 통한 직접적인 계산은 너무 많은 시간을 필요로 한다.

고속 Fourier 변환(fast Fourier transform) 혹은 **FFT**는 DFT를 매우 경제적인 방법으로 계산하기 위하여 개발된 방법이다. 이 방법의 속도가 향상되는 이유는 연산 횟수를 줄이기 위해 이전 계산과정의 결과를 사용하기 때문이다. 특히 이 방법은 삼각함수의 주기성과 대칭성을 이용하여 Fourier 변환을 약 $n \log_2 n$의 연산 횟수로 계산한다(그림 16.10). 따라서 $n = 50$개의 샘플의 경우, FFT 방법은 표준 DFT 방법보다 약 10배 정도 빠르게 계산하며, $n = 1000$개의 경우에는 100배 정도 빨리 계산할 수 있다.

첫 번째 FFT 알고리즘은 19세기 초에 Gauss에 의하여 개발되었다(Heideman 등, 1984). 이 외에도 20세기 초에 Runge, Danielson, Lanczos 등이 알고리즘 개발에 크게 기여하였다.

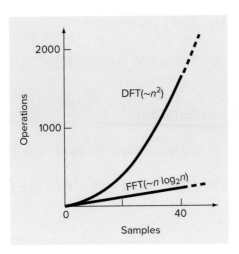

그림 16.10   표준 DFT와 FFT에 대한 연산 횟수 대 샘플 크기의 그림.

그러나 이산 변환을 손으로 계산하는 것은 종종 며칠에서 몇 주의 시간이 걸리기 때문에 현대적 디지털 컴퓨터가 만들어지기 이전까지는 많은 관심을 끌지 못하였다.

1965년에 J. W. Cooley와 J. W. Tukey는 FFT를 계산하는 알고리즘의 개요를 기술하는 중요한 논문을 출판하였다. Gauss나 다른 이전 연구자의 방법과 유사한 이 방법은 Cooley-Tukey 알고리즘이라 한다. 현재 이 방법으로부터 파생된 많은 다른 방법이 나와 있다. 다음에 설명되어 있는 바와 같이 MATLAB은 DFT를 계산하기 위해 이와 같은 효율적인 알고리즘을 사용하는 fft라는 함수를 제공한다.

16.5.2 MATLAB 함수: fft

MATLAB의 fft 함수는 DFT를 계산하는 효율적인 방법을 제시한다. 이 함수의 간단한 구문은 다음과 같다.

```
F = fft(f, n)
```

여기서 F = DFT를 포함하는 벡터이며, f = 신호를 포함하는 벡터이다. 옵션 사항인 매개변수 n은 사용자가 n점의 FFT를 실행하고자 함을 의미한다. 만약 f가 n점보다 적을 경우에는 0으로 채워지며, 더 많을 경우에는 절단된다.

F의 원소는 **역순환 순서**(reverse-wrap-around)로 배열된다. 이 값들의 전반부는 양의 주파수(상수로부터 시작하는)이며 후반부는 음의 주파수이다. 따라서 $n = 8$인 경우, 순서가 0, 1, 2, 3, 4, -3, -2, -1이 된다. 다음의 예제는 단순 사인함수의 DFT를 계산하기 위한 함수의 사용법을 보여주고 있다.

예제 16.3   MATLAB을 이용한 단순 사인함수의 DFT 계산

문제 설명. MATLAB의 `fft` 함수를 이용하여 단순 사인함수에 대한 이산 Fourier 변환을 계산하라.

$$f(t) = 5 + \cos(2\pi(12.5)t) + \sin(2\pi(18.75)t)$$

$\Delta t = 0.02$초인 8개의 등간격 점을 생성하고, 결과를 주파수에 대하여 그려라.

풀이   DFT를 계산하기 전에, 먼저 계산에 필요한 값을 구한다. 샘플링 주파수는 다음과 같다.

$$f_s = \frac{1}{\Delta t} = \frac{1}{0.02\ \text{s}} = 50\ \text{Hz}$$

총 샘플링 길이는 다음과 같다.

$$t_n = \frac{n}{f_s} = \frac{8\ \text{samples}}{50\ \text{samples/s}} = 0.16\ \text{s}$$

Nyquist 주파수는 다음과 같다.

$$f_{\max} = 0.5\,f_s = 0.5(50\ \text{Hz}) = 25\ \text{Hz}$$

그리고 최소 측정가능 주파수는 다음과 같다.

$$f_{\min} = \frac{1}{0.16\ \text{s}} = 6.25\ \text{Hz}$$

따라서 이 해석을 통하여 $1/25 = 0.04$초에서 $1/6.25 = 0.16$초까지의 주기를 가지는 신호를 측정할 수 있음을 알 수 있다. 따라서 12.5와 18.75 Hz의 신호를 측정할 수 있다.

다음 MATLAB 구문을 이용하여 샘플을 생성하고 그림을 그릴 수 있다(그림 16.11a).

```
>> clc
>> n=8; dt=0.02; fs=1/dt; T = 0.16;
>> tspan=(0:n-1)/fs;
>> y=5+cos(2*pi*12.5*tspan)+sin(2*pi*18.75*tspan);
>> subplot(3,1,1);
>> plot(tspan,y,'-ok','linewidth',2,'MarkerFaceColor','black');
>> title('(a) f(t) versus time (s)');
```

16.5절의 앞부분에서 언급되었듯이, `tspan`은 마지막 점을 생략한다는 것에 주의한다.

이 `fft` 함수를 이용하여 DFT를 계산하고 결과를 나타낼 수 있다.

```
>> Y=fft(y)/n;
>> Y'
```

이 경우 첫 번째 계수가 샘플 값들의 산술평균과 같도록 변환을 n으로 나누었다. 이 코드를 실행하면 결과는 다음과 같이 나타난다.

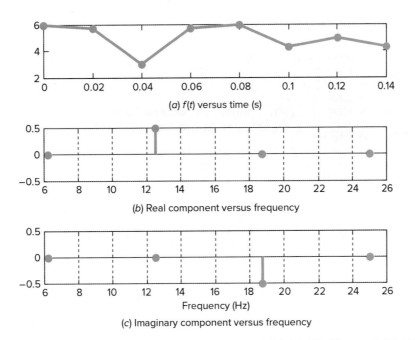

그림 16.11 MATLAB의 `fft` 함수를 이용한 DFT 계산결과. (a) 샘플 (b) DFT 결과의 실수부 대 주파수 그림 (c) DFT 결과의 허수부 대 주파수 그림.

```
ans =
    5.0000
    0.0000 - 0.0000i
    0.5000
   -0.0000 + 0.5000i
        0
   -0.0000 - 0.5000i
    0.5000
    0.0000 + 0.0000i
```

첫 번째 계수는 신호의 평균값과 같다는 것에 주의한다. 또한 **역순환 순서**를 사용하였기 때문에 결과는 다음 표와 같이 나타낼 수 있다.

Index	k	Frequency	Period	Real	Imaginary
1	0	constant		5	0
2	1	6.25	0.16	0	0
3	2	12.5	0.08	0.5	0
4	3	18.75	0.053333	0	0.5
5	4	25	0.04	0	0
6	−3	31.25	0.032	0	−0.5
7	−2	37.5	0.026667	0.5	0
8	−1	43.75	0.022857	0	0

`fft`가 12.5 Hz와 18.75 Hz의 신호를 감지한 것에 유의한다. 또한 표에서는 Nyquist 주파수를 강조하여 표시하였으며, 이는 표에서 이 값보다 아래에 있는 값은 중복되는 값임을 알리기 위함이다. 즉, Nyquist 주파수 아래에 표시된 결과는 단순한 거울상에 불과하다.

만약 상수 값을 제거한다면, DFT의 실수부와 허수부를 주파수에 대하여 그릴 수 있다.

```
>> nyquist=fs/2;fmin=1/T;
>> f = linspace(fmin,nyquist,n/2);
>> Y(1)=[];YP=Y(1:n/2);
>> subplot(3,1,2)
>> stem(f,real(YP),'linewidth',2,'MarkerFaceColor','blue')
>> grid;title('(b) Real component versus frequency')
>> subplot(3,1,3)
>> stem(f,imag(YP),'linewidth',2,'MarkerFaceColor','blue')
>> grid;title('(b) Imaginary component versus frequency')
>> xlabel('frequency (Hz)')
```

예상한 대로(그림 16.7 참조), 코사인에 대한 양의 최대값은 12.5 Hz(그림 16.11b)에서 나타나며, 사인에 대한 음의 최대값은 18.75 Hz(그림 16.11c)에서 나타난다.

16.6   파워 스펙트럼

진폭과 위상 스펙트럼 외에도, **파워 스펙트럼**(power spectrum)은 겉보기에는 무작위한 신호의 기본이 되는 고조파를 식별할 수 있는 유용한 방법을 제공한다. 이름에서 알 수 있듯이 이 개념은 전기 시스템의 파워 출력의 해석으로부터 유도된 것이다. DFT의 경우, 파워 스펙트럼은 주파수에 대한 각각의 주파수 성분에 해당하는 파워의 플롯으로 구성되어 있다. 이 파워는 Fourier 계수들의 제곱을 합함으로써 계산할 수 있다.

$$P_k = |\tilde{c}_k|^2 \ \ \text{또는} \ \ P(\omega) = |F(w)|^2$$

여기서 P_k는 각각의 주파수 $k\omega_0$에 관련되는 파워이다.

예제 16.4   MATLAB을 이용한 파워 스펙트럼의 계산

문제 설명. 예제 16.3에서 DFT를 계산했던 단순 사인함수에 대하여 파워 스펙트럼을 계산하라.

풀이   다음 스크립트를 이용하여 파워 스펙트럼을 계산할 수 있다.

```
% compute the DFT
clc;clf
n=8; dt=0.02;
fs=1/dt;tspan=(0:n-1)/fs;
y=5+cos(2*pi*12.5*tspan)+sin(2*pi*18.75*tspan);
Y=fft(y)/n;
f = (0:n-1)*fs/n;
Y(1)=[];f(1)=[];
% compute and display the power spectrum
```

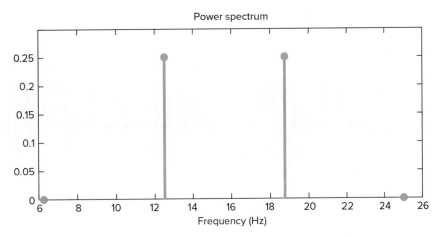

그림 16.12 12.5와 18.75 Hz의 주파수를 가지는 단순 사인함수에 대한 파워 스펙트럼.

```
nyquist=fs/2;
f = (1:n/2)/(n/2)*nyquist;
Pyy = abs(Y(1:n/2)).^2;
stem(f,Pyy,'linewidth',2,'MarkerFaceColor','blue')
title('Power spectrum')
xlabel('Frequency (Hz)');ylim([0 0.3])
```

표시된 대로 스크립트의 첫 번째 부분은 예제 16.3으로부터의 적절한 구문을 이용하여 DFT 를 계산하는 부분이다. 두 번째 부분은 파워 스펙트럼을 계산하고 이를 그림으로 나타내는 부 분이다. 그림 16.12에서와 같이, 결과 그래프는 예상한 대로 최대값이 12.5와 18.75 Hz 모두 에서 발생하고 있음을 보인다.

16.7 사례연구   태양 흑점

배경. 1848년에 Johann Rudolph Wolf는 태양의 표면에 있는 개별 흑점들과 흑점 집단의 수 를 세어서 태양 활동을 정량화하는 방법을 개발하였다. 집단 수의 10배와 총 개별 흑점수를 더하여 현재는 **국제 태양 흑점수**(international sunspot number)라고 하는 수량을 계산하였다. 그림 16.13에서와 같이 흑점수에 관한 데이터 집합은 1700년대까지 거슬러 올라가 존재한다. 초기 역사 자료를 토대로 Wolf는 사이클의 길이를 11.1년으로 계산하였다. 데이터에 FFT 방 법을 적용시키는 Fourier 해석을 사용하여 이 결과를 확인하라.

풀이   연도와 흑점수에 대한 데이터는 MATLAB 파일 sunspot.dat에 들어 있다. 다음의 구문은 데이터 파일을 불러오고, 연도와 흑점수에 대한 정보를 같은 이름의 벡터에 배정한다.

```
>> load sunspot.dat
>> year=sunspot(:,1);number=sunspot(:,2);
```

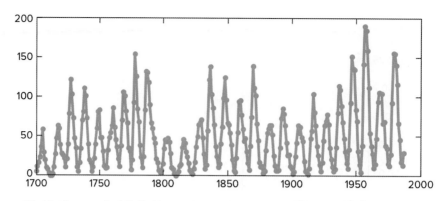

그림 16.13   Wolf의 태양 흑점수 대 연도의 그림. 점선은 약한 상향의 선형적 경향을 보인다.

Fourier 해석을 적용하기 전에 데이터는 상향의 선형적 경향을 보이는 것에 주목할 필요가 있다(그림 16.13). MATLAB을 이용하여 이 경향을 제거한다.

```
>> n=length(number);
>> a=polyfit(year,number,1);
>> lineartrend=polyval(a,year);
>> ft=number-lineartrend;
```

다음으로 fft 함수를 사용하여 DFT를 생성한다.

```
F=fft(ft);
```

이제 파워 스펙트럼을 계산하고 그릴 수 있다.

```
fs=1;
f=(0:n/2)*fs/n;
pow=abs(F(1:n/2+1)).^2;
plot(f,pow)
xlabel('Frequency (cycles/year)'); ylabel('Power')
title('Power versus frequency')
```

그림 16.14에서 볼 수 있듯이, 결과는 최대값이 약 0.0915 사이클/년의 주파수에서 발생함을 제시한다. 이는 $1/0.0915 = 10.93$년의 주기와 일치한다. 따라서 Fourier 해석은 Wolf의 예측값인 11년과 일치한다.

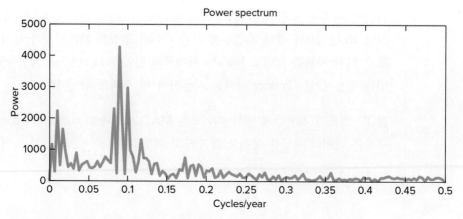

그림 16.14   Wolf의 태양 흑점수 대 연도에 대한 파워 스펙트럼.

연습문제

16.1 다음 방정식은 열대 호수의 온도 변화를 나타낸다.

$$T(t) = 12.8 + 4 \cos\left(\frac{2\pi}{365}t\right) + 3 \sin\left(\frac{2\pi}{365}t\right)$$

(a) 평균 온도, (b) 진폭, (c) 주기를 구하라.

16.2 연못의 온도는 일년 내내 사인함수처럼 변화한다. 선형최소제곱 회귀분석을 사용하여 식 (16.11)을 다음 데이터에 접합하라. 이 접합식을 사용하여 평균값, 진폭, 및 최대온도 날짜를 구하라. 주기는 365 d이다.

t, d	15	45	75	105	135	165	225	255	285	315	345
$T, °C$	3.4	4.7	8.5	11.7	16	18.7	19.7	17.1	12.7	7.7	5.1

16.3 반응로의 pH는 하루 동안에 사인곡선처럼 변화한다. 최소제곱 회귀분석을 사용하여 식 (16.11)을 다음 데이터에 접합하라. 이 접합식을 사용하여 평균값, 진폭, 그리고 최대 pH의 시간을 구하라. 주기는 24 hr이다.

Time, hr	0	2	4	5	7	9
pH	7.6	7.2	7	6.5	7.5	7.2
Time, hr	12	15	20	22	24	
pH	8.9	9.1	8.9	7.9	7	

16.4 Arizona의 Tucson시의 태양 복사는 다음 표와 같다.

Time, mo	J	F	M	A	M	J
Radiation, W/m²	144	188	245	311	351	359
Time, mo	J	A	S	O	N	D
Radiation, W/m²	308	287	260	211	159	131

1개월을 30일이라고 가정하고 사인곡선을 이 데이터에 접합하라. 결과 식을 이용하여 8월 중순의 복사를 예측하라.

16.5 함수의 평균값은 다음과 같이 결정된다.

$$\bar{f} = \frac{\int_0^t f(t)\,dt}{t}$$

이 식을 이용하여 식 (16.13)의 결과를 검증하라.

16.6 전기회로에서 그림 P16.6과 같이 전류의 거동이 사각파의 형태로 나타나는 것은 흔하다(사각파는 예제 16.2 에서 기술한 것과 다른 형태임을 유의하라). 다음 식으로부터 Fourier 급수를 구하기 위해

$$f(t) = \begin{cases} A_0 & 0 \le t \le T/2 \\ -A_0 & T/2 \le t \le T \end{cases}$$

Fourier 급수는 다음과 같이 표현된다.

$$f(t) = \sum_{n=1}^{\infty} \left(\frac{4A_0}{(2n-1)\pi}\right) \sin\left(\frac{2\pi(2n-1)t}{T}\right)$$

Fourier 급수의 첫 6항을 개별적으로 나타내는 그림과 이 6항의 합을 생성하는 MATLAB 함수를 작성하라. $t = 0$에서 $4T$의 범위에 해당하는 곡선을 그리도록 함수를 설계하라. 개별 항에 대해서는 얇고 붉은 점선을, 합에 대해서는 굵고 검은 실선을 사용하라(즉 'k-', 'linewidth', 2). 이 함수의 첫 번째 줄은 다음과 같아야 한다.

```
function [t,f] = FourierSquare(A0,T,n)
```

여기서 $A_0 = 1$ 그리고 $T = 0.25$초이다.

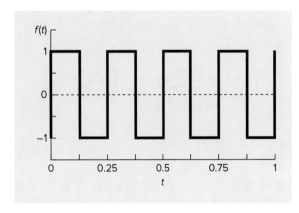

그림 P16.6

16.7 연속 Fourier 급수를 이용하여 그림 P16.7의 톱니파를 근사화하라. 첫 번째 네 항과 그 합을 그려라. 또한 첫 네 항에 대하여 진폭 선스펙트럼과 위상 선스펙트럼을 구축하라.

16.8 연속 Fourier 급수를 이용하여 그림 P16.8의 삼각파

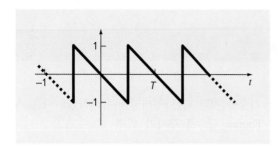

그림 P16.7 톱니파.

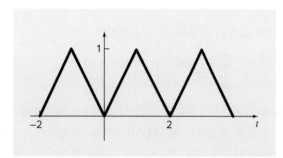

그림 P16.8 삼각파.

를 근사화하라. 첫 번째 네 항과 그 합을 그려라. 또한 첫 네 항에 대하여 진폭 선스펙트럼과 위상 선스펙트럼을 구축하라.

16.9 e^x, $\cos x$와 $\sin x$에 대하여 **Maclaurin 급수 전개**를 사용하여 Euler 공식[식 (16.21)]을 증명하라.

16.10 반파 정류기(half-wave rectifier)는 다음 식과 같이 나타낼 수 있다.

$$C_1 = \left[\frac{1}{\pi} + \frac{1}{2}\sin t - \frac{2}{3\pi}\cos 2t - \frac{2}{15\pi}\cos 4t \right.$$
$$\left. - \frac{2}{35\pi}\cos 6t - \cdots \right]$$

여기에서 C_1은 파형의 진폭이다.

(a) 첫 네 항과 그 합을 그려라.

(b) 첫 네 항에 대하여 진폭 선스펙트럼과 위상 선스펙트럼을 구축하라.

16.11 다음 함수로부터 샘플링 속도 $\Delta t = 0.01$초로 얻은 64개의 샘플 점을 기준으로 예제 16.3을 다시 계산하라.

$$f(t) = \cos[2\pi(12.5)t] + \cos[2\pi(25)t]$$

fft 함수를 사용하여 이 값들의 DFT를 구하고 결과를 그려라.

16.12 MATLAB을 이용하여 다음 함수로부터 $t = 0$에서 2π까지의 범위에서 64개의 점을 생성하라.

$$f(t) = \cos(10t) + \sin(3t)$$

randn 함수를 이용하여 임의의 성분을 위 신호에 더하라. fft 함수를 사용하여 이 값들의 DFT를 구하고 결과를 그려라.

16.13 MATLAB을 이용하여 그림 16.2의 사인곡선에 대해 $t = 0$에서 6초까지의 범위에서 32개의 점을 생성하라. DFT를 계산하고 다음에 대한 subplot을 생성하라. (a) 원래의 신호 (b) DFT의 실수부 대 주파수 (c) DFT의 허수부 대 주파수.

16.14 fft 함수를 이용하여 연습문제 16.8의 삼각파에 대한 DFT를 계산하라. 이 파형에 대해 $t = 0$에서 $4T$까지의 범위에서 128개의 샘플점을 가지도록 샘플링을 수행하라.

16.15 파워 스펙트럼 그림을 생성하기 위해 fft 함수를 사용하는 M-파일 함수를 작성하라. 이를 연습문제 16.11에 적용하여 해를 구하라.

16.16 fft 함수를 사용하여 다음 함수에 대한 DFT를 계산하라.

$$f(t) = 1.5 + 1.8\cos(2\pi(12)t) + 0.8\sin(2\pi(20)t)$$
$$- 1.25\cos(2\pi(28)t)$$

샘플링 주파수, $f_s = 128$ 샘플/s로 $n = 64$ 샘플을 택한다. 스크립트를 작성하여 Δt, t_n, Δf, f_{min} 및 f_{max}의 값을 계산하라. 예제 16.3과 16.4에서 보인 것처럼, 스크립트가 그림 16.11과 그림 16.12에서와 같은 그림을 생성하게 하라.

16.17 총 샘플길이, $t_n = 0.4$초로 128개의 데이터 샘플($n = 128$샘플)을 취하는 경우, 다음을 계산하라.

(a) 샘플 주파수, f_s (샘플/s)

(b) 샘플 간격, Δt (s/샘플)

(c) Nyquist 주파수, f_{max} (Hz)

(d) 최소 주파수, f_{min} (Hz).

17 CHAPTER 다항식보간법

학습목표

이 장의 주요 목표는 다항식보간법을 소개하는 것이다. 구체적인 목표와 다루는 주제는 다음과 같다.

- 연립방정식을 이용하여 다항식의 계수를 계산하는 것이 불량조건 문제임을 인식
- MATLAB의 `polyfit`과 `polyval` 함수를 이용하여, 다항식의 계수를 계산하고 보간하는 방법
- Newton 다항식을 이용한 보간법
- Lagrange 다항식을 이용한 보간법
- 역보간 문제를 근을 구하는 문제로 재조명함으로써 역보간 문제의 해를 구하는 방법
- 외삽법의 위험성을 인식
- 고차 다항식은 큰 진동을 나타낼 수 있음을 인식

이런 문제를 만나면

번지점프하는 사람의 문제에서 자유낙하 속도에 대한 예측을 개선하려면, 모델을 확장하여 질량과 항력계수 외의 다른 인자들을 고려할 수 있도록 해야 할 것이다. 이미 1.4절에서 언급하였듯이, 항력계수 그 자체도 사람의 단면적 그리고 공기의 밀도 및 점성과 같은 물성값들과 같은 다른 인자들의 함수로 수식화될 수 있다.

공기의 밀도와 점성은 보통 온도의 함수로 도표화되어 있다. 예를 들어 표 17.1은 널리 보

표 17.1 White (1999) 교재에 보고된 1 atm에서 온도(T)의 함수로서의 밀도(ρ), 점성계수(μ)와 동점성계수(v).

T, °C	ρ, kg/m³	μ, N · s/m²	v, m²/s
−40	1.52	1.51×10^{-5}	0.99×10^{-5}
0	1.29	1.71×10^{-5}	1.33×10^{-5}
20	1.20	1.80×10^{-5}	1.50×10^{-5}
50	1.09	1.95×10^{-5}	1.79×10^{-5}
100	0.946	2.17×10^{-5}	2.30×10^{-5}
150	0.835	2.38×10^{-5}	2.85×10^{-5}
200	0.746	2.57×10^{-5}	3.45×10^{-5}
250	0.675	2.75×10^{-5}	4.08×10^{-5}
300	0.616	2.93×10^{-5}	4.75×10^{-5}
400	0.525	3.25×10^{-5}	6.20×10^{-5}
500	0.457	3.55×10^{-5}	7.77×10^{-5}

급되어 있는 유체역학 교재(White, 1999)에서 인용한 것이다.

가령 표에 포함되어 있지 않은 온도에서의 밀도를 구한다고 하자. 이런 경우에는 보간법을 사용하여야 한다. 즉 구하고자 하는 온도에서의 밀도는 표에서 그 온도를 둘러싸는 밀도들을 바탕으로 추정하여야 할 것이다. 가장 간단한 방법은 두 개의 근접한 값을 연결하는 직선의 방정식을 구하고, 이 식을 사용하여 구하고자 하는 온도에서의 밀도를 추정하는 것이다. 많은 경우에 이와 같은 **선형보간법**(linear interpolation)이 매우 적절하지만, 데이터가 상당히 큰 곡률을 가질 때는 오차가 발생할 수 있다. 이 장에서는 이러한 경우에 대하여 적절한 추정값을 얻을 수 있는 몇 가지 방법을 알아볼 것이다.

17.1   보간법의 소개

여러분은 정확한 데이터 점들 사이에 있는 중간값을 추정해야 할 경우를 자주 접하게 될 것이다. 이러한 목적을 위해 사용되는 가장 보편적인 방법이 다항식보간법이다. $(n-1)$차 다항식에 대한 일반적인 식은 다음과 같다.

$$f(x) = a_1 + a_2 x + a_3 x^2 + \cdots + a_n x^{n-1} \tag{17.1}$$

데이터 점이 n개인 경우, 모든 점을 지나는 $(n-1)$차의 다항식은 단 하나만 존재한다. 예를 들면 두 개의 점을 연결하는 직선(1차 다항식)은 단 하나만 존재한다(그림 17.1a). 마찬가지로 단 하나의 포물선만이 세 개의 데이터 점을 연결한다(그림 17.1b). **다항식보간법**(polynomial interpolation)은 n개의 데이터 점들을 접합시키는 유일한 $(n-1)$차 다항식을 결정하는 것이며, 이 다항식을 이용하여 중간값을 계산하게 된다.

논의를 계속하기 전에 MATLAB은 다항식 계수를 식 (17.1)과는 다른 형태로 표현한다는 점에 유의하여야 한다. MATLAB에서 다루는 x의 거듭제곱(power)은 오름차순 형태 대신에 다음 식과 같이 내림차순 형태를 취한다.

$$f(x) = p_1 x^{n-1} + p_2 x^{n-2} + \cdots + p_{n-1} x + p_n \tag{17.2}$$

다음 절부터는 MATLAB과 일치하도록 이 형태의 식을 사용할 것이다.

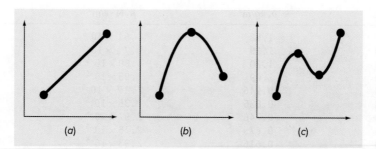

그림 17.1 보간 다항식들의 예. (a) 두 개의 점을 연결하는 1차(선형), (b) 세 개의 점을 연결하는 2차(2차 다항식 또는 포물선), 그리고 (c) 네 개의 점을 연결하는 3차(3차 곡선).

17.1.1 다항식 계수의 결정

식 (17.2)의 계수를 계산하는 간단한 방법은 n 개의 계수를 결정하기 위해서 n 개의 데이터 점들이 필요하다는 사실에 기초한다. 다음 예제와 같이 n 개의 선형대수방정식을 구성할 수 있으며, 이 식들을 연립하여 풀어 계수를 구할 수 있다.

예제 17.1 연립방정식을 이용한 다항식 계수의 결정

문제 설명. 표 17.1의 아래쪽 세 개의 밀도값을 지나는 포물선 $f(x) = p_1x^2 + p_2x + p_3$의 계수를 구하고자 한다.

$$x_1 = 300 \quad f(x_1) = 0.616$$
$$x_2 = 400 \quad f(x_2) = 0.525$$
$$x_3 = 500 \quad f(x_3) = 0.457$$

이 값들을 식 (17.2)에 대입하면 다음과 같은 세 개의 연립방정식을 얻는다.

$$0.616 = p_1(300)^2 + p_2(300) + p_3$$
$$0.525 = p_1(400)^2 + p_2(400) + p_3$$
$$0.457 = p_1(500)^2 + p_2(500) + p_3$$

또는 이를 행렬식으로 표현하면 다음과 같다.

$$\begin{bmatrix} 90,000 & 300 & 1 \\ 160,000 & 400 & 1 \\ 250,000 & 500 & 1 \end{bmatrix} \begin{Bmatrix} p_1 \\ p_2 \\ p_3 \end{Bmatrix} = \begin{Bmatrix} 0.616 \\ 0.525 \\ 0.457 \end{Bmatrix}$$

따라서 이 문제는 세 개의 미지계수에 대하여 세 개의 연립 선형대수방정식을 푸는 문제가 된다. 이 문제의 해는 다음과 같은 간단한 MATLAB 작업을 통하여 구할 수 있다.

풀이

```
>> format long
>> A = [90000 300 1;160000 400 1;250000 500 1];
>> b = [0.616 0.525 0.457]';
>> p = A\b

p =
   0.00000115000000
  -0.00171500000000
   1.02700000000000
```

따라서 세 개의 점을 정확하게 지나는 포물선 식은 다음과 같다.

$$f(x) = 0.00000115x^2 - 0.001715x + 1.027$$

구하고자 하는 중간점은 이 다항식을 이용하여 구하게 된다. 예를 들면 350 ℃ 온도에서의 밀도값은 다음과 같이 계산할 수 있다.

$$f(350) = 0.00000115(350)^2 - 0.001715(350) + 1.027 = 0.567625$$

예제 17.1에서 사용한 방법은 보간법을 수행하는 간단한 방법이긴 하지만 심각한 결점을 가지고 있다. 이 결점을 이해하기 위해서는 예제 17.1에 나타나는 계수 행렬이 특정한 형태의 구조를 가지고 있음에 주목하라. 이는 계수 행렬을 다음과 같은 일반적인 항으로 표현하면 더욱 명백해진다.

$$\begin{bmatrix} x_1^2 & x_1 & 1 \\ x_2^2 & x_2 & 1 \\ x_3^2 & x_3 & 1 \end{bmatrix} \begin{Bmatrix} p_1 \\ p_2 \\ p_3 \end{Bmatrix} = \begin{Bmatrix} f(x_1) \\ f(x_2) \\ f(x_3) \end{Bmatrix} \tag{17.3}$$

이런 형태의 계수 행렬을 **Vandermonde 행렬**이라 하며, 이는 매우 불량한(ill-conditioned) 조건의 행렬이다. 즉 이 경우에 행렬의 해는 반올림오차에 매우 민감하게 된다. 이와 같은 사실은 다음과 같이 MATLAB을 이용하여 예제 17.1의 계수 행렬에 대한 조건수(condition number)를 계산함으로써 설명할 수 있다.

```
>> cond(A)
ans =
  5.8932e+006
```

이 조건수는 행렬의 크기가 3 × 3인데 비해 상당히 큰 값이며, 해의 6자릿수가 의심스럽다는 것을 의미한다. 이와 같은 불량조건은 연립방정식의 수가 많아질수록 더욱 나빠지게 된다.

이러한 결점이 나타나지 않는 몇 가지 다른 방법이 있다. 이 장에서는 컴퓨터 실행에 적합한 두 가지 방법인 Newton과 Lagrange 다항식을 기술하고자 한다. 그러나 이 방법을 소개하기 전에, 먼저 MATLAB의 내장함수를 이용하여 보간 다항식의 계수를 계산하는 방법에 대하여 간단히 살펴보고자 한다.

17.1.2 MATLAB 함수: `polyfit`과 `polyval`

14.5.2절에서 `polyfit` 함수는 다항식 회귀분석을 수행하는 데 사용되었음을 기억하라. 이와 같은 응용에서는 데이터 점의 개수가 계산하고자 하는 계수의 개수보다 더 많다. 따라서 최소제곱접합 선은 모든 점을 지나지 않고 데이터의 일반적인 경향을 따르게 된다.

데이터 점의 개수가 계수의 개수와 같은 경우에 `polyfit`은 보간을 수행하는 함수가 된다. 즉 모든 데이터 점을 직접 통과하는 다항식의 계수를 제공하게 된다. 예를 들어 다음과 같이 표 17.1의 아래쪽 세 개의 밀도값을 지나는 포물선의 계수를 구하는 데 사용할 수 있다.

```
>> format long
>> T = [300 400 500];
>> density = [0.616 0.525 0.457];
>> p = polyfit(T,density,2)

p =
    0.00000115000000  -0.00171500000000   1.02700000000000
```

다음으로 polyval 함수를 사용하여 보간을 수행한다.

```
>> d = polyval(p,350)

d =
    0.56762500000000
```

이 결과는 앞서 예제 17.1에서 연립방정식을 이용하여 구한 것과 동일하다.

17.2 Newton 보간다항식

보간다항식을 표현하는 데는 식 (17.2)와 같이 익숙한 형식 이외에도 다양한 형식이 있다. Newton 보간다항식(Newton's interpolating polynomial)은 가장 보편적이고 유용한 형식에 속한다. 일반적인 형태의 식을 제시하기 전에 먼저 시각적으로 이해하기 쉬운 1차식과 2차식을 소개한다.

17.2.1 선형보간법

가장 간단한 보간법은 두 데이터 점을 직선으로 연결하는 것이다. **선형보간법**이라 하는 이 기법은 그림 17.2에 그래프로 나타나 있다. 닮은꼴 삼각형을 이용하면 다음과 같은 식을 구할 수 있다.

$$\frac{f_1(x) - f(x_1)}{x - x_1} = \frac{f(x_2) - f(x_1)}{x_2 - x_1} \tag{17.4}$$

이 식을 다시 정리하면 다음과 같다.

$$f_1(x) = f(x_1) + \frac{f(x_2) - f(x_1)}{x_2 - x_1}(x - x_1) \tag{17.5}$$

이 식은 **Newton 선형보간공식**(Newton linear interpolation formula)이라 하며, 여기서 기호 $f_1(x)$는 1차 보간다항식임을 나타낸다. $[f(x_2)-f(x_1)]/(x_2-x_1)$ 항은 점들을 연결하는 직선의 기울기를 나타내는 것 이외에도, 1차 도함수의 유한제차분 근사값(finite-difference approximation)임에 유의하라[식 (4.20) 참조]. 일반적으로 데이터 점들 사이의 간격이 작아질수록 보다 나은 근사값을 얻게 된다. 이는 간격이 작아짐에 따라 연속함수는 직선에 의하여 보다 잘 근사될 수 있기 때문이다. 다음 예제는 이러한 특성을 보여준다.

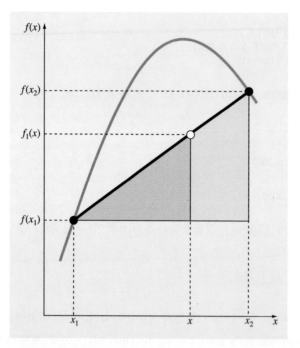

그림 17.2 선형보간법에 대한 그래픽 표현. 음영 부분은 Newton 선형보간공식[식 (17.5)]을 유도하는 데 사용된 닮은꼴 삼각형을 나타낸다.

예제 17.2 선형보간법

문제 설명. 선형보간법을 이용하여 자연로그 $\ln 2$를 계산하라. 먼저 보간법으로 $\ln 1 = 0$과 $\ln 6 = 1.791759$ 사이에서 계산하고, 다음으로 같은 절차를 반복하되 더 좁은 간격인 $\ln 1$과 $\ln 4$ (1.386294) 사이에서 계산하라. 여기서 $\ln 2$의 참값은 0.6931472이다.

풀이 $x_1 = 1$과 $x_2 = 6$ 사이에서 식 (17.5)를 사용하면 다음과 같다.

$$f_1(2) = 0 + \frac{1.791759 - 0}{6 - 1}(2 - 1) = 0.3583519$$

이때 오차 $\varepsilon_t = 48.3\%$ 이다. 더 작은 간격인 $x_1 = 1$과 $x_2 = 4$ 사이에서 계산하면 다음과 같게 된다.

$$f_1(2) = 0 + \frac{1.386294 - 0}{4 - 1}(2 - 1) = 0.4620981$$

따라서 간격을 작게 하는 것은 백분율 상대오차를 $\varepsilon_t = 33.3\%$ 로 감소시킨다. 그림 17.3은 실제 함수와 함께 두 가지 보간법의 결과를 보여주고 있다.

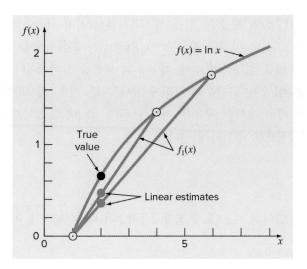

그림 17.3　ln 2를 계산하기 위한 두 가지의 선형보간법. 작은 간격이 보다 나은 추정값을 주는 것에 주목하라.

17.2.2　2차 보간법

예제 17.2에서 나타나는 오차는 곡선을 직선으로 근사시킴으로써 발생하였다. 따라서 추정값의 정확도를 향상시키는 방법은 데이터를 잇는 직선에 곡률을 도입하는 것이다. 만약 세 개의 데이터 점이 있다면, 이는 2차 다항식(포물선이라고도 한다)을 이용하여 이룰 수 있으며, 이러한 목적을 충족하는 데 특히 편리한 형태의 방정식은 다음과 같다.

$$f_2(x) = b_1 + b_2(x - x_1) + b_3(x - x_1)(x - x_2) \tag{17.6}$$

이 식에 나타나는 계수값을 구하기 위한 절차는 간단하다. 즉 계수 b_1을 구하기 위해 식 (17.6)에 $x = x_1$을 대입하여 계산하면 다음과 같다.

$$b_1 = f(x_1) \tag{17.7}$$

식 (17.7)을 식 (17.6)에 대입하고 $x = x_2$에서 계산하면, 다음과 같이 계수 b_2 값이 구해진다.

$$b_2 = \frac{f(x_2) - f(x_1)}{x_2 - x_1} \tag{17.8}$$

마지막으로 식 (17.7)과 (17.8)을 식 (17.6)에 대입하고 $x = x_3$에서 계산하면, 약간의 조작 후 다음과 같이 계수 b_3 값이 구해진다.

$$b_3 = \frac{\dfrac{f(x_3) - f(x_2)}{x_3 - x_2} - \dfrac{f(x_2) - f(x_1)}{x_2 - x_1}}{x_3 - x_1} \tag{17.9}$$

여기서 b_2는 선형보간법에서와 같이 x_1과 x_2를 잇는 직선의 기울기를 나타내고 있음에 유의하라. 따라서 식 (17.6)의 처음 두 항은 식 (17.5)에서 이미 기술하였듯이 x_1과 x_2 사이의 선형보간과 동일하다. 그리고 마지막 항 $b_3(x-x_1)(x-x_2)$는 2차 곡률을 수식에 도입하게 된다.

식 (17.6)의 사용법을 설명하기 전에 계수 b_3의 형식을 살펴보아야 한다. 이는 식 (4.27)에서 이미 소개하였듯이 2차 도함수의 유한제차분근사와 매우 흡사하다. 따라서 식 (17.6)은 Taylor 급수전개와 매우 유사한 구조를 가지게 된다. 즉 더욱 고차가 되는 곡률을 고려하기 위하여 항들을 연속적으로 추가하게 된다.

예제 17.3 2차 보간법

문제 설명. 예제 17.2에서 사용된 세 점과 2차의 Newton 다항식을 이용하여 ln 2를 계산하라.

$$x_1 = 1 \qquad f(x_1) = 0$$
$$x_2 = 4 \qquad f(x_2) = 1.386294$$
$$x_3 = 6 \qquad f(x_3) = 1.791759$$

풀이 식 (17.7)을 적용하면 다음과 같다.

$$b_1 = 0$$

식 (17.8)을 계산하면 다음과 같이 b_2 값이 구해진다.

$$b_2 = \frac{1.386294 - 0}{4 - 1} = 0.4620981$$

그리고 식 (17.9)를 계산하면 다음과 같다.

$$b_3 = \frac{\dfrac{1.791759 - 1.386294}{6 - 4} - 0.4620981}{6 - 1} = -0.0518731$$

이 값들을 식 (17.6)에 대입하면 다음과 같은 2차식을 얻는다.

$$f_2(x) = 0 + 0.4620981(x - 1) - 0.0518731(x - 1)(x - 4)$$

위 식을 $x = 2$에서 계산하면 $f_2(2) = 0.5658444$가 되며, 상대오차 $\varepsilon_t = 18.4\%$ 이다. 따라서 2차식(그림 17.4)에 의해 도입된 곡률은 예제 17.2와 그림 17.3의 직선을 사용하여 얻은 결과에 비해 개선된 보간 결과를 준다.

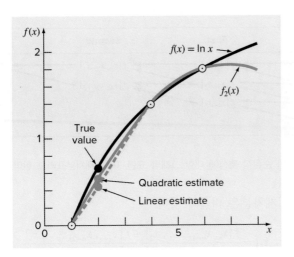

그림 17.4 2차 보간법을 이용한 ln 2의 계산. 비교를 위하여 $x = 1$부터 $x = 4$까지의 선형보간법을 역시 보여준다.

17.2.3 Newton 보간다항식의 일반적인 형태

앞서의 해석은 n 개의 데이터 점에 $(n - 1)$차 다항식을 접합시키는 것으로 일반화할 수 있다. $(n - 1)$차 다항식은 다음과 같다.

$$f_{n-1}(x) = b_1 + b_2(x - x_1) + \cdots + b_n(x - x_1)(x - x_2) \cdots (x - x_{n-1}) \tag{17.10}$$

선형 또는 2차 보간법과 마찬가지로 데이터 점은 계수 $b_1, b_2, \ldots, b_n$ 을 계산하는 데 사용된다. $(n - 1)$차 다항식에 대하여는 n 개의 데이터 점들 $[x_1, f(x_1)], [x_2, f(x_2)], \ldots, [x_n, f(x_n)]$ 이 필요하게 된다. 계수는 이들 데이터 점과 다음 수식을 사용하여 계산할 수 있다.

$$b_1 = f(x_1) \tag{17.11}$$

$$b_2 = f[x_2, x_1] \tag{17.12}$$

$$b_3 = f[x_3, x_2, x_1] \tag{17.13}$$

$$\vdots$$

$$b_n = f[x_n, x_{n-1}, \ldots, x_2, x_1] \tag{17.14}$$

여기서 괄호로 표시된 함수는 유한제차분을 나타낸다. 예를 들어 1차 유한제차분은 일반적으로 다음과 같이 표현된다.

$$f[x_i, x_j] = \frac{f(x_i) - f(x_j)}{x_i - x_j} \tag{17.15}$$

2차 유한제차분은 두 개의 1차 유한제차분의 차이로 표현하는 데 일반적으로 다음과 같다.

$$f[x_i, x_j, x_k] = \frac{f[x_i, x_j] - f[x_j, x_k]}{x_i - x_k} \tag{17.16}$$

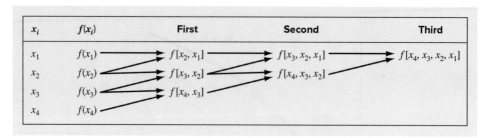

그림 17.5   유한제차분의 순환적 특성에 대한 그래픽 표현. 이를 제차분표라고 한다.

마찬가지로 n 차 유한제차분은 다음과 같다.

$$f[x_n, x_{n-1}, \ldots, x_2, x_1] = \frac{f[x_n, x_{n-1}, \ldots, x_2] - f[x_{n-1}, x_{n-2}, \ldots, x_1]}{x_n - x_1} \tag{17.17}$$

이들 차분식은 식 (17.11)에서 (17.14)까지의 계수를 계산하는 데 사용될 수 있다. 이와 같이 계산된 계수값들을 식 (17.10)에 대입하면 다음과 같은 일반적 형태의 Newton 보간다항식을 구할 수 있다.

$$\begin{aligned} f_{n-1}(x) = {} & f(x_1) + (x - x_1)f[x_2, x_1] + (x - x_1)(x - x_2)f[x_3, x_2, x_1] \\ & + \cdots + (x - x_1)(x - x_2)\cdots(x - x_{n-1})f[x_n, x_{n-1}, \ldots, x_2, x_1] \end{aligned} \tag{17.18}$$

다음 예제에 예시되어 있듯이 식 (17.18)에 사용된 데이터 점들은 등간격일 필요가 없고, 또한 수평축의 좌표값이 올림차순일 필요도 없음에 유의한다. 그러나 각 점들은 미지수를 중심으로 그 근처에 있거나 미지수와 가능한 가깝게 배열되어야 한다. 또한 식 (17.15)에서 (17.17)까지는 순환적(recursive)으로 적용할 수 있음을 주목하라. 즉 고차의 차분은 저차 차분끼리의 차이를 취함으로써 계산된다(그림 17.5). 이러한 특성은 이 방법을 구현하기 위하여 효율적인 M-파일을 개발할 때 활용될 것이다.

예제 17.4 Newton 보간다항식

문제 설명.   예제 17.3에서 포물선으로 ln 2 값을 추정하기 위해 $x_1 = 1$, $x_2 = 4$, $x_3 = 6$에서의 데이터 점을 사용하였다. 이번에는 네 번째 점 $[x_4 = 5; f(x_4) = 1.609438]$을 추가하여 3차 Newton 보간다항식으로 ln 2 값을 추정하라.

풀이   식 (17.10)에서 $n = 4$일 때의 3차 다항식은 다음과 같다.

$$f_3(x) = b_1 + b_2(x - x_1) + b_3(x - x_1)(x - x_2) + b_4(x - x_1)(x - x_2)(x - x_3)$$

이 문제에 대한 1차 제차분은 식 (17.15)로부터 다음과 같이 계산된다.

$$f[x_2, x_1] = \frac{1.386294 - 0}{4 - 1} = 0.4620981$$

$$f[x_3, x_2] = \frac{1.791759 - 1.386294}{6 - 4} = 0.2027326$$

$$f[x_4, x_3] = \frac{1.609438 - 1.791759}{5 - 6} = 0.1823216$$

2차 제차분은 식 (17.16)으로부터 다음과 같이 계산된다.

$$f[x_3, x_2, x_1] = \frac{0.2027326 - 0.4620981}{6 - 1} = -0.05187311$$

$$f[x_4, x_3, x_2] = \frac{0.1823216 - 0.2027326}{5 - 4} = -0.02041100$$

3차 제차분은 $n = 4$일 때의 식 (17.17)로부터 다음과 같이 계산된다.

$$f[x_4, x_3, x_2, x_1] = \frac{-0.02041100 - (-0.05187311)}{5 - 1} = 0.007865529$$

따라서 제차분표를 구성하면 다음과 같다.

x_i	$f(x_i)$	First	Second	Third
1	0	0.4620981	−0.05187311	0.007865529
4	1.386294	0.2027326	−0.02041100	
6	1.791759	0.1823216		
5	1.609438			

$f(x_1)$, $f[x_2, x_1]$, $f[x_3, x_2, x_1]$와 $f[x_4, x_3, x_2, x_1]$에 대한 계산결과는 각각 식 (17.10)의 계수인 b_1, b_2, b_3와 b_4를 나타낸다. 따라서 3차 보간다항식은 다음과 같이 쓸 수 있다.

$$\begin{aligned} f_3(x) = {}& 0 + 0.4620981(x - 1) - 0.05187311(x - 1)(x - 4) \\ &+ 0.007865529(x - 1)(x - 4)(x - 6) \end{aligned}$$

이 식을 이용하여 계산하면 $f_3(2) = 0.6287686$이 되며, 이 값은 상대오차 $\varepsilon_t = 9.3\%$를 나타낸다. 그림 17.6은 이 예제에서 구한 3차 다항식을 보여주고 있다.

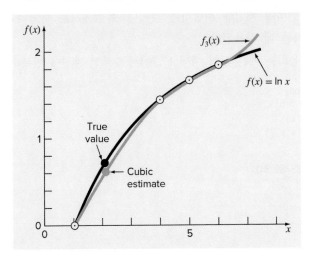

그림 17.6   In 2를 계산하기 위한 3차 보간법의 적용.

```
function yint = Newtint(x,y,xx)
% Newtint: Newton interpolating polynomial
% yint = Newtint(x,y,xx): Uses an (n - 1)-order Newton
%   interpolating polynomial based on n data points (x, y)
%   to determine a value of the dependent variable (yint)
%   at a given value of the independent variable, xx.
% input:
%   x = independent variable
%   y = dependent variable
%   xx = value of independent variable at which
%        interpolation is calculated
% output:
%   yint = interpolated value of dependent variable

% compute the finite divided differences in the form of a
% difference table
n = length(x);
if length(y)~=n, error('x and y must be same length'); end
b = zeros(n,n);
% assign dependent variables to the first column of b.
b(:,1) = y(:);  % the (:) ensures that y is a column vector.
for j = 2:n
  for i = 1:n-j+1
    b(i,j) = (b(i+1,j-1)-b(i,j-1))/(x(i+j-1)-x(i));
  end
end
% use the finite divided differences to interpolate
xt = 1;
yint = b(1,1);
for j = 1:n-1
  xt = xt*(xx-x(j));
  yint = yint+b(1,j+1)*xt;
end
```

그림 17.7   Newton 보간다항식을 실행하는 M-파일.

17.2.4   MATLAB M-파일: Newtint

Newton 보간법을 구현하는 M-파일을 개발하는 것은 간단하다. 첫 단계는 그림 17.7과 같이 유한제차분을 계산하여 배열에 저장하는 것이다. 유한제차분 사이의 차이는 식 (17.18)과 함께 보간을 수행하는 데 사용된다.

이 함수를 사용하는 예는 앞의 예제 17.3에서 수행한 계산을 반복하는 것이며, 다음과 같다.

```
>> format long
>> x = [1 4 6 5]';
>> y = log(x);
>> Newtint(x,y,2)

ans =
   0.62876857890841
```

17.3 Lagrange 보간다항식

직선으로 연결하고자 하는 두 값의 가중평균으로 선형 보간다항식을 만든다고 가정하자.

$$f(x) = L_1 f(x_1) + L_2 f(x_2) \tag{17.19}$$

여기서 L 은 가중계수이다. 첫 번째 가중계수를 다음과 같이 x_1 에서는 1이며, x_2 에서는 0이 되는 직선으로 놓는 것이 논리적이다.

$$L_1 = \frac{x - x_2}{x_1 - x_2}$$

유사한 방법으로 두 번째 가중계수는 x_2 에서는 1이며, x_1 에서는 0인 직선이 된다.

$$L_2 = \frac{x - x_1}{x_2 - x_1}$$

이 계수들을 식 (17.19)에 대입하면 두 점을 연결하는 직선이 된다(그림 17.8).

$$f_1(x) = \frac{x - x_2}{x_1 - x_2} f(x_1) + \frac{x - x_1}{x_2 - x_1} f(x_2) \tag{17.20}$$

여기서 기호 $f_1(x)$ 는 이 식이 1차 다항식임을 의미하며, 식 (17.20)은 **선형 Lagrange 보간다항식**(linear Lagrange interpolating polynomial)이라 한다.

세 점을 지나는 포물선을 접합시키기 위하여는 마찬가지 방법을 사용할 수 있다. 이 경우에 세 개의 포물선이 사용되며, 각 포물선은 세 점 중 한 점을 지나고 나머지 두 점에서는 0이다. 이 세 포물선의 합이 세 점을 연결하는 유일한 포물선이 된다. 이러한 2차 Lagrange 보

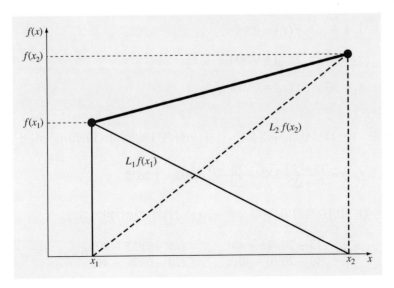

그림 17.8 Lagrange 보간다항식의 기본 원리에 대한 시각적 설명. 그림은 1차의 경우를 보여준다. 식 (17.20)의 두 항은 각각 한 개의 점을 통과하고 나머지 점에서는 0이다. 그러므로 두 항의 합은 반드시 두 개의 점을 연결하는 유일한 직선이 된다.

간다항식은 다음과 같이 쓸 수 있다.

$$f_2(x) = \frac{(x - x_2)(x - x_3)}{(x_1 - x_2)(x_1 - x_3)} f(x_1) + \frac{(x - x_1)(x - x_3)}{(x_2 - x_1)(x_2 - x_3)} f(x_2)$$

$$+ \frac{(x - x_1)(x - x_2)}{(x_3 - x_1)(x_3 - x_2)} f(x_3) \tag{17.21}$$

여기서 첫 번째 항은 x_1에서 $f(x_1)$과 같고, x_2와 x_3에서 0이 되는 것에 유의하라. 나머지 항들도 유사한 특성을 지닌다.

1차와 2차 Lagrange 다항식뿐만 아니라, 고차 Lagrange 다항식도 다음과 같이 간략하게 표현할 수 있다.

$$f_{n-1}(x) = \sum_{i=1}^{n} L_i(x) f(x_i) \tag{17.22}$$

여기서

$$L_i(x) = \prod_{\substack{j=1 \\ j \neq i}}^{n} \frac{x - x_j}{x_i - x_j} \tag{17.23}$$

여기서 n은 데이터 점의 개수이며, Π는 "곱"을 의미한다.

예제 17.5   Lagrange 보간다항식

문제 설명. 다음 데이터와 1차 및 2차 Lagrange 보간다항식을 사용하여, $T = 15\,°\text{C}$에서의 새 모터오일의 밀도를 계산하라.

$$x_1 = 0 \qquad f(x_1) = 3.85$$
$$x_2 = 20 \qquad f(x_2) = 0.800$$
$$x_3 = 40 \qquad f(x_3) = 0.212$$

풀이 $x = 15$에서의 추정값을 얻기 위하여 1차식[식 (17.20)]을 사용한다.

$$f_1(x) = \frac{15 - 20}{0 - 20} 3.85 + \frac{15 - 0}{20 - 0} 0.800 = 1.5625$$

비슷한 방법으로 2차 다항식은 식 (17.21)과 같이 전개된다.

$$f_2(x) = \frac{(15 - 20)(15 - 40)}{(0 - 20)(0 - 40)} 3.85 + \frac{(15 - 0)(15 - 40)}{(20 - 0)(20 - 40)} 0.800$$

$$+ \frac{(15 - 0)(15 - 20)}{(40 - 0)(40 - 20)} 0.212 = 1.3316875$$

```
function yint = Lagrange(x,y,xx)
% Lagrange: Lagrange interpolating polynomial
%   yint = Lagrange(x,y,xx): Uses an (n - 1)-order
%     Lagrange interpolating polynomial based on n data points
%     to determine a value of the dependent variable (yint) at
%     a given value of the independent variable, xx.
% input:
%   x = independent variable
%   y = dependent variable
%   xx = value of independent variable at which the
%         interpolation is calculated
% output:
%   yint = interpolated value of dependent variable

n = length(x);
if length(y)~=n, error('x and y must be same length'); end
s = 0;
for i = 1:n
  product = y(i);
  for j = 1:n
    if i ~= j
      product = product*(xx-x(j))/(x(i)-x(j));
    end
  end
  s = s+product;
end
yint = s;
```

그림 17.9　Lagrange 보간다항식을 실행하는 M-파일.

17.3.1　MATLAB M-파일: Lagrange

식 (17.22)와 (17.23)을 기초로 M-파일을 개발하는 것은 간단하다. 그림 17.9와 같이 이 함수는 독립변수(x)와 종속변수(y)를 포함하는 두 개의 벡터를 전달받고, 또한 보간하고자 하는 독립변수의 값(xx)을 전달받는다. 다항식의 차수는 전달받는 x 벡터의 길이에 따른다. 만약 n 값을 넘겨받으면 $(n - 1)$차 다항식이 만들어진다.

이 함수를 사용하는 예는 표 17.1의 처음 네 개의 값을 이용하여 1기압, 15 °C에서의 공기 밀도를 예측하는 것이다. 네 개의 값이 함수로 전달되므로 Lagrange 함수에 의하여 3차 다항식이 실행되며 다음과 같은 결과를 얻게 된다.

```
>> format long
>> T = [-40 0 20 50];
>> d = [1.52 1.29 1.2 1.09];
>> density = Lagrange(T,d,15)

density =
   1.22112847222222
```

17.4   역보간법

$f(x)$와 x 값은 기호가 의미하듯이 대부분의 보간법에서 각각 종속변수와 독립변수이다. 따라서 x 값들은 일반적으로 등간격으로 분포된다. 간단한 예로 다음과 같은 함수값 $f(x) = 1/x$에 대한 표를 고려한다.

x	1	2	3	4	5	6	7
$f(x)$	1	0.5	0.3333	0.25	0.2	0.1667	0.1429

여기서 위와 똑같은 데이터를 사용하지만, 함수 $f(x)$의 값이 주어지고 이에 해당하는 x 값을 결정해야 하는 경우를 가정해 보자. 예를 들어 앞의 데이터에 대하여 $f(x) = 0.3$에 해당하는 x 값을 결정하는 문제를 가정하자. 이 경우에는 함수가 주어지고 간단하므로, 정확한 답은 $x = 1/0.3 = 3.3333$과 같이 바로 결정될 수 있다.

이러한 문제를 **역보간법**(inverse interpolation)이라 한다. 더 복잡한 경우에 대해서는 $f(x)$와 x의 값을 교환한[즉 $f(x)$에 대한 x의 그림] 후, 결과를 얻기 위하여 Newton 또는 Lagrange 보간법과 같은 방법을 사용하고 싶을 것이다. 그러나 불행히도 변수를 바꿀 때는 수평축을 따르는 새로운 값 [$f(x)$들의 값]이 등간격으로 분포되리라는 보장이 없다. 사실 많은 경우에 값들 사이의 간격은 짧아질 수도 있고 길어질 수도 있는 분포를 가지게 된다. 즉 일부는 가깝게 모인 점들과 나머지는 넓게 분포된 점들로 이루어진 로그 스케일과 유사한 모양을 가질 것이다. 예를 들어 $f(x) = 1/x$에 대하여 결과를 보면 다음과 같다.

$f(x)$	0.1429	0.1667	0.2	0.25	0.3333	0.5	1
x	7	6	5	4	3	2	1

위와 같이 수평축에서 발생하는 부등간격은 보간다항식에 때때로 진동을 야기하며, 이는 저차의 다항식에서조차 발생한다. 이를 극복하는 한 가지 방법은 n차의 보간다항식 $f_n(x)$을 원래의 데이터에 접합시키는 것이다[즉 x에 대한 $f(x)$]. 대부분의 경우, x는 등간격으로 분포하므로 이 다항식은 불량조건을 가지지 않는다. 문제에 대한 답은 이 다항식의 값과 주어진 $f(x)$를 같게 만드는 x의 값을 찾는 것으로 귀결된다. 따라서 보간법 문제가 근을 구하는 문제로 귀결되는 것이다.

예를 들면 방금 설명한 문제에 대한 간단한 접근방법은 세 점 (2, 0.5), (3, 0.3333)과 (4, 0.25)에 대하여 2차 다항식을 접합시키는 것이다. 그 결과는 다음과 같다.

$$f_2(x) = 0.041667x^2 - 0.375x + 1.08333$$

그러므로 $f(x) = 0.3$에 대응하는 x의 값을 찾는 역보간법 문제의 답은 다음 식의 근을 구하는 것과 같다.

$$0.3 = 0.041667x^2 - 0.375x + 1.08333$$

이와 같이 간단한 경우에는 근의 공식을 이용하여 다음과 같이 계산할 수 있다.

$$x = \frac{0.375 \pm \sqrt{(-0.375)^2 - 4(0.041667)0.78333}}{2(0.041667)} = \begin{matrix} 5.704158 \\ 3.295842 \end{matrix}$$

따라서 두 번째 근 3.296은 참값 3.333에 대한 좋은 근사값이다. 만약 보다 나은 정확도를 원한다면, 5장 또는 6장에 기술된 근 구하기 방법들 중의 한 가지와 함께 3차 또는 4차 다항식을 사용할 수 있다.

17.5 외삽법과 진동

이 장을 끝내기 전에 다항식보간법과 관련하여 반드시 언급해야 할 두 가지 주제가 있는데, 이들은 외삽법(extrapolation)과 진동이다.

17.5.1 외삽법(Extrapolation)

외삽법이란 주어진 기본 점들 $x_1, x_2, \ldots, x_n$ 의 범위 밖에 놓여 있는 $f(x)$의 값을 계산하는 과정이다. 그림 17.10에 나타나 있는 바와 같이, 끝단이 개방되는 외삽법의 특성은 곡선을 알려진 범위 밖으로 확장함으로써 미지수를 예측할 수 있게 한다. 따라서 실제 곡선은 예측값으로부터 쉽게 발산할 수 있으며, 따라서 외삽법을 적용할 때는 항상 매우 주의하여야 한다.

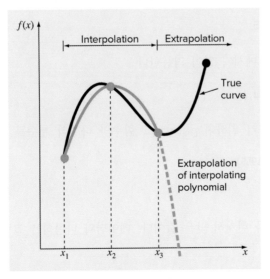

그림 17.10 외삽법을 이용한 예측이 발산하는 경우의 예시. 현재의 외삽법은 앞부분의 세 개의 점을 지나는 포물선을 접합시키는 것에 기초한다.

예제 17.6 **외삽법의 위험성**

문제 설명. 이 예제는 Forsythe, Malcolm과 Moler[1])가 개발한 문제를 모방한 것이다. 다음 표는 1920년에서 2000년까지의 미국 인구를 백만 명 단위로 나타낸 것이다.

Date	1920	1930	1940	1950	1960	1970	1980	1990	2000
Population	106.46	123.08	132.12	152.27	180.67	205.05	227.23	249.46	281.42

처음 8개 점(1920년에서 1990년까지)에 대하여 7차 다항식을 접합시켜라. 이 식과 외삽법을 사용하여 2000년의 인구를 계산하고, 그 예측값을 실제값과 비교하라.

풀이   먼저 데이터를 다음과 같이 입력한다.

```
>> t = [1920:10:1990];
>> pop = [106.46 123.08 132.12 152.27 180.67 205.05 227.23
         249.46];
```

계수를 계산하기 위하여 `polyfit` 함수를 사용한다.

```
>> p = polyfit(t,pop,7)
```

그러나 위 구문을 실행하면 다음의 메시지가 표시된다.

```
Warning: Polynomial is badly conditioned. Remove repeated data points or try centering
         and scaling as described in HELP POLYFIT.
```

MATLAB의 지시를 따라 다음과 같이 데이터 값의 스케일을 조절하고 중심화시킨다.

```
>> ts = (t - 1955)/35;
```

이제 `polyfit`은 에러 메시지 없이 작동한다.

```
>> p = polyfit(ts,pop,7);
```

2000년의 인구를 예측하기 위하여 `polyval` 함수와 다항식 계수를 사용한다.

```
>> polyval(p,(2000-1955)/35)
ans =
   175.0800
```

이 값은 참값 281.42보다 현저히 낮은 값이다. 데이터와 다항식을 그림으로 그려보면 문제점을 이해할 수 있다.

---

1) Cleve Moler는 MATLAB의 개발자들인 (주)MathWorks의 설립자들 중 일원이다.

```
>> tt = linspace(1920,2000);
>> pp = polyval(p,(tt-1955)/35);
>> plot(t,pop,'o',tt,pp)
```

그림 17.11에서 보는 바와 같이 다항식은 1920년부터 1990년까지의 데이터를 잘 접합시키는 것으로 보인다. 그러나 주어진 데이터의 범위를 벗어나 외삽하는 영역으로 접어들면, 7차 다항식은 급격히 떨어지는 형상이 되어 2000년에는 잘못된 예측을 하게 된다.

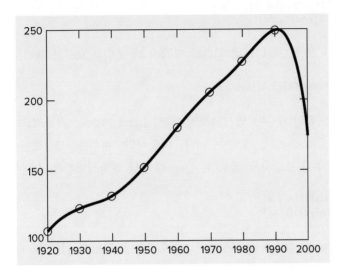

그림 17.11   1920년에서 1990년까지의 데이터에 근거하여 2000년도의 미국 인구를 예측하기 위한 7차 다항식의 사용.

17.5.2   진동(Oscillation)

대부분의 상황에서 "더 많은 것이 더 좋은 것(more is better)"이란 말이 맞지만, 다항식보간법에서 이 말은 결코 참이 아니다. 높은 차수의 고차 다항식은 반올림오차에 매우 민감하여 불량한 조건이 되기 쉬우며, 다음 예제는 이러한 점을 잘 보여준다.

예제 17.7 고차 다항식보간법의 위험성

문제 설명.   1901년에 Carl Runge는 고차 다항식보간법의 위험성에 대한 연구결과를 발표하였다. 그는 다음과 같은 간단하게 보이는 함수를 고려하였다.

$$f(x) = \frac{1}{1 + 25x^2} \tag{17.24}$$

이 식은 현재 **Runge 함수**라고 한다. Runge는 이 함수를 이용하여 구간 [−1, 1]에서 등간격으로 분포된 데이터 점들을 취하였으며, 오름차순의 보간다항식을 사용하여 이들 점들을 접합시키고자 하였다. 그 결과 더 많은 점을 취할수록 보간다항식과 원래 곡선이 크게 달라짐을 알 수 있었다. 더구나 이러한 현상은 다항식의 차수가 증가할수록 더욱 나빠졌다. 식 (17.24)를 이용하여 생성한 5개와 11개의 등간격 점에 대해, `polyfit`과 `polyval` 함수를 이용하여 4차와 10차 다항식을 접합시킴으로써 Runge의 결과를 반복하라. 생성한 등간격 값 및 Runge 함수와 함께 계산결과를 그림으로 나타내라.

풀이   다섯 개의 등간격 점은 다음과 같이 생성된다.

```
>> x = linspace(-1,1,5);
>> y = 1./(1+25*x.^2);
```

결과를 매끈한 그림으로 나타내기 위해 간격이 더 조밀한 xx 값 벡터를 다음과 같이 계산한다.

```
>> xx = linspace(-1,1);
```

여기서 원하는 점의 개수가 명시되지 않으면, `linspace`는 자동적으로 100개의 점을 생성함을 기억하라. `polyfit` 함수는 4차 다항식의 계수를 생성하는데 사용될 수 있으며, `polyval` 함수는 조밀하게 분포하는 xx 값에서 다항식보간을 수행하는 데 사용된다.

```
>> p = polyfit(x,y,4);
>> y4 = polyval(p,xx);
```

마지막으로 Runge 함수값을 생성하고, 이 함수값을 다항식 접합 및 데이터 점과 함께 그리기 위해 다음과 같이 입력한다.

```
>> yr = 1./(1+25*xx.^2);
>> plot(x,y,'o',xx,y4,xx,yr,'--')
```

그림 17.12에서와 볼 수 있는 바와 같이 이 다항식은 Runge 함수를 잘 따르지 못한다.

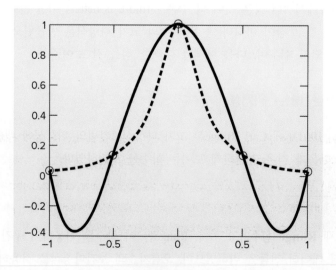

그림 17.12   Runge 함수로부터 취한 5개의 점에 대한 4차 다항식 접합과 Runge 함수(점선)의 비교.

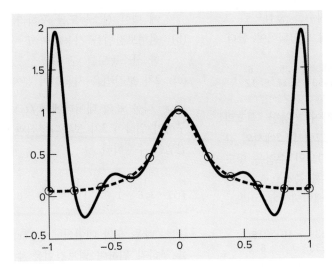

그림 17.13 Runge 함수로부터 취한 11개의 점에 대한 10차 다항식 접합과 Runge 함수(점선)의 비교.

다음 구문을 이용하여 이와 같은 해석을 계속하면, 10차 다항식을 생성할 수 있고 그림을 그릴 수 있다.

```
>> x = linspace(-1,1,11);
>> y = 1./(1+25*x.^2);
>> p = polyfit(x,y,10);
>> y10 = polyval(p,xx);
>> plot(x,y,'o',xx,y10,xx,yr,'--')
```

그림 17.13에서 보는 바와 같이 접합은 특히 구간의 양끝에서 더욱 나빠지게 된다.

고차 다항식이 필요한 상황도 있지만 보통의 경우에는 고차 다항식의 사용을 피해야 한다. 대부분의 공학과 과학 문제에서 이 장에서 설명한 형태의 저차 다항식은 데이터의 곡선 형상을 진동 없이 표현하는 데 효과적으로 사용할 수 있다.

연습문제

17.1 다음과 같은 데이터가 높은 정밀도를 가지고 측정되었다. 이와 같은 종류의 문제에 대하여 가장 좋은 수치방법을 이용하여 $x = 3.5$일 때의 y값을 구하라. 다항식은 정확한 값을 준다는 데 유의하라. 그리고 결과가 정확함을 증명하라.

x	0	1.8	5	6	8.2	9.2	12
y	26	16.415	5.375	3.5	2.015	2.54	8

17.2 Newton의 보간다항식을 이용하여 가능한 최고의 정확도로 $x = 3.5$일 때의 y값을 구하라. 그림 17.5에서와 같이 유한제차분을 계산하고, 최적의 정확도와 수렴을 얻

도록 점들을 배열하라. 즉, 점들은 미지수를 중심으로 그 근처에 있거나 미지수와 가능한 가깝게 배열되어야 한다.

x	0	1	2.5	3	4.5	5	6
y	2	5.4375	7.3516	7.5625	8.4453	9.1875	12

17.3 Newton의 보간다항식을 이용하여 가능한 최고의 정확도로 $x = 8$일 때의 y값을 구하라. 그림 17.5에서와 같이 유한제차분을 계산하고, 최적의 정확도와 수렴을 얻도록 점들을 배열하라. 즉, 점들은 미지수를 중심으로 그 근처에 있거나 미지수와 가능한 가깝게 배열되어야 한다.

x	0	1	2	5.5	11	13	16	18
y	0.5	3.134	5.3	9.9	10.2	9.35	7.2	6.2

17.4 다음과 같은 데이터가 주어진다.

x	1	2	2.5	3	4	5
f(x)	0	5	7	6.5	2	0

(a) 1차부터 3차까지의 Newton 보간다항식을 사용하여 $f(3.4)$를 계산하라. 추정값이 가장 좋은 정확도를 가지는 순서대로 점들을 배열하라. 즉, 점들은 미지수를 중심으로 그 근처에 있거나 미지수와 가능한 한 가깝게 배열되어야 한다.

(b) Lagrange 다항식을 사용하여 문제 (a)를 반복하라.

17.5 다음과 같은 데이터가 주어진다.

x	1	2	3	5	6
f(x)	4.75	4	5.25	19.75	36

1차부터 4차까지의 Newton 보간다항식을 사용하여 $f(4)$를 계산하라. 좋은 정확도를 갖기 위한 기본 점들을 선택하라. 즉, 점들은 미지수를 중심으로 그 근처에 있거나 미지수와 가능한 한 가깝게 배열되어야 한다. 이 결과는 표의 데이터를 생성하기 위하여 사용한 다항식의 차수와 관련하여 무엇을 의미하는가?

17.6 1차부터 3차까지의 Lagrange 다항식을 사용하여 연습문제 17.5를 반복하라.

17.7 표 P15.5는 물속의 용존산소농도의 값을 온도와 염소농도의 함수로 나타내고 있다.

(a) 2차와 3차 보간법을 사용하여 $T = 12\ ^\circ$C와 $c = 10$ g/L

에 대한 산소농도를 구하라.

(b) 선형보간법을 사용하여 $T = 12\ ^\circ$C와 $c = 15$ g/L에 대한 산소농도를 구하라.

(c) 2차 보간법을 사용하여 문제 (b)를 반복하라.

17.8 다음 표의 데이터에서 $f(x) = 1.7$에 해당하는 x 값을 구하기 위하여 3차 보간다항식과 이분법을 사용하여 역보간법을 수행하라.

x	1	2	3	4	5	6	7
f(x)	3.6	1.8	1.2	0.9	0.72	1.5	0.51429

17.9 다음 표의 데이터에서 $f(x) = 0.93$에 해당하는 x 값을 구하기 위하여 역보간법을 수행하라.

x	0	1	2	3	4	5
f(x)	0	0.5	0.8	0.9	0.941176	0.961538

표의 데이터 값들은 함수 $f(x) = x^2/(1 + x^2)$을 이용하여 구하였다.

(a) 해석적으로 정확한 값을 계산하라.

(b) 2차 보간법과 근의 공식을 사용하여 수치적으로 값을 결정하라.

(c) 3차 보간법과 이분법을 사용하여 수치적으로 값을 결정하라.

17.10 다음과 같은 200 MPa에서의 과열상태인 물에 대한 증기표의 일부를 사용하여 다음을 구하라.

(a) 선형 보간법을 이용한 비체적 $v = 0.118$에 해당하는 엔트로피 s.

(b) 2차 보간법을 이용한 비체적 $v = 0.118$에 해당하는 엔트로피 s.

(c) 역보간법을 이용한 엔트로피 $s = 6.45$에 해당하는 비체적.

v, m³/kg	0.10377	0.11144	0.12547
s, kJ/(kg K)	6.4147	6.5453	6.7664

17.11 다음의 질소가스의 온도에 대한 밀도의 데이터는 매우 정밀하게 측정한 값으로 이루어진 표로부터 도출하였다. 1차부터 5차까지의 다항식을 사용하여 온도 330 K에서의 밀도를 추정하라. 이 중 가장 나은 추정값은 무엇인가? 가장 나은 추정값과 역보간법을 사용하여 대응하는

온도를 구하라.

T, K	200	250	300	350	400	450
Density, kg/m³	1.708	1.367	1.139	0.967	0.854	0.759

17.12 Ohm의 법칙은 이상적인 저항을 지나는 전압강하 V와 그 저항을 통과하는 전류 i가 선형적으로 비례함을 의미하며, $V = iR$이라는 식으로 표현된다. 여기서 R은 저항이다. 그러나 실제 저항은 항상 Ohm의 법칙을 따르지는 않는다. 어떤 저항에 대한 전압강하와 전류를 측정하기 위하여 매우 정밀한 실험을 수행하였다고 가정하자. 다음의 결과는 Ohm의 법칙에서 나타나는 직선적인 관계와 달리 곡선적인 관계를 보여준다.

i	-2	-1	-0.5	0.5	1	2
V	-637	-96.5	-20.5	20.5	96.5	637

이와 같은 관계를 정량화하기 위하여는 이들 데이터를 곡선으로 접합하여야 한다. 일반적으로는 이와 같은 실험 데이터를 분석하는 데 실험 데이터에 존재하는 측정 오차 때문에 곡선접합법 중 회귀분석법이 선호된다. 그러나 현재의 실험방법의 정밀성과 관계식의 완만함은 보간다항식이 보다 적절함을 암시한다. 이 데이터를 접합시키는 데 5차 보간다항식을 사용하고, $i = 0.10$에 대한 V를 계산하라.

17.13 Bessel 함수는 전기장에 대한 연구와 같은 고급공학 해석문제에서 종종 나타난다. 다음 표에 1종의 0차 Bessel 함수의 몇몇 값을 기술하였다.

x	1.8	2.0	2.2	2.4	2.6
$J_1(x)$	0.5815	0.5767	0.5560	0.5202	0.4708

3차와 4차 보간다항식을 이용하여 $J_1(2.1)$을 계산하라. 참값에 기초하여 각각의 경우의 백분율 상대오차를 계산하라. 참값은 MATLAB의 내장함수 besselj로 계산할 수 있다.

17.14 가장 최근 데이터를 근거로 2000년의 인구를 예측하기 위하여 1차, 2차, 3차와 4차 보간다항식을 이용하여 예제 17.6을 반복하라. 즉 선형 예측을 위하여 1980년과 1990년의 데이터를 사용하고, 2차 예측을 위하여 1970년, 1980년과 1990년의 데이터를 사용하며, 나머지 예측을 위해서도 유사한 방법을 사용하라. 어떤 방법이 가장 나은

결과를 주는가?

17.15 다양한 온도에 대한 과열증기의 비체적이 증기표에 기재되어 있다. T가 400 °C일 때 v를 계산하라.

T, °C	370	382	394	406	418
v, L/kg	5.9313	7.5838	8.8428	9.796	10.5311

17.16 강도 q의 균일한 하중을 받는 직사각형 면의 모퉁이 아래의 수직응력 σ_z는 다음과 같은 Boussinesq식의 해로 주어진다.

$$\sigma = \frac{q}{4\pi}\left[\frac{2mn\sqrt{m^2+n^2+1}}{m^2+n^2+1+m^2n^2}\frac{m^2+n^2+2}{m^2+n^2+1}\right.$$
$$\left.+\sin^{-1}\left(\frac{2mn\sqrt{m^2+n^2+1}}{m^2+n^2+1+m^2n^2}\right)\right]$$

이 식은 손으로 풀기는 어려우므로 다음과 같이 수식을 수정하였다.

$$\sigma_z = q\,f_z(m,n)$$

여기서 $f_z(m, n)$은 영향도(influence value)라고 한다. m과 n은 무차원 비인 $m = a/z$, $n = b/z$이고, a와 b는 그림 P17.16에 정의되어 있다. 영향도는 도표화되며 그 중 일부가 표 P17.16에 주어져 있다. $a = 4.6$, $b = 14$일 때, 3차 보간다항식을 이용하여 총 100 ton의 하중을 받는 사각형 기초의 모퉁이 아래 10 m 깊이에서의 σ_z를 계산하라. 답을 제곱미터당 ton으로 표시하라. q는 면적당 하중과 같음에 유의하라.

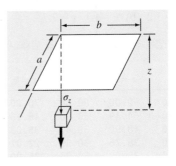

그림 P17.16

표 P17.16

m	n = 1.2	n = 1.4	n = 1.6
0.1	0.02926	0.03007	0.03058
0.2	0.05733	0.05894	0.05994
0.3	0.08323	0.08561	0.08709
0.4	0.10631	0.10941	0.11135
0.5	0.12626	0.13003	0.13241
0.6	0.14309	0.14749	0.15027
0.7	0.15703	0.16199	0.16515
0.8	0.16843	0.17389	0.17739

17.17 여러 전류 i에 대하여 저항을 지나는 전압강하 V를 측정한 결과는 다음과 같다.

i	0.5	1.5	2.5	3.0	4.0
V	−0.45	−0.6	0.70	1.88	6.0

$i = 2.3$에 대하여 1차에서 4차의 다항식보간법을 이용하여 전압강하를 계산하고, 그 결과를 설명하라.

17.18 전선 내의 전류가 시간의 함수로 매우 정확하게 측정된다. $t = 0.23$에서의 i를 구하라.

t	0	0.250	0.500	0.750	1.000
i	0	6.24	7.75	4.85	0.0000

17.19 지구표면 위 고도 y에서 중력 가속도는 다음과 같이 주어진다. $y = 55,000$ m에서 g를 계산하라.

y, m	0	30,000	60,000	90,000	120,000
g, m/s²	9.8100	9.7487	9.6879	9.6278	9.5682

17.20 가열된 판 위의 여러 위치에서 온도가 측정된다(표 P17.20). 다음 위치의 온도를 계산하라.
(a) $x = 4$, $y = 3.2$ (b) $x = 4.3$, $y = 2.7$.

표 P17.20 가열된 정사각형 판 위의 여러 위치에서의 온도(℃).

	x = 0	x = 2	x = 4	x = 6	x = 8
y = 0	100.00	90.00	80.00	70.00	60.00
y = 2	85.00	64.49	53.50	48.15	50.00
y = 4	70.00	48.90	38.43	35.03	40.00
y = 6	55.00	38.78	30.39	27.07	30.00
y = 8	40.00	35.00	30.00	25.00	20.00

17.21 다음과 같은 200 MPa에서의 과열상태 H_2O에 대한 증기표의 일부를 사용하여 다음을 구하라.

(a) 선형 보간법을 이용한 비체적 $v = 0.108$ m³/kg에 해당하는 엔트로피 s.
(b) 2차 보간법을 이용한 비체적 $v = 0.108$ m³/kg에 해당하는 엔트로피 s.
(c) 역보간법을 이용한 엔트로피 $s = 6.6$에 해당하는 비체적.

v (m³/kg)	0.10377	0.11144	0.12540
s (kJ/kg·K)	6.4147	6.5453	6.7664

17.22 다항식 보간을 위해 polyfit과 polyval을 사용하는 M-파일 함수를 개발하라. 여기서 함수를 시험하는 데 사용할 수 있는 스크립트는 다음과 같다.

```
clear,clc,clf,format compact
x=[1 2 4 8];
fx=@(x) 10*exp(-0.2*x);
y=fx(x);
yint=polyint(x,y,3)
ytrue=fx(3)
et=abs((ytrue-yint)/ytrue)*100.
```

17.23 다음 데이터는 높은 정밀도로 측정된 표에서 가져온 것이다. Newton 보간다항식을 사용하여 $x = 3.5$에서 y를 구하라. **모든 점들**을 적절한 순서로 배열한 다음, 미분 값들을 계산하기 위한 제차분표를 만들라. 어떤 다항식은 정확한 값을 산출할 것이다. 여러분이 구한 해가 정확한지 증명하라.

x	0	1	2.5	3	4.5	5	6
y	26	15.5	5.375	3.5	2.375	3.5	8

17.24 다음 표의 데이터는 정확하게 측정되었다.

T	2	2.1	2.2	2.7	3	3.4
Z	6	7.752	10.256	36.576	66	125.168

(a) Newton 보간다항식을 사용하여 $t = 2.5$에서 z를 구하라. 가장 정확한 결과를 얻도록 점의 순서를 잘 배열해야 한다. 이 결과는 표의 데이터를 생성하기 위하여 사용한 다항식의 차수와 관련하여 무엇을 의미하는가?
(b) 3차 Lagrange 보간다항식을 사용하여 $t = 2.5$에서 y를 구하라.

17.25 온도 대비 물의 밀도에 대한 다음 데이터는 높은 정밀도로 측정된 표에서 가져온 것이다. 역보간법을 사용하여 0.999245 g/cm^{3}의 밀도에 해당하는 온도를 구하라. 3차 보간다항식에 기초하여 구하라(이 문제를 손으로 계산하는 경우라도, 다항식을 결정하기 위해 MATLAB polyfit 함수를 사용해도 좋다). Newton-Raphson 방법과 손계산

을 이용하여 근을 구하라. 초기 가정값은 $T = 14$ °C이다. 반올림오차에 주의하라.

T, °C	0	4	8	12	16
Density, g/cm^3	0.99987	1	0.99988	0.99952	0.99897

18 스플라인과 소구간별 보간법

학습목표

이 장의 주요 목표는 스플라인 보간법을 소개하는 것이다. 구체적인 목표와 다루는 주제는 다음과 같다.

- 저차의 다항식을 소구간별로 접합시킴으로써 진동을 최소화시키는 스플라인의 특성
- 표 보기(table lookup)를 수행할 수 있는 코드를 개발하는 방법
- 2차 및 고차 스플라인보다 3차 다항식을 선호하는 이유를 인지하기
- 3차 스플라인 접합의 기본 조건에 대한 이해
- 자연, 고정, 그리고 비절점 끝단조건의 차이점
- MATLAB의 내장함수를 이용하여 데이터에 스플라인을 접합시키는 방법
- MATLAB을 이용하여 다차원 보간법을 실행하는 방법
- 노이즈가 있는 데이터에 평활화된 스플라인을 접합하는 방법

18.1 스플라인 보간법의 소개

17장에서 n개의 데이터 점을 보간하기 위하여 $(n-1)$차 다항식을 사용하였다. 예를 들면 8개의 점에 대하여 7차 다항식을 유도할 수 있으며, 이 곡선은 점들이 나타내는 모든 곡률(최소한 7차 도함수까지)을 포함한다. 그러나 이들 함수는 반올림오차와 진동으로 인하여 잘못된 결과를 초래하는 경우도 있다. 이를 해결하기 위한 한 가지 방법은 데이터 점들의 소집합에 저차의 다항식을 소구간별로 적용하는 것이다. 이런 방법으로 연결되는 다항식을 **스플라인 함수**(spline function)라고 한다.

예를 들면 두 개의 데이터 점을 연결하는 데 사용하는 곡선이 3차 곡선이면 **3차 스플라인**(cubic splines)이라고 한다. 이 함수는 인접하는 3차 방정식들을 시각적으로 매끄럽게 보이도록 연결시킬 수 있다. 얼핏 보기에는 3차 스플라인 근사가 7차 다항식보다 못할 것으로 여겨진다. 따라서 도대체 왜 스플라인을 선호하는지 의아하게 생각될 것이다.

그림 18.1은 스플라인이 고차 다항식보다 우수한 경우를 보여준다. 이러한 경우는 함수가 일반적으로 완만하지만 관심있는 구역에서 급격하게 변하는 경우이다. 그림 18.1에 그려져 있는 계단식 증가는 이렇게 변화하는 경우의 극단적인 한 예를 보여주고 있다.

그림 18.1a에서 c까지는 급격한 변화가 있는 지역에서 고차 다항식이 심하게 진동하는 모

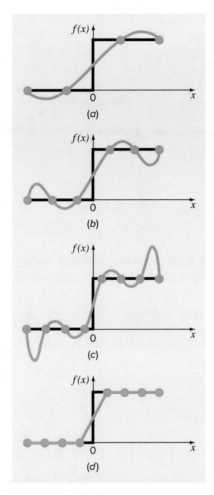

그림 18.1   스플라인 보간법이 고차 보간다항식보다 우수한 경우를 나타내는 그림. 접합시킬 함수는 $x =$ 0에서 급격하게 증가하고 있다. 그림 (a)에서 (c)는 급격한 변화가 보간다항식에서 진동을 발생시킬 수 있음을 보여주고 있다. 반면에 선형 스플라인 (d)는 직선 연결에 국한되므로 보다 좋은 근사값을 보여준다.

습을 보여준다. 반면에 스플라인은 데이터 점들을 연결하지만, 낮은 차수로 제한되어 있기 때문에 진동이 최소로 유지된다. 따라서 일반적으로 스플라인은 국부적으로 급격한 변화를 갖는 함수의 거동에 대해 우수한 근사값을 제공한다.

스플라인의 개념은 일련의 점들을 연결하는 완만한 곡선을 그리기 위해 얇고 유연한 줄 (자유곡선자, **스플라인**이라고 불림)을 사용하는 제도 기법으로부터 유래되었다. 그림 18.2는 이 과정을 다섯 개의 핀(데이터 점)에 대하여 적용하는 것을 보여주고 있다. 이 기법에서 제도사는 목판 위에 종이를 올려놓고, 데이터 점의 위치에 못이나 핀을 종이(또는 판) 위에 박는다. 핀 사이에 줄을 연결하면 그 줄은 완만한 3차 곡선이 된다. 따라서 이러한 형태의 다항식에 대하여 "3차 스플라인"이라는 이름이 붙여졌다.

이 장에서는 스플라인 보간법과 관계되는 문제나 기본 개념들을 소개하기 위하여 먼저 간단한 선형 함수를 사용할 것이다. 다음으로 2차 스플라인을 데이터에 접합시키기 위한 알고리

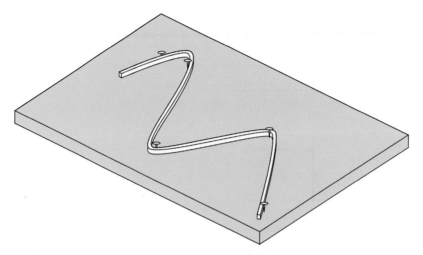

그림 18.2   일련의 점들을 통과하는 완만한 곡선을 그리기 위해 스플라인을 사용하는 작도 기법. 끝점에서
스플라인이 어떻게 계속 곧바르게 나가는지를 주목하라. 이를 "자연" 스플라인이라고 한다.

즘을 유도한 후, 공학과 과학 분야에서 가장 보편적이고 유용한 형태인 3차 스플라인에 대하
여 설명할 것이다. 마지막으로 스플라인을 생성하는 방법을 포함하여 소구간별 보간법에 대한
MATLAB의 사용법을 기술할 것이다.

18.2   선형 스플라인(Linear Spline)

그림 18.3은 스플라인에 사용되는 기호를 보여준다. n 개의 데이터 점($i = 1, 2, \ldots, n$)에 대하
여 $(n - 1)$ 개의 구간이 있으며, 각 구간 i 는 고유한 스플라인 함수 $s_i(x)$를 가진다. 선형 스플
라인에서의 각 함수는 단지 구간의 양 끝점인 두 점을 연결하는 직선이며, 다음과 같은 식으
로 표현할 수 있다.

$$s_i(x) = a_i + b_i(x - x_i) \tag{18.1}$$

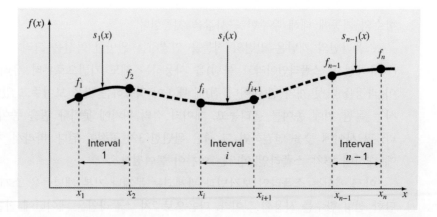

그림 18.3   스플라인을 유도하는 데 사용되는 표기법. $n - 1$ 개의 구간과 n 개의 데이터 점이 있음에 주목하라.

여기서 a_i 는 절편으로 다음과 같이 정의된다.

$$a_i = f_i \tag{18.2}$$

그리고 b_i 는 점들을 연결하는 직선의 기울기이다.

$$b_i = \frac{f_{i+1} - f_i}{x_{i+1} - x_i} \tag{18.3}$$

여기서 f_i 는 $f(x_i)$의 약자이다. 식 (18.1)과 (18.2)를 식 (18.3)에 대입하면 다음 식을 구할 수 있다.

$$s_i(x) = f_i + \frac{f_{i+1} - f_i}{x_{i+1} - x_i}(x - x_i) \tag{18.4}$$

이 식을 사용하면 x_1 과 x_n 사이의 임의의 점에서의 함수값을 구할 수 있으며, 이를 위해 먼저 계산하고자 하는 점이 위치하는 구간을 찾는다. 다음으로 구간에 해당하는 방정식을 사용하여, 그 구간 내에서의 함수값을 구한다. 식 (18.4)를 살펴보면 선형 스플라인은 각 구간 내에서 보간값을 찾기 위하여 Newton 1차 다항식[식 (17.5)]을 사용하는 것과 같음을 알 수 있다.

예제 18.1 | 1차 스플라인

문제 설명. 1차 스플라인으로 표 18.1의 데이터를 접합시켜라. 그리고 $x = 5$일 때의 함수값을 계산하라.

표 18.1 스플라인 함수로 접합시킬 데이터.

i	x_i	f_i
1	3.0	2.5
2	4.5	1.0
3	7.0	2.5
4	9.0	0.5

풀이 위의 데이터를 식 (18.4)에 대입하여 선형 스플라인 함수들을 생성한다. 예를 들면 $x = 4.5$에서 $x = 7$ 까지인 두 번째 구간에서의 함수는 다음과 같다.

$$s_2(x) = 1.0 + \frac{2.5 - 1.0}{7.0 - 4.5}(x - 4.5)$$

다른 구간에서의 방정식도 유사한 방법으로 계산되며, 1차 스플라인 결과는 그림 18.4a와 같다. $x = 5$에서의 값은 1.3이다.

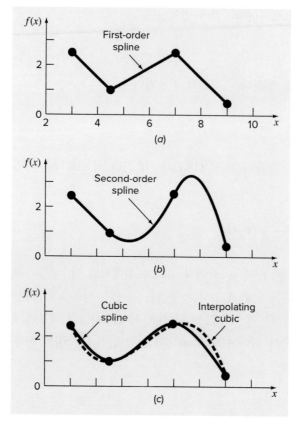

그림 18.4 네 개의 점에 대한 스플라인 접합. (a) 선형 스플라인, (b) 2차 스플라인, (c) 3차 보간다항식과 함께 3차 스플라인이 그려져 있음.

$$s_2(x) = 1.0 + \frac{2.5 - 1.0}{7.0 - 4.5}(5 - 4.5) = 1.3$$

그림 18.4a를 살펴보면 1차 스플라인의 큰 단점은 1차 스플라인이 완만한 곡선이 아니라는 점이다. 본질적으로 두 개의 스플라인이 만나는 데이터 점(**절점**이라고 부름)에서는 기울기가 급격하게 변한다. 수학적인 용어로 기술하면 이 점에서 이 스플라인 함수의 1차 도함수는 불연속이다. 이러한 단점은 절점에서 도함수의 값을 일치시켜 부드럽게 연결되는 고차 다항식의 스플라인을 사용함으로써 해결할 수 있으며, 이에 대하여는 다음에 논의를 계속할 것이다. 논의를 계속하기 전에 다음 절에 선형 스플라인이 유용하게 사용되는 응용문제를 기술한다.

18.2.1 표 보기(Table lookup)

표 보기는 공학과 과학 분야의 컴퓨터에 관련된 응용에서 자주 마주치는 과제이다. 이는 독립변수와 종속변수로 이루어진 표로부터 보간을 반복 수행하는 데 유용하다. 예를 들어 표 17.1의 데이터에 기초하여 특정 온도에서의 공기 밀도를 결정하기 위하여 선형보간법을 사용하는

M-파일을 만든다고 가정하자. 한 가지 방법은 두 개의 인접한 값과 함께 M-파일에 보간을 수행하고자 원하는 온도를 넘기는 것이다. 보다 일반적인 방법은 모든 데이터를 포함하는 벡터를 넘겨주고, M-파일로 하여금 원하는 값에 해당되는 구간을 결정하게 하는 것이다. 이와 같은 방법을 **표 보기**라 한다.

따라서 이 M-파일은 두 가지 과제를 수행한다. 첫 번째로 미지수를 포함하는 구간을 찾기 위해 독립변수 벡터를 탐색하고, 다음으로 이 장이나 17장에 설명되어 있는 기법을 이용하여 선형보간법을 수행한다.

순차적으로 배열된 데이터에 대하여 구간을 찾는 데는 두 가지 간단한 방법이 있다. 첫 번째 방법은 **순차적 탐색**(sequential search)이라고 한다. 이름에서 짐작할 수 있듯이 이 방법은 원하는 값을 벡터의 각 원소와 차례대로 비교하며, 이 비교를 구간이 찾아질 때까지 계속한다. 오름차순의 데이터에 대하여는 미지수가 비교되는 값보다 작은지 여부를 판단하여 결정한다. 만약 이를 충족한다면 미지수는 현재 값과 바로 전 값 사이에 위치함을 알 수 있다. 그렇지 않은 경우에는 다음 값으로 이동하여 비교를 반복하게 된다. 이와 같은 목적을 달성하기 위한 간단한 M-파일은 다음과 같다.

```
function yi = TableLook(x, y, xx)
n = length(x);
if xx < x(1) | xx > x(n)
  error('Interpolation outside range')
end
% sequential search
i = 1;
while(1)
  if xx <= x(i + 1), break, end
  i = i + 1;
end
% linear interpolation
yi = y(i) + (y(i+1)-y(i))/(x(i+1)-x(i))*(xx-x(i));
```

표의 독립변수는 오름차순으로 배열 x에 저장되고, 종속변수는 배열 y에 저장된다. 탐색을 시작하기 전에 원하는 값 xx가 x 값들의 범위 내에 들어가는지 확인하기 위하여 에러 함정이 포함되어 있다. while ... break 루프는 보간을 원하는 값 xx가 구간의 상단값 x(i+1)보다 작은지 여부를 알기 위하여 비교한다. xx가 두 번째 이상의 구간에 있는 경우에는 이 조건이 만족되지 않을 것이다. 이 경우 계수(counter) i에 1을 증가시켜 다음 번 반복에서 xx가 두 번째 구간의 상단값과 비교되도록 한다. xx가 구간의 상단값보다 작거나 같아질 때까지 루프는 반복되며, 이 조건을 충족하면 루프에서 빠져나가게 된다. 이 시점에서 보간은 앞에 보인 바와 같이 간단하게 수행될 수 있다.

많은 데이터가 있는 경우에 순차적 탐색은 값을 찾기 위해 앞에 있는 모든 점을 탐색해야 하므로 비효율적이다. 이런 경우의 간단한 대안으로 **이진 탐색**(binary search)이 있으며, 이진 탐색 후 선형보간을 수행하는 M-파일은 다음과 같다.

```
function yi = TableLookBin(x, y, xx)

n = length(x);
if xx < x(1) | xx > x(n)
  error('Interpolation outside range')
end
% binary search
iL = 1; iU = n;
while (1)
  if iU - iL <= 1, break, end
  iM = fix((iL + iU) / 2);
  if x(iM) < xx
    iL = iM;
  else
    iU = iM;
  end
end
% linear interpolation
yi = y(iL) + (y(iL+1)-y(iL))/(x(iL+1)-x(iL))*(xx - x(iL));
```

이 방법은 근을 구하는 방법인 이분법과 유사하다. 이분법에서와 같이 중간점의 지수 iM
은 첫 번째 또는 "하위" 지수 iL = 1과 마지막 또는 "상위" 지수 iU = n의 평균값으로 계산
된다. 미지수 xx는 그 값이 배열의 하반부에 있는지 상반부에 있는지를 검사하기 위하여 중
간점 x(iM)에서의 x값과 비교된다. 그 값의 위치에 따라 하위 또는 상위 지수가 중간 지수
로 새로 정의된다. 이 과정을 상위 지수와 하위 지수의 차이가 1보다 작거나 같을 때까지 반
복한다. 이때 하위 지수는 xx를 포함하는 구간의 아래쪽 경계에 위치하게 되고, 루프가 종료
되어 선형보간을 수행하게 된다.

표 17.1의 데이터에 기초하여 350 °C 온도에서의 공기 밀도를 계산하기 위하여, 이진 탐색
함수가 적용되는 방법을 보여주는 MATLAB 프로그램은 다음과 같다. 순차적 탐색도 이와 유
사하다.

```
>> T = [-40 0 20 50 100 150 200 250 300 400 500];
>> density = [1.52 1.29 1.2 1.09 .946 .935 .746 .675 .616... .525 .457];
>> TableLookBin(T,density,350)

ans =
    0.5705
```

이 결과는 다음과 같은 손 계산으로 증명할 수 있다.

$$f(350) = 0.616 + \frac{0.525 - 0.616}{400 - 300}(350 - 300) = 0.5705$$

18.3 2차 스플라인(Quadrafic Spline)

n차 도함수가 절점에서 연속되기 위해서는 적어도 $n + 1$차 스플라인이 사용되어야 한다. 실
제로 1차와 2차 도함수가 연속인 3차 다항식이나 3차 스플라인이 가장 흔히 사용되고 있다. 3
차 스플라인을 사용할 때 3차 이상의 고차 도함수는 불연속이지만, 이들은 대개 시각적으로는

구별할 수 없기 때문에 무시된다.

3차 스플라인의 유도과정은 다소 복잡하므로 우선 2차 다항식을 이용하여 스플라인 보간법의 개념을 설명한다. 이 "2차 스플라인"은 절점에서 연속인 1차 도함수를 갖는다. 2차 스플라인은 실제로는 크게 중요하지 않지만, 고차 스플라인을 전개하는 일반적인 방법을 보여주는 데는 적절하다.

2차 스플라인의 목적은 데이터 점들 사이의 각 구간에 대한 2차 다항식을 유도하는 데 있다. 각 구간에 대한 다항식은 일반적으로 다음 식으로 나타낼 수 있다.

$$s_i(x) = a_i + b_i(x - x_i) + c_i(x - x_i)^2 \tag{18.5}$$

여기에 나타나는 기호는 그림 18.3과 같다. n개의 데이터 점 ($i = 1, 2, \ldots, n$)에 대하여 $n-1$개의 구간이 있고, 따라서 $3(n-1)$개의 미지상수(a, b, c)들이 결정되어야 한다. 그러므로 미지수를 결정하기 위해 $3(n-1)$개의 방정식이나 조건이 필요하게 된다. 이들은 다음과 같이 전개될 수 있다.

1. 함수는 모든 점을 통과하여야 한다. 이를 **연속 조건**(continuity condition)이라 하며, 수학적으로는 다음과 같이 표현할 수 있다.

$$f_i = a_i + b_i(x_i - x_i) + c_i(x_i - x_i)^2$$

이는 다음과 같이 단순화된다.

$$a_i = f_i \tag{18.6}$$

그러므로 각 2차식에서 상수항은 구간의 시작점에서의 종속변수값과 일치해야 한다. 이 결과를 식 (18.5)에 대입하면 다음과 같다.

$$s_i(x) = f_i + b_i(x - x_i) + c_i(x - x_i)^2$$

계수 중 한 개를 결정하였으므로, 계산해야 할 조건의 수는 이제 $2(n-1)$개로 감소하였음을 주목하라.

2. 인접하는 다항식의 함수값은 절점에서 같아야 한다. 이 조건은 절점 $i+1$에 대하여 다음과 같이 쓸 수 있다.

$$f_i + b_i(x_{i+1} - x_i) + c_i(x_{i+1} - x_i)^2 = f_{i+1} + b_{i+1}(x_{i+1} - x_{i+1}) + c_{i+1}(x_{i+1} - x_{i+1})^2 \tag{18.7}$$

이 식을 수학적으로 간단하게 하기 위하여 i 번째 구간의 폭을 다음과 같이 정의한다.

$$h_i = x_{i+1} - x_i$$

따라서 식 (18.7)은 다음과 같이 단순화된다.

$$f_i + b_i h_i + c_i h_i^2 = f_{i+1} \tag{18.8}$$

이 식은 절점 $i = 1, \ldots, n - 1$에 대하여 쓸 수 있다. 이는 $n - 1$개의 조건에 해당하므로 $2(n - 1) - (n - 1) = n - 1$개의 조건이 남음을 의미한다.

3. 내부 절점에서 1차 도함수는 같아야 한다. 이는 중요한 조건으로 인접하는 스플라인들이 선형 스플라인과 같은 톱니 모양의 고르지 못한 형태가 아니라, 매끄럽게 연결되는 것을 의미한다. 식 (18.5)를 미분하면 다음과 같다.

$$s_i'(x) = b_i + 2c_i(x - x_i)$$

그러므로 내부 절점 $i + 1$에서 도함수가 일치한다는 것을 다음과 같이 쓸 수 있다.

$$b_i + 2c_i h_i = b_{i+1} \tag{18.9}$$

이 식을 모든 내부 절점에 대해 쓰면 $n - 2$개의 조건이 된다. 이는 $n - 1 - (n-2) = 1$개의 조건이 남아 있음을 의미한다. 여기서 함수나 함수의 도함수에 대하여 정보가 더 이상 없다면, 상수를 성공적으로 계산하기 위하여 마지막 조건을 임의로 선택해야 한다. 물론 많은 선택이 있을 수 있지만, 여기서는 다음의 조건을 선택한다.

4. 첫 번째 점에서 2차 도함수를 0이라고 가정하자. 식 (18.5)의 2차 도함수가 $2c_i$이므로 이 조건은 수학적으로 다음과 같이 나타낼 수 있다.

$$c_1 = 0$$

시각적으로 해석하면 이 조건은 처음 두 개의 점을 직선으로 연결한다는 의미이다.

예제 18.2 2차 스플라인

문제 설명. 예제 18.1(표 18.1)에서 사용한 데이터에 2차 스플라인을 접합시켜라. 이 결과를 사용하여 $x = 5$에서의 값을 계산하라.

풀이 이 문제는 4개의 데이터 점과 $n = 3$개의 구간을 갖고 있다. 그러므로 연속 조건과 2차 도함수가 0인 조건을 적용하면, 이는 $2(4 - 1) - 1 = 5$개의 조건이 필요하다는 것을 의미한다. 식 (18.8)은 $i = 1$부터 3까지($c_1 = 0$과 함께) 다음과 같이 쓸 수 있다.

$$f_1 + b_1 h_1 = f_2$$
$$f_2 + b_2 h_2 + c_2 h_2^2 = f_3$$
$$f_3 + b_3 h_3 + c_3 h_3^2 = f_4$$

도함수의 연속성을 나타내는 식 (18.9)로부터 $3 - 1 = 2$개의 조건을 추가할 수 있다($c_1 = 0$임을 기억하라).

$$b_1 = b_2$$
$$b_2 + 2c_2 h_2 = b_3$$

필요한 함수와 구간 폭의 값은 다음과 같다.

$$f_1 = 2.5 \qquad\qquad h_1 = 4.5 - 3.0 = 1.5$$
$$f_2 = 1.0 \qquad\qquad h_2 = 7.0 - 4.5 = 2.5$$
$$f_3 = 2.5 \qquad\qquad h_3 = 9.0 - 7.0 = 2.0$$
$$f_4 = 0.5$$

이들 값을 위 조건들에 대입하면 다음과 같은 행렬 형태로 나타낼 수 있다.

$$\begin{bmatrix} 1.5 & 0 & 0 & 0 & 0 \\ 0 & 2.5 & 6.25 & 0 & 0 \\ 0 & 0 & 0 & 2 & 4 \\ 1 & -1 & 0 & 0 & 0 \\ 0 & 1 & 5 & -1 & 0 \end{bmatrix} \begin{Bmatrix} b_1 \\ b_2 \\ c_2 \\ b_3 \\ c_3 \end{Bmatrix} = \begin{Bmatrix} -1.5 \\ 1.5 \\ -2 \\ 0 \\ 0 \end{Bmatrix}$$

이들 식을 MATLAB을 이용하여 풀게 되면 다음과 같은 결과를 얻는다.

$$b_1 = -1$$
$$b_2 = -1 \qquad\qquad c_2 = 0.64$$
$$b_3 = 2.2 \qquad\qquad c_3 = -1.6$$

a[식 (18.6)]에 대한 값과 함께 이 결과를 원래의 2차 방정식에 대입하면, 각 구간에 대한 다음의 2차 스플라인을 구할 수 있다.

$$s_1(x) = 2.5 - (x - 3)$$
$$s_2(x) = 1.0 - (x - 4.5) + 0.64(x - 4.5)^2$$
$$s_3(x) = 2.5 + 2.2(x - 7.0) - 1.6(x - 7.0)^2$$

$x = 5$는 두 번째 구간에 위치하므로 s_2를 이용하여 예측한다.

$$s_2(5) = 1.0 - (5 - 4.5) + 0.64(5 - 4.5)^2 = 0.66$$

전체 2차 스플라인 접합이 그림 18.4b에 도시되어 있다. 위 결과에는 두 가지 단점이 있음을 주목하라. 그것은 (1) 처음 두 점을 연결하는 것이 직선이라는 점과 (2) 마지막 구간의 스플라인이 너무 크게 진동하는 점이다. 다음 절에서 공부할 3차 스플라인은 이러한 단점을 보여주지 않기 때문에 스플라인 보간을 위한 보다 우수한 방법이다.

18.4 3차 스플라인(Cubic Spline)

앞에서 언급하였듯이 3차 스플라인이 실제로 가장 많이 사용되는 방법이다. 선형과 2차 스플라인의 단점은 이미 논의하였고, 4차 이상의 고차 스플라인은 고차 다항식에 내포된 불안정성으로 인하여 사용되지 않는다. 3차 스플라인은 바람직한 완만한 형태를 나타내는 가장 간단한 방법이므로 선호되는 방법이다.

3차 스플라인의 목적은 절점 사이의 각 구간에 대하여 다음과 같은 일반적인 형태의 3차 다항식을 유도하는 것이다.

$$s_i(x) = a_i + b_i(x - x_i) + c_i(x - x_i)^2 + d_i(x - x_i)^3 \tag{18.10}$$

따라서 n개의 데이터 점($i = 1, 2, \ldots, n$)에 대해서 $n-1$개의 구간이 존재하며, $4(n-1)$개의 미지계수가 결정되어야 한다. 따라서 이들 계수들을 결정하기 위하여는 $4(n-1)$개의 조건들이 요구된다.

첫 번째 조건은 2차 스플라인에서 사용한 조건과 동일하다. 함수는 모든 점을 통과해야 하고, 절점에서 1차 도함수가 일치하도록 조건들이 설정되어야 한다. 이들 외에 또한 절점에서 2차 도함수가 일치하도록 조건들이 전개되어야 한다. 이 조건들은 스플라인 접합의 완만성을 크게 증가시킨다.

이들 조건 외에도 해를 구하기 위하여는 두 개의 조건이 추가로 필요하다. 이는 한 개의 조건이 추가로 필요하였던 2차 스플라인보다는 매우 유리한 결과이다. 2차 스플라인의 경우에는 첫 번째 구간에서 2차 도함수를 임의로 0으로 설정했기 때문에 비대칭적 결과를 얻게 되었다. 3차 스플라인은 두 개의 조건이 추가로 필요한 유리한 위치에 있으므로 조건들을 양 끝단에 공평하게 적용할 수 있다.

3차 스플라인에 대하여 이 마지막 두 개의 조건은 여러 방법으로 수식화할 수 있다. 그 중 가장 일반적인 방법은 첫 번째와 마지막 절점에서의 2차 도함수를 0으로 가정하는 것이다. 이들 조건을 시각적으로 보면 끝점들에서 함수가 직선이 된다. 이와 같은 끝단조건으로 말미암아 "자연(natural)" 스플라인이라고 명명되며, 이 이름은 제도용 자유곡선자(스플라인)를 사용할 때의 자연스러운 모양과 같은 형태를 가지기 때문에 붙여졌다(그림 18.2).

앞서 설명한 것 외에도 다양한 끝단조건을 지정할 수 있다. 이 중 많이 사용되는 두 가지 조건은 고정 조건(clamped condition)과 비절점조건(not-a-knot condition)이며, 이들에 대하여는 18.4.2절에서 설명하도록 한다. 그리고 다음의 유도과정은 자연 스플라인에 국한될 것이다.

일단 끝단조건이 추가로 지정되면 $4(n-1)$개의 미지계수를 계산하기 위한 $4(n-1)$개의 조건을 가지게 된다. 이와 같은 방법으로 3차 스플라인을 유도할 수 있는 것이 명백하지만, 여기서는 단지 $(n-1)$개만의 방정식의 해를 필요로 하는 다른 방법을 소개하고자 한다. 이 경우에 형성되는 연립방정식은 삼중대각행렬이므로 매우 효율적으로 풀 수 있게 된다. 이 방법의 유도 과정이 2차 스플라인의 유도 과정에 비해 간단하지 않지만, 효율이 향상된다는 측면에서 그만한 노력의 가치가 있다.

18.4.1 3차 스플라인의 유도

2차 스플라인의 경우와 마찬가지로 첫 번째 조건은 스플라인이 모든 데이터 점을 통과해야 한다는 것이다.

$$f_i = a_i + b_i(x_i - x_i) + c_i(x_i - x_i)^2 + d_i(x_i - x_i)^3$$

이는 다음과 같이 단순화된다.

$$a_i = f_i \tag{18.11}$$

그러므로 각 3차식에서 상수항은 구간의 시작점에서의 종속변수값과 일치해야 한다. 이 결과를 식 (18.10)에 대입하면 다음 식을 얻을 수 있다.

$$s_i(x) = f_i + b_i(x - x_i) + c_i(x - x_i)^2 + d_i(x - x_i)^3 \tag{18.12}$$

다음으로 각 3차식은 절점에서 연결되어야 한다는 조건을 적용한다. 절점 $i + 1$에 대하여 이는 다음과 같이 표현될 수 있다.

$$f_i + b_i h_i + c_i h_i^2 + d_i h_i^3 = f_{i+1} \tag{18.13}$$

여기서

$$h_i = x_{i+1} - x_i$$

또한 내부 절점에서 1차 도함수는 같아야 한다. 식 (18.12)를 미분하면 다음과 같다.

$$s_i'(x) = b_i + 2c_i(x - x_i) + 3d_i(x - x_i)^2 \tag{18.14}$$

그러므로 내부 절점 $i + 1$에서 도함수가 같다는 것을 다음과 같이 쓸 수 있다.

$$b_i + 2c_i h_i + 3d_i h_i^2 = b_{i+1} \tag{18.15}$$

내부 절점에서 2차 도함수도 역시 같아야 한다. 식 (18.14)를 미분하면 다음과 같다.

$$s_i''(x) = 2c_i + 6d_i(x - x_i) \tag{18.16}$$

그러므로 내부 절점 $i + 1$에서 2차 도함수가 같다는 것을 다음과 같이 쓸 수 있다.

$$c_i + 3d_i h_i = c_{i+1} \tag{18.17}$$

식 (18.17)을 d_i에 대하여 풀면 다음과 같다.

$$d_i = \frac{c_{i+1} - c_i}{3h_i} \tag{18.18}$$

이를 식 (18.13)에 대입하면 다음 식을 구할 수 있다.

$$f_i + b_i h_i + \frac{h_i^2}{3}(2c_i + c_{i+1}) = f_{i+1} \qquad (18.19)$$

식 (18.18)을 식 (18.15)에 대입하면 다음 식을 구할 수 있다.

$$b_{i+1} = b_i + h_i(c_i + c_{i+1}) \qquad (18.20)$$

식 (18.19)를 풀면 다음과 같다.

$$b_i = \frac{f_{i+1} - f_i}{h_i} - \frac{h_i}{3}(2c_i + c_{i+1}) \qquad (18.21)$$

이 식의 지수에서 1을 빼면 다음과 같다.

$$b_{i-1} = \frac{f_i - f_{i-1}}{h_{i-1}} - \frac{h_{i-1}}{3}(2c_{i-1} + c_i) \qquad (18.22)$$

식 (18.20)의 지수에서 1을 빼면 다음과 같다.

$$b_i = b_{i-1} + h_{i-1}(c_{i-1} + c_i) \qquad (18.23)$$

식 (18.21)과 (18.22)를 식 (18.23)에 대입하면 결과는 다음과 같이 단순화된다.

$$h_{i-1}c_{i-1} + 2(h_{i-1} + h_i)c_i + h_i c_{i+1} = 3\frac{f_{i+1} - f_i}{h_i} - 3\frac{f_i - f_{i-1}}{h_{i-1}} \qquad (18.24)$$

이 식은 우변항이 다음과 같은 유한차분으로 표시되므로 좀 더 간결한 식을 만들 수 있다 [식 (17.15) 참조].

$$f[x_i, x_j] = \frac{f_i - f_j}{x_i - x_j}$$

그러므로 식 (18.24)는 다음과 같이 쓸 수 있다.

$$h_{i-1}c_{i-1} + 2(h_{i-1} + h_i)c_i + h_i c_{i+1} = 3\left(f[x_{i+1}, x_i] - f[x_i, x_{i-1}]\right) \qquad (18.25)$$

식 (18.25)는 내부 절점 $i = 2, 3, \ldots, n - 2$에 대하여 쓸 수 있으며, 이는 $n - 1$개의 미지계수 $c_1, c_2, \ldots, c_{n-1}$를 갖는 $n - 3$개의 연립 삼중대각방정식이 된다. 그러므로 만약 두 개의 추가 조건이 있다면 미지계수 c 들을 풀 수 있다. 다음으로 식 (18.21)과 (18.18)은 나머지 계수 b와 d를 구하는 데 사용될 수 있다.

앞에서 언급한 바와 같이 추가로 필요한 두 개의 끝단조건은 여러 가지 방법으로 수식화될 수 있다. 일반적인 방법 중 하나인 자연 스플라인은 끝절점에서의 2차 도함수를 0으로 가정한다. 이 방법을 해법에 적용시키기 위하여 첫 번째 절점에서의 2차 도함수[식 (18.16)]를 다음과 같이 0으로 놓는다.

$$s_1''(x_1) = 0 = 2c_1 + 6d_1(x_1 - x_1)$$

따라서 이 조건은 c_1을 0으로 놓는 것과 같다.

마지막 절점에서도 같은 계산을 수행한다.

$$s_{n-1}''(x_n) = 0 = 2c_{n-1} + 6d_{n-1}h_{n-1} \tag{18.26}$$

식 (18.17)을 상기하면 관계없는 변수 c_n을 편리하게 정의할 수 있으며, 이 경우에 식 (18.26)은 다음과 같이 된다.

$$c_{n-1} + 3d_{n-1}h_{n-1} = c_n = 0$$

따라서 마지막 절점에서의 2차 도함수를 0으로 놓기 위하여 $c_n = 0$으로 설정한다.

최종 식은 다음과 같은 행렬 형태로 표현할 수 있다.

$$
\begin{bmatrix}
1 \\
h_1 & 2(h_1 + h_2) & h_2 \\
& & \ddots \\
& & h_{n-2} & 2(h_{n-2} + h_{n-1}) & h_{n-1} \\
& & & & 1
\end{bmatrix}
\begin{Bmatrix}
c_1 \\
c_2 \\
\vdots \\
c_{n-1} \\
c_n
\end{Bmatrix}
$$

$$
=
\begin{Bmatrix}
0 \\
3(f[x_3, x_2] - f[x_2, x_1]) \\
\vdots \\
3(f[x_n, x_{n-1}] - f[x_{n-1}, x_{n-2}]) \\
0
\end{Bmatrix}
\tag{18.27}
$$

이처럼 시스템은 삼중대각행렬이 되므로 효율적으로 풀 수 있다.

예제 18.3 자연 3차 스플라인

문제 설명. 3차 스플라인을 예제 18.1과 18.2(표 18.1)에서 사용한 데이터에 접합시켜라. 그 결과를 이용하여 $x = 5$에서의 값을 계산하라.

풀이 첫 번째 단계는 식 (18.27)을 사용하여 계수 c를 결정하기 위한 연립방정식을 구성하는 것이다.

$$
\begin{bmatrix}
1 \\
h_1 & 2(h_1 + h_2) & h_2 \\
& h_2 & 2(h_2 + h_3) & h_3 \\
& & & 1
\end{bmatrix}
\begin{Bmatrix}
c_1 \\
c_2 \\
c_3 \\
c_4
\end{Bmatrix}
=
\begin{Bmatrix}
0 \\
3(f[x_3, x_2] - f[x_2, x_1]) \\
3(f[x_4, x_3] - f[x_3, x_2]) \\
0
\end{Bmatrix}
$$

필요한 함수값과 구간값은 다음과 같다.

$$f_1 = 2.5 \qquad h_1 = 4.5 - 3.0 = 1.5$$
$$f_2 = 1.0 \qquad h_2 = 7.0 - 4.5 = 2.5$$
$$f_3 = 2.5 \qquad h_3 = 9.0 - 7.0 = 2.0$$
$$f_4 = 0.5$$

이들을 위 행렬식에 대입하면 다음과 같다.

$$\begin{bmatrix} 1 & & & \\ 1.5 & 8 & 2.5 & \\ & 2.5 & 9 & 2 \\ & & & 1 \end{bmatrix} \begin{Bmatrix} c_1 \\ c_2 \\ c_3 \\ c_4 \end{Bmatrix} = \begin{Bmatrix} 0 \\ 4.8 \\ -4.8 \\ 0 \end{Bmatrix}$$

이 식을 MATLAB을 이용하여 풀면 결과는 다음과 같다.

$$c_1 = 0 \qquad\qquad c_2 = 0.839543726$$
$$c_3 = -0.766539924 \qquad c_4 = 0$$

식 (18.21)과 (18.18)은 계수 b와 d를 계산하는 데 사용될 수 있다.

$$b_1 = -1.419771863 \qquad d_1 = 0.186565272$$
$$b_2 = -0.160456274 \qquad d_2 = -0.214144487$$
$$b_3 = 0.022053232 \qquad d_3 = 0.127756654$$

a[식 (18.11)]에 대한 값과 함께 위 결과를 식 (18.10)에 대입하면, 다음의 3차 스플라인을 각 구간에 대하여 구할 수 있다.

$$s_1(x) = 2.5 - 1.419771863(x - 3) + 0.186565272(x - 3)^3$$
$$s_2(x) = 1.0 - 0.160456274(x - 4.5) + 0.839543726(x - 4.5)^2$$
$$\qquad\quad - 0.214144487(x - 4.5)^3$$
$$s_3(x) = 2.5 + 0.022053232(x - 7.0) - 0.766539924(x - 7.0)^2$$
$$\qquad\quad + 0.127756654(x - 7.0)^3$$

이들 세 개의 방정식은 각 구간 내의 값들을 계산하는 데 사용될 수 있다. 예를 들면 두 번째 구간에 포함되는 $x = 5$에서의 값은 다음과 같이 계산된다.

$$s_2(5) = 1.0 - 0.160456274(5 - 4.5) + 0.839543726(5 - 4.5)^2 - 0.21\cdot$$
$$\qquad = 1.102889734.$$

그림 18.4c는 전체적인 3차 스플라인 접합을 보여준다.

그림 18.4에 예제 18.1에서 예제 18.3까지의 결과가 요약되어 있다. 선형에서 2차, 3차 스플라인으로 감에 따라 결과가 점진적으로 개선되고 있음을 주목하라. 또한 그림 18.4c는 3차 보간

다항식을 함께 보여주고 있다. 3차 스플라인은 일련의 3차 곡선으로 구성되어 있지만, 3차 다항식을 사용하여 얻은 접합 결과와 다름을 알 수 있다. 이는 자연 스플라인은 끝절점에서 2차 도함수가 0이 되어야 하는 반면에 3차 다항식은 이러한 제약을 받지 않는다는 사실에 기인한다.

18.4.2 끝단조건

자연 스플라인은 그래프로 보면 고무적이지만, 스플라인에 지정할 수 있는 여러 끝단조건 중의 하나일 뿐이다. 가장 많이 사용되는 두 가지 조건은 다음과 같다.

- **고정 끝단조건**(clamped end condition). 이 조건은 첫 번째와 마지막 절점에서 1차 도함수를 지정하는 것이다. 이 조건은 종종 "고정" 스플라인이라 하며, 이는 원하는 기울기를 가질 수 있도록 제도용 스플라인의 양끝을 고정시킬 때 발생하는 것이기 때문이다. 예를 들면 1차 도함수를 0으로 한다면 스플라인은 끝점에서 수평하게 될 것이다.
- **비절점 끝단조건**("not-a-knot" end condition). 세 번째 방법은 두 번째와 끝에서 두 번째 절점에서 3차 도함수가 연속하도록 강제하는 것이다. 스플라인에서는 이미 이들 절점에서 함수값과 1차, 2차 도함수가 같도록 정해져 있으므로, 3차 도함수가 연속하도록 강제하는 것은 처음의 두 인접 구간과 마지막 두 인접 구간 각각에 같은 3차 함수를 적용하는 것을 의미한다. 첫 번째 내부 절점이 두 개의 다른 3차 함수의 교차점을 나타내지 않으므로, 이들은 더 이상 진정한 절점이 아니다. 따라서 이러한 경우를 "비절점 조건"이라고 한다. 네 개의 점에 대하여 이 조건은 17장에 기술된 일반적인 3차 보간다항식을 사용한 것과 같은 결과를 산출하는 또 다른 특성을 가진다.

이 조건들은 내부 절점 $i = 2, 3, \ldots, n-2$에 대한 식 (18.25)와 표 18.2에 있는 처음 (1)과 마지막 $(n - 1)$ 식을 사용하여 쉽게 적용될 수 있다.

　그림 18.5는 표 18.1의 데이터를 접합시키는 데 적용한 세 가지 끝단조건을 비교하고 있다. 고정 끝단조건은 끝점에서의 도함수가 0이 되도록 설정하였다.

　예상한 바와 같이 고정 끝단조건을 사용한 스플라인 접합은 끝점에서 평평해진다. 대조적으로 자연조건과 비절점조건의 경우는 데이터의 경향을 더욱 밀접하게 따른다. 자연 스플라인은 2차 도함수가 끝점에서 0이 되기 때문에, 예상대로 직선처럼 곧바르게 되는 것을 주목하라. 비절점조건은 끝점에서 2차 도함수가 0이 아니므로, 보다 큰 곡률을 나타내는 것을 볼 수 있다.

표 18.2　3차 스플라인에 일반적으로 사용되는 끝단조건을 지정하는 데 필요한 첫 번째와 마지막 식.

Condition	First and Last Equations
Natural	$c_1 = 0, c_n = 0$
Clamped (where f_1' and f_n' are the specified first derivatives at the first and last nodes, respectively)	$2h_1 c_1 + h_1 c_2 = 3f[x_2, x_1] - 3f_1'$ $h_{n-1} c_{n-1} + 2h_{n-1} c_n = 3f_n' - 3f[x_n, x_{n-1}]$
Not-a-knot	$h_2 c_1 - (h_1 + h_2) c_2 + h_1 c_3 = 0$ $h_{n-1} c_{n-2} - (h_{n-2} + h_{n-1}) c_{n-1} + h_{n-2} c_n = 0$

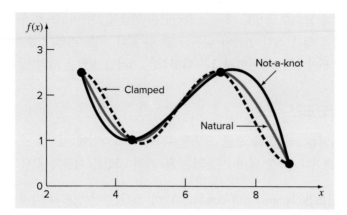

그림 18.5   표 18.1의 데이터에 대한 고정(1차 도함수가 0임), 비절점, 그리고 자연 스플라인의 비교.

18.5   MATLAB에서의 소구간별 보간법

MATLAB은 소구간별 보간법을 실행하기 위하여 여러 가지 내장함수를 가지고 있다. 함수 spline은 이 장에서 설명한 3차 스플라인 보간을 수행하고, 함수 pchip은 소구간별 3차 Hermite 보간(piecewise cubic Hermite interpolation)을 실행한다. 함수 interpl 역시 스플라인과 Hermite 보간을 실행하지만, 여러 가지 다른 유형의 소구간별 보간도 수행할 수 있다.

18.5.1   MATLAB 함수: spline

내장된 MATLAB 함수 spline을 사용하면 3차 스플라인을 쉽게 계산할 수 있다. 이를 위한 일반적인 구문은 다음과 같다.

$$yy = \text{spline}(x, y, xx) \tag{18.28}$$

여기서 x와 y는 보간하고자 하는 값을 포함하는 벡터이며, yy는 xx 벡터 내의 점들에서 계산되는 스플라인 보간 결과를 포함하는 벡터이다.

Spline 함수는 기본적으로 비절점조건을 사용한다. 그러나 y가 x의 입력값보다 두 개가 더 많으면, y의 첫 번째와 마지막 값은 끝점에서의 도함수로 사용된다. 따라서 이 옵션은 고정 끝단조건을 실행하는 수단이 된다.

예제 18.4   MATLAB에서의 스플라인

문제 설명.   Runge 함수는 다항식으로 잘 접합시킬 수 없는 함수로 유명하다(예제 17.7 참조).

$$f(x) = \frac{1}{1 + 25x^2}$$

MATLAB을 사용하여 구간 $[-1, 1]$에서 이 함수로부터 구한 9개의 등간격 데이터 점을 접합시켜라. (a) 비절점 스플라인과 (b) 끝점 기울기가 $f'_1 = 1$ 과 $f'_{n-1} = -4$인 고정 스플라인을 사용하라.

풀이 (a) 9개의 등간격 데이터 점은 다음과 같이 생성될 수 있다.

```
>> x = linspace(-1,1,9);
>> y = 1./(1+25*x.^2);
```

다음으로 spline 함수로 구한 결과를 완만한 형태로 그릴 수 있도록, 더욱 조밀한 간격을 가지는 값들의 벡터를 생성한다.

```
>> xx = linspace(-1,1);
>> yy = spline(x,y,xx);
```

linspace 함수는 만약 원하는 점의 개수가 지정되어 있지 않다면 자동적으로 100개의 점을 생성한다는 것을 기억하라. 마지막으로 Runge 함수의 값을 생성하고, 이들을 스플라인 접합 및 원래 데이터와 함께 그림으로 나타낸다.

```
>> yr = 1./(1+25*xx.^2);
>> plot(x,y,'o',xx,yy,xx,yr,'--')
```

그림 18.6에서 보는 바와 같이 비절점 스플라인은 점들 사이에 큰 진동 없이 Runge 함수를 잘 따르고 있다.

(b) 고정 조건은 첫 번째와 마지막 요소에 원하는 1차 도함수를 갖는 새로운 벡터 yc를 생성하여 실행한다. 이 새로운 벡터는 다음과 같이 스플라인 접합을 구하고 그림으로 나타내는 데 사용된다.

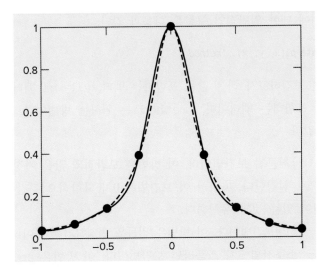

그림 18.6 Runge 함수(점선)와 MATLAB으로 생성한 9점 비절점 스플라인 접합(실선)의 비교.

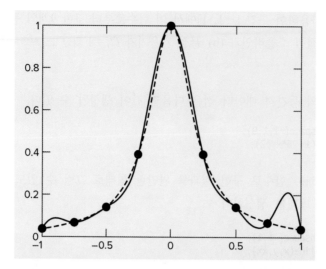

그림 18.7 Runge 함수(점선)와 MATLAB으로 생성한 9점 고정 끝단 스플라인 접합(실선)의 비교. 좌측과 우측 경계에 각각 1과 −4의 1차 도함수가 설정되었음에 유의하라.

```
>> yc = [1 y -4];
>> yyc = spline(x,yc,xx);
>> plot(x,y,'o',xx,yyc,xx,yr,'--')
```

그림 18.7에서 보는 바와 같이 고정 스플라인은 경계에 부과한 인공적인 기울기로 인하여 약간의 진동을 보인다. 1차 도함수의 참값을 아는 다른 예제의 경우, 고정 조건은 접합을 향상시키는 경향이 있다.

18.5.2 MATLAB 함수: `interp1`

내장함수 `interp1`은 여러 가지 다른 유형의 소구간별 1차원 보간을 실행하는 손쉬운 수단을 제공하며, 이에 대한 일반적인 구문은 다음과 같다.

$$yi = \text{interp1}(x, y, xi, \text{'method'})$$

여기서 x와 y는 보간하고자 하는 값을 포함하는 벡터, yi는 xi 벡터 내의 점들에서 계산되는 보간 결과를 포함하는 벡터이며, `'method'`는 원하는 방법이다. 사용할 수 있는 다양한 방법은 다음과 같다.

- `'nearest'` − 최근접 보간법이다. 이 방법은 보간점의 값을 가장 가깝게 존재하는 데이터 점의 값으로 설정한다. 따라서 이 보간법은 0차 다항식으로 간주되며, 그 모양은 수평선이 연속되어 있는 것과 유사하다.
- `'linear'` − 선형보간법이다. 이 방법은 점들을 연결하기 위하여 직선을 사용한다.
- `'spline'` − 소구간별 3차 스플라인 보간법이다. 이 방법은 `spline` 함수와 동일하다.

- 'pchip'과 'cubic' – 소구간별 3차 Hermite 보간법이다.

만약 '*method*' 변수가 생략된다면 기본값은 선형보간법이다.

pchip 옵션은("**p**iecewise **c**ubic **H**ermite **i**nterpolation"의 약자) 더 논의할 만한 장점이 있다. pchip은 3차 스플라인과 마찬가지로 1차 도함수가 연속하도록 데이터 점을 연결하기 위하여 3차 다항식을 사용한다. 그러나 이는 2차 도함수가 반드시 연속일 필요가 없다는 점에서 3차 스플라인과는 다르다. 더욱이 절점에서의 1차 도함수값의 선정은 3차 스플라인에서 수행한 방법과 다르며, 오히려 이들은 보간 시 "형태 보존(shape preserving)"이 가능하도록 특별하게 선정된다. 즉 보간값은 데이터 점을 초과(overshoot)하지 않는다. 이러한 초과 현상은 3차 스플라인에서는 가끔 일어난다.

그러므로 'spline'과 'pchip' 옵션 사이에는 득실관계가 있다. 2차 도함수의 불연속성은 육안으로 알아볼 수 있으므로, spline을 사용한 결과가 일반적으로 더 부드럽게 보인다. 또한 데이터가 완만한 함수의 값이라면 더욱 정확할 것이다. 반면에 pchip은 데이터가 완만하게 분포하지 않더라도 초과 현상이 없고 진동도 더 작다. 다음 예제에서는 이들의 득실뿐만 아니라 다른 옵션과 관련된 득실도 함께 설명할 것이다.

예제 18.5   interp1을 사용한 득실

문제 설명. 자동차를 가속과 정속을 번갈아가며 운전하는 시험주행을 하고 있다. 실험 도중에는 절대로 감속하지 않는다는 것에 유의하라. 현장에서 측정한 시간에 따른 속도값은 다음 표와 같다.

t	0	20	40	56	68	80	84	96	104	110
v	0	20	20	38	80	80	100	100	125	125

MATLAB의 interp1 함수를 사용하여 다음 방법으로 이들 데이터를 접합시켜라. (a) 선형 보간법, (b) 최근접 보간법, (c) 비절점 끝단조건을 이용한 3차 스플라인, (d) 소구간별 3차 Hermite 보간법.

풀이 (a) 다음 명령문을 사용하여 데이터를 입력하고, 선형보간법으로 접합시키며, 그림을 그릴 수 있다.

```
>> t = [0 20 40 56 68 80 84 96 104 110];
>> v = [0 20 20 38 80 80 100 100 125 125];
>> tt = linspace(0,110);
>> vl = interp1(t,v,tt);
>> plot(t,v,'o',tt,vl)
```

결과(그림 18.8a)는 부드럽지는 못하지만 초과현상은 보이지 않는다.

(b) 최근접 보간법을 실행하고 그림을 그리기 위한 명령문은 다음과 같다.

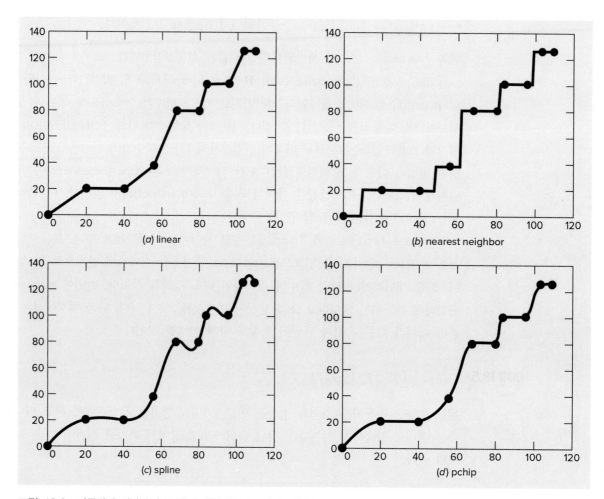

그림 18.8   자동차의 시간과 속도 관계 데이터에 소구간별 다항식보간법을 적용하기 위한 `interp1` 함수의 여러 가지 옵션.

```
>> vn = interp1(t,v,tt,'nearest');
>> plot(t,v,'o',tt,vn)
```

그림 18.8b에서와 같이 결과는 수평선이 연속된 것처럼 보인다. 따라서 이 옵션은 문제의 근본적인 과정에 대하여 부드럽지도 정확하지도 못하게 묘사한다.

(c) 3차 스플라인을 실행하기 위한 명령문은 다음과 같다.

```
>> vs = interp1(t,v,tt,'spline');
>> plot(t,v,'o',tt,vs)
```

이들 결과(그림 18.8c)는 상당히 부드럽다. 그러나 몇몇 곳에서 심각한 초과현상이 보여 자동차가 실험 도중에 여러 번 감속된 것처럼 보이게 한다.

(d) 소구간 3차 Hermite 보간법을 실행하기 위한 명령문은 다음과 같다.

```
>> vh = interp1(t,v,tt,'pchip');
>> plot(t,v,'o',tt,vh)
```

이 경우의 결과(그림 18.8d)는 물리적으로 현실성이 있다. 이 방법이 가지는 형태보존 특성에 의하여 속도는 단순하게 증가하며 감속은 보이지 않는다. 결과는 3차 스플라인에 비해 부드럽지는 않지만, 절점에서의 1차 도함수의 연속성은 점들 사이에서의 변화를 보다 점진적으로 만들어 보다 현실적인 결과가 된다.

18.6 다차원 보간법

1차원 문제에 대한 보간법을 다차원으로 확장할 수 있다. 이 절에서는 직교좌표계에서 2차원 보간법의 가장 간단한 경우를 설명하고, 또한 다차원 보간법에 대한 MATLAB의 능력을 설명한다.

18.6.1 이중선형 보간법

2차원 보간법은 두 변수의 함수인 $z = f(x_i, y_i)$의 중간값을 구하는 방법을 다룬다. 그림 18.9에 그려져 있는 바와 같이, 네 점의 값 $f(x_1, y_1)$, $f(x_2, y_1)$, $f(x_1, y_2)$와 $f(x_2, y_2)$가 있으며, 중간값 $f(x_i, y_i)$를 구하기 위하여 이들 점 사이를 보간하기를 원한다. 선형 함수를 사용하는 경우, 그림 18.9에서와 같이 결과는 점들을 연결하는 평면이 된다. 이와 같은 함수를 **이중선형**(bilinear)이

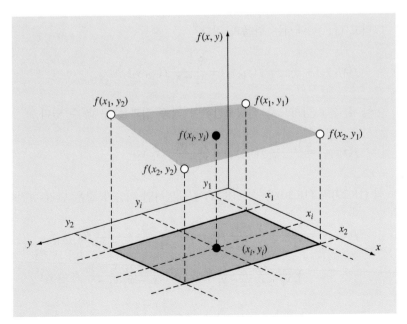

그림 18.9   2차원 이중선형 보간법의 그래픽 표현. 중간값(검은 원)은 4개의 주어진 값(흰 원)에 기초하여 구해진다.

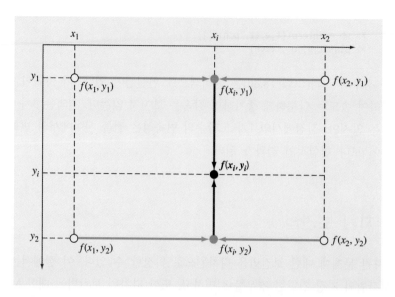

그림 18.10 2차원 이중선형 보간은 먼저 x_i에서의 값들을 결정하기 위해 1차원 선형보간을 x 방향을 따라 적용하여 수행한다. 이들 값은 x_i, y_i에서의 최종 결과를 얻기 위하여 y 방향을 따라 선형보간하는 데 사용된다.

라고 한다.

그림 18.10은 이중선형 함수를 만드는 간단한 방법을 보여준다. 먼저 y 값을 고정시키고 1차원 선형보간을 x 방향으로 적용한다. (x_i, y_1)에서의 결과는 Lagrange 형태를 사용하면 다음과 같다.

$$f(x_i, y_1) = \frac{x_i - x_2}{x_1 - x_2} f(x_1, y_1) + \frac{x_i - x_1}{x_2 - x_1} f(x_2, y_1) \tag{18.29}$$

그리고 (x_i, y_2)에서는 다음과 같다.

$$f(x_i, y_2) = \frac{x_i - x_2}{x_1 - x_2} f(x_1, y_2) + \frac{x_i - x_1}{x_2 - x_1} f(x_2, y_2) \tag{18.30}$$

이들 점을 y 방향으로 선형보간하여 최종 결과를 구할 수 있다.

$$f(x_i, y_i) = \frac{y_i - y_2}{y_1 - y_2} f(x_i, y_1) + \frac{y_i - y_1}{y_2 - y_1} f(x_i, y_2) \tag{18.31}$$

식 (18.29)와 (18.30)을 식 (18.31)에 대입하면 다음과 같은 단일 방정식을 구할 수 있다.

$$f(x_i, y_i) = \frac{x_i - x_2}{x_1 - x_2} \frac{y_i - y_2}{y_1 - y_2} f(x_1, y_1) + \frac{x_i - x_1}{x_2 - x_1} \frac{y_i - y_2}{y_1 - y_2} f(x_2, y_1)$$
$$+ \frac{x_i - x_2}{x_1 - x_2} \frac{y_i - y_1}{y_2 - y_1} f(x_1, y_2) + \frac{x_i - x_1}{x_2 - x_1} \frac{y_i - y_1}{y_2 - y_1} f(x_2, y_2) \tag{18.32}$$

예제 18.6 / 이중선형 보간법

문제 설명. 직사각형 모양의 가열된 평판의 표면 위 여러 위치의 좌표에서 온도를 측정하였다고 가정하자.

$$T(2, 1) = 60 \qquad\qquad T(9, 1) = 57.5$$
$$T(2, 6) = 55 \qquad\qquad T(9, 6) = 70$$

이중선형 보간법을 이용하여 $x_i = 5.25$, $y_i = 4.8$에서의 온도를 예측하라.

풀이 이들 값을 식 (18.32)에 대입하면 다음과 같게 된다.

$$f(5.25, 4.8) = \frac{5.25 - 9}{2 - 9}\frac{4.8 - 6}{1 - 6}60 + \frac{5.25 - 2}{9 - 2}\frac{4.8 - 6}{1 - 6}57.5$$

$$+ \frac{5.25 - 9}{2 - 9}\frac{4.8 - 1}{6 - 1}55 + \frac{5.25 - 2}{9 - 2}\frac{4.8 - 1}{6 - 1}70 = 61.2143$$

18.6.2 MATLAB에서의 다차원 보간법

MATLAB에는 2차원과 3차원 소구간별 보간법에 대한 두 개의 내장함수, interp2와 interp3가 있다. 이름에서 짐작할 수 있듯이 이 함수들은 interp1 (18.5.2절)과 유사한 방법으로 작동한다. 예를 들면 간단한 interp2 구문은 다음과 같다.

```
zi = interp2(x, y, z, xi, yi, 'method')
```

여기서 x와 y는 점들의 좌표를 포함하는 행렬이며, 점들에서의 값은 z 행렬에 주어진다. zi는 xi와 yi 행렬에 포함되는 점에 대한 보간 결과를 나타내는 행렬이며, $method$는 원하는 방법이다. 여기서 방법들은 interp1에서 사용한 것과 동일하며, 즉 linear, nearest, spline과 cubic이다.

만약 $method$ 변수가 생략된다면 interp1과 마찬가지로 기본값은 선형보간법이다. 예를 들면 예제 18.6에서와 같은 계산을 위해 interp2는 다음과 같이 사용될 수 있다.

```
>> x=[2 9];
>> y=[1 6];
>> z=[60 57.5;55 70];
>> interp2(x,y,z,5.25,4.8)

ans =
    61.2143
```

18.7 데이터 계열의 평활화

이 장에서 지금까지 소개된 방법들은 데이터 계열(data series)이 실험 오차나 노이즈에 의해 오염되지 않고, 외견상 부드럽게 보이는 경우에 매우 잘 적용할 수 있다. 이런 경우는 매우 조심스럽게 환경이 제어되는 실험실 조건에서 데이터를 수집했을 때 일반적으로 가능하다. 많은 물리적 그리고 화학적 속성표(property table)는 이와 같은 실험실 조건에서 얻어진다. 데이터 계열이 부드럽지 않고 임의적인 거동을 가지는 경우에, 우리는 보간이나 값들 사이의 데이터를 예측하기 위하여 새로운 접근방법이 필요해진다. 14장과 15장에서 보인 회귀(regression)을 이용하여 노이즈를 포함하는 데이터를 다루는 방법으로 사용할 수도 있다. 이 절에서는 **데이터 평활화**를 사용하는 새로운 유용한 접근방법을 설명하고자 한다.

회귀의 기반은 데이터 계열을 나타내는 내재적인 모델이 존재한다는 가정이다. 몇몇 경우에, 우리는 기본 법칙에 기반하는 모델을 가정할 수 있고, 회귀를 이용하여 그 모델을 검증하고 그 모델의 매개변수를 추정할 수 있다. 그러나, 우리가 순수하게 경험적인 모델을 사용하는 경우, 이 모델이 데이터를 생성하는 기본 프로세스를 진정으로 대표하고 있다고 가정을 확장해버리게 된다. 이러한 경우에는 평활화 기법을 사용하는 것이 좋을지도 모른다. 이 절에서는 평활화를 달성하기 위하여 3차 스플라인의 적용을 확장한다.

18.7.1 3차 스플라인 평활화(Cubic Spline Smoothing)

3차 스플라인을 이용하여 평활화를 달성하기 위하여 먼저, 노이즈가 있는 데이터 점 $[x_i, y_i, i = 1, \ldots, n]$에 대하여 3차방정식이 연속조건을 만족할 수 있도록 연속조건을 완화시켜야 한다. 즉, 이 평활화 스플라인 함수 $S_i(x)$는 연속조건 대신 다음의 평활화 조건 함수를 최소화하도록 선택된다.

$$L = \lambda \sum_{i=1}^{n} \left[\frac{y_i - s(x_i)}{\sigma_i} \right]^2 + (1 - \lambda) \sum_{i=1}^{n-1} \int_{x_i}^{x_{i+1}} [s''(x_i)]^2 \, dx \tag{18.33}$$

위 식에서 식 (18.10)으로부터 다음 식이 성립한다.

$$s_i(x) = a_i + b_i(x - x_i) + c_i(x - x_i)^2 + d_i(x - x_i)^3 \tag{18.34}$$

식 (18.33)의 첫 번째 항은 이 스플라인 함수가 보간 3차 스플라인의 연속조건을 만족할 때 작은 값을 가지게 되며, 반대로 함수가 주어진 데이터를 평활화하는 조건에서 멀어지면 큰 값을 가지게 된다. 두 번째 항은 전체 스플라인 함수가 평활화되면 작은 값을 가지게 되며, 반대로 각 분절 스플라인이 연속조건을 만족시키기 위하여 거칠어지면 큰값을 가진다. 여기에서 평활화 매개변수 λ는 평활화의 정도를 조정하기 위하여 사용된다. $\lambda = 1$인 경우, 평활화가 되지 않으며, 일반적은 3차 스플라인의 보간 형태를 가진다. $\lambda \rightarrow 0$인 경우, 극단적인 평활화 조건이 된다. 가능한 경우 σ_i 값들은 일반적으로 각 개별값들 y_i의 표준편차 추정값이다. 그러나 많은 경우에 모든 y 값들에 대한 단일한 표준편차 σ를 일반적으로 사용한다.

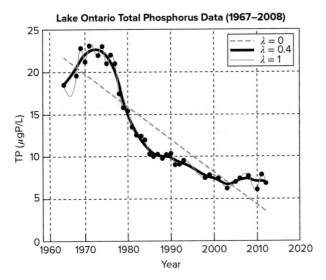

그림 18.11   점으로 표시된 온타리오 호수의 전체 연도별 인농도 데이터(TP, μgP/L). 여러 평활화 매개변수 λ에 따른 평활화 접합들(직선, 곡선들)이 표시되었다.

그림 18.11은 영양오염 측정값의 예제를 보여주며, 이 값은 온타리오 호수의 연간 전체 인농도(total phosphorus concentration) 데이터(TP, μgP/L)이다. 이 데이터와 온타리오 호수에 대한 추가적인 정보는 이 절 뒷부분(예제 18.7)에서 찾을 수 있다. 일단 이 그림에서는 세 가지 접합곡선이 제시되었다. 먼저, 직선($l = 0$)은 하방으로 내려가는 경향을 보여주고 있지만, 데이터 경향의 다른 어떤 특성도 보여주지 못한다. 3차 스플라인 접합 ($\lambda = 1$)은 모든 데이터 포인트를 지나지만, 각 연도별 값이 산재되어 있는 것을 과장해서 보여주고 있다. 이 두 값의 중간값 ($\lambda = 0.4$)을 사용하였을 경우 두 극단적인 경우의 특성을 각각 중간쯤 반영하는 평활화된 스플라인 곡선을 보여주고 있다. 즉, 이 곡선은 3차 스플라인보다는 평활화되었지만, 직선보다는 데이터의 패턴을 잘 보여준다.

18.7.2 방법론

유도과정의 전체적인 세부사항을 제시하지 않고, 목적함수를 최소화시키는 3차 스플라인 다항식의 계수를 구하는 전략을 제시한다. x값에 대해 오름차순으로 정리된 n개의 데이터 점 x_i, y_i ($i = 1, \ldots, n$)에 대하여, 평활화 스플라인 함수의 해는 선형방정식의 삼각행렬 시스템(tridiagonal system)으로 표현할 수 있다.

본문에서는 Pollock(1994, 1995)의 방법론을 적용하며, 부가적인 세부사항은 Chapra와 Clough(2022)에서 제시된 사항을 설명한다.

식 (18.33)의 $S''(x_i)$ 항은 3차 스플라인 절편의 2차 미분항이다. 또한, 이 항은 절편 i에 대해 x_i일 때 $2c_i$이며, x_{i+1}일 때 $2c_{i+1}$ 값을 가지며 변화하는 선형함수이다. Lagrange 1차 다항식을 직선에 대해 사용하면, 그 적분값은 다음과 같이 표현할 수 있다.

$$\int_{x_i}^{x_{i+1}} \left[s''(x_i)^2 \right] dx = 4 \int_0^{h_i} \left[c_i \left(1 - \frac{x}{h_i} \right) + c_{i+1} \frac{x}{h_i} \right]^2 dx = \frac{4h_i}{3} \left(c_i^2 + c_i c_{i+1} + c_{i+1}^2 \right) h_i$$

여기에서 $h_i \triangleq x_{i+1} - x_i$. 여기에서 최소화되어야 하는 목적함수는 다음과 같다.

$$L = \lambda \sum_{i=1}^{n} \left[\frac{y_i - a_i}{\sigma_i} \right]^2 + (1 - \lambda) \sum_{i=1}^{n-1} \frac{4h_i}{3} \left(c_i^2 + c_i c_{i+1} + c_{i+1}^2 \right)$$

이 유도과정에서 자연스플라인 조건의 해를 고려한다. 이 경우 $s''(x_1) = 2c_1 = 0$이고, $s''(x_n) = 2c_n = 0$이다. 다른 하나의 부가적인 이슈는 a_i 값을 결정하는 것이다. 여기에서 a_i 값은 18.4.1절에서 기술한 3차 스플라인 유도과정에서 언급된 데이터 값 y_i이 아니다. 여기에서 우리의 전략은 매개변수 d_i와 b_i를 제거하고, 이 매개변수들을 c_i와 a_i를 결정하는 데 사용한다. a_i의 요소는 x_i의 값에서 평활화 스플라인의 값들이 된다.

이를 위하여 우리는 먼저 3차 스플라인의 i번째 절편의 조건을 검토한다. 조건은 매듭 $\{x_i, y_i\}$와 매듭 $\{x_{i+1}, y_{i+1}\}$ 사이의 간격을 다음 식들이 성립하도록 채우는 것을 말한다.

$$\{x_i, a_i\} \qquad s_i(x_i) = a_i \qquad s''(x_i) = 2c_i$$
$$\{x_{i+1}, a_{i+1}\} \qquad s_i(x_{i+1}) = a_{i+1} \qquad s''(x_{i+1}) = 2c_{i+1}$$

여기에서 첫 번째 끝단조건은 다음과 같이 표현할 수 있다.

$$a_i + b_i h_i + c_i h_i^2 + d_i h_i^3 = a_{i+1}$$

위 식에서 b_i는 아래 식과 같이 풀 수 있다.

$$b_i = \frac{a_{i+1} - a_i}{h_i} - d_i h_i^2 + c_i h_i$$

두 번째 끝단조건은 다음과 같다.

$$2c_{i+1} = 6d_i h_i + 2c_i \quad \Rightarrow \quad d_i = \frac{c_{i+1} - c_i}{3h_i}$$

따라서 b_i와 d_i의 항을 c_i와 a_i의 항으로 표현할 수 있다.

$$3d_{i-1} h_{i-1}^2 + 2c_{i-1} h_{i-1} + b_{i-1} = b_i$$

연속조건의 1차 미분은 $s'_{i-1}(x_i) = s'_i(x_i)$이며, 이 식은 다음과 같이 쓸 수 있다.

$$h_{i-1} c_{i-1} + 2(h_{i-1} + h_i) c_i + h_i c_{i+1} = \frac{3}{h_i}(a_{i+1} - a_i) - \frac{3}{h_{i-1}}(a_i - a_{i-1})$$

이 방정식에서 b_i와 d_i를 대치하면, 다음과 같이 쓸 수 있다.

$$
\begin{bmatrix}
p_2 & h_2 & 0 & \cdots & 0 & 0 \\
h_2 & p_3 & h_3 & \cdots & 0 & 0 \\
0 & h_3 & p_4 & \cdots & 0 & 0 \\
\vdots & \vdots & \vdots & \ddots & \vdots & \vdots \\
0 & 0 & 0 & \cdots & p_{n-2} & h_{n-2} \\
0 & 0 & 0 & \cdots & h_{n-2} & p_{n-1}
\end{bmatrix}
\begin{bmatrix}
c_2 \\ c_3 \\ c_4 \\ \vdots \\ c_{n-2} \\ c_{n-1}
\end{bmatrix}
=
\begin{bmatrix}
r_1 & f_2 & r_2 & 0 & \cdots & 0 & 0 \\
0 & r_2 & f_3 & r_3 & \cdots & 0 & 0 \\
\vdots & \vdots & \vdots & \vdots & \ddots & \vdots & \vdots \\
0 & 0 & 0 & 0 & \cdots & r_{n-1} & 0 \\
0 & 0 & 0 & 0 & \cdots & f_{n-2} & r_{n-2}
\end{bmatrix}
\begin{bmatrix}
a_1 \\ a_2 \\ a_3 \\ a_4 \\ \vdots \\ a_{n-1} \\ a_n
\end{bmatrix}
$$

$$\underbrace{R_{n-2,n-2}}\;\;\times c_{n-2,1} \qquad\qquad \underbrace{Q'_{n-2,n}}\;\;\times a_{n,1}$$
$$\qquad\quad n-2,1 \qquad\qquad\qquad\qquad\qquad n-2,1$$

이 결과는 아래와 같은 방정식의 선형시스템으로 표시할 수 있다.

$$\mathbf{R}\,\mathbf{c} = \mathbf{Q}'\,\mathbf{a}$$

여기에서 $p_i = 2(h_{i-1} - h_i)$, $r_i = 3/h_i$이며, $f_i = -(r_{i-1} + r_i)$이다. 행렬의 적절한 정의에 따라 이 방정식은 다음과 같은 간단한 행렬 형태로 표시할 수 있다.[2]

$$L = \lambda(\mathbf{y} - \mathbf{a})'\,\mathbf{\Sigma}^{-1}(\mathbf{y} - \mathbf{a}) + \frac{2}{3}(1 - \lambda)\,\mathbf{b}'\mathbf{R}\mathbf{b} \tag{18.35}$$

따라서 목적함수는 다음과 같이 쓸 수 있다.

$$L = \lambda(\mathbf{y} - \mathbf{a})'\,\mathbf{\Sigma}^{-1}(\mathbf{y} - \mathbf{a}) + \frac{2}{3}(1 - \lambda)\,\mathbf{b}'\mathbf{R}\mathbf{b}$$

여기에서

$$\mu = \frac{2(1 - \lambda)}{3\lambda} \quad \text{and} \quad \mathbf{\Sigma} =
\begin{bmatrix}
\sigma_1 & 0 & 0 & 0 \\
0 & \sigma_2 & 0 & 0 \\
\vdots & \vdots & \ddots & \vdots \\
0 & 0 & 0 & \sigma_n
\end{bmatrix}.$$

이다.

만약 σ가 상수이면, $\mathbf{\Sigma} = \sigma\mathbf{I}$이다. 주어진 $\mathbf{c}$ 값에 대하여, 다음 식을 이용하여 $\mathbf{a}$ 값을 구할 수 있다.

$$\mathbf{a} = \mathbf{y} - \mu\Sigma\mathbf{Q}\,\mathbf{c} \tag{18.36}$$

$\mathbf{c} = \mathbf{R}^{-1}\mathbf{Q}\mathbf{a}$에 대해, 식 (18.35)를 구할 수 있다. 그리고 목표함수는 다음 식과 같이 정리된다.

$$L = \lambda(\mathbf{y} - \mathbf{a})'\,\mathbf{\Sigma}^{-1}(\mathbf{y} - \mathbf{a}) + \frac{2}{3}(1 - \lambda)\,\mathbf{a}'\mathbf{Q}\mathbf{R}^{-1}\mathbf{Q}'\mathbf{a}$$

이제, L 함수에 대해 $\mathbf{a}$ 변수에 대하여 미분을 수행하고, 이 결과를 0으로 두어 방정식을 풀어 최소화할 수 있다.

---

[2] 이 장에서는 수학적 간결성을 위하여 벡터와 행렬을 대괄호 대신 볼드체로 표시하였다.

$$-2\lambda(\mathbf{y} - \mathbf{a})'\,\mathbf{\Sigma}^{-1} + \frac{4}{3}(1 - \lambda)\,\mathbf{a}'\mathbf{QR}^{-1}\mathbf{Q}'\mathbf{a} = \mathbf{0}$$

이 결과는 다음과 같이 다시 쓸 수 있다.

$$\lambda\mathbf{\Sigma}^{-1}(\mathbf{y} - \mathbf{a}) = \frac{2}{3}(1 - \lambda)\,\mathbf{Q}\mathbf{c}$$

이제 $\frac{1}{\lambda}\mathbf{Q}'\,\mathbf{\Sigma}$를 앞에 곱하고, $\mathbf{Rc} = \mathbf{Q}'\mathbf{a}$를 이용하면, 다음 식을 유도할 수 있다.

$$(\mu\,\mathbf{Q}'\mathbf{\Sigma}\mathbf{Q} + \mathbf{R})\mathbf{c} = \mathbf{Q}'\,\mathbf{y}$$

이 선형방정식 집합을 풀어 $\mathbf{c}$ 값을 풀 수 있다. 주어진 $\mathbf{c}$ 값에 대하여 식 (18.36) 이용하여, $\mathbf{a}$ 값을 구할 수 있다.

$c_1 = c_n = 0$의 자연끝단 조건을 고려하고, 다항식의 $\mathbf{d}$와 $\mathbf{b}$ 계수는 다음 식을 이용하여 구할 수 있다.

$$d_i = \frac{c_{i+1} - c_i}{3h_i}, \quad b_i = \frac{a_{i+1} - a_i}{h_i} - \frac{1}{3}(c_{i+1} - 2c_i)\,h_i \quad (\text{for}\ \ i = 1, ..., n - 1)$$

이제, $i = 1, ..., n - 1$의 모든 구간에 대하여 식 (18.34)의 다항식의 모든 계수를 구할 수 있으며, 이를 보간식에 사용할 수 있다.

이 알고리즘을 적용한 MATLAB 함수를 그림 18.12에 제시하였다. 이 함수의 입력인수는 x배열, y 배열, 특정 보간을 위한 xx 값, lambda 값 (lam), 표준편차 추정값 sdest (기본값 = 1) 이다. 이 함수는 출력으로 x 입력에 대한 y값을 보간한 ysmooth를 내보낸다. 이함수는 a_i(ysmooth)의 원소 들을 반환하는데 이 값은 위에서 언급했듯이 x_i 입력값에 대응하는 평활화된 스플라인 값이다.

이제 위 함수를 이용하여 그림 18.11에서 제시하였던 온타리오 호수의 전체 인농도 데이터(TP, μgP/L)를 테스트해보자. 다음의 스크립트는 x 데이터에 대응하는 평활화된 값을 구할 수 있다. 표준편차는 기본적으로 1로 설정되었으며, 목표 평활화 정도를 나타내는 lambda 가 중치는 0.4로 설정되었다. 결과 그림은 그림 18.13에 표시되었다.

```
clear, clc
XY=load('OntarioTPData.txt');
year = XY(:,1); TPdata = XY(:,2);
lambda = 0.4;
[yint] = smspline(year,TPdata,lambda);
plot(year,yint,'k','linewidth',3)
hold on
plot(year,TPdata,'ko','MarkerSize',6,'MarkerFaceColor','r')
ylim([0 24]), grid
xlabel('Year'), ylabel('TP (\mug/L)')

T =['Lake Ontario Total Phosphorus Data (\lambda = ' num2str(lambda) ')'];
title(T);
```

```
function [ysmooth] = smspline(x,y,lam,sy)
% smoothing cubic splines interpolation
% function [ysmooth] = smspline(x,y,lam,sy)
% This function returns cubic-spline-smoothed estimates, ysmooth,
% for a set of x,y data
% lambda = smoothing parameter
% sy = estimate of the error standard deviation (default = 1)

% Determine mu and n, error checks, and store data in local variables
mu = 2*(1-lam)/lam/3; n = length(x);
if length(y)~= n, disp('x and y arrays must be the same length'),end
if nargin<3,error('at least 3 input arguments required'),end
if nargin<4||isempty(sy),sy(1,1)=1;end
xd=x; yd=y;
% compute h, p, r and f vector arrays
for j = 1:n - 1
  h(j) = xd(j + 1) - xd(j);
  r(j) = 3 / h(j);
end
h=h'; r=r';
for j = 2:n - 1
  p(j) = 2 * (h(j-1) - h(j));
  f(j) = -(r(j) + r(j - 1));
end
p=p'; f=f';
% form R matrix
Rmat = zeros(n-2,n-2);
for j = 1:n - 3
  Rmat(j, j) = p(j + 1);
  Rmat(j + 1, j) = h(j + 1);
  Rmat(j, j + 1) = h(j + 1);
end
Rmat(n - 2, n - 2) = p(n - 1);
% determine Q matrix by forming and transposing Q' matrix
Qp=zeros(n-2,n);
for j = 1:n - 3
  Qp(j, j) = r(j); Qp(j, j + 1) = f(j + 1); Qp(j, j + 2) = r(j + 1);
end

Qp(n - 2, n - 1) = f(n - 1);
Qp(n - 2, n - 2) = r(n - 2);
Qp(n - 2, n) = r(n - 1);
Q=Qp';
% form Sigma matrix
for i = 1:n
  for j = 1:n
    if i == j
      SigMat(i, j) = sy;
    else
      SigMat(i, j) = 0;
    end
  end
end
% Set up Qcoef matrix
Qt=Qp*SigMat;
Qcoef=Qt*Q;
for i = 1:n - 2
```

그림 18.12 3차 평활화 스플라인을 구하기 위한 MATLAB 함수, smspline.

```
    for j = 1:n - 2
      Qcoef(i, j) = Qcoef(i, j) * mu;
      Qcoef(i, j) = Qcoef(i, j) + Rmat(i, j);
    end
  end
end
% Solve for c
bvec=Qp*yd; bvec=Qcoef\bvec;
% Solve for a
ysmooth=y-mu*SigMat*Q*bvec;
end
```

그림 18.12 (계속)

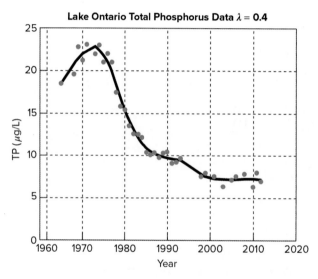

그림 18.13   각 연도별 온타리오 호수의 전체 인농도 데이터(TP, μgP/L)와 그림 18.12에서 제시된 smspline함수를 이용하여 평활화된 스플라인 접합.

18.7.3 MATLAB 함수: csaps

다른 많은 수치해석 방법론과 같이, MATLAB은 3차 스플라인 평활화를 수행하기 위한 리소스를 가지고 있으며, 그중 하나는 csaps 함수이다. 이 함수의 구문에 대한 간단한 표현법은 다음과 같다.

  [ys, pd] = csaps(x, y, p, xx)

여기서 ys는 주어진 x, y 데이터를 기준으로 xx값에서 평활화된 3차 스플라인의 pp 형태이다. p는 평활화 매개변수(lambda)이다. 만약 xx가 주어지지 않는다면, 평활화 스플라인은 x 값들을 기준으로 결정된다. 출력변수 ps는 csaps 함수의 p값이 사용자에 의해 정해지지 않았을 경우에 적용되는 기본 평활화 매개변수이다.

　18.7.1절에서 기술하였듯이, 만약 평활화 매개변수가 0이라면, 주어진 데이터에 대한 평활화 스플라인은 최소제곱 직선 접합이다. 반면 평활화 매개변수값이 1이라면, 자연 3차 스플라

인 보간이 된다. 이 두 극단적인 경우의 변화 영역은 전형적으로 다소 작은 범위값을 가지며, 데이터에 매우 강하게 반응하는 위치를 가진다. csaps 함수에서 평활화 매개변수가 설정되지 않았을 때 적용되는 기본 평활화 매개변수 pd는 이 작은 변화구간에 포함된다. 만약 p가 정해지지 않으면, 이 기본 평활화 매개변수는 ps 값으로 반환된다. MATLAB 도움말과 관련 문서에서 이 함수에 대한 다른 작은 차이와 능력을 확인할 수 있다.

예제 18.7 / csaps 함수를 이용하여 온타리오 호수의 TP 경향을 분석하기

문제 정의. 부영양화(Eutrophication)는 환경공학자와 과학자가 사용하는 용어로 영양분이 관련 수역에 점진적으로 과잉농축되는 것을 말한다. 이 과잉농축은 1차적으로 폐수 방류, 산업 쓰레기 유입, 농사일과 같은 인간 활동으로 인하여 영양분의 유입이 높아지기 때문이다. 이 부영양화에 대한 가시적인 효과는 종종 성가신 조류의 번창으로 나타나며, 이 조류는 그 수역에서의 상당한 생태계 파괴와 포유류가 섭취할 경우 독성을 발생시킬 수 있다. 이것이 세계 2차대전에서 1960년대 후반까지 급격한 인구 증가와 경제 발전에 의한 온타리오 호수의 부영양화수준이 상승한 결과였다.

호수에 대해 부영양화에 대한 가장 일반적인 측정 척도는 봄철의 호수 전체 인농도이다. 봄철의 TP 수준이 10 μgP/L 작은 호수는 과소영양(oligotropic)으로 간주되었다. 이것은 영양분이 낮고 위험한 조류가 없는 깨끗한 물을 의미한다. 반면, TP가 20 μgP/L가 넘는 호수는 **부영양**(eutrophic)으로 간주되었다. 이것은 조류가 물의 투과도를 줄일 정도로 높은 수준의 성장을 가능하게 하고, 또한, 위해조류의 번창이 생기게 하는 높은 영양값을 말한다. 표 18.3에서 온타리오 호수의 연도별 TP 농도를 제시하였다.

표 18.3   1965년에서 2012년까지 온타리오 호수의 봄철 인농도 평균값

Year	TP (μgP/L)	Year	TP (μgP/L)	Year	TP (μgP/L)	Year	TP (μgP/L)
1965	18.50	1977	21.00	1986	10.00	1999	7.80
1968	19.60	1978	17.45	1987	10.25	2001	7.40
1969	22.80	1979	15.80	1988	9.80	2003	6.20
1970	21.20	1980	15.40	1989	10.20	2005	7.00
1971	23.10	1981	13.50	1990	10.35	2006	7.40
1973	22.00	1982	12.60	1991	9.00	2008	7.70
1974	23.00	1983	12.40	1992	9.10	2010	6.10
1975	21.00	1984	12.00	1993	9.50	2011	7.85
1976	22.00	1985	10.30	1998	7.50	2012	6.80

이 데이터에 csaps 함수를 이용하여 3차 평활화 스플라인으로 접합하라.

풀이 다음의 스크립트는 표 18.3으로부터 관련 데이터를 가지고 있는 텍스트파일을 로드하고, 평활화 스플라인 접합을 생성한다. 그리고 관련 데이터와 생성된 평활화 스플라인 접합의 그림을 표시한다.

```
clear, clc
XY=load('OntarioTPData.txt');
year=XY(:,1); TPdata=XY(:,2);
lambda=0.4;
TPsm=csaps(year,TPdata,lambda);
figure
fnplt(TPsm,'r',3);
hold on
plot(year,TPdata,'ko','MarkerFaceColor','k','MarkerSize',7);
hold off
title('Lake Ontario Total Phosphorus Data (1967-2008)');

legend(['\lambda = ' num2str(lambda)],'Location', 'best')
xlabel('Year'),ylabel('TP (\mugP/L)'),ylim([0 ceil(max(XY(:,2)))])
```

그림 18.14에서 나타나 있듯이, 우리는 데이터로부터 얻은 평활화 스플라인으로부터 호수가 1970년대 초반에서 2012년 사이에 매우 호전되었음을 표시하는 확실한 사실에서 통찰력을 얻을 수 있다. 이 접합은 호수가 1967년에 부영양화(즉, ≥ 20 μgP/L)되었으며, 1972년에 22.7 μgP/L의 최고 수준을 가졌다는 것을 보여준다. 1970년대 초반에 미국과 캐나다에서 인 방류가 규제되기 시작하였다. 특히, 호수와 접해 있는 뉴욕주와 온타리오주는 1973년에 고인 산염세제의 퇴출 규정을 제정하였다. 결론적으로, 인농도는 드라마틱하게 줄어들었으며, 1972년에 부영양화 상태에서 1980년대 후반에 부영양화의 상위한계(~10 μgP/L)까지 떨어졌다.

그후 놀라운 일이 발생했다. 1990년도부터 시작하여 2000년까지 TP 농도는 다시 줄어들기 시작하였으며, 농도가 약 7 μgP/L의 과소영양 수준으로 견고하게 안정화되었다. 여기서 다음과 같은 질문이 생긴다. 이러한 단기적 추세 변동이 실제로 일어난 것인가? 아니면 단순히 자연적 변동성 때문인가?

흥미롭게도 1980년대 후반에 대규모 환경 사건이 일어났다. 얼룩말 홍합과 콰가홍합이 오

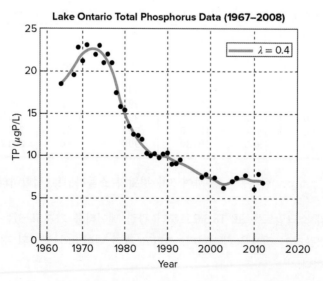

그림 18.14 각 연도별 온타리오 호수의 전체 인농도 데이터(TP, μgP/L)와 MATLAB의 csaps 함수를 이용하여 평활화된 스플라인 접합.

대호에 유입되었던 것이다. 카스피해와 흑해에서 유래한 이들 외래 침입종은 화물선의 오염된 평형수 방출에 의해 의도하지 않게 오대호에 유입된 것으로 추정된다. 이후 몇 년 동안, 이 조개들은 폭발적으로 번식하였으며, 오대호 생태계 전반에 정착하였다.

호수 바닥에서 서식하는 조개들에 의한 여과 섭식 작용은 영양분이 많은 입자를 호수 바닥으로 이동시키는 것을 향상시켰다고 가정되어 왔다. 특히 호수 깊은 곳의 퇴적층에 우선적으로 정착하는 쾌가홍합은 TP를 심호수 퇴적층에 영구적으로 붙잡아두는 효과적인 메커니즘으로 작용할 수 있다.

이 효율적인 인산 제거 메커니즘은 1990년대 후반의 호수의 인산 감소의 원인으로 볼 수 있으며, 이것은 평활화 스플라인으로부터 잘 보여진다. 사실, 오대호의 영양화 경향 감지에 대한 기존 경향 분석은 Mathworks 사의 Curve Fitting Toolbox의 평활화 스플라인을 이용해 구현되었다.

마지막 하나의 생각: 언제 경험적 회귀분석 대신 평활화 방법을 사용하는가? 예를 들어 다항식 회귀분석은 보간된 값을 예측하기 위한 모델을 개발하는 데 일반적으로 사용된다. 종종 데이터를 만들어내기 위한 과정에서 내재하는 "실제" 모델을 반드시 구하는 것이 크게 필요하지 않은 경우가 있다. 많은 경우에 실험으로 구한 모델에 대한 회귀분석은 적절하지 않다. 이 경우 평활화 방법은 회귀분석의 대안으로 제시될 수 있다. (다만, 항상 필수적인 것은 아니다. 그리고 평활화된 데이터에 대해서 3차 스플라인을 이용한 보간 기술의 적용이 검토되어야 한다.)

18.8 사례연구   열전달

배경. 온대지역의 호수는 여름철에 열성층화될 수 있다. 그림 18.15와 같이 표면에 가까이 있

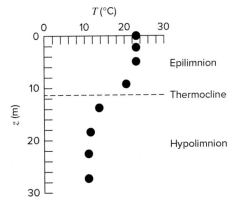

그림 18.15 여름철 Michigan에 위치한 Platte 호수의 깊이에 따른 수온.

표 18.4   여름철 Michigan에 위치한 Platte 호수의 깊이에 따른 수온.

z, m	0	2.3	4.9	9.1	13.7	18.3	22.9	27.2
T, °C	22.8	22.8	22.8	20.6	13.9	11.7	11.1	11.1

는 따뜻하고 밀도가 작은 물은 바닥의 차갑고 밀도가 큰 물 위에 놓인다. 이러한 성층화는 **변온층**(thermocline)을 경계로 호수를 수직방향으로 **표수층**(epilimnion)과 **심수층**(hypolimnion)의 두 층으로 나눈다.

열성층화는 이러한 시스템을 연구하는 환경 공학자 및 과학자에게 매우 중요하다. 특히 변온층은 두 층이 혼합하는 것을 막고 있다. 따라서 유기물질의 분해는 고립된 심수층의 물에 심각한 산소 고갈을 유발할 수 있다.

변온층의 위치는 온도-깊이 곡선의 변곡점으로 정의되며, 즉 $d^2T/dz^2 = 0$이 되는 곳이다. 이는 1차 도함수 또는 구배의 절대값이 최대가 되는 곳이기도 하다.

온도 구배는 변온층을 지나는 열플럭스를 구하기 위하여 Fourier 법칙과 연계하여 사용되기 때문에 그 자체로도 중요하다.

$$J = -D\rho C \frac{dT}{dz}$$

(18.33)

여기서 J는 열플럭스 [cal/(cm$^2 \cdot$ s)], α는 열확산계수(cm^2/s), ρ는 밀도($\cong$ 1 g/cm^3), 그리고 C는 비열 [$\cong$ 1 cal/(g $\cdot$ °C)]이다.

이 사례연구에서는 자연 3차 스플라인을 적용하여 Michigan에 위치한 Platte 호수에 대한 변온층의 깊이와 온도 구배를 구하고자 한다(표 18.4). 온도 구배는 $\alpha = 0.01$ cm^2/s인 경우 열플럭스를 구하는 데도 사용된다.

풀이 방금 기술한 바와 같이 이 해석을 수행하기 위하여 자연 스플라인 끝단조건을 사용하고자 한다. 그러나 불행히도 MATLAB의 내장함수 spline은 비절점 끝단조건을 사용하므로 위 요구를 충족하지 못한다. 또한 spline 함수는 해석에서 필요로 하는 1차와 2차 도함수를 반환하지도 못한다.

그러나 자연 스플라인을 실행하고 도함수를 반환하는 M-파일을 개발하는 것은 어렵지 않다. 그림 18.16은 이와 같은 프로그램을 보여준다. 약간의 예비적인 에러 함정 단계를 거친 후, 식 (18.27)을 구성하고 풀어 2차 계수 (c)를 구한다. 필요한 유한차분을 계산하기 위하여, 어떻게 h와 fd 두 개의 부함수(subfunction)를 사용하는지에 주목하라. 식 (18.27)이 세워지면 왼쪽 나눗셈으로 c를 풀며, 나머지 다른 계수들(a, b와 d)을 구하기 위하여 루프를 적용한다.

이제 3차 방정식으로 중간값을 구하기 위한 모든 것이 준비되었다.

$$f(x) = a_i + b_i(x - x_i) + c_i(x - x_i)^2 + d_i(x - x_i)^3$$

이 방정식을 다음과 같이 두 번 미분함으로써 1차와 2차 도함수를 구할 수 있다.

```
function [yy,dy,d2] = natspline(x,y,xx)
% natspline: natural spline with differentiation
%   [yy,dy,d2] = natspline(x,y,xx): uses a natural cubic spline
%   interpolation to find yy, the values of the underlying function
%   y at the points in the vector xx. The vector x specifies the
%   points at which the data y is given.
% input:
%   x = vector of independent variables
%   y = vector of dependent variables
%   xx = vector of desired values of dependent variables
% output:
%   yy = interpolated values at xx
%   dy = first derivatives at xx
%   d2 = second derivatives at xx

n = length(x);
if length(y)~=n, error('x and y must be same length'); end
if any(diff(x)<=0),error('x not strictly ascending'),end
m = length(xx);
b = zeros(n,n);

aa(1,1) = 1; aa(n,n) = 1;   %set up Eq. 18.27
bb(1)=0; bb(n)=0;
for i = 2:n-1
  aa(i,i-1) = h(x, i - 1);
  aa(i,i) = 2 * (h(x, i - 1) + h(x, i));
  aa(i,i+1) = h(x, i);
  bb(i) = 3 * (fd(i + 1, i, x, y) - fd(i, i - 1, x, y));
end
c=aa\bb';  %solve for c coefficients
for i = 1:n - 1   %solve for a, b and d coefficients
  a(i) = y(i);
  b(i) = fd(i + 1, i, x, y) - h(x, i) / 3 * (2 * c(i) + c(i + 1));
  d(i) = (c(i + 1) - c(i)) / 3 / h(x, i);
end
for i = 1:m   %perform interpolations at desired values
  [yy(i),dy(i),d2(i)] = SplineInterp(x, n, a, b, c, d, xx(i));
end
end
function hh = h(x, i)
hh = x(i + 1) - x(i);
end
function fdd = fd(i, j, x, y)
fdd = (y(i) - y(j)) / (x(i) - x(j));
end
function [yyy,dyy,d2y]=SplineInterp(x, n, a, b, c, d, xi)
for ii = 1:n - 1
  if xi >= x(ii) - 0.000001 & xi <= x(ii + 1) + 0.000001
    yyy=a(ii)+b(ii)*(xi-x(ii))+c(ii)*(xi-x(ii))^2+d(ii)...
                                          *(xi-x(ii))^3;
    dyy=b(ii)+2*c(ii)*(xi-x(ii))+3*d(ii)*(xi-x(ii))^2;
    d2y=2*c(ii)+6*d(ii)*(xi-x(ii));
    break
  end
end
end
```

그림 18.16 자연 스플라인을 이용하여 중간값과 도함수를 구하기 위한 M-파일. 에러 함정을 위해 적용한 diff 함수는 21.7.1절에 설명되어 있음에 유의하라.

$$f'(x) = b_i + 2c_i(x - x_i) + 3d_i(x - x_i)^2$$

$$f''(x) = 2c_i + 6d_i(x - x_i)$$

그림 18.16에서와 같이 이들 방정식은 다른 부함수 SplineInterp에서 실행되어, 원하는 중간값에서의 함수값과 도함수값을 구한다.

다음은 natspline 함수를 사용하여 스플라인을 생성하고 결과를 도시하기 위한 스크립트 파일이다.

```
z = [0 2.3 4.9 9.1 13.7 18.3 22.9 27.2];
T=[22.8 22.8 22.8 20.6 13.9 11.7 11.1 11.1];
zz = linspace(z(1),z(length(z)));
[TT,dT,dT2] = natspline(z,T,zz);
subplot(1,3,1),plot(T,z,'o',TT,zz)
title('(a) T'),legend('data','T')
set(gca,'YDir','reverse'),grid
subplot(1,3,2),plot(dT,zz)
title('(b) dT/dz')
set(gca,'YDir','reverse'),grid
subplot(1,3,3),plot(dT2,zz)
title('(c) d2T/dz2')
set(gca,'YDir','reverse'),grid
```

그림 18.17에서 볼 수 있는 바와 같이 변온층은 약 11.5 m 깊이에 위치하는 것으로 보인

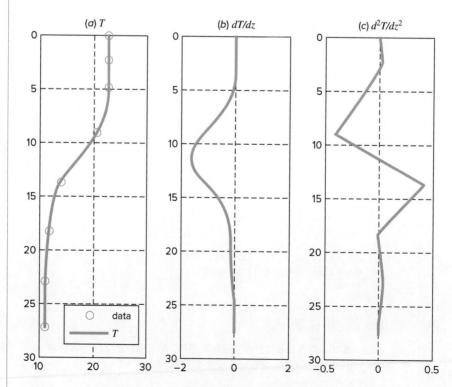

그림 18.17 3차 스플라인 프로그램을 이용하여 구한 수심(m)에 따른 (a) 온도, (b) 구배, (c) 2차 도함수에 대한 그래프. 변온층은 온도–깊이 곡선의 변곡점에 위치한다.

다. 이 값을 보다 정확하게 계산하기 위하여 근 구하는 방법(2차 도함수가 0임)이나 최적 기법(1차 도함수의 최소값)을 사용할 수 있으며, 그 결과로서 변온층은 구배가 $-1.61\,°C/m$인 $11.35\,m$ 깊이에 위치한다는 것을 알 수 있다.

온도 구배는 식 (18.33)을 이용하여 변온층을 지나는 열플럭스를 계산하는 데 사용될 수 있다.

$$J = -0.01\,\frac{cm^2}{s} \times 1\,\frac{g}{cm^3} \times 1\,\frac{cal}{g \cdot °C} \times \left(-1.61\,\frac{°C}{m}\right) \times \frac{1\,m}{100\,cm} \times \frac{86,400\,s}{d} = 13.9\,\frac{cal}{cm^2 \cdot d}$$

앞에서의 해석은 스플라인 보간법이 공학과 과학 문제를 푸는 데 사용되는 예를 보여준다. 그러나 이는 수치미분의 한 가지 예이기도 하다. 따라서 이와 같이 문제를 푸는 데 서로 다른 분야의 수치방법들이 어떻게 연계하여 사용될 수 있는지를 보여준다. 수치미분에 대한 주제는 21장에서 자세히 설명할 것이다.

연습문제

18.1 다음과 같은 데이터가 주어진다.

x	1	2	2.5	3	4	5
$f(x)$	1	5	7	8	2	1

이 데이터를 다음의 방법으로 접합시켜라. (a) 자연 끝단 조건을 이용한 3차 스플라인, (b) 비절점 끝단조건을 이용한 3차 스플라인, (c) 소구간별 3차 Hermite 보간법.

18.2 다음 표에서 볼 수 있는 바와 같이 반응기는 열성층화되어 있다.

Depth, m	0	0.5	1	1.5	2	2.5	3
Temperature, °C	70	70	55	22	13	10	10

이 온도에 기초하여 탱크는 강한 온도구배 또는 변온층에 의하여 분리된 두 개의 영역으로 이상화될 수 있다. 이 변온층의 깊이는 온도-깊이 곡선의 변곡점으로 정의할 수 있다. 즉 $d^2T/dz^2 = 0$인 점이다. 이 깊이에서 표면으로부터 바닥층까지의 열플럭스는 다음과 같은 Fourier 법칙에 의하여 계산될 수 있다.

$$J = -k\,\frac{dT}{dz}$$

변온층의 깊이를 구하기 위하여, 끝단 도함수가 0인 고정 3차 스플라인을 사용하라. $k = 0.01\,cal/(s \cdot cm \cdot °C)$일 때 이 경계를 통한 열플럭스를 계산하라.

18.3 다음은 MATLAB이 그 수치적 능력을 보여주기 위하여 사용하는 내장함수 humps이다.

$$f(x) = \frac{1}{(x - 0.3)^2 + 0.01} + \frac{1}{(x - 0.9)^2 + 0.04} - 6$$

humps 함수는 비교적 짧은 x 구간에 걸쳐 평탄하고 가파른 영역을 모두 나타낸다. 다음 표는 $x = 0$에서 1까지 범위에서 0.1 간격으로 생성된 값을 보여준다.

x	0	0.1	0.2	0.3	0.4	0.5
$f(x)$	5.176	15.471	45.887	96.500	47.448	19.000

x	0.6	0.7	0.8	0.9	1
$f(x)$	11.692	12.382	17.846	21.703	16.000

이 데이터를 다음의 방법으로 접합시켜라. (a) 비절점 끝단조건을 가지는 3차 스플라인, (b) 소구간별 3차 Hermite 보간법. 두 가지 경우에 대하여 접합 결과와 정확한 humps 함수를 비교하는 그림을 그려라.

18.4 다음 데이터에 대하여 (a) 자연 끝단조건과 (b) 비절점 끝단조건을 이용한 3차 스플라인 접합에 대한 그림을 그려라. 또한 (c) 소구간별 3차 Hermite 보간법(pchip)을 이용한 그림을 그려라.

x	0	100	200	400
$f(x)$	0	0.82436	1.00000	0.73576
x	600	800	1000	
$f(x)$	0.40601	0.19915	0.09158	

각각의 경우에 대한 그림과 위 데이터를 생성하는 데 사용한 다음 방정식을 비교하라.

$$f(x) = \frac{x}{200} e^{-x/200+1}$$

18.5 다음 데이터는 그림 18.1에 묘사된 계단 함수로부터 추출하였다.

x	−1	−0.6	−0.2	0.2	0.6	1
$f(x)$	0	0	0	1	1	1

이 데이터를 다음 방법으로 접합시켜라. (a) 비절점 끝단조건을 가지는 3차 스플라인, (b) 기울기가 0인 고정 끝단조건을 가지는 3차 스플라인, (c) 소구간별 3차 Hermite 보간법. 각각의 경우에 접합 결과와 계단 함수를 비교하는 그림을 그려라.

18.6 자연 끝단조건을 가지는 3차 스플라인 접합을 계산할 수 있는 M-파일을 작성하라. 예제 18.3을 반복함으로써 이 코드를 시험하라.

18.7 다음의 데이터는 아래의 5차 다항식을 이용하여 생성되었다.

$f(x) = 0.0185x^5 - 0.444x^4 + 3.9125x^3 - 15.456x^2$
$\qquad + 27.069x - 14.1$

x	1	3	5	6	7	9
$f(x)$	1.000	2.172	4.220	5.430	4.912	9.120

(a) 이들 데이터를 비절점 끝단조건을 가지는 3차 스플라인을 사용하여 접합시켜라. 이 접합 결과와 함수를 비교하는 그림을 그려라.

(b) 고정 끝단조건을 사용하여 문제 (a)를 반복하되, 끝단의 기울기는 위 함수를 미분함으로써 구해지는 정확

한 값으로 설정한다.

18.8 Bessel 함수는 전기장에 대한 연구와 같은 고급 공학 및 과학 해석문제에서 종종 나타난다. 이들 함수는 대개 쉽게 계산할 수 없으므로 표준 수학표로 만들어져 있다. 예를 들면 다음과 같다.

x	1.8	2	2.2	2.4	2.6
$J_1(x)$	0.5815	0.5767	0.556	0.5202	0.4708

다음을 이용하여 $J_1(2.1)$을 계산하라. (a) 보간다항식과 (b) 3차 스플라인. 참값은 0.5683임에 유의하라.

18.9 다음 데이터는 해수면에서의 담수의 용존산소 농도를 온도의 함수로 나타낸 것이다.

T, °C	0	8	16	24	32	40
o, mg/L	14.621	11.843	9.870	8.418	7.305	6.413

MATLAB을 이용하여 다음 방법으로 이 데이터를 접합시켜라. (a) 소구간별 선형보간법, (b) 5차 다항식, (c) 스플라인. 결과를 그림으로 그리고 각 방법을 이용하여 $o(27)$을 계산하라. 참값은 7.986 mg/L임에 유의하라.

18.10 (a) MATLAB을 사용하여 3차 스플라인을 다음 데이터에 접합시켜라. $x = 1.5$에서 y 값을 계산하라. (b) 끝단에서 1차 도함수를 0으로 하고 문제 (a)를 반복한다.

x	0	2	4	7	10	12
y	20	20	12	7	6	6

18.11 Runge 함수는 다음과 같이 쓸 수 있다.

$$f(x) = \frac{1}{1 + 25x^2}$$

구간 [−1, 1]에서 이 함수로부터 5개의 등간격 데이터 점을 생성하라. 다음 방법을 사용하여 이 데이터를 접합시켜라. (a) 4차 다항식, (b) 선형 스플라인, (c) 3차 스플라인. 그리고 이 결과들을 그림으로 나타내라.

18.12 다음 함수로부터 MATLAB을 사용하여 $t = 0$에서 2π까지 구간에서 8개의 데이터 점을 생성하라.

$$f(t) = \sin^2 t$$

다음 방법을 사용하여 이 데이터를 접합시켜라. (a) 비절

점 끝단조건을 가지는 3차 스플라인, (b) 도함수 끝단조건을 가지는 3차 스플라인(끝단의 도함수는 위 함수를 미분함으로써 구해지는 정확한 값으로 설정), (c) 소구간별 3차 Hermite 보간법. 각각의 경우에 접합 결과와 절대오차(E_t = 근사값−참값)에 대한 그림을 그려라.

18.13 스포츠용 공과 같은 구에 대한 항력계수는 **Reynolds 수**, Re의 함수 관계로 변화하는 것으로 알려져 있다. Reynolds 수는 관성력과 점성력의 비를 나타내는 무차원수이다.

$$\text{Re} = \frac{\rho V D}{\mu}$$

여기서 ρ = 유체의 밀도(kg/m^3), V = 유체의 속도(m/s), D = 직경(m), 그리고 μ = 점성계수(N·s/m^2)이다. 항력과 Reynolds 수의 관계식은 어떤 경우에는 방정식 형태로 구할 수 있지만, 많은 경우에 표로 제시된다. 예를 들면, 다음 표는 매끈한 구형 공에 대한 값을 제시하고 있다.

Re (×10^{-4})	2	5.8	16.8	27.2	29.9	33.9
C_D	0.52	0.52	0.52	0.5	0.49	0.44

Re (×10^{-4})	36.3	40	46	60	100	200	400
C_D	0.18	0.074	0.067	0.08	0.12	0.16	0.19

(a) 적절한 보간 함수를 이용하여 Reynolds 수의 함수로 C_D 값을 반환하는 MATLAB 함수를 작성하라. 함수의 첫줄은 다음과 같아야 한다.

```
function CDout = Drag(ReCD,ReIn)
```

여기서 ReCD는 표를 포함하는 2행 행렬이며, ReIn은 항력을 계산하고자 하는 Reynolds 수이다. CDout은 이때의 항력계수이다.

(b) 문제 (a)에서 개발한 함수를 이용하여 항력과 속도 사이의 관계에 대한 그림(라벨을 붙인)을 그리는 스크립트를 작성하라(1.4절 참조). 단, 다음 매개변수를 사용하라. D = 22 cm, ρ = 1.3 kg/m^3, μ = 1.78×10^{-5} Pa·s. 속도의 범위를 4에서 40 m/s까지로 하여 그림을 그려라.

18.14 다음 함수는 $-2 \leq x \leq 0$과 $0 \leq y \leq 3$의 범위를 가지는 사각형 판의 온도 분포를 나타내고 있다.

$$T = 2 + x - y + 2x^2 + 2xy + y^2$$

(a) MATLAB 함수 surfc을 이용하여 위 함수에 대한 그물망 그림(meshplot)을 만드는 스크립트를 작성하라. x와 y 값을 생성하기 위해 기본 간격(즉, 100개의 내부점)과 linspace 함수를 사용하라.

(b) 기본 보간 옵션 ('linear')과 MATLAB 함수 interp2를 사용하여 $x = -1.63$과 $y = 1.627$에서의 온도를 계산하라. 결과의 백분율 상대오차를 구하라.

(c) 'spline'을 이용하여 (b)번을 반복하라. 단, (b)와 (c)의 경우에 linspace 함수를 사용하여 9개의 내부점을 설정하라.

18.15 미국 표준대기는 해발 고도의 함수로 대기의 물성값을 제시한다. 다음 표는 일부의 온도, 압력 및 밀도 값을 보여주고 있다.

Altitude (km)	T (°C)	p (atm)
−0.5	18.4	1.0607
2.5	−1.1	0.73702
6	−23.8	0.46589
11	−56.2	0.22394
20	−56.3	0.054557
28	−48.5	0.015946
50	−2.3	7.8721×10^{-4}
60	−17.2	2.2165×10^{-4}
80	−92.3	1.0227×10^{-5}
90	−92.3	1.6216×10^{-6}

주어진 고도에 대한 대기의 세 가지 물성값을 구하기 위한 MATLAB 함수, StdAtm을 개발하라. 이 함수를 interp1의 pchip 옵션을 기반으로 개발하라. 만약 사용자가 고도 범위를 벗어난 값을 요청하면, 함수가 에러 메시지를 표시한 후 계산을 종료하게 하라. 다음에 제시되는 스크립트를 시작점으로 사용하여, 그림 P18.15에 나타낸 것처럼 고도 대 물성값을 보여주는 3 패널 그림을 작성하라.

```
% Script to generate a plot of temperature, pressure
and density
% for the U.S. Standard Atmosphere
clc, clf
z=[-0.5 2.5 6 11 20 28 50 60 80 90];
T=[18.4 -1.1 -23.8 -56.2 -56.3 -48.5 -2.3 -17.2 -92.3
    -92.3];
p=[1.0607 0.73702 0.46589 0.22394 0.054557 0.015946 ...
    7.8721e-4 2.2165e-4 1.02275e-05 1.6216e-06];
```

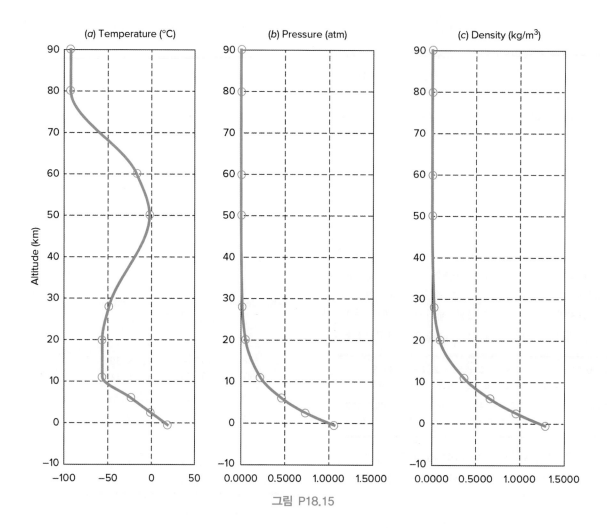

그림 P18.15

```
rho=[1.285025 0.95697 0.6601525 0.364805 0.0889105 ...
     0.02507575 0.001026918 0.000305883 0.000019992
     3.1703e-06];
zint=[-0.5:0.1:90];
for i=1:length(zint)
  [Tint(i),pint(i),rint(i)]=StdAtm(z,T,p,rho,zint(i));
end

% Create plot

Te=StdAtm(z,T,p,rho,-1000);
```

18.16 Felix Baumgartner는 성층권 풍선을 이용하여 고도 39 km까지 올라갔으며, 낙하산을 이용하여 지상에 착륙하기 전까지 초음속으로 자유 낙하 점프를 했다. 그가 낙하하는 동안 항력계수가 변하게 되는데, 이는 높이에 따라 공기 밀도가 변하기 때문이다. 1장에서와 같이 자유 낙하하는 물체의 종단속도 v_{terminal} (m/s)는 다음과 같이 계산

할 수 있다.

$$v_{\text{terminal}} = \sqrt{\frac{gm}{c_d}}$$

여기서 g = 중력가속도 (m/s^2), m = 질량 (kg), 및 c_d = 항력계수 (kg/m)이다. 항력계수는 다음 식과 같이 계산된다.

$$c_d = 0.5\rho A C_d$$

여기서 ρ = 유체 밀도 (kg/m^3), A = 투영된 면적 (m^2), 그리고 C_d = 무차원 항력계수이다. 여기서 중력가속도 g (m/s^2)와 해발 고도는 다음 식과 같은 관계를 가진다.

$$g = 9.806412 - 0.003039734z$$

여기서 z = 지구 표면에서의 높이 (km)이고, 공기의 밀도 ρ (kg/m^3)는 다음과 같이 표로 나타낼 수 있다.

z (km)	ρ (kg/m³)	z (km)	ρ (kg/m³)	z (km)	ρ (kg/m³)
−1	1.347	6	0.6601	25	0.04008
0	1.225	7	0.5900	30	0.01841
1	1.112	8	0.5258	40	0.003996
2	1.007	9	0.4671	50	0.001027
3	0.9093	10	0.4135	60	0.0003097
4	0.8194	15	0.1948	70	8.283×10^{-5}
5	0.7364	20	0.08891	80	1.846×10^{-5}

$m = 80$ kg, $A = 0.55$ m² 그리고 $C_d = 1.1$로 가정한다. MATLAB 스크립트를 개발하여 z = [0:0.5:40]에서 의 종단속도 대 고도에 대한 그림(라벨을 붙인)을 생성하라. 그림을 그리는 데 필요한 밀도는 스플라인을 사용하여 구하라.

18.17 waterwatch.USGS.gov 사이트에서 강이나 개울을 하나 선택하라. 이 사이트에서 각 장별 초당 1세제곱피트 (cfs)의 연도별, 월별, 일별 평균값 혹은 15분당 측정값에 이르기까지의 다양한 유량 데이터를 얻을 수 있다. 당신이 흥미가 있는 강과 그 시간 간격을 결정하라. 유량 데이터

에 대한 텍스트파일을 생성하고, MATLAB 스크립트로 로드하라. 이 데이터에 스플라인 평활화를 적용하라. 해석 결과를 기술하라. 원 데이터와 평활화의 두 방법을 비교하라. 이 결과를 앞에서 선택한 같은 기간의 유량에 영향을 미칠 수 있는 다른 환경에서의 결과와 비교하라.

몇가지 추천사항은 다음과 같다.

• 흥미가 있는 강이나 개울이 속해 있는 주를 택하고, 그 주의 지도를 더블클릭하거나 목록에서 선택하라.

• 주별 지도에 있는 마커를 스캔하고, 흥미가 가는 강을 찾고 클릭한다. 그 사이트의 창에 보이는 파란색 USGS 숫자를 클릭한다.

• 추출하고자 하는 유량 데이터의 종류를 선택하라. 만약 자주 측정을 하려면, Current/Historical Observations를 선택하라.

• 시간 간격을 선택하고, 탭분리 데이터 파일(Tab-separated data file)을 생성하라. 데이터가 평활화 작업을 위해 "흥미로운지" 확인하기 위하여 그래프로 표시할 수도 있다.

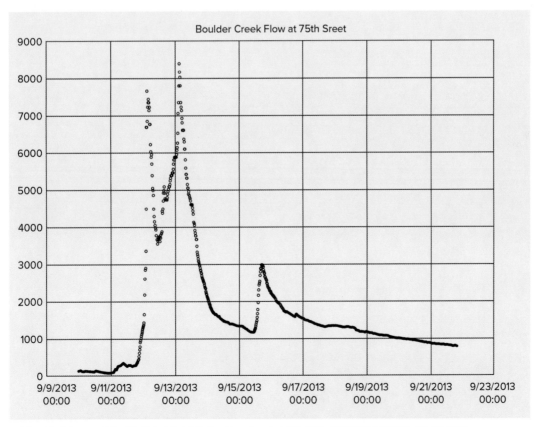

그림 P18.17 2013년 9월 중순 콜로라도 Boulder Creek 강의 초당 세제곱피트 단위로 표시된 유량.

- 데이터는 텍스트 파일로 출력된다. 파일을 Notepad 프로그램을 이용하여 "잘라내거나", 이 파일을 Excel로 가져와 필요없는 열을 제거한 후 MATLAB으로 "로드"한다.
- 이와 같은 과정을 거친 후 MATLAB 예제를 사용하여 평활화 방법을 적용하면 된다.

극단적인 경우의 예제 중 하나는 그림 P18.17에 제시되어 있다. <Boulder Creek, Colorado in mid-September 2013.>

18.18 2020년의 비극적 코로나바이러스(코비드-19) 대유행은 보고 사례, 입원 및 사망에 대한 과다한 데이터를 제공하였다. 관심 지역(국가, 주/도, 도시)을 선택하고 선택한 통계에 대해 다운로드 가능한 빈도 데이터(누적 데이터 아님)를 찾아라. 이 데이터에 3차 스플라인 평활화를 적용하고 평활화 정도를 조정하여 데이터의 일반적인 추세를 구하여라. 완만한 곡선의 모양과 그것이 전염병 발생 동안 사회 조건과 어떻게 관련되는지에 대해 논평하라.

적분과 미분

5.1 개요

고등학교 또는 대학 초년생 시절에 미분과 적분을 배웠다. 그 당시에 해석적으로 정확하게 도함수와 적분을 구하는 기법을 터득하였다.

수학적으로 **도함수**는 독립변수에 대한 종속변수의 변화율을 의미한다. 예를 들어 물체의 위치를 나타내는 시간의 함수 $y(t)$가 주어지면 미분은 다음과 같이 그 물체의 속도를 나타내는 수단을 제공한다.

$$v(t) = \frac{d}{dt} y(t)$$

그림 PT5.1a 에서와 같이 도함수는 함수의 기울기로 시각화된다.

적분은 미분의 역이다. 미분이 순간적인 과정을 정량화하기 위해 차이를 이용하는 것처럼 적분은 어떤 구간에 대한 전체 결과를 얻기 위해 순간적인 정보를 합하는 것이다. 따라서 속도가 시간의 함수로 주어지는 경우에 이동한 거리를 구하기 위해 다음과 같이 적분을 이용한다.

$$y(t) = \int_0^t v(t)\, dt$$

그림 PT5.1b에서와 같이 수평축 위에 놓인 함수에 대해서 적분은 0에서 t까지 구간에서 곡선 $v(t)$ 아래의 면적으로 시각화될 수 있다. 결론적으로 도함수가 기울기로 간주될 수 있는 것과 같이, 적분은 합으로 간주될 수 있다.

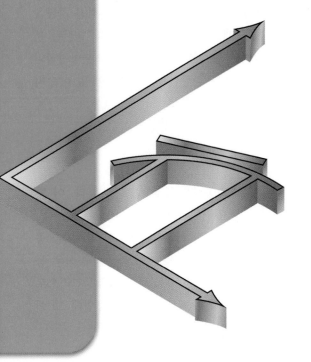

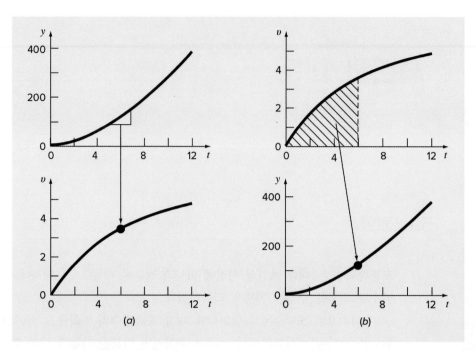

그림 PT5.1   (a) 미분과 (b) 적분의 대비.

　　미분과 적분은 밀접한 관계가 있기 때문에 5부에서는 미분과 적분을 함께 다루고자 한다. 무엇보다도 미분과 적분의 유사성과 차이점을 수치적 측면에서 살펴볼 것이다. 더구나 여기서 다루는 내용은 추후에 미분방정식을 다루는 부분과도 깊이 관련된다.

　　비록 미적분학에서는 미분을 적분보다 먼저 다루지만 이 책에서는 그 순서를 바꾸었다. 이렇게 하는 데에는 여러 가지 이유가 있다. 첫째로 이미 4장에서 수치미분의 기본적인 사항을 소개했다. 둘째로 수치적분은 반올림오차에 덜 민감하기 때문에 수치기법에서는 더 발전된 분야라고 볼 수 있다. 마지막으로 비록 수치미분이 광범위하게 사용되지는 않지만 미분방정식의 해를 구하는 데에 있어서 매우 중요하다. 따라서 6부에서 미분방정식을 취급하기에 앞서 수치미분을 마지막 주제로 다루는 것이 타당하다하겠다.

5.2   구성

19장은 수치적분의 가장 일반적인 접근법인 **Newton-Cotes 공식**을 중점적으로 다룬다. 이 방법은 복잡한 함수나 표로 주어진 데이터를 적분하기 쉬운 간단한 다항식으로 바꾸는 것에 기초를 두고 있다. Newton-Cotes 공식 중에서 특히 많이 사용되는 세 가지 공식인 **사다리꼴 공식, Simpson 1/3 공식,** 그리고 **Simpson 3/8 공식**에 대해 상세히 논의한다. 이러한 공식은 등간격으로 주어지는 데이터를 적분하고자 할 때 사용하기 위한 것이다. 추가로 부등간격으로 주어지는 데이터에 대한 수치적분에 관해서도 논의한다. 이것은 매우 중요한 주제인데 그 이유는 실제 응용에서는 이러한 형태로 데이터가 대부분 주어지기 때문이다.

이상에서 다루는 주제는 모두 적분구간의 양끝에서 함수값이 알려진 **폐구간 적분**이다. 19장의 끝에서 **개구간 적분 공식**을 소개하는데, 이 공식은 주어진 데이터의 범위를 넘어선 구간에 대해 적분하는 것이다. 비록 이러한 공식이 정적분의 계산에 많이 이용되지는 않으나 여기서 소개하는 이유는 6부에서 상미분방정식의 해를 구하는 데 유용하게 이용되기 때문이다.

19장에서 다룬 공식은 표로 주어진 데이터나 방정식을 해석할 때 모두 사용될 수 있다. **20장**에서는 방정식이나 함수를 적분하기 위해 특별히 고안된 두 가지 기법인 **Romberg 적분**과 **Gauss 구적법**에 대해 다룬다. 이 두 방법에 대한 컴퓨터 알고리즘이 제공되며, 추가로 **적응식 적분**도 논의된다.

21장에서는 4장에서 소개된 내용을 보완하는 **수치미분**에 관한 추가적인 정보가 제공된다. 다룰 주제는 **고정도 유한차분 공식**, **Richardson 외삽법**, 부등간격 데이터에 대한 미분을 포함한다. 오차가 수치미분과 수치적분에 미치는 영향에 대해서도 논의한다.

수치적분 공식

이런 문제를 만나면

자 유낙하하는 사람의 속도는 시간의 함수로 다음과 같이 계산된다.

$$v(t) = \sqrt{\frac{gm}{c_d}} \tanh\left(\sqrt{\frac{gc_d}{m}}t\right) \tag{19.1}$$

만일 어떤 t 시간 동안 사람이 낙하한 수직거리 z를 알고 싶다고 하자. 그 거리는 다음과 같이 적분을 통하여 계산할 수 있다.

$$z(t) = \int_0^t v(t)\, dt \tag{19.2}$$

식 (19.1)을 식 (19.2)에 대입하면 다음 식을 얻는다.

$$z(t) = \int_0^t \sqrt{\frac{gm}{c_d}} \tanh\left(\sqrt{\frac{gc_d}{m}}t\right) dt \tag{19.3}$$

즉, 적분은 속도로부터 거리를 구할 수 있는 수단이 된다. 미적분학을 이용하여 식 (19.3)을 풀면 다음과 같다.

$$z(t) = \frac{m}{c_d} \ln \left[\cosh \left(\sqrt{\frac{gc_d}{m}} t \right) \right]$$

(19.4)

이 경우에 위와 같이 해석해를 구할 수 있었지만, 적분에서 해석해를 구할 수 없는 함수도 많다. 만약 사람이 떨어지는 동안에 여러 시각에서 속도를 측정할 수 있는 방법이 있다고 하자. 이처럼 시간에 따라 측정된 속도들은 이산값으로 이루어진 표로 정리할 수 있을 것이다. 이런 경우에 이산 데이터를 적분하여 거리를 구할 수 있을 것이다. 이 두 가지 경우에 수치적분 방법은 해를 구하는 데 유용하다. 19장과 20장에서 이 방법들을 소개할 것이다.

19.1 소개 및 배경

19.1.1 적분이란 무엇인가?

사전적 정의에 의하면 적분은 "부분들을 모아 전체가 되게 함, 통합함, 총량을 나타냄 ..." 등을 의미한다. 수학적으로 정적분은 다음과 같이 표현한다.

$$I = \int_a^b f(x)\, dx$$

(19.5)

이 식은 $x = a$에서 $x = b$까지의 독립변수 x에 대한 함수 $f(x)$의 적분을 의미한다.

사전의 정의가 제시하듯이 식 (19.5)의 "의미"는 $x = a$와 $x = b$ 사이의 범위에서 $f(x)\, dx$의 총량 또는 합계이다. 사실 기호 $\int$은 적분과 합계 사이의 밀접한 관계를 표시할 목적으로 도안된 대문자 S자이다. 합 또는 합계는 영어로 summation이다.

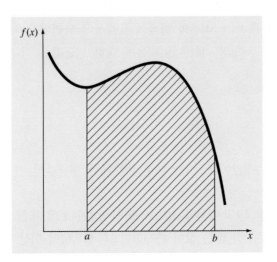

그림 19.1 구간 $x = a$와 b 사이에서 함수 $f(x)$에 대한 적분을 그래프로 표현함. 적분은 곡선 아래의 면적과 같다.

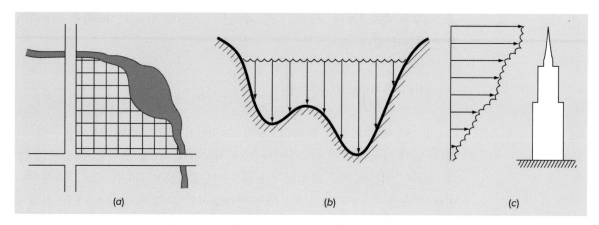

그림 19.2 공학과 과학적인 응용에서 적분을 이용하여 면적을 계산하는 방법을 보여주는 예. (a) 측량기사는 굽이쳐 흐르는 강과 두 개의 길로 둘러싸여 있는 들판의 면적을 알고자 한다. (b) 수문학자는 강의 단면적을 알고자 한다. (c) 구조공학자는 고층 건물의 측면에 부는 불균일한 바람에 의한 유효 힘을 알고자 한다.

그림 19.1은 적분 개념을 명확히 보여주고 있다. x 축 위에 있는 함수에 대하여 식 (19.5) 가 표현하는 적분은 $x = a$ 와 $x = b$ 사이에서 곡선 $f(x)$ 아래의 면적을 뜻한다.

수치적분을 때로는 구적법(quadrature)이라 한다. 이는 원래 곡선으로 이루어진 도형과 동일한 면적을 가지는 사각형을 구축한다는 것을 의미하는 고어이며, 오늘날 **구적법**이라는 말은 일반적으로 수치 정적분과 같은 뜻으로 사용된다.

19.1.2 공학과 과학 분야에서의 적분

적분은 매우 많은 공학과 과학 문제에 적용되므로, 대학 1학년에서 이미 적분 강좌를 이수하였을 것이다. 적분의 응용에 관련된 많은 구체적인 예제들은 공학과 과학의 모든 분야에서 찾아볼 수 있다. 그중 다수의 예제들은 곡선 아래의 면적으로 간주하는 적분 개념에 직접적으로 관련되어 있다. 그림 19.2는 이러한 목적으로 사용되는 몇 가지 경우를 보여준다.

또 다른 일반적인 응용 예는 적분과 합계의 유사성에 관련된다. 예를 들면 연속함수의 평균값을 결정하는 것이다. n 개의 이산 데이터들에 대한 평균값은 식 (14.2)에 의해 계산될 수 있음을 기억하라.

$$\text{평균값} = \frac{\sum\limits_{i=1}^{n} y_i}{n} \tag{19.6}$$

여기서 y_i 는 개별적인 측정값이다. 이산 데이터에 대한 평균값의 결정은 그림 19.3a와 같이 도시될 수 있다.

이와 대조적으로 그림 19.3b에서와 같이 y 를 독립변수 x 에 대한 연속함수라 하자. 이 경우에 a 와 b 사이에는 무수히 많은 값이 존재한다. 식 (19.6)이 이산 데이터에 대한 평균값을 결정하는 데 적용되듯이, 구간 a 와 b 사이의 연속함수 $y = f(x)$의 평균값을 계산하는 데에도 확장되어 사용될 수 있을 것이다. 적분은 이와 같은 목적을 위하여 다음과 같이 사용된다.

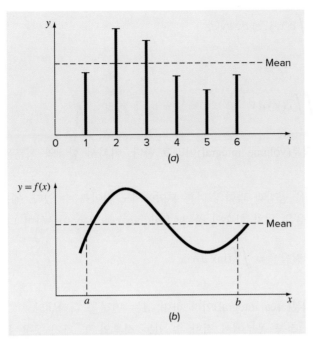

그림 19.3 (a) 이산 데이터와 (b) 연속 데이터에 대한 평균값의 설명.

$$평균값 = \frac{\int_a^b f(x)dx}{b-a} \tag{19.7}$$

이 공식은 수많은 공학과 과학 문제에 사용되고 있다. 예를 들면 기계공학이나 토목공학에서 나타나는 불규칙한 형상을 가지는 물체의 무게중심 계산과 전기공학에서 나타나는 평균제곱근(root-mean-square) 전류를 결정하는 데 사용된다.

또한 공학자와 과학자는 적분을 사용하여 주어진 물리적 변수의 총합 또는 총량을 계산한다. 적분은 선, 면적, 체적에 걸쳐 계산된다. 예를 들어 반응기 내부에 포함된 화학물질의 전체 질량은 화학물질의 농도와 반응기 부피의 곱이다. 즉,

질량 = 농도 × 부피

여기서 농도는 부피당 질량의 단위를 가진다. 만약 반응기 내부에서의 농도가 위치별로 다를 경우에는 국부 농도 c_i와 그에 해당하는 요소 부피 ΔV_i의 곱의 합을 계산하는 것이 필요하다.

$$질량 = \sum_{i=1}^{n} c_i \Delta V_i$$

여기서 n은 이산 요소 부피의 개수이다. 연속인 경우에 $c(x, y, z)$는 알려진 함수이며, x, y와 z가 직교좌표계에서 위치를 나타내는 독립변수일 때 적분은 질량을 계산하기 위하여 다음과 같이 사용된다.

$$질량 = \iiint c(x, y, z)\, dx\, dy\, dz$$

또는

$$질량 = \iiint_V c(V)\, dV$$

이 식을 **체적 적분**(volume integral)이라고 한다. 여기서 합계와 적분은 매우 유사하다는 점을 주목하라.

비슷한 예들을 공학과 과학의 다른 분야에서도 찾아볼 수 있다. 예를 들어 평판을 통과하는 총 에너지 전달율은 위치 함수인 플럭스[$cal/(cm^2 \cdot sec)$]를 이용하여 다음과 같이 쓸 수 있다.

$$총\ 에너지\ 전달율 = \iint_A flux\, dA$$

이 식을 **면적 적분**(area integral)이라 하며, A는 면적을 나타낸다.

위의 예들은 전공 공부에서 접할 수 있는 적분의 몇 가지 응용 문제에 불과하다. 함수가 간단할 경우에는 보통 해석적인 방법으로 그 함수를 적분한다. 그러나 보다 실제적인 공학 문제에서 일반적으로 나타나는 것처럼 함수가 복잡할 경우에는 해석적인 방법을 적용하는 것이 어렵거나 불가능하다. 더욱이 적분할 함수는 종종 잘 알려져 있지 않거나, 단지 이산 점에서의 측정값으로만 제공될 뿐이다. 이 두 가지 중 어떠한 경우든지 다음에 논의할 수치해석 기법을 이용하여 적분의 근사값을 구할 수 있는 능력을 갖추어야 한다.

19.2 Newton-Cotes 공식

Newton-Cotes 공식은 가장 널리 사용되는 수치적분 방법이다. 이 방법은 복잡한 함수나 도표화된 데이터를 적분하기 쉬운 다항식으로 대체하는 방식에 근거하고 있다.

$$I = \int_a^b f(x)\, dx \cong \int_a^b f_n(x)\, dx \tag{19.8}$$

여기서 $f_n(x)$는 다음과 같은 형태로 표시되는 다항식이다.

$$f_n(x) = a_0 + a_1 x + \cdots + a_{n-1} x^{n-1} + a_n x^n \tag{19.9}$$

여기서 n은 다항식의 차수이다. 예를 들어 그림 19.4a에서는 1차 다항식(직선)이 근사 함수로 사용되었으며, 그림 19.4b에서는 포물선이 근사 함수로 사용되었다.

적분은 또한 함수식이나 데이터를 일정한 길이를 갖는 여러 소구간으로 나누어, 소구간별로 일련의 다항식을 적용함으로써 근사값을 구할 수 있다. 예를 들어 그림 19.5는 적분을 근사하기 위해 세 개의 직선 선분이 사용된 경우이며, 고차 다항식도 같은 목적으로 사용될 수 있다.

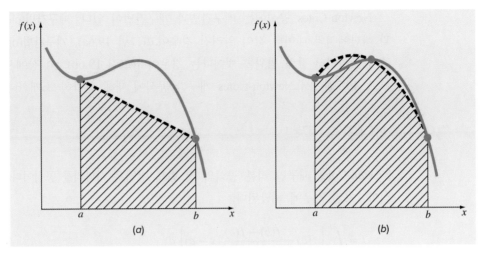

그림 19.4 (a) 한 개의 직선과 (b) 한 개의 포물선 아래에 있는 면적으로 적분을 근사함.

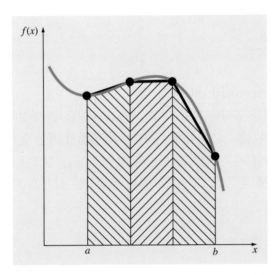

그림 19.5 세 개의 직선 선분 아래의 면적으로 적분을 근사함.

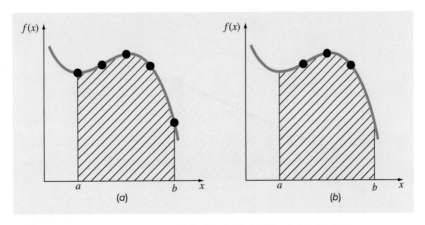

그림 19.6 (a) 폐구간 적분 공식과 (b) 개구간 적분 공식 사이의 차이점.

Newton-Cotes 공식에는 폐구간법과 개구간법이 있다. **폐구간법**(closed form)은 적분 상한과 하한에서의 데이터 값이 알려진 경우이고(그림 19.6a), **개구간법**(open form)은 적분구간이 주어진 데이터 값의 범위를 벗어나는 경우이다(그림 19.6b). 이 장에서는 폐구간법을 주로 다루고, 19.7절에서 Newton-Cotes 개구간 공식에 대해 간략히 소개한다.

19.3 사다리꼴 공식

Newton-Cotes 폐구간 적분 공식의 첫 번째 방법은 **사다리꼴 공식**이다. 이는 식 (19.8)의 다항식이 1차인 경우에 해당된다.

$$I = \int_a^b \left[f(a) + \frac{f(b) - f(a)}{b - a} (x - a) \right] dx \tag{19.10}$$

이 적분의 결과는 다음과 같다.

$$I = (b - a)\frac{f(a) + f(b)}{2} \tag{19.11}$$

이 식을 **사다리꼴 공식**(trapezoidal rule)이라 한다.

기하학적으로 사다리꼴 공식은 그림 19.7에서 $f(a)$와 $f(b)$를 연결하는 직선 아래의 사다리꼴의 면적을 구하는 것과 같다. 기하학에서 사다리꼴 면적의 계산 공식은 높이와 상하변의 평균의 곱이라는 것을 상기하자. 사다리꼴 공식의 경우 개념은 같으나 사다리꼴의 상하변이 측면에 존재하는 것만 다를 뿐이다. 그러므로 적분 추정값은 다음과 같다고 볼 수 있다.

$$I = 폭 \times 평균\ 높이 \tag{19.12}$$

또는

$$I = (b - a) \times 평균\ 높이 \tag{19.13}$$

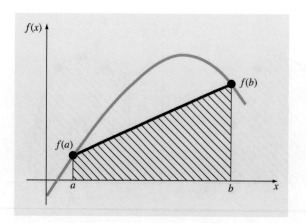

그림 19.7 사다리꼴 공식을 그래프로 표현함.

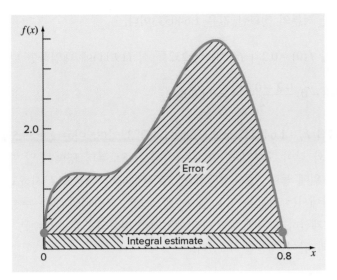

그림 19.8 구간 $x = 0$에서 0.8까지 함수 $f(x) = 0.2 + 25x - 200x^2 + 675x^3 - 900x^4 + 400x^5$ 의 적분 근사값을 구하기 위해 한 개의 구간에 사다리꼴 공식을 적용한 경우를 그래프로 표현함.

앞 사다리꼴 공식에서 평균 높이는 적분구간의 양 끝점에서의 함수값의 평균으로 $[f(a) + f(b)]/2$ 이다.

　　모든 Newton-Cotes 폐구간 공식들은 일반적으로 식 (19.13)과 같이 표현할 수 있다. 이 공식들은 단지 평균 높이를 구하는 계산식만 다를 뿐이다.

19.3.1 사다리꼴 공식의 오차

곡선 아래의 적분 근사값을 구하기 위해 직선 선분 아래의 적분을 사용하면 경우에 따라 상당한 크기의 오차를 초래할 수도 있다(그림 19.8). 한 개의 구간에 대해 사다리꼴 공식을 적용할 때 발생되는 국부절단오차(local truncation error)는 다음과 같다.

$$E_t = -\frac{1}{12} f''(\xi)(b - a)^3 \tag{19.14}$$

여기서 ξ는 위 식을 만족시키는 구간 a와 b 사이의 임의의 값이다. 식 (19.14)에서 적분할 함수가 선형이면, 직선에 대한 2차 도함수가 0이므로 사다리꼴 공식은 정확한 해를 주게 된다. 그렇지 않을 경우, 즉 적분할 함수가 2차와 고차 도함수를 갖는 함수(즉, 곡률이 있는 경우)이면 얼마간의 오차가 발생할 수 있다.

예제 19.1 단일구간에 대한 사다리꼴 공식의 적용

문제 설명. $a = 0$에서 $b = 0.8$까지의 구간에서 식 (19.11)을 사용하여 다음 식을 수치적으로 적분하라.

$$f(x) = 0.2 + 25x - 200x^2 + 675x^3 - 900x^4 + 400x^5$$

이 식에 대한 적분의 정확한 값은 1.640533이다.

풀이   함수값 $f(0) = 0.2$와 $f(0.8) = 0.232$를 식 (19.11)에 대입하면 다음과 같다.

$$I = (0.8 - 0) \frac{0.2 + 0.232}{2} = 0.1728$$

오차를 구하면 $E_t = 1.640533 - 0.1728 = 1.467733$이며, 이는 $\varepsilon_t = 89.5\%$의 백분율 상대오차에 해당한다. 이와 같이 오차가 큰 이유는 그림 19.8로부터 명백히 알 수 있다. 즉 직선 아래의 면적은 직선 위에 놓여 있는 상당히 큰 부분에 대한 적분을 무시하고 있음에 유의하라.

실제 상황에서는 참값을 미리 알 수 없으므로, 근사적인 오차 추정값이 필요하게 된다. 오차 추정값을 계산하기 위해 해당 구간에서의 방정식의 2차 도함수는 원래 식을 두 번 미분함으로써 다음과 같이 계산될 수 있다.

$$f''(x) = -400 + 4,050x - 10,800x^2 + 8,000x^3$$

식 (19.7)을 이용하여 2차 도함수의 평균값을 계산하면 다음과 같다.

$$\bar{f}''(x) = \frac{\int_0^{0.8} (-400 + 4,050x - 10,800x^2 + 8,000x^3)\, dx}{0.8 - 0} = -60$$

이를 식 (19.14)에 대입하면 다음과 같다.

$$E_a = -\frac{1}{12}(-60)(0.8)^3 = 2.56$$

이 결과는 참오차와 크기가 유사하고 같은 부호를 가진다. 여기서 두 값이 다른 이유는 이러한 크기의 구간에서는 평균 2차 도함수가 $f''(\xi)$에 대한 정확한 근사값이 아니기 때문이다. 그러므로 오차는 정확한 값을 나타내는 E_t를 사용하기보다는 E_a를 사용하여 오차가 근사값인 것을 표현한다.

19.3.2 합성 사다리꼴 공식

사다리꼴 공식의 정확도를 향상시키는 한 가지 방법은 그림 19.9에 나타낸 바와 같이 a에서 b까지의 적분구간을 다수의 소구간으로 나누어, 사다리꼴 공식을 각 소구간에 적용하는 것이다. 이렇게 구한 각 소구간의 면적을 더하면 전체 구간에 대한 적분을 얻을 수 있다. 이와 같은 방법으로 구한 식을 **합성**(composite) 또는 **다구간**(multiple-segment) **적분 공식**이라고 한다.

그림 19.9는 합성 적분 공식을 규정하는 데 사용하는 일반적인 형식과 기호를 보여주고 있다. $(n + 1)$개의 등간격으로 분포된 기본점 $(x_0, x_1, x_2, \ldots, x_n)$이 있으며, 따라서 n개의 등간격 구간이 존재한다.

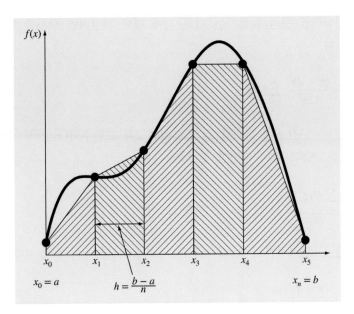

그림 19.9 합성 사다리꼴 공식.

$$h = \frac{b - a}{n} \tag{19.15}$$

만약 a와 b를 각각 x_0와 x_n으로 표시하면 전체 적분은 다음과 같이 나타낼 수 있다.

$$I = \int_{x_0}^{x_1} f(x)\, dx + \int_{x_1}^{x_2} f(x)\, dx + \cdots + \int_{x_{n-1}}^{x_n} f(x)\, dx$$

사다리꼴 공식을 각각의 적분식에 적용하면 다음 식이 된다.

$$I = h\frac{f(x_0) + f(x_1)}{2} + h\frac{f(x_1) + f(x_2)}{2} + \cdots + h\frac{f(x_{n-1}) + f(x_n)}{2} \tag{19.16}$$

또는 각 항들을 그룹으로 묶으면 다음과 같이 된다.

$$I = \frac{h}{2}\left[f(x_0) + 2\sum_{i=1}^{n-1} f(x_i) + f(x_n) \right] \tag{19.17}$$

식 (19.15)를 이용하여 식 (19.17)을 식 (19.13)과 같은 일반적 형태로 표현하면 다음과 같다.

$$I = \underbrace{(b - a)}_{\text{Width}}\ \underbrace{\frac{f(x_0) + 2\sum\limits_{i=1}^{n-1} f(x_i) + f(x_n)}{2n}}_{\text{Average height}} \tag{19.18}$$

이 식에서 분자에 있는 $f(x)$의 계수의 합을 $2n$으로 나눈 값이 1과 같기 때문에, 평균 높이는 함수값의 가중평균값(weighted average)을 나타낸다. 식 (19.18)에 의하면 내부 점들은 양 끝 점 $f(x_0)$와 $f(x_n)$의 두 배의 가중값을 가지는 것을 알 수 있다.

합성 사다리꼴 공식의 오차는 각 구간에 대한 개별적인 오차를 더함으로써 다음과 같이 구할 수 있다.

$$E_t = -\frac{(b-a)^3}{12n^3} \sum_{i=1}^{n} f''(\xi_i) \tag{19.19}$$

여기서 $f''(\xi_i)$는 구간 i에 위치한 점 ξ_i에서의 2차 도함수이다. 전체 구간에 대한 2차 도함수의 평균값을 다음과 같이 계산할 수 있다.

$$\bar{f}'' \cong \frac{\sum_{i=1}^{n} f''(\xi_i)}{n} \tag{19.20}$$

그러므로 $\sum f''(\xi_i) \cong n\bar{f}''$이며, 식 (19.19)는 다음과 같이 다시 쓸 수 있다.

$$E_a = -\frac{(b-a)^3}{12n^2} \bar{f}'' \tag{19.21}$$

따라서 구간의 개수가 두 배가 되면 절단오차는 1/4이 될 것이다. 또 식 (19.20) 자체가 근사식이므로 식 (19.21)은 근사오차임을 유의한다.

예제 19.2   합성 사다리꼴 공식의 적용

문제 설명.   두 개의 구간에 대한 사다리꼴 공식을 이용하여 $a = 0$에서 $b = 0.8$까지의 범위에서 다음 식의 적분값을 계산하라.

$$f(x) = 0.2 + 25x - 200x^2 + 675x^3 - 900x^4 + 400x^5$$

오차 계산을 위해 식 (19.21)을 사용하고, 이 적분의 정확한 해는 1.640533임을 상기하라.

풀이 $n = 2$ $(h = 0.4)$에 대하여

$$f(0) = 0.2 \qquad f(0.4) = 2.456 \qquad f(0.8) = 0.232$$

$$I = 0.8 \frac{0.2 + 2(2.456) + 0.232}{4} = 1.0688$$

$$E_t = 1.640533 - 1.0688 = 0.57173 \qquad \varepsilon_t = 34.9\%$$

$$E_a = -\frac{0.8^3}{12(2)^2} (-60) = 0.64$$

여기서 -60은 예제 19.1에서 이미 계산된 평균 2차 도함수값이다.

표 19.1은 3구간에서부터 10구간까지에 대한 사다리꼴 공식의 적용 결과와 함께 앞의 예

표 19.1 구간 $x = 0$과 0.8 사이에서 $f(x) = 0.2 + 25x - 200x^2 + 675x^3 - 900x^4 + 400x^5$의 적분을 계산하기 위한 합성 사다리꼴 공식의 결과. 정확한 해는 1.640533이다.

n	h	I	ε_t (%)
2	0.4	1.0688	34.9
3	0.2667	1.3695	16.5
4	0.2	1.4848	9.5
5	0.16	1.5399	6.1
6	0.1333	1.5703	4.3
7	0.1143	1.5887	3.2
8	0.1	1.6008	2.4
9	0.0889	1.6091	1.9
10	0.08	1.6150	1.6

제의 결과를 요약하고 있다. 구간의 개수가 증가함에 따라 오차가 어떻게 감소하고 있는지 살펴보라. 오차의 감소율은 점진적이라는 것을 주목하라. 이는 오차가 n의 제곱에 역으로 비례하기 때문이다[식 (19.21)]. 그러므로 구간의 개수를 두 배로 늘리면 오차를 1/4로 줄일 수 있다. 다음 절에서는 구간의 개수가 증가함에 따라 적분의 참값에 보다 정확하고 빠르게 수렴하는 고차 공식들을 개발하고자 한다. 이러한 공식들을 공부하기에 앞서, 사다리꼴 공식을 적용하는 MATLAB 프로그램을 우선 살펴보도록 하자.

19.3.3 MATLAB M-파일: `trap`

합성 사다리꼴 공식을 실행하는 간단한 알고리즘은 그림 19.10과 같다. 적분할 함수는 적분의

```
function I = trap(func,a,b,n,varargin)
% trap: composite trapezoidal rule quadrature
%   I = trap(func,a,b,n,p1,p2,...):
%                   composite trapezoidal rule
% input:
%   func = name of function to be integrated
%   a, b = integration limits
%   n = number of segments (default = 100)
%   p1,p2,... = additional parameters used by func
% output:
%   I = integral estimate

if nargin<3,error('at least 3 input arguments required'),end
if ~(b>a),error('upper bound must be greater than lower'),end
if nargin<4|isempty(n),n=100;end
x = a; h = (b - a)/n;
s=func(a,varargin{:});
for i = 1 : n-1
  x = x + h;
  s = s + 2*func(x,varargin{:});
end
s = s + func(b,varargin{:});
I = (b - a) * s/(2*n);
```

그림 19.10 합성 사다리꼴 공식을 실행하는 M-파일.

한계 및 구간의 개수와 함께 M-파일로 전달된다. 식 (19.18)에 의한 적분값을 구하기 위해 루프가 사용된다.

M-파일의 한 가지 응용 예로서 식 (19.3)의 적분을 계산하여 자유낙하하는 사람이 처음 3초 동안 낙하하는 거리를 구하는 것을 고려해 보자. 이 예제에 대하여 매개변수값은 $g = 9.81$ m/s^2, $m = 68.1$ kg, 그리고 $c_d = 0.25$ kg/m로 가정한다. 이 적분의 정확한 값은 식 (19.4)를 이용하면 41.94805로 계산된다.

적분할 함수는 M-파일이나 또는 무명함수를 이용하여 다음과 같이 작성할 수 있다.

```
>> v=@(t) sqrt(9.81*68.1/0.25)*tanh(sqrt(9.81*0.25/68.1)*t)

v =
    @(t) sqrt(9.81*68.1/0.25)*tanh(sqrt(9.81*0.25/68.1)*t)
```

먼저 5개의 성긴 구간으로 근사하여 적분값을 계산해 보자.

```
>> format long
>> trap(v,0,3,5)

ans =
  41.86992959072735
```

예상한 바와 같이 이 결과는 18.6%의 비교적 큰 참오차를 갖는다. 보다 정확한 결과를 얻기 위해 다음과 같이 10,000개의 조밀한 구간으로 나누어 근사할 수 있다.

```
>> trap(v,0,3,10000)

x =
  41.94804999917528
```

이는 참값에 상당히 근접한 값이다.

19.4 Simpson 공식

사다리꼴 공식을 조밀한 구간에 적용하여 적분값을 얻는 방법과 별도로, 보다 정확한 적분값을 구하는 또 다른 방법은 데이터 점들을 연결하는 고차 다항식을 사용하는 것이다. 예를 들어 $f(a)$ 점과 $f(b)$ 점 중간에 추가점이 있다면, 세 점을 포물선으로 연결할 수 있을 것이다(그림 19.11a). 만약 $f(a)$ 점과 $f(b)$ 점 사이에 등간격으로 두 점이 있다면, 네 점을 3차 다항식으로 연결할 수 있을 것이다(그림 19.11b). 이들 다항식에 대한 적분을 취하여 얻은 공식을 **Simpson 공식**(Simpson's rule)이라고 한다.

19.4.1 Simpson 1/3 공식

Simpson 1/3 공식은 식 (19.8)의 다항식이 2차인 경우에 해당한다.

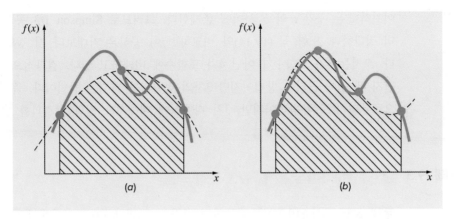

그림 19.11 (a) Simpson 1/3 공식을 그래프로 표현함. 세 점을 연결하는 포물선 아래에 있는 면적을 구하는 것이다. (b) Simpson 3/8 공식을 그래프로 표현함. 네 점을 연결하는 3차 방정식 아래에 있는 면적을 구하는 것이다.

$$I = \int_{x_0}^{x_2} \left[\frac{(x - x_1)(x - x_2)}{(x_0 - x_1)(x_0 - x_2)} f(x_0) + \frac{(x - x_0)(x - x_2)}{(x_1 - x_0)(x_1 - x_2)} f(x_1) \right.$$

$$\left. + \frac{(x - x_0)(x - x_1)}{(x_2 - x_0)(x_2 - x_1)} f(x_2) \right] dx$$

여기서 a 와 b 를 각각 x_0 와 x_2 로 설정하였으며, 적분 결과는 다음과 같다.

$$I = \frac{h}{3} [f(x_0) + 4f(x_1) + f(x_2)] \tag{19.22}$$

여기서 $h = (b - a)/2$이다. 이 식은 **Simpson 1/3 공식**(Simpson's 1/3 rule)으로 알려져 있으며, "1/3"이라는 숫자는 식 (19.22)에서 h 가 3으로 나누어진다는 사실에서 비롯한다. Simpson 1/3 공식은 식 (19.13)의 형식을 이용하면 다음과 같이 표현할 수도 있다.

$$I = (b - a) \frac{f(x_0) + 4f(x_1) + f(x_2)}{6} \tag{19.23}$$

여기서 $a = x_0$, $b = x_2$ 이고, x_1 은 a 와 b 의 중간점으로 $(a + b)/2$이다. 식 (19.23)에 의하면 중간점에는 2/3의 가중값을, 양 끝점에는 1/6의 가중값을 주고 있는 것을 알 수 있다.

Simpson 1/3 공식을 단일 구간에 적용하면, 다음과 같은 절단오차를 가지는 것을 증명할 수 있다.

$$E_t = -\frac{1}{90} h^5 f^{(4)}(\xi)$$

또는 $h = (b - a)/2$이므로

$$E_t = -\frac{(b - a)^5}{2880} f^{(4)}(\xi) \tag{19.24}$$

여기서 ξ는 구간 a와 b 사이에 존재한다. 그러므로 Simpson 1/3 공식은 사다리꼴 공식보다 더 정확하다. 또한 식 (19.14)와 비교하면 이 공식은 기대보다 더 정확하다는 것을 알 수 있다. 오차는 3차 도함수가 아닌 4차 도함수에 비례하고 있다. 결과적으로 Simpson 1/3 공식은 단지 세 점에 근거한 방법이지만 3차의 정확도를 가지는 방법이다. 즉, 이 방법은 2차 포물선으로부터 유도된 방법이지만, 3차 다항식에 대해서도 정확한 결과를 얻을 수 있다!

예제 19.3　단일구간에 Simpson 1/3 공식 적용

문제 설명.　식 (19.23)을 이용하여 구간 $a = 0$과 $b = 0.8$ 사이에서 다음 식을 적분하라.

$$f(x) = 0.2 + 25x - 200x^2 + 675x^3 - 900x^4 + 400x^5$$

식 (19.24)를 사용하여 오차를 계산한다. 그리고 이 적분의 정확한 해는 1.640533임을 상기하라.

풀이　$n = 2$ $(h = 0.4)$이므로

$$f(0) = 0.2 \qquad f(0.4) = 2.456 \qquad f(0.8) = 0.232$$

$$I = 0.8 \frac{0.2 + 4(2.456) + 0.232}{6} = 1.367467$$

$$E_t = 1.640533 - 1.367467 = 0.2730667 \qquad \varepsilon_t = 16.6\%$$

이는 단일구간에 적용한 사다리꼴 공식의 결과보다 약 5배 정도 더 정확하다(예제 19.1). 근사오차는 다음과 같이 계산된다.

$$E_a = -\frac{0.8^5}{2880}(-2400) = 0.2730667$$

여기서 -2400은 주어진 구간에 대한 평균 4차 도함수값이다. 예제 19.1의 경우와 같이 오차는 근사값으로 E_a이며, 그 이유는 일반적으로 평균 4차 도함수가 $f^{(4)}(\xi)$에 대한 정확한 값이 아니기 때문이다. 그러나 이 문제는 5차 다항식을 사용하므로, 결과는 정확하게 일치한다.

19.4.2　합성 Simpson 1/3 공식

사다리꼴 공식에서와 같이 Simpson 공식 역시 적분구간을 등간격의 다수 구간으로 나눔으로써 개선시킬 수 있다(그림 19.12). 전체 적분은 다음과 같이 표현될 수 있다.

$$I = \int_{x_0}^{x_2} f(x)\,dx + \int_{x_2}^{x_4} f(x)\,dx + \cdots + \int_{x_{n-2}}^{x_n} f(x)\,dx \qquad (19.25)$$

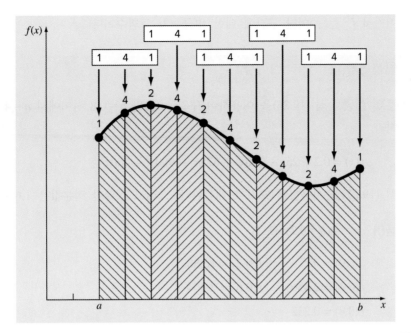

그림 19.12 합성 Simpson 1/3 공식. 상대 가중값이 함수값 위에 나타나 있다. 이 방법은 구간의 개수가 짝수일 때만 사용할 수 있다는 데 유의하라.

각각의 적분항에 Simpson 1/3 공식을 대입하면 다음과 같다.

$$I = 2h \frac{f(x_0) + 4f(x_1) + f(x_2)}{6} + 2h \frac{f(x_2) + 4f(x_3) + f(x_4)}{6}$$

$$+ \cdots + 2h \frac{f(x_{n-2}) + 4f(x_{n-1}) + f(x_n)}{6}$$

같은 항들을 모으고 식 (19.15)를 적용하면 다음과 같다.

$$I = (b - a) \frac{f(x_0) + 4 \sum\limits_{i=1,3,5}^{n-1} f(x_i) + 2 \sum\limits_{j=2,4,6}^{n-2} f(x_j) + f(x_n)}{3n} \tag{19.26}$$

그림 19.12에서 보인 바와 같이 이 방법을 적용하기 위해서는 짝수 개의 구간을 사용해야 하는 것에 주의한다. 또한 식 (19.26)의 계수 "4"와 "2"는 언뜻 이상하게 보일 수도 있지만, 이들은 Simpson 1/3 공식의 적용에 따른 자연스런 결과이다. 그림 19.12에서 보인 바와 같이 홀수 점은 각 구간의 중간 항으로 나타나므로 식 (19.23)으로부터 가중값 4를 갖게 된다. 짝수 점은 인접 구간에서 공통인 항이므로 계산에 두 번 포함된다.

합성 Simpson 공식에 대한 오차는 사다리꼴 공식에서와 같이 각 구간에 대한 개별 오차를 더하고, 도함수의 평균을 구하는 방법으로 얻을 수 있으며, 다음과 같다.

$$E_a = -\frac{(b - a)^5}{180 n^4} \bar{f}^{(4)} \tag{19.27}$$

여기서 $\bar{f}^{(4)}$는 주어진 구간에 대한 평균 4차 도함수이다.

예제 19.4 **합성 Simpson 1/3 공식**

문제 설명. 식 (19.26)을 이용하여 구간 $a = 0$과 $b = 0.8$ 사이에서 $n = 4$일 때 다음 식을 적분하라.

$$f(x) = 0.2 + 25x - 200x^2 + 675x^3 - 900x^4 + 400x^5$$

식 (19.27)을 사용하여 오차를 계산한다. 그리고 정확한 적분값은 1.640533임을 상기하라.

풀이 $n = 4$ $(h = 0.2)$이므로

$$f(0) = 0.2 \qquad f(0.2) = 1.288$$
$$f(0.4) = 2.456 \qquad f(0.6) = 3.464$$
$$f(0.8) = 0.232$$

식 (19.26)으로부터

$$I = 0.8 \frac{0.2 + 4(1.288 + 3.464) + 2(2.456) + 0.232}{12} = 1.623467$$
$$E_t = 1.640533 - 1.623467 = 0.017067 \qquad \varepsilon_t = 1.04\%$$

추정 오차[식 (19.27)]는 다음과 같다.

$$E_a = -\frac{(0.8)^5}{180(4)^4}(-2400) = 0.017067$$

이 값은 예제 19.3과 마찬가지로 정확한 값이다.

예제 19.4에서와 같이 합성 Simpson 1/3 공식은 대부분의 계산에서 사다리꼴 공식에 비해 우수하다고 간주된다. 그러나 앞에서 언급하였듯이 합성 Simpson 1/3 공식은 데이터가 등간격으로 분포되어 있는 경우, 더욱이 짝수 개의 구간과 홀수 개의 점이 있는 경우로 한정된다. 따라서 현재의 1/3 공식은 다음 19.4.3절에서 논의되는 Simpson 3/8 공식으로 알려져 있는 홀수 구간-짝수 점 공식과 함께 사용하여, 짝수나 홀수에 관계없이 모든 등간격 구간에 대한 계산도 수행할 수 있게 된다.

19.4.3 Simpson 3/8 공식

사다리꼴 공식과 Simpson 1/3 공식의 유도 과정과 유사한 방법으로, 네 개의 데이터 점에 3차 Lagrange 다항식을 사용하여 접합시키고 이를 적분하면 다음과 같다.

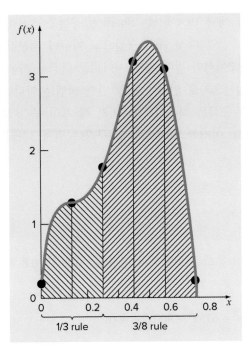

그림 19.13 Simpson 1/3 공식과 Simpson 3/8 공식을 함께 적용하여 홀수 개의 구간을 가지는 다구간 적분을 수행하는 방법에 대한 설명.

$$I = \frac{3h}{8}\left[f(x_0) + 3f(x_1) + 3f(x_2) + f(x_3)\right]$$

여기서 $h = (b-a)/3$이다. 이 식은 h에 3/8이 곱해지므로 **Simpson 3/8 공식**(Simpson 3/8 rule)으로 알려져 있으며, 세 번째 Newton-Cotes 폐구간 적분 공식이다. 3/8 공식은 또한 식 (19.13)의 형태로 표시하면 다음과 같이 쓸 수 있다.

$$I = (b-a)\frac{f(x_0) + 3f(x_1) + 3f(x_2) + f(x_3)}{8} \tag{19.28}$$

그러므로 두 개의 내부 점은 3/8의 가중값을 가지며, 반면에 양 끝점은 1/8의 가중값을 가진다. Simpson 3/8 공식은 다음과 같은 오차를 가진다.

$$E_t = -\frac{3}{80}h^5 f^{(4)}(\xi)$$

또는 $h = (b-a)/3$이므로 다음과 같이 된다.

$$E_t = -\frac{(b-a)^5}{6480}f^{(4)}(\xi) \tag{19.29}$$

식 (19.29)의 분모가 식 (19.24)의 분모보다 크므로, 3/8 공식이 1/3 공식에 비해 다소 정확하다.

  Simpson 1/3 공식은 세 개의 데이터 점으로 3차의 정확도를 가지므로, 네 개의 데이터 점이 필요한 3/8 공식에 비해 선호되는 방법이다. 그러나 구간의 개수가 홀수인 경우에는 3/8

공식이 유용하다. 예를 들어 예제 19.4에서는 Simpson 공식을 적용하여 함수를 적분하는 데 네 개의 구간을 사용하였다. 만일 다섯 개의 구간으로 나누어 적분값을 구한다고 생각해 보자. 한 가지 방법은 예제 19.2에서와 같이 합성 사다리꼴 공식을 사용하는 것이다. 그러나 이 방법은 내재하고 있는 큰 절단오차로 인하여 권할 만한 방법은 아니다. 다른 방법은 처음 두 개의 구간에는 Simpson 1/3 공식을 적용하고, 나머지 세 개의 구간에는 Simpson 3/8 공식을 적용하는 것이다(그림 19.13). 이러한 방법으로 전 구간에 걸쳐 3차의 정확도를 가지는 적분 추정값을 구할 수 있다.

예제 19.5) Simpson 3/8 공식

문제 설명. (a) Simpson 3/8 공식을 이용하여 구간 $a = 0$과 $b = 0.8$ 사이에서 다음 식을 적분하라.

$$f(x) = 0.2 + 25x - 200x^2 + 675x^3 - 900x^4 + 400x^5$$

(b) Simpson 3/8 공식과 Simpson 1/3 공식을 함께 이용하여, 위 함수의 적분값을 다섯 개의 구간에 대하여 구하라.

풀이   (a) Simpson 3/8 공식을 단일 구간에 적용하기 위해서 다음 네 개의 등간격 점을 필요로 한다.

$$f(0) = 0.2 \qquad f(0.2667) = 1.432724$$
$$f(0.5333) = 3.487177 \qquad f(0.8) = 0.232$$

식 (19.28)을 이용하면 다음과 같다.

$$I = 0.8 \frac{0.2 + 3(1.432724 + 3.487177) + 0.232}{8} = 1.51917$$

(b) 다섯 개 구간($h = 0.16$)을 적용하는 데 필요한 데이터는 다음과 같다.

$$f(0) = 0.2 \qquad f(0.16) = 1.296919$$
$$f(0.32) = 1.743393 \qquad f(0.48) = 3.186015$$
$$f(0.64) = 3.181929 \qquad f(0.80) = 0.232$$

Simpson 1/3 공식을 처음 두 개 구간에 적용하여 구한 적분값은 다음과 같다.

$$I = 0.32 \frac{0.2 + 4(1.296919) + 1.743393}{6} = 0.3803237$$

나머지 세 개의 구간에 대하여 Simpson 3/8 공식을 적용하면 다음과 같다.

$$I = 0.48 \frac{1.743393 + 3(3.186015 + 3.181929) + 0.232}{8} = 1.264754$$

전체 적분값은 두 결과를 합산하여 구한다.

$$I = 0.3803237 + 1.264754 = 1.645077$$

19.5 고차 Newton-Cotes 공식

앞에서도 언급하였듯이 사다리꼴 공식, Simpson 1/3과 3/8 공식들은 Newton-Cotes 폐구간 적분 공식으로 알려진 적분법에 속하는 공식들이다. 표 19.2는 이러한 공식들과 절단오차 추정값을 요약하고 있다.

Simpson 1/3 및 3/8 공식과 마찬가지로 다섯 점과 여섯 점에 대한 공식도 같은 차수의 오차를 갖는다는 점에 주목하라. 이러한 특성은 더 많은 점에 대한 공식에도 유효하며, 따라서 짝수 구간–홀수 점 공식(예를 들면 1/3 공식과 Boole 공식)을 통상 선호하는 이유이다.

그러나 실제 공학과 과학 문제에 있어서 고차(즉, 네 점 이상)의 공식은 보통 사용되지 않는다. 그 이유는 대부분의 문제에서 Simpson 공식만으로도 충분히 만족할 만한 결과를 얻을 수 있으며, 정확도는 합성 공식을 사용함으로써 향상시킬 수 있기 때문이다. 더욱이 함수를 알고 있고 높은 정확도가 요구될 때에는, 20장에서 기술하는 Romberg 적분이나 Gauss 구적법 등과 같은 방법들이 매력적이고 실용 가능한 대안이 된다.

19.6 부등간격의 적분

지금까지 설명한 수치적분에 대한 모든 공식은 등간격으로 분포된 데이터를 대상으로 하고 있다. 그러나 실제로는 이러한 가정이 성립하지 않을 때가 많으므로 부등간격에 대한 적분을 수행할 수 있어야 한다. 예를 들면 실험으로 얻는 데이터들은 대부분 이러한 형태이다. 이런

표 19.2 Newton–Cotes 폐구간 적분 공식. 이 공식들은 평균 높이를 추정하는 데이터 점의 가중값을 명확하게 나타내기 위해 식 (19.13)의 형태로 표현되었다. 간격의 크기는 $h = (b - a)/n$이다.

Segments (n)	Points	Name	Formula	Truncation Error
1	2	Trapezoidal rule	$(b - a)\dfrac{f(x_0) + f(x_1)}{2}$	$-(1/12)h^3 f''(\xi)$
2	3	Simpson's 1/3 rule	$(b - a)\dfrac{f(x_0) + 4f(x_1) + f(x_2)}{6}$	$-(1/90)h^5 f^{(4)}(\xi)$
3	4	Simpson's 3/8 rule	$(b - a)\dfrac{f(x_0) + 3f(x_1) + 3f(x_2) + f(x_3)}{8}$	$-(3/80)h^5 f^{(4)}(\xi)$
4	5	Boole's rule	$(b - a)\dfrac{7f(x_0) + 32f(x_1) + 12f(x_2) + 32f(x_3) + 7f(x_4)}{90}$	$-(8/945)h^7 f^{(6)}(\xi)$
5	6		$(b - a)\dfrac{19f(x_0) + 75f(x_1) + 50f(x_2) + 50f(x_3) + 75f(x_4) + 19f(x_5)}{288}$	$-(275/12{,}096)h^7 f^{(6)}(\xi)$

경우에 사용할 수 있는 한 가지 방법은 사다리꼴 공식을 각각의 구간에 적용하고 그 결과를 합하는 것이다.

$$I = h_1 \frac{f(x_0) + f(x_1)}{2} + h_2 \frac{f(x_1) + f(x_2)}{2} + \cdots + h_n \frac{f(x_{n-1}) + f(x_n)}{2} \qquad (19.30)$$

여기서 h_i 는 구간 i 의 폭이다. 이 식은 합성 사다리꼴 공식에서 사용하였던 것과 같은 방법임을 주목하라. 식 (19.16)과 (19.30)이 서로 다른 점은 단지 식 (19.16)의 h 가 상수라는 점이다.

예제 19.6 / 부등간격에 대한 사다리꼴 공식

문제 설명. 표 19.3에 나타낸 데이터들은 예제 19.1에서 사용하였던 것과 같은 다항식을 이용하여 구한 값들이다. 식 (19.30)을 이용하여 이들 데이터에 대한 적분값을 구하라. 정확한 적분값은 1.640533임을 상기하라.

표 19.3 x 가 부등간격으로 분포하는 경우, 함수 $f(x) = 0.2 + 25x - 200x^2 + 675x^3 - 900x^4 + 400x^5$ 의 데이터.

x	$f(x)$	x	$f(x)$
0.00	0.200000	0.44	2.842985
0.12	1.309729	0.54	3.507297
0.22	1.305241	0.64	3.181929
0.32	1.743393	0.70	2.363000
0.36	2.074903	0.80	0.232000
0.40	2.456000		

풀이   식 (19.30)을 적용하면 다음과 같다.

$$I = 0.12 \frac{0.2 + 1.309729}{2} + 0.10 \frac{1.309729 + 1.305241}{2}$$

$$+ \cdots + 0.10 \frac{2.363 + 0.232}{2} = 1.594801$$

이 경우에 절대 백분율 상대오차는 $\varepsilon_t = 2.8\%$이다.

19.6.1 MATLAB M-파일: trapuneq

부등간격으로 위치하는 데이터에 대하여 사다리꼴 공식을 실행하는 간단한 알고리즘은 그림 19.14와 같이 작성할 수 있다. 독립변수와 종속변수들을 포함하는 두 개의 벡터 x 와 y 가 M-파일로 전달된다. 두 개의 에러 함정이 (a) 두 개의 벡터가 같은 길이이며 (b) x 는 오름차순임을 명확히 하기 위하여 포함되어 있다.[1] 적분값을 구하기 위하여 루프를 사용한다. 또한

MATLAB에서는 배열에 0의 하첨자를 사용할 수 없으므로, 식 (19.30)의 하첨자를 수정하였음에 유의하라.

예제 19.6과 같은 문제에 대한 M-파일의 응용 예는 다음과 같이 작성할 수 있다.

```
>> x = [0 .12 .22 .32 .36 .4 .44 .54 .64 .7 .8];
>> y = 0.2+25*x-200*x.^2+675*x.^3-900*x.^4+400*x.^5;
>> trapuneq(x,y)

ans =

    1.5948
```

이는 예제 19.6에서 얻은 결과와 동일하다.

19.6.2 MATLAB 함수: `trapz`와 `cumtrapz`

MATLAB은 그림 19.14에 나타낸 M-파일과 같은 방법으로 데이터에 대한 적분값을 계산하는 내장함수를 가지고 있다. 이는 다음과 같은 일반적인 구문을 가진다.

z = trapz(x, y)

여기서 두 벡터 x와 y는 각각 독립변수와 종속변수들을 포함한다. 다음은 이 함수를 사용하여 표 19.3의 데이터를 적분하는 간단한 MATLAB 절차이다.

```
function I = trapuneq(x,y)
% trapuneq: unequal spaced trapezoidal rule quadrature
%   I = trapuneq(x,y):
%   Applies the trapezoidal rule to determine the integral
%   for n data points (x, y) where x and y must be of the
%   same length and x must be monotonically ascending
% input:
%   x = vector of independent variables
%   y = vector of dependent variables
% output:
%   I = integral estimate

if nargin<2,error('at least 2 input arguments required'),end
if any(diff(x)<0),error('x not monotonically ascending'),end
n = length(x);
if length(y)~=n,error('x and y must be same length'); end
s = 0;
for k = 1:n-1
  s = s + (x(k+1)-x(k))*(y(k)+y(k+1))/2;
end
I = s;
```

그림 19.14 부등간격 데이터에 대하여 사다리꼴 공식을 실행하는 M-파일.

---

1) `diff` 함수는 21.7.1절에 기술되어 있다.

```
>> x = [0 .12 .22 .32 .36 .4 .44 .54 .64 .7 .8];
>> y = 0.2+25*x-200*x.^2+675*x.^3-900*x.^4+400*x.^5;
>> trapz(x,y)

ans =

    1.5948
```

더욱이 MATLAB에는 누적 적분을 계산하는 cumtrapz라는 또 다른 함수가 있다. 이 함수의 구문을 간략히 표시하면 다음과 같다.

z = cumtrapz(x, y)

여기서 두 벡터 x와 y는 각각 독립변수와 종속변수들을 포함하며, z는 $x(1)$에서 $x(k)$까지의 적분값인 $z(k)$를 원소로 갖는 벡터이다.

예제 19.7 속도로부터 거리를 계산하는 수치적분

문제 설명. 이 장을 시작하면서 언급하였듯이 적분의 멋진 응용분야 중 하나는 다음과 같이 물체의 속도 $v(t)$를 바탕으로 거리 $z(t)$를 구하는 것이다[식 (19.2) 참조].

$$z(t) = \int_0^t v(t)\, dt$$

자유낙하하는 동안에 사람의 속도를 부등간격의 이산 시간에서 측정했다고 가정하자. 식 (19.1)을 이용하여 사람이 70 kg이고 항력계수가 0.275 kg/m인 경우에 대해 이러한 속도 정보를 생성하라. 속도를 가장 가까운 정수로 반올림함으로써 발생할 수 있는 무작위오차(random error)도 포함시켜라. 그리고 cumtrapz를 사용하여 낙하한 거리를 구하고 그 결과를 해석해인 식 (19.4)와 비교하라. 더불어 해석적으로 구한 거리와 수치계산으로 구한 거리를 시간에 대해 동일 그래프 상에서 도시하라.

풀이 여러 개의 부등간격 시간과 반올림한 속도를 다음과 같이 생성할 수 있다.

```
>> format short g
>> t=[0 1 1.4 2 3 4.3 6 6.7 8];
>> g=9.81;m=70;cd=0.275;
>> v=round(sqrt(g*m/cd)*tanh(sqrt(g*cd/m)*t));
```

거리는 다음과 같이 계산된다.

```
>> z=cumtrapz(t,v)

z =

    0   5   9.6   19.2   41.7   80.7   144.45   173.85   231.7
```

그러면 8초 후에 사람이 떨어진 거리는 231.7 m이다. 이 값은 다음과 같이 식 (19.4)를 이용하여 해석직으로 구한 값과 비슷하다고 볼 수 있다.

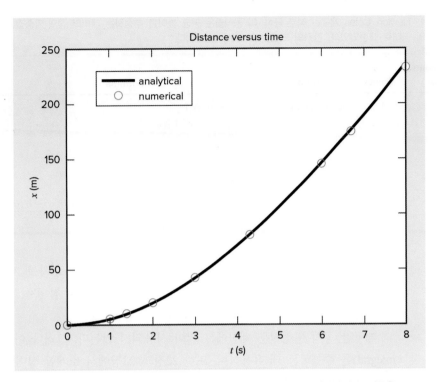

그림 19.15   시간에 따른 낙하거리에 대한 그림. 실선은 해석해로 계산하였고, 점들은 `cumtrapz` 함수를 사용하여 수치적으로 계산한 결과이다.

$$z(t) = \frac{70}{0.275} \ln \left[\cosh \left(\sqrt{\frac{9.81(0.275)}{70}} \, 8 \right) \right] = 234.1$$

정확한 속도와 반올림한 속도에 대해 계산한 해석해와 수치해의 그래프를 다음과 같은 명령어를 사용하여 생성할 수 있다.

```
>> ta=linspace(t(1),t(length(t)));
>> za=m/cd*log(cosh(sqrt(g*cd/m)*ta));
>> plot(ta,za,t,z,'o')
>> title('Distance versus time')
>> xlabel('t (s)'),ylabel('x (m)')
>> legend('analytical','numerical')
```

그림 19.15에서와 같이 수치 결과와 해석 결과는 꽤 잘 일치한다.

19.7   개구간법

그림 19.6b로부터 개구간 적분 공식은 주어진 데이터의 범위를 벗어나는 적분구간을 갖는다는 점을 기억하라. 표 19.4는 **Newton-Cotes 개구간 적분 공식**을 요약하고 있다. 이 표의 공식들은 가중값 인자를 명확하게 나타내기 위하여 식 (19.13)의 형태로 표현되어 있다. 폐구간 적

표 19.4 Newton–Cotes 개구간 적분 공식. 이 공식들은 평균 높이를 추정하는 데이터 점의 가중값을 명확하게 나타내기 위해 식 (19.13)의 형태로 표현되었다. 간격의 크기는 $h = (b - a)/n$ 이다.

Segments (n)	Points	Name	Formula	Truncation Error
2	1	Midpoint method	$(b - a)\, f(x_1)$	$(1/3)\, h^3 f''(\xi)$
3	2		$(b - a)\, \dfrac{f(x_1) + f(x_2)}{2}$	$(3/4)\, h^3 f''(\xi)$
4	3		$(b - a)\, \dfrac{2\, f(x_1) - f(x_2) + 2\, f(x_3)}{3}$	$(14/45)\, h^5 f^{(4)}(\xi)$
5	4		$(b - a)\, \dfrac{11\, f(x_1) + f(x_2) + f(x_3) + 11\, f(x_4)}{24}$	$(95/144)\, h^5 f^{(4)}(\xi)$
6	5		$(b - a)\, \dfrac{11\, f(x_1) - 14\, f(x_2) + 26\, f(x_3) - 14\, f(x_4) + 11\, f(x_5)}{20}$	$(41/140)\, h^7 f^{(6)}(\xi)$

분 공식과 유사하게 연속되는 한 쌍의 공식은 같은 차수의 오차를 가지고 있다. 일반적으로 짝수 구간-홀수 점 공식이 선호되며, 이는 홀수 구간-짝수 점 공식과 같은 정확도를 가지지만 보다 적은 수의 데이터 점이 요구되기 때문이다.

개구간 공식은 정적분 계산에는 많이 사용되지 않는다. 그러나 이들은 이상적분(improper integral)을 수행하는 데 유용하며, 또한 22장과 23장에서 소개할 상미분방정식의 해법에 관한 논의와도 관련된다.

19.8 다중적분

다중적분의 계산은 공학과 과학 분야에서 널리 사용된다. 예를 들어 2차원 함수의 평균값 계산식은 일반적으로 다음과 같이 쓸 수 있다[식 (19.7) 참조].

$$\bar{f} = \frac{\int_c^d \left(\int_a^b f(x, y)\, dx \right) dy}{(d - c)(b - a)} \tag{19.31}$$

여기서 나타나는 분자 항을 **이중적분**(double integral)이라 한다.

이 장(그리고 20장)에서 논의된 기법들은 다중적분을 계산하는 데 바로 사용할 수 있다. 간단한 예로는 직사각형 면 위의 함수에 대하여 이중적분을 취하는 것이다(그림 19.16).

이러한 적분은 미적분학으로부터 다음과 같이 반복적분(iterated integral)으로 계산할 수 있음을 상기하라.

$$\int_c^d \left(\int_a^b f(x, y)\, dx \right) dy = \int_a^b \left(\int_c^d f(x, y)\, dy \right) dx \tag{19.32}$$

따라서 차원 중 하나에 대한 적분을 먼저 계산한다. 그리고 이 첫 번째 적분 결과를 두 번째 차원에 대하여 적분한다. 식 (19.32)는 적분의 순서는 결과에 상관없음을 보여준다.

수치적 이중적분도 같은 방법으로 수행한다. 먼저 두 번째 차원의 모든 값을 상수로 간주

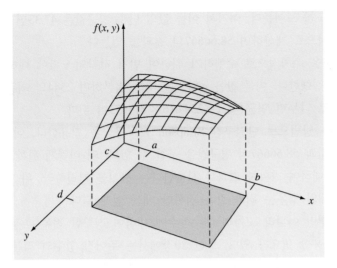

그림 19.16 함수 표면 아래의 부피로서의 이중 적분.

하고, 합성 사다리꼴 공식 또는 합성 Simpson 공식과 같은 방법들을 첫 번째 차원에 대하여 적용한다. 그 후 두 번째 차원에 대하여 적분 공식을 적용한다. 이에 대한 예를 다음 예제에서 다룬다.

예제 19.8 평균 온도를 구하기 위한 이중적분의 사용

문제 설명. 직사각형 가열판의 온도가 다음 함수로 표현된다고 가정하자.

$$T(x, y) = 2xy + 2x - x^2 - 2y^2 + 72$$

판의 길이(x 차원)가 8 m이고 폭(y 차원)이 6 m인 경우에 평균 온도를 계산하라.

풀이 먼저 2구간 사다리꼴 공식을 각각의 차원에 적용해 보자. 그림 19.17은 필요한 x 와 y

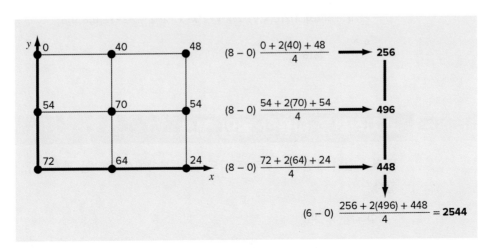

그림 19.17 2구간 사다리꼴 공식을 이용한 이중적분의 수치계산.

값에서의 온도를 보여준다. 여기서 이들 값의 단순 평균값은 47.33인 것을 주목하라. 이 경우 함수를 해석적으로 계산하면 58.66667의 결과를 얻는다.

같은 계산을 수치적으로 수행하기 위하여 먼저 각각의 y 값에 대하여 x 차원을 따라 사다리꼴 공식을 실행한다. 이들 값을 y 차원을 따라 적분하면 2544의 최종 결과를 얻는다. 이 결과를 면적으로 나누면 평균온도는 $2544/(6 \times 8) = 53$이 된다.

이제 같은 방법으로 단일구간 Simpson 1/3 공식을 적용한다. 이 방법으로 정확한 해인 2816의 적분값과 58.66667의 평균값을 구할 수 있다. 왜 이렇게 될까? Simpson 1/3 공식은 3차 다항식에 대하여 정확한 결과를 산출한다는 사실을 기억하라. 위 함수에서 최고차 항이 2차이므로 현재의 경우는 위와 같은 정확한 해를 얻게 된다.

초월함수뿐만 아니라 고차의 대수함수에 대하여 정확한 적분 추정값을 얻기 위해서는 합성 공식을 사용할 필요가 있다. 또한 20장에서는 주어진 함수의 적분값을 계산하는 데 있어 Newton-Cotes 공식보다 더 효율적인 기법들이 소개되며, 이들은 종종 다중적분에 대한 수치적분을 실행하는 데 더 나은 수단이 된다.

19.8.1   MATLAB 함수: `integral2`와 `integral3`

MATLAB은 이중적분과 삼중적분을 수행할 수 있는 함수, `integral2`와 `integral3`을 가지고 있다. `integral2` 함수의 구문을 간략히 표시하면 다음과 같다.

```
q = integral2(fun, xmin, xmax, ymin, ymax)
```

여기서 q는 $xmin$에서 $xmax$까지와 $ymin$에서 $ymax$까지의 범위에 대해 함수 fun을 이중적분한 값이다.

다음의 예는 예제 19.7에서 수행된 이중적분을 계산하기 위해서 이 함수를 어떻게 사용하는지를 보여준다.

```
>> q = integral2(@(x,y) 2*x*y+2*x-x.^2-2*y.^2+72,0,8,0,6)
q =
    2816
```

19.9 사례연구   수치적분을 이용한 일의 계산

배경. 일의 계산은 공학과 과학의 많은 분야에서 중요한 과제이다. 일반적인 공식은 다음과 같다.

일 = 힘 × 거리

고등학교 물리시간에 이 개념을 배웠을 때 간단한 응용은 움직인 거리 동안에 힘이 일정하게 유지되는 경우였을 것이다. 그 예로 10 N의 힘으로 어떤 물체를 5 m만큼 움직일 때 한 일은 50 J (1 Joule = 1 N · m)로 계산된다.

이러한 간단한 계산이 개념을 소개하는 데에는 유익하지만 실제로 부딪히는 문제는 이것보다 더 복잡하다. 그 예로 힘이 경로에 따라 변화하는 경우를 고려해 보자. 이러한 경우에 일을 계산하는 식은 다음과 같이 새롭게 표현된다.

$$W = \int_{x_0}^{x_n} F(x)\, dx \tag{19.33}$$

여기서 W는 일(J), x_0와 x_n은 초기와 최종 위치(m), 그리고 $F(x)$는 위치에 따라 변화하는 힘 (N)을 나타낸다. 만약 $F(x)$가 적분하기에 용이하다면 식 (19.33)은 해석적으로 계산이 가능할 것이다. 그러나 실제 상황에서는 힘이 이러한 형태로 주어지지 않을 수도 있다. 실제로 측정된 데이터를 해석할 때에는 힘이 표의 형태로만 주어지는 경우도 만나게 된다. 이러한 경우에 계산을 위한 유일한 선택은 수치적분이다.

더욱이 그림 19.18과 같이 힘과 이동 방향 사이의 각도 역시 위치의 함수로 변화한다면 더 복잡한 경우가 된다. 이 경우 일을 계산하는 식은 이러한 효과를 반영하기 위해 다음과 같이 수정되어야 한다.

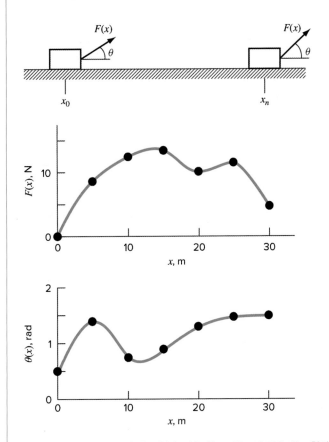

그림 19.18 물체에 변하는 힘이 작용하는 경우. 이 경우에는 힘의 크기뿐만 아니라 방향도 변한다.

표 19.5   위치 x의 함수로 주어진 힘 $F(x)$와 각도 $\theta(x)$의 데이터.

x, m	$F(x)$, N	θ, rad	$F(x)\cos\theta$
0	0.0	0.50	0.0000
5	9.0	1.40	1.5297
10	13.0	0.75	9.5120
15	14.0	0.90	8.7025
20	10.5	1.30	2.8087
25	12.0	1.48	1.0881
30	5.0	1.50	0.3537

$$W = \int_{x_0}^{x_n} F(x)\cos[\theta(x)]\,dx \tag{19.34}$$

마찬가지로 만약 $F(x)$와 $\theta(x)$가 간단한 함수라면 식 (19.34)는 해석적으로 풀릴 수도 있다. 그러나 그림 19.18에서와 같이 함수 관계가 복잡한 경우가 더 많다. 이러한 상황에서는 수치적 방법이 적분을 계산하는 유일한 대안이다.

그림 19.18과 같이 주어지는 상황에서 일을 계산해야 되는 경우를 고려하자. 그림에서는 $F(x)$와 $\theta(x)$가 연속적인 값을 나타내지만 제한적인 실험으로 $x = 5$ m 간격마다 이산 측정값만을 얻을 수 있다고 가정한다(표 19.5). 이들 데이터에 대해 일을 계산하기 위해서 단일 및 합성 사다리꼴 공식, 그리고 Simpson 1/3과 3/8 공식을 사용하라.

풀이   표 19.6은 수치적분 결과를 정리한 것이다. 백분율 상대오차 ε_t는 적분의 참값인 129.52에 대해 계산된 것인데, 이때 사용된 참값은 그림 19.18에서 1 m 간격으로 얻은 데이터를 바탕으로 추정한 값이다.

결과에서 흥미로운 점은 가장 정확한 값을 단순한 2구간 사다리꼴 공식을 사용하였을 때 얻을 수 있다라는 것이다. 더 많은 구간으로 나눈 정교한 방법이나 Simpson 공식을 사용하는 경우에 오히려 덜 정확한 결과를 얻게 된다.

이렇게 직관과 다른 결과를 얻게 된 이유는 힘과 각도의 변화를 포착하기 위해 사용한 간격이 조밀하지 않기 때문이다. 이는 $F(x)$와 $\cos[\theta(x)]$의 곱을 연속적인 곡선으로 나타낸 그림 19.19에서 명확하게 드러난다. 주의 깊게 살펴볼 사항은 연속적으로 변하는 함수를 특징

표 19.6   사다리꼴 공식과 Simpson 공식을 사용하여 계산한 일의 추정값. 백분율 상대오차 ε_t는 적분의 참값(129.52 J)을 기준으로 계산된 것으로 참값은 1 m 간격으로 얻은 데이터를 바탕으로 추정되었다.

Technique	Segments	Work	ε_t, %
Trapezoidal rule	1	5.31	95.9
	2	133.19	2.84
	3	124.98	3.51
	6	119.09	8.05
Simpson's 1/3 rule	2	175.82	35.75
	6	117.13	9.57
Simpson's 3/8 rule	3	139.93	8.04

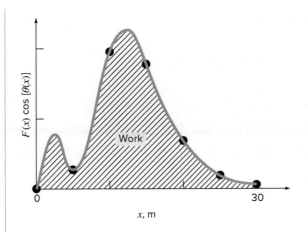

그림 19.19   표 19.6에 나타낸 수치적분 값을 얻기 위해 사용된 일곱 개의 이산 점과 위치에 따른 $F(x)\cos[\theta(x)]$의 연속적인 그림. 연속적으로 변하는 함수를 특징 짓기 위해 일곱 개의 점을 사용하면 $x =$ 2.5와 12.5 m에서 발생하는 두 피크를 놓치게 된다.

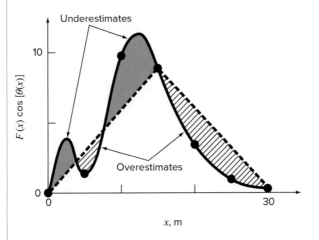

그림 19.20   2구간 사다리꼴 공식이 우수한 결과를 산출하게 된 이유를 그래프로 설명함. 이 특정 문제의 경우 두 개의 사다리꼴을 사용함으로써 빗금 친 부분(오차가 음)과 음영 부분(오차가 양)의 면적이 우연하게 거의 일치한다.

짓기 위해 일곱 개의 점만을 사용했을 때 $x = 2.5$와 12.5 m에서 발생하는 두 피크를 놓친다는 점이다. 이 두 점을 빠뜨린 것이 표 19.6에 나타낸 수치적분 값들의 정확도를 제한한 것이다. 2구간 사다리꼴 공식이 가장 정확한 결과를 산출한 것은 이 특정 문제에 대한 데이터 점들의 위치가 우연히도 좋았기 때문이다(그림 19.20).

그림 19.20으로부터 도출할 수 있는 결론은 정확한 적분값을 계산하기 위해서는 측정점 개수를 적절하게 선정하여야 한다는 것이다. 주어진 문제의 경우, 만약 $F(2.5)\cos[\theta(2.5)] =$ 3.9007과 $F(12.5)\cos[\theta(12.5)] = 11.3940$의 데이터가 추가로 주어진다면 보다 개선된 적분 결과를 얻을 수 있다. 그 예로 MATLAB에 내장된 `trapz` 함수를 사용하여 다음과 같이 계산할 수 있다.

```
>> x=[0 2.5 5 10 12.5 15 20 25 30];
>> y=[0 3.9007 1.5297 9.5120 11.3940 8.7025 2.8087 ...
                           1.0881 0.3537];
>> trapz(x,y)

ans =
  132.6458
```

두 점을 추가로 포함시키면 개선된 적분 결과인 132.6458($\varepsilon_t = 2.16\%$)을 얻게 된다. 앞서 빠뜨렸던 두 피크를 계산에 포함함으로써 결과적으로 더 좋은 적분값을 산출하게 된다.

연습문제

19.1 식 (19.3)을 적분하여 식 (19.4)를 유도하라.

19.2 다음의 적분을 계산하라.

$$\int_0^4 (1 - e^{-x}) \, dx$$

(a) 해석적인 방법, (b) 단일 구간에 대한 사다리꼴 공식, (c) 합성 사다리꼴 공식 ($n = 2, 4$), (d) 단일 구간에 대한 Simpson 1/3 공식, (e) 합성 Simpson 1/3 공식 ($n = 4$), (f) Simpson 3/8 공식, 그리고 (g) 합성 Simpson 공식 ($n = 5$). (b)에서 (g)까지의 계산결과에 대하여 (a)에 기초한 참 백분율 상대오차를 계산하라.

19.3 다음의 적분을 계산하라.

$$\int_0^{\pi/2} (8 + 4 \cos x) \, dx$$

(a) 해석적인 방법, (b) 단일 구간에 대한 사다리꼴 공식, (c) 합성 사다리꼴 공식 ($n = 2, 4$), (d) 단일 구간에 대한 Simpson 1/3 공식, (e) 합성 Simpson 1/3 공식 ($n = 4$), (f) Simpson 3/8 공식, 그리고 (g) 합성 Simpson 공식 ($n = 5$). (b)에서 (g)까지의 계산결과에 대하여 (a)에 기초한 참 백분율 상대오차를 계산하라.

19.4 다음의 적분을 계산하라.

$$\int_{-2}^4 (1 - x - 4x^3 + 2x^5) \, dx$$

(a) 해석적인 방법, (b) 단일 구간에 대한 사다리꼴 공식, (c) 합성 사다리꼴 공식 ($n = 2, 4$), (d) 단일 구간에 대한 Simpson 1/3 공식, (e) Simpson 3/8 공식, 그리고 (f) Boole 공식. (b)에서 (f)까지의 계산결과에 대하여 (a)에 기초한 참 백분율 상대오차를 계산하라.

19.5 함수

$$f(x) = e^{-x}$$

를 사용하여 다음 표와 같은 부등간격 데이터를 생성할 수 있다. 다음의 방법으로 구간 $a = 0$과 $b = 1.2$ 사이의 적분을 계산하라.

x	0	0.1	0.3	0.5	0.7	0.95	1.2
$f(x)$	1	0.9048	0.7408	0.6065	0.4966	0.3867	0.3012

(a) 해석적인 방법, (b) 사다리꼴 공식, (c) 사다리꼴 공식과 Simpson 공식의 조합. 이 경우 가장 높은 정확도를 얻기 위해 가능한 어떤 조합도 좋다. (b)와 (c)에 대한 참 백분율 상대오차를 계산하라.

19.6 다음의 이중적분을 계산하라.

$$\int_{-2}^2 \int_0^4 (x^2 - 3y^2 + xy^3) \, dx \, dy$$

(a) 해석적인 방법, (b) 합성 사다리꼴 공식 ($n = 2$), (c) 단일 구간에 대한 Simpson 1/3 공식 그리고 (d) integral2 함

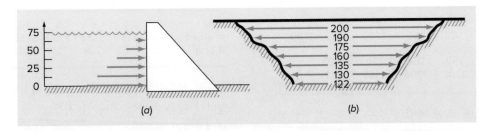

그림 P19.9 댐의 상류면에 미치는 물의 압력. (a) 힘이 깊이에 따라 선형적으로 증가하는 것을 보여주는 측면도와 (b) 미터 단위로 댐의 폭을 보여주는 정면도.

수. (b)와 (c)에 대한 참 백분율 상대오차를 계산하라.

19.7 다음의 삼중적분을 계산하라.

$$\int_{-4}^{4}\int_{0}^{6}\int_{-1}^{3}(x^3-2yz)\,dx\,dy\,dz$$

(a) 해석적인 방법, (b) 단일 구간에 대한 Simpson 1/3 공식, 그리고 (c) `integral3` 함수. (b)에 대한 참 백분율 상대오차를 계산하라.

19.8 다음의 속도 데이터를 이용하여 이동한 거리를 계산하라.

t	1	2	3.25	4.5	6	7	8	8.5	9	10
v	5	6	5.5	7	8.5	8	6	7	7	5

(a) 사다리꼴 공식을 이용하라. 더불어 평균 속도를 구하라.
(b) 표의 데이터를 다항식 회귀분석법을 이용하여 3차 다항식으로 접합시키고, 거리를 계산하기 위하여 3차 다항식을 적분하라.

19.9 그림 P19.9에서와 같이 댐의 상류면에 물의 압력이 작용한다. 압력은 다음 식을 따른다.

$$p(z)=\rho g(D-z) \tag{P19.9}$$

여기서 $p(z)$는 저수지 바닥으로부터 높이 z m에서의 압력(pascal 또는 N/m^2), ρ는 물의 밀도(10^3 kg/m^3 의 일정한 값으로 가정), g는 중력가속도(9.81 m/s^2), 그리고 D는 저수지 바닥에서 수면까지의 높이(m)이다. 식 (P19.9)에 따르면, 그림 P19.9a에서 보인 바와 같이, 압력은 깊이에 따라 선형적으로 증가한다. 대기압을 무시한다면(댐의 양쪽 표면에 작용하기 때문에 서로 상쇄됨), 전체 힘 f_t는 압력과 댐의 표면적을 곱하여 구할 수 있다(그림 P19.9b 참조). 압력과 면적 모두 높이에 따라서 변하므로 전체 힘은 다음 식에 의하여 계산될 수 있다.

$$f_t=\int_{0}^{D}\rho g w(z)(D-z)\,dz$$

여기서 $w(z)$는 높이 z에서 댐 표면의 폭(m)이다(그림 P19.9b 참조). 작용선(line of action)은 다음 식을 사용하여 계산할 수 있다.

$$d=\frac{\int_{0}^{D}\rho g z w(z)(D-z)\,dz}{\int_{0}^{D}\rho g w(z)(D-z)\,dz}$$

Simpson 공식을 이용하여 f_t와 d를 계산하라.

19.10 경주용 보트의 돛대에 작용하는 힘은 다음의 함수로 나타낼 수 있다.

$$f(z)=200\left(\frac{z}{5+z}\right)e^{-2z/H}$$

여기서 z는 갑판에서부터의 높이이고, H는 돛대의 높이이다. 돛대에 작용하는 전체 힘 F는 돛대의 높이에 걸쳐 이 함수를 적분함으로써 계산될 수 있다.

$$F=\int_{0}^{H}f(z)\,dz$$

작용선은 다음의 적분을 통하여 계산할 수 있다.

$$d=\frac{\int_{0}^{H}z f(z)\,dz}{\int_{0}^{H}f(z)\,dz}$$

(a) $H=30$인 경우에 합성 사다리꼴 공식($n=6$)을 이용하여 F와 d를 계산하라.
(b) 합성 Simpson 1/3 공식을 사용하여 (a)를 반복하라.

19.11 마천루의 측면에 작용하는 풍력은 높이에 따라 다음의 표와 같이 측정된다.

Height l, m	0	30	60	90	120
Force, $F(l)$, N/m	0	340	1200	1550	2700
Height l, m	150	180	210	240	
Force, $F(l)$, N/m	3100	3200	3500	3750	

이러한 풍력 분포에 의한 바람의 순수 힘과 그 작용선을 계산하라.

19.12 11 m의 보에 하중이 가해져 다음의 식과 같은 전 단력이 걸린다.

$$V(x) = 5 + 0.25x^2$$

여기서 V는 전단력, x는 보의 길이를 따른 거리이다. 굽힘 모멘트를 M이라 하면 $V = dM/dx$의 관계가 성립된다. 적 분을 하면 다음의 관계식을 얻는다.

$$M = M_o + \int_0^x V\,dx$$

$M_0 = 0$이고, $x = 11$일 때 M을 다음의 방법으로 계산하라. (a) 해석적인 방법, (b) 합성 사다리꼴 공식, (c) 합성 Simpson 공식. (b)와 (c)에 대해 증분을 1 m로 하라.

19.13 밀도가 변하는 막대의 전체 질량은 다음과 같이 주 어진다.

$$m = \int_0^L \rho(x)\,A_c(x)\,dx$$

여기서 m은 질량, $\rho(x)$는 밀도, $A_c(x)$는 단면적, x는 막대 의 길이 방향의 거리, 그리고 L은 막대의 전체 길이이다. 다음과 같은 데이터가 20 m 길이의 막대에 대해 측정되었을 때, 가능한 한 가장 정확하게 gram 단위로 질량을 계산하라.

x, m	0	4	6	8	12	16	20
ρ, g/cm³	4.00	3.95	3.89	3.80	3.60	3.41	3.30
A_c, cm²	100	103	106	110	120	133	150

19.14 교통공학 연구에서는 아침 러시아워 때 교차로에 얼마나 많은 차량이 지나가는지를 알아야 한다. 길가에 서 서 4분마다 통과하는 차량의 수를 여러 시점에 걸쳐 측정 한 결과가 주어진 표와 같다. 가장 좋은 수치방법을 사용 하여 다음을 구하라. (a) 7시 30분부터 9시 15분까지 통과 한 차량의 수, (b) 매분 교차로를 통과하는 차량(분당 차량 수). (힌트: 단위에 주의한다.)

Time (hr)	7:30	7:45	8:00	8:15	8:45	9:15
Rate (cars per 4 min)	18	23	14	24	20	9

19.15 그림 P19.15의 데이터에 대해 평균값을 구하라. 평 균값을 구하기 위해 다음의 식을 순차적으로 적분하라.

$$I = \int_{x_0}^{x_n} \left[\int_{y_0}^{y_m} f(x, y)\,dy \right] dx$$

19.16 특정한 시간 동안 반응기를 유출입하는 질량을 계 산하기 위해 다음과 같은 적분이 사용된다.

$$M = \int_{t_1}^{t_2} Qc\,dt$$

여기서 t_1과 t_2는 각각 시작과 최종 시간이다. 적분과 합계 사이의 유사성을 고려할 때 이 공식은 직관적으로 타당하 다. 따라서 t_1에서 t_2까지 유입 또는 유출하는 전체 질량 을 계산하기 위하여 적분은 유량에 농도를 곱해 더하는 것

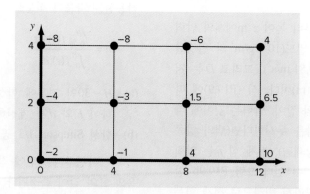

그림 P19.15

을 나타낸다. 아래에 주어진 데이터에 대해 수치적분을 이용하여 질량을 구하라.

t, min	0	10	20	30	35	40	45	50
Q, m³/min	4	4.8	5.2	5.0	4.6	4.3	4.3	5.0
c, mg/m³	10	35	55	52	40	37	32	34

19.17 수로의 단면적은 다음과 같이 계산된다.

$$A_c = \int_0^B H(y)\, dy$$

여기서 B 는 수로의 전체 폭(m)이고, H 는 깊이(m), 그리고 y 는 제방으로부터의 거리(m)이다. 유사한 방법으로 평균 유량 Q(m³/s)도 다음과 같이 계산된다.

$$Q = \int_0^B U(y)\, H(y)\, dy$$

여기서 U 는 물의 속도(m/s)이다. 이들 관계식과 수치적분을 이용하여 다음 데이터에 대해 A_c 와 Q 를 계산하라.

y, m	0	2	4	5	6	9
H, m	0.5	1.3	1.25	1.8	1	0.25
U, m/s	0.03	0.06	0.05	0.13	0.11	0.02

19.18 면적 A_s (m²)이 깊이 z(m)에 따라 변하는 호수에서 어떤 물질의 평균 농도 $\bar{c}$ (g/m³)는 다음과 같이 적분으로 계산된다.

$$\bar{c} = \frac{\int_0^Z c(z)A_s(z)\, dz}{\int_0^Z A_s(z)\, dz}$$

여기서 Z 는 전체 깊이(m)이다. 아래의 주어진 데이터에 대해 평균 농도를 구하라.

z, m	0	4	8	12	16
A, 10⁶ m²	9.8175	5.1051	1.9635	0.3927	0.0000
c, g/m³	10.2	8.5	7.4	5.2	4.1

19.19 19.9절에서와 같이 1 N의 일정한 힘이 각도 θ로 작용하여 다음과 같은 변위가 발생할 때 수행된 일을 계산하라. cumtrapz 함수를 이용하여 누적된 일을 구하고 그 결과를 θ에 대해 도시하라.

x, m	0	1	2.8	3.9	3.8	3.2	1.3
θ, deg	0	30	60	90	120	150	180

19.20 19.9절에 기술한 일을 계산하되, $F(x)$와 $\theta(x)$에 대해 다음 식을 사용하라.

$$F(x) = 1.6x - 0.045x^2$$
$$\theta(x) = -0.00055x^3 + 0.0123x^2 + 0.13x$$

여기서 힘과 각도의 단위는 각각 Newton과 라디안이다. $x = 0$에서 30 m 사이의 적분을 계산하라.

19.21 가공된 구형 입자의 밀도는 다음 표와 같이 입자의 중심($r = 0$)으로부터의 거리에 따라 변화한다.

r, mm	0	0.12	0.24	0.36	0.49
ρ(g/cm³)	6	5.81	5.14	4.29	3.39
r, mm	0.62	0.79	0.86	0.93	1
ρ(g/cm³)	2.7	2.19	2.1	2.04	2

수치적분을 이용하여 입자의 질량(g)과 평균 밀도(g/cm³)를 구하라.

19.22 지구의 밀도는 다음 표와 같이 지구 중심($r = 0$)으로부터의 거리에 따라 변화한다.

r, km	0	1100	1500	2450	3400	3630
ρ(g/cm³)	13	12.4	12	11.2	9.7	5.7
r, km	4500	5380	6060	6280	6380	
ρ(g/cm³)	5.2	4.7	3.6	3.4	3	

수치적분을 이용하여 지구의 질량(미터법 tonne)과 평균 밀도(g/cm³)를 구하라. 결과 그래프를 세로 방향으로 배치하여 함께 나타내되 반경에 대한 밀도는 위쪽에 도시하고, 반경에 대한 질량은 아래쪽에 도시하라. 지구는 완전한 구로 가정한다.

19.23 구형 탱크의 바닥에는 액체가 흘러나오는 원형 오리피스가 있다(그림 P19.23). 다음 데이터는 오리피스를 통과하는 유량을 시간의 함수로 측정한 것이다.

t, s	0	500	1000	1500	2200	2900
Q, m³/hr	10.55	9.576	9.072	8.640	8.100	7.560
t, s	3600	4300	5200	6500	7000	7500
Q, m³/hr	7.020	6.480	5.688	4.752	3.348	1.404

다음 각 목적을 위한 지원 함수를 포함하는 스크립트를 작성하라. (a) 전체 측정기간 동안 배수된 유체의 부피(리터)를 계산한다. (b) $t = 0$초에서 탱크 내의 액체 수준을 계산

한다. $r = 1.5$ m임을 유의하라.

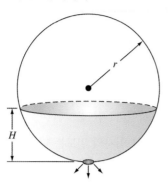

그림 P19.23

19.24 등간격의 데이터에 대해 합성 Simpson 1/3 공식을 실행하는 M-파일 함수를 개발하라. 이 함수는 다음의 경우 에러 메시지를 출력하고 종료하도록 한다. (1) 만약 데이터가 등간격으로 배열되어 있지 않은 경우, (2) 데이터를 포함하는 입력 벡터들이 같은 길이가 아닌 경우. 만약, 단 두 개의 데이터 점만 주어질 경우는 사다리꼴 공식을 적용하라. 짝수 개의 데이터 포인트 n (즉, 홀수 개의 구간, $n-1$)이 주어질 경우, 마지막 세 개의 구간에 Simpson 3/8 공식을 사용하라.

19.25 폭풍이 몰아치는 동안, 그림 P19.25에 나타낸 것처럼 직사각형 마천루의 한쪽 면을 따라 강한 바람이 분다. 연습문제 19.9에서 기술한 대로, 낮은 차수의 Newton-

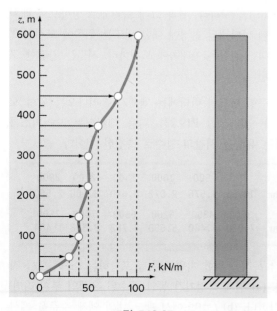

그림 P19.25

Cotes 공식(사다리꼴, Simpsons 1/3 및 3/8 공식)을 사용하여 다음을 계산하라. (a) 빌딩에 가해지는 힘을 뉴턴 단위로 계산하라. (b) 힘의 작용선(line of force)의 위치를 미터 단위로 계산하라.

19.26 다음의 데이터는 어떤 물체의 속도를 시간의 함수로 제시한 것이다.

t, s	0	4	8	12	16	20	24	28	30
v, m/s	0	18	31	42	50	56	61	65	70

(a) 사다리꼴 공식과 Simpson 1/3 및 3/8 공식만 사용한다고 할 때, 물체가 $t = 0$에서 30초까지 얼마나 멀리 움직이는지를 가장 잘 추정한 결과를 제시하라.
(b) (a)의 결과를 이용하여 평균 속도를 계산하라.

19.27 밀도가 변하는 막대의 전체 질량은 다음 식으로 표현된다.

$$m = \int_0^L \rho(x)\, A_c(x)\, dx$$

여기서 m = 질량, $\rho(x)$ = 밀도, $A_c(x)$ = 단면적, x = 막대방향의 거리이다. 이때, 길이 10 m인 막대에 대하여 다음과 같이 데이터가 측정되었다.

x (m)	0	2	3	4	6	8	10
ρ (g/cm³)	4.00	3.95	3.89	3.80	3.60	3.41	3.30
A_c (cm²)	100	103	106	110	120	133	150

사다리꼴 공식과 Simpson 1/3 및 3/8 공식만 사용한다고 할 때 가능한 최상의 정확도로 막대의 질량을 gram 단위로 결정하라.

19.28 다음과 같은 법칙에 따라 엔진 실린더에서 가스가 팽창한다.

$$PV^{1.3} = c$$

초기 압력은 2550 kPa이고 최종 압력은 210 kPa이다. 만약 팽창 끝의 부피가 0.75 m³인 경우, 가스가 수행한 일을 계산하라.

19.29 어떤 주어진 기체 질량의 압력 p와 부피 v는 다음 수식과 같이 연계된다.

$$(p + a/v^2)(v - b) = k$$

여기 a, b, k는 상수이다. p를 v의 항으로 나타내고, 초기 부피에서 최종 부피로 팽창할 때 가스가 수행한 일을 계산하는 스크립트를 작성하라. $a = 0.01$, $b = 0.001$, 초기 압력 $= 100$ kPa, 초기 부피 $= 1$ m^3, 최종 부피 $= 2$ m^{3}일 경우, 스크립트의 출력을 확인하라.

20 함수의 수치적분

CHAPTER 20

학습목표

이 장의 주요 목표는 함수의 적분을 위한 수치방법을 소개하는 것이다. 구체적인 목표와 다루는 주제는 다음과 같다.

- 두 개의 덜 정확한 적분값을 조합하여 더 정확한 적분값을 생성하는 Richardson 외삽법에 대한 이해
- 최적의 수평축 좌표에서의 함수값 계산으로 우수한 적분값을 산출하는 Gauss 구적법에 대한 이해
- 함수 적분을 위한 MATLAB 내장함수 `integral`을 사용하는 방법
- 함수의 변화가 급격한 곳에서는 조밀한 간격을, 점진적인 변화가 있는 곳에서는 큰 간격을 사용하여 적분값을 계산하는 적응식 구적법에 대한 이해

20.1 서언

수치적분의 대상으로 크게 두 가지 형태가 있음을 19장에서 살펴보았다. 즉 값들이 도표화된 형태와 함수의 형태이다. 데이터의 형태는 적분 계산에 사용할 수 있는 방법에 중요한 영향을 미친다. 도표화된 정보의 경우에는 주어진 점들의 개수가 제한적이다. 이와 달리 함수로 주어지는 경우에는 만족할 만한 정확도를 얻기 위해 필요한 $f(x)$ 값은 얼마든지 만들 수 있다.

겉으로 보기에는 이런 문제를 해결하는 데 합성 Simpson 1/3 공식이 적절한 방법으로 보인다. 분명 이 방법이 많은 문제에 있어서 적절하긴 하지만, 보다 더 효율적인 방법들이 이용 가능하다. 이 장에서는 이와 관련된 세 가지 방법을 소개하고자 한다. 이 방법들은 모두 수치 적분의 효율적인 계산을 위해 함수값을 생성하는 능력을 이용하고 있다.

첫 번째 방법은 **Richardson 외삽법**(Richardson extrapolation)에 기초하고 있으며, 이 방법은 두 개의 수치적분 값을 조합하여 제3의 더 정확한 적분값을 구하는 방법이다. Richardson 외삽법을 매우 효과적으로 구현하기 위한 계산 알고리즘을 **Romberg 적분법**(Romberg integration)이라 한다. 이 방법은 미리 설정된 오차의 허용한도 내에서 적분값을 산출하는 데 사용할 수있다.

두 번째 방법은 **Gauss 구적법**(Gauss quadrature)이라 부르는 방법이다. 19장의 Newton-

Cotes 공식에서 사용되는 $f(x)$ 값은 미리 지정된 x 값에 대하여 결정되었다는 것을 기억하라. 예를 들어 적분값을 구하기 위하여 사다리꼴 공식을 사용한다면, 구간의 양 끝점에서만 $f(x)$ 의 가중평균값을 취하도록 제한하고 있다. Gauss 구적법은 보다 정확한 적분값을 구할 수 있도록 적분구간 내에 위치한 x 값들을 사용한다.

세 번째 방법은 **적응식 구적법**(adaptive quadrature)이라는 방법이다. 이 방법은 오차 추정값을 계산할 수 있도록 합성 Simpson 1/3 공식을 적분구간 내의 소구간들에 대해 적용한다. 이 오차 추정값은 더욱 조밀한 소구간에 대한 추정값이 필요한지를 결정하는 데 사용된다. 이러한 방법으로 더욱 조밀한 구간을 필요한 곳에만 적용한다. 적응식 구적법을 사용하는 MATLAB 내장함수를 예시한다.

20.2 Romberg 적분

Romberg 적분법은 함수에 대한 수치적분을 효율적으로 구하기 위하여 고안된 방법 중의 하나이다. 이 방법은 사다리꼴 공식의 연속적인 적용에 근거하고 있다는 면에서 19장에서 논의되었던 방법들과 매우 유사하다. 그러나 수학적인 조작을 통해서 작은 노력으로 더 우수한 결과를 얻을 수 있게 된다.

20.2.1 Richardson 외삽법

적분값 그 자체를 기초로 하여 수치적분의 결과를 개선하는 방법들이 가능하다. 일반적으로 **Richardson 외삽법**이라고 하는 이 방법들은 두 개의 적분값을 사용하여 제3의 보다 정확한 근사값을 계산한다.

합성 사다리꼴 공식에 관련된 적분값과 오차는 일반적으로 다음과 같이 나타낼 수 있다.

$$I = I(h) + E(h)$$

여기서 I 는 정확한 적분값이며, $I(h)$는 $h = (b - a)/n$ 의 간격 크기를 가진 n 개의 구간에 사다리꼴 공식을 적용시켜 나온 근사값이고, $E(h)$는 절단오차이다. 만일 h_1과 h_2의 간격 크기를 사용하여 두 개의 추정값을 구하고, 오차에 대한 정확한 값을 안다면 다음과 같은 관계를 얻을 수 있다.

$$I(h_1) + E(h_1) = I(h_2) + E(h_2) \tag{20.1}$$

합성 사다리꼴 공식의 오차는 식 (19.21)과 같이 근사적으로 표현될 수 있음을 기억하라. 여기서 $n = (b - a)/h$ 이다.

$$E \cong -\frac{b - a}{12} h^2 \bar{f}'' \tag{20.2}$$

여기서 $\bar{f}''$가 간격의 크기와 관계없이 일정하다고 가정하면, 식 (20.2)는 두 오차의 비를 결정하는 데 다음과 같이 사용될 수 있다.

$$\frac{E(h_1)}{E(h_2)} \cong \frac{h_1^2}{h_2^2} \tag{20.3}$$

이는 계산 시 $\bar{f}''$ 항을 제거하는 중요한 효과를 가지고 있다. 이렇게 하여 함수의 2차 도함수에 대한 사전지식 없이도 식 (20.2)에 포함되어 있는 정보를 사용할 수 있게 된다. 이를 위해 식 (20.3)을 다시 정리하면 다음과 같다.

$$E(h_1) \cong E(h_2) \left(\frac{h_1}{h_2}\right)^2$$

이 식을 식 (20.1)에 대입하면 다음과 같다.

$$I(h_1) + E(h_2) \left(\frac{h_1}{h_2}\right)^2 = I(h_2) + E(h_2)$$

이 식을 풀면 다음과 같다.

$$E(h_2) = \frac{I(h_1) - I(h_2)}{1 - (h_1/h_2)^2}$$

따라서 절단오차의 추정값을 적분값과 간격의 크기 항으로 전개하였다. 이 추정값을 다음 식에 대입하면

$$I = I(h_2) + E(h_2)$$

다음과 같은 개선된 적분값을 계산할 수 있다.

$$I = I(h_2) + \frac{1}{(h_1/h_2)^2 - 1}\left[I(h_2) - I(h_1)\right] \tag{20.4}$$

이 적분값의 오차가 $O(h^4)$임을 증명할 수 있다(Ralston과 Rabinowitz, 1978). 그러므로 $O(h^2)$의 오차를 가지는 두 개의 사다리꼴 공식으로 구한 적분값을 조합하여, $O(h^4)$의 오차를 가지는 새로운 적분값을 산출하게 된다. 구간 간격이 절반으로 되는 ($h_2 = h_1/2$) 특수한 경우에 이 식은 다음과 같이 쓸 수 있다.

$$I = \frac{4}{3} I(h_2) - \frac{1}{3} I(h_1) \tag{20.5}$$

예제 20.1 Richardson 외삽법

문제 설명. Richardson 외삽법을 이용하여 구간 $a = 0$과 $b = 0.8$ 사이에서 함수 $f(x) = 0.2 +$

$25x - 200x^2 + 675x^3 - 900x^4 + 400x^5$의 적분값을 계산하라.

풀이 단일 및 합성 사다리꼴 공식을 이용하여 다음과 같이 적분값을 구할 수 있다.

Segments	h	Integral	ε_t
1	0.8	0.1728	89.5%
2	0.4	1.0688	34.9%
4	0.2	1.4848	9.5%

위의 결과를 조합하여 개선된 적분값을 얻기 위하여 Richardson 외삽법을 사용할 수 있다. 예를 들어 한 개와 두 개 구간에 대한 적분값을 조합하여 다음의 결과를 구할 수 있다.

$$I = \frac{4}{3}(1.0688) - \frac{1}{3}(0.1728) = 1.367467$$

개선된 적분값의 오차는 $E_t = 1.640533 - 1.367467 = 0.273067$ ($\varepsilon_t = 16.6\%$)이며, 이는 현재의 계산에 사용된 각각의 적분값이 가지는 오차보다 우수하다.

같은 방법으로 두 개와 네 개 구간에 대한 적분값을 조합하면 다음과 같은 결과를 얻을 수 있다.

$$I = \frac{4}{3}(1.4848) - \frac{1}{3}(1.0688) = 1.623467$$

여기서 오차는 $E_t = 1.640533 - 1.623467 = 0.017067$ ($\varepsilon_t = 1.0\%$)이다.

식 (20.4)는 오차가 $O(h^2)$인 사다리꼴 공식 두 개를 조합하여 오차가 $O(h^4)$를 가지는 제 3의 적분값을 구하는 방법을 보여준다. 이 방법은 개선된 적분값을 얻기 위해 적분값을 조합하는 보다 일반적인 방법 중 한 예에 불과하다. 예를 들면 예제 20.1에서는 세 개의 사다리꼴 공식의 적분값에 기초하여, 오차 $O(h^4)$를 가지는 두 개의 개선된 적분값을 계산하였다. 이 두 개의 개선된 적분값을 다시 조합하여, 오차 $O(h^6)$을 가지는 보다 나은 적분값을 산출할 수 있다. 원래의 사다리꼴 공식에 간격의 크기를 계속해서 반분하여 계산하는 특수한 경우, $O(h^6)$의 정확도를 가지는 적분값을 구하기 위해 사용하는 수식은 다음과 같다.

$$I = \frac{16}{15}I_m - \frac{1}{15}I_l \tag{20.6}$$

여기서 I_m과 I_l은 각각 보다 정확한 적분값과 덜 정확한 적분값이다. 유사한 방법으로 두 개의 $O(h^6)$ 적분값은 $O(h^8)$ 적분값을 계산하기 위하여 다음과 같이 조합될 수 있다.

$$I = \frac{64}{63}I_m - \frac{1}{63}I_l \tag{20.7}$$

예제 20.2   고차 수정

문제 설명. 예제 20.1에서 오차가 $O(h^4)$인 두 개의 적분값을 계산하기 위하여 Richardson 외삽법을 사용하였다. 이들 적분값을 조합하여 오차가 $O(h^6)$인 적분값을 구하기 위하여 식 (20.6)을 사용하라.

풀이   예제 20.1에서 구한 오차 $O(h^4)$인 두 개의 적분값은 1.367467과 1.623467이다. 이 값들을 식 (20.6)에 대입하면 다음과 같이 된다.

$$I = \frac{16}{15}(1.623467) - \frac{1}{15}(1.367467) = 1.640533$$

이는 정확한 적분값이다.

20.2.2   Romberg 적분 알고리즘

외삽법 식들 (20.5), (20.6), 그리고 (20.7)에서 계수들의 합이 1이라는 점을 주목하라. 이 계수들은 정확도가 증가함에 따라, 정확도가 높은 적분값에 보다 큰 가중값을 부과하는 가중인자를 나타낸다. 이 공식들은 컴퓨터 실행에 적합한 일반적인 형태로 다음과 같이 표현할 수 있다.

$$I_{j,k} = \frac{4^{k-1} I_{j+1,k-1} - I_{j,k-1}}{4^{k-1} - 1} \tag{20.8}$$

여기서 $I_{j+1,\,k-1}$과 $I_{j,\,k-1}$은 각각 보다 정확한 적분값과 덜 정확한 적분값이며, $I_{j,\,k}$는 개선된 적분값이다. 첨자 k는 적분의 단계를 나타낸다. 즉, $k = 1$일 때는 원래의 사다리꼴 공식의 적분값에 해당하고, $k = 2$일 때는 $O(h^4)$의 적분값에 해당하며, $k = 3$일 때 $O(h^6)$에 해당한다. 첨자 j는 더 정확하고 $(j + 1)$ 덜 정확한 (j) 추정값을 구별하기 위하여 사용된다. 예를 들어 $k = 2$, $j = 1$일 때, 식 (20.8)은 다음과 같다.

$$I_{1,2} = \frac{4I_{2,1} - I_{1,1}}{3}$$

이는 식 (20.5)와 동일하다.

식 (20.8)로 표현되는 일반적인 형식은 Romberg에 의하여 개발되었고, 이를 적분 계산에 체계적으로 적용시킨 것을 **Romberg 적분법**(Romberg integration)이라 한다. 그림 20.1은 이 방법을 사용하여 적분값을 계산하는 절차를 설명하고 있다. 각 행렬은 한 번의 반복계산에 해당한다. 첫 번째 열은 사다리꼴 공식의 계산결과를 나타내며, 이는 $I_{j,1}$로 표시된다. 여기서 $j = 1$은 단일 구간에 적용하는 경우(간격의 크기는 $b - a$), $j = 2$는 두 개 구간에 적용하는 경우[간격의 크기는 $(b - a)/2$]이며, $j = 3$은 네 개의 구간에 적용하는 경우[간격의 크기는 $(b - a)/4$]에 해당된다. 행렬의 다른 열들은 계속해서 보다 정확한 적분값을 구하기 위하여, 식

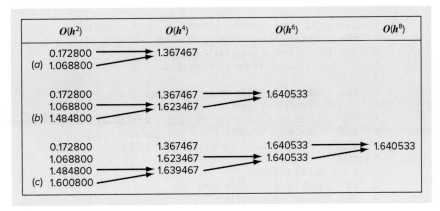

그림 20.1 Romberg 적분법을 이용한 적분계산 순서를 그래프로 표현한다. (a) 첫 번째 반복, (b) 두 번째 반복, (c) 세 번째 반복.

(20.8)을 체계적으로 적용하여 구한 것이다.

예를 들어 첫 번째 반복계산(그림 20.1a)에서는 단일 구간과 두 개의 구간에 대해 사다리꼴 공식으로 적분값($I_{1,1}$과 $I_{2,1}$) 계산을 수행한다. 이후 식 (20.8)은 $O(h^4)$의 오차를 가지는 원소 $I_{1,2} = 1.367467$을 계산하는 데 사용된다.

이제 이런 결과가 요구를 충족하는지를 확인하기 위하여 점검해야 한다. 이 책의 다른 근사적 방법과 마찬가지로 결과의 정확도를 평가하기 위하여 종료 판정기준이 요구된다. 이런 목적을 위해 사용할 수 있는 한 가지 방법은 다음과 같다.

$$|\varepsilon_a| = \left| \frac{I_{1,k} - I_{2,k-1}}{I_{1,k}} \right| \times 100\% \tag{20.9}$$

여기서 ε_a는 백분율 상대오차의 추정값이다. 따라서 다른 반복계산 과정에서 이미 수행하였던 것처럼 이전 값과 새로운 값을 비교한다. 식 (20.9)에서 이전 값은 전 단계 적분값 중 가장 정확한 적분값이다(즉 $j = 2$인 $k - 1$ 적분단계). ε_a로 표현되는 과거 값과 새로운 값 사이의 차이가 미리 설정된 오차기준 ε_s보다 작을 때 계산은 종료된다. 그림 20.1a에 대하여 이 계산은 첫 번째 반복계산 과정에서 다음의 백분율 변화를 보여주고 있다.

$$|\varepsilon_a| = \left| \frac{1.367467 - 1.068800}{1.367467} \right| \times 100\% = 21.8\%$$

두 번째 반복계산의 목적(그림 20.1b)은 오차 $O(h^6)$을 가지는 적분값 $I_{1,3}$을 구하기 위한 것이다. 이를 위하여 네 개의 구간에 대한 사다리꼴 공식의 적분값 $I_{3,1} = 1.4848$을 구한다. 이 값은 식 (20.8)에 의해 $I_{2,1}$과 조합하여 $I_{2,2} = 1.623467$을 생성한다. 이 결과는 다시 $I_{1,2}$와 조합하여 $I_{1,3} = 1.640533$을 생성한다. 식 (20.9)를 적용하면 현재의 결과는 이전 결과 $I_{2,2}$와 비교할 때 1%의 변화를 나타냄을 알 수 있다.

세 번째 반복계산(그림 20.1c)에서도 같은 방법으로 위의 과정을 계속한다. 이 경우에는

```
function [q,ea,iter]=romberg(func,a,b,es,maxit,varargin)
% romberg: Romberg integration quadrature
%   q = romberg(func,a,b,es,maxit,p1,p2,...):
%                     Romberg integration.
% input:
%   func = name of function to be integrated
%   a, b = integration limits
%   es = desired relative error (default = 0.000001%)
%   maxit = maximum allowable iterations (default = 30)
%   p1,p2,... = additional parameters used by func
% output:
%   q = integral estimate
%   ea = approximate relative error (%)
%   iter = number of iterations

if nargin<3,error('at least 3 input arguments required'),end
if nargin<4|isempty(es), es=0.00001;end
if nargin<5|isempty(maxit), maxit=50;end
n = 1;
I(1,1) = trap(func,a,b,n,varargin{:});
iter = 0;
while iter<maxit
  iter = iter+1;
  n = 2^iter;
  I(iter+1,1) = trap(func,a,b,n,varargin{:});
  for k = 2:iter+1
    j = 2+iter-k;
    I(j,k) = (4^(k-1)*I(j+1,k-1)-I(j,k-1))/(4^(k-1)-1);
  end
  ea = abs((I(1,iter+1)-I(2,iter))/I(1,iter+1))*100;
  if ea<=es, break; end
end
q = I(1,iter+1);
```

그림 20.2   Romberg 적분을 실행하기 위한 M-파일.

여덟 개의 구간에 대한 사다리꼴 공식의 적분값이 첫 번째 열에 더해지고, 보다 정확한 적분 값을 연속적으로 계산하기 위해 식 (20.8)은 아래쪽 대각(lower diagonal) 방향을 따라서 적용된다. 현재 5차 다항식을 계산하고 있으므로, 단지 세 번만 반복해도 결과($I_{1,4} = 1.640533$)는 정확한 값이 된다.

　　Romberg 적분법은 사다리꼴 공식과 Simpson 공식보다 더 효율적이다. 예를 들어 그림 20.1에 나타낸 적분의 계산을 위하여, Simpson 1/3 공식은 배정도로 7자리 유효숫자를 가지는 적분값(1.640533)을 구하기 위해 48개의 구간을 필요로 한다. 반면에 Romberg 적분법은 한 개, 두 개, 네 개, 여덟 개의 구간에 대해 사다리꼴 공식을 적용하여 조합함으로써 같은 결과를 산출하고 있다. 단지 15회의 함수값 계산만으로도 충분하다.

　　그림 20.2는 Romberg 적분법에 대한 M-파일을 보여준다. 이 알고리즘은 루프를 이용함으로써 Romberg 적분법을 효율적으로 실행한다. 또한 이 함수는 합성 사다리꼴 공식 계산을 수행하기 위하여 trap이라는 또 다른 함수를 사용하고 있음을 유의하라(그림 19.10 참조). 다음은 예제 20.1에서 다룬 다항식의 적분을 계산하기 위해 MATLAB에서 이 함수를 어떻게

사용하는지를 보여준다.

```
>> f=@(x) 0.2+25*x-200*x^2+675*x^3-900*x^4+400*x^5;
>> romberg(f,0,0.8)

ans =
    1.6405
```

20.3 Gauss 구적법

19장에서 Newton-Cotes 공식을 사용하였다. 이 공식의 특징은 (부등간격의 특수한 경우를 제외하고는) 적분값이 등간격으로 분포된 함수값에 근거한다는 점이다. 따라서 이들 식에서 사용되는 기본점들의 위치는 미리 알려져 있거나 고정되어 있다.

예를 들어 그림 20.3a에서 보인 것처럼 사다리꼴 공식은 적분구간 양 끝점에서의 함수값을 연결하는 직선 아래의 면적을 취하는 것에 바탕을 두고 있다. 이 면적을 계산하기 위하여 사용되는 공식은 다음과 같다.

$$I \cong (b - a)\frac{f(a) + f(b)}{2} \tag{20.10}$$

여기서 a와 b는 **적분한계**이며, $b - a$는 적분구간의 폭이다. 사다리꼴 공식은 양 끝점을 지나

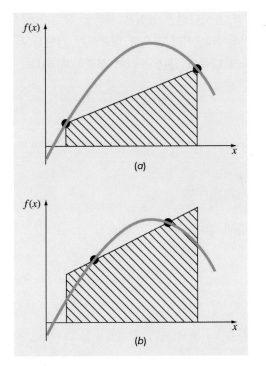

그림 20.3 (a) 고정된 양 끝점을 연결하는 직선 아래의 면적을 나타내는 사다리꼴 공식을 그래프로 표현함. (b) 두 개의 중간점을 지나는 직선 아래의 면적을 취해서 얻은 개선된 적분값. 이들 점을 적절하게 위치시킴으로써 양의 오차와 음의 오차가 균형을 잘 이루어 개선된 적분값을 얻는다.

야 하므로 이 공식은 그림 20.3a와 같이 큰 오차를 초래하는 경우가 있다.

이제 기본점이 고정되어 있다는 제약 조건을 없애고, 곡선상의 임의의 두 점을 지나는 직선 아래의 면적을 자유롭게 계산할 수 있다고 가정하자. 이 점들을 적절히 위치시킴으로써 양의 오차와 음의 오차가 균형을 이룰 수 있는 직선을 정의할 수 있을 것이다. 이와 같은 방법으로 그림 20.3b에서와 같이 개선된 적분값을 구할 수 있다.

Gauss 구적법은 이러한 전략을 구현하는 방법들을 일컫는 명칭이다. 이 절에서 기술하고 있는 특정 Gauss 구적법 공식을 **Gauss-Legendre** 공식이라고 한다. 이 방법을 살펴보기에 앞서, 먼저 미정계수법(method of undetermined coefficients)을 사용하여 사다리꼴 공식과 같은 수치적분 공식을 유도하는 방법을 설명한다. 나아가 같은 방법으로 Gauss-Legendre 공식을 유도한다.

20.3.1 미정계수법

19장에서는 선형 보간다항식의 적분과 기하학적 개념을 이용하여 사다리꼴 공식을 유도하였다. 미정계수법은 Gauss 구적법과 같은 다른 형태의 적분 방법을 유도하는 데 유용한 제3의 또 다른 접근법이다.

이 방법을 설명하기 위하여 식 (20.10)을 다음과 같이 표현한다.

$$I \cong c_0 f(a) + c_1 f(b) \tag{20.11}$$

여기서 c_0과 c_1은 상수이다. 또한 사다리꼴 공식은 적분할 함수가 상수이거나 직선일 때 반드시 정확한 해를 산출함을 인식하라. 이런 경우를 대표하는 간단한 두 식으로 $y = 1$과 $y = x$를 들 수 있다(그림 20.4). 따라서 다음과 같은 등식이 성립하게 된다.

$$c_0 + c_1 = \int_{-(b-a)/2}^{(b-a)/2} 1 \, dx$$

그리고

$$-c_0 \frac{b-a}{2} + c_1 \frac{b-a}{2} = \int_{-(b-a)/2}^{(b-a)/2} x \, dx$$

또는 적분값을 계산하면 다음과 같다.

$$c_0 + c_1 = b - a$$

그리고

$$-c_0 \frac{b-a}{2} + c_1 \frac{b-a}{2} = 0$$

이들은 두 개의 미지수를 가지는 두 개의 방정식이며, 다음과 같이 해를 구할 수 있다.

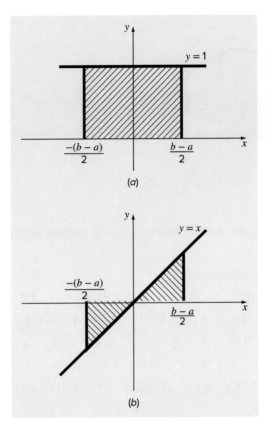

그림 20.4 사다리꼴 공식으로 정확하게 계산할 수 있는 두 가지 적분: (a) 상수, (b) 직선.

$$c_0 = c_1 = \frac{b - a}{2}$$

이들을 식 (20.11)에 다시 대입하면 다음과 같다.

$$I = \frac{b - a}{2} f(a) + \frac{b - a}{2} f(b)$$

이 식은 사다리꼴 공식과 같다.

20.3.2 2점 Gauss-Legendre 공식의 유도

앞서 사다리꼴 공식을 유도한 바와 같이 Gauss 구적법의 목적은 다음의 형태로 주어지는 방정식의 계수를 결정하는 것이다.

$$I \cong c_0 f(x_0) + c_1 f(x_1) \tag{20.12}$$

여기서 c_0과 c_1은 결정해야 할 미지계수이다. 그러나 고정된 양 끝점 a와 b를 사용하는 사다리꼴 공식과는 달리, 함수의 변수 x_0과 x_1은 끝점에서 고정되어 있지 않기 때문에 마찬가지로 미지수이다(그림 20.5). 따라서 계산해야 할 미지수는 모두 네 개이며, 이들을 정확하게 결정

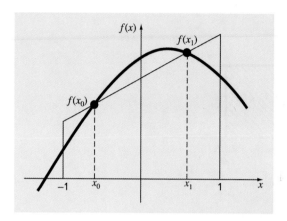

그림 20.5   Gauss 구적법을 이용한 적분에서 미지변수 x_0 과 x_1 을 그래프로 표현함.

하기 위해서는 네 개의 조건이 필요하다.

사다리꼴 공식에서와 같이, 식 (20.12)가 상수와 선형함수에 대해 정확한 적분값을 산출한다고 가정하면 두 개의 조건은 이미 구한 셈이다. 나머지 두 개의 조건을 구하기 위하여, 위의 추론을 연장하여 식 (20.12)가 또한 포물선($y = x^2$)과 3차 함수($y = x^3$)의 적분과도 일치한다고 가정한다. 이러한 방법으로 모든 네 개의 미지수가 결정될 수 있으며, 아울러 3차 다항식에 대해서도 정확한 선형 2점 적분 공식이 유도될 수 있다. 따라서 풀어야 할 네 개의 방정식은 다음과 같다.

$$c_0 + c_1 = \int_{-1}^{1} 1 \, dx = 2 \tag{20.13}$$

$$c_0 x_0 + c_1 x_1 = \int_{-1}^{1} x \, dx = 0 \tag{20.14}$$

$$c_0 x_0^2 + c_1 x_1^2 = \int_{-1}^{1} x^2 \, dx = \frac{2}{3} \tag{20.15}$$

$$c_0 x_0^3 + c_1 x_1^3 = \int_{-1}^{1} x^3 \, dx = 0 \tag{20.16}$$

식 (20.13)에서부터 (20.16)까지 연립하여 풀면 네 개의 미지수를 모두 구할 수 있다. 먼저 식 (20.14)를 c_1에 대하여 풀고, 이 결과를 식 (20.16)에 대입하면 다음 식을 구할 수 있다.

$$x_0^2 = x_1^2$$

여기서 x_0과 x_1은 같을 수 없으므로, $x_0 = -x_1$이 된다. 이 결과를 식 (20.14)에 대입하면 $c_0 = c_1$이다. 나아가 식 (20.13)으로부터 다음의 결과를 얻는다.

$$c_0 = c_1 = 1$$

이들 결과를 식 (20.15)에 대입하면 다음을 구할 수 있다.

$$x_0 = -\frac{1}{\sqrt{3}} = -0.5773503\ldots$$

$$x_1 = \frac{1}{\sqrt{3}} = 0.5773503\ldots$$

그러므로 2점 Gauss-Legendre 공식은 다음과 같다.

$$I = f\left(\frac{-1}{\sqrt{3}}\right) + f\left(\frac{1}{\sqrt{3}}\right) \tag{20.17}$$

즉, $x = -1/\sqrt{3}$ 과 $1/\sqrt{3}$ 에서의 함수값을 단순히 더함으로써 3차의 정확도를 가지는 적분값을 산출할 수 있다는 흥미로운 결과에 도달한다.

식 (20.13)에서부터 (20.16)까지 나타나는 적분구간이 −1에서 1까지라는 점을 주목하라. 이는 계산을 단순하게 하고 공식을 가능한 한 일반화하기 위함이다. 적분구간이 −1에서 1이 아닐 경우 간단한 변수 변환을 통하여 이러한 형태로 변환시킬 수 있으며, 이는 새로운 변수 x_d와 원래 변수 x가 다음과 같은 선형적 관계가 있다고 가정함으로써 달성할 수 있다.

$$x = a_1 + a_2 x_d \tag{20.18}$$

만일 하한값 $x = a$가 $x_d = -1$에 대응된다면, 이 값들을 식 (20.18)에 대입하여 다음 식을 구할 수 있다.

$$a = a_1 + a_2(-1) \tag{20.19}$$

같은 방법으로 상한값 $x = b$가 $x_d = 1$에 대응되면 다음과 같다.

$$b = a_1 + a_2(1) \tag{20.20}$$

식 (20.19)와 (20.20)을 연립하여 풀면

$$a_1 = \frac{b+a}{2} \text{과} \quad a_2 = \frac{b-a}{2} \tag{20.21}$$

이 값들을 식 (20.18)에 대입하면 다음과 같다.

$$x = \frac{(b+a) + (b-a)x_d}{2} \tag{20.22}$$

이 식을 미분하면 다음과 같다.

$$dx = \frac{b-a}{2}\,dx_d \tag{20.23}$$

적분하고자 하는 식에서 x와 dx는 각각 식 (20.22)와 (20.23)으로 대체될 수 있다. 이런 대체 방법은 적분값의 변화 없이 적분구간을 효과적으로 변환시킨다. 다음의 예는 실제로 이것이 어떻게 적용되는지를 보여준다.

예제 20.3 │ 2점 Gauss-Legendre 공식

문제 설명. $x = 0$에서 0.8까지의 구간에서 식 (20.17)을 이용하여 다음 식의 적분값을 계산하라.

$$f(x) = 0.2 + 25x - 200x^2 + 675x^3 - 900x^4 + 400x^5$$

정확한 적분값은 1.640533이다.

풀이   함수를 적분하기 전에 적분구간이 -1에서 $+1$까지 되도록 변수를 변환시켜야 한다. 이를 위해 $a = 0$과 $b = 0.8$을 식 (20.22)와 (20.23)에 대입하여 다음을 구한다.

$$x = 0.4 + 0.4x_d \text{와} dx = 0.4dx_d$$

위 두 식을 원래의 식에 대입하면 다음과 같다.

$$\int_0^{0.8} (0.2 + 25x - 200x^2 + 675x^3 - 900x^4 + 400x^5) \, dx$$
$$= \int_{-1}^1 [0.2 + 25(0.4 + 0.4x_d) - 200(0.4 + 0.4x_d)^2 + 675(0.4 + 0.4x_d)^3$$
$$-900(0.4 + 0.4x_d)^4 + 400(0.4 + 0.4x_d)^5]0.4dx_d$$

이제 우변은 Gauss 구적법을 사용하여 계산하기에 적합한 형태이다. 이렇게 변환된 함수는 $x_d = -1/\sqrt{3}$에서 0.516741이며, $x_d = 1/\sqrt{3}$에서 1.305837이 된다. 따라서 식 (20.17)에 따른 적분값은 $0.516741 + 1.305837 = 1.822578$이며, 이는 -11.1%의 백분율 상대오차를 보여준다. 이 결과는 네 개의 구간에 적용한 사다리꼴 공식의 결과, 혹은 단일 구간에 적용한 Simpson 1/3 및 3/8 공식의 결과와 그 크기가 유사하다. 후자는 Simpson 공식 역시 3차의 정확도를 가지기 때문에 예상되는 결과이다. Gauss 구적법은 기본점을 현명하게 선택함으로써 단지 두 개의 함수값에 근거하여 동일한 3차의 정확도를 얻을 수 있다.

20.3.3 다점 공식

앞 절에서 기술한 2점 공식 이외에 여러 점을 이용하는 다점 공식(higher-point formulas)은 다음의 일반식으로부터 유도할 수 있다.

$$I \cong c_0 f(x_0) + c_1 f(x_1) + \cdots + c_{n-1} f(x_{n-1}) \tag{20.24}$$

여기서 n은 기본점들의 개수이다. 1점부터 6점까지의 공식에서 사용되는 c와 x의 값을 표 20.1에 요약하였다.

표 20.1 Gauss–Legendre 공식에서 사용되는 가중인자와 함수 변수.

Points	Weighting Factors	Function Arguments	Truncation Error
1	$c_0 = 2$	$x_0 = 0.0$	$\cong f^{(2)}(\xi)$
2	$c_0 = 1$ $c_1 = 1$	$x_0 = -1/\sqrt{3}$ $x_1 = 1/\sqrt{3}$	$\cong f^{(4)}(\xi)$
3	$c_0 = 5/9$ $c_1 = 8/9$ $c_2 = 5/9$	$x_0 = -\sqrt{3/5}$ $x_1 = 0.0$ $x_2 = \sqrt{3/5}$	$\cong f^{(6)}(\xi)$
4	$c_0 = (18 - \sqrt{30})/36$ $c_1 = (18 + \sqrt{30})/36$ $c_2 = (18 + \sqrt{30})/36$ $c_3 = (18 - \sqrt{30})/36$	$x_0 = -\sqrt{525 + 70\sqrt{30}}/35$ $x_1 = -\sqrt{525 - 70\sqrt{30}}/35$ $x_2 = \sqrt{525 - 70\sqrt{30}}/35$ $x_3 = \sqrt{525 + 70\sqrt{30}}/35$	$\cong f^{(8)}(\xi)$
5	$c_0 = (322 - 13\sqrt{70})/900$ $c_1 = (322 + 13\sqrt{70})/900$ $c_2 = 128/225$ $c_3 = (322 + 13\sqrt{70})/900$ $c_4 = (322 - 13\sqrt{70})/900$	$x_0 = -\sqrt{245 + 14\sqrt{70}}/21$ $x_1 = -\sqrt{245 - 14\sqrt{70}}/21$ $x_2 = 0.0$ $x_3 = \sqrt{245 - 14\sqrt{70}}/21$ $x_4 = \sqrt{245 + 14\sqrt{70}}/21$	$\cong f^{(10)}(\xi)$
6	$c_0 = 0.171324492379170$ $c_1 = 0.360761573048139$ $c_2 = 0.467913934572691$ $c_3 = 0.467913934572691$ $c_4 = 0.360761573048131$ $c_5 = 0.171324492379170$	$x_0 = -0.932469514203152$ $x_1 = -0.661209386466265$ $x_2 = -0.238619186083197$ $x_3 = 0.238619186083197$ $x_4 = 0.661209386466265$ $x_5 = 0.932469514203152$	$\cong f^{(12)}(\xi)$

예제 20.4 3점 Gauss-Legendre 공식

문제 설명. 표 20.1의 3점 공식을 이용하여 예제 20.3에서 주어진 함수의 적분값을 계산하라.

풀이 표 20.1에 의하면 3점 공식은 다음과 같다.

$$I = 0.5555556\,f(-0.7745967) + 0.8888889\,f(0) + 0.5555556\,f(0.7745967)$$

이는 다음과 같다.

$$I = 0.2813013 + 0.8732444 + 0.4859876 = 1.640533$$

이 결과는 정확한 값이다.

Gauss 구적법은 적분구간 내에서 불균일하게 분포된 점들에 대한 함수값 계산을 필요로 하므로, 적분 대상 함수가 알려져 있지 않은 경우에는 적합하지 않다. 따라서 도표화된 데이터를 다루는 실질적인 공학 문제에는 적합하지 않다. 그러나 함수를 알고 있는 경우에는 이 방법의 효율성은 결정적인 장점이 될 수 있어 많은 적분 계산을 수행할 때 특히 유용하다.

20.4 적응식 구적법

Romberg 적분법이 합성 Simpson 1/3 공식에 비해 더 효율적이지만, 두 방법 모두 등간격으로 분포된 점들에 대해서만 적용 가능하다는 제약이 있다. 이와 같은 제약조건은 어떤 함수들은 상대적으로 급격히 변화하는 영역을 포함하고 있어 보다 조밀한 간격이 필요하다는 점을 고려하지 못한다. 결국 원하는 정확도를 얻기 위해서는 조밀한 간격이 단지 급격한 변화가 있는 영역에서만 필요하더라도 이를 모든 영역에 걸쳐 적용해야 하는 문제가 발생한다. 적응식 구적법은 이러한 문제를 개선하기 위하여 자동적으로 간격 크기를 조절한다. 급격하게 변화하는 영역에는 작은 간격을, 함수가 점진적으로 변화하는 영역에는 큰 간격을 취한다.

20.4.1 MATLAB M-파일: `quadadapt`

적응식 구적법은 변화가 큰 영역과 점진적인 영역을 동시에 가지고 있는 많은 함수의 계산에 적용된다. 이 방법은 급격한 변화가 있는 곳에서는 작은 간격을, 점진적인 변화가 있는 곳에서는 큰 간격을 사용하도록 간격 크기를 조절한다. 대부분의 이러한 방법들은 합성 사다리꼴 공식이 Richardson 외삽법에 사용되는 방식과 유사하게, 합성 Simpson 1/3 공식을 소구간 (subintervals)에 적용하는 데 바탕을 두고 있다. 즉, 1/3 공식을 두 단계의 조밀 간격에 대해 적용하고, 이 두 단계 계산 사이의 차이는 절단오차를 계산하는 데 사용된다. 만약 절단오차가 허용할 만한 수준이면 더 이상의 조밀한 간격은 필요하지 않고, 그 소구간에 대한 적분값은 수용할 만한 것으로 간주한다. 만약 오차가 너무 크다면 간격의 크기를 더 조밀하게 하여, 이 과정을 오차가 허용할 만한 수준에 이를 때까지 반복한다. 총 적분값은 소구간들에 대한 적분값들의 합으로 계산된다.

이 방법의 이론적 근거는 $x = a$에서 $x = b$까지의 구간폭 $h_1 = b - a$에 대한 적분의 예로 설명할 수 있다. Simpson 1/3 공식을 이용하면 첫 번째 적분값은 다음과 같다.

$$I(h_1) = \frac{h_1}{6}\left[f(a) + 4f(c) + f(b)\right] \tag{20.25}$$

여기서 $c = (a + b)/2$이다.

Richardson 외삽법에서와 마찬가지로 간격 크기를 반분함으로써 더 정확한 값을 구할 수 있다. 즉, $n = 4$인 합성 Simpson 1/3 공식을 적용함으로써 다음 식을 구한다.

$$I(h_2) = \frac{h_2}{6}\left[f(a) + 4f(d) + 2f(c) + 4f(e) + f(b)\right] \tag{20.26}$$

여기서 $d = (a + c)/2$, $e = (c + b)/2$ 그리고 $h_2 = h_1/2$이다.

$I(h_1)$과 $I(h_2)$ 모두 같은 적분에 대한 추정값이므로 이들의 차이를 이용하여 오차를 구한다.

$$E \cong I(h_2) - I(h_1) \tag{20.27}$$

또한 이와 관련된 적분값과 오차는 일반적으로 다음과 같이 나타낼 수 있다.

$$I = I(h) + E(h) \tag{20.28}$$

여기서 I는 정확한 적분값, $I(h)$는 간격 크기가 $h = (b - a)/n$인 n 구간에 대한 Simpson 1/3 공식으로부터의 근사값, 그리고 $E(h)$는 그에 해당하는 절단오차이다.

Richardson 외삽법과 유사한 방법을 사용하여, 더 조밀한 간격에 대한 적분값 $I(h_2)$의 오차 추정값을 두 개의 적분값 차이의 함수로 유도할 수 있다.

$$E(h_2) = \frac{1}{15}[I(h_2) - I(h_1)] \tag{20.29}$$

이 오차를 $I(h_2)$에 더함으로써 보다 나은 적분값을 구할 수 있다.

$$I = I(h_2) + \frac{1}{15}[I(h_2) - I(h_1)] \tag{20.30}$$

이 결과는 **Boole 공식**(표 19.2)과 같다.

이상과 같이 유도된 식들을 이용하여 효율적인 알고리즘을 만들 수 있다. 그림 20.6은 Cleve Moler (2004)에 의해 개발된 알고리즘에 기초한 M-파일 함수를 보여준다.

함수는 주 호출함수 quadadapt와 실제로 적분을 수행하는 재귀함수(recursive function) quadstep으로 구성된다. 함수 f와 적분한계 a와 b는 주 호출함수 quadadapt로 전달된다. 허용오차를 설정한 후, Simpson 1/3 공식[식 (20.25)]의 초기 적용에 필요한 함수값이 계산된다. 이들 함수값들과 적분한계는 quadstep으로 전달된다. quadstep 내에서 나머지 간격 크기와 함수값이 계산되고, 두 개의 적분값[식 (20.25)와 (20.26)]이 계산된다.

여기서 오차는 적분값들 사이의 절대차로 계산된다. 오차의 값에 따라 두 가지 경우가 발생할 수 있다.

1. 오차가 허용값(tol)보다 작거나 같으면, Boole 공식이 생성된다. 함수는 종료되고 결과를 전달한다.
2. 오차가 허용값보다 크면, 현재 호출되어 있는 두 개의 소구간을 각각 계산하기 위해 quadstep이 두 번 호출된다.

위 두 번째 경우에서 두 번의 재귀함수 호출은 이 알고리즘의 핵심이다. 이는 허용오차를 만족할 때까지 계속하여 소구간으로 나눈다. 이 과정에서 이들 결과는 다른 적분값들과 함께 재귀 경로의 첫 부분으로 다시 돌아간다. 마지막 호출이 만족될 때 이 과정은 끝나며, 이 후 총 적분값이 계산되고 이 값은 주 호출함수로 반환된다.

그림 20.6에 나타낸 알고리즘은 MATLAB에 포함되어 있는 고급 근 구하기 함수인 integral 함수의 가장 기본적인 내용만을 담고 있다. 따라서 적분이 존재하지 않는 잘못된

```
function q = quadadapt(f,a,b,tol,varargin)
% Evaluates definite integral of f(x) from a to b
if nargin < 4 | isempty(tol),tol = 1.e-6;end
c = (a + b)/2;
fa = feval(f,a,varargin{:});
fc = feval(f,c,varargin{:});
fb = feval(f,b,varargin{:});
q = quadstep(f, a, b, tol, fa, fc, fb, varargin{:});
end

function q = quadstep(f,a,b,tol,fa,fc,fb,varargin)
% Recursive subfunction used by quadadapt.
h = b - a; c = (a + b)/2;
fd = feval(f,(a+c)/2,varargin{:});
fe = feval(f,(c+b)/2,varargin{:});
q1 = h/6 * (fa + 4*fc + fb);
q2 = h/12 * (fa + 4*fd + 2*fc + 4*fe + fb);
if abs(q2 - q1) <= tol
  q = q2 + (q2 - q1)/15;
else
  qa = quadstep(f, a, c, tol, fa, fd, fc, varargin{:});
  qb = quadstep(f, c, b, tol, fc, fe, fb, varargin{:});
  q = qa + qb;
end
end
```

그림 20.6   Cleve Moler(2004)에 의해 개발된 알고리즘에 기초한 적응식 구적법 알고리즘을 실행하는 M-파일.
Moler, C.B./McGrawHill

경우에 대한 대책은 없다. 그럼에도 불구하고 이 알고리즘은 많은 응용문제에 잘 작동하며, 또한 적응식 구적법이 어떻게 작동하는지를 확실하게 보여준다. 다음의 MATLAB 구문은 quadadapt가 어떻게 예제 20.1의 다항식에 대한 적분을 계산하는 데 사용될 수 있는지를 보여준다.

```
>> f=@(x) 0.2+25*x-200*x^2+675*x^3-900*x^4+400*x^5;
>> q = quadadapt(f,0,0.8)

q =
   1.640533333333336
```

20.4.2 MATLAB 함수: integral

MATLAB에는 적응식 구적법을 구현하기 위한 함수가 있다.

$$q = \text{integral}(fun, a, b)$$

여기서 *fun*은 적분할 함수이며, *a*와 *b*는 적분한계를 나타낸다. 여기서 배열 연산자 .*, ./ 및 .^는 *fun*을 정의할 때 반드시 사용되어야 한다는 점에 주의한다.

예제 20.5 / **적응식 구적법**

문제 설명. 다음의 함수를 구간 0과 1 사이에서 적분하기 위하여 integral을 사용하라.

$$f(x) = \frac{1}{(x-q)^2 + 0.01} + \frac{1}{(x-r)^2 + 0.04} - s$$

만약 위 식에서 $q = 0.3$, $r = 0.9$, $s = 6$인 경우, 이 식은 내장함수 humps가 된다. 이 내장함수는 MATLAB의 수치적 능력을 보여주기 위해 사용하는 예 중의 하나이다. 이 humps 함수는 비교적 짧은 x 범위에서 평탄하고 가파른 영역을 모두 나타내므로, integral과 같은 함수를 설명하고 시험하기에 유용하다. humps 함수는 주어진 적분구간에서 해석적으로 적분될 수 있으며, 정확한 적분값은 29.85832539549867이다.

풀이 먼저 내장함수 humps를 이용하여 적분을 계산하자.

```
>> format long
>> Q=integral(@(x) humps(x),0,1)

ans =
   29.85832612842764
```

따라서 해는 일곱 자리 유효숫자까지 정확하다.

20.5 사례연구 **평균 제곱근 전류**

배경. 에너지 전달이 효율적이기 때문에 교류 회로의 전류는 종종 다음과 같은 사인파형이다.

$$i = i_{peak} \sin(\omega t)$$

여기서 i는 전류(A = C/s), i_{peak}는 피크 전류(A), ω는 각주파수(radians/s) 그리고 t는 시간(s)이다. 각주파수는 주기 T(s)와 $\omega = 2\pi/T$의 관계가 있다.

생성되는 전력은 전류의 크기와 관계가 있다. 한 주기 동안의 평균 전류를 계산하기 위해 적분이 사용된다.

$$\bar{i} = \frac{1}{T} \int_0^T i_{peak} \sin(\omega t) \, dt = \frac{i_{peak}}{T}(-\cos(2\pi) + \cos(0)) = 0$$

이러한 전류는 그 평균은 0이지만 전력을 발생시킬 수 있다. 그러므로 평균 전류를 대체할 수 있는 대안이 요구된다.

이를 위해 전기 공학자들과 과학자들은 평균 제곱근 전류 i_{rms}(A)를 다음과 같이 정하고 사용한다.

$$i_{\text{rms}} = \sqrt{\frac{1}{T} \int_0^T i_{\text{peak}}^2 \sin^2(\omega t)\, dt} = \frac{i_{\text{peak}}}{\sqrt{2}} \tag{20.31}$$

그 이름이 의미하듯이 rms 전류는 전류를 제곱해서 평균을 낸 결과에 제곱근을 취한 것이다. $1/\sqrt{2} = 0.70707$이므로 i_{rms}는 우리가 가정한 사인파형 피크 전류의 약 70%에 해당한다.

이 rms 전류는 교류 회로를 구성하는 소자에 의해 소비되는 평균 전력과 직접적으로 연관되기 때문에 그 의미가 있다. 이를 이해하기 위하여 회로 소자에 의해 소비되는 순간전력은 소자 양단의 전압과 소자를 통과하는 전류의 곱과 같다는 **Joule의 법칙**을 상기하자.

$$P = iV \tag{20.32}$$

여기서 P는 전력(W = J/s), 그리고 V는 전압(V = J/C)이다. 저항기(resistor)에 대한 **Ohm의 법칙**은 전압은 전류에 직접 비례한다는 것이다.

$$V = iR \tag{20.33}$$

여기서 R은 저항(resistance)(Ω = V/A = J·s/C^2)이다. 식 (20.33)을 (20.32)에 대입하면 다음과 같다.

$$P = i^2 R \tag{20.34}$$

평균 전력은 식 (20.34)를 한 주기 동안에 적분하여 다음과 같이 얻을 수 있다.

$$\bar{P} = i_{\text{rms}}^2 R$$

따라서 교류 회로는 마치 직류 회로에서 i_{rms}의 전류가 일정하게 흐를 경우에 해당하는 전력을 발생시킨다.

비록 단순한 사인파형이 널리 사용되고 있지만 이러한 파형만 사용되는 것은 아니다. 삼각파형이나 사각파형 같은 경우에도 적분을 이용하여 해석적으로 i_{rms}를 구할 수 있다. 그러나 어떤 파형은 수치적분을 통해서만 구할 수 있는 경우도 있다.

이 사례연구에서는 사인파가 아닌 파형(nonsinusoidal wave form)에 대한 평균 제곱근 전류를 구하고자 한다. 이를 위해 이 장에서 소개된 방법뿐만 아니라 19장에서 다룬 Newton-Cotes 공식도 사용할 것이다.

풀이   계산해야 할 적분은 다음과 같다.

$$i_{\text{rms}}^2 = \int_0^{1/2} (10 e^{-t} \sin 2\pi t)^2\, dt \tag{20.35}$$

비교 목적으로 이 적분의 참값을 유효숫자 15자리까지 구하면 15.41260804810169이다.

표 20.2는 사다리꼴 공식과 Simpson 1/3 공식을 여러 경우에 적용한 적분값을 보여준다.

표 20.2 Newton–Cotes 공식을 사용하여 계산한 적분값.

Technique	Segments	Integral	ε_t(%)
Trapezoidal rule	1	0.0	100.0000
	2	15.163266493	1.6178
	4	15.401429095	0.0725
	8	15.411958360	4.22×10^{-3}
	16	15.412568151	2.59×10^{-4}
	32	15.412605565	1.61×10^{-5}
	64	15.412607893	1.01×10^{-6}
	128	15.412608038	6.28×10^{-8}
Simpson's 1/3 rule	2	20.217688657	31.1763
	4	15.480816629	0.4426
	8	15.415468115	0.0186
	16	15.412771415	1.06×10^{-3}
	32	15.412618037	6.48×10^{-5}

Simpson 공식이 사다리꼴 공식에 비해 더 정확함을 주목하라. 일곱 자리 유효숫자까지 정확한 값은 128구간 사다리꼴 공식과 32구간 Simpson 공식을 이용하여 구할 수 있다.

그림 20.2에 작성된 M-파일은 Romberg 적분법으로 적분 결과를 구하는 데 다음과 같이 이용될 수 있다.

```
>> format long
>> i2=@(t) (10*exp(-t).*sin(2*pi*t)).^2;
>> [q,ea,iter]=romberg(i2,0,.5)

q =
  15.41260804288977
ea =
   1.480058787326946e-008
iter =
    5
```

따라서 기본적인 종료 조건 es $= 1 \times 10^{-6}$ 으로 다섯 번 반복계산에 아홉 자리 유효숫자까지 정확한 결과를 얻는다. 더 엄격한 종료 조건을 사용하면 다음과 같이 더 정확한 결과를 구할 수 있다.

```
>> [q,ea,iter]=romberg(i2,0,.5,1e-15)

q =
  15.41260804810169
ea =
     0
iter =
    7
```

Gauss 구적법을 사용해서도 동일한 추정값을 얻을 수 있다. 먼저 식 (20.22)와 (20.23)을 적용하여 다음과 같이 변수를 변환한다.

$$t = \frac{1}{4} + \frac{1}{4}\,t_d \qquad dt = \frac{1}{4}\,dt_d$$

표 20.3   Gauss 구적법을 여러 점에 적용하여 추정한 적분값.

Points	Estimate	ε_t (%)
2	11.9978243	22.1
3	15.6575502	1.59
4	15.4058023	4.42×10^{-2}
5	15.4126391	2.01×10^{-4}
6	15.4126109	1.82×10^{-5}

이 식을 식 (20.35)에 대입하면 다음과 같은 결과를 얻는다.

$$i_{\text{rms}}^2 = \int_{-1}^{1} [10e^{-(0.25+0.25t_d)} \sin 2\pi(0.25 + 0.25t_d)]^2 \, 0.25 \, dt \tag{20.36}$$

2점 Gauss-Legendre 공식을 사용하기 위해 함수값을 $t_d = -1/\sqrt{3}$과 $1/\sqrt{3}$에 대해 계산하면 각각 7.684096과 4.313728이다. 이 값들을 식 (20.17)에 대입하면 11.99782의 적분값을 얻는데, 이때 오차는 $\varepsilon_t = 22.1\%$이다.

3점 공식은 다음과 같다(표 20.1).

$$I = 0.5555556(1.237449) + 0.8888889(15.16327) + 0.5555556(2.684915) = 15.65755$$

이때 오차는 $\varepsilon_t = 1.6\%$이다. 다점 공식을 사용할 때의 결과는 표 20.3과 같이 요약된다.

마지막으로 MATLAB 내장함수 integral을 사용하여 적분을 계산하면 다음과 같다.

```
>> irms2=integral(i2,0,.5)
irms2 =
   15.412608049345090
```

이제 적분 결과에 제곱근을 취하여 i_{rms}를 구할 수 있다. 그 예로 integral을 사용한 결과를 이용하면 다음과 같다.

```
>> irms=sqrt(irms2)
irms =
   3.925889459485796
```

이 결과는 전력 손실 계산과 같이 회로의 설계와 운영의 측면에서 이용될 수 있다.

식 (20.31)에서 간단한 사인파형을 다루었듯이, 한 가지 흥미로운 계산은 이 결과를 피크 전류와 비교하는 것이다. 이는 최적화 문제에 해당하므로 바로 fminbnd 함수를 사용하여 최대값을 계산할 수 있다. 최대값을 찾고 있으므로 함수에 음의 값을 취해 계산한다.

```
>> [tmax,imax]=fminbnd(@(t) -10*exp(-t).*sin(2*pi*t),0,.5)
tmax =
   0.22487940319321
imax =
  -7.886853873932577
```

최대 전류는 $t = 0.2249$ s에서 7.88685 A이다. 그러므로 이 특수한 파형에 대한 평균 제곱근의 값은 최대값의 약 49.8%에 해당된다.

연습문제

20.1 Romberg 적분을 사용하여 $\varepsilon_s = 0.5\%$의 정확도까지 다음 식을 계산하라.

$$I = \int_1^2 \left(x + \frac{1}{x}\right)^2 dx$$

계산한 결과를 그림 20.1의 형식으로 제시하라. 이 적분의 해석해를 구하여 Romberg 적분으로 구한 결과와의 백분율 상대오차를 계산하라. 또한 ε_t가 ε_s보다 작은지를 확인하라.

20.2 다음의 적분을 계산하라. (a) 해석적 방법, (b) Romberg 적분 ($\varepsilon_s = 0.5\%$), (c) 3점 Gauss 구적법 공식, 그리고 (d) MATLAB integral 함수.

$$I = \int_0^8 -0.055x^4 + 0.86x^3 - 4.2x^2 + 6.3x + 2 \, dx$$

20.3 다음의 적분을 계산하라. (a) Romberg 적분 ($\varepsilon_s = 0.5\%$), (b) 2점 Gauss 구적법 공식, 그리고 (c) MATLAB integral 함수.

$$I = \int_0^3 xe^{2x} dx$$

20.4 다음의 에러 함수(error function)에 대한 해석해는 없다.

$$\text{erf}(a) = \frac{2}{\sqrt{\pi}} \int_0^a e^{-x^2} dx$$

(a) 2점과 (b) 3점 Gauss-Legendre 공식을 이용하여 erf(1.5)를 계산하라. 각각의 경우에 MATLAB의 내장함수 erf로 계산할 수 있는 참값에 기초하여 백분율 상대오차를 구하라.

20.5 경주용 보트의 돛대에 작용하는 힘은 다음의 함수로 나타낼 수 있다.

$$F = \int_0^H 200 \left(\frac{z}{5 + z}\right) e^{-2z/H} dz$$

여기서 z는 갑판에서부터의 높이이며, H는 돛대의 높이이다. 다음의 방법을 이용하여 $H = 30$인 경우의 F를 계산하라. (a) 허용오차 $\varepsilon_s = 0.5\%$ 내에서의 Romberg 적분, (b) 2점 Gauss-Legendre 공식, (c) MATLAB integral 함수.

20.6 평균 제곱근 전류는 다음의 식으로부터 계산된다.

$$I_{RMS} = \sqrt{\frac{1}{T} \int_0^T i^2(t) \, dt}$$

$T = 1$에 대하여 $i(t)$는 다음과 같이 정의된다고 가정하자.

$$i(t) = 8e^{-t/T} \sin\left(2\pi \frac{t}{T}\right) \qquad \text{for } 0 \leq t \leq T/2$$
$$i(t) = 0 \qquad \text{for } T/2 \leq t \leq T$$

다음의 방법을 이용하여 I_{RMS}를 계산하라. (a) 허용오차 0.1% 내에서의 Romberg 적분, (b) 2점과 3점 Gauss-Legendre 공식, 그리고 (c) MATLAB integral 함수.

20.7 어떤 재료가 $\Delta T\,(^\circ\text{C})$의 온도 변화를 발생하는 데 필요한 열량 $\Delta H\,(\text{cal})$는 다음과 같이 계산된다.

$$\Delta H = mC_p(T)\Delta T$$

여기서 m은 질량(g), 그리고 $C_p(T)$는 열용량 [cal/(g · °C)]이다. 열용량은 다음과 같이 온도 $T\,(^\circ\text{C})$에 따라 증가한다.

$$C_p(T) = 0.132 + 1.56 \times 10^{-4} T + 2.64 \times 10^{-7} T^2$$

ΔT와 ΔH의 관계를 나타내는 그림을 그리기 위해 integral 함수를 사용하는 스크립트를 작성하라. 단, $m = 1$ kg, 초기 온도는 -100°C이고 ΔT는 0에서 300°C 범위에 있다.

20.8 일정 시간 동안 관을 통하여 수송되는 질량은 다음과 같이 계산된다.

$$M = \int_{t_1}^{t_2} Q(t)c(t)\, dt$$

여기서 M은 질량(mg), t_1은 초기시간(min), t_2는 최종시간(min), $Q(t)$는 유량(m^3/min), $c(t)$는 농도(mg/m^3)이다. 다음 함수 관계식은 유량과 농도의 시간에 따른 변화를 정의한다.

$$Q(t) = 9 + 5\cos^2(0.4t)$$
$$c(t) = 5e^{-0.5t} + 2e^{0.15t}$$

$t_1 = 2$와 $t_2 = 8$ 분 사이에 수송된 질량을 다음의 방법으로 계산하라. (a) 허용오차 0.1% 내에서의 Romberg 적분, (b) MATLAB integral 함수.

20.9 다음의 이중적분을 계산하라.

$$\int_{-2}^{2}\int_{0}^{4} (x^2 - 3y^2 + xy^3)\, dx\, dy$$

(a) 해석적 방법과 2점 Gauss 구적법, (b) integral2 함수.

20.10 다음과 같이 주어진 $F(x)$와 $\theta(x)$에 대해 19.9절에서 논의한 일을 계산하라.

$$F(x) = 1.6x - 0.045x^2$$
$$\theta(x) = -0.00055x^3 + 0.0123x^2 + 0.13x$$

힘의 단위는 N이고, 각도의 단위는 라디안이다. 0에서 30 m까지의 x에 대해 적분을 수행하라.

20.11 20.5절에서와 같은 계산을 수행하되 전류는 다음과 같이 주어진다.

$$i(t) = 6e^{-1.25t}\sin 2\pi t \qquad \text{for } 0 \le t \le T/2$$
$$i(t) = 0 \qquad \text{for } T/2 < t \le T$$

여기서 $T = 1$초이다.

20.12 20.5절에서 설명한 바와 같이 회로소자에 의해 소비되는 전력을 구하라. 전류는 간단한 사인파 $i = \sin(2\pi t/T)$로 주어지며 $T = 1$초이다.

(a) Ohm의 법칙이 성립되고 $R = 5\Omega$인 경우.
(b) Ohm의 법칙이 성립되지 않으며, 전압과 전류가 다음

과 같이 비선형 관계에 있는 경우: $V = (5i - 1.25i^3)$.

20.13 저항기를 통과하는 전류가 다음의 함수로 기술된다고 가정하자.

$$i(t) = (60 - t)^2 + (60 - t)\sin(\sqrt{t})$$

이때 저항은 다음과 같이 전류에 대한 함수이다.

$$R = 10i + 2i^{2/3}$$

$t = 0$에서 60까지에 대해 합성 Simpson 1/3 공식을 이용하여 평균 전압을 계산하라.

20.14 최초 전하가 충전되지 않은 커패시터 양단에 인가되는 전압은 시간의 함수로 다음과 같이 계산될 수 있다.

$$V(t) = \frac{1}{C}\int_{0}^{t} i(t)\, dt$$

MATLAB을 이용하여 아래 데이터를 5차 다항식으로 접합하라. 그리고 $C = 10^{-5}$ 패럿(farad)일 때, 수치적분 함수를 이용하여 전압과 시간 관계를 도시하라.

t, s	0	0.2	0.4	0.6
i, 10^{-3} A	0.2	0.3683	0.3819	0.2282

t, s	0.8	1	1.2
i, 10^{-3} A	0.0486	0.0082	0.1441

20.15 물체에 행해지는 일은 힘과 힘의 방향으로 움직인 거리의 곱과 같다. 힘 방향의 물체 속도는 다음과 같이 주어진다.

$$v = 4t \qquad 0 \le t \le 5$$
$$v = 20 + (5 - t)^2 \qquad 5 \le t \le 15$$

여기서 v의 단위는 m/s이다. 모든 t에 대해 200 N의 일정한 힘이 작용할 때 일을 구하라.

20.16 축방향 하중을 받는 막대(그림 P20.16a)는 응력-변형률 곡선(그림 P20.16b)처럼 변형된다. 응력 0에서 파단(rupture) 점까지의 곡선 아래의 면적을 재료의 **인성계수**(modulus of toughness)라고 한다. 이 값은 재료를 파단시킬 때 요구되는 단위 부피당 에너지의 척도로서 충격을 견디는 재료의 능력을 나타낸다. 수치적분을 이용하여 그림 P20.16b의 응력-변형률 곡선에 대해 인성계수를 구하라.

20.17 관 속을 흐르는 유체의 속도 분포가 그림 P20.17

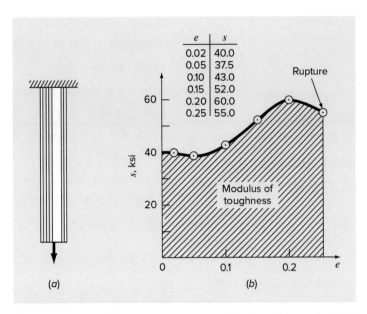

그림 P20.16 (a) 축방향 하중을 받는 막대와 (b) 응력–변형률 곡선, 여기서
응력의 단위는 제곱인치당 kips(10^3 lb/in^2)이고 변형률은 무차원이다.

과 같이 알려져 있을 경우, 유량 Q(단위 시간당 관을 통과하는 물의 부피)는 $Q = \int v\, dA$와 같이 계산되며, 여기서 v는 속도이고, A는 관의 단면적이다. (이 식의 물리적 의미를 이해하기 위해 합과 적분 사이의 밀접한 관계를 상기하라.) 원통 관에 대해 $A = \pi r^2$, $dA = 2\pi r\, dr$ 이므로 Q는 다음과 같다.

그림 P20.17

$$Q = \int_0^r v(2\pi r)\, dr$$

여기서 r은 관의 중심선으로부터 측정한 반경방향으로의 거리(radial distance)이다. 속도 분포는 다음과 같이 주어진다.

$$v = 2\left(1 - \frac{r}{r_0}\right)^{1/6}$$

여기서 r_0는 관의 반경(이 경우 3 cm)이다. 합성 사다리꼴 공식을 이용하여 Q를 구하고 결과를 논하라.

20.18 다음의 데이터를 이용하여 스프링 상수 $k = 300$ N/m의 스프링을 $x = 0.35$ m까지 늘일 때 행해지는 일을 계산하라. 이를 위해 먼저 다음 데이터를 다항식으로 접합하고, 그 다항식을 수치적으로 적분하여 일을 계산하라.

F, $10^3 \cdot$ N	0	0.01	0.028	0.046
x, m	0	0.05	0.10	0.15

F, $10^3 \cdot$ N	0.063	0.082	0.11	0.13
x, m	0.20	0.25	0.30	0.35

20.19 다음과 같이 로켓의 수직 속도가 주어질 때 수직으로 이동한 거리를 계산하라.

$$\begin{aligned} v &= 11t^2 - 5t & 0 \le t \le 10 \\ v &= 1100 - 5t & 10 \le t \le 20 \\ v &= 50t + 2(t - 20)^2 & 20 \le t \le 30 \end{aligned}$$

20.20 로켓의 상향 속도는 다음과 같은 공식으로 계산된다.

$$v = u \ln\left(\frac{m_0}{m_0 - qt}\right) - gt$$

여기서 v는 상향 속도, u는 로켓에 대해 연료가 배출될 때의 속도, m_0는 $t = 0$에서의 로켓의 초기 질량, q는 연료의 소비율, 그리고 g는 하향 중력가속도(9.81 m/s^{2}로 일정)이다. 만약 $u = 1850$ m/s, $m_0 = 160,000$ kg, $q = 2500$ kg/s라면, 30초 동안에 로켓이 올라간 높이를 구하라.

20.21 정규분포는 다음과 같이 정의된다.

$$f(x) = \frac{1}{\sqrt{2\pi}} e^{-x^2/2}$$

(a) MATLAB을 이용하여 $x = -1$에서 1까지와 $x = -2$에서 2까지 이 함수의 적분을 구하라.

(b) MATLAB을 이용하여 이 함수의 변곡점을 구하라.

20.22 Romberg 적분을 이용하여 $\varepsilon_s = 0.5\%$의 정확도로 다음 식을 계산하고, 그 결과를 그림 20.1의 형태로 제시하라.

$$\int_0^2 \frac{e^x \sin x}{1 + x^2} \, dx$$

20.23 번지점프하는 사람의 낙하 속도는 식 (1.9)와 같이 해석적으로 계산된다.

$$v(t) = \sqrt{\frac{gm}{c_d}} \tanh\left(\sqrt{\frac{gc_d}{m}} \, t\right)$$

여기서 $v(t)$는 속도(m/s), t는 시간(s), g는 9.81 m/s², m은 질량(kg), c_d는 항력계수(kg/m)이다.

(a) Romberg 적분을 이용하여, 자유낙하 초기 8초 동안에 점프하는 사람이 낙하하는 거리를 계산하라. 여기서 $m = 80$ kg이고 $c_d = 0.2$ kg/m이다. 답을 $\varepsilon_s = 1\%$의 정확도로 계산하라.

(b) integral을 이용하여 같은 계산을 수행하라.

20.24 식 (20.30)이 Boole 공식과 같음을 증명하라.

20.25 다음 표에 나타나 있듯이 지구의 밀도는 지구 중심 ($r = 0$)에서부터 거리의 함수로 변화한다.

r, km	0	1100	1500	2450	3400	3630	4500
ρ, g/cm³	13	12.4	12	11.2	9.7	5.7	5.2

r, km	5380	6060	6280	6380
ρ, g/cm³	4.7	3.6	3.4	3

pchip 옵션과 interp1을 사용하여 이들 데이터를 접합하는 스크립트를 작성하라. 접합 곡선과 데이터 점들을 나타내는 그림을 도시하라. MATLAB의 적분 함수들 중 하나를 이용하여 interp1 함수의 출력값을 적분함으로써 지구의 질량(미터법 tonne 단위)을 계산하라.

20.26 그림 20.2에 기초하여 Romberg 적분을 실행하는 M-파일 함수를 작성하라. 예제 20.1의 다항식의 적분을 구함으로써 작성한 M-파일 함수를 시험해 보고, 연습문제 20.1을 풀어라.

20.27 그림 20.6에 기초하여 적응식 구적법을 실행하는 M-파일 함수를 작성하라. 예제 20.1의 다항식의 적분을 구함으로써 작성한 M-파일 함수를 시험해 보고, 연습문제 20.20을 풀어라.

20.28 비균일 단면을 가지는 하천수로의 평균 유량 Q (m³/s)는 다음과 같이 속도와 깊이의 곱의 적분값으로 계산할 수 있다.

$$Q = \int_0^B U(y)H(y) \, dy$$

여기서 $U(y)$ = 제방으로부터의 거리 y (m) 지점에서의 물의 속도(m/s)이며, $H(y)$ = 제방으로부터의 거리 y 지점에서의 물의 깊이(m)이다. 수로를 가로질러 여러 위치에서 수집된 다음 데이터에 대해 spline 함수를 사용하여 U와 H를 접합하고, integral 함수를 사용하여 유량을 구하라.

y (m)	H (m)	Y (m)	U (m/s)
0	0	0	0
1.1	0.21	1.6	0.08
2.8	0.78	4.1	0.61
4.6	1.87	4.8	0.68
6	1.44	6.1	0.55
8.1	1.28	6.8	0.42
9	0.2	9	0

20.29 2점 Gauss 구적법을 사용하여 $a = 1$과 $b = 5$ 사이에서의 다음 함수의 평균값을 구하라.

$$f(x) = \frac{2}{1 + x^2}$$

20.30 다음 적분을 계산하라.

$$I = \int_0^4 x^3 \, dx$$

(a) 해석적 방법

(b) MATLAB integral 함수

(c) Monte Carlo 적분

20.31 MATLAB humps 함수는 구간 $0 \le x \le 2$에서 높

이가 다른 2개의 최대점(피크)을 가지는 곡선을 정의한다. 다음 방법을 이용하는 MATLAB 스크립트를 개발하여 주어진 구간에 대한 적분값을 구하라. (a) MATLAB integral 함수 (b) Monte Carlo 적분

20.32 다음의 이중적분을 계산하라.

$$I = \int_0^2 \int_{-3}^1 y^4 (x^2 + xy) \, dx \, dy$$

(a) 각 차원에 대해 단일 구간 Simpson 1/3 공식을 사용하여 구하라.

(b) 결과를 integral2 함수를 이용하여 확인하라.

21 수치미분

학습목표

이 장의 주요 목표는 수치미분을 소개하는 것이다. 구체적인 목표와 다루는 주제는 다음과 같다.

- 등간격으로 분포된 데이터에 대한 고정도 수치미분 공식 적용의 이해
- 부등간격으로 분포된 데이터에 대해 도함수를 구하는 방법
- 수치미분에 적용되는 Richardson 외삽법에 대한 이해
- 데이터에 포함된 오차에 대한 수치미분의 민감도에 대한 인식
- MATLAB에서 `diff`와 `gradient` 함수를 사용해서 도함수를 구하는 방법
- MATLAB에서 등고선과 벡터장을 그리는 방법

이런 문제를 만나면

번 지점프하는 사람의 자유낙하 속도는 시간의 함수로 다음과 같이 계산할 수 있음을 상기하자.

$$v(t) = \sqrt{\frac{gm}{c_d}} \tanh\left(\sqrt{\frac{gc_d}{m}}t\right) \tag{21.1}$$

19장을 시작할 때 미적분학을 이용하여 위 식의 적분을 통해 t시간 후 사람이 낙하한 수직거리 z를 다음과 같이 구한 바 있다.

$$z(t) = \frac{m}{c_d} \ln\left[\cosh\left(\sqrt{\frac{gc_d}{m}}t\right)\right] \tag{21.2}$$

이제 문제가 반대로 주어졌다고 가정해 보자. 즉, 사람의 위치가 시간의 함수로 주어질 때 속도를 구하는 문제가 된다. 이는 적분의 역에 해당하므로 미분을 사용하여 구할 수 있을 것이다.

$$v(t) = \frac{dz(t)}{dt} \tag{21.3}$$

식 (21.2)를 식 (21.3)에 대입하여 미분하면 식 (21.1)을 얻게 될 것이다.

속도는 물론이고 가속도까지 구해야 되는 경우도 생길 수 있다. 이를 위해서는 속도에 1차 도함수를 취하거나 변위에 2차 도함수를 취하면 될 것이다.

$$a(t) = \frac{dv(t)}{dt} = \frac{d^2 z(t)}{dt^2} \tag{21.4}$$

어떤 경우든지 결과는 다음과 같을 것이다.

$$a(t) = g \operatorname{sech}^2 \left(\sqrt{\frac{g c_d}{m}} t \right) \tag{21.5}$$

위 경우에는 해석적인 해를 구할 수 있지만, 해석적으로 미분하기가 힘들거나 불가능한 함수도 있다. 나아가 사람이 낙하하는 동안에 여러 시점에서 위치를 측정할 수 있는 방법이 있다고 가정해 보자. 시간에 따른 낙하 거리를 이산 데이터로 구성한 표로 정리할 수 있을 것이다. 이러한 경우에는 이산 데이터를 미분해서 속도와 가속도를 구하는 것이 유용할 것이다. 해석적인 미분이 곤란한 경우 또는 이산값으로 데이터가 주어지는 경우의 해를 구하기 위해서 수치미분 방법이 사용된다. 이 장에서는 수치미분에 사용되는 몇 가지 방법들을 소개한다.

21.1 소개 및 배경

21.1.1 미분이란 무엇인가?

미적분학(calculus)은 변화의 수학이다. 공학자나 과학자는 연속적으로 변화하는 시스템이나 과정들을 다루어야 하기 때문에 미적분학은 필수적이다. 미적분학의 핵심은 미분의 수학적 개념이다.

사전적 정의에 따르면, **미분한다**(differentiate)는 "차이에 따라 표시하다, 구별하다, ... 내에서 또는 사이에서의 차이를 인식하다" 등을 의미한다. 미분의 기본이 되는 **도함수**(derivative)는 수학적으로 독립변수에 대한 종속변수의 변화율을 나타낸다. 그림 21.1에 나타낸 바와 같이

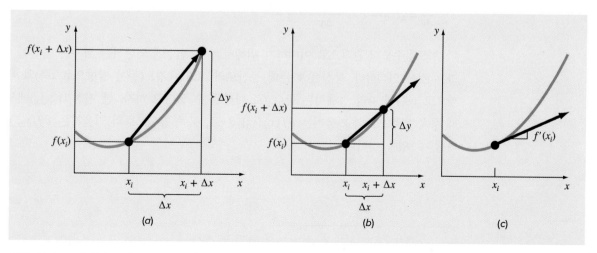

그림 21.1 도함수를 그래프로 정의함. Δx가 (a)에서 (c)로 가는 과정에서 0에 가까워짐에 따라 차분 근사는 도함수가 된다.

도함수의 수학적인 정의는 다음과 같이 차분 근사로 시작한다.

$$\frac{\Delta y}{\Delta x} = \frac{f(x_i + \Delta x) - f(x_i)}{\Delta x} \tag{21.6}$$

여기서 y와 $f(x)$는 모두 종속변수를 나타내며, x는 독립변수이다. 만약 Δx가 0으로 접근하면 그림 21.1a에서 c로 가면서 변하는 것과 같이 차분은 도함수가 된다.

$$\frac{dy}{dx} = \lim_{\Delta x \to 0} \frac{f(x_i + \Delta x) - f(x_i)}{\Delta x} \tag{21.7}$$

여기서 dy/dx는 [y' 또는 $f'(x_i)$로도 표기되며][1] x_i에서 계산된 x에 대한 y의 1차 도함수이다. 그림 21.1c에서 볼 수 있듯이 도함수는 x_i에서 곡선에 대한 접선의 기울기이다.

2차 도함수는 다음과 같이 1차 도함수의 도함수를 나타낸다.

$$\frac{d^2 y}{dx^2} = \frac{d}{dx}\left(\frac{dy}{dx}\right) \tag{21.8}$$

따라서 2차 도함수는 기울기가 얼마나 빠르게 변화하고 있는지 알려준다. 2차 도함수를 일반적으로 **곡률**(curvature)이라 하며, 2차 도함수의 값이 크면 높은 곡률을 의미한다.

마지막으로 함수가 두 개 이상의 변수에 의존하면 편도함수를 사용한다. 편도함수는 한 변수를 제외한 나머지 모든 변수를 상수로 취급하고 그 변수에 대해 한 점에서 함수의 도함수를 취하는 것으로 생각할 수 있다. 그 예로 함수 f가 x와 y에 의존할 때 임의의 점 (x, y)에서 x에 대한 f의 편도함수는 다음과 같이 정의된다.

$$\frac{\partial f}{\partial x} = \lim_{\Delta x \to 0} \frac{f(x + \Delta x, y) - f(x, y)}{\Delta x} \tag{21.9}$$

마찬가지로 y에 대한 f의 편도함수는 다음과 같이 정의된다.

$$\frac{\partial f}{\partial y} = \lim_{\Delta y \to 0} \frac{f(x, y + \Delta y) - f(x, y)}{\Delta y} \tag{21.10}$$

편도함수를 직관적으로 이해하기 위해서는 두 변수에 의존하는 함수는 곡선이 아니고 면이라는 것을 인식하라. 등산을 하는데 등산로의 고도는 경도(동서 방향으로 x축)와 위도(북남 방향으로 y축)에 따라 정해지는 함수 f로 나타낼 수 있다고 하자. 한 지점 (x_0, y_0)에서 멈춰 섰을 때 동쪽 방향으로의 기울기는 $\partial f(x_0, y_0)/\partial x$로, 북쪽 방향으로의 기울기는 $\partial f(x_0, y_0)/\partial y$로 나타낼 수 있을 것이다.

---

1) dy/dx의 형태는 Leibnitz에 의해 고안되었으며, y'은 Lagrange에 의한 것이다. Newton은 소위 점(dot) 표기법 $\dot{y}$을 사용하였음에 주목하라. 오늘날에는 점 표기법은 일반적으로 시간 도함수에 대해 사용된다.

21.1.2 공학과 과학 분야에서의 미분

함수의 미분은 공학과 과학 분야에서 매우 광범위하게 응용되기 때문에 대학 초년생 때에 미적분학을 수강하도록 한다. 응용되는 구체적인 예는 공학과 과학의 전 분야에 걸쳐 찾을 수 있다. 공학과 과학 분야에서 미분은 매우 흔하게 나타나며, 이는 시간과 공간에서의 변수의 변화를 특징지어야 하는 경우가 매우 많기 때문이다. 실제로 공학과 과학에서 매우 두드러지게 나타나는 수많은 법칙과 원리는 물리적 세계에서 나타나는 변화를 명백하게 예측할 수 있는 방법에 기초하고 있다. 대표적인 예가 Newton의 제2법칙으로, 주 논점은 물체의 위치에 관한 것이 아니라 시간에 따른 위치의 변화에 관한 것이다.

이러한 시간의 변화에 대한 예뿐만 아니라 변수의 공간적 거동을 다루는 수많은 법칙들 역시 도함수로 표현된다. 이 법칙들 중 가장 보편적인 법칙이 포텐셜이나 구배가 물리적 과정에 어떻게 영향을 미치는지 정의하는 **구성법칙**(constitutive laws)이다. 그 예로 **Fourier 열전도 법칙**(Fourier's law of heat conduction)은 온도가 높은 지역에서 낮은 지역으로 열이 흐르는 현상을 정량화한다. 1차원인 경우에 이 법칙은 다음과 같이 수학적으로 표현된다.

$$q = -k \frac{dT}{dx} \tag{21.11}$$

여기서 $q(x)$는 열플럭스(W/m^2), k는 열전도계수 $[W/(m \cdot K)]$, T는 온도(K), 그리고 x는 거리 (m)이다. 따라서 도함수 또는 **구배**(gradient)는 공간에서 온도 변화의 강도를 나타내는 척도가 되며, 그림 21.2와 같이 열전달을 일으킨다.

비슷한 법칙들이 유체역학, 물질전달, 화학반응속도론, 전기 및 고체역학 등을 비롯한 공학 및 과학의 다른 많은 영역에서 유용한 모델들을 제공한다(표 21.1). 도함수를 정확하게 예측할 수 있는 능력이 곧 이러한 분야에서 일을 효율적으로 처리할 수 있는 중요한 요소이다.

수치미분은 공학과 과학 분야에서의 직접적인 응용 외에도, 수치해석 분야를 비롯한 일반적인 수학 분야에서도 다양하게 활용된다. 예를 들어, 6장에서 다룬 할선법은 도함수의 유한

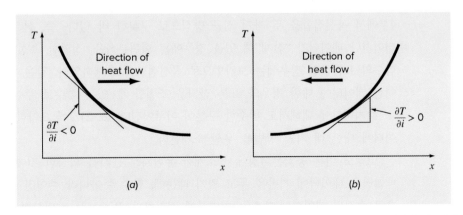

그림 21.2 그래프로 온도 구배를 설명함. 열은 온도가 높은 곳에서 낮은 곳으로 움직이기 때문에 (a)에서의 흐름은 왼쪽에서 오른쪽이다. 그러나 직교좌표계의 방향 때문에 이 경우의 기울기는 음의 값을 갖는다. 따라서 음의 구배가 양의 흐름을 일으킨다. 이것이 Fourier 열전도 법칙에 음의 부호가 나오게 된 원인이다. 반대의 경우는 (b)와 같이 도시되며 양의 구배가 음의 흐름을 일으켜 열이 오른쪽에서 왼쪽으로 흐른다.

표 21.1 공학과 과학 분야에서 흔히 사용되는 구성법칙의 1차원 형태.

Law	Equation	Physical Area	Gradient	Flux	Proportionality
Fourier's law	$q = -k\dfrac{dT}{dx}$	Heat conduction	Temperature	Heat flux	Thermal Conductivity
Fick's law	$J = -D\dfrac{dc}{dx}$	Mass diffusion	Concentration	Mass flux	Diffusivity
Darcy's law	$q = -k\dfrac{dh}{dx}$	Flow through porous media	Head	Flow flux	Hydraulic Conductivity
Ohm's law	$J = -\sigma\dfrac{dV}{dx}$	Current flow	Voltage	Current flux	Electrical Conductivity
Newton's viscosity law	$\tau = \mu\dfrac{du}{dx}$	Fluids	Velocity	Shear Stress	Dynamic Viscosity
Hooke's law	$\sigma = E\dfrac{\Delta L}{L}$	Elasticity	Deformation	Stress	Young's Modulus

차분 근사에 기초하였음을 상기하라. 더욱이 수치미분의 가장 중요한 응용은 미분방정식의 해를 구하는 것이라고 볼 수 있으며, 이미 1장에서 Euler 법의 형태로 그 예를 접한 바 있다. 24장에서는 수치미분이 어떻게 상미분방정식의 경계값 문제를 푸는 데 기초가 되는지 살펴볼 것이다.

이상 언급한 내용은 전문분야로 나아가면서 마주칠 수 있는 미분의 몇 가지 응용의 예에 불과하다. 분석하고자 하는 함수가 단순한 경우에는 보통 해석적으로 해를 구하는 방법을 택할 것이다. 그러나 함수가 복잡해지면 해석적인 방법은 어렵거나 불가능하다. 더 나아가 함수 자체는 알 수 없고 대신, 단지 몇 개의 점에서의 측정값만 주어질 때도 있다. 두 경우 모두에 대해서도 다음에 설명할 수치기법을 이용하여 도함수의 값을 근사적으로 구할 수 있는 능력을 갖추어야 할 것이다.

21.1.3 이 장의 구성

4부에서 곡선접합을 두 가지 접근 방식으로 구분한 바 있다. 즉, 심각한 오차가 포함된 데이터이거나 데이터가 "산재"해 있을 경우에는 회귀분석을, 정확한 측정값이거나 매끄러운 연속 함수의 표본값일 경우에는 보간법으로 곡선접합을 수행하였다. 같은 맥락으로 수치적분 역시 이산 데이터에 대한 경우와 표본 간격을 조절할 수 있는 함수로 주어진 경우로 구분하였다.

수치미분에 대해서도 비슷한 구분이 이루어진다. 표 21.2에 요약한 바와 같이 매끄러운 데이터에 대한 네 가지 방법을 우선 소개한다.

고정도 미분 공식은 4장에서 소개한 유한차분 근사를 확장한 것이다. 이 공식은 등간격의 매끄러운 데이터에 기반을 두고 있기 때문에, 함수뿐 아니라 주어진 독립변수에 대해 등간격으로 수집된 데이터에 대한 수치미분에 적합하다. Richardson 외삽법은 20.2.1절에서 적분 추정값을 개선하기 위해 소개한 동일한 이름의 같은 접근 방식이다. 접선 미분은 6.3절에서 방정식의 근을 구하기 위해 소개한 수정된 할선법과 유사하며, 도함수를 예측하기 위해 독립변

표 21.2 이 장에서 다루는 상미분(즉, 하나의 독립변수에 대한 도함수)에 대한 수치적 방법에 대한 개요

Section	Title	Requires equal spacing	Requires function	Applicable to discrete data	Requires smooth data
21.2	High-accuracy formulas	✓		✓	✓
21.3	Richardson extrapolation		✓		✓
21.4	Tangent differentiation		✓		✓
21.5	Unequal spaced differentiation			✓	✓
21.6.1	Differentiation via regression			✓	
21.6.2	Smoothing splines			✓	

수의 미세한 변화를 이용한다. 매끄러운 데이터에 적용하는 네 번째 방법은 부등간격 미분이다. 이 방법은 Newton 보간 다항식으로 데이터를 정확하게 접합하는 것을 근간으로 하는 Newton-Cotes 적분공식과 유사하다. 다만, 보간 다항식으로부터 사다리꼴 또는 Simpson 공식 같은 수치적분 공식을 만들어 적분을 수행하는 대신에 도함수의 추정값을 만들기 위해 보간 다항식을 미분한다.

표 21.2의 나머지 두 방법들은 오차가 포함된 데이터 즉, 실험 오차 또는 잡음에 의해 왜곡된 데이터의 도함수를 추정하기 위해 고안되었다. 이 방법들은 오차는 배제하고 데이터의 기본적인 추세만을 포착하는 곡선을 만드는 15.1절의 회귀분석과 18.7절의 평활화 스플라인(smoothing spline)을 이용한다.

마지막으로 편도함수를 추정하는 기법들을 소개하는 절을 구성하였다. 이 절에서는 MATLAB으로 등고선도와 벡터장을 만드는 방법을 비롯한 몇 개의 예제를 소개한다.

21.2 고정도 미분 공식

이미 4장에서 수치미분의 개념을 소개하였다. 도함수의 유한차분 근사를 유도하기 위하여 Taylor 급수전개를 사용했던 것을 상기하자. 4장에서 1차와 고차 도함수에 대해 전향, 후향, 그리고 중심차분 근사를 정의하였다. 이러한 공식들은 기껏해야 $O(h^2)$의 오차, 즉 간격 크기의 제곱에 비례하는 오차를 가진다는 것을 기억하자. 정확도의 수준은 이러한 공식을 유도하는 과정에서 Taylor 급수의 항을 몇 개 취하는지에 따라 정해진다. 이제 Taylor 급수전개에서 항을 좀더 추가시켜 보다 정확한 유한차분 공식을 유도하고자 한다.

예를 들어, 전향 Taylor 급수전개는 다음과 같이 쓸 수 있다[식 (4.13) 참조].

$$f(x_{i+1}) = f(x_i) + f'(x_i)h + \frac{f''(x_i)}{2!}h^2 + \cdots \tag{21.12}$$

이 식을 다시 다음과 같이 정리할 수 있다.

$$f'(x_i) = \frac{f(x_{i+1}) - f(x_i)}{h} - \frac{f''(x_i)}{2!}h + O(h^2) \tag{21.13}$$

4장에서는 2차 이상의 고차 도함수 항을 무시하고 절단함으로써 다음과 같은 전향차분 공식을 얻었다.

$$f'(x_i) = \frac{f(x_{i+1}) - f(x_i)}{h} + O(h) \tag{21.14}$$

이러한 접근법과는 다르게, 이제는 2차 도함수 항을 남기고, 식 (21.13)에 다음의 2차 도함수에 대한 전향차분 근사를 대입해 보도록 하자[식 (4.27) 참조].

$$f''(x_i) = \frac{f(x_{i+2}) - 2f(x_{i+1}) + f(x_i)}{h^2} + O(h) \tag{21.15}$$

그 결과로 얻는 식은 다음과 같다.

$$f'(x_i) = \frac{f(x_{i+1}) - f(x_i)}{h} - \frac{f(x_{i+2}) - 2f(x_{i+1}) + f(x_i)}{2h^2} h + O(h^2) \tag{21.16}$$

항들을 정리하면 다음과 같다.

$$f'(x_i) = \frac{-f(x_{i+2}) + 4f(x_{i+1}) - 3f(x_i)}{2h} + O(h^2) \tag{21.17}$$

2차 도함수를 포함시켰기 때문에 정확도가 $O(h^2)$로 개선되었음을 알 수 있다. 이와 유사한 방법으로 2차 이상의 고차 도함수의 근사뿐만 아니라 후향차분과 중심차분 공식에 대해서도 개선된 유한차분 근사를 유도할 수 있다. 유도된 공식들을 그림 21.3에서 21.5까지 정리하였으며, 4장에서 소개된 저차 공식도 함께 수록하였다. 다음의 예제는 도함수를 계산하는 데 이러한 공식들을 어떻게 이용되는지 보여준다.

예제 21.1 고정도 미분 공식

문제 설명. 예제 4.4에서 다음 함수의 도함수를 $x = 0.5$에서 간격 크기 $h = 0.25$를 사용하여 세 가지 유한차분법들로 계산해 보았다.

$$f(x) = -0.1x^4 - 0.15x^3 - 0.5x^2 - 0.25x + 1.2$$

예제 4.4에서 계산된 결과를 요약하면 다음 표와 같다. 여기서 오차는 참값 $f'(0.5) = -0.9125$를 기준으로 계산되었다.

	Backward $O(h)$	Centered $O(h^2)$	Forward $O(h)$
Estimate	-0.714	-0.934	-1.155
ε_t	21.7%	-2.4%	-26.5%

First Derivative		Error

$$f'(x_i) = \frac{f(x_{i+1}) - f(x_i)}{h} \qquad\qquad O(h)$$

$$f'(x_i) = \frac{-f(x_{i+2}) + 4f(x_{i+1}) - 3f(x_i)}{2h} \qquad\qquad O(h^2)$$

Second Derivative

$$f''(x_i) = \frac{f(x_{i+2}) - 2f(x_{i+1}) + f(x_i)}{h^2} \qquad\qquad O(h)$$

$$f''(x_i) = \frac{-f(x_{i+3}) + 4f(x_{i+2}) - 5f(x_{i+1}) + 2f(x_i)}{h^2} \qquad\qquad O(h^2)$$

Third Derivative

$$f'''(x_i) = \frac{f(x_{i+3}) - 3f(x_{i+2}) + 3f(x_{i+1}) - f(x_i)}{h^3} \qquad\qquad O(h)$$

$$f'''(x_i) = \frac{-3f(x_{i+4}) + 14f(x_{i+3}) - 24f(x_{i+2}) + 18f(x_{i+1}) - 5f(x_i)}{2h^3} \qquad\qquad O(h^2)$$

Fourth Derivative

$$f''''(x_i) = \frac{f(x_{i+4}) - 4f(x_{i+3}) + 6f(x_{i+2}) - 4f(x_{i+1}) + f(x_i)}{h^4} \qquad\qquad O(h)$$

$$f''''(x_i) = \frac{-2f(x_{i+5}) + 11f(x_{i+4}) - 24f(x_{i+3}) + 26f(x_{i+2}) - 14f(x_{i+1}) + 3f(x_i)}{h^4} \qquad\qquad O(h^2)$$

그림 21.3 전향 유한차분 공식: 각각의 도함수에 대해 두 공식을 제시한다. 후자는 Taylor 급수전개에 더 많은 항들이 포함되어 결과적으로 더 정확하다.

그림 21.3에서 21.5까지의 고정도 공식을 사용하여 이 계산을 다시 해보라.

풀이 이 예제에 필요한 데이터는 다음과 같다.

$$x_{i-2} = 0 \qquad f(x_{i-2}) = 1.2$$
$$x_{i-1} = 0.25 \qquad f(x_{i-1}) = 1.1035156$$
$$x_i = 0.5 \qquad f(x_i) = 0.925$$
$$x_{i+1} = 0.75 \qquad f(x_{i+1}) = 0.6363281$$
$$x_{i+2} = 1 \qquad f(x_{i+2}) = 0.2$$

정확도 $O(h^2)$를 갖는 전향차분(그림 21.3)은 다음과 같이 계산된다.

$$f'(0.5) = \frac{-0.2 + 4(0.6363281) - 3(0.925)}{2(0.25)} = -0.859375 \qquad \varepsilon_t = 5.82\%$$

정확도 $O(h^2)$를 갖는 후향차분(그림 21.4)은 다음과 같이 계산된다.

$$f'(0.5) = \frac{3(0.925) - 4(1.1035156) + 1.2}{2(0.25)} = -0.878125 \qquad \varepsilon_t = 3.77\%$$

정확도 $O(h^4)$를 갖는 중심차분(그림 21.5)은 다음과 같이 계산된다.

First Derivative	Error
$f'(x_i) = \dfrac{f(x_i) - f(x_{i-1})}{h}$	$O(h)$
$f'(x_i) = \dfrac{3f(x_i) - 4f(x_{i-1}) + f(x_{i-2})}{2h}$	$O(h^2)$
Second Derivative	
$f''(x_i) = \dfrac{f(x_i) - 2f(x_{i-1}) + f(x_{i-2})}{h^2}$	$O(h)$
$f''(x_i) = \dfrac{2f(x_i) - 5f(x_{i-1}) + 4f(x_{i-2}) - f(x_{i-3})}{h^2}$	$O(h^2)$
Third Derivative	
$f'''(x_i) = \dfrac{f(x_i) - 3f(x_{i-1}) + 3f(x_{i-2}) - f(x_{i-3})}{h^3}$	$O(h)$
$f'''(x_i) = \dfrac{5f(x_i) - 18f(x_{i-1}) + 24f(x_{i-2}) - 14f(x_{i-3}) + 3f(x_{i-4})}{2h^3}$	$O(h^2)$
Fourth Derivative	
$f''''(x_i) = \dfrac{f(x_i) - 4f(x_{i-1}) + 6f(x_{i-2}) - 4f(x_{i-3}) + f(x_{i-4})}{h^4}$	$O(h)$
$f''''(x_i) = \dfrac{3f(x_i) - 14f(x_{i-1}) + 26f(x_{i-2}) - 24f(x_{i-3}) + 11f(x_{i-4}) - 2f(x_{i-5})}{h^4}$	$O(h^2)$

그림 21.4   후향 유한차분 공식: 각각의 도함수에 대해 두 공식을 제시한다. 후자는 Taylor 급수전개에 더 많은 항들이 포함되어 결과적으로 더 정확하다.

$$f'(0.5) = \frac{-0.2 + 8(0.6363281) - 8(1.1035156) + 1.2}{12(0.25)} = -0.9125 \qquad \varepsilon_t = 0\%$$

예측한 바와 같이 전향과 후향 차분에 대한 오차는 예제 4.4의 결과보다 훨씬 줄어들었다. 그리고 놀랍게도 중심차분은 $x = 0.5$에서의 정해를 산출하였다. 이는 Taylor 급수에 기초를 둔 공식이 주어진 데이터를 지나는 4차 다항식과 동일하기 때문이다.

21.3 Richardson 외삽법

이제 유한차분을 이용할 때 도함수값을 개선할 수 있는 두 가지 방법을 알게 되었다. 그중에 하나는 간격 크기를 줄이는 것이고, 나머지는 더 많은 점들을 포함하는 고차 공식을 이용하는 것이다. 또 다른 제 3의 방법은 Richardson 외삽법에 기초하여, 도함수의 두 계산값을 이용하여 보다 정확한 세 번째 근사값을 구하는 것이다.

20.2.1절에서 Richardson 외삽법은 개선된 적분값을 구하는 수단으로 다음의 공식[식 (20.4)]을 제공했음을 기억하자.

$$I = I(h_2) + \frac{1}{(h_1/h_2)^2 - 1}[I(h_2) - I(h_1)] \tag{21.18}$$

여기서 $I(h_1)$과 $I(h_2)$는 두 간격 크기 h_1과 h_2를 사용하여 계산한 적분값이다. 컴퓨터 알고리즘

First Derivative	Error
$f'(x_i) = \dfrac{f(x_{i+1}) - f(x_{i-1})}{2h}$	$O(h^2)$
$f'(x_i) = \dfrac{-f(x_{i+2}) + 8f(x_{i+1}) - 8f(x_{i-1}) + f(x_{i-2})}{12h}$	$O(h^4)$

Second Derivative

$f''(x_i) = \dfrac{f(x_{i+1}) - 2f(x_i) + f(x_{i-1})}{h^2}$	$O(h^2)$
$f''(x_i) = \dfrac{-f(x_{i+2}) + 16f(x_{i+1}) - 30f(x_i) + 16f(x_{i-1}) - f(x_{i-2})}{12h^2}$	$O(h^4)$

Third Derivative

$f'''(x_i) = \dfrac{f(x_{i+2}) - 2f(x_{i+1}) + 2f(x_{i-1}) - f(x_{i-2})}{2h^3}$	$O(h^2)$
$f'''(x_i) = \dfrac{-f(x_{i+3}) + 8f(x_{i+2}) - 13f(x_{i+1}) + 13f(x_{i-1}) - 8f(x_{i-2}) + f(x_{i-3})}{8h^3}$	$O(h^4)$

Fourth Derivative

$f''''(x_i) = \dfrac{f(x_{i+2}) - 4f(x_{i+1}) + 6f(x_i) - 4f(x_{i-1}) + f(x_{i-2})}{h^4}$	$O(h^2)$
$f''''(x_i) = \dfrac{-f(x_{i+3}) + 12f(x_{i+2}) - 39f(x_{i+1}) + 56f(x_i) - 39f(x_{i-1}) + 12f(x_{i-2}) - f(x_{i-3})}{6h^4}$	$O(h^4)$

그림 21.5 중심 유한차분 공식: 각각의 도함수에 대해 두 공식을 제시한다. 후자는 Taylor 급수전개에 더 많은 항들이 포함되어 결과적으로 더 정확하다.

으로 작성하기에 편리하도록 이 공식을 보통 $h_2 = h_1/2$인 경우에 대해 다음과 같이 적는다.

$$I = \frac{4}{3} I(h_2) - \frac{1}{3} I(h_1) \tag{21.19}$$

유사한 방법으로 도함수를 구하기 위해 식 (21.19)는 다음과 같이 표현된다.

$$D = \frac{4}{3} D(h_2) - \frac{1}{3} D(h_1) \tag{21.20}$$

오차가 $O(h^2)$인 중심차분 근사에 대해 이 공식을 적용하면 오차가 $O(h^4)$인 새로운 도함수값이 산출된다.

예제 21.2 Richardson 외삽법

문제 설명. 예제 21.1에서 다룬 함수에 대해 $h_1 = 0.5$와 $h_2 = 0.25$인 두 간격 크기를 사용하여 $x = 0.5$에서의 1차 도함수를 추정하라. 그리고 Richardson 외삽법으로 개선된 값을 계산하기 위해 식 (21.20)을 사용하라. 참값이 -0.9125임을 상기하라.

풀이 중심차분으로 1차 도함수값은 다음과 같이 계산된다.

$$D(0.5) = \frac{0.2 - 1.2}{1} = -1.0 \qquad \varepsilon_t = -9.6\%$$

그리고

$$D(0.25) = \frac{0.6363281 - 1.103516}{0.5} = -0.934375 \qquad \varepsilon_t = -2.4\%$$

식 (21.20)을 적용하여 개선된 값을 계산하면 다음과 같다.

$$D = \frac{4}{3}(-0.934375) - \frac{1}{3}(-1) = -0.9125$$

이 결과는 정확한 해이다.

위 예제의 경우 정해를 산출할 수 있었는데 그 이유는 주어진 함수가 4차 다항식이기 때문이다. 이처럼 정확한 결과가 나오게 된 배경은 Richardson 외삽법은 주어진 데이터를 고차 다항식으로 접합한 후 중심차분으로 그 다항식의 도함수를 구하는 것과 같기 때문이다. 따라서 위 예제는 4차 다항식의 도함수와 정확하게 일치한 경우이다. 물론 대부분의 다른 함수에 대해서는 이와 같은 경우가 발생하지 않겠지만, 비록 정해는 아니더라도 도함수값은 분명 개선된다. 따라서 수치적분에서 Richardson 외삽법을 적용하였던 것과 마찬가지로, 수치미분에서도 주어진 오차 기준을 만족할 때까지 Romberg 알고리즘을 반복적으로 적용할 수 있다.

21.4 함수의 접선 미분

그림 21.6에서 설명한 바와 같이 **할선**(secant line)은 함수 위 최소 두 개의 서로 다른 점들을 지난다. Leibniz는 함수의 주어진 한 점에서 평면곡선 위 무한히 서로 가까운 한 쌍의 점들을 지나는 직선을 **접선**(tangent line)이라고 정의하였다. 따라서 직선이 점 $\{x_i, f(x_i)\}$를 지나고 기울기가 $f'(x_i)$인 경우, 그 직선은 점 $x = x_i$에서의 함수 $y = f(x)$의 접선이라고 한다.

이 개념에 기초한 수치미분에 대한 가장 간단한 접근 방식은 다음의 1차 도함수의 표준 정의를 이용한다.

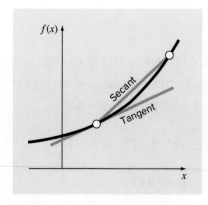

그림 21.6 곡선 함수에서의 할선과 접선의 차이를 그래프로 설명함.

$$f'(x_i) \equiv \lim_{h \to 0} \frac{f(x+h) - f(x)}{h} \qquad (21.21)$$

이때 위 식의 h가 작은 양수라면, 다음과 같이 근사할 수 있다.

$$f'(x_i) \cong \frac{f(x+h) - f(x)}{h} \qquad (21.22)$$

이와 같은 표현을 **Newton의 차분몫**(Newton's difference quotient) (또는 1차 전향차분)이라고 한다. 그러므로 x에서 f의 진정한 도함수는 할선이 점점 접선에 가까워져 궁극적으로 접선이 될 때의 차분몫 값의 극한인 셈이다. 4장과 21.2절에서 설명한 바와 같이, 후향차분뿐만 아니라 고정도 중심차분 역시 계산할 수 있다.

$$f'(x_i) \cong \frac{f(x+h) - f(x-h)}{2h} \qquad (21.23)$$

더불어 6.3절에서 방정식의 근을 구하는 방법으로 소개한 수정된 할선법을 상기해보면, 위의 차분 근사를 h 대신 δx를 이용해서 조금 다른 방법으로 표현할 수도 있다. 여기서 δ는 미세한 섭동률을 의미한다. 따라서 전향차분은

$$f'(x_i) \cong \frac{f(x_i + \delta x_i) - f(x_i)}{\delta x_i} \qquad (21.24)$$

그리고 중심차분은

$$f'(x_i) \cong \frac{f(x_i + \delta x_i) - f(x_i - \delta x_i)}{2\delta x_i} \qquad (21.25)$$

와 같이 나타낼 수 있다.

이러한 공식을 구현하는데 있어 중요한 점은 h (또는 δ)의 선택이다. 4.4.1절에서 이미 소개한 바와 같이, h가 작아질수록 차분은, 전향 및 후향차분[$O(h)$]보다 중심차분[$O(h^2)$]이 더 빠르게, 처음에는 실제 도함수로 수렴한다. 하지만 h가 특정 크기에 이르면, 차분식의 분자는 뺄셈의 무효화(거의 비슷한 숫자간의 차이)가 발생하기 쉽기 때문에, 반올림 오차가 지배적으로 증가하게 된다. 따라서 그림 4.11에서 설명한 바와 같이, 전체 오차가 증가하기 직전의 최적의 h가 존재할 것이다.

식 (21.22)에 대해 큰 반올림 오차는 유발하지 않으면서 만족할 만한 도함수 추정값을 생성하기에 충분히 작은 h는 다음과 같이 구할 수 있다.

$$h \cong \sqrt{\varepsilon} x \qquad (21.26)$$

여기서 ε은 기계입실론을 의미하며, 배정도 형식으로 약 2.2×10^{-16}이다. 따라서 식 (21.22)를 사용할 경우 $\delta \cong \sqrt{2.2204 \times 10^{-16}} = 1.49 \times 10^{-8}$이 된다.

예제 21.3 / 접선 미분을 이용한 도함수의 분석

문제 설명. 전류가 전선을 통해 흐를 때 저항에 의해 발생한 열은 절연층을 통해 전도된 후 주변 공기로 대류된다. 정상상태일 때 전선에서의 온도는 다음과 같이 계산될 수 있다.

$$T = T_{air} + \frac{q}{\pi}\left[\frac{1}{k}\ln\left(\frac{r_w + r_i}{r_w}\right) + \frac{1}{h(r_w + r)}\right]$$

여기서 r_i는 절연층의 두께(m), q는 열생성률(= 75 W/m), r_w는 전선 단면의 반지름(= 6 mm), k는 절연체의 열전도도[= 0.17 W/(m·K)], h는 대류열전달계수[= 12 W/(m^2·K)], 그리고 T_{air}는 주변 공기의 온도(= 293 K)이다. 절연층의 두께 변화(r_i = 6 − 12 mm)에 따른 온도 T의 변화를 그려 보시오. 그런 다음 주어진 범위에 대해 도함수를 접선 미분을 사용하여 구하고 그래프로 나타내어, 전선의 온도를 최소화할 수 있는 최적의 절연층 두께를 그래프로부터 결정해 보시오.

풀이 다음의 스크립트는 절연층 두께에 따른 전선의 온도를 나타내는 그래프를 생성한다. 그리고 접선 미분을 이용하여 dT/dr_i를 계산한 후 절연층 두께에 따른 결과를 나타내는 그래프를 생성한다. 마지막으로 fminbnd 내장함수를 이용하여 개선된 최소 온도 및 이에 대응하는 절연층 두께를 구한다.

```
clear, clc, clf, format short g, format compact
q=75;rw=6e-3;k=0.17;h=12;Tair=293; % assign parameters
T=@(ri) Tair+q/(2*pi)*(1/k*log((rw+ri)/rw)+1/h*1./(rw+ri));
% graph temperature of wire versus insulation thickness
subplot(2,1,1)
riplot=linspace(rw/2,2*rw); Tplot=T(riplot);
ri_mm=riplot*1e3;
plot(ri_mm,Tplot), grid
xlabel('thickness of wire insulation (mm)'), ylabel('Tair (K)')
% compute dT/dri with tangent line differentiation
delta=sqrt(eps);
dT_dri=(T(riplot+delta*riplot)-T(riplot))./(delta*riplot);
% graph dT/dri versus insulation thickness
subplot(2,1,2)
plot(ri_mm,dT_dri), grid
xlabel('thickness of wire insulation (mm)')
ylabel('dT/dri (K/mm)')
% get exact location and minimum temperature using fminbnd
[rimin Tmin]=fminbnd(T,rw/2,2*rw);
rimin=rimin*1e3, Tmin
```

스크립트를 수행해 보면, 결과 그래프는 절연층 두께가 8 mm보다 약간 클 때 최소 온도와 $dT/dr_i = 0$임을 보여 준다.

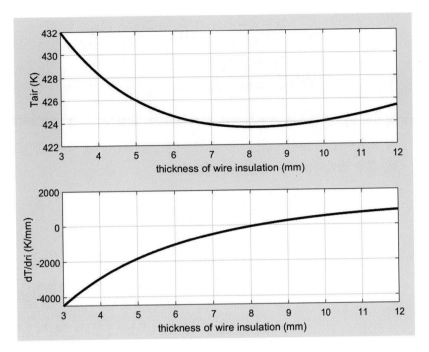

이 근사적인 결과는 `fminbnd`로부터 확인 및 개선된 값을 얻을 수 있다.

```
rimin =
      8.1652
Tmin =
     423.54
```

21.5 부등간격으로 분포된 데이터의 도함수

지금까지는 함수가 주어질 때 그 함수의 도함수를 구하기 위해 주로 고안된 방법들에 대해 살펴 보았다. 21.2절의 유한차분 근사의 경우 데이터는 등간격으로 분포되어야 한다. 21.3절의 Richardson 외삽법의 경우도 데이터는 등간격으로 주어져야 하며 계속적으로 반분된 간격을 생성할 수 있어야 한다. 이러한 데이터의 간격 조절은 일반적으로 함수가 주어져서 그 함수값을 표로 만들 수 있을 때에만 가능하다.

이와는 달리 실험적으로 유도된 정보, 즉 실험 및 현장 연구를 통해 얻는 데이터는 흔히 부등간격으로 수집된다. 지금까지 다룬 방법으로는 이러한 정보를 분석할 수 없다.

부등간격으로 분포된 데이터를 다룰 수 있는 한 가지 방법은, 도함수를 구하고자 하는 위치를 포함하는 인접한 점들에 대해 Lagrange 보간다항식[식 (17.21) 참조]으로 접합하는 것이다. 이 보간다항식은 점들이 반드시 등간격일 필요가 없다는 사실을 기억하라. 다항식을 해석적인 방법으로 미분하면 도함수를 추정하는 데 사용할 수 있는 공식을 얻을 수 있다.

예를 들어 인접한 세 점 (x_0, y_0), (x_1, y_1), (x_2, y_2)를 접합하는 2차 Lagrange 다항식을 구할 수 있다. 이 다항식을 미분하면 다음과 같다.

$$f'(x) = f(x_0) \frac{2x - x_1 - x_2}{(x_0 - x_1)(x_0 - x_2)} + f(x_1) \frac{2x - x_0 - x_2}{(x_1 - x_0)(x_1 - x_2)}$$

$$+ f(x_2) \frac{2x - x_0 - x_1}{(x_2 - x_0)(x_2 - x_1)} \tag{21.27}$$

여기서 x는 도함수를 추정하고자 하는 점이다. 비록 이 식이 유용하긴 하지만, 중간점(x_1)에서의 도함수를 추정하는 것이 아니라면 비대칭적이다. 이에 대한 대안으로 다음과 같이 인접한 네 점을 접합하는 4차 다항식을 미분한다.

$$f'(x) = \frac{3x^2 - 2(x_2 + x_3 + x_4)x + (x_2 x_3 + x_2 x_4 + x_3 x_4)}{(x_1 - x_2)(x_1 - x_3)(x_1 - x_4)} f(x_1)$$

$$+ \frac{3x^2 - 2(x_1 + x_3 + x_4)x + (x_1 x_3 + x_1 x_4 + x_3 x_4)}{(x_2 - x_1)(x_2 - x_3)(x_2 - x_4)} f(x_2)$$

$$+ \frac{3x^2 - 2(x_1 + x_2 + x_4)x + (x_1 x_2 + x_1 x_4 + x_2 x_4)}{(x_3 - x_1)(x_3 - x_2)(x_3 - x_4)} f(x_3) \tag{21.28}$$

$$+ \frac{3x^2 - 2(x_1 + x_2 + x_3)x + (x_1 x_2 + x_1 x_3 + x_2 x_3)}{(x_4 - x_1)(x_4 - x_2)(x_4 - x_3)} f(x_4)$$

고차라는 점 외에도 이 식은 첫 번째(x_1과 x_2)와 마지막(x_{n-1}과 x_n) 구간들 사이에서의 위치를 제외하고는, 다른 모든 구간에 대해서는 대칭이라는 장점이 있다. 예를 들어, x_2와 x_3 구간 내 위치에서의 도함수를 추정하고 싶다면, 미지의 위치를 중심으로 하는 x_1, x_2, x_3, 그리고 x_4에서의 함수값들을 이용한다.

위 두 식들은 그림 21.3－21.5에서 보인 1차 도함수 근사식들에 비해 분명 더 복잡하지만, 주어진 점들이 등간격으로 분포할 필요가 없다는 중요한 장점이 있다. 다음의 예제를 통해 이 장점을 살펴보도록 하자.

예제 21.4 / 부등간격으로 분포된 데이터의 미분

문제 설명. 그림 21.7에서와 같이 땅속의 온도 구배를 측정할 수 있다. 흙과 공기의 경계면에서 열플럭스는 Fourier 법칙(표 21.1 참조)을 이용해서 다음과 같이 계산된다.

$$q(0) = -k \frac{dT}{dz}\Big|_{z=0}$$

여기서 $q(z)$는 열플럭스(W/m^2), k는 흙의 열전도계수[$\cong 0.5$W/(m·K)], T는 온도(K), 그리고 z는 지면에서 땅 속으로 내려가며 측정한 거리(m)이다. 열플럭스가 양의 값이면 공기에서 흙으로 열이 전달된다는 것을 의미한다. 수치미분식 (21.27) 및 (21.28)을 이용하여 흙과 공기의 경계면에서의 온도 구배를 구하고, 이 값을 사용하여 공기에서 흙으로의 열플럭스를 구하라.

그래프로부터 다음의 값들을 알 수 있다.

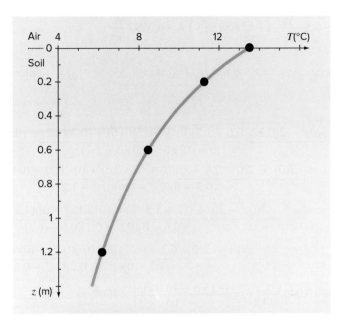

그림 21.7 땅 속 깊이에 따른 온도. 실선은 실제 연속적인 온도 분포를 나타내며, 점들은 부등간격으로 측정된 데이터를 나타낸다.

$$z_1 = 0 \quad T_1 = 13.50 \quad z_2 = 0.2 \quad T_2 = 11.25 \quad z_3 = 0.6 \quad T_3 = 8.44 \quad z_4 = 1.2 \quad T_4 = 6.14$$

참고로 이 값들은

$$T(z) = \frac{T(0)}{1 + z}$$

의 관계식으로부터 계산되었기 때문에 다음과 같이 해석적인 방법으로 미분식을 얻을 수 있다.

$$\frac{dT(z)}{dz} = -\frac{T(0)}{(1 + z)^2}$$

따라서 경계면에서의 실제 도함수는 $dT(0)/dz = -T(0) = -13.5$ °C/m이며, 이는 수치 추정값 및 실제 열플럭스 $J = 6.75$ W/m²와 비교를 위해 ε_t를 구하는 데 사용할 수 있다.

풀이 식 (21.27)은 흙과 공기 경계면에서 도함수의 2차 추정값을 구하는 데 다음과 같이 사용될 수 있다.

$$f'(x) \cong \frac{2(0) - 0.2 - 0.6}{(0 - 0.2)(x_1 - 0.6)}13.5 + \frac{2(0) - 0 - 0.6}{(0.2 - 0)(0.2 - 0.6)}11.25 + \frac{2(0) - 0 - 0.2}{(0.6 - 0)(0.6 - 0.2)}8.44$$

$$= -12.6583 \frac{°C}{m}\left(\varepsilon_t = \left|\frac{-13.5 + 12.6583}{-13.5}\right| \times 100\% = 6.24\%\right)$$

이 값은 다시 다음과 같이 열플럭스를 구하는 데 이용된다.

$$q(0) = -0.5 \frac{W}{m \cdot {}^\circ C} \left(-12.6583 \frac{{}^\circ C}{m} \right) = -6.3292 \frac{W}{m^2}$$

식 (21.28)은 흙과 공기 경계면에서 도함수의 3차 추정값을 구하는 데 다음과 같이 사용될 수 있다.

$$
\begin{aligned}
f'(x) =\ & \frac{3(0)^2 - 2(0.2 + 0.6 + 1.2)(0) + ((0.2)(0.6) + (0.2)(1.2) + (0.6)(1.2))}{(0 - 0.2)(0 - 0.6)(0 - 1.2)} 13.5 \\
& + \frac{3(0)^2 - 2(0 + 0.6 + x_4)(0) + ((0)(0.6) + (0)(1.2) + (0.6)(1.2))}{(0.2 - 0)(0.2 - 0.6)(0.2 - 1.2)} 11.25 \\
& + \frac{3(0)^2 - 2(0 + 0.2 + 1.2)(0) + ((0)(0.2) + (0)(1.2) + (0.2)(1.2))}{(0.6 - 0)(0.6 - 0.2)(0.6 - 1.2)} 8.44 \\
& + \frac{3(0)^2 - 2(0 + 0.2 + 0.6)(0) + ((0)(0.2) + (0)(0.6) + (0.2)(0.6))}{(1.2 - 0)(1.2 - 0.2)(1.2 - 0.6)} 6.14 \\
=\ & -13.0433 \frac{{}^\circ C}{m} \left(\varepsilon_t = \left| \frac{-13.5 + 13.0433}{-13.5} \right| \times 100\% = 2.85\% \right)
\end{aligned}
$$

따라서 고차 공식은 더 나은 결과를 산출하며, 다음과 같이 열플럭스를 구하는 데 이용된다.

$$q(0) = -0.5 \frac{W}{m \cdot {}^\circ C} \left(-13.0433 \frac{{}^\circ C}{m} \right) = 6.5217 \frac{W}{m^2}$$

21.6   오차를 가지는 데이터에 대한 미분

실험 데이터의 미분과 관련된 또 다른 문제점은 부등간격 외에도, 측정 오차 또는 잡음에 의해 데이터가 자주 왜곡된다는 점이다. 지금까지 다룬 차분에 바탕을 둔 수치미분은 데이터 내의 오차를 증폭시키는 경향이 있기 때문에, 이 경우 어려움에 놓이게 된다.

그림 21.8a의 오차가 없는 매끄러운 데이터를 미분하면 역시 매끄러운 결과(그림 21.8b)를 얻을 수 있다. 반면, 그림 21.8c는 동일한 데이터에 약간의 상하 변동이 포함된 경우를 나타내며, 이와 같은 작은 수정은 거의 눈에 띄지 않는다. 그러나 미분한 결과는 그림 21.8d에서와 같이 심각하다.

미분은 뺄셈 연산이므로 오차의 증폭이 발생할 수밖에 없다. 따라서 무작위로 나타나는 양과 음의 오차는 더해지는 경향을 보인다. 이와 대조적으로 적분은 덧셈 연산이므로 불확실한 데이터에 대해 매우 관대하다. 즉, 적분값을 계산하기 위해 점들이 더해지면서 무작위로 나타나는 양과 음의 오차는 서로 상쇄된다.

예상할 수 있듯이, 부정확한 데이터를 미분하기 위한 기본적인 접근 방식은 매끄럽고 미분 가능한 함수를 데이터에 접합하는 것이다. 이와 관련하여 이 절에서는 서로 다른 두 접근법을 소개한다. 잡음은 배제하고 기본적인 추세만을 포착할 수 있는 곡선을 생성하기 위해 회귀분석(15.1절)과 평활화 스플라인(18.7절)을 활용한다. 이 곡선들을 미분함으로써 특정 위치에서

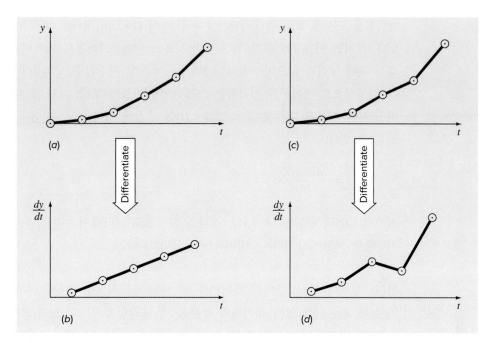

그림 21.8 데이터에 포함된 작은 오차가 수치미분을 통해 얼마나 증폭되는지를 나타내는 그림. (a) 오차가 없는 데이터, (b) 곡선 (a)의 수치미분 결과, (c) 약간 수정된 데이터, 그리고 (d) 증가된 변동을 분명히 보여주는 곡선 (c)의 수치미분 결과. 대조적으로 반대 연산인 적분[곡선 (d) 아래의 면적을 취함으로써 (d) 로부터의 (c)를 구함]은 오차를 줄이거나 완화시킨다.

의 도함수를 추정한다.

21.6.1 회귀분석을 이용한 미분

곡선접합에서 판명되었다시피, 최소제곱 회귀분석은 잡음을 수반한 데이터의 미분에 대해 확실한 수단을 제공한다. 즉, 간단한 함수로 데이터를 접합한 후 그 함수를 미분하는 것이다. 이와 관련하여, 15.1절에서 설명한 바와 같이, 다항식 회귀분석은 이 방법을 구현하는 한 방법이 될 수 있으며, 특히 데이터에 대한 기본 모델을 알 수 없을 때 유용한 방법이다.

예제 21.5 다항식 회귀분석을 이용한 잡음을 수반한 데이터의 미분

문제 설명. 다음은 감염성이 매우 높은 수인성 박테리아 B에 대해 시간에 따라 수집한 데이터이다.

t, hr	0	1	2	4	8	10	13	15	17	19	21	23	26	30	34
B, cfu/mL[2]	100	88	76	58	35	27	19	15	13	11	8.2	6.9	6.4	4.9	4.6

---

2) 밀리리터당 집락형성단위

데이터를 도시해 보면 박테리아가 1차 감쇠[식 (14.22)] 형태로 빠르게 소멸되고 있음을 알 수 있다. 하지만 이를 확인하기 위해 세미로그(semi-log) 그래프로 데이터를 도시해 보면 데이터는 직선 위에 놓이지 않으며, 이는 14.4절에서 소개한 지수함수 모델을 따르지 않음을 시사한다.

다항식으로 데이터를 접합하는 스크립트를 만들어 보라. 그런 후 다항식의 미분을 통해 주어진 시간 간격에 따른 순간 소멸률 $k_d(t)$를 추정해 보라. 이는 다음과 같이 도함수를 통해 계산할 수 있다.

$$k_d(t) = -\frac{dB(t)/dt}{B(t)}$$

여기서 $k_d(t)$의 단위는 hr^{-1}이다. 결과를 그래프로 나타내어 주어진 데이터가 소멸률이 상수인 지수함수 모델에서 얼마나 벗어나는지 살펴보라.

풀이 분석에 앞서, 주어진 데이터를 몇 가지 다항식으로 접합을 수행했을 때, 6차 다항식이면 눈에 띄는 진동없이 데이터의 추세를 잘 포착함을 알 수 있다(그림 21.9a).

이를 참고하여 다음과 같이 소멸률을 구하기 위한 스크립트를 작성하였다. 데이터를 불러들인 후 데이터와 6차 다항식 접합곡선을 도시하기 위해 내장함수 polyfit과 polyval을 사용하였다(그림 21.9a). 다음으로 5차 다항식의 도함수를 계산하기 위해 polyder를 이용하였고, 시간에 따른 소멸률을 도시하기 위해 polyval을 사용하였다(그림 21.9b).

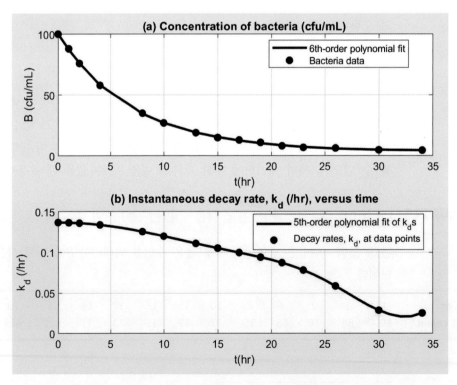

그림 21.9 (a) 박테리아 데이터 및 최소한의 진동으로 데이터 추세를 나타내는 매끄러운 6차 접합 곡선. (b) 6차 다항식을 미분하여 구한 5차 다항식으로부터 산출한 박테리아 순간 소멸률.

```
clear, clc, format compact, format shorte
XY=load('RegressionBacteria.txt');
t = XY(:,1); B = XY(:,2);
[p6] = polyfit(t, B, 6);
f = polyval(p6,t);
subplot(2,1,1)
plot(t,B,'o','MarkerFaceColor','r'), hold on
plot(t,f,'LineWidth',2), grid, hold off
ylabel('B (cfu/mL)'),xlabel('t(hr)')
legend('Bacteria data','6th-order polynomial fit','location','best')
title('(a) Concentration of bacteria (cfu/mL)')
subplot(2,1,2)
p5 = -polyder(p6);
dp5 = polyval(p5,t)./f;
tplot=(min(t):max(t));
Bval = polyval(p6,tplot);
dB=polyval(p5,tplot)./Bval;
plot(t,dp5,'o','MarkerFaceColor','r'), hold on
plot(tplot,dB,'r','LineWidth',2),grid, hold off
ylabel('k_d (/hr)'),xlabel('t(hr)')
legend('Decay rates, k_d, at data points',...
        '5th-order polynomial fit of k_ds','location','best')
title('(b) Instantaneous decay rate, k_d (/hr), versus time')
```

그림 21.9b는 실험 진행 동안 소멸률의 감소를 명확하게 보여 준다. 처음 몇 시간 동안은 소멸률이 0.135/hr 정도로 일정하며, 이는 곧 반감기 $\ln(2)/0.135 = 5.1$ hr에 해당한다. 약 5시간이 경과한 후부터는 소멸률이 실험이 끝날 때까지 계속 감소하여 약 0.027/hr의 소멸률에 이르게 되는데, 이를 반감기로 환산하면 약 26 hr이다.

이와 같이 소멸률의 변화 속도가 줄어드는 데에는 다양한 원인이 있을 수 있다. 예를 들어 빠르게 소멸하는 박테리아와 천천히 소멸하는 박테리아 등 서로 다른 두 종의 박테리아가 있을 수 있다. 이 경우 천천히 소멸하는 변종이 더 오랜 시간 동안 지속됨으로써 인간의 건강을 위협할 수 있기 때문에 상당한 파급 효과를 가져 올 수 있다. 물론 이 가설을 확인하기 위해서는 더 많은 분석과 실험이 필요할 것이다. 잡음이 포함된 데이터를 미분하기 위해 다항식 회귀분석이 얼마나 유용한 지 잘 설명해 주는 유용한 예제이다.

계속하기에 앞서, 잡음이 포함된 데이터 미분을 위한 최소제곱 회귀분석의 장단점에 대해 좀더 생각해 볼 필요가 있다. 예제 21.5는 주어진 데이터에 대한 기본적인 모델을 모를 경우, 다항식으로 접합을 수행 후 이를 미분하는 방식의 접근법에 대한 가치를 잘 보여 주었다. 그럼에도 불구하고 일반적인 다항식의 경우와 마찬가지로, 다항식을 이용한 접근 방식은 낮은 차수의 다항식으로 그 추세가 표현될 수 있는 데이터에 대한 경우로 제한된다. 예를 들어 그림 21.9a의 데이터는 6차 다항식으로 적절하게 표현할 수 있었다. 하지만 고차 다항식의 불량 조건에 의해 7차 또는 그 이상 차수의 다항식으로 접합을 수행할 경우 진동이 나타날 수 있으며(17.5.2절 참조), 이는 수치미분에 필요한 곡선의 매끄러움 조건을 유지하고자 했던 기존 목적에서 벗어나게 된다.

다항식 외, 14장 및 15장에서 다루었던 다른 회귀분석 방법들 역시 잡음이 포함된 데이터 접합에 사용될 수 있을 것이다. 예를 들어 비선형 회귀분석은 많은 공학 및 과학 분야에서 도함수를 추정하기 위해 유용하게 활용될 수 있다. 다항식의 경우에서처럼 기본 수식은 해석적인 방법으로 미분이 가능하다. 하지만 경우에 따라 해석적인 형태의 도함수를 구하는 것이 어렵거나 불가능할 수도 있다. 또한 많은 실제 데이터의 경우처럼 기본 모델이 없을 수도 있다. 이러한 경우의 데이터 분석에 있어서 평활화 스플라인은 데이터에 대한 사전 정보 없이 데이터 접합을 수행할 수 있는 강력한 비모수(non-parameteric) 수단이 된다.

21.6.2 평활화 스플라인을 이용한 미분

회귀분석과 스플라인을 결합한 평활화 3차 스플라인이 곡선접합에 얼마나 유용한지 18.7절에서 소개하였다. 이와 같은 평활화 스플라인의 속성은 오차를 포함한 데이터의 수치 미분에도 탁월하다.

평활화 스플라인은 다음과 같이 데이터 점들 사이의 각 구간 i에 대해 기존의 보간 스플라인과 마찬가지로 3차 다항식 형태로 나타낼 수 있다(그림 18.3 참조).

$$s_i(x) = a_i + b_i(x - x_i) + c_i(x - x_i)^2 + d_i(x - x_i)^3 \qquad (21.29)$$

기존 스플라인은 오차를 포함한 데이터 점들 $\{x_i, y_i, i = 1, \ldots, n\}$에서 3차 다항식이 연속이어야 하는 제약이 있는 반면, 평활화 스플라인은 이 조건에서 자유롭다. 대신 평활화 스플라인 $s_i(x)$는 다음의 "평활화"를 나타내는 목적함수를 최소화하는 매개변수 a_i, b_i, c_i, 그리고 d_i를 결정함으로써 구한다.

$$L = \lambda \sum_{i=1}^{n} \left[\frac{y_i - s(x_i)}{\sigma_i} \right]^2 + (1 - \lambda) \sum_{i=1}^{n-1} \int_{x_i}^{x_{i+1}} [s''(x_i)]^2 \, dx \qquad (21.30)$$

여기서 λ는 평활화 매개변수이다. 만약 $\lambda = 1$이라면, 평활화 역할은 없고, 식 (21.30)은 기존 3차 스플라인과 같다. λ가 0에 근접하게 되면, 평활화 역할이 지배적으로 되며, 곡선접합은 결국 선형 회귀분석에 이르게 된다. σ_i는 일반적으로 개별 y_i의 표준편차 추정값이다. 그러나 흔히 모든 y 값들에 대한 표준편차인 단일 추정값 σ를 사용하는 것이 일반적이다.

식 (21.29)의 미분을 통해 각 구간별 1차 및 2차 도함수를 다음과 같이 명확하게 구할 수 있다.

$$s_i'(x) = b_i + 2c_i(x - x_i) + 3d_i(x - x_i)^2 \qquad (21.31)$$
$$s_i''(x) = 2c_i + 6d_i(x - x_i) \qquad (21.32)$$

각 구간의 시작 절점($x = x_i$)에서의 도함수 추정값만 필요한 경우에는, 식 (21.31)과 (21.32)는 각각 $s_i' = b_i$와 $s_i'' = 2c_i$로 간단하게 표현된다.

예제 21.6 csaps를 이용한 온타리오 호수 TP 경향 분석

문제 설명. 예제 18.7에서 MATLAB 내장함수 csaps를 이용하여 봄철 온타리오 호수 내 총인(phosphorous)의 농도 TP (μgP/L) 데이터를 평활화 함수로 접합해 보았다. 이번에는 같은 함수를 사용해서 다음과 같이 도함수로부터 계산되는 TP 농도의 순간 정규 변화율(instantaneous normalized rate of change) $R(t)$를 주어진 데이터의 시간 간격에 따라 추정해 보도록 하자.

$$R(t) = \frac{dTP(t)/dt}{TP(t)}$$

$R(t)$의 단위는 yr^{-1}이다. 1960년대 후반 호수가 오염된 상태에서부터 양분 공급이 급감한 2000년대 초반의 정화된 상태까지 변화율이 어떻게 변화하는지 알 수 있도록 결과를 그래프로 제시하라.

풀이 다음은 표 18.3의 데이터를 담고 있는 텍스트 파일을 읽어 들인 후 그림 21.10a와 같이 데이터를 생성하고 평활화 스플라인을 도시하는 스크립트이다. 나아가 그림 21.10b에서 보인 바와 같이 접선 미분(21.4절 참조)을 이용하여 접합 곡선을 미분하고 TP의 변화율을 계산한다.

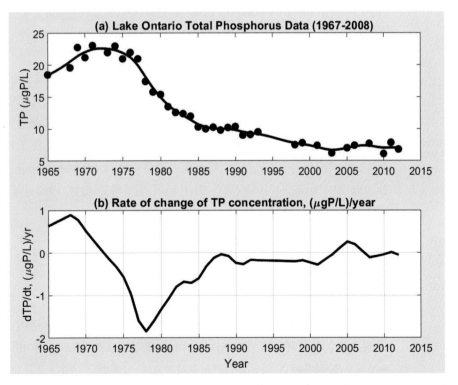

그림 21.10 (a) 연도별 온타리오 호수 내 전체 인농도 (TP, μgP/L) 및 그림 18.13의 MATLAB 내장함수 csaps를 이용하여 구한 평활화 스플라인 곡선을 나타낸 그래프. (b) 연도별 TP의 순간 변화율.

```
clear, clc, clf
XY=load('OntarioTPData.txt');
year = XY(:,1); TPdata = XY(:,2);
p = 0.4;
sp = csaps(year,TPdata,p);  % smoothing spline fit
% estimation of derivative with tangent method
delta=1e-6; yearm=year-delta; yearp=year+delta;
del=yearp-yearm;
valuesm = csaps(year,TPdata,p,yearm);
valuesp = csaps(year,TPdata,p,yearp);
% calculation of instantaneous rate of change
dTPdt=(valuesp-valuesm)./del;
% generation of plots
subplot(2,1,1)
fnplt(sp,'r'); hold on
plot(year,TPdata,'ko','MarkerFaceColor','k');
hold off
title('(a) Lake Ontario Total Phosphorus Data (1967-2008)');
ylabel('TP (\mugP/L)')
subplot(2,1,2)
plot(year,dTPdt,'r','LineWidth',2), grid
title('(b) Rate of change of TP concentration, (\mugP/L)/year');
xlabel('Year'),ylabel('dTP/dt, (\mugP/L)/yr')
```

18.7절에서 이미 살펴보았듯이, 그림 21.10a는 연도별 봄철 TP 농도가 1972년에 22.7 μgP/L 로 정점을 이루는 있음을 보여준다. 이후 미국과 캐나다가 호수로의 인의 유입을 통제함으로써 그 농도가 감소하였음을 알 수 있다. 그림 21.10b는 1978년까지 거의 2 $(\mu$gP/L)/yr의 최대 변화율로 TP 농도가 감소하였고, 1988년에 이르러서는 0의 변화율로 농도가 약 10 μgP/L 수준에서 안정화되었음을 보여준다.

이후 놀라운 일이 벌어졌는데, 1988년 이후 TP 농도는 약 0.2 $(\mu$gP/L)/yr의 변화율로 다시 감소하기 시작하여 2000년에는 호수가 약 7 μgP/L의 완전히 오염되지 않은 수준으로 다시 안정화되었다. 이와 같은 감소는 1980년대 말 얼룩말 홍합과 쾌가홍합의 유입 시기와 일치하였다. 바닥에서 서식하는 홍합이 물속의 인이 풍부한 입자들을 마치 필터처럼 호수 바닥으로 이동시켰기 때문이라는 가설이 있다. 이 가설은 MATLAB으로 수행한 평활화 스플라인 곡선접합(그림 21.10a)과 수치미분(그림 21.10b)이 설명하고 있는 1990년대 이후의 인의 감소 추세로부터 확인할 수 있다.

21.7 편도함수

1차원 편도함수는 일반 도함수와 같은 방법으로 계산된다. 예를 들어 2차원 함수 $f(x, y)$에 대해 편도함수를 구하는 문제가 있다고 하자. 등간격으로 분포된 데이터에 대해 1차 편도함수는 중심차분을 사용하면 다음과 같이 근사적으로 표현할 수 있다.

$$\frac{\partial f}{\partial x} = \frac{f(x + \Delta x, y) - f(x - \Delta x, y)}{2\Delta x}$$

(21.33)

$$\frac{\partial f}{\partial y} = \frac{f(x, y + \Delta y) - f(x, y - \Delta y)}{2\Delta y} \tag{21.34}$$

지금까지 논의된 모든 다른 공식과 방법을 편도함수를 계산하는 데 유사하게 적용할 수 있다.

고차 도함수를 구하기 위해서, 함수를 두 개 이상의 다른 변수에 대해 미분할 수도 있다. 이와 같은 편도함수를 **혼합 편도함수**(mixed partial derivative)라 한다. 그 예로 $f(x, y)$의 편도함수를 다음과 같이 두 독립변수에 대해 취하는 경우를 고려해 보자.

$$\frac{\partial^2 f}{\partial x \partial y} = \frac{\partial}{\partial x}\left(\frac{\partial f}{\partial y}\right) \tag{21.35}$$

유한차분 근사를 얻기 위해 우선 y에 대한 편도함수에 x에 대한 차분을 취한다.

$$\frac{\partial^2 f}{\partial x \partial y} = \frac{\dfrac{\partial f}{\partial y}(x + \Delta x, y) - \dfrac{\partial f}{\partial y}(x - \Delta x, y)}{2\Delta x} \tag{21.36}$$

이제 y에 대한 편도함수를 계산하기 위하여 다음과 같이 유한차분을 이용한다.

$$\frac{\partial^2 f}{\partial x \partial y} = \frac{\dfrac{f(x + \Delta x, y + \Delta y) - f(x + \Delta x, y - \Delta y)}{2\Delta y} - \dfrac{f(x - \Delta x, y + \Delta y) - f(x - \Delta x, y - \Delta y)}{2\Delta y}}{2\Delta x} \tag{21.37}$$

항들을 정리하면 최종적으로 다음과 같은 결과를 얻는다.

$$\frac{\partial^2 f}{\partial x \partial y} = \frac{f(x + \Delta x, y + \Delta y) - f(x + \Delta x, y - \Delta y) - f(x - \Delta x, y + \Delta y) + f(x - \Delta x, y - \Delta y)}{4\Delta x \Delta y} \tag{21.38}$$

21.8 MATLAB을 이용한 수치미분

MATLAB은 두 개의 내장함수 diff와 gradient에 기초하여 데이터의 도함수를 구할 수 있다.

21.8.1 MATLAB 함수: diff

함수 diff는 크기(원소의 개수)가 n인 1차원 벡터를 넘겨받아 인접한 원소 사이의 차분을 계산한 후 크기가 $n - 1$인 벡터로 반환한다. 다음의 예제에서 알 수 있듯이 이 함수는 1차 도함수의 유한차분 근사를 구하기 위해 사용된다.

예제 21.7 diff를 이용한 미분

문제 설명. MATLAB 함수 diff가 $x = 0$에서 0.8까지 다음 함수의 미분을 구하기 위해 어떻게 이용되는지 살펴보라.

$$f(x) = 0.2 + 25x - 200x^2 + 675x^3 - 900x^4 + 400x^5$$

그리고 계산 결과를 다음의 정해와 비교하라.

$$f'(x) = 25 - 400x^2 + 2025x^2 - 3600x^3 + 2000x^4$$

풀이   먼저 $f(x)$를 무명함수로 나타낸다.

```
>> f=@(x) 0.2+25*x-200*x.^2+675*x.^3-900*x.^4+400*x.^5;
```

다음으로 일련의 독립변수를 등간격으로 생성하고 그에 따른 종속변수를 다음과 같이 생성한다.

```
>> x=0:0.1:0.8;
>> y=f(x);
```

diff 함수를 사용하여 각 벡터의 인접한 원소 사이의 차분을 구할 수 있다. 예를 들면 다음과 같다.

```
>> diff(x)
ans =
  Columns 1 through 5
    0.1000    0.1000    0.1000    0.1000    0.1000
  Columns 6 through 8
    0.1000    0.1000    0.1000
```

예상한 대로 제시된 결과는 x의 원소 각 쌍에 대한 차분을 나타낸다. 따라서 다음과 같이 단지 y의 차분에 대해 x의 차분으로 벡터 나눗셈을 수행하여 도함수의 제차분 근사를 계산한다.

```
>> d=diff(y)./diff(x)
d =
  Columns 1 through 5
   10.8900   -0.0100    3.1900    8.4900    8.6900
  Columns 6 through 8
    1.3900  -11.0100  -21.3100
```

위에서 등간격을 사용한 점을 주목하자. 따라서 x 값을 생성한 후에, 위의 계산을 다음과 같이 간략하게 수행할 수도 있을 것이다.

```
>> d=diff(f(x))/0.1;
```

벡터 d는 인접한 원소 사이의 중점 위치에 해당하는 도함수의 추정값을 그 원소로 갖는다. 따라서 결과를 도시하기 위해서는 우선 각 구간의 중점에 해당하는 x 값을 갖는 벡터를 다음과 같이 생성해야 한다.

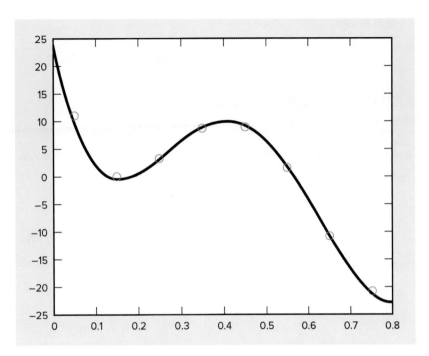

그림 21.11 정확한 도함수값(실선)과 MATLAB의 diff 함수를 사용해서 계산한 수치 결과(원)의 비교.

```
>> n=length(x);
>> xm=(x(1:n-1)+x(2:n))./2;
```

마지막으로, 정해와의 비교를 위해 다음과 같이 조밀한 간격으로 해석적인 도함수값을 계산한다.

```
>> xa=0:.01:.8;
>> ya=25-400*xa+3*675*xa.^2-4*900*xa.^3+5*400*xa.^4;
```

다음과 같이 입력하여 수치해와 해석해의 비교 그래프를 생성한다.

```
>> plot(xm,d,'o',xa,ya)
```

이 경우, 그림 21.8에 보인 바와 같이 두 결과는 서로 잘 일치한다.

도함수 계산 외에도 diff 함수는 벡터의 특성을 점검하는 프로그래밍 도구로도 유용하게 쓰일 수 있다. 그 예로 다음의 프로그래밍 문장은 벡터 x가 부등간격을 갖는지 판정하고, 부등간격이면 에러 메시지를 표시하면서 M-파일을 종료한다.

```
if any(diff(diff(x))~=0), error('unequal spacing'), end
```

흔히 쓰이는 또 다른 용법으로는 벡터가 오름차순인지 내림차순인지 판별하는 것이다. 다음의 프로그래밍 문장은 벡터가 오름차순(원소 값이 점진적으로 증가하는 경우)이 아니면 종료하는 예이다.

```
if any(diff(x)<=0), error('not in ascending order'), end
```

21.8.2 MATLAB 함수: gradient

함수 gradient 역시 차분을 계산하여 반환한다. 그러나 주어진 값들 사이의 구간에서가 아니라, 그 값들 자체에서의 도함수를 계산하는 데 더 적합한 방식으로 수행된다. 그 구문은 간단히 다음과 같다.

```
fx = gradient(f)
```

여기서 f는 크기가 n인 1차원 벡터이고, fx는 f에 근거하여 계산한 차분을 담고 있는 크기가 n인 벡터이다. 함수 diff와 마찬가지로, 반환되는 첫 번째 값은 f의 첫 번째와 두 번째 값 사이의 차분이다. 하지만 중간에서의 값들은, 다음과 같이 인접한 값들의 중심차분을 계산하여 반환한다.

$$diff_i = \frac{f_{i+1} - f_{i-1}}{2} \tag{21.39}$$

마지막 값은 f의 최종 두 값 사이의 차분이다. 따라서 계산결과는, 모든 중간값들에서는 중심차분을 이용하고, 양쪽 끝단에서는 전향차분과 후향차분을 이용하는 것과 유사하다.

　점들 사이의 간격은 1로 가정하고 있음을 유의하라. 만일 벡터가 등간격으로 분포된 데이터를 나타낸다면, 다음의 구문은 모든 차분 결과를 같은 크기의 간격으로 나눈 도함수의 실제 값을 반환한다.

```
fx = gradient(f, h)
```

여기서 h는 점들 사이의 간격 크기이다.

예제 21.8 ｜ gradient를 이용한 미분

문제 설명. 예제 21.7에서 diff 함수로 분석한 5차 다항식을 이번에는 gradient 함수를 사용하여 미분하라.

풀이 예제 21.7에서와 같이 등간격으로 분포된 독립변수와 그에 해당하는 종속변수를 다음과 같이 생성한다.

```
>> f=@(x) 0.2+25*x-200*x.^2+675*x.^3-900*x.^4+400*x.^5;
>> x=0:0.1:0.8;
>> y=f(x);
```

다음과 같이 gradient 함수를 이용하여 도함수를 구한다.

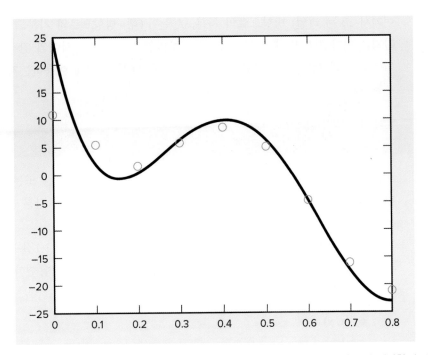

그림 21.12 정확한 도함수값(실선)과 MATLAB의 gradient 함수를 사용해서 계산한 수치 결과(원)의 비교.

```
>> dy=gradient(y,0.1)

dy =
  Columns 1 through 5
    10.8900    5.4400    1.5900    5.8400    8.5900
  Columns 6 through 9
     5.0400   -4.8100  -16.1600  -21.3100
```

예제 21.7에서와 마찬가지로, 다음과 같이 해석적인 도함수값을 생성하고, 수치해와 해석해를 함께 도시한다.

```
>> xa=0:.01:.8;
>> ya=25-400*xa+3*675*xa.^2-4*900*xa.^3+5*400*xa.^4;
>> plot(x,dy,'o', xa,ya)
```

그림 21.12에 보인 바와 같이, 결과는 예제 21.7에서 diff 함수를 사용해서 얻은 것만큼 정확하지 못하다. 그 이유는 gradient에서 사용한 구간의 간격(0.2)이 diff에서 사용된 간격(0.1)에 비해 두 배 크기 때문이다.

---

gradient 함수는 1차원 벡터뿐만 아니라 행렬의 편도함수를 구하는 데 특히 적합하다. 예를 들어, 2차원 행렬 f에 대해 gradient 함수는 다음과 같이 호출된다.

```
[fx,fy] = gradient(f, h)
```

여기서 fx는 x (열) 방향으로의 차분, fy는 y (행) 방향으로의 차분, 그리고 h는 점들 사이의 간격을 나타낸다. 만약 h가 생략되면, 두 방향으로의 점들 사이의 간격은 1로 가정된다. 다음 절에서는 벡터장을 시각화하기 위해 gradient를 어떻게 이용하는지 설명한다.

21.9 사례연구   벡터장의 시각화

배경. gradient 함수는 1차원 도함수의 계산은 물론, 2차원 또는 그 이상의 차원에서의 편도함수를 계산하는 데에도 매우 유용하다. 특히 MATLAB의 다른 함수와 연계하여 벡터장을 시각화하는 데 사용될 수 있다.

벡터장의 시각화가 어떻게 이루어지는지 이해하기 위해, 21.1.1절 말미의 편도함수에 대한 논의로 돌아가 보자. 거기서 산의 고도를 2차원 함수의 예로 사용했다. 이 함수를 수학적으로 다음과 같이 나타낸다.

$$z = f(x, y)$$

여기서 z는 고도, x는 동서 축 방향을 따라 측정한 거리, 그리고 y는 북남 축 방향을 따라 측정한 거리이다.

이 예에서 편도함수는 축 방향의 기울기를 제공한다. 만약 등산을 하고 있는 중이라면, 아마도 최대 기울기(등산로의 경사)의 방향을 구하는 데 훨씬 더 관심을 가질 것이다. 두 편도함수를 성분 벡터로 둔다면, 그 답은 다음과 같이 간결하게 주어진다.

$$\nabla f = \frac{\partial f}{\partial x} i + \frac{\partial f}{\partial y} j$$

여기서 ∇f는 함수 f의 **구배**(gradient)라고 한다. 가장 가파른 기울기를 나타내는 이 벡터의 크기는 다음과 같다.

$$\sqrt{\left(\frac{\partial f}{\partial x}\right)^2 + \left(\frac{\partial f}{\partial y}\right)^2}$$

그리고 그 방향은 다음과 같다.

$$\theta = \tan^{-1} = \left(\frac{\partial f/\partial y}{\partial f/\partial x}\right)$$

여기서 θ는 x축에서부터 반시계방향으로 측정한 각도이다.

이제 x-y 평면에서 점들의 격자를 생성하고 각 점에서 구배 벡터를 그리기 위해 위의 식들을 사용했다고 가정해 보자. 그 결과는 각 점에서 정상을 향하는 가장 가파른 등산로를 나타내는 화살표들로 이루어진 장(field)이 될 것이다. 역으로 음의 구배를 그린다면, 이는 어느 점에서든지 공이 아래로 굴러 내려갈 때 공이 어떻게 이동하는지를 나타낼 것이다.

이러한 그래픽 표현은 매우 유용하기 때문에, MATLAB에는 이런 그래프를 그리기 위한 quiver라는 이름의 특수한 함수가 있다. 그 구문의 간략한 표현은 다음과 같다.

```
quiver(x,y,u,v)
```

여기서 x와 y는 위치 좌표를 포함하는 행렬이며, u와 v는 편도함수를 포함하는 행렬이다. 다음은 quiver를 사용하여 벡터장을 시각화하는 예를 보여준다.

gradient 함수를 사용하여 $x = -2$에서 2까지, $y = 1$에서 3까지의 범위에서 다음 2차원 함수의 편도함수를 구하라. 그리고 quiver를 사용하여 함수의 등고선도에 벡터장을 중첩시켜 보아라.

$$f(x, y) = y - x - 2x^2 - 2xy - y^2$$

풀이 먼저 다음과 같이 $f(x, y)$를 무명함수로 표현한다.

```
>> f=@(x,y) y-x-2*x.^2-2.*x.*y-y.^2;
```

일련의 등간격으로 분포된 독립변수와 그에 해당하는 종속변수들을 다음과 같이 생성한다.

```
>> [x,y]=meshgrid(-2:.25:0, 1:.25:3);
>> z=f(x,y);
```

gradient 함수를 사용하여 편도함수를 구한다.

```
>> [fx,fy]=gradient(z,0.25);
```

결과를 다음과 같이 등고선으로 나타낸다.

```
>> cs=contour(x,y,z);clabel(cs);hold on
```

마지막으로 편도함수의 계산결과를 벡터로 표시하여 등고선도에 중첩시킨다.

```
>> quiver(x,y,-fx,-fy);hold off
```

편도함수가 "아래로" 내려가는 방향을 가리키도록 음의 결과를 나타내고 있음을 유의한다.

결과는 그림 21.13에 나타낸 바와 같다. 함수의 피크는 $x = -1$과 $y = 1.5$에서 발생한 다음, 모든 방향으로 떨어진다. 화살표의 길이로 나타낸 바와 같이, 경사도는 북동쪽 및 남서쪽 방향으로 더 가파르게 떨어진다.

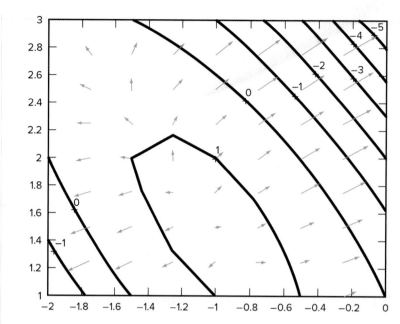

그림 21.13   MATLAB으로 생성한 2차원 함수의 등고선과 화살표로 나타낸 편도함수.

연습문제

21.1 $x = \pi/4$에서의 $y = \sin x$의 1차 도함수를 오차가 $O(h)$와 $O(h^2)$인 전향차분과 후향차분 근사와 오차가 $O(h^2)$와 $O(h^4)$인 중심차분 근사를 $h = \pi/12$의 값을 사용하여 구하라. 각각의 근사에 대해 참 백분율 상대오차 ε_t를 구하라.

21.2 중심차분 근사로 $x = 2$에서의 $y = e^x$의 1차와 2차 도함수를 $h = 0.1$에 대해 구하라. 오차가 $O(h^2)$와 $O(h^4)$인 공식을 사용하라.

21.3 3차 도함수에 대하여 Taylor 급수전개를 이용하여 2차 정확도로 계산되는 중심차분 근사 공식을 유도하라. 이를 위해 점 x_{i-2}, x_{i-1}, x_{i+1}, 그리고 x_{i+2}에 대해 네 개의 다른 급수전개를 사용해야 한다. 각 경우의 급수전개는 모두 점 x_i를 중심으로 행한다. 간격 Δx가 $i-1$과 $i+1$에 대해, 간격 $2\Delta x$가 $i-2$과 $i+2$에 대해 각각 사용된다. 그 후에 네 방정식을 1차와 2차 도함수를 소거할 수 있도록 조합한다. 충분히 많은 항으로 급수전개하여, 근사의 차수를 결

정짓기 위해 절단되어야 하는 첫 번째 항을 찾도록 한다.

21.4 Richardson 외삽법으로 간격 크기 $h_1 = \pi/3$와 $h_2 = \pi/6$를 사용하여 $x = \pi/4$에서의 $y = \cos x$의 1차 도함수를 구하라. 초기 추정을 위해 오차가 $O(h^2)$인 중심차분을 이용하라.

21.5 연습문제 21.4를 다시 풀되, 간격 크기는 $h_1 = 2$와 $h_2 = 1$을 사용하고 $x = 5$에서의 $y = \ln x$의 1차 도함수를 구하라.

21.6 식 (21.27)을 이용하여 $x = 0$에서의 $y = 2x^4 - 6x^3 - 12x - 8$의 1차 도함수를 $x_0 = -0.5$, $x_1 = 1$, $x_2 = 2$에서의 값에 근거하여 구하라. 이 결과를 참값과 $h = 1$에 근거하여 중심차분을 이용해 구한 값과 비교하라.

21.7 등간격으로 분포된 데이터의 경우 식 (21.27)은 $x = x_1$에서 식 (4.25)로 됨을 증명하라.

21.8 Romberg 알고리즘을 적용하여 주어진 함수의 도함수값을 구하는 M-파일을 작성하라.

21.9 부등간격의 데이터에 대해 1차 도함수를 구하기 위한 M-파일을 작성하라. $f(x) = 5e^{-2x}x$ 에서 얻은 아래의 데이터를 이용하여 프로그램을 확인하라. 계산결과를 도함수의 참값과 비교하라.

x	0.6	1.5	1.6	2.5	3.5
$f(x)$	0.9036	0.3734	0.3261	0.08422	0.01596

21.10 그림 21.3에서 21.5까지의 공식에 기초하여 오차가 $O(h^2)$인 1차와 2차 도함수를 구하기 위한 M-파일 함수를 작성하라. 함수의 첫째 줄은 다음과 같아야 한다.

```
function [dydx, d2ydx2] = diffeq(x,y)
```

여기서 x와 y는 각각 크기가 n인 독립변수와 종속변수를 나타내는 입력 벡터이고, dydx와 dy2dx2는 각각 크기가 n인 출력 벡터로 독립변수의 값에서 구한 1차와 2차 도함수를 나타낸다. 함수는 x에 대해서 dydx와 dy2dx2의 그래프를 생성할 수 있어야 한다. M-파일은 (a) 입력 벡터들의 길이가 같지 않거나 (b) 독립변수의 값이 등간격이 아닐 경우 에러 메시지를 반환하도록 작성한다. 작성한 프로그램을 연습문제 21.11의 데이터를 사용하여 확인하라.

21.11 다음 데이터는 로켓이 시간에 따라 이동한 거리를 수집한 것이다. 수치미분을 사용하여 각 시점에서의 로켓의 속도와 가속도를 구하라.

t, s	0	25	50	75	100	125
y, km	0	32	58	78	92	100

21.12 전투기가 항공모함의 활주로에 착륙할 때 시간에 따른 위치는 표에 주어진 것과 같다. 표에서 x는 항공모함 끝에서부터의 거리이다. 수치미분을 사용하여 (a) 속도(dx/dt)와 (b) 가속도(dv/dt)를 구하라.

t, s	0	0.52	1.04	1.75	2.37	3.25	3.83
x, m	153	185	208	249	261	271	273

21.13 다음 데이터를 이용하여 $t = 10$ 초에서의 속도와 가속도를 구하라. 이때 2차 정확도의 (a) 중심차분, (b) 전향차분, 그리고 (c) 후향차분으로 계산하라.

Time, t, s	0	2	4	6	8	10	12	14	16
Position, x, m	0	0.7	1.8	3.4	5.1	6.3	7.3	8.0	8.4

21.14 레이더로 비행기를 추적할 때, 매초 얻은 데이터는 극좌표 θ와 r로 다음과 같다.

t, s	200	202	204	206	208	210
θ, (rad)	0.75	0.72	0.70	0.68	0.67	0.66
r, m	5120	5370	5560	5800	6030	6240

2차 정확도의 중심 유한차분을 사용하여 206 초에서의 속도벡터 $\vec{a}$와 가속도벡터 $\vec{v}$를 구하라. 속도와 가속도는 극좌표에서 다음과 같이 주어진다.

$$\vec{v} = \dot{r}\vec{e}_r + r\dot{\theta}\vec{e}_\theta \text{과} \quad \vec{a} = (\ddot{r} - r\dot{\theta}^2)\vec{e}_r + (r\ddot{\theta} + 2\dot{r}\dot{\theta})\vec{e}_\theta$$

21.15 2차, 3차, 4차 다항식 회귀분석을 사용하여 다음 데이터에 대한 각 시점에서의 가속도를 구하고, 그 결과를 도시하라.

t	1	2	3.25	4.5	6	7	8	8.5	9.3	10
v	10	12	11	14	17	16	12	14	14	10

21.16 정규분포는 다음과 같이 정의된다.

$$f(x) = \frac{1}{\sqrt{2\pi}} e^{-x^2/2}$$

MATLAB을 이용하여 이 함수의 변곡점을 구하라.

21.17 정규분포로부터 다음의 데이터를 생성하였다. MATLAB을 이용하여 이들 데이터의 변곡점을 구하라.

x	−2	−1.5	−1	−0.5	0
$f(x)$	0.05399	0.12952	0.24197	0.35207	0.39894

x	0.5	1	1.5	2
$f(x)$	0.35207	0.24197	0.12952	0.05399

21.18 다음 표에 주어진 각각의 x 값에서의 1차와 2차 도함수를 유한차분 근사로 계산하기 위한 M-파일 함수를 diff(y) 명령어를 사용하여 작성하라. 2차 정확도, $O(x^2)$의 유한차분 근사를 이용하라.

x	0	1	2	3	4	5	6	7	8	9	10
y	1.4	2.1	3.3	4.8	6.8	6.6	8.6	7.5	8.9	10.9	10

21.19 이 문제의 목적은 어떤 함수의 1차 도함수에 대한 2차 정확도의 전향, 후향, 그리고 중심 유한차분 근사값과 실제 도함수값을 비교하는 것이다. 주어진 함수는 다음과 같다.

$$f(x) = e^{-2x} - x$$

(a) 미적분학으로 $x = 2$에서 도함수의 정확한 값을 계산하라.

(b) 중심 유한차분 근사를 계산하기 위한 M-파일 함수를 작성하라. $\Delta x = 0.5$로 놓고 계산을 시작한다. 즉, 첫 번째 계산을 위해 $x = 2 \pm 0.5$ 또는 $x = 1.5$와 2.5를 사용한다. 그리고 증분을 0.01씩 감소시켜 최종적으로 $\Delta x = 0.01$까지 계산한다.

(c) 2차의 전향과 후향차분에 대해 (b)를 반복한다. 중심 차분이 계산되는 루프 속에서, 이들 계산이 동시에 수행될 수 있다는 점을 유념한다.

(d) Δx에 대해 (b)와 (c)의 결과를 도시하고, 비교를 위해 그래프에 정해도 포함시켜라.

21.20 작은 관 내부를 흐르는 물의 유량(flow rate)을 측정하고자 한다. 이를 위해 관의 출구에 양동이를 놓고 물의 부피를 시간의 함수로 측정하여 표와 같이 기록하였다. $t = 7$ 초일 때 유량을 구하라.

Time, s	0	1	5	8
Volume, cm³	0	1	8	16.4

21.21 평판 위를 지나는 공기의 속도 v (m/s)를 표면으로부터 y (m) 만큼 떨어진 위치에서 측정한다. **Newton의 점성법칙**(Newton's viscosity law)을 사용하여 표면 ($y = 0$)에서의 전단응력 τ (N/m²)를 계산하라.

$$\tau = \mu \frac{du}{dy}$$

동점성계수의 값은 $\mu = 1.8 \times 10^{-5}$ N·s/m²라고 가정한다.

y, m	0	0.002	0.006	0.012	0.018	0.024
u, m/s	0	0.287	0.899	1.915	3.048	4.299

21.22 Fick의 제1확산법칙(Fick's first diffusion law)은 다음과 같다.

$$\text{Mass flux} = -D \frac{dc}{dx} \qquad \text{(P21.22)}$$

여기서 질량플럭스(mass flux)는 단위 시간에 단위 면적을 통과하는 질량(g/cm²/s), D는 확산계수(cm²/s), c는 농도 (g/cm³), 그리고 x는 거리(cm)이다. 환경기술자는 호수에

가라앉은 침전물의 간극수(pore water)에서 오염 농도를 다음과 같이 측정한다.

x, cm	0	1	3
c, 10^{-6} g/cm³	0.06	0.32	0.6

침전물과 물의 경계는 $x = 0$에 위치하며, 아래로 갈수록 x는 증가한다. 가능한 한 가장 좋은 수치미분 기법을 사용하여 $x = 0$에서의 도함수를 구하라. 이렇게 구한 도함수값과 식 (P21.22)를 연계하여 침전물에서 빠져 나와 그 위에 있는 물($D = 1.52 \times 10^{-6}$ cm²/s)로 들어가는 오염물의 질량플럭스를 계산하라. 침전물의 면적이 3.6×10^6 m²인 호수에 대해 한 해 동안 얼마나 많은 오염물이 호수로 전달되겠는가?

21.23 다음 데이터는 유조선을 기름으로 채울 때 수집된 것이다.

t, min	0	10	20	30	45	60	75
V, 10^6 barrels	0.4	0.7	0.77	0.88	1.05	1.17	1.35

매 시간에서의 유량 Q (즉, dV/dt)를, (a) 식 (21.27)을 이용하여, (b) 최소제곱 회귀분석으로 데이터를 접합한 3차 다항식을 미분하여, 그리고 (c) 평활화 스플라인을 이용하여 계산하라.

21.24 건축기술자들은 벽을 통과하는 열량을 구하기 위해 Fourier 법칙을 정례적으로 사용한다. 다음의 온도는 표면($x = 0$)에서 돌 벽으로 들어가면서 측정된 것이다. $x = 0$에서의 열플럭스가 60 W/m²일 때 k를 계산하라.

x, m	0	0.08	0.16
T, °C	20.2	17	15

21.25 특정 깊이에서 호수의 수평면적 A_s (m²)는 체적을 미분하여 계산한다.

$$A_s(z) = -\frac{dV}{dz}(z)$$

여기서 V는 체적(m³), z는 수면에서 아래로 측정한 깊이 (m)이다. 깊이에 따라 변하는 물질의 평균 농도 $\bar{c}$(g/m³)는 다음의 적분으로 계산된다.

$$\bar{c} = \frac{\int_0^Z c(z)A_s(z)\,dz}{\int_0^Z A_s(z)\,dz}$$

여기서 Z는 총 깊이(m)이다. 다음 데이터를 이용하여 평균농도를 계산하라.

z, m	0	4	8	12	16
V, 10^6 m³	9.8175	5.1051	1.9635	0.3927	0.0000
c, g/m³	10.2	8.5	7.4	5.2	4.1

21.26 Faraday 법칙은 인덕터(inductor) 양단에서의 전압 강하를 다음과 같이 설명한다.

$$V_L = L\frac{di}{dt}$$

여기서 V_L은 전압강하(V), L은 인덕턴스(inductance)(단위: 헨리, 1 H = 1 V·s/A), i는 전류(A), 그리고 t는 시간(s)이다. 인덕턴스가 4 H일 때 다음의 데이터로부터 전압강하를 시간의 함수로 구하라.

t	0	0.1	0.2	0.3	0.5	0.7
i	0	0.16	0.32	0.56	0.84	2.0

21.27 Faraday 법칙을 참조하여(연습문제 21.26), 다음의 전압 데이터를 이용하여 400 ms 동안에 2 A의 전류가 인덕터를 통과할 때 인덕턴스를 구하라.

t, ms	0	10	20	40	60	80	120	180	280	400
V, volts	0	18	29	44	49	46	35	26	15	7

21.28 물체의 냉각 속도(그림 P21.28)는 다음과 같이 표현된다.

$$\frac{dT}{dt} = -k(T - T_a)$$

여기서 T는 물체의 온도(℃), T_a는 주변 매질의 온도(℃), 그리고 k는 분(min)당 비례상수이다. **Newton의 냉각법칙**(Newton's law of cooling)이라고 하는 이 식은 냉각 속도가 물체와 주변 매질의 온도 차에 비례함을 제시한다. 80 ℃로 가열된 금속구를 $T_a = 20$ ℃로 유지되는 물에 담글 때 구의 온도는 다음 표와 같이 변한다. 수치미분을 이용하여 매 시점의 dT/dt를 구하라. $T - T_a$에 대해 dT/dt를 도시하고 선형회귀분석을 사용해서 k를 구하라.

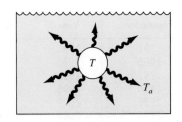

그림 P21.28

Time, min	0	5	10	15	20	25
T, ℃	80	44.5	30.0	24.1	21.7	20.7

21.29 실제 기체의 엔탈피는 다음 수식에서와 같이 압력의 함수이다. 실제 유체에 대한 데이터가 다음 표와 같이 주어질 때, 400 K와 50 기압에서의 유체의 엔탈피를 구하라(0.1기압에서 50기압까지의 적분을 구하라).

$$H = \int_0^P \left(V - T\left(\frac{\partial V}{\partial T}\right)_P\right) dP$$

P, atm	V, L		
	$T = 350$ K	$T = 400$ K	$T = 450$ K
0.1	220	250	282.5
5	4.1	4.7	5.23
10	2.2	2.5	2.7
20	1.35	1.49	1.55
25	1.1	1.2	1.24
30	0.90	0.99	1.03
40	0.68	0.75	0.78
45	0.61	0.675	0.7
50	0.54	0.6	0.62

21.30 표면 위를 흐르는 유체의 경우, 표면으로의 열플럭스는 Fourier 법칙으로 계산될 수 있다[이때, y는 표면으로부터 수직 거리(m)]. 공기가 평판 위를 흐를 때 표면에 수직인 거리 y에 대해 다음과 같은 측정값이 얻어졌다.

y, cm	0	1	3	5
T, K	900	480	270	210

평판의 길이가 200 cm이고 폭이 50 cm이며, k는 0.028 J/(s·m·K)일 때, (a) 표면에서의 열플럭스를 구하고, (b) 전달되는 열을 와트로 표시하라. 1 J = 1 W·s임을 유의하라.

21.31 다음은 2050년도의 추청치를 비롯, 1750년부터 2020년까지 파악된 세계 인구수이며, 단위는 백만 명이다.

Year	Population	Year	Population
1750	791	1980	4440
1800	1000	1985	4853
1850	1262	1990	5310
1900	1650	1995	5735
1950	2525	2000	6127
1955	2758	2005	6520
1960	3018	2010	6930
1965	3322	2015	7349
1970	3682	2020	7800
1975	4061	2050	9725

인구수 변화율을 (a) 부등간격 데이터 회귀분석을 이용하여, (b) 최소제곱 회귀분석으로 구한 5차 다항식을 미분하여, 그리고 (c) 평활화 스플라인을 이용하여 계산하라. 계산한 변화율을 연도별로 한 그래프에 도시하여 비교하라.

21.32 벤젠의 비열에 대한 다음의 데이터는 n차 다항식으로부터 생성되었다. 수치미분으로 n을 구하라.

T, K	300	400	500	600
C_p, kJ/(kmol·K)	82.888	112.136	136.933	157.744

T, K	700	800	900	1000
C_p, kJ/(kmol·K)	175.036	189.273	200.923	210.450

21.33 이상기체의 정압 비열 c_p [J/(kg·K)]는 엔탈피와 다음과 같은 관계가 있다.

$$c_p = \frac{dh}{dT}$$

여기서 h는 엔탈피(kJ/kg)이고, T는 절대온도(K)이다. 여러 온도에 대해 이산화탄소(CO_2)의 엔탈피가 표와 같이 주어진다. 이 값들을 이용하여 표에 기재된 각각의 온도에서의 비열을 계산하라. 참고로 탄소와 산소의 원자량은 각각 12.011과 15.9994 g/mol이다.

T, K	750	800	900	1000
h, kJ/kmol	29,629	32,179	37,405	42,769

21.34 단일 반응물의 농도에만 의존하는 화학반응을 모델링하는 데 다음과 같은 n차 반응속도 법칙이 종종 사용된다.

$$\frac{dc}{dt} = -kc^n$$

여기서 c는 농도(mole), t는 시간(min), n은 반응차수(무차원), 그리고 k는 반응속도($\min^{-1}$ mole^{1-n})이다. **교차법**(differential method)을 이용하여 매개변수 k와 n을 구할 수 있다. 이를 위해 반응속도 법칙에 로그 변환을 취하여 다음의 식을 얻는다.

$$\log\left(-\frac{dc}{dt}\right) = \log k + n \log c$$

따라서 만약 n차 반응속도 법칙이 성립한다면, $\log c$에 대해 $\log(-dc/dt)$를 도시할 경우 기울기가 n이고 절편이 $\log k$인 직선이 된다. 암모늄시안산이 요소(urea)로 변환할 때 다음과 같이 주어지는 데이터에 대해 교차법과 선형회귀분석을 이용하여 k와 n을 구하라.

t, min	0	5	15	30	45
c, mole	0.750	0.594	0.420	0.291	0.223

21.35 용존산소요구량(sediment oxygen demand) [SOD, 단위: g/(m²·d)]은 자연수에 용해되어 있는 산소량을 결정하는 데 중요한 매개변수이다. SOD는 그림 P21.35와 같이 원통형 용기에 침전물 응어리를 집어넣고 측정한다. 증류된 산소수로 침전물 위에 조심스럽게 층을 형성시킨 후, 기체로 빠져나가는 것을 막기 위해 용기를 뚜껑으로 덮는다. 교반기를 사용하여 물을 조심스럽게 섞어주면서, 탐침으로 물의 산소농도가 시간에 따라 얼마나 줄어드는지 측정한다. SOD는 다음과 같이 계산된다.

$$\text{SOD} = -H\frac{do}{dt}$$

여기서 H는 물의 깊이(m), o는 산소농도(g/cm³), 그리고 t는 시간(d)이다.

$H = 0.1$ m일 때 다음의 데이터로부터 수치미분을 사용하여 (a) 시간에 따른 SOD와 (b) 산소농도에 따른 SOD를 도시하라.

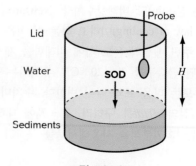

그림 P21.35

t, d	0	0.125	0.25	0.375	0.5	0.625	0.75
o, mg/L	10	7.11	4.59	2.57	1.15	0.33	0.03

21.36 다음 식은 분포 하중을 받는 균일 보를 해석하기 위해 사용된다.

$$\frac{dy}{dx}=\theta(x) \quad \frac{d\theta}{dx}=\frac{M(x)}{EI} \quad \frac{dM}{dx}=V(x) \quad \frac{dV}{dx}=-w(x)$$

여기서 x는 보의 길이(m), y는 보의 처짐(m), $\theta(x)$는 기울기(m/m), E는 탄성계수(Pa = N/m^2), I는 관성 모멘트(m^4), $M(x)$는 모멘트(N · m), $V(x)$는 전단(N), 그리고 $w(x)$는 분포 하중(N/m)이다. 하중이 선형적으로 증가하는 경우(그림 P5.15 참조), 기울기는 다음 식과 같이 해석적으로 계산된다.

$$\theta(x)=\frac{w_0}{120EIL}(-5x^4+6L^2x^2-L^4) \quad\quad \text{(P21.36)}$$

(a) 수치적분을 사용하여 보의 처짐(m)을 계산하라.

(b) 수치미분을 사용하여 모멘트(N · m)와 전단(N)을 계산하라. 3 m 길이의 보에 대해 $\Delta x = 0.125$ m의 등간격으로 식 (P21.36)을 계산한 기울기 값에 근거하여 수치계산을 수행하라. 매개변수값으로, $E = 200$ GPa, $I = 0.0003$ m^4, $w_0 = 2.5$ kN/cm를 계산에 사용하라. 또한 보의 양끝에서의 처짐은 $y(0) = y(L) = 0$이다. 단위에 주의하라.

21.37 단순 지지 균일 보의 길이 방향으로의 처짐에 대한 측정값은 다음과 같다(연습문제 21.36 참조).

x, m	0	0.375	0.75	1.125	1.5
y, cm	0	−0.2571	−0.9484	−1.9689	−3.2262

x, m	1.875	2.25	2.625	3
y, cm	−4.6414	−6.1503	−7.7051	−9.275

수치미분을 사용하여 기울기, 모멘트(N · m), 전단(N)과 분포 하중(N/m)을 계산하라. 매개변수값으로, $E = 200$ GPa, $I = 0.0003$ m^{4}를 계산에 사용하라.

21.38 $x = y = 1$에서 다음 함수에 대해 $\partial f/\partial x$, $\partial f/\partial y$와 $\partial^2 f/(\partial x\partial y)$를 구하라. (a) 해석적 방법, (b) 수치적 방법($\Delta x = \Delta y = 0.0001$).

$$f(x, y) = 3xy + 3x - x^3 - 3y^3$$

21.39 다음의 함수들에 대해 21.9절에서와 같은 계산과 그래프를 생성하는 스크립트를 작성하라. 단, $x = -3$에서 3까지, $y = -3$부터 3까지의 범위에 있다.

(a) $f(x, y) = e^{-(x^2+y^2)}$

(b) $f(x, y) = xe^{-(x^2+y^2)}$

21.40 MATLAB의 `peaks` 함수에 대해 21.9절에서와 같은 계산과 그래프를 생성하는 스크립트를 작성하라. 단, x와 y는 모두 −3에서 3까지의 범위에 있다.

21.41 어떤 물체의 속도(m/s)는 시간 t초에서 다음과 같이 주어진다.

$$v = \frac{2t}{\sqrt{1+t^2}}$$

Richardson 외삽법을 이용하여 시간 $t = 5$초일 때 그 물체의 가속도를 구하라. 이때 $h = 0.5$와 $h = 0.25$의 경우를 고려하라. 엄밀해를 이용하여 각 추정값의 참 백분율 상대오차를 계산하라.

21.42 웹사이트 **waterwatch.USGS.gov**에서 강이나 하천을 선택하라. 연간, 월별, 그리고 일별에서부터 매 15분마다에 이르기까지 초당 세제곱 피트(cubic feet per second, cfs) 단위의 유량 데이터를 얻을 수 있을 것이다. 관심 있는 유량과 시간 간격을 선택하라. 이 데이터를 수록한 텍스트 파일을 만든 후 MALAB 스크립트로 읽어 들여라. 유량을 m^3/s 단위로 변환 후 평활화 3차 스플라인을 적용하고, 시간에 대한 데이터의 도함수를 구하라. 분석 결과를 작성해 보라. 선정한 시간 동안 유량에 영향을 미칠 수 있는 모든 상황을 분석 결과에 연관시켜 보라. 다음은 몇 가지 제안이다.

- 관심있는 강 또는 하천을 포함하고 있는 주를 선택하고 지도에서 두 번 클릭하거나, 드롭다운 목록에서 선택하라.
- 주 지도 위에 표시되어 있는 마커들을 살펴, 그 중 관심 있는 마커를 찾아 클릭한 다음, 창에 표시되는 파란색 USGS 번호를 클릭하라.
- 얻어내고 싶은 유량 데이터 유형(방류량)을 선택하라 —자주 측정된 데이터를 원할 경우 Current/Historical Observations를 선택하라.
- 시간 간격을 선택하고 탭으로 구분된 데이터 파일을 생성하라—선택한 데이터가 평활화에 적합한지 아닌

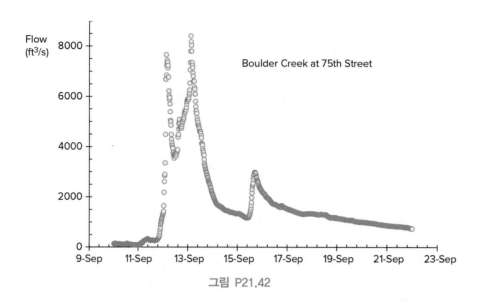

그림 P21.42

지 그래프로 표시하여 확인할 수 있다.

• 데이터 텍스트 파일을 MATLAB으로 "읽어 들이기"에 앞서 메모장에서 "편집"하거나 엑셀에서 불필요한 열들을 제거하는 등 편집할 수 있다.

그림 P21.42는 2013년 9월 중순에 있었던 콜로라도 주 볼더 크릭에서 발생한 기록적인 홍수를 보여주는 극단적인 예이다.

21.43 2020년 비극적인 코로나 바이러스(Covid-19) 팬데믹은 사례(reported cases), 입원 및 사망에 대한 방대한 양의 데이터를 제공한다. 관심 있는 지역(국가, 주/도, 도시)을 선택한 후 사례 또는 사망에 대해 다운로드가 가능한 발생 빈도 데이터(누적 데이터가 아님)를 구해 보라. 이때 데이터는 인구수로 나눈, 정규화된 데이터를 사용한다. 평활화 3차 스플라인을 적용해 보라. 데이터의 일반적인 경향을 잘 나타낼 수 있도록 평활화의 정도를 조정하라. 이 접합 곡선을 이용하여 시간에 따른 데이터의 도함수를 구해 보라. 예를 들어, 정규화된 사망 빈도 데이터라면, 도함수의 단위는 시간당(인구수당 사망자수)가 될 것이다.

상미분방정식

6.1 개요

물리학, 역학, 전기학과 열역학의 기본 법칙은 대개 물리적 특성과 시스템 상태의 변화를 설명하는 실험적인 관찰에 기초한다. 일반적으로 기본 법칙은 물리적 시스템의 상태를 직접 기술하기보다는 공간과 시간 변화의 관점에서 설명한다. 이들 법칙은 변화의 메커니즘을 정의한다. 기본 법칙들이 에너지, 질량, 운동량에 대한 연속 법칙들과 연계될 때 미분방정식들이 만들어진다. 이들 미분방정식을 적분하면 에너지, 질량 또는 속도 변화의 관점에서 시스템의 공간과 시간에 따른 상태를 설명하는 수학적 함수가 나타나게 된다. 그림 PT6.1에서와 같이, 적분은 미적분학을 통하여 해석적으로, 또는 컴퓨터를 이용하여 수치적으로 수행할 수 있다.

1장에서 소개한 번지점프하는 사람의 자유낙하에 관한 문제는 기본 법칙으로부터 미분방정식을 유도한 하나의 예이다. 자유낙하하는 사람의 속도 변화율을 설명하는 상미분방정식을 유도하는 데 Newton의 제 2법칙이 사용되었음을 기억하라.

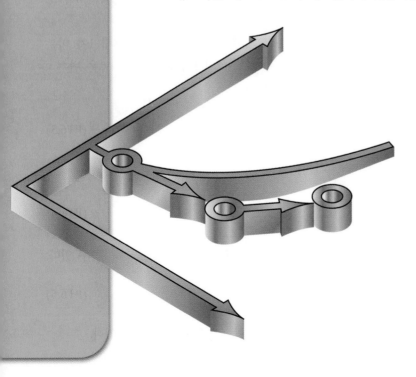

$$\frac{dv}{dt} = g - \frac{c_d}{m} v^2 \qquad \text{(PT6.1)}$$

여기서 g는 중력상수, m은 질량, 그리고 c_d는 항력계수이다. 이와 같이 미지의 함수와 그 도함수로 구성된 방정식을 **미분방정식**(differential equation)이라 한다. 경우에 따라 **반응속도식**(rate equation)이라고도 하는 데 그 이유는 변수의 변화율을 변수와 매개변수의 함수로 나타내기 때문이다.

식 (PT6.1)에서 미분되는 양 v를 **종속변수**라 하고, v가 미분될 때 관련되는 양 t를 **독립변수**라 한다. 함수가 한 개의 독립변수를 가질 때, 방정식을 **상미분방정식**(ordinary differential equation, ODE)이라 하며, 이는 두 개 이상의

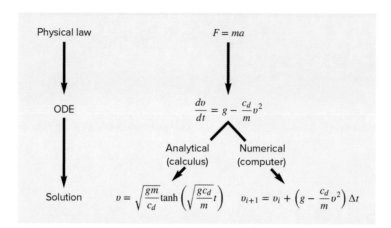

그림 PT6.1   공학과 과학에 대한 상미분방정식을 유도하고 해를 구하는 과정. 그림의 예는 번지점프하는
사람이 자유낙하하는 속도에 대한 것이다.

독립변수를 가지는 **편미분방정식**(partial diffe- rential equation, PDE)과는 대비된다.

미분방정식은 또한 **차수**(order)에 따라서도 분류된다. 예를 들면 식 (PT6.1)은 가장 높은
도함수가 1차 도함수이므로 **1차 방정식**(first-order equation)이라 한다. **2차 방정식**(second-
order equation)은 2차 도함수를 포함한다. 예를 들어 감쇠를 고려한 비강제 질량-스프링 시스
템의 위치 x를 나타내는 다음의 식은 2차 방정식이다.

$$m \frac{d^2 x}{dt^2} + c \frac{dx}{dt} + kx = 0 \tag{PT6.2}$$

여기서 m은 질량, c는 감쇠계수, 그리고 k는 스프링 상수이다. 유사하게 n차 방정식은 n차 도
함수를 포함한다.

고차 미분방정식은 종속변수의 1차 도함수를 새로운 변수로 정의함으로써 연립 1차 미분
방정식 시스템으로 변환시킬 수 있다. 식 (PT6.2)의 경우, 변위의 1차 도함수를 새로운 변수 v
로 정의함으로써 1차 시스템 방정식으로 변환할 수 있다.

$$v = \frac{dx}{dt} \tag{PT6.3}$$

여기서 v는 속도이다. 이 식을 미분하면 다음과 같다.

$$\frac{dv}{dt} = \frac{d^2 x}{dt^2} \tag{PT6.4}$$

식 (PT6.3)과 (PT6.4)를 식 (PT6.2)에 대입하면 다음과 같은 1차 방정식으로 변환시킬 수 있다.

$$m \frac{dv}{dt} + cv + kx = 0 \tag{PT6.5}$$

마지막 단계로 식 (PT6.3)과 (PT6.5)를 다음과 같은 반응속도식으로 표현할 수 있다.

$$\frac{dx}{dt} = v \tag{PT6.6}$$

$$\frac{dv}{dt} = -\frac{c}{m}v - \frac{k}{m}x \tag{PT6.7}$$

따라서 식 (PT6.6)과 (PT6.7)은 한 쌍의 1차 방정식이며, 이들은 원래의 2차 방정식[식 (PT6.2)]과 같다. 다른 n차 미분방정식도 유사하게 변환될 수 있으므로, 6부에서는 1차 방정식의 해를 중점적으로 다룬다.

상미분방정식의 해는 원래의 미분방정식을 만족시키는 독립변수와 매개변수의 특정 함수이다. 이 개념을 설명하기 위하여 다음과 같은 간단한 4차 다항식을 고려하자.

$$y = -0.5x^4 + 4x^3 - 10x^2 + 8.5x + 1 \tag{PT6.8}$$

식 (PT6.8)을 미분하면 다음과 같은 상미분방정식을 얻는다.

$$\frac{dy}{dx} = -2x^3 + 12x^2 - 20x + 8.5 \tag{PT6.9}$$

이 식 역시 다항식의 거동을 설명하기는 하지만, 식 (PT6.8)과는 다른 방식으로 설명한다. 식 (PT6.9)는 각 x 값에 대하여 y 값을 명확하게 나타내기보다는, x의 모든 값에서 x에 대한 y의 변화율(즉 기울기)을 제공한다. 그림 PT6.2는 x에 대해, 함수와 이에 대응하는 도함수를 보여 준다. 도함수가 0이 되는 지점은 원시함수가 평평한 위치(즉 기울기가 0인 곳)를 가리키고 있음을 주목하라. 또한 도함수의 최대 절대값은 함수의 기울기가 최대인 구간의 양 끝에 있다.

원시함수가 주어지는 경우, 방금 설명한 바대로 미분방정식을 구할 수 있다. 하지만 여기서의 목적은 미분방정식이 주어졌을 때 원시함수를 구하는 것이며, 이 원시함수가 바로 미분방정식의 해가 된다.

컴퓨터가 없을 경우, 상미분방정식은 대개 미적분학을 통해 해석적인 방법으로 풀게 된다. 예를 들면 식 (PT6.9)에 dx를 곱해서 적분을 취하면 다음과 같이 된다.

$$y = \int (-2x^3 + 12x^2 - 20x + 8.5)\, dx \tag{PT6.10}$$

이 식의 우변은 적분한계가 명시되어 있지 않으므로 **부정적분**(indefinite integral)이라 한다. 이는 앞서 5부에서 논의한 **정적분**(definite integral)과는 대비된다[식 (PT6.10)과 식 (19.5)를 비교하라].

부정적분을 방정식 형태로 정확하게 구할 수 있다면 식 (PT6.10)의 해석해를 구할 수 있으며, 위와 같이 간단한 경우 그 결과는 다음과 같다.

$$y = -0.5x^4 + 4x^3 - 10x^2 + 8.5x + C \tag{PT6.11}$$

이 결과는 눈에 띄는 한 가지를 제외하고는 원시함수와 동일하다. 미분하고, 적분하는 과정에서 원래 식의 상수 1을 잃어 버린 대신, 상수 C를 얻었다. 이 C를 **적분상수**(constant of integration)

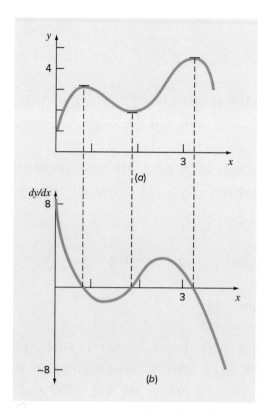

그림 PT6.2   함수 $y = -0.5x^4 + 4x^3 - 10x^2 + 8.5x + 1$에 대한 그림. (a) x에 대한 y (b) x에 대한 dy/dx.

라 한다. 이와 같이 임의의 상수가 나타난다는 사실은 해가 유일하지 않음을 의미한다. 이는 미분방정식을 만족하는 무수히 많은 함수(무한개의 C 값에 해당하는) 중 하나일 뿐이다. 예를 들어 그림 PT6.3은 식 (PT6.11)을 만족하는 여섯 가지 가능한 함수를 보여준다.

그러므로 완전한 해를 구하기 위하여 미분방정식에는 대개 보조조건이 따른다. 1차 상미 분방정식의 경우, 초기값이라는 일종의 보조조건으로 상수를 결정하여 유일한 해를 구한다. 예를 들면 원래의 미분방정식에 $x = 0$에서 $y = 1$이라는 초기조건이 주어진다고 하자. 이들 값 을 식 (PT6.11)에 대입하면 $C = 1$이 된다. 따라서 미분방정식과 주어진 초기조건을 만족하는 유일해는 다음과 같다.

$$y = -0.5x^4 + 4x^3 - 10x^2 + 8.5x + 1$$

이처럼 식 (PT6.11)이 초기조건을 만족하도록 "강제적으로 고정"함으로써, 상미분방정식에 대 한 유일해를 구하였고, 결국 원시함수[식 (PT6.8)]로 완벽히 돌아오게 되었다.

대개 초기조건은 물리적인 문제로부터 유도된 미분방정식에 대해 매우 분명한 해석을 부 여한다. 예를 들어 번지점프 문제에서의 초기조건은 시간 0에서 수직 속도가 0이라는 물리적 사실을 감안하였다. 만약 번지점프하는 사람이 시간 0에서 이미 수직 운동을 하고 있었다면, 이 초기 속도를 감안해서 해는 수정되었을 것이다.

n차 미분방정식의 유일해를 구하기 위해서는 n개의 조건이 필요하다. 독립변수의 같은 값

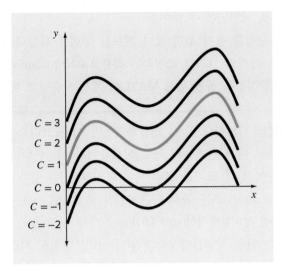

그림 PT6.3 $-2x^3 + 12x^2 - 20x + 8.5$ 의 적분에 대한 여섯 가지 가능한 해. 각 곡선은 다른 적분상수 C를 가진다.

에서 모든 조건이 부여되면(예를 들어 x 또는 $t = 0$ 에서), 이 문제를 **초기값 문제**(initial-value problem)라고 한다. 반면 독립변수의 다른 값에서 조건들이 지정되면, 이를 **경계값 문제** (boundary-value problem)라 한다. 22장과 23장에서는 초기값 문제를 중점적으로 설명하며, 24장에서는 경계값 문제를 다룬다.

6.2 구성

22장에서는 상미분방정식의 초기값 문제를 풀기 위한 단일단계법을 설명한다. 이름에서 유추할 수 있듯이 **단일단계법**(one-step methods)은, 이전의 다른 어떤 점들에서의 사전 정보없이, 단지 한 점 y_i에서의 정보에만 기초하여 미래의 예측값 y_{i+1}을 계산한다. 반면에 **다단계법** (multistep approaches)은 이전의 여러 점들에서의 정보를, 새로운 값을 외삽하기 위한 기초로 활용한다.

사소한 예외를 제외한다면, 22장에서 설명되는 단일단계법은 **Runge-Kutta법**(Runge-Kutta techniques)이라 불리는 방법에 속한다. 이러한 이론적 개념을 중심으로 구성하는 대신, 이 장에서는 그래프를 이용해서 직관적인 방법으로 단일단계법을 설명한다. 따라서 매우 간단한 그래프적 설명이 가능한 **Euler법**으로 이 장을 시작한다. 더욱이 이미 1장에서 Euler법을 소개하였으므로, 여기서는 이 방법의 절단오차를 정량화하고 수치안정성을 설명하는 데 중점을 둔다.

다음으로 시각적인 방법을 사용하여 Euler법의 두 가지 개선된 방법, 즉 **Heun법**과 **중점** (midpoint)법을 설명한다. 이후 Runge-Kutta(또는 RK)법의 개념을 설명하고, 앞서의 방법들이 실제로 어떻게 1차와 2차 RK법이 되는지를 보인다. 다음으로 공학과 과학 문제를 푸는 데 빈번하게 사용되는 고차 RK 공식을 설명한다. 나아가 단일단계법의 **연립 상미분방정식 시스템** (systems of ODEs)으로의 적용 방법을 다룬다. 22장에서 다루는 모든 응용의 예는 고정된 간격 크기를 가지는 경우로 제한됨에 유의하라.

23장에서는 초기값 문제를 풀기 위한 보다 진보된 방법을 다룬다. 먼저 계산결과의 절단 오차에 따라 자동적으로 간격의 크기를 조절하는 **적응식 RK법**(adaptive RK methods)을 설명한다. 이 방법은 상미분방정식을 풀기 위해 MATLAB에서 사용하고 있기 때문에 특히 부합되는 내용이다.

다음으로는 **다단계법**을 검토한다. 앞서 언급하였듯이 이 알고리즘은 해의 궤적을 보다 효과적으로 포착하기 위하여 이전 단계들의 정보를 보유해서 사용한다. 또한 이 알고리즘은 절단오차 추정값을 계산하여 간격 크기를 조절하는 데 사용할 수 있다. 그리고 **비자발적 Heun 법**(non-self-starting Heun method)을 통해 다단계법의 본질적인 특징을 소개한다.

23장의 말미에는 **강성 상미분방정식**(stiff ODEs)에 대해 설명한다. 이는 해에 빠른 성분과 느린 성분을 모두 가지는 단일 상미분방정식과 연립 상미분방정식 시스템이다. 따라서 이들의 해를 구하기 위해서는 특수한 해법이 필요하며, 이를 위해 흔히 사용되는 수단으로 **내재적 해법**(implicit solution)을 소개한다. 또한 강성 상미분방정식의 해를 구하는 MATLAB의 내장함수를 소개한다.

24장에서는 **경계값 문제**의 해를 구하기 위해 두 가지 방법, 즉 **사격법**(shooting method)과 **유한차분법**(finite-difference method)에 중점을 두어 설명한다. 또한 이들 방법을 어떻게 실행하는지 보이는 것 외에도, 어떻게 **도함수 경계조건**(derivative boundary conditions)과 **비선형 상미분방정식**(nonlinear ODEs)을 다루는지 보인다.

초기값 문제

학습목표

이 장의 주요 목표는 상미분방정식의 초기값 문제를 푸는 방법을 소개하는 것이다. 구체적인 목표와 다루는 주제는 다음과 같다.

- 국부 및 전체 절단오차, 그리고 이들 오차와 단일단계법에서의 간격 크기 사이와의 관계에 대한 이해
- 단일 상미분방정식을 풀기 위해 사용되는 다음의 Runge–Kutta(RK)법의 이해
  - Euler법
  - Heun법
  - 중점법
  - 4차 RK법
- Heun법의 수정자를 반복적으로 수행하는 방법
- 연립 상미분방정식을 풀기 위해 사용되는 다음의 Runge–Kutta법의 이해
  - Euler법
  - 4차 RK법

이런 문제를 만나면

이 책을 시작하면서 번지점프를 하는 사람이 자유낙하하는 경우에 그 사람의 속도를 구하는 문제를 다루었다. 이 문제는 상미분방정식으로 표현되었고 그 해를 구해 보았으며, 바로 이 장에서 다룰 내용이다. 그러면 이 문제로 다시 돌아가서, 이제는 낙하하는 사람이 번지점프 줄의 끝에 다다를 때 어떤 일이 일어나는지 계산하여 문제를 좀 더 흥미롭게 만들어 보자.

이를 위해서는 점프 줄이 느슨할 때와 팽팽하게 늘어날 때 사람이 느끼는 힘이 다르다는 것을 먼저 인식해야 한다. 줄이 느슨할 때는 사람이 자유낙하하는 경우에 해당되며, 이때 작용하는 힘은 중력과 항력뿐이다. 그러나 사람의 운동 방향이 위나 아래 모두에 해당될 수 있기 때문에, 항력의 부호는 항상 속도를 줄이는 방향으로 다음과 같이 수정되어야 한다.

$$\frac{dv}{dt} = g - \text{sign}(v)\,\frac{c_d}{m}v^2 \tag{22.1a}$$

여기서 v는 속도(m/s), t는 시간(s), g는 중력가속도(9.81 m/s^2), c_d는 항력계수(kg/m), 그리고 m은 질량(kg)이다. **시그넘 함수**(signum function)[1]라고 하는 sign은 괄호 속에 있는 변수가 음의 값이면 그 값을 -1, 그리고 양의 값이면 1을 반환하는 함수이다. 따라서 사람이 아래로 떨어지는 경우에는 속도가 양의 방향이므로 sign $= 1$이 되고, 항력은 속도를 줄이는 방향으로 작용하여 음의 값을 갖는다. 반대로 사람이 위로 올라가는 경우에는 속도는 음의 방향이므로 sign $= -1$이 되고, 항력은 다시 속도를 줄이는 방향으로 작용하여 양의 값을 갖는다.

일단 점프 줄이 팽팽하게 늘어나게 되면, 당연히 사람에게는 위로 작용하는 힘이 가해진다. 이 힘을 8장에서 다룬 Hooke의 법칙을 이용해서 1차식으로 근사할 수 있을 것이다. 또한 줄이 늘어나거나 줄어들 때 발생하는 마찰 효과를 고려하여 감쇠력을 포함시킬 수도 있다. 이러한 힘들은 중력 및 항력과 더불어 줄이 늘어날 때의 힘의 평형 방정식에서 제2의 힘으로 반영될 수 있다. 결과적으로 다음과 같이 미분방정식을 작성할 수 있다.

$$\frac{dv}{dt} = g - \text{sign}(v) \frac{c_d}{m} v^2 - \frac{k}{m} (x - L) - \frac{\gamma}{m} v \qquad (22.1b)$$

여기서 k는 줄의 스프링상수(N/m), x는 번지점프 출발대에서 아래 방향으로 측정한 수직 거리(m), L은 늘어나지 않은 줄의 길이(m), 그리고 γ는 감쇠계수(N·s/m)이다.

식 (22.1b)는 점프 줄이 늘어났을 경우에만($x > L$) 성립하므로 스프링 힘은 항상 음이 된다. 다시 말하면 스프링 힘은 항상 사람을 위로 당기는 작용을 한다. 감쇠력은 사람의 속도에 비례하여 증가하므로 항상 사람의 운동을 저지하는 역할을 한다.

이제 점프하는 사람의 속도를 구하기 위해서는, 줄이 완전히 펴질 때까지는 식 (22.1a)를 풀어야 하고, 점프 줄이 늘어난 이후에는 식 (22.1b)로 바꾸어서 풀어야 한다. 따라서 이는 당연한 말이지만, 위 두 식을 바꾸어가며 푼다는 것은 결국 사람의 위치를 알아야 된다는 것을 의미한다. 위치를 구하기 위해서 거리에 대한 또 다른 미분방정식을 세울 수 있는데 이는 다음과 같다.

$$\frac{dx}{dt} = v \qquad (22.2)$$

따라서 점프하는 사람의 속도를 구하기 위해서 두 개의 미분방정식을 풀어야 하는데, 그 중 한 개의 방정식은 종속변수들 중의 하나의 값에 따라 다른 형태[식 (22.1a) 또는 (22.1b)]를 취한다. 22장과 23장에서는 이 문제를 푸는 방법을 비롯해서 상미분방정식에 관련한 이와 유사한 문제를 다룬다.

---

[1] 어떤 컴퓨터 언어에서는 시그넘 함수를 `sgn(x)`로 표기하지만, MATLAB에서는 여기서 나타낸 것처럼 `sign(x)`라는 용어를 사용한다.

22.1 개요

이 장에서는 다음과 같은 형태의 미분방정식을 푸는 방법을 다룬다.

$$\frac{dy}{dt} = f(t, y) \tag{22.3}$$

1장에서 자유낙하하는 사람의 속도에 대한 위 형태의 방정식을 푸는 수치방법을 소개하였다. 이 방법은 다음과 같은 일반적인 형태를 가졌음을 상기하자.

새로운 값 = 이전 값 + 기울기 × 간격 크기

이를 수학적으로 표현하면 다음과 같다.

$$y_{i+1} = y_i + \phi h \tag{22.4}$$

여기서 기울기 ϕ 를 **증분함수**(increment function)라고 한다. 이 식에 의하면 기울기의 추정값 ϕ를 이용해서 거리 h에 걸쳐 이전 값 y_i에서부터 새로운 값 y_{i+1}을 외삽하여 산출한다. 이 공식은 단계별로 적용이 가능하기 때문에 해의 궤적을 미래까지 추적해 나갈 수 있다. 이러한 방법을 **단일단계법**이라고 하는데, 그 이유는 증분함수의 값이 단일 점 i에서의 정보에 기초를 두고 있기 때문이다. 1900년대 초에 이러한 문제를 처음으로 논의한 두 명의 응용수학자의 이름을 따서 이 방법을 **Runge-Kutta법**이라고도 한다. 또 다른 유형의 방법에 해당하는 **다단계법**은 외삽을 통한 새로운 값의 산출을 위해 여러 점에서의 이전 정보를 이용한다. 23장에서 다단계법에 대해 간략하게 설명한다.

　　모든 단일단계법은 일반적으로 식 (22.4)와 같은 형태를 가지며, 방법에 따라 다른 점은 단지 기울기를 어떻게 추정하는가에 있다. 가장 간단한 방법은 미분방정식을 사용하여 기울기를 t_i에서의 1차 도함수 형태로 추정하는 것이다. 즉 전체 간격에 대한 평균 기울기의 근사값으로 간격의 시작점에서의 기울기를 사용하는 것이다. 이 방법을 Euler법이라고 하며 다음 절에서 다룬다. 그리고 보다 정확한 예측값을 제공하는 기울기를 추정할 수 있는 다른 단일단계법들을 뒤이어 소개한다.

22.2 Euler법

1차 도함수로부터 바로 t_i에서의 기울기의 추정값을 구할 수 있다(그림 22.1).

$$\phi = f(t_i, y_i)$$

여기서 $f(t_i, y_i)$는 t_i와 y_i에서 계산한 미분방정식의 값이다. 이 추정값을 식 (22.4)에 대입하면 다음과 같다.

$$y_{i+1} = y_i + f(t_i, y_i)h \tag{22.5}$$

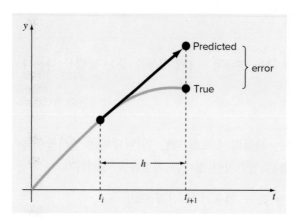

그림 22.1   Euler법.

이 공식을 **Euler법**(또는 Euler-Cauchy법 또는 점-기울기 법)이라고 한다. y의 새로운 값을 예측하기 위해 그림 22.1과 같이 기울기(원래 t 값에서의 1차 도함수와 일치)를 이용하여 간격 크기 h에 걸쳐 선형적으로 외삽한다.

예제 22.1 Euler법

문제 설명. Euler법을 이용하여 $y' = 4e^{0.8t} - 0.5y$를 $t = 0$에서 4까지 간격 크기를 1로 놓고 적분하라. 초기조건은 $t = 0$에서 $y = 2$이다. 참고로 정해를 해석적으로 구하면 다음과 같다.

$$y = \frac{4}{1.3}(e^{0.8t} - e^{-0.5t}) + 2e^{-0.5t}$$

풀이 식 (22.5)를 이용하여 Euler법을 실행한다.

$$y(1) = y(0) + f(0, 2)(1)$$

여기서 초기조건이 $y(0) = 2$이므로 $t = 0$에서의 기울기의 추정값은 다음과 같다.

$$f(0, 2) = 4e^0 - 0.5(2) = 3$$

따라서

$$y(1) = 2 + 3(1) = 5$$

$t = 1$에서의 정해는 다음과 같다.

$$y = \frac{4}{1.3}(e^{0.8(1)} - e^{-0.5(1)}) + 2e^{-0.5(1)} = 6.19463$$

표 22.1 $y' = 4e^{0.8t} - 0.5y$ 의 정해와 수치해의 비교. 초기조건은 $t = 0$에서 $y = 2$이고, 수치해는 간격 크기를 1로 놓고 Euler법을 이용하여 계산되었다.

t	y_{true}	y_{Euler}	$|\varepsilon_t|$ (%)
0	2.00000	2.00000	
1	6.19463	5.00000	19.28
2	14.84392	11.40216	23.19
3	33.67717	25.51321	24.24
4	75.33896	56.84931	24.54

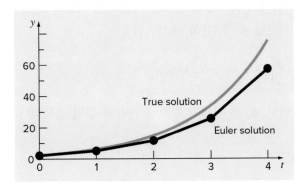

그림 22.2 $y' = 4e^{0.8t} - 0.5y$ 의 정해와 Euler법을 이용하여 계산한 수치해의 비교. $t = 0$에서 4까지의 범위에서 간격 크기는 1이며, 초기조건은 $t = 0$에서 $y = 2$이다.

그러므로 백분율 상대오차는 다음과 같다.

$$\varepsilon_t = \left| \frac{6.19463 - 5}{6.19463} \right| \times 100\% = 19.28\%$$

두 번째 간격에 대해서는

$$y(2) = y(1) + f(1, 5)(1)$$
$$= 5 + [4e^{0.8(1)} - 0.5(5)] (1) = 11.40216$$

$t = 2.0$에서의 정해는 14.84392이므로 참 백분율 상대오차는 23.19%이다. 계산을 반복적으로 수행하여 얻은 결과를 정리하면 표 22.1과 그림 22.2와 같다. 비록 계산결과가 정해의 전반적인 경향을 반영하고 있지만 그 오차는 상당히 큼을 알 수 있다. 다음 절에서 논의하겠지만 이 오차는 간격 크기를 작게 함으로써 줄일 수 있다.

22.2.1 Euler법에 대한 오차해석

상미분방정식의 수치해는 두 종류의 오차를 포함한다(4장 참조).

1. **절단**오차는 y 값을 근사적으로 구하는 수치방법의 특성에서 발생한다.
2. **반올림**오차는 컴퓨터가 저장할 수 있는 유효숫자의 자리수가 제한적이기 때문에 발생한다.

절단오차는 두 부분으로 구성된다. 첫 번째는 단일 간격에 걸쳐 수치방법을 적용했을 때 발생하는 **국부절단오차**(local truncation error)이다. 두 번째는 전 단계들에서 구한 근사값으로 인해 발생하는 **전파절단오차**(propagated truncation error)이다. 이 둘의 합이 전체오차가 되며, 이것을 **전체 절단오차**(global truncation error)라고 한다.

Taylor 급수전개로부터 직접 Euler법을 유도함으로써 절단오차의 크기와 특성에 대한 이해와 통찰력을 얻을 수 있다. 이를 위해 적분해야 할 미분방정식은 식 (22.3)과 같이 일반적인 형태로 표현되는데, 여기서 $dy/dt = y'$이고 t와 y는 각각 독립변수와 종속변수이다. 만약 해(y의 거동을 나타내는 함수)가 연속적인 도함수를 가진다면, 다음과 같이 시작점 (t_i, y_i) 부근에서 Taylor 급수전개로 나타낼 수 있다[식 (4.13) 참조].

$$y_{i+1} = y_i + y_i'h + \frac{y_i''}{2!}h^2 + \cdots + \frac{y_i^{(n)}}{n!}h^n + R_n \tag{22.6}$$

여기서 $h = t_{i+1} - t_i$이고, R_n은 나머지 항으로 다음과 같이 정의된다.

$$R_n = \frac{y^{(n+1)}(\xi)}{(n+1)!}h^{n+1} \tag{22.7}$$

여기서 ξ는 위 식을 만족시키는 t_i에서 t_{i+1} 사이의 간격 내에 존재하는 임의의 점이다. 식 (22.3)을 식 (22.6)과 (22.7)에 대입하면 다음의 또 다른 형태의 식을 얻을 수도 있다.

$$y_{i+1} = y_i + f(t_i, y_i)h + \frac{f'(t_i, y_i)}{2!}h^2 + \cdots + \frac{f^{(n-1)}(t_i, y_i)}{n!}h^n + O(h^{n+1}) \tag{22.8}$$

여기서 $O(h^{n+1})$은 간격 크기의 $(n+1)$ 거듭제곱에 비례하는 국부절단오차를 나타낸다.

식 (22.5)와 (22.8)을 비교하면 Euler법은 Taylor 급수에서 $f(t_i, y_i)h$ 항까지만 포함한다는 것을 알 수 있다. 이는 또한 Taylor 급수에서 유한한 개수의 일부 항만을 취하여 정해를 근사하기 때문에 절단오차가 발생한다는 것을 의미한다. 결국 정해의 일부분을 잘라버린 셈이며, 이 때문에 절단오차라는 용어를 사용한다. 예를 들어 Euler법에서의 절단오차는 Taylor 급수에서 잘라버린, 식 (22.5)에 포함되지 않은, 나머지 항들에 기인한다. 식 (22.8)에서 식 (22.5)를 빼면 다음과 같다.

$$E_t = \frac{f'(t_i, y_i)}{2!}h^2 + \cdots + O(h^{n+1}) \tag{22.9}$$

여기서 E_t는 참 국부절단오차이다. 충분히 작은 h에 대해서 식 (22.9)의 고차 항들은 일반적으로 무시될 수 있기 때문에, 그 결과는 종종 다음과 같이 표현된다.

$$E_a = \frac{f'(t_i, y_i)}{2!}h^2 \tag{22.10}$$

또는

$$E_a = O(h^2) \tag{22.11}$$

여기서 E_a는 근사 국부절단오차이다.

식 (22.10)에 의하면 국부오차는 간격 크기의 제곱과 미분방정식의 1차 도함수에 비례한다는 것을 알 수 있다. 또한 전체 절단오차는 $O(h)$, 즉 간격 크기에 비례한다는 것을 증명할 수 있다(Carnahan 등, 1969). 지금까지 살펴본 바를 토대로 다음과 같은 유용한 결론을 얻는다.

1. 전체 오차는 간격 크기를 작게 함으로써 줄일 수 있다.
2. 이 방법은 미분방정식의 해가 선형 함수인 경우에는 오차가 없는 정해를 도출한다. 이는 직선에 대한 2차 도함수는 0이기 때문이다.

두 번째 결론이 타당하다는 것은 직관적으로 알 수 있는데, 그 이유는 Euler법은 해를 근사하기 위해 직선 선분을 사용하기 때문이다. 따라서 Euler법을 **1차 방법**(first-order method)이라고도 한다.

주목할 점은 이러한 일반적인 특징이 다음에 설명할 고차 단일단계법에도 그대로 유효하다는 것이다. 다시 말하면 n차 방법은 구하고자 하는 해가 n차 다항식인 경우에 정확한 결과를 산출한다. 더욱이 국부절단오차는 $O(h^{n+1})$이고 전체오차는 $O(h^n)$이 된다.

22.2.2 Euler법의 수치안정성

앞 절에서 Euler법의 절단오차는 간격의 크기에 의존하며, 이는 Taylor 급수에 기초하여 예측할 수 있음을 보았다. 이와 같은 절단오차는 정확도 문제와 관련된다.

상미분방정식을 풀 때 반드시 살펴야 할 또 다른 중요한 고려 사항은 수치해법의 안정성이다. 유한해(bounded solution)를 가지는 문제에 대하여 오차가 기하급수적으로 증가할 경우, 수치해는 불안정하다고 말한다. 특정한 응용문제에서의 안정성은 풀어야 하는 미분방정식, 수치방법, 그리고 간격 크기의 세 가지 요인에 따라 달라질 수 있다.

수치안정성에 요구되는 간격의 크기에 대한 이해는 매우 간단한 상미분방정식을 통해 살펴볼 수 있다.

$$\frac{dy}{dt} = -ay \tag{22.12}$$

$y(0) = y_0$인 경우, 미적분학을 이용하여 다음의 해를 구할 수 있다.

$$y = y_0 e^{-at}$$

따라서 해는 y_0에서 출발하여 점근적으로 0에 다가간다.

이제 같은 문제를 Euler법을 이용하여 수치적으로 푼다고 하자.

$$y_{i+1} = y_i + \frac{dy_i}{dt} h$$

식 (22.12)를 대입하면 다음과 같다.

$$y_{i+1} = y_i - ay_i h$$

또는

$$y_{i+1} = y_i (1 - ah) \tag{22.13}$$

괄호 안의 양 $1 - ah$를 **확대인자**(amplification factor)라고 한다. 이 양의 절대값이 1보다 크면 해는 무한히 증가하게 된다. 따라서 수치안정성은 명백히 간격 크기 h에 의존한다. 즉 $h > 2/a$이면, $i \to \infty$로 감에 따라 $|y_i| \to \infty$가 된다. 이와 같은 분석을 바탕으로 Euler법은 **조건부로 안정**(conditionally stable)하다고 한다.

수치방법에 관계없이 오차가 항상 증가하는 상미분방정식들도 있다. 이러한 상미분방정식들은 **불량조건**(ill-conditioned)에 있다고 한다.

부정확성과 불안정성은 종종 혼동된다. 이는 아마 두 가지 모두 (a) 수치해가 틀리게 되는 경우를 나타내고, (b) 간격의 크기에 영향을 받기 때문이다. 그러나 이들은 분명 서로 다른 문제이다. 예를 들면 부정확한 방법도 매우 안정적일 수 있다. 이 주제는 23장에서 강성 시스템을 논의할 때 다시 살펴보게 될 것이다.

22.2.3 MATLAB M-파일 함수: `eulode`

이미 3장에서 번지점프하는 사람이 자유낙하하는 문제에 대해 Euler법을 실행하는 간단한 M-파일 함수를 작성해 보았다. 3.6절에서 이 함수는 Euler법을 이용하여 자유낙하 후의 임의의 시간에 대해 속도를 계산했던 것을 기억하자. 이제 보다 일반적인 범용 알고리즘을 개발해 보자.

그림 22.3은 Euler법을 이용하여 독립변수 t 값의 어떤 범위에 대해 종속변수 y 값을 계산하는 M-파일을 보여준다. 미분방정식의 우변을 나타내는 함수는 입력 변수 dydt로 함수 eulode에 전달된다. 독립변수의 범위를 나타내는 시작값과 끝값은 벡터 tspan으로 전달된다. 초기값과 원하는 간격 크기는 각각 y0와 h로 전달된다.

함수는 우선 지정된 독립변수의 범위에 대해 증분 h를 이용하여 독립변수 벡터 t를 생성한다. 독립변수의 범위가 간격 크기로 정확하게 나누어지지 않을 경우에는 t의 최종 원소가 범위의 끝값인 tf와 일치하지 않게 된다. 이런 경우 끝값을 벡터 t에 추가하여 t의 모든 원소가 전체 범위에 걸쳐지도록 한다. 벡터 t의 크기는 n으로 표시된다. 또한 종속변수 벡터 y의 모든 원소들(n개)의 값을 주어진 초기값으로 미리 할당하여 효율성을 높인다.

여기서 식 (22.5)의 Euler법은 다음과 같은 간단한 루프로 구현된다.

```
for i = 1:n-1
  y(i+1) = y(i) + dydt(t(i),y(i),varargin{:})*(t(i+1)-t(i));
end
```

독립변수와 종속변수의 적절한 값에서 도함수의 값을 생성하기 위해 (미분방정식의 우변을 나

```
function [t,y] = eulode(dydt,tspan,y0,h,varargin)
% eulode: Euler ODE solver
%   [t,y] = eulode(dydt,tspan,y0,h,p1,p2,...):
%           uses Euler's method to integrate an ODE
% input:
%   dydt = name of the M-file that evaluates the ODE
%   tspan = [ti, tf] where ti and tf = initial and
%           final values of independent variable
%   y0 = initial value of dependent variable
%   h = step size
%   p1,p2,... = additional parameters used by dydt
% output:
%   t = vector of independent variable
%   y = vector of solution for dependent variable

if nargin<4,error('at least 4 input arguments required'),end
ti = tspan(1);tf = tspan(2);
if ~(tf>ti),error('upper limit must be greater than lower'),end
t = (ti:h:tf)'; n = length(t);
% if necessary, add an additional value of t
% so that range goes from t = ti to tf
if t(n)<tf
  t(n+1) = tf;
  n = n+1;
end
y = y0*ones(n,1); %preallocate y to improve efficiency
for i = 1:n-1 %implement Euler's method
  y(i+1) = y(i) + dydt(t(i),y(i),varargin{:})*(t(i+1)-t(i));
end
```

그림 22.3   Euler법을 실행하는 M-파일.

타내는) 함수가 어떻게 이용되는지 유의하라. 또한 벡터 t 내의 인접한 두 값의 차이를 가지고 시간 간격을 어떻게 자동적으로 계산하는지에 대해서도 유의한다.

풀어야 할 상미분방정식은 여러 가지 방법으로 정의될 수 있다. 첫 번째로 미분방정식은 무명함수 객체로서 정의될 수 있다. 예제 22.1의 상미분방정식에 대해 예를 들면 다음과 같다.

```
>> dydt = @(t,y) 4*exp(0.8*t) - 0.5*y;
```

해를 생성하기 위하여 다음과 같이 입력한다.

```
>> [t,y] = eulode(dydt,[0 4],2,1);
>> disp([t,y])
```

그 결과는 아래와 같다(표 22.1과 비교하라).

```
     0    2.0000
1.0000    5.0000
2.0000   11.4022
3.0000   25.5132
4.0000   56.8493
```

현재의 경우 무명함수를 사용하는 것이 가능하지만, 상미분방정식을 정의하는 데 몇 줄씩의 코딩이 필요한, 보다 복잡한 문제도 있다. 이 경우에는 별도의 M-파일을 만드는 것이 유일한 옵션이다.

22.3 Euler법의 개선

Euler법에서 오차의 근본적인 원인은 간격의 시작점에서의 도함수를 전체 간격에 걸쳐 적용한다는 가정에 있다. 이러한 단점을 해결하기 위한 두 가지의 간단한 수정 방법이 있다. 22.4절에서 보이겠지만 두 가지 수정 방법(Euler법도 포함해서) 모두 실제로 Runge-Kutta법이라고 하는 더 큰 범주의 해법에 속한다. 그러나 두 방법이 그래픽적으로 매우 쉽게 이해될 수 있기 때문에 Runge-Kutta법으로서의 수식적인 유도에 앞서 미리 소개하도록 한다.

22.3.1 Heun법

기울기의 추정값을 개선하는 방법 중 한 가지는 간격에 대해 두 개의 도함수, 즉 하나는 시작점에서, 그리고 나머지 하나는 끝점에서 두 도함수를 이용하는 것이다. 그런 다음 전체 간격에 대한 기울기의 개선된 추정값을 얻기 위해 두 도함수값의 평균을 취한다. 이 방법을 **Heun법**이라고 하며 그림 22.4와 같이 도시할 수 있다.

Euler법을 되새겨보면, 기울기를 간격의 시작점에서 구한다.

$$y_i' = f(t_i, y_i) \tag{22.14}$$

이 기울기를 선형적으로 외삽하여 y_{i+1} 값을 구한다.

$$y_{i+1}^0 = y_i + f(t_i, y_i)h \tag{22.15}$$

일반적인 Euler법은 여기서 끝난다. 그러나 Heun법에서는 식 (22.15)로 계산한 y_{i+1}^0 값이 최

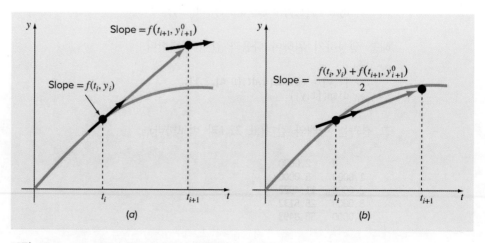

그림 22.4   Heun법의 그래픽 표현. (a) 예측자 (b) 수정자.

종 답이 아니고 중간 예측값이다. 상첨자 0을 붙인 이유도 바로 이 때문이다. 식 (22.15)를 **예측자 방정식**(predictor equation)이라 한다. 이 식은 간격 끝점에서의 기울기를 계산할 수 있는 추정값을 제공한다.

$$y'_{i+1} = f(t_{i+1}, y^0_{i+1}) \tag{22.16}$$

따라서 두 기울기[식 (22.14)와 (22.16)]를 이용하여 전체 간격에 적용할 평균 기울기를 다음과 같이 구할 수 있다.

$$\bar{y}' = \frac{f(t_i, y_i) + f(t_{i+1}, y^0_{i+1})}{2}$$

이 평균 기울기는 Euler법을 이용하여 y_i값으로부터 y_{i+1}값까지 선형적으로 외삽하는 데 이용된다.

$$y_{i+1} = y_i + \frac{f(t_i, y_i) + f(t_{i+1}, y^0_{i+1})}{2} h \tag{22.17}$$

이 식을 **수정자 방정식**(corrector equation)이라 한다.

Heun법은 **예측자-수정자 방법**(predictor-corrector approach)이다. 방금 유도했듯이 이 방법을 간결하게 정리하면 다음과 같다.

예측자(그림 22.4a): $y^0_{i+1} = y^m_i + f(t_i, y_i)h$ $\tag{22.18}$

수정자(그림 22.4b): $y^j_{i+1} = y^m_i + \dfrac{f(t_i, y^m_i) + f(t_{i+1}, y^{j-1}_{i+1})}{2} h$ $\tag{22.19}$

$$(\text{for } j = 1, 2, \ldots, m)$$

식 (22.19)의 양변에 y_{i+1}이 있기 때문에 반복적인 방법으로 적용될 수 있다. 즉 이전 추정값 y_{i+1}을 우변에 반복적으로 대입하여, 좌변에서 개선된 결과 y_{i+1}을 얻는다. 이 과정을 도시하면 그림 22.5와 같다.

이 책의 앞에서 논의되었던 다른 반복법들과 마찬가지로, 수정자의 수렴에 대한 종료 판정 기준은 다음과 같다.

$$|\varepsilon_a| = \left| \frac{y^j_{i+1} - y^{j-1}_{i+1}}{y^j_{i+1}} \right| \times 100\%$$

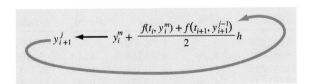

그림 22.5 개선된 추정값을 얻기 위한 Heun법의 수정자 반복에 대한 그래픽 표현.

여기서 y_{i+1}^{j-1}과 y_{i+1}^{j}는 각각 수정자의 이전 반복과 현재 반복의 결과이다. 반복 과정을 통해 구해지는 결과가 반드시 정확한 답으로 수렴하는 것은 아니지만, 다음 예제에서 보듯이 유한한 절단오차를 갖는 추정값으로 수렴한다는 것을 이해해야 한다.

예제 22.2 Heun법

문제 설명. 반복적인 Heun법을 이용하여 $y' = 4e^{0.8t} - 0.5y$를 $t = 0$에서 4까지 간격 크기를 1로 놓고 적분하라. 초기조건은 $t = 0$에서 $y = 2$이다. 수정자의 반복을 끝내기 위한 종료 기준으로 0.00001%를 사용하라.

풀이 먼저 점 (t_0, y_0)에서의 초기 기울기를 다음과 같이 계산한다.

$$y_0' = 4e^0 - 0.5(2) = 3$$

그리고 예측자를 사용하여 다음과 같이 1.0에서의 값을 계산한다.

$$y_1^0 = 2 + 3(1) = 5$$

이 결과는 일반적인 Euler법을 이용하면 얻을 수 있는 값이다. 표 22.2의 참값은 이 결과가 19.28%의 백분율 상대오차를 가짐을 보여준다.

이제 y_{i+1}값을 개선하기 위하여 y_1^0을 사용하여 간격 끝에서의 기울기를 다음과 같이 예측한다.

$$y_1' = f(x_1, y_1^0) = 4e^{0.8(1)} - 0.5(5) = 6.402164$$

이 결과를 초기 기울기와 조합하여 $t = 0$에서 1까지의 간격에 대한 평균 기울기를 구하는 데 사용한다.

$$\bar{y}' = \frac{3 + 6.402164}{2} = 4.701082$$

표 22.2 $y' = 4e^{0.8t} - 0.5y$ 의 적분에서 정해와 수치해의 비교. 초기조건은 $t = 0$에서 $y = 2$이고, Euler법과 Heun법을 사용하여 간격 크기를 1로 놓고 수치해를 계산하였다. Heun법에서는 수정자 반복이 없는 경우와 있는 경우를 모두 수행하였다.

t	y_{true}	y_{Euler}	$|\varepsilon_t|$ (%)	Without Iteration y_{Heun}	$|\varepsilon_t|$ (%)	With Iteration y_{Heun}	$|\varepsilon_t|$ (%)
0	2.00000	2.00000		2.00000		2.00000	
1	6.19463	5.00000	19.28	6.70108	8.18	6.36087	2.68
2	14.84392	11.40216	23.19	16.31978	9.94	15.30224	3.09
3	33.67717	25.51321	24.24	37.19925	10.46	34.74328	3.17
4	75.33896	56.84931	24.54	83.33777	10.62	77.73510	3.18

이 결과를 식 (22.19)의 수정자에 대입하여 $t = 1$에서의 예측값을 구한다.

$$y_1^1 = 2 + 4.701082(1) = 6.701082$$

이 값은 -8.18%의 참 백분율 상대오차를 나타낸다. 따라서 수정자의 반복이 없는 Heun법으로 계산한 결과는 그 절대오차가 Euler법에 비해 2.4배 감소한다. 여기서 근사오차를 계산하면 다음과 같다.

$$|\varepsilon_a| = \left| \frac{6.701082 - 5}{6.701082} \right| \times 100\% = 25.39\%$$

이제 예측값 y_1을 개선시키기 위해 새로운 값을 식 (22.19)의 우변에 다시 대입하면 다음의 결과를 얻는다.

$$y_1^2 = 2 + \frac{3 + 4e^{0.8(1)} - 0.5(6.701082)}{2} 1 = 6.275811$$

이 결과는 1.31%의 참 백분율 상대오차를 나타내며, 근사오차를 계산하면 다음과 같다.

$$|\varepsilon_a| = \left| \frac{6.275811 - 6.701082}{6.275811} \right| \times 100\% = 6.776\%$$

그 다음 반복 결과는 다음과 같다.

$$y_1^2 = 2 + \frac{3 + 4e^{0.8(1)} - 0.5(6.275811)}{2} 1 = 6.382129$$

이 결과는 3.03%의 참오차를 나타내며, 근사오차는 1.666%가 된다.

근사오차는 반복 과정을 진행함에 따라 지속적으로 줄어들어 안정된 최종 결과에 수렴하게 된다. 이 예제에서는 12번 반복 계산을 하면 종료 기준이 만족된다. 이때 $t = 1$에서의 값은 6.36087이고, 참 백분율 상대오차를 계산하면 2.68%가 된다. 표 22.2는 나머지 계산결과를 Euler법과 수정자의 반복이 없는 Heun법으로 얻은 결과와 함께 보여준다.

Heun법이 사다리꼴 공식과 관련되어 있다는 것을 인식하면 Heun법의 국부오차를 쉽게 이해할 수 있다. 앞서의 예제에서 도함수는 종속변수 y와 독립변수 t 모두의 함수이다. 상미분방정식이 단지 독립변수의 함수인 다항식의 경우에는 식 (22.18)의 예측 단계는 필요하지 않으며, 각 반복 단계에서 단 한번의 수정 단계만 거치면 된다. 이러한 경우, 이 방법은 다음과 같이 간결하게 표현된다.

$$y_{i+1} = y_i + \frac{f(t_i) + f(t_{i+1})}{2} h \tag{22.20}$$

식 (22.20) 우변의 두 번째 항과 식 (19.11)의 사다리꼴 공식이 서로 유사함에 주목하라. 이 두 방법의 연관성을 수식적으로 증명하기 위하여 상미분방정식을 다음과 같이 시작한다.

$$\frac{dy}{dt} = f(t) \tag{22.21}$$

이 식은 변수 분리 후 y에 대해 적분하여 풀 수 있다.

$$\int_{y_i}^{y_{i+1}} dy = \int_{t_i}^{t_{i+1}} f(t)\, dt \tag{22.22}$$

이 식은 다음과 같이 된다.

$$y_{i+1} - y_i = \int_{t_i}^{t_{i+1}} f(t)\, dt \tag{22.23}$$

또는

$$y_{i+1} = y_i + \int_{t_i}^{t_{i+1}} f(t)\, dt \tag{22.24}$$

이제 식 (19.11)의 사다리꼴 공식은 다음과 같이 정의됨을 상기하자.

$$\int_{t_i}^{t_{i+1}} f(t)\, dt = \frac{f(t_i) + f(t_{i+1})}{2} h \tag{22.25}$$

여기서 $h = t_{i+1} - t_i$이다. 식 (22.25)를 식 (22.24)에 대입하면 다음과 같다.

$$y_{i+1} = y_i + \frac{f(t_i) + f(t_{i+1})}{2} h \tag{22.26}$$

이 식은 식 (22.20)과 같다. 이러한 이유로 Heun법을 사다리꼴 공식이라고도 한다.

식 (22.26)은 바로 사다리꼴 공식이므로 국부절단오차는 다음과 같다[식 (19.14) 참조].

$$E_t = -\frac{f''(\xi)}{12} h^3 \tag{22.27}$$

여기서 ξ는 t_i와 t_{i+1} 사이에 존재한다. 따라서 이 방법은 2차가 되는데 그 이유는 정해가 2차식일 때 상미분방정식의 2차 도함수가 0이 되기 때문이다. 더욱이 국부오차와 전체오차는 각각 $O(h^3)$과 $O(h^2)$이다. 따라서 간격 크기를 줄이면 Euler법에 비해 빠른 속도로 오차가 감소한다.

22.3.2 중점법

그림 22.6은 Euler법의 또 다른 간단한 수정안을 도시한다. **중점법**(midpoint method)이라 불리는 이 방법은 Euler법을 이용하여 간격의 중점에서의 y 값을 예측한다(그림 22.6a).

$$y_{i+1/2} = y_i + f(t_i, y_i) \frac{h}{2} \tag{22.28}$$

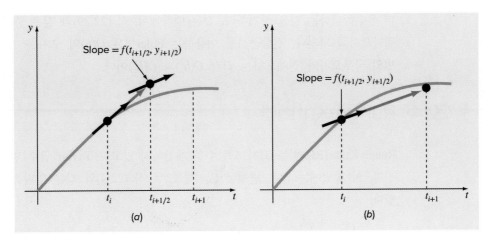

그림 22.6 중점법의 그래픽 표현. (a) 예측자와 (b) 수정자.

그리고 이렇게 예측한 값은 중점에서의 기울기를 구하는 데 사용한다.

$$y'_{i+1/2} = f(t_{i+1/2}, y_{i+1/2})$$ (22.29)

이는 전체 간격에 대한 평균 기울기의 근사값을 효과적으로 나타낸다고 가정한다. 그런 다음이 기울기를 이용하여 t_i부터 t_{i+1}까지 y 값을 선형적으로 외삽한다(그림 22.6b).

$$y_{i+1} = y_i + f(t_{i+1/2}, y_{i+1/2})h$$ (22.30)

y_{i+1} 이 양변에 있지 않기 때문에 식 (22.30)의 수정자를 Heun법에서와 같이 해를 개선하는 데 반복적으로 사용할 수 없다는 점에 주목한다.

Heun법의 논의에서와 마찬가지로 중점법도 Newton-Cotes 적분 공식과 연관될 수 있다. 표 19.4의 중점법이라고 하는 가장 간단한 Newton-Cotes 개구간 적분 공식은 다음과 같이 나타낼 수 있다.

$$\int_a^b f(x)\,dx \cong (b - a)f(x_1)$$ (22.31)

여기서 x_1은 구간 (a, b)의 중점이다. 현재 여기서 사용하는 표기법으로 식 (22.31)은 다음과 같이 표현될 수 있다.

$$\int_{t_i}^{t_{i+1}} f(t)\,dt \cong hf(t_{i+1/2})$$ (22.32)

이 식을 식 (22.24)에 대입하면 식 (22.30)이 되는 것을 알 수 있다. 따라서 Heun법을 사다리꼴 공식이라 부르는 것처럼 중점법이라는 이름도 그 기초가 되는 적분 공식으로부터 나온 것이다.

중점법은 예측 간격의 중점에서의 기울기의 추정값을 이용하기 때문에 Euler법보다 더 우수하다. 4.3.4절의 수치미분 논의에서 중심차분이 전향차분이나 후향차분보다 도함수 근사가 더 우수하다라는 것을 상기하라. 같은 맥락에서, 식 (22.29)와 같은 중심 근사는 $O(h^2)$의 국부 절단오차를 가지나, 전향근사를 이용하는 Euler법은 $O(h)$의 오차를 가진다. 결과적으로 중점법의 국부오차와 전체오차는 각각 $O(h^3)$과 $O(h^2)$이다.

22.4 Runge-Kutta법

Runge-Kutta(RK)법은 고차 도함수를 계산하지 않고도 Taylor 급수 방법이 갖는 정확도를 가진다. 이 방법에는 많은 변형이 있지만 모두 식 (22.4)와 같은 일반적인 형식으로 나타낼 수 있다.

$$y_{i+1} = y_i + \phi h \tag{22.33}$$

여기서 ϕ는 **증분함수**라고 하며, 간격에 대한 대표적인 기울기로 해석할 수 있다. 증분함수는 일반적인 형태로 다음과 같이 쓸 수 있다.

$$\phi = a_1 k_1 + a_2 k_2 + \cdots + a_n k_n \tag{22.34}$$

여기서 a는 상수이고, k는 다음과 같다.

$$k_1 = f(t_i, y_i) \tag{22.34a}$$

$$k_2 = f(t_i + p_1 h, y_i + q_{11} k_1 h) \tag{22.34b}$$

$$k_3 = f(t_i + p_2 h, y_i + q_{21} k_1 h + q_{22} k_2 h) \tag{22.34c}$$

$$\vdots$$

$$k_n = f(t_i + p_{n-1} h, y_i + q_{n-1,1} k_1 h + q_{n-1,2} k_2 h + \cdots + q_{n-1,n-1} k_{n-1} h) \tag{22.34d}$$

여기서 p와 q는 상수이다. k는 순환적 관계에 있음을 주목하라. 즉, k_2에 대한 방정식에 k_1이 나타나고, k_3에 대한 방정식에 k_2가 나타나는 등, 이 관계는 반복된다. 각각의 k는 함수를 계산한 값이므로 이 순환 반복은 컴퓨터 계산에서 RK법을 효율적으로 수행할 수 있게 한다.

　증분함수 내의 항의 수 n에 따라 다양한 유형의 RK법을 고안할 수 있다. $n = 1$인 1차 RK법은 사실 Euler법이다. 일단 n이 정해지면, 식 (22.33)을 Taylor 급수전개에서의 항들과 비교하여, 대응하는 항들끼리 같다고 놓고 a, p, q의 값을 구한다. 따라서 적어도 낮은 차수의 방법에 대해서는 항의 수 n이 일반적으로 고안하는 방법의 차수를 나타낸다. 예를 들어, 22.4.1절에서 다룰 2차 RK법은 두 항($n = 2$)을 가진 증분함수를 사용한다. 이러한 2차 방법은 미분방정식의 해가 2차식인 경우에는 정확할 것이다. 더불어 h^3 이상의 고차 항들을 유도과정에서 잘라버리므로 국부절단오차는 $O(h^3)$이 되고 전체오차는 $O(h^2)$가 된다. 22.4.2절에서는 전체 절단오차가 $O(h^4)$인 4차 RK법($n = 4$)을 소개한다.

22.4.1 2차 Runge-Kutta법

식 (22.33)의 2차 방법은 다음과 같다.

$$y_{i+1} = y_i + (a_1 k_1 + a_2 k_2)h \qquad (22.35)$$

여기서

$$k_1 = f(t_i, y_i) \qquad (22.35a)$$

$$k_2 = f(t_i + p_1 h, y_i + q_{11} k_1 h) \qquad (22.35b)$$

a_1, a_2, p_1, 그리고 q_{11}의 값은 식 (22.35)를 2차 Taylor 급수전개와 같다고 놓고 결정한다. 이렇게 하면 네 개의 미지 상수를 계산하기 위한 세 개의 식이 유도된다[자세한 내용은 Chapra와 Canale (2010) 참조]. 세 개의 식은 다음과 같다.

$$a_1 + a_2 = 1 \qquad (22.36)$$

$$a_2 p_1 = 1/2 \qquad (22.37)$$

$$a_2 q_{11} = 1/2 \qquad (22.38)$$

네 개의 미지수에 대해 세 개의 식이 주어졌기 때문에 부족결정(underdetermined) 시스템이다. 따라서 미지수 중 한 개의 값을 임의로 가정하여야만 나머지 세 개의 값을 결정할 수 있다. a_2에 대해 특정 값을 지정한다고 가정해 보자. 그런 후 식 (22.36)에서부터 (22.38)을 동시에 풀면 다음의 관계식을 얻을 수 있다.

$$a_1 = 1 - a_2 \qquad (22.39)$$

$$p_1 = q_{11} = \frac{1}{2a_2} \qquad (22.40)$$

a_2에 대해 무한히 많은 값을 지정할 수 있기 때문에 무한히 많은 2차 RK법을 얻을 수 있을 것이다. 이 모든 2차 RK법은 상미분방정식의 해가 2차식이거나 1차식 또는 상수인 경우에는 모두 같은 결과를 산출할 것이다. 그러나 해가 보다 복잡해지면(이런 경우가 대부분임) 각각의 방법은 서로 다른 결과를 산출한다. 흔히 사용되며 선호되는 세 가지 방법을 다음에 소개한다.

반복이 없는 Heun법($a_2 = 1/2$). a_2를 1/2로 가정하고 식 (22.39)와 (22.40)을 풀면 $a_1 = 1/2$과 $p_1 = q_{11} = 1$을 얻을 수 있다. 이 매개변수들을 식 (22.35)에 대입하면 다음과 같다.

$$y_{i+1} = y_i + \left(\frac{1}{2}k_1 + \frac{1}{2}k_2\right)h \qquad (22.41)$$

여기서

$$k_1 = f(t_i, y_i) \tag{22.41a}$$

$$k_2 = f(t_i + h, y_i + k_1 h) \tag{22.41b}$$

k_1은 간격의 시작점에서의 기울기이고, k_2는 간격의 끝점에서의 기울기라는 것을 주목하라. 결과적으로 이 2차 RK법은 사실 수정자의 반복이 없는 Heun법과 같다.

중점법($a_2 = 1$). a_2를 1로 가정하면 $a_1 = 0$과 $p_1 = q_{11} = 1/2$을 얻을 수 있고, 식 (22.35)는 다음과 같이 된다.

$$y_{i+1} = y_i + k_2 h \tag{22.42}$$

여기서

$$k_1 = f(t_i, y_i) \tag{22.42a}$$

$$k_2 = f(t_i + h/2, y_i + k_1 h/2) \tag{22.42b}$$

이는 중점법이다.

Ralston법($a_2 = 3/4$). Ralston (1962), Ralston과 Rabinowitz (1978)는 a_2를 3/4으로 놓을 때 2차 RK 알고리즘에서 절단오차가 최소가 됨을 밝혔다. 이 경우에는 $a_1 = 1/4$과 $p_1 = q_{11} = 2/3$를 얻으며, 식 (22.35)는 다음과 같이 된다.

$$y_{i+1} = y_i + \left(\frac{1}{4} k_1 + \frac{3}{4} k_2\right) h \tag{22.43}$$

여기서

$$k_1 = f(t_i, y_i) \tag{22.43a}$$

$$k_2 = f\left(t_i + \frac{2}{3} h, y_i + \frac{2}{3} k_1 h\right) \tag{22.43b}$$

22.4.2 전형적인 4차 Runge–Kutta법

가장 보편적인 RK법은 4차이다. 2차 방법의 경우와 마찬가지로 4차 방법 역시 무한히 많다. 다음은 가장 보편적인 형식이며, 이 방법을 **전형적인 4차 RK법**(classical fourth-order RK method)이라고 한다.

$$y_{i+1} = y_i + \frac{1}{6}(k_1 + 2k_2 + 2k_3 + k_4)h \tag{22.44}$$

여기서

$$k_1 = f(t_i, y_i) \tag{22.44a}$$

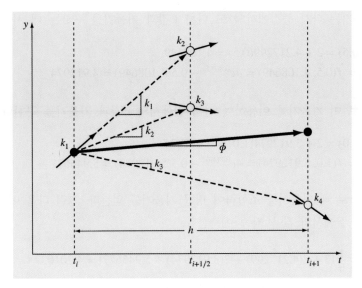

그림 22.7 4차 RK법을 구성하는 기울기 추정값들의 그래픽 표현.

$$k_2 = f\left(t_i + \frac{1}{2}h, y_i + \frac{1}{2}k_1h\right) \tag{22.44b}$$

$$k_3 = f\left(t_i + \frac{1}{2}h, y_i + \frac{1}{2}k_2h\right) \tag{22.44c}$$

$$k_4 = f(t_i + h, y_i + k_3h) \tag{22.44d}$$

상미분방정식이 단지 t만의 함수인 경우, 전형적인 4차 RK법은 Simpson 1/3 공식과 유사하다는 것에 주목하라. 또한 4차 RK법은 간격에 대한 평균 기울기를 개선하기 위해 여러 기울기 값을 사용한다는 점에서 Heun법과 유사하다. 그림 22.7에 도시된 바와 같이 각 k는 기울기를 나타낸다. 식 (22.44)는 개선된 기울기를 얻기 위한 이들 기울기들의 가중평균을 나타낸다.

예제 22.3 전형적인 4차 RK법

문제 설명. 전형적인 4차 RK법을 이용하여 $y' = 4e^{0.8t} - 0.5y$를 $t = 0$에서 1까지 간격 크기를 1로 놓고 적분하라. 초기조건은 $y(0) = 2$이다.

풀이 이 경우에 대해 간격의 시작점에서의 기울기는 다음과 같이 계산된다.

$$k_1 = f(0, 2) = 4e^{0.8(0)} - 0.5(2) = 3$$

이 값은 중점에서의 y 값과 기울기를 구하는 데 사용된다.

$$y(0.5) = 2 + 3(0.5) = 3.5$$
$$k_2 = f(0.5, 3.5) = 4e^{0.8(0.5)} - 0.5(3.5) = 4.217299$$

이 기울기는 다시 중점에서의 또 다른 y 값과 기울기를 구하는 데 사용된다.

$$y(0.5) = 2 + 4.217299(0.5) = 4.108649$$
$$k_3 = f(0.5, 4.108649) = 4e^{0.8(0.5)} - 0.5(4.108649) = 3.912974$$

다음으로 이 기울기를 이용하여 간격 끝에서의 y 값과 기울기를 구한다.

$$y(1.0) = 2 + 3.912974(1.0) = 5.912974$$
$$k_4 = f(1.0, 5.912974) = 4e^{0.8(1.0)} - 0.5(5.912974) = 5.945677$$

마지막으로 네 기울기를 조합하여 평균 기울기를 얻는다. 그런 다음 이 평균 기울기를 이용하여 간격 끝에서의 값을 최종 예측한다.

$$\phi = \frac{1}{6}[3 + 2(4.217299) + 2(3.912974) + 5.945677] = 4.201037$$

$$y(1.0) = 2 + 4.201037(1.0) = 6.201037$$

이 값은 정해인 6.194631과 잘 일치하는 결과임을 알 수 있다($\varepsilon_t = 0.103\%$).

당연히 5차 또는 그 이상의 고차 RK법의 개발도 가능하다. 그 예로 Butcher (1964)의 5차 RK법은 다음과 같다.

$$y_{i+1} = y_i + \frac{1}{90}(7k_1 + 32k_3 + 12k_4 + 32k_5 + 7k_6)h \tag{22.45}$$

여기서

$$k_1 = f(t_i, y_i) \tag{22.45a}$$

$$k_2 = f\left(t_i + \frac{1}{4}h, y_i + \frac{1}{4}k_1h\right) \tag{22.45b}$$

$$k_3 = f\left(t_i + \frac{1}{4}h, y_i + \frac{1}{8}k_1h + \frac{1}{8}k_2h\right) \tag{22.45c}$$

$$k_4 = f\left(t_i + \frac{1}{2}h, y_i - \frac{1}{2}k_2h + k_3h\right) \tag{22.45d}$$

$$k_5 = f\left(t_i + \frac{3}{4}h, y_i + \frac{3}{16}k_1h + \frac{9}{16}k_4h\right) \tag{22.45e}$$

$$k_6 = f\left(t_i + h, y_i - \frac{3}{7}k_1h + \frac{2}{7}k_2h + \frac{12}{7}k_3h - \frac{12}{7}k_4h + \frac{8}{7}k_5h\right) \tag{22.45f}$$

식 (22.45)의 Butcher법이 표 19.2의 Boole법과 유사함을 주목하라. 예상할 수 있듯이 이 방법은 전체 절단오차의 크기가 $O(h^5)$이다.

비록 5차 공식이 보다 정확하겠지만 여섯 개의 함수값을 계산해야 하는 문제점이 따른다. 4차 공식까지는 n차 RK법에서 n개의 함수값 계산을 필요로 한다. 흥미롭게도 4차를 넘어서

면 추가로 한 개 또는 두 개의 함수값을 더 계산해야 한다. 함수의 계산이 컴퓨터 연산시간의 대부분을 차지하므로, 5차 이상의 방법은 4차 방법에 비해 상대적으로 덜 효율적이라고 간주된다. 이 점이 4차 RK법이 보편적으로 사용되는 중요한 이유 중의 하나이다.

22.5 연립방정식

공학과 과학 분야의 실제 문제에서 한 개의 상미분방정식보다는 여러 개의 상미분방정식을 동시에 풀어야 하는 경우가 많다. 이러한 시스템은 일반적으로 다음과 같이 기술된다.

$$
\begin{aligned}
\frac{dy_1}{dt} &= f_1(t, y_1, y_2, \ldots, y_n) \\
\frac{dy_2}{dt} &= f_2(t, y_1, y_2, \ldots, y_n) \\
&\vdots \\
\frac{dy_n}{dt} &= f_n(t, y_1, y_2, \ldots, y_n)
\end{aligned}
\tag{22.46}
$$

이 시스템의 해를 구하기 위해서는 시작값 t에서 n개의 초기조건이 주어져야만 한다.

한 예로 이 장의 첫 부분에서 다룬 번지점프하는 사람의 속도와 위치를 계산하는 문제를 살펴보자. 사람이 자유낙하하는 동안에는 다음의 미분방정식을 푸는 문제가 된다.

$$
\frac{dx}{dt} = v
\tag{22.47}
$$

$$
\frac{dv}{dt} = g - \frac{c_d}{m}v^2
\tag{22.48}
$$

출발대의 위치를 $x = 0$이라고 정의하면, 초기조건은 $x(0) = v(0) = 0$이다.

22.5.1 Euler법

단일 상미분방정식을 풀기 위해 이 장에서 설명한 모든 방법은 연립 상미분방정식으로 확장되어 적용될 수 있다. 실제 공학적 응용에는 수천 개의 식으로 구성된 연립방정식도 있을 수 있다. 연립방정식을 푸는 절차는 각 단계에서 모든 방정식에 대해 단일단계 방법을 적용한 후에 다음 단계로 넘어가는 것이다. 다음의 Euler법에 대한 예제는 이러한 경우를 잘 설명한다.

예제 22.4 **Euler법을 이용한 연립 상미분방정식의 풀이**

문제 설명. Euler법을 이용하여 번지점프하는 사람이 자유낙하할 때의 속도와 위치를 구하라. 초기조건을 $t = 0$일 때 $x = v = 0$로 가정하고, 간격 크기를 2초로 하여 $t = 10$초까지 적분을 수행하라. 예제 1.1과 1.2에서와 같이 중력가속도는 9.81 m/s^2, 사람의 질량은 68.1 kg, 항력계수는 0.25 kg/m를 사용하라.

속도에 대한 해석해는 다음과 같음을 상기한다[식 (1.9)].

$$v(t) = \sqrt{\frac{gm}{c_d}} \tanh\left(\sqrt{\frac{gc_d}{m}}\, t\right)$$

이 결과를 식 (22.47)에 대입하여 적분을 수행하면, 거리에 대한 해석해를 다음과 같이 얻을 수 있다.

$$x(t) = \frac{m}{c_d} \ln\left[\cosh\left(\sqrt{\frac{gc_d}{m}}\, t\right)\right]$$

이들 해석해를 사용하여 수치해의 참 상대오차를 계산하라.

풀이   상미분방정식은 다음과 같이 $t = 0$에서의 기울기를 구하는 데 이용된다.

$$\frac{dx}{dt} = 0$$

$$\frac{dv}{dt} = 9.81 - \frac{0.25}{68.1}\,(0)^2 = 9.81$$

다음으로 Euler법을 이용하여 $t = 2$ 초에서의 값을 계산한다.

$$x = 0 + 0(2) = 0$$

$$v = 0 + 9.81(2) = 19.62$$

해석해는 $x(2) = 19.16629$와 $v(2) = 18.72919$와 같이 계산된다. 따라서 백분율 상대오차는 각각 100%와 4.756%이다.

$t = 4$ 초에서의 결과를 얻기 위해 이 과정을 반복하면 다음과 같다.

$$x = 0 + 19.62(2) = 39.24$$

$$v = 19.62 + \left(9.81 - \frac{0.25}{68.1}(19.62)^2\right) 2 = 36.41368$$

이와 같은 방법으로 진행하여 얻은 결과를 정리하면 표 22.3과 같다.

표 22.3 Euler법으로 계산한 자유낙하하는 사람의 거리와 속도.

t	x_{true}	v_{true}	x_{Euler}	v_{Euler}	$\varepsilon_t\,(x)$	$\varepsilon_t\,(v)$
0	0	0	0	0		
2	19.1663	18.7292	0	19.6200	100.00%	4.76%
4	71.9304	33.1118	39.2400	36.4137	45.45%	9.97%
6	147.9462	42.0762	112.0674	46.2983	24.25%	10.03%
8	237.5104	46.9575	204.6640	50.1802	13.83%	6.86%
10	334.1782	49.4214	305.0244	51.3123	8.72%	3.83%

위 예제는 Euler법을 이용하여 연립방정식의 해를 구하는 방법을 잘 설명해 주지만, 간격이 큰 까닭에 결과가 정확하지 않다. 더욱이 두 번째 반복까지 x가 변하지 않기 때문에, 거리에 대한 결과는 만족스럽지 못하다. 아주 작은 간격을 사용하면 이러한 문제점을 해소할 수

있을 것이다. 다음 아래에 설명하는 바와 같이 고차 방법을 사용하면 상대적으로 큰 간격으로도 적절한 결과를 얻을 수 있다.

22.5.2 Runge-Kutta법

이 장에서 다루는 모든 고차 RK법은 연립방정식의 해를 구하는 데 적용될 수 있다. 하지만 기울기를 결정하는 데 주의를 기울여야만 한다. 그림 22.7은 4차 RK법에 대해서 기울기를 구하는 방법을 그래프를 통해 잘 보여준다. 먼저 간격의 시작점에서 모든 변수에 대해 기울기를 결정한다. 다음으로 이러한 기울기들(k_1들의 값)을 이용하여 간격의 중점에서의 종속변수들의 값을 예측한다. 이렇게 예측된 중점값들을 이용하여 다시 중점에서의 기울기들(k_2들의 값)을 계산한다. 이 새로운 기울기들을 간격의 시작점으로 가져와 다시 중점값들을 예측하고, 이 중점값들을 이용하여 중점에서의 새로운 기울기들(k_3들의 값)을 예측한다. 다음으로 이 중점에서의 기울기들을 이용하여 간격의 끝점에서의 함수값들과 기울기들(k_4들의 값)을 예측한다. 마지막으로, 모든 k를 식 (22.44)에서와 같이 증분함수의 집합으로 조합한 후 처음으로 다시 가져와 최종 함수값을 예측한다. 다음의 예제는 이러한 접근 방식을 잘 보여준다.

예제 22.5 **4차 RK법을 이용한 연립 상미분방정식의 풀이**

문제 설명. 4차 RK법을 이용하여 예제 22.4에서 다루었던 문제를 풀어라.

풀이 먼저 상미분방정식을 식 (22.46)의 함수 형태로 표현하는 것이 편리하다.

$$\frac{dx}{dt} = f_1(t, x, v) = v$$

$$\frac{dv}{dt} = f_2(t, x, v) = g - \frac{c_d}{m}v^2$$

해를 얻기 위한 첫 번째 단계는 간격의 시작점에서의 모든 기울기를 구하는 것이다.

$$k_{1,1} = f_1(0, 0, 0) = 0$$

$$k_{1,2} = f_2(0, 0, 0) = 9.81 - \frac{0.25}{68.1}(0)^2 = 9.81$$

여기서 $k_{i,j}$는 j번째 종속변수에 대한 i번째 k의 값이다. 다음으로 첫 번째 간격의 중점에서 첫 번째 x와 v의 값을 구해야 한다.

$$x(1) = x(0) + k_{1,1}\frac{h}{2} = 0 + 0\frac{2}{2} = 0$$

$$v(1) = v(0) + k_{1,2}\frac{h}{2} = 0 + 9.81\frac{2}{2} = 9.81$$

이 값들은 간격의 중점에서의 첫 번째 기울기를 구하는 데 다음과 같이 사용된다.

$$k_{2,1} = f_1(1, 0, 9.81) = 9.8100$$

$$k_{2,2} = f_2(1, 0, 9.81) = 9.4567$$

이 결과들은 중점에서의 두 번째 x와 v의 값을 구하기 위해 사용된다.

$$x(1) = x(0) + k_{2,1}\frac{h}{2} = 0 + 9.8100\frac{2}{2} = 9.8100$$

$$v(1) = v(0) + k_{2,2}\frac{h}{2} = 0 + 9.4567\frac{2}{2} = 9.4567$$

이 값들은 간격의 중점에서의 두 번째 기울기를 구하는 데 다음과 같이 사용된다.

$$k_{3,1} = f_1(1, 9.8100, 9.4567) = 9.4567$$

$$k_{3,2} = f_2(1, 9.8100, 9.4567) = 9.4817$$

이 결과들은 간격의 끝점에서의 예측값을 구하기 위해 사용된다.

$$x(2) = x(0) + k_{3,1}h = 0 + 9.4567(2) = 18.9134$$

$$v(2) = v(0) + k_{3,2}h = 0 + 9.4817(2) = 18.9634$$

이 값들은 간격의 끝점에서의 기울기를 구하는 데 다음과 같이 사용된다.

$$k_{4,1} = f_1(2, 18.9134, 18.9634) = 18.9634$$

$$k_{4,2} = f_2(2, 18.9134, 18.9634) = 8.4898$$

이러한 k 값들을 이용하여 식 (22.44)를 계산하면 다음과 같다.

$$x(2) = 0 + \frac{1}{6}[0 + 2(9.8100 + 9.4567) + 18.9634]\,2 = 19.1656$$

$$v(2) = 0 + \frac{1}{6}[9.8100 + 2(9.4567 + 9.4817) + 8.4898]\,2 = 18.7256$$

나머지 단계에 대해서도 같은 방법으로 진행하여 얻은 결과를 정리하면 표 22.4와 같다. Euler법을 사용하여 얻은 결과와는 대조적으로 4차 RK법으로 예측한 값은 정해와 매우 가깝다. 나아가 첫 번째 단계에서 구한 거리도 매우 정확하며 0이 아닌 값으로 계산된다.

표 22.4   4차 RK법으로 계산한 자유낙하하는 사람의 거리와 속도.

t	x_{true}	v_{true}	x_{RK4}	v_{RK4}	$\varepsilon_t(x)$	$\varepsilon_t(v)$
0	0	0	0	0		
2	19.1663	18.7292	19.1656	18.7256	0.004%	0.019%
4	71.9304	33.1118	71.9311	33.0995	0.001%	0.037%
6	147.9462	42.0762	147.9521	42.0547	0.004%	0.051%
8	237.5104	46.9575	237.5104	46.9345	0.000%	0.049%
10	334.1782	49.4214	334.1626	49.4027	0.005%	0.038%

22.5.3 MATLAB M-파일 함수 : `rk4sys`

그림 22.8은 4차 RK법을 이용하여 연립 상미분방정식의 해를 구하는 `rk4sys`라는 함수명의 M-파일을 보여준다. 이 코드는 앞서 Euler법을 이용하여 단일 상미분방정식을 풀기 위해 개발한 함수(그림 22.3)와 여러 면에서 유사하다. 예를 들면 도함수를 정의하는 함수명 `dydt`가 첫 번째 입력 인수로 전달된다.

하지만 이 코드는 입력 변수 `tspan`을 어떻게 지정하느냐에 따라 두 가지 방식으로 출력할 수 있는 특징을 추가적으로 가진다. 그림 22.3의 경우와 같이 `tspan = [ti tf]`로 설정할 수 있으며, 여기서 `ti`와 `tf`는 각각 시작과 끝 시간이다. 이 경우 코드는 구간 사이에서 등간격 `h`로 출력값을 자동적으로 생성한다. 또는 특정 시간에서의 결과를 얻기 원한다면, `tspan = [t0,t1,...,tf]`와 같이 설정할 수도 있다. 두 경우 모두 `tspan` 값은 오름차순이어야 함에 유의한다.

예제 22.5와 동일한 문제를 풀기 위해 `rk4sys`를 사용할 수 있다. 먼저 상미분방정식을

```
function [tp,yp] = rk4sys(dydt,tspan,y0,h,varargin)
% rk4sys: fourth-order Runge-Kutta for a system of ODEs
%   [t,y] = rk4sys(dydt,tspan,y0,h,p1,p2,...): integrates
%           a system of ODEs with fourth-order RK method
% input:
%   dydt = name of the M-file that evaluates the ODEs
%   tspan = [ti, tf]; initial and final times with output
%                     generated at interval of h, or
%         = [t0 t1 ... tf]; specific times where solution output
%   y0 = initial values of dependent variables
%   h = step size
%   p1,p2,... = additional parameters used by dydt
% output:
%   tp = vector of independent variable
%   yp = vector of solution for dependent variables

if nargin<4,error('at least 4 input arguments required'), end
if any(diff(tspan)<=0),error('tspan not ascending order'), end
n = length(tspan);
ti = tspan(1);tf = tspan(n);
if n == 2
  t = (ti:h:tf)'; n = length(t);
  if t(n)<tf
    t(n+1) = tf;
    n = n+1;
  end
else
  t = tspan;
end
tt = ti; y(1,:) = y0;
np = 1; tp(np) = tt; yp(np,:) = y(1,:);
i=1;
while(1)
  tend = t(np+1);
  hh = t(np+1) - t(np);
```

그림 22.8 연립 상미분방정식의 해를 구하는 RK4 법을 실행하는 M-파일.(계속)

```
  if hh > h,hh = h;end
  while(1)
    if tt+hh>tend,hh = tend-tt;end
    k1 = dydt(tt,y(i,:),varargin{:})';
    ymid = y(i,:) + k1.*hh./2;
    k2 = dydt(tt+hh/2,ymid,varargin{:})';
    ymid = y(i,:) + k2*hh/2;
    k3 = dydt(tt+hh/2,ymid,varargin{:})';
    yend = y(i,:) + k3*hh;
    k4 = dydt(tt+hh,yend,varargin{:})';
    phi = (k1+2*(k2+k3)+k4)/6;
    y(i+1,:) = y(i,:) + phi*hh;
    tt = tt+hh;
    i=i+1;
    if tt>=tend,break,end
  end
  np = np+1; tp(np) = tt; yp(np,:) = y(i,:);
  if tt>=tf,break,end
end
```

그림 22.8   연립 상미분방정식의 해를 구하는 RK4 법을 실행하는 M-파일.

지정할 M-파일을 작성한다.

```
function dy = dydtsys(t, y)
dy = [y(2);9.81-0.25/68.1*y(2)^2];
```

여기서 $y(1) = $ 거리(x) 그리고 $y(2) = $ 속도(v)이다. 해는 다음과 같이 생성될 수 있다.

```
>> [t y] = rk4sys(@dydtsys,[0 10],[0 0],2);
>> disp([t' y(:,1) y(:,2)])

        0         0         0
   2.0000   19.1656   18.7256
   4.0000   71.9311   33.0995
   6.0000  147.9521   42.0547
   8.0000  237.5104   46.9345
  10.0000  334.1626   49.4027
```

또한 tspan을 사용하여 독립변수의 특정한 값에서의 결과를 생성할 수 있다. 예를 들면 다음과 같다.

```
>> tspan=[0 6 10];
>> [t y] = rk4sys(@dydtsys,tspan,[0 0],2);
>> disp([t' y(:,1) y(:,2)])

        0         0         0
   6.0000  147.9521   42.0547
  10.0000  334.1626   49.4027
```

22.6 사례연구   포식자-피식자 모델과 카오스

배경. 공학자와 과학자들은 연립 비선형 상미분방정식 시스템을 비롯한 다양한 문제들을 다룬다. 본 사례연구는 이와 관련하여 두 가지의 예를 다룬다. 첫 번째는 종(species) 간의 상호작용을 연구하는 데 이용되는 포식자-피식자 모델(predator-prey model)이며, 두 번째는 대기를 모사하기 위해 이용되는 유체역학으로부터 유도된 수식이다.

포식자-피식자 모델은 20세기 초 이탈리아 수학자 Vito Volterra와 미국 생물학자 Alfred Lotka가 각각 독자적으로 개발하였다. 그래서 흔히 **Lotka-Volterra 방정식**이라 불리기도 한다. 가장 간단한 예는 다음과 같은 한 쌍의 상미분방정식이다.

$$\frac{dx}{dt} = ax - bxy \tag{22.49}$$

$$\frac{dy}{dt} = -cy + dxy \tag{22.50}$$

여기서 x와 y는 각각 피식자와 포식자의 수, a는 피식자 증가율, c는 포식자 사망률, 그리고 b와 d는 각각 포식자-피식자 간의 상호작용이 피식자 사망과 포식자 증가에 미치는 영향을 나타내는 비율이다. 곱셈항(즉 xy를 포함하는 항)이 위 식들을 비선형으로 만든다.

대기 유체역학에 기초한 간단한 비선형 모델의 예로는 미국의 기상학자 Edward Lorentz에 의해 개발된 **Lorentz 방정식**으로 다음과 같다.

$$\frac{dx}{dt} = -\sigma x + \sigma y$$

$$\frac{dy}{dt} = rx - y - xz$$

$$\frac{dz}{dt} = -bz + xy$$

Lorentz는 대기 유체운동의 강도 x를 수평 및 수직 방향의 온도 변화 y 및 z와 연관 짓기 위해 이 방정식들을 개발하였다. 포식자-피식자 모델과 마찬가지로 비선형성은 곱셈항 xz와 xy로부터 비롯된다.

수치방법을 이용하여 이 방정식들의 해를 구하라. 종속변수들이 시간에 따라 어떻게 변하는지 시각화할 수 있도록 결과를 도시하라. 더불어 종속변수들 간 서로에 대한 그래프를 도시하여 어떤 흥미로운 양상이 나타나는지 살펴보라.

풀이 매개변수들의 값으로 $a = 1.2$, $b = 0.6$, $c = 0.8$, $d = 0.3$을 사용하여 포식자-피식자 모델을 모사한다. $x = 2$와 $y = 1$의 초기조건과 간격 크기 $h = 0.0625$를 사용하여, $t = 0$에서 30까지 적분한다.

먼저 미분방정식을 지정하는 함수는 다음과 같다.

```
function yp = predprey(t,y,a,b,c,d)
yp = [a*y(1)-b*y(1)*y(2);-c*y(2)+d*y(1)*y(2)];
```

다음의 스크립트는 Euler법 및 4차 RK법으로 해를 구하기 위해 위 함수를 이용한다. 함수 eulersys는 함수 rk4sys(그림 22.8)를 수정한 것에 기초하고 있음을 주목한다. 이러한 M-파일의 작성은 숙제로 남겨둔다. 이 스크립트는 시간에 따른 해의 변화(t에 대한 x와 y)를 도시(시계열 그래프)할 뿐만 아니라 x에 대한 y의 관계도 도시한다. 이와 같은 **위상평면**(phase-plane) 그래프는 시계열 그래프로는 파악하기 힘든 모델의 기본구조 특징을 설명하는 데 종종 유용하다.

```
h=0.0625;tspan=[0 40];y0=[2 1];
a=1.2;b=0.6;c=0.8;d=0.3;
[t y] = eulersys(@predprey,tspan,y0,h,a,b,c,d);
subplot(2,2,1);plot(t,y(:,1),t,y(:,2),'--')
legend('prey','predator');title('(a) Euler time plot')
subplot(2,2,2);plot(y(:,1),y(:,2))
title('(b) Euler phase plane plot')
[t y] = rk4sys(@predprey,tspan,y0,h,a,b,c,d);
subplot(2,2,3);plot(t,y(:,1),t,y(:,2),'--')
title('(c) RK4 time plot')
subplot(2,2,4);plot(y(:,1),y(:,2))
title('(d) RK4 phase plane plot')
```

Euler법으로 구한 해를 그림 22.9의 윗부분에 나타낸다. 시계열 그래프(그림 22.9a)로부터 진동의 진폭이 점차 증가하고 있음을 알 수 있다. 이는 위상평면 그래프(그림 22.9b)로부터 더 명백히 알 수 있다. 따라서 이 결과는 일반적인 Euler법으로 정확한 해를 구하기 위해서는 매우 작은 시간 간격이 필요함을 의미한다.

반면에 RK4법은 매우 작은 절단오차로 인해 같은 시간 간격으로도 좋은 결과를 생성한다. 그림 22.9c에서와 같이 시간에 따라 진동이 주기적임을 알 수 있다. 포식자 개체수가 초기에는 적기 때문에 피식자는 기하급수적으로 증가한다. 특정 시점에 도달하면 피식자가 너무 많아져서 포식자의 개체수가 증가하기 시작한다. 결국 증가한 포식자는 피식자를 감소시키게 된다. 이러한 감소는 다시 포식자를 감소시키고, 결국 이러한 과정은 계속 반복된다. 예상한 대로 포식자의 최고점은 피식자에 뒤처져서 나타남을 주목하라. 또한 이 과정은 일정한 주기를 가짐을 주목하라(즉 일정한 시간으로 반복한다).

RK4법의 정확한 해에 대한 위상평면 그래프(그림 22.9d)는 포식자와 피식자 간의 상호작용이 닫힌 반시계방향 궤도에 해당함을 나타낸다. 흥미롭게도 궤도의 중심에 정지점 또는 **임계점**(critical point)이 있다. 이 점의 정확한 위치는 식 (22.49)와 (22.50)을 정상상태($dy/dt = dx/dt = 0$)로 놓고, $(x, y) = (0, 0)$과 $(c/d, a/b)$에 대해 풀면 결정할 수 있다. 전자의 경우, 포식자나 피식자가 없이 시작한다면 아무런 일도 일어나지 않을 것이라는 무의미한 결과이다. 후자는 만약 초기조건을 $x = c/d$와 $y = a/b$로 설정하면, 도함수는 0이 되고 따라서 개체수는 일정하게 유지된다는 더 흥미로운 결과이다.

이제 같은 방법을 이용하여 Lorentz 방정식의 궤적을 살펴보자. 매개변수값으로 $a = 10$, b

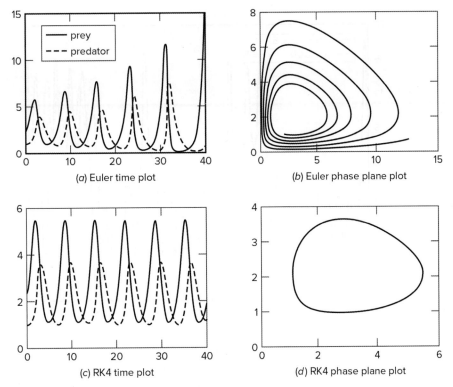

그림 22.9 Lotka-Volterra 모델의 해. Euler법으로 구한 (a) 시계열 그래프와 (b) 위상평면 그래프, RK4법으로 구한 (c) 시계열 그래프와 (d) 위상평면 그래프.

$= 8/3$, $r = 28$을 사용한다. 초기조건은 $x = y = z = 5$로 설정하고, $t = 0$에서 20까지 적분한다. 이 경우 4차 RK법과 일정 시간 간격 $h = 0.03125$를 이용하여 해를 구한다.

결과는 Lotka-Volterra 방정식의 거동과 상당히 다르다. 그림 22.10에 나타낸 바와 같이 변수 x는 음의 값에서 양의 값으로 튀면서 거의 무작위한 진동 양상을 보인다. 다른 변수도 유사한 거동을 보인다. 그러나 비록 진동의 양상이 무작위적이긴 하나 진동 주파수와 진폭은 상당히 일관적이다.

이러한 해의 한 가지 흥미로운 특징은 x에 대한 초기조건을 약간만 변경(5에서 5.001로)함으로써 살펴볼 수 있다. 그 결과가 그림 22.10에 점선으로 중첩되어 나타나 있다. 두 해는 한동안 같이 가지만, 약 $t = 15$ 이후 두 해는 상당히 벌어진다. 따라서 Lorentz 방정식은 초기조건에 상당히 민감함을 알 수 있다. 이와 같은 해를 묘사하는 데 **카오스성(chaotic)**이라는 용어를 사용한다. 이를 근거로 Lorentz는 그의 연구에서 장기적인 기상예보는 아마 불가능할지도 모른다고 결론지었다.

초기조건의 작은 변동에 대한 동적 시스템(dynamical system)의 민감도는 때때로 **나비 효과(butterfly effect)**라고 불린다. 이는 나비 날개의 퍼덕거림이 대기에 작은 변화를 일으켜 궁극적으로 토네이도와 같은 대규모 기상현상을 초래할 수도 있다는 생각이다.

시계열 그래프는 혼돈스럽지만(chaotic), 위상평면 그래프는 기본적인 구조를 잘 보여준다.

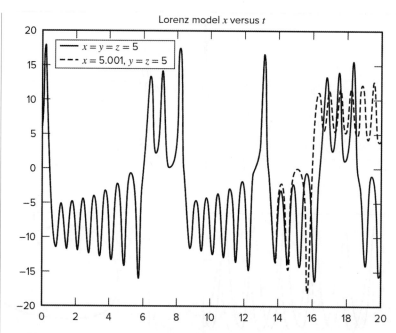

그림 22.10 Lorentz 방정식에 대한 $x - t$ 관계의 시간 영역 표현. 실선의 시계열은 초기조건 (5, 5, 5)에 대한 결과이며, 점선은 x에 대한 초기조건에 약간의 변동이 있는 경우(5.001, 5, 5)에 대한 결과이다.

세 개의 독립변수가 있으므로 3차원 공간의 각 수직 평면에 투영도를 생성할 수 있다. 그림 22.11은 xy, xz, 그리고 yz 평면에서의 투영도를 보여준다. 위상평면 관점에서 바라볼 때 구조가 어떻게 나타나는 주목하라. 해는 임계점으로 보이는 곳 주위에 궤도를 형성한다. 이와 같은 점들을 비선형 시스템을 연구하는 수학자들의 전문 용어로 **이상한 끌개**(strange attractors)라고 한다.

MATLAB의 `plot3` 함수를 이용하면 2변수 투영도뿐만 아니라 3차원 위상평면 그래프를 직접 생성할 수 있다.

```
>> plot3(y(:,1),y(:,2),y(:,3))
>> xlabel('x');ylabel('y');zlabel('z');grid
```

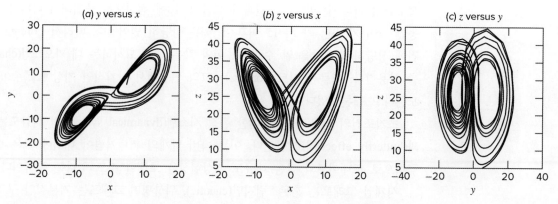

그림 22.11 Lorentz 방정식에 대한 위상평면 그래프. (a) xy, (b) xz, (c) yz 투영도.

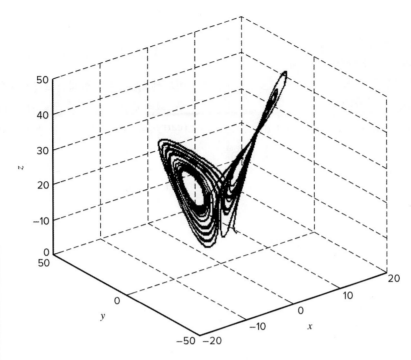

그림 22.12 MATLAB의 plot3 함수로 생성한 Lorentz 방정식에 대한 3차원 위상평면 그래프.

그림 22.11에서와 같이 그림 22.12의 3차원 그래프는 한 쌍의 임계점 주위를 특정한 모양으로 순환하는 궤적을 보여준다.

마지막으로, 카오스 시스템의 초기조건에 대한 민감도는 수치계산에 영향을 미친다. 초기조건 외에도, 다른 간격 크기 또는 다른 알고리즘(일부 경우, 다른 컴퓨터도) 역시 해에 작은 차이를 만들 수 있다. 그림 22.10과 유사한 방식으로 이들 작은 차이는 결국 큰 편차로 이어질 것이다. 이 장과 23장의 일부 연습문제는 이러한 문제점을 살펴 볼 수 있도록 고안되었다.

연습문제

22.1 다음과 같은 초기값 문제의 해를 $t = 0$에서 2까지의 구간에서, $y(0) = 1$인 경우에 대해 구하라. 모든 결과를 동일한 그래프 상에 그려라.

$$\frac{dy}{dt} = yt^2 - 1.1y$$

(a) 해석적으로 구하라.

(b) Euler법을 사용하여 $h = 0.5$와 0.25에 대해 구하라.

(c) 중점법을 사용하여 $h = 0.5$에 대해 구하라.

(d) 4차 RK법을 사용하여 $h = 0.5$에 대해 구하라.

22.2 다음 문제의 해를 $x = 0$에서 1까지의 구간에서 간격 크기 $= 0.25$와 $y(0) = 1$인 경우에 대해 구하라. 모든 결과를 동일한 그래프 상에 그려라.

$$\frac{dy}{dx} = (1 + 2x)\sqrt{y}$$

(a) 해석적으로 구하라.

(b) Euler법을 사용하여 구하라.

(c) 반복이 없는 Heun법을 사용하여 구하라.

(d) Ralston법을 사용하여 구하라.

(e) 4차 RK법을 사용하여 구하라.

22.3 다음 문제의 해를 $t = 0$에서 3까지의 구간에서 간격 크기 $= 0.5$와 $y(0) = 1$인 경우에 대해 구하라. 모든 결과를 동일한 그래프 상에 그려라.

$$\frac{dy}{dt} = -y + t^2$$

(a) 수정자의 반복이 없는 Heun법을 사용하여 구하라.

(b) $\varepsilon_s < 0.1\%$의 조건이 만족될 때까지, 수정자의 반복이 있는 Heun법을 사용하여 구하라.

(c) 중점법을 사용하여 구하라.

(d) Ralston법을 사용하여 구하라.

22.4 인구의 증가는 공학적으로나 과학적으로 많은 관심의 대상이다. 가장 간단한 모델 중의 하나는 인구 p의 변화율이 다음과 같이 시간 t에 존재하는 인구에 비례한다고 가정하는 것이다.

$$\frac{dp}{dt} = k_g\, p \qquad\qquad (\text{P}22.4.1)$$

여기서 k_g는 증가율이다. 1950년에서 2000년까지의 세계 인구를 백만 명 단위로 정리하면 다음 표와 같다.

t	1950	1955	1960	1965	1970	1975
p	2555	2780	3040	3346	3708	4087
t	1980	1985	1990	1995	2000	
p	4454	4850	5276	5686	6079	

(a) 식 (P22.4.1)이 성립한다고 가정하고 1950년에서 1970년까지의 자료를 사용하여 k_g 값을 추정하라.

(b) (a)의 결과와 4차 RK법을 사용하여 1950년부터 2050년까지의 세계 인구를 5년 간격으로 추정하라. 그리고 추정한 결과를 위 데이터와 함께 그래프에 도시하라.

22.5 연습문제 22.4의 모델은 인구가 제한 없이 증가하는 경우에는 적절하지만, 식량부족, 오염, 주거공간 부족 등의 여러 요인들이 인구 증가를 억제할 경우에는 잘 맞지 않는다. 이러한 경우에는 증가율이 일정하지 않으므로 다음과

같은 수식을 사용한다.

$$k_g = k_{gm}(1 - p/p_{max})$$

여기서 k_{gm}은 무제한적인 조건에서의 최대 증가율, p는 인구, 그리고 p_{max}는 최대 인구이다. p_{max}를 때로는 **수용한계**(carrying capacity)라고도 한다. 따라서 낮은 인구 밀도 ($p \ll p_{max}$)에서는 $k_g \to k_{gm}$이다. 그리고 p가 p_{max}에 접근할수록, 증가율은 0으로 접근한다. 위 증가율 식을 사용하여 인구 변화율을 다음과 같이 모델링할 수 있다.

$$\frac{dp}{dt} = k_{gm}(1 - p/p_{max})p$$

이를 **로지스틱 모델**(logistic model)이라고 한다. 이 모델의 해석해는 다음과 같다.

$$p = p_0 \frac{p_{max}}{p_0 + (p_{max} - p_0)e^{-k_{gm}t}}$$

1950년부터 2050년까지의 세계 인구를 (a) 해석해로 구하고, (b) 5년 간격으로 4차 RK법으로 구하라. 초기조건이 $p_0(1950년) = 25억\ 5,500만$ 명, 매개변수의 값이 $k_{gm} = 0.026$/년, $p_{max} = 120억$ 명인 경우에 대해 계산을 수행하라. 계산결과를 연습문제 22.4의 데이터와 함께 그래프에 도시하라.

22.6 발사체가 지구 표면에서 위로 발사될 때 물체에 작용하는 힘은 아래로 향하는 중력뿐이라고 하자. 이런 조건 하에서 힘의 평형을 사용하면 다음 식을 유도할 수 있다.

$$\frac{dv}{dt} = -g(0)\frac{R^2}{(R + x)^2}$$

여기서 v는 상향 속도(m/s), t는 시간(s), x는 지구 표면에서 위쪽으로 측정한 고도(m), $g(0)$는 지구 표면에서의 중력가속도($\cong 9.81\ \text{m/s}^2$), 그리고 R은 지구의 반경($\cong 6.37 \times 10^6$ m)이다. $dx/dt = v$임을 인식하고, $v(t = 0) = 1500$ m/s일 때 M-파일 rk4sys (그림 22.8)를 사용하여 최대 높이를 구하라.

22.7 다음과 같은 한 쌍의 연립 상미분방정식의 해를 $t = 0$에서 0.4까지의 구간에서 간격 크기를 0.1로 놓고 구하라. 초기조건은 $y(0) = 2$와 $z(0) = 4$이다. (a) Euler법과 (b) 4차 RK법을 사용하여 해를 구하고 그 결과를 그래프로 도시하라.

$$\frac{dy}{dt} = -2y + 4e^{-t}$$

$$\frac{dz}{dt} = -\frac{yz^2}{3}$$

22.8 다음의 **van der Pol 방정식**은 진공관 시대에 만들어진 전자회로의 모델이다.

$$\frac{d^2y}{dt^2} - (1 - y^2)\frac{dy}{dt} + y = 0$$

초기조건이 $y(0) = y'(0) = 1$로 주어질 때, 이 식의 해를 $t = 0$에서 10까지 Euler법으로 구하라. 간격 크기를 (a) 0.2와 (b) 0.1로 놓아라. 두 결과를 동일한 그래프 상에 그려라.

22.9 초기조건이 $y(0) = 1$과 $y'(0) = 0$으로 주어질 때, 다음 초기값 문제의 해를 $t = 0$에서 4까지에 대해 구하라.

$$\frac{d^2y}{dt^2} + 9y = 0$$

해를 (a) Euler법과 (b) 4차 RK법으로 구하라. 두 경우 모두 간격 크기를 0.1로 놓는다. 그 결과를 정해 $y = \cos 3t$와 함께 동일한 그래프 상에 그려라.

22.10 단일 상미분방정식을 반복이 있는 Heun법으로 풀기 위한 M-파일을 작성하라. 이 M-파일이 결과를 그래프로 나타낼 수 있도록 작성한다. 작성된 프로그램을 이용하여 연습문제 22.5에서 기술된 인구를 구하라. 시간 간격을 5년으로 놓고, 수정자를 $\varepsilon_s < 0.1\%$ 의 조건이 만족될 때까지 반복한다.

22.11 단일 상미분방정식을 중점법으로 풀기 위한 M-파일을 작성하라. 이 M-파일이 결과를 그래프로 나타낼 수 있도록 작성한다. 작성된 프로그램을 이용하여 연습문제 22.5에서 기술된 인구를 구하라. 시간 간격을 5년으로 놓는다.

22.12 단일 상미분방정식을 4차 RK법으로 풀기 위한 M-파일을 작성하라. 이 M-파일이 결과를 그래프로 나타낼 수 있도록 작성한다. 작성된 프로그램을 이용하여 연습문제 22.2의 해를 구하라. 간격 크기는 0.1로 놓는다.

22.13 연립 상미분방정식을 Euler법으로 풀기 위한 M-파일을 작성하라. 이 M-파일이 결과를 그래프로 나타낼 수 있도록 작성한다. 작성된 프로그램을 이용하여 연습문제 22.7의 해를 구하라. 간격 크기는 0.25로 놓는다.

22.14 Isle Royale 국립공원은 Superior 호수 내에 하나의 큰 섬과 많은 작은 섬으로 이루어진 210 제곱마일 규모의 군도이다. 무스(moose)는 1900년경에 등장한 후, 1930년에는 개체수가 3000 마리까지 육박하여 초목을 황폐화시켰다. 1949년에 늑대가 Ontario로부터 얼음 다리를 건너 들어왔으며, 1950년대 후반부터 무스와 늑대의 개체수를 추적해오고 있다.

(a) 계수값 $a = 0.23$, $b = 0.0133$, $c = 0.4$, $d = 0.0004$를 이용하여 Lotka-Volterra 방정식(22.6절)을 1960년부터 2020년까지 적분하라. 무스와 늑대 모두에 대하여, 시계열 그래프를 이용하여 계산결과를 데이터와 비교하고, 모델 결과와 데이터 사이의 잔차의 제곱합을

Year	Moose	Wolves	Year	Moose	Wolves	Year	Moose	Wolves
1959	563	20	1975	1355	41	1991	1313	12
1960	610	22	1976	1282	44	1992	1590	12
1961	628	22	1977	1143	34	1993	1879	13
1962	639	23	1978	1001	40	1994	1770	17
1963	663	20	1979	1028	43	1995	2422	16
1964	707	26	1980	910	50	1996	1163	22
1965	733	28	1981	863	30	1997	500	24
1966	765	26	1982	872	14	1998	699	14
1967	912	22	1983	932	23	1999	750	25
1968	1042	22	1984	1038	24	2000	850	29
1969	1268	17	1985	1115	22	2001	900	19
1970	1295	18	1986	1192	20	2002	1100	17
1971	1439	20	1987	1268	16	2003	900	19
1972	1493	23	1988	1335	12	2004	750	29
1973	1435	24	1989	1397	12	2005	540	30
1974	1467	31	1990	1216	15	2006	450	30

구하라.

(b) 해의 위상평면 그래프를 도시하라.

22.15 다음 상미분방정식은 감쇠를 갖는 스프링-질량 시스템(그림 P22.15)의 운동을 기술한다.

$$m \frac{d^2x}{dt^2} + c \frac{dx}{dt} + kx = 0$$

여기서 x는 평형 위치로부터의 변위(m), t는 시간(s), m은 20 kg의 질량, 그리고 c는 감쇠계수(N·s/m)이다. 감쇠계수 c는 5(부족감쇠), 40(임계감쇠), 200(과도감쇠)의 세 가지 값을 가진다. 스프링 상수 k는 20 N/m이다. 초기 속도는 0이고 초기 변위 x는 1 m이다. 이 식을 시간 주기 $0 \le t \le 15$ 초에 대하여 수치방법을 이용하여 풀어라. 감쇠계수 세 가지 값 각각에 대하여, 시간에 대한 변위를 같은 그래프 상에 그려라.

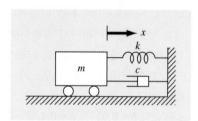

그림 P22.15

22.16 구형 탱크의 바닥에 물이 빠져나가는 원형 오리피스가 부착되어 있다(그림 P22.16). 오리피스를 통해 빠져나가는 유량은 다음과 같이 계산된다.

$$Q_{out} = CA \sqrt{2gh}$$

여기서 Q_{out}은 유출량(m³/s), C는 경험상수, A는 오리피스

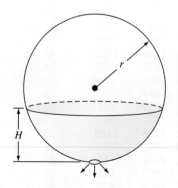

그림 P22.16   구형 탱크.

의 면적(m²), g는 중력상수(= 9.81 m/s²), 그리고 h는 탱크 내 물의 깊이이다. 이 장에서 설명한 수치방법들 중의 하나를 사용하여, 초기 물의 높이가 2.75 m이고 직경이 3 m인 탱크로부터 물이 빠져나오는 데 걸리는 시간을 구하라. 오리피스의 직경은 3 cm이고 $C = 0.55$임에 유의하라.

22.17 살인이나 사고사에 대한 조사에서 사망 시간을 추정하는 것은 중요하다. 실험으로부터 물체의 표면온도는 물체 온도와 주위 온도 간의 차이에 비례하여 변화한다고 알려져 있다. 이는 Newton의 냉각법칙으로 알려져 있다. 따라서 $T(t)$가 시간 t에서의 물체 온도, T_a가 일정한 주위 온도이면, 다음 식이 성립한다.

$$\frac{dT}{dt} = -K(T - T_a)$$

여기서 K는 비례상수이다($K > 0$). 시간 $t = 0$에서 시신이 발견될 때 그 온도가 T_0로 측정된다고 하자. 그리고 사망 시 시신의 온도 T_d는 정상값인 37 °C라고 가정한다. 만약 발견 당시 시신의 온도가 29.5 °C였으며, 두 시간 후 23.5 °C가 되었다고 하자. 주위 온도는 20 °C이다.

(a) K와 사망 시간을 구하라.

(b) 상미분방정식을 수치적으로 풀고 그 결과를 도시하라.

22.18 반응 $A \rightarrow B$ 과정은 일렬로 연결된 두 개의 반응기에서 일어난다. 반응기는 잘 혼합되어 있지만 정상상태에 있지는 않다. 각 탱크형 교반 반응기에 대한 비정상상태 질량 평형은 아래와 같다.

$$\frac{dCA_1}{dt} = \frac{1}{\tau}(CA_0 - CA_1) - kCA_1$$

$$\frac{dCB_1}{dt} = -\frac{1}{\tau}CB_1 + kCA_1$$

$$\frac{dCA_2}{dt} = \frac{1}{\tau}(CA_1 - CA_2) - kCA_2$$

$$\frac{dCB_2}{dt} = \frac{1}{\tau}(CB_1 - CB_2) + kCA_2$$

여기서 CA_0은 첫 번째 반응기 입구에서의 A의 농도, CA_1은 첫 번째 반응기 출구(두 번째 반응기 입구)에서의 A의 농도, CA_2는 두 번째 반응기 출구에서의 A의 농도, CB_1은 첫 번째 반응기 출구(두 번째 반응기 입구)에서의 B의 농도, CB_2는 두 번째 반응기 내의 B의 농도, τ는 각 반응기에서의 체류시간, k는 A의 반응으로 B가 생성되는 반응속

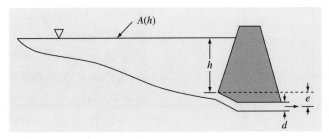

그림 P22.21

도 상수이다. CA_0이 20인 경우, 처음 10분 동안의 작동시간에서 각 반응기에서의 A와 B의 농도를 구하라. $k = 0.12/min$과 $\tau = 5\ min$을 사용하고, 모든 종속변수의 초기조건을 0으로 가정한다.

22.19 비등온성 회분식 반응기는 다음의 식으로 설명할 수 있다.

$$\frac{dC}{dt} = -e^{(-10/(T+273))}C$$

$$\frac{dT}{dt} = 1000e^{(-10/(T+273))}C - 10(T - 20)$$

여기서 C는 반응물의 농도이고 T는 반응기의 온도이다. 초기에 반응기의 온도는 15 °C이고 반응물의 농도 C는 1.0 gmol/L이다. 반응기의 농도와 온도를 시간의 함수로 구하라.

22.20 다음은 바람의 힘을 받는 경주용 보트 돛대의 변형을 모델링하기 위한 식이다.

$$\frac{d^2y}{dz^2} = \frac{f(z)}{2EI}(L - z)^2$$

여기서 $f(z)$는 바람의 힘, E는 탄성계수, L은 돛대의 길이, I는 관성 모멘트이다. 바람의 힘은 다음과 같이 높이에 따라 변한다는 점에 유의하라.

$$f(z) = \frac{200z}{5 + z}e^{-2z/30}$$

$z = 0$에서 $y = 0$, $dy/dz = 0$일 때 변형을 계산하라. 매개변수값으로 $L = 30$, $E = 1.25 \times 10^8$, $I = 0.05$를 사용하여 계산하라.

22.21 그림 P22.21과 같이 연못은 파이프를 통해 배수된다. 여러 단순화 가정하에 다음의 미분방정식은 깊이가 시간에 따라 어떻게 변하는지 보여준다.

$$\frac{dh}{dt} = -\frac{\pi d^2}{4A(h)}\sqrt{2g(h + e)}$$

여기서 h는 깊이(m), t는 시간(s), d는 파이프의 직경(m), $A(h)$는 깊이에 따른 연못의 표면적(m^2), g는 중력상수(= 9.81 m/s^2), 그리고 e는 연못 바닥 아래로부터의 파이프 출구의 깊이(m)이다. 다음의 면적-깊이 표를 참조하여, 이 미분방정식을 풀어 연못이 비워지는 데까지 걸리는 시간을 구하라. 단, $h(0) = 6$ m, $d = 0.25$ m 그리고 $e = 1$ m이다.

h, m	6	5	4	3	2	1	0
$A(h)$, $10^4\ m^2$	1.17	0.97	0.67	0.45	0.32	0.18	0

22.22 공학자와 과학자는 지진과 같은 교란의 영향을 받는 구조물의 동역학을 이해하기 위해 질량-스프링 모델을 사용한다. 그림 P22.22는 3층 건물에 대한 이러한 모델을 보여준다. 이 모델에 대한 분석은 구조물의 수평운동으로 제한된다. 이 시스템에 대한 힘의 평형을 Newton의 제2법칙을 이용하여 다음과 같이 나타낼 수 있다.

$$\frac{d^2x_1}{dt^2} = -\frac{k_1}{m_1}x_1 + \frac{k_2}{m_1}(x_2 - x_1)$$

$$\frac{d^2x_2}{dt^2} = \frac{k_2}{m_2}(x_1 - x_2) + \frac{k_3}{m_2}(x_3 - x_2)$$

$$\frac{d^2x_3}{dt^2} = \frac{k_3}{m_3}(x_2 - x_3)$$

이 구조물의 동적 거동을 시간 $t = 0$에서 20초까지 모사하라. 초기조건으로는 1층의 속도는 $dx_1/dt = 1$ m/s이고, 변위와 속도의 모든 다른 초기값은 0이다. 결과를 (a) 변위와 (b) 속도에 대한 시계열 그래프로 제시하라. 또한 변위의 3차원 위상평면 그래프를 그려라.

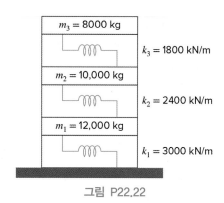

그림 P22.22

22.23 22.6절의 Lorentz 방정식에 대한 동일한 계산을 반복하되, 중점법을 이용하여 해를 구하라.

22.24 22.6절의 Lorentz 방정식에 대한 동일한 계산을 수행하되, $r = 99.96$을 사용하라. 이 결과를 22.6절의 결과와 비교하라.

22.25 그림 P22.25는 완전혼합 생물반응과 영양원(기질)의 농도를 제어하는 운동학적 상호작용을 보여준다. 박테리아 바이오매스 X (gC/m³)와 기질농도 S (gC/m³)의 질량평형은 다음과 같이 나타낼 수 있다.

$$\frac{dX}{dt} = \left(k_{g,max}\frac{S}{K_s + S} - k_d - k_r - \frac{1}{\tau_w}\right)X$$

$$\frac{dS}{dt} = -\frac{1}{Y}k_{g,max}\frac{S}{K_s + S}X + k_dX + \frac{1}{\tau_w}(S_{in} - S)$$

여기서 t = 시간(h), $k_{g,max}$ = 최대 박테리아 성장률(/d), K_s = 반포화상수(gC/m³), k_d = 사멸률(/d), k_r = 호흡률(h), Q = 유량(m³/h), V = 반응기 부피(m³), Y = 수율계수(gC-세포/gC-기질), 그리고 S_{in} = 유입 기질농도(mgC/m³)이다. 세 가지 체류시간 (a) $\tau_w = 20$ h, (b) $\tau_w = 10$ h, (c) $\tau_w = 5$ h에 대해, 이 반응기에서 기질, 박테리아, 그리고 총 유기탄소($X + S$)가 시간에 따라 어떻게 변화하는지 계산하라. 매개변수 값으로는 $X(0) = 100$ gC/m³, $S(0) = 0$, $k_{g,max} = 0.2$/hr, $K_s = 150$ gC/m³, $k_d = k_r = 0.01$/hr, $Y = 0.5$ gC-세포/gC-기질, $V = 0.01$ m³, 그리고 $S_{in} = 1000$ gC/m³을 사용하여 계산하라. 결과를 그래프로 나타내어라.

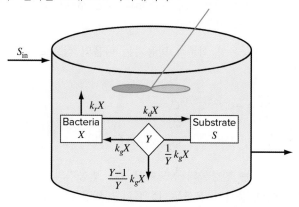

그림 P22.25   박테리아 배양을 위한 완전혼합 생물반응기.

23 적응식 방법과 강성시스템

CHAPTER

학습목표

이 장의 주요 목표는 상미분방정식의 초기값 문제를 풀기 위한 보다 진보된 방법을 소개하는 것이다. 구체적인 목표와 다루는 주제는 다음과 같다.

- 간격 크기의 조절에 이용되는 오차를 추정하기 위해 차수가 다른 RK법들을 사용하는 Runge-Kutta Fehlberg법의 이해
- 상미분방정식을 풀기 위한 MATLAB 내장함수 숙지
- MATLAB 상미분방정식 해법의 옵션을 조절하는 방법
- MATLAB 상미분방정식 해법으로 매개변수를 전달하는 방법
- 상미분방정식을 풀기 위해 이용하는 단일단계법과 다단계법의 차이점 이해
- 상미분방정식에 대한 강성의 정의와 상미분방정식 해법에 대한 의의

23.1 적응식 Runge-Kutta법

지금까지는 상미분방정식을 풀 때 일정한 간격을 사용하는 방법만을 제시하였다. 많은 문제에서 일정 간격을 사용한 풀이는 심각한 제한조건으로 작용할 수 있다. 예를 들어 그림 23.1과 같이 나타나는 유형의 해를 갖는 상미분방정식을 적분하는 경우를 가정해 보자. 대부분의 영역에서 이 해는 점진적으로 변한다. 따라서 이러한 거동은 꽤 큰 간격을 사용해도 적절한 결과를 얻을 수 있음을 의미한다. 그러나 $t = 1.75$에서 2.25 사이의 국부 영역에서는 해가 급격하게 변하고 있다. 이러한 함수를 취급할 때 급격한 거동을 정확하게 잡아내기 위해, 매우 작은 간격을 사용하는 것이 현실적인 상황일 것이다. 일정한 간격을 갖는 알고리즘을 이용한다면, 급격히 변하는 영역에 대해 사용할 작은 간격을 전체 계산 영역에 모두 적용해야 한다. 결과적으로 필요보다 간격의 크기가 매우 작아야 하므로, 그에 따라 방대한 계산이 따르기 때문에, 점진적으로 변화하는 영역에서는 시간의 낭비가 예상된다.

간격의 크기를 자동적으로 조정하는 알고리즘은 이러한 단점을 방지할 수 있으므로 매우 유리할 것이다. 이와 같은 알고리즘은 해의 궤적에 "적응"할 수 있기 때문에, **적응식 간격 크기 조정**(adaptive step-size control) 능력을 가진다고 말한다. 이러한 방법을 구현하기 위해서는 각 간격에서의 국부절단오차를 추정할 수 있어야 한다. 이 오차의 추정값은 간격 크기를 줄이

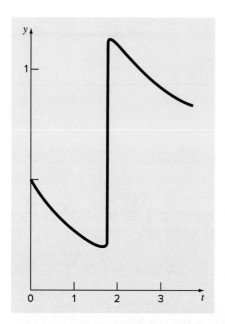

그림 23.1   급격한 변화를 보이는 상미분방정식의 해의 예. 이런 경우에는 자동 간격 크기 조정이 매우 유리함.

거나 또는 늘리기 위한 기준으로 사용될 것이다.

더 나아가기에 앞서, 이 장에서 설명하게 될 방법은 상미분방정식의 해를 구하는 것 외에 정적분을 구하는 데에도 사용할 수 있음에 주목한다. 다음의 정적분을 계산하는 것은

$$I = \int_a^b f(x)\,dx$$

다음 미분방정식에서

$$\frac{dy}{dx} = f(x)$$

초기조건 $y(a) = 0$이 주어졌을 때 $y(b)$를 구하는 것과 같다. 따라서 이후에 설명되는 방법들은 전반적으로는 완만하지만, 일부 영역에서 급격한 변화를 보이는 함수에 대한 정적분을 효율적으로 계산하는 데에도 이용될 수 있다.

단일단계 방법에 적응식 간격 크기 조정을 적용하는 두 가지의 주요 방법을 소개한다. 그 중 하나는 **간격 반분법**(step halving)이다. 이 방법은 각 간격을 두 번씩 취하는데, 한 번은 온전한 전체 간격으로, 그리고 그 다음은 두 개의 절반 간격으로 취한다. 두 결과의 차이가 국부 절단오차의 추정값을 나타낸다. 따라서 간격 크기는 이 오차의 추정값을 근거로 조정된다.

두 번째 방법은 **임베디드 RK법**(embedded RK method)이라고 한다. 이 방법은 차수가 다른 두 개의 RK법을 이용하여 예측한 결과의 차이를 국부절단오차의 추정값으로 둔다. 이 방법이 간격 반분법에 비해 더 효율적이기 때문에 현재 통용되는 방법이다.

임베디드 RK법은 Fehlberg에 의해 최초로 개발되었다. 따라서 이 방법을 때로는 **RK-Fehlberg**

법이라고도 한다. 액면 그대로, 다른 차수의 예측을 두 번이나 수행해야 하는 것은 계산 비용이 너무 많이 드는 것처럼 보일 수도 있다. 예를 들어 4차와 5차의 예측은 각 간격당 모두 10회의 함수 계산에 해당한다[식 (22.44)와 (22.45) 참조]. Fehlberg는 4차 RK법에 필요한 함수들을 5차 RK법에서 대부분 그대로 이용할 수 있도록 유도하여 이 문제를 지혜롭게 해결하였다. 결국 RK-Fehlberg법은 오차의 추정을 위해 함수값을 단지 6회만 계산하면 된다!

23.1.1 비강성 시스템을 위한 MATLAB 함수

Fehlberg가 독창적으로 적응식 방법을 개발한 이래, 그보다 더 나은 다른 방법들도 개발되었다. 이들 중 일부는 MATLAB의 내장함수로 이용 가능하다.

ode23. ode23 함수는 BS23 알고리즘[Bogacki와 Shampine (1989), Shampine (1994)]을 사용하는 데, 이 알고리즘은 2차와 3차 RK법을 동시에 이용하여 상미분방정식의 해를 구하고, 간격 크기 조정을 위해 오차를 추정한다. 다음의 공식으로 해를 산출한다.

$$y_{i+1} = y_i + \frac{1}{9}(2k_1 + 3k_2 + 4k_3)h \tag{23.1}$$

여기서

$$k_1 = f(t_i, y_i) \tag{23.1a}$$

$$k_2 = f\left(t_i + \frac{1}{2}h, y_i + \frac{1}{2}k_1 h\right) \tag{23.1b}$$

$$k_3 = f\left(t_i + \frac{3}{4}h, y_i + \frac{3}{4}k_2 h\right) \tag{23.1c}$$

오차는 다음과 같이 추정된다.

$$E_{i+1} = \frac{1}{72}(-5k_1 + 6k_2 + 8k_3 - 9k_4)h \tag{23.2}$$

여기서

$$k_4 = f(t_{i+1}, y_{i+1}) \tag{23.2a}$$

비록 4회의 함수 계산이 요구되는 것처럼 보이나 실제로는 단지 3회뿐이다. 그 이유는 첫 번째 단계 이후에는 현 단계의 k_1이 이전 단계의 k_4가 되기 때문이다. 따라서 해를 예측하고 오차를 추정하는 데 통상적인 2차(2회 계산)와 3차(3회 계산)의 RK법으로는 5회의 계산이 필요하지만, 이 방법은 3회의 함수 계산만을 필요로 한다.

각각의 단계 이후에는 오차가 요구하는 허용 범위 내에 있는지를 확인한다. 만약 오차가 허용범위 내에 있으면, y_{i+1} 값이 채택되고 k_4는 그 다음 단계의 k_1이 된다. 그러나 오차가 너무 크면 간격 크기를 줄여 나가며 추정한 오차가 다음 조건을 만족할 때까지 그 단계를 반복한다.

$$E \leq \max(\text{RelTol} \times |y|, \text{AbsTol}) \tag{23.3}$$

여기서 RelTol은 상대 허용오차(기본값 = 10^{-3})이고 AbsTol은 절대 허용오차(기본값 = 10^{-6})이다. 상대오차에 대한 기준으로 지금까지 많은 경우에 사용했던 백분율 상대오차보다는 분수(fraction)를 쓴다는 점에 주의하라.

ode45.   ode45 함수는 Dormand와 Prince (1980)가 개발한 알고리즘을 사용한다. 이 알고리즘은 4차와 5차 RK 공식을 동시에 이용하여 상미분방정식의 해를 구하고 간격 크기 조정을 위해 오차를 추정한다. MATLAB은 ode45를 대부분의 문제에 대해 "첫 번째 시도"로 적용하기에 가장 좋은 함수라고 권장한다.

ode113.   ode113 함수는 변동 차수(variable-order)를 갖는 Adams-Bashforth-Moulton 해법을 사용한다. 이 방법은 엄격한 허용오차나 계산 집약적인 상미분방정식 함수를 다루기에 적합하다. 이 방법은 23.2절에서 계속해서 다룰 다단계법이라는 점에 주목하라.

이러한 함수들은 다양한 방법으로 호출될 수 있는데, 그중 가장 간단한 방법은 다음과 같다.

[t, y] = ode45(*odefun*, *tspan*, *y0*)

여기서 y는 해를 나타내는 배열로 각각의 열은 종속변수들 중의 하나이고 각각의 행은 열벡터 t에서의 하나의 시간에 대응되며, *odefun*은 미분방정식 우변의 열벡터를 반환하는 함수명이며, *tspan*은 적분구간을 지정하며, 그리고 *y0*는 초기값을 포함하는 벡터이다.

*tspan*은 두 가지 방법으로 표현할 수 있는데, 첫째, 만약 두 수로 구성된 벡터로 다음과 같이 입력되면

tspan = [*ti tf*];

적분은 *ti*에서 *tf*까지 수행된다. 둘째, 특정한 시간 *t0*, *t1*, .. , *tn*(모두 오름차순이거나 모두 내림차순)에서의 해를 얻기 원한다면, 다음과 같이 *tspan*을 사용한다.

tspan = [*t0 t1 ... tn*];

상미분방정식 $y' = 4e^{0.8t} - 0.5y$를 풀기 위해 ode45를 사용하는 방법을 예로 들면 다음과 같다. 여기서 고려하는 구간은 $t = 0$에서 4까지이며, 초기조건은 $y(0) = 2$이다. 예제 22.1로부터 $t = 4$에서의 해석해는 75.33896임을 상기하라. 상미분방정식을 무명함수로 나타내고, ode45를 사용하면 수치적으로 같은 결과를 구할 수 있다.

```
>> dydt=@(t,y) 4*exp(0.8*t)-0.5*y;
>> [t,y]=ode45(dydt,[0 4],2);
>> y(length(t))

ans =
    75.3390
```

다음 예제에 설명되어 있듯이, 연립방정식을 풀 때 상미분방정식은 일반적으로 그 자체의 M-파일에 저장된다.

예제 23.1 MATLAB을 이용한 연립 상미분방정식의 풀이

문제 설명. ode45를 이용하여 다음 연립 비선형 상미분방정식을 $t = 0$에서 20까지의 구간에서 풀어라.

$$\frac{dy_1}{dt} = 1.2y_1 - 0.6y_1 y_2 \qquad \frac{dy_2}{dt} = -0.8y_2 + 0.3y_1 y_2$$

여기서 $t = 0$에서 $y_1 = 2$이고 $y_2 = 1$이다. 이러한 방정식을 **포식자-피식자 방정식**이라고 한다.

풀이 MATLAB을 이용하여 해를 구하기에 앞서 먼저 상미분방정식의 우변을 계산하는 함수를 생성해야 한다. 이를 위한 한 가지 방법은 다음과 같은 M-파일을 생성하는 것이다.

```
function yp = predprey(t,y)
yp = [1.2*y(1)-0.6*y(1)*y(2);-0.8*y(2)+0.3*y(1)*y(2)];
```

이 M-파일을 predprey.m이라는 이름으로 저장하였다.

다음으로 적분구간과 초기조건을 지정하는 명령어를 다음과 같이 입력한다.

```
>> tspan = [0 20];
>> y0 = [2, 1];
```

해법은 다음과 같이 호출할 수 있다.

```
>> [t,y] = ode45(@predprey, tspan, y0);
```

이 명령은 y0에 있는 초기조건을 이용하여 tspan으로 정의된 구간에서 predprey.m에 저장된 미분방정식을 풀도록 한다. 해를 도시하기 위해서는 단지 다음과 같이 입력하면 된다.

```
>> plot(t,y)
```

결과는 그림 23.2와 같다.

시계열 그래프 외에도 **위상평면 그래프**(두 종속변수들 사이의 그래프) 역시 결과를 이해하는 데 도움을 주는데, 이를 위해서는 다음과 같이 입력한다.

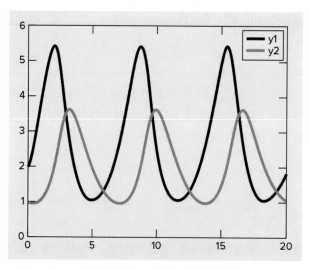

그림 23.2   MATLAB을 이용한 포식자-피식자 모델의 해.

```
>> plot(y(:,1),y(:,2))
```

그 결과는 그림 23.3과 같다.

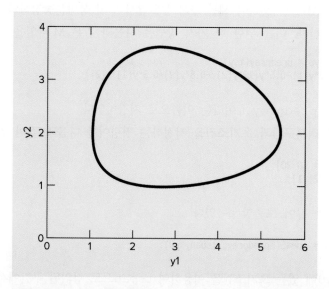

그림 23.3   MATLAB을 이용한 포식자-피식자 모델의 위상평면 그래프.

앞서의 예제에서와 같이 MATLAB 해법은 적분의 여러 양상을 제어하는 데 기본적으로 설정된 매개변수를 사용한다. 더욱이 미분방정식의 매개변수에 대해서는 제어할 것이 없다. 이와 같은 적분 양상 및 매개변수 특징을 제어하기 위해서는 다음과 같이 추가적인 인수를 포함시킨다.

```
[t, y] = ode45(odefun, tspan, y0, options, p1, p2,...)
```

여기서 *options*는 해의 특징을 제어하기 위해 *odeset* 함수를 사용하여 생성되는 자료 구조이고, *p1*, *p2*, ...는 *odefun*으로 전달하고자 하는 매개변수이다.

odeset 함수는 다음의 일반적인 구문을 갖는다.

$$options = odeset('par_1', val_1, 'par_2', val_2, ...)$$

여기서 매개변수 par_i는 val_i 값을 갖는다. 명령 프롬프트에서 단지 odeset를 입력하기만 하면 모든 가능한 매개변수 목록을 알아볼 수 있다. 몇 가지 흔히 사용되는 매개변수는 아래와 같다.

'RelTol'   상대 허용오차를 조정할 수 있도록 한다.

'AbsTol'   절대 허용오차를 조정할 수 있도록 한다.

'InitialStep'   해법은 자동적으로 초기 간격을 결정한다. 이 옵션을 통하여 원하는 값을 지정할 수 있다.

'MaxStep'   최대 간격의 기본값은 tspan 구간의 1/10이다. 이 옵션은 기본값을 무시하고 원하는 값으로 지정할 수 있다.

예제 23.2 odeset을 이용한 적분 옵션의 제어

문제 설명. ode23을 이용하여 다음의 상미분방정식을 $t = 0$에서 4까지의 구간에서 풀어라.

$$\frac{dy}{dt} = 10e^{-(t-2)^2/[2(0.075)^2]} - 0.6y$$

여기서 $y(0) = 0.5$이다. 해를 기본 허용상대오차(10^{-3})와 보다 엄격한 허용상대오차(10^{-4})에 대해 구하라.

풀이 먼저 상미분방정식의 우변을 계산하기 위해 다음과 같은 M-파일을 생성한다.

```
function yp = dydt(t, y)
yp = 10*exp(-(t-2)*(t-2)/(2*.075^2))-0.6*y;
```

그런 다음 옵션 설정 없이 해법을 수행한다. 따라서 기본 상대오차(10^{-3})가 자동적으로 적용된다.

```
>> ode23(@dydt, [0 4], 0.5);
```

주목할 점은 함수를 출력 변수 [t, y]로 설정하지 않았다는 것이다. 이와 같은 방법으로 상미분방정식의 해법들을 실행한다면 MATLAB은 계산된 값을 원으로 표시하는 그래프를 자동적으로 생성한다. 그림 23.4a에서 ode23이 어떻게 간격을 조정하는지 볼 수 있다. 즉 해가

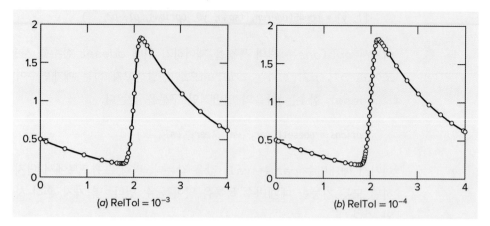

그림 23.4   MATLAB을 이용한 상미분방정식의 해. (a)보다 (b)에 더 작은 허용상대오차를 적용하였으며, 따라서 간격의 개수가 더 많아짐.

완만하게 변화하는 영역에서는 상대적으로 큰 간격을 취하고, $t = 2$ 부근의 급격히 변화하는 영역에서는 작은 간격을 취한다.

다음과 같이 odeset 함수를 사용하여 엄격한 허용상대오차(10^{-4})를 설정하면 보다 정확한 해를 얻을 수 있다.

```
>> options=odeset('RelTol',1e-4);
>> ode23(@dydt, [0, 4], 0.5, options);
```

그림 23.4b에서와 같이 해의 정확도를 높이기 위해 해법이 보다 작은 간격을 취하는 것을 알 수 있다.

23.1.2   이벤트

MATLAB의 상미분방정식 해법들은 일반적으로 미리 지정된 적분구간에 대해 구현된다. 즉, 이 해법들은 종속변수의 초기값에서 최종값까지의 해를 구하기 위해 종종 사용된다. 그러나 많은 문제에서 최종 시간을 모르는 경우가 많다.

한 가지 좋은 예로 이 책에서 계속해서 사용하고 있는 번지점프하는 사람의 자유낙하 문제를 들 수 있다. 점프 마스터가 실수로 번지점프하는 사람에게 줄을 매지 않았다고 가정하자. 이 경우, 번지점프하는 사람이 지면에 부딪치는 시간에 해당하는 최종시간은 주어지지 않는다. 사실, 이 경우 상미분방정식을 푸는 목적은 번지점프하는 사람이 지면에 부딪치는 시간을 구하는 것이 될 것이다.

MATLAB의 events 옵션은 이와 같은 문제들을 푸는 수단을 제공하며, 종속변수 중 하나가 0에 도달할 때까지 미분방정식을 풀게 된다. 물론 계산을 0이 아닌 값에서 종료시키고 싶은 경우도 있을 것이다. 아래에서 설명하는 바와 같이 이러한 경우는 쉽게 해결될 수 있다.

번지점프 문제를 사용하여 이 방법을 설명한다. 상미분방정식 시스템은 다음과 같이 수식화될 수 있다.

$$\frac{dx}{dt} = v$$

$$\frac{dv}{dt} = g - \frac{c_d}{m} v|v|$$

여기서 x는 거리(m), t는 시간(s), v는 속도(m/s)이며, 여기서 양의 속도는 아래쪽 방향을 향한다. 그리고 g는 중력가속도(= 9.81 m/s^2), c_d는 2차 항력계수(kg/m), 그리고 m은 질량(kg)이다. 이 식에서 거리와 속도는 모두 아래쪽 방향이 양이며, 지면은 거리가 0으로 정의된다. 이 예에서 점프하는 사람은 초기에 지면 위 200 m에 위치하고 있고, 초기 속도는 위쪽 방향으로 20 m/s로 가정한다. 즉, $x(0) = -200$이고 $v(0) = 20$이다.

첫 번째 단계는 상미분방정식 시스템을 M-파일 함수로 나타내는 것이다.

```
function dydt=freefall(t,y,cd,m)
% y(1) = x and y(2) = v
grav=9.81;
dydt=[y(2);grav-cd/m*y(2)*abs(y(2))];
```

이벤트를 구현하기 위해서는, (1) 이벤트를 정의하는 함수 (2) 해를 생성하는 스크립트 등, 두 개의 M-파일을 추가적으로 작성할 필요가 있다.

위 번지점프 문제에 대해 이벤트 함수(여기서 endevent로 명명함)는 다음과 같이 작성될 수 있다.

```
function [detect,stopint,direction]=endevent(t,y,varargin)
% Locate the time when height passes through zero
% and stop integration.
detect=y(1);    % Detect height = 0
stopint=1;      % Stop the integration
direction=0;    % Direction does not matter
```

이 함수는 독립변수(t), 종속변수(y) 및 모델 매개변수(varargin) 값들을 전달받고, 계산을 수행한 후 세 개의 변수를 반환한다. 첫째, detect는 MATLAB이 종속변수 y(1)이 0이 되는 이벤트, 즉 높이 $x = 0$인 때를 찾도록 지정한다. 둘째, stopint은 1로 설정된다. 이는 이벤트가 발생할 경우 MATLAB이 종료하도록 지시한다. 마지막으로 변수 direction은, 만약 모든 0을 찾고자 하면 0(기본값임), 이벤트 함수가 증가하는 곳의 0만 찾고자 하면 +1, 그리고 이벤트 함수가 감소하는 곳의 0만 찾고자 하면 −1로 설정한다. 위 문제의 경우 0으로 접근하는 방향은 중요하지 않으므로 direction을 0으로 설정한다.[1]

마지막으로 해를 구하기 위한 스크립트를 다음과 같이 작성한다.

---

[1] 앞서 언급한 대로 0이 아닌 이벤트를 찾기 원할 수도 있다. 예를 들면, 점프하는 사람이 $x = 5$에 도달할 때를 찾기 원한다면, 단지 detect = y(1) - 5로 설정하면 된다.

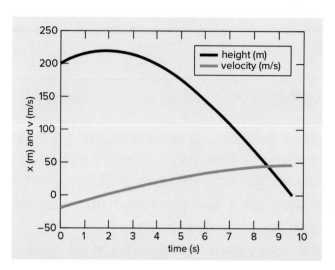

그림 23.5   MATLAB에서 생성한, 줄을 매지 않은 채 번지점프하는 사람의 지면 위의 높이와 속도에 대한 그래프.

```
opts=odeset('events',@endevent);
y0=[-200 -20];
[t,y,te,ye]=ode45(@freefall,[0 inf],y0,opts,0.25,68.1);
te,ye
plot(t,-y(:,1),'-',t,y(:,2),'--','LineWidth',2)
legend('Height (m)','Velocity (m/s)')
xlabel('time (s)');
ylabel('x (m) and v (m/s)')
```

첫 번째 줄에서 odeset 함수는 events 옵션을 호출하고, 찾고자 하는 이벤트가 endevent 함수에 정의되어 있음을 지정한다. 다음으로 초기조건(y0)과 적분구간(tspan)을 설정한다. 여기서 점프하는 사람이 언제 지면에 부딪칠지 모르기 때문에 적분구간의 상한값을 무한대로 설정하고 있음에 유의하라. 세 번째 줄에서는 ode45 함수를 이용하여 실제 해를 구한다. MATLAB의 모든 다른 상미분방정식 해법들과 마찬가지로, 이 함수는 답을 벡터 t와 y로 반환한다. 더불어 events 옵션이 호출될 때, ode45는 이벤트가 발생한 시간(te)과 그에 해당하는 종속변수값(ye)도 역시 반환한다. 스크립트의 나머지 줄들은 단지 결과를 출력하고, 그래프를 나타낸다. 스크립트를 실행하면 출력은 다음과 같이 나타난다.

```
te =
    9.5475
ye =
    0.0000   46.2454
```

그래프는 그림 23.5과 같이 도시된다. 따라서 점프하는 사람은 46.2454 m/s의 속도로 9.5475 초에 지면에 부딪친다.

23.2 다단계 방법

앞에서 설명한 단일단계법은 그림 23.6a에 보인 바와 같이, 단일 지점 t_i에서의 정보만을 이용하여 미래 지점 t_{i+1}에서의 종속변수 y_{i+1}의 값을 예측한다. **다단계법**이라고 하는 또 다른 방법은 그림 23.6b와 같이, 일단 계산이 시작되면 필요에 따라 이전의 여러 지점에서의 가치 있는 정보를 사용할 수 있다는 착상에 기초를 둔다. 이들 이전 값들을 연결하는 곡선의 곡률은 해의 궤적에 대한 정보를 제공한다. 다단계법은 바로 이러한 정보를 상미분방정식을 푸는 데 이용한다. 이 절에서는 다단계법의 일반적인 특성을 보여주는 간단한 2차 방법을 제시한다.

23.2.1 비자발적 Heun법

Heun법은 예측자[식 (22.15)]로 다음과 같이 Euler법을 사용하였다는 것을 기억하자.

$$y_{i+1}^0 = y_i + f(t_i, y_i)h \tag{23.4}$$

그리고 수정자로는 사다리꼴 공식[식 (22.17)]을 사용하였다.

$$y_{i+1} = y_i + \frac{f(t_i, y_i) + f\left(t_{i+1}, y_{i+1}^0\right)}{2}h \tag{23.5}$$

따라서 예측자와 수정자는 각각 $O(h^2)$과 $O(h^3)$의 국부절단오차를 갖는다. 이는 Heun법에서 보다 큰 오차를 갖는 예측자가 취약점인 것을 시사한다. 사실 반복되는 수정자의 효율은 초기 예측자의 정확도에 달려 있기 때문에 이러한 취약성은 심각하다. 결과적으로 Heun법을 개선하는 한 가지 방법은 $O(h^3)$의 국부오차를 갖는 예측자를 개발하는 것이다. 이는 Euler법과 y_i에서의 기울기, 그리고 이전 점 y_{i-1}에서의 추가적인 정보를 다음과 같이 사용함으로써 가능하다.

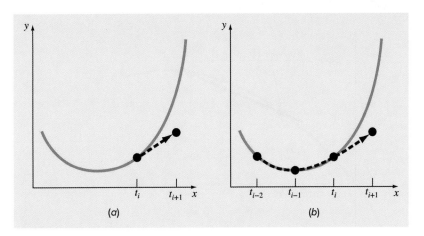

그림 23.6 상미분방정식을 풀기 위한 (a) 단일단계법과 (b) 다단계법 사이의 근본적인 차이에 대한 그래픽 표현.

$$y_{i+1}^0 = y_{i-1} + f(t_i, y_i)2h \tag{23.6}$$

이 공식은 보다 큰 간격 크기 $2h$를 취하는 대가로 $O(h^3)$의 오차를 가지게 된다. 더욱이 이 공식의 시작은 비자발적인데, 그 이유는 이전 종속변수의 값 y_{i-1}을 포함하고 있기 때문이다. 이러한 값은 전형적인 초기값 문제에서는 얻을 수 없는 것이다. 이러한 사실 때문에 식 (23.5)와 (23.6)을 **비자발적 Heun법**(non-self-starting Heun method)이라고 한다. 그림 23.7에 도시된 바와 같이 식 (23.6)에서의 도함수 추정값은 예측이 이루어질 구간의 시작점이 아니라 이제 중점에 위치한다. 이렇게 위치를 중점으로 옮김으로써 예측자의 국부오차 크기가 $O(h^3)$으로 개선된다.

비자발적 Heun법을 요약하면 다음과 같다.

예측자 (그림 23.7a): $\quad y_{i+1}^0 = y_{i-1}^m + f(t_i, y_i^m)2h \tag{23.7}$

수정자 (그림 23.7b): $\quad y_{i+1}^j = y_i^m + \dfrac{f(t_i, y_i^m) + f\left(t_{i+1}, y_{i+1}^{j-1}\right)}{2}h \tag{23.8}$

$$(\text{for } j = 1, 2, \ldots, m)$$

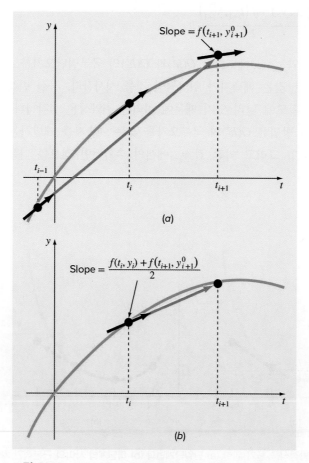

그림 23.7 비자발적 Heun법의 그래픽 표현. (a) 중점법을 예측자로 사용, (b) 사다리꼴 공식을 수정자로 사용.

여기서 상첨자는 더 나은 수치해를 얻기 위하여 $j = 1$에서 m까지 반복적으로 수정자를 적용하는 것을 나타낸다. 주목할 점은 y_i^m과 y_{i-1}^m이 이전 시간 단계에서 수정자의 반복으로 얻은 최종 결과라는 것이다. 반복의 종료는 근사오차의 추정값을 근거로 결정된다.

$$|\varepsilon_a| = \left| \frac{y_{i+1}^j - y_{i+1}^{j-1}}{y_{i+1}^j} \right| \times 100\% \tag{23.9}$$

$|\varepsilon_a|$가 미리 지정된 허용오차 ε_s보다 작을 때 반복을 종료한다. 이 시점에서 $j = m$이다. 다음의 예제는 식 (23.7)에서 (23.9)까지를 사용하여 상미분방정식을 푸는 방법을 보여준다.

예제 23.3 비자발적 Heun법

문제 설명. 예제 22.2에서 Heun법을 사용하여 풀었던 문제를 비자발적 Heun법을 사용하여 풀어라. 즉 $y' = 4e^{0.8t} - 0.5y$를 $t = 0$에서 4까지 간격 크기를 1로 놓고 적분하라. 예제 22.2에서와 같이 초기조건은 $t = 0$에서 $y = 2$이다. 지금은 다단계법을 사용하므로 $t = -1$에서 $y = -0.3929953$이라는 정보가 추가로 주어진다.

풀이 식 (23.7)의 예측자를 사용하여 $t = -1$에서 1까지 선형적으로 외삽한다.

$$y_1^0 = -0.3929953 + \left[4e^{0.8(0)} - 0.5(2) \right] 2 = 5.607005$$

그리고 식 (23.8)의 수정자를 사용하여 다음 값을 계산한다.

$$y_1^1 = 2 + \frac{4e^{0.8(0)} - 0.5(2) + 4e^{0.8(1)} - 0.5(5.607005)}{2} 1 = 6.549331$$

참값 6.194631에 대한 이 값의 참 백분율 상대오차는 -5.73%이다. 이 오차는 자발적 Heun법의 -8.18%의 오차보다는 다소 작은 값이다.

이제 해를 개선시키기 위해서 식 (23.8)을 반복적으로 적용해 보자.

$$y_1^2 = 2 + \frac{3 + 4e^{0.8(1)} - 0.5(6.549331)}{2} 1 = 6.313749$$

이 값은 -1.92%의 오차를 나타낸다. 식 (23.9)를 이용하여 근사적으로 추정한 오차 값은 다음과 같다.

$$|\varepsilon_a| = \left| \frac{6.313749 - 6.549331}{6.313749} \right| \times 100\% = 3.7\%$$

식 (23.8)을 ε_a가 미리 지정된 값인 ε_s보다 작아질 때까지 반복적으로 적용할 수 있다. 예제 22.2의 Heun법의 경우와 같이 반복법의 결과는 6.36087 ($\varepsilon_t = -2.68\%$)로 수렴한다. 그러나 다단계법은 초기 예측자의 값을 더 정확하게 계산하기 때문에 다소 빠른 속도로 수렴한다.

두 번째 단계의 예측자는 다음과 같다.

$$y_2^0 = 2 + [4e^{0.8(1)} - 0.5(6.36087)] \, 2 = 13.44346 \qquad \varepsilon_t = 9.43\%$$

이 값은 원래의 Heun법으로 계산한 예측값 12.0826 ($\varepsilon_t = 18\%$)보다 우수하다. 첫 번째 수정자는 15.76693 ($\varepsilon_t = 6.8\%$)의 값을 산출하며, 이후 반복의 결과는 자발적 Heun법에서 얻었던 결과인 15.30224 ($\varepsilon_t = -3.09\%$)로 수렴한다. 이전 단계에서와 같이 수정자의 수렴속도는 더 좋은 초기 예측값으로 인해 다소 개선된다.

23.2.2   오차의 추정

효율성의 향상 외에도, 비자발적 Heun법을 이용하여 국부절단오차를 추정할 수도 있다. 23.1절에서 다룬 적응식 RK법에서와 같이 오차의 추정은 간격 크기를 변경하기 위한 기준을 제공한다.

예측자가 중점법과 동일하다는 사실로부터 오차의 추정값을 유도할 수 있다. 따라서 표 19.4를 참조하면 국부절단오차는 다음과 같다.

$$E_p = \frac{1}{3} h^3 \, y^{(3)}(\xi_p) = \frac{1}{3} h^3 f''(\xi_p) \tag{23.10}$$

여기서 하첨자 p는 예측자의 오차임을 의미한다. 이 오차의 추정값을 예측자 단계로부터의 추정값 y_{i+1}과 조합하면 다음의 식을 얻을 수 있다.

$$참 \; 값 = y_{i+1}^0 + \frac{1}{3} h^3 y^{(3)}(\xi_p) \tag{23.11}$$

수정자가 사다리꼴 공식과 동일하다는 것을 인지하고 표 19.2를 참조하면, 수정자의 국부절단오차는 다음과 같다.

$$E_c = -\frac{1}{12} h^3 y^{(3)}(\xi_c) = -\frac{1}{12} h^3 f''(\xi_c) \tag{23.12}$$

이 오차의 추정값을 수정자의 결과 y_{i+1}과 조합하면 다음과 같이 나타낼 수 있다.

$$참 \; 값 = y_{i+1}^m - \frac{1}{12} h^3 y^{(3)}(\xi_c) \tag{23.13}$$

식 (23.13)에서 식 (23.11)을 빼면 다음 결과를 얻는다.

$$0 = y_{i+1}^m - y_{i+1}^0 - \frac{5}{12} h^3 y^{(3)}(\xi) \tag{23.14}$$

여기서 ξ는 t_{i-1}과 t_i 사이의 임의의 값이다. 이제 식 (23.14)를 5로 나누고 그 결과를 정리하면 다음과 같다.

$$\frac{\overset{0}{y}_{i+1} - \overset{m}{y}_{i+1}}{5} = -\frac{1}{12}h^3 y^{(3)}(\xi) \tag{23.15}$$

3차 도함수의 인수를 제외하고는 식 (23.12)와 (23.15)의 우변이 서로 같음을 주목하라. 만약 3차 도함수가 문제의 구간에서 크게 변하지 않는다면, 두 식의 우변은 같다고 가정할 수 있다. 따라서 두 식의 좌변이 서로 같아야 하므로 다음의 식이 성립한다.

$$E_c = -\frac{\overset{0}{y}_{i+1} - \overset{m}{y}_{i+1}}{5} \tag{23.16}$$

따라서 계산 과정에서 생기는 두 값인 예측자 y_{i+1}^0과 수정자 y_{i+1}^m을 바탕으로 각 단계의 절단오차를 추정할 수 있는 관계식을 얻는다.

예제 23.4 각 단계에서 절단오차의 추정

문제 설명. 식 (23.16)을 이용하여 예제 23.3의 각 단계에서 발생하는 절단오차를 추정하라. 단, 참값은 $t = 1$과 2에서 각각 6.194631과 14.84392이다.

풀이 $t_{i+1} = 1$에서 예측자는 5.607005를 주며, 수정자는 6.360865를 산출한다. 이 값들을 식 (23.16)에 대입하면 다음과 같다.

$$E_c = -\frac{6.360865 - 5.607005}{5} = -0.150722$$

이 값은 다음과 같이 참오차와 비견할 만하다.

$$E_t = 6.194631 - 6.360865 = -0.1662341$$

$t_{i+1} = 2$에서 예측자는 13.44346을 주며, 수정자는 15.30224를 산출한다. 그 결과는 다음과 같다.

$$E_c = -\frac{15.30224 - 13.44346}{5} = -0.37176$$

이 값 역시 참오차 $E_t = 14.84392 - 15.30224 = -0.45831$과 비견할 만하다.

지금까지 다단계법에 대해 간략하게 소개하였다. 이에 대한 추가적인 내용은 여러 곳(예를 들어 Chapra와 Canale, 2010)에서 찾을 수 있다. 다단계법이 특정한 문제를 푸는 데 있어서 그 나름대로 역할이 있지만, 공학과 과학 분야에서 마주치는 대부분의 문제를 다룰 때 일반적으로 선택되는 방법은 아니다. 그러나 다단계법은 여전히 사용되고 있다. 예를 들어 MATLAB 함수 ode113은 다단계법이며, 이런 이유로 이 절에서 그 기본 원리를 소개한 것이다.

23.3 강성

강성은 상미분방정식의 해에서 발생할 수 있는 특수한 문제이다. **강성 시스템**(stiff system)이란 빠르게 변화하는 요소와 느리게 변화하는 요소를 함께 갖고 있는 시스템이다. 어떤 경우에는 빠르게 변화하는 요소가 과도현상으로서, 순간적으로 존재하다가 급격히 감쇠되어, 그 후의 해는 느리게 변화하는 요소에 의해 지배된다. 이러한 과도현상은 적분구간의 짧은 부분에만 나타나지만, 전체 해의 시간 간격에 지배적인 영향을 미칠 수 있다.

단일 및 연립 상미분방정식은 모두 강성일 수 있다. 단일 강성 상미분방정식의 예는 다음과 같다.

$$\frac{dy}{dt} = -1000y + 3000 - 2000e^{-t} \tag{23.17}$$

만약 $y(0) = 0$ 이면, 해석해는 다음과 같이 구할 수 있다.

$$y = 3 - 0.998e^{-1000t} - 2.002e^{-t} \tag{23.18}$$

그림 23.8에서와 같이 해의 처음 부분은 빠른 지수 항(e^{-1000t})에 의해 지배된다. 짧은 기간($t < 0.005$) 이후에는 이 과도응답이 소멸되고, 해는 느린 지수 항(e^{-t})의 지배를 받게 된다.

이러한 해의 안전성에 필요한 간격 크기에 대한 이해는 식 (23.17)의 동차 부분을 살펴봄으로써 얻을 수 있다.

$$\frac{dy}{dt} = -ay \tag{23.19}$$

만약 $y(0) = y_0$이면, 미적분학을 사용하여 다음과 같이 해를 구할 수 있다.

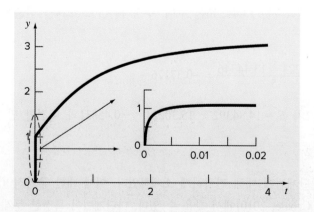

그림 23.8   단일 상미분방정식의 강성 해에 대한 그림. 비록 해는 1에서 시작하는 것처럼 보이지만, 실제로 $y = 0$과 1 사이에는 0.005 시간 단위 안에서 발생하는 빠른 과도현상이 있다. 이러한 과도응답은 그림을 확대하여 미세한 시간 눈금으로 표시할 때만 감지된다.

$$y = y_0 e^{-at}$$

따라서 해는 y_0에서 시작하여 점근적으로 0에 수렴한다.

Euler법을 사용하여 같은 문제의 해를 수치적으로도 구할 수 있다.

$$y_{i+1} = y_i + \frac{dy_i}{dt} h$$

식 (23.19)를 대입하면

$$y_{i+1} = y_i - ay_i h$$

또는

$$y_{i+1} = y_i (1 - ah) \tag{23.20}$$

이 식의 안정성은 분명히 간격 크기 h에 좌우된다. 즉 $|1 - ah| < 1$이어야 한다. 따라서 만약 $h > 2/a$라면, $i \to \infty$일 때 $|y_i| \to \infty$이다.

식 (23.18)의 빠른 과도 부분에 대하여 이 기준을 사용하면 안정성을 유지하기 위해서 h는 $2/1000 = 0.002$보다 작아야 한다. 더욱 주목해야 할 사항은 이 기준이 비록 안정성[유한해 (bounded solution)]을 보장한다 하더라도 정확한 해를 얻기 위해서는 더 작은 간격 크기가 요구된다는 점이다. 따라서 과도현상은 아주 짧은 적분구간에서 일어나지만, 그 과도현상이 최대 허용간격 크기를 제어한다.

외재적(explicit) 방법을 사용하는 대신, 내재적(implicit) 방법을 사용하는 것으로 대안적인 해결책을 제시할 수 있다. **내재적**이라는 표현은 미지수가 방정식의 양변에 나타나기 때문에 일컫는 표현이다. Euler법의 내재적 형태는 도함수를 미래 시간에서 구함으로써 얻을 수 있다.

$$y_{i+1} = y_i + \frac{dy_{i+1}}{dt} h$$

이를 **후향** 또는 **내재적 Euler법**이라고 한다. 식 (23.19)를 대입하면 다음과 같다.

$$y_{i+1} = y_i - ay_{i+1} h$$

이 식은 다음과 같이 풀 수 있다.

$$y_{i+1} = \frac{y_i}{1 + ah} \tag{23.21}$$

이 경우에는 간격 크기에 관계없이 $i \to \infty$일 때 $|y_i| \to 0$이다. 따라서 이 방법을 **무조건적으로 안정하다고**(unconditionally stable) 한다.

예제 23.5 외재적 그리고 내재적 Euler법

문제 설명. $y(0) = 0$일 때, 식 (23.17)의 해를 외재적 Euler법과 내재적 Euler법을 사용하여 구하라. (a) 외재적 Euler법의 경우 $t = 0$에서 0.006 사이의 y를 간격 크기 0.0005와 0.0015에 대해 구하라. (b) 내재적 Euler법의 경우 $t = 0$에서 0.4 사이의 y를 간격 크기 0.05에 대해 구하라.

풀이 (a) 이 문제에 대한 외재적 Euler법은 다음과 같다.

$$y_{i+1} = y_i + (-1000y_i + 3000 - 2000e^{-t_i})h$$

$h = 0.0005$에 대한 결과를 해석해와 함께 도시하면 그림 23.9a와 같다. 비록 어느 정도의 절단 오차가 보이긴 하지만, 결과의 일반적인 경향은 해석해를 따른다. 반면에 간격 크기가 안정성 한계의 바로 아래 값($h = 0.0015$)으로 증가시키면 해는 진동현상을 뚜렷하게 보인다. $h >$ 0.002인 간격 크기를 사용하면 완전히 불안정한 해를 얻게 되며, 해를 계속 구해 나갈수록 그 값이 무한대로 발산한다.

(b) 내재적 Euler법은 다음과 같다.

$$y_{i+1} = y_i + (-1000y_{i+1} + 3000 - 2000e^{-t_{i+1}})h$$

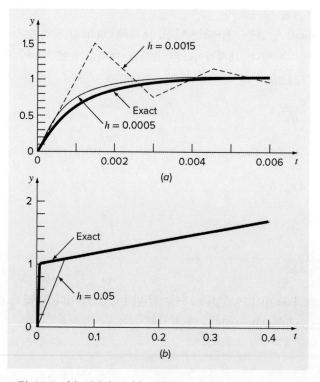

그림 23.9 (a) 외재적 및 (b) 내재적 Euler법을 사용할 때의 강성 상미분방정식의 해.

상미분방정식이 선형이므로 y_{i+1}만 좌변에 위치하도록 이 방정식을 정리한다.

$$y_{i+1} = \frac{y_i + 3000h - 2000he^{-t_{i+1}}}{1 + 1000h}$$

$h = 0.05$에 대한 결과를 해석해와 함께 도시하면 그림 23.9b와 같다. 외재적 Euler법을 불안정하게 만드는 간격보다 훨씬 큰 간격 크기를 사용했음에도 불구하고 수치해는 해석해를 잘 따라가고 있음을 주목하라.

연립 상미분방정식도 다음의 예와 같이 강성이 될 수가 있다.

$$\frac{dy_1}{dt} = -5y_1 + 3y_2 \tag{23.22a}$$

$$\frac{dy_2}{dt} = 100y_1 - 301y_2 \tag{23.22b}$$

초기조건이 $y_1(0) = 52.29$이고 $y_2(0) = 83.82$일 때의 정해는 다음과 같다.

$$y_1 = 52.96e^{-3.9899t} - 0.67e^{-302.0101t} \tag{23.23a}$$

$$y_2 = 17.83e^{-3.9899t} + 65.99e^{-302.0101t} \tag{23.23b}$$

두 지수가 음수이고, 크기는 100배 정도나 차이 나고 있음을 주목하라. 단일 방정식에서와 같이, 큰 지수가 빠르게 응답하며 시스템 강성의 핵심을 나타낸다.

현재 예의 연립방정식에 대한 내재적 Euler법은 다음과 같이 수식화할 수 있다.

$$y_{1,i+1} = y_{1,i} + (-5y_{1,i+1} + 3y_{2,i+1})h \tag{23.24a}$$

$$y_{2,i+1} = y_{2,i} + (100y_{1,i+1} - 301y_{2,i+1})h \tag{23.24b}$$

항들을 모아서 정리하면 다음과 같다.

$$(1 + 5h)y_{1,i+1} - 3y_{2,i+1} = y_{1,i} \tag{23.25a}$$

$$-100y_{1,i+1} + (1 + 301h)y_{2,i+1} = y_{2,i} \tag{23.25b}$$

따라서 이 문제는 각 시간 간격에 대해서 연립방정식을 푸는 것으로 귀결됨을 알 수 있다.

비선형 상미분방정식의 해를 구하는 것은 비선형 연립방정식(12.2절 참조)을 풀어야 하기 때문에 더욱 어렵다. 따라서 내재적 방법이 안정성을 보장한다 하더라도 해를 구하는 복잡성이 더해지는 것을 감수해야 한다.

23.3.1 강성 시스템을 위한 MATLAB 함수

MATLAB은 강성의 상미분방정식 시스템을 풀기 위해 여러 내장함수들을 가지고 있다. 이들은 아래와 같다.

ode15s. 이 함수는 수치미분 공식에 기초한 변동 차수 해법이다. 다단계법으로 옵션에 따라 Gear의 후향 미분공식을 사용하기도 한다. 낮은 또는 중간 정도의 정확도를 요구하는 강성 문제를 다룰 때 사용된다.

ode23s. 이 함수는 2차의 수정 Rosenbrock 공식에 기초한다. 단일단계법이기 때문에 느슨한 허용오차의 경우 ode15s보다 효율적일 수 있다. 이 함수는 일부 강성 문제의 해를 구하는 데 있어 ode15s보다 우수하다.

ode23t. 이 함수는 해를 구하는 데 사다리꼴 공식을 "자유" 보간식과 함께 적용한다. 수치감쇠가 없는 해가 필요한 낮은 정확도로 보통 수준의 강성 문제를 다룰 때 사용한다.

ode23tb. 이 함수는 내재적 Runge-Kutta 공식을 적용하는데, 첫 번째 단계에서는 사다리꼴 공식을 사용하고 두 번째 단계에서는 2차 후향 미분공식을 사용한다. 느슨한 허용오차에 대해 ode15s보다 효율적이다.

예제 23.6 강성 상미분방정식을 위한 MATLAB

문제 설명. 다음 van der Pol 방정식은 진공관 시대의 전자회로 모델이다.

$$\frac{d^2 y_1}{dt^2} - \mu \left(1 - y_1^2\right) \frac{dy_1}{dt} + y_1 = 0 \tag{E23.6.1}$$

이 방정식의 해는 μ 값이 커질수록 강성이 점진적으로 증가한다. 초기조건이 $y_1(0) = dy_1/dt = 1$ 일 때, MATLAB을 사용하여 (a) $\mu = 1$에 대해 ode45를 사용하여 $t = 0$에서 20까지의 해와 (b) $\mu = 1000$에 대해 ode23s를 사용하여 $t = 0$에서 6000까지의 해를 구하라.

풀이 (a) 첫 번째 단계는 2차 상미분방정식을 다음 식을 정의함으로써 두 개의 1차 상미분방정식으로 변환하는 것이다.

$$\frac{dy_1}{dt} = y_2$$

이 식을 이용하면 식 (E23.6.1)을 다음과 같이 표현할 수 있다.

$$\frac{dy_2}{dt} = \mu \left(1 - y_1^2\right) y_2 - y_1 = 0$$

이 두 개의 미분방정식을 지정하는 M-파일을 다음과 같이 생성한다.

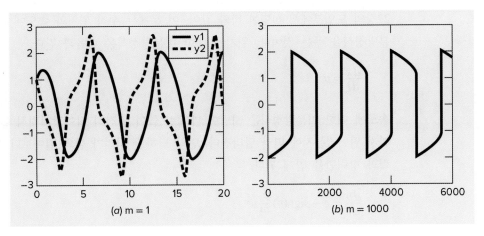

그림 23.10 van der Pol 방정식의 해. (a) ode45로 푼 비강성 해와 (b) ode23s로 푼 강성 해.

```
function yp = vanderpol(t,y,mu)
yp = [y(2);mu*(1-y(1)^2)*y(2)-y(1)];
```

μ 값이 매개변수 형태로 어떻게 전달되는지 주목하라. 예제 23.1에서와 같이 ode45를 호출해서 결과를 구하고 도시한다.

```
>> [t,y] = ode45(@vanderpol,[0 20],[1 1],[],1);
>> plot(t,y(:,1),'-',t,y(:,2),'--')
>> legend('y1','y2');
```

어떠한 옵션도 지정하지 않았기 때문에 위치 지정자로 빈 괄호 [ ]를 사용해야 한다. 그림 23.10a와 같이 매끄러운 특성의 그래프는 $\mu = 1$ 인 van der Pol 방정식은 강성 시스템이 아님을 시사한다.

(b) ode45와 같은 표준 해법을 강성인 경우($\mu = 1000$)에 사용하면 그 결과는 형편없이 나올 것이다(한번 시도해 보라). 그러나 ode23s를 사용하면 훌륭한 결과를 얻는다.

```
>> [t,y] = ode23s(@vanderpol,[0 6000],[1 1],[],1000);
>> plot(t,y(:,1))
```

그림 23.10b에 y_2 성분을 도시하려면 매우 큰 눈금이 필요하기 때문에 단지 y_1 성분만 도시하였다. 이 해(그림 23.10b)는 그림 23.10a의 경우에 비해 매우 뾰족한 모서리를 갖고 있어, 시각적으로 명백하게 해가 "강성"임을 보여준다.

23.4 MATLAB 의 응용: 번지점프하는 사람

이 절에서는 MATLAB을 사용하여 출발대에 번지 줄로 연결된 사람의 수직 운동을 다룬다.

22장의 도입부에서 설명한 바와 같이, 이 문제는 수직 위치와 속도에 관한 두 개의 연립 상미분방정식을 푸는 것이다. 위치에 대한 미분방정식은 다음과 같다.

$$\frac{dx}{dt} = v \tag{23.26}$$

속도에 대한 미분방정식은 사람이 매달린 줄이 완전히 잡아당겨져서 늘어나기 시작하는 거리까지 떨어졌는지에 따라 달라진다. 만약 낙하한 거리가 줄의 길이보다 짧다면 사람은 단지 중력과 항력만을 받게 된다.

$$\frac{dv}{dt} = g - \text{sign}(v)\,\frac{c_d}{m}v^2 \tag{23.27a}$$

일단 줄이 늘어나기 시작하면, 다음과 같이 줄의 탄성력과 감쇠력이 포함되어야 한다.

$$\frac{dv}{dt} = g - \text{sign}(v)\,\frac{c_d}{m}v^2 - \frac{k}{m}(x-L)\frac{\gamma}{m}v \tag{23.27b}$$

다음의 예제는 MATLAB을 사용하여 이 문제를 푸는 방법을 보여준다.

예제 23.7 번지점프하는 사람

문제 설명. 매개변수값으로 $L = 30$ m, $g = 9.81$ m/s^2, $m = 68.1$ kg, $c_d = 0.25$ kg/m, $k = 40$ N/m, $\gamma = 8$ N·s/m를 이용하여 번지점프를 하는 사람의 위치와 속도를 구하라. 초기조건을 $x(0) = v(0) = 0$으로 놓고, 계산을 $t = 0$에서 50초까지 수행하라.

풀이 상미분방정식의 우변을 계산하기 위해 다음과 같이 M-파일을 작성할 수 있다.

```
function dydt = bungee(t,y,L,cd,m,k,gamma)
g = 9.81;
cord = 0;
if y(1) > L %determine if the cord exerts a force
  cord = k/m*(y(1)-L)+gamma/m*y(2);
end
dydt = [y(2); g - sign(y(2))*cd/m*y(2)^2 - cord];
```

MATLAB 해법에서 요구하는 형식대로 도함수들이 열벡터의 형태로 반환되는 것에 유의한다.
이 방정식들은 강성이 아니므로 ode45를 사용하여 해를 구하고, 그 결과를 도시하기 위한 프로그램을 다음과 같이 작성한다.

```
>> [t,y] = ode45(@bungee,[0 50],[0 0],[],30,0.25,68.1,40,8);
>> plot(t,-y(:,1),'-',t,y(:,2),':')
>> legend('x (m)','v (m/s)')
```

그림 23.11에서와 같이 그래프에서 음의 방향으로의 거리가 아래쪽을 향하도록 거리의 부호를 바꾸었다. 계산결과가 사람이 아래위로 튀는 운동을 어떻게 묘사하는지 주목하라.

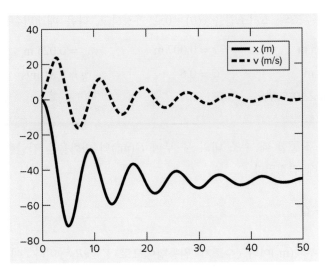

그림 23.11 번지점프하는 사람의 거리 및 속도에 대한 그래프.

23.5 사례연구 PLINY의 간헐 분수

배경. 로마의 자연철학자인 Pliny the Elder는 그의 정원에 간헐 분수(intermittent fountain)가 있었다고 전해진다. 그림 23.12에서와 같이 물은 일정 유량 Q_{in}으로 원통형 수조로 유입되며 수위가 y_{high}에 도달할 때까지 수조를 채운다. 이때 원형 배출 파이프(사이펀 siphon)를 통해 물을 수조로부터 빨아들이고, 파이프 출구에 분수를 만들게 된다. 분수는 수위가 y_{low}로 떨어질 때까지 작동하며, 그 후 파이프는 공기로 차게 되고 분수는 정지하게 된다. 그런 다음 물이 y_{high}에 도달하게 될 때까지 수조가 채워지고 분수가 다시 흐르게 될 때까지 순환이 반복된다.

사이펀이 작동하고 있을 때, 유출 유량 Q_{out}은 **Torricelli 법칙**(Torricelli's law)으로부터 다음과 같이 계산될 수 있다.

$$Q_{out} = C\sqrt{2gy}\,\pi r^2 \tag{23.28}$$

파이프 내의 물의 부피를 무시하고, 100초 동안의 수조 내의 수위를 시간의 함수로 계산하고

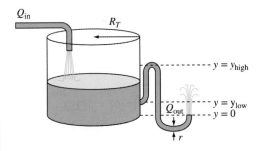

그림 23.12 간헐 분수.

도시하라. 빈 수조의 초기조건을 $y(0) = 0$로 가정하고, 다음 매개변수를 이용하여 계산하라.

$$R_T = 0.05 \text{ m} \qquad r = 0.007 \text{ m} \qquad y_{\text{low}} = 0.025 \text{ m}$$

$$y_{\text{high}} = 0.1 \text{ m} \qquad C = 0.6 \qquad g = 9.81 \text{ m/s}^2$$

$$Q_{\text{in}} = 50 \times 10^{-6} \text{ m}^3\text{/s}$$

풀이   분수가 작동할 때 수조 내의 물 부피 $V(\text{m}^3)$의 변화율은 간단한 유입량과 유출량 차이의 평형에 의해 결정된다.

$$\frac{dV}{dt} = Q_{\text{in}} - Q_{\text{out}} \tag{23.29}$$

여기서 V는 부피(m^3)이다. 수조가 원통형이므로 $V = \pi R_T^2 y$이다. 이 식과 식 (23.28)을 식 (23.29)에 대입하면 다음과 같다.

$$\frac{dy}{dt} = \frac{Q_{\text{in}} - C\sqrt{2gy}\,\pi r^2}{\pi R_T^2} \tag{23.30}$$

분수가 작동하지 않을 때, 분자의 두 번째 항은 0이 된다. 이를 모델에 반영하기 위하여 분수가 작동하지 않을 때는 0이고, 작동할 때는 1인 새로운 무차원 변수 *siphon*을 도입한다.

$$\frac{dy}{dt} = \frac{Q_{\text{in}} - siphon \times C\sqrt{2gy}\,\pi r^2}{\pi R_T^2} \tag{23.31}$$

위 식에서 *siphon*을 분수를 끄고 켜는 스위치로 생각할 수 있으며, 이러한 2-상태 변수를 **Boolean** 또는 **논리 변수**라 하며, 0은 거짓이고 1은 참과 같다.

다음으로 *siphon*을 종속변수 y에 연관지어야 한다. 먼저 수위가 y_{low} 아래로 떨어질 때마다 *siphon*은 0으로 설정된다. 반대로 수위가 y_{high} 위로 올라갈 때마다 *siphon*은 1로 설정된다. 다음의 M-파일 함수는 이 논리를 따라 도함수를 계산한다.

```
function dy = Plinyode(t,y)
global siphon
Rt = 0.05; r = 0.007; yhi = 0.1; ylo = 0.025;
C = 0.6; g = 9.81; Qin = 0.00005;
if y(1) <= ylo
  siphon = 0;
elseif y(1) >= yhi
  siphon = 1;
end
Qout = siphon * C * sqrt(2 * g * y(1)) * pi * r ^ 2;
dy = (Qin - Qout) / (pi * Rt ^ 2);
```

*siphon*의 값은 함수의 호출 간에서도 유지되어야 하므로, siphon은 전역 변수(global variable)로 선언되어야 함에 유의한다. 전역 변수의 사용이 바람직한 것은 아니지만(특히 대규모 프로그램에서), 현재의 구문에서는 유용하다.

다음은 내장함수 ode45를 사용하여 Plinyode를 적분하고 결과를 도시하는 스크립트이다.

```
global siphon
siphon = 0;
tspan = [0 100]; y0 = 0;
[tp,yp]=ode45(@Plinyode,tspan,y0);
plot(tp,yp)
xlabel('time, (s)')
ylabel('water level in tank, (m)')
```

그림 23.13에 보인 바와 같이 결과는 명백하게 잘못되었다. 물을 채우는 초기를 제외하고는 수위가 y_{high}에 도달하기도 전에 떨어지기 시작하는 것으로 보인다. 배수 때도 마찬가지로 사이펀은 수위가 y_{low}로 떨어지기 훨씬 전에 닫힌다.

여기서 이 문제를 풀기 위해서 ode45보다 더 나은 계산능력이 필요하다 여기고, ode23s 또는 ode23tb와 같은 MATLAB의 다른 상미분방정식 해법 중의 하나를 사용하고 싶어 할 수도 있을 것이다. 하지만 만약 그렇게 하더라도, 비록 이들 해법들이 다소 다른 결과를 산출하지만 여전히 잘못된 해를 산출한다는 것을 알게 될 것이다.

실제 위의 문제점은 사이펀이 켜지거나 꺼지는 지점에서 상미분방정식이 불연속이기 때문에 발생한 것이다. 예를 들면 수조가 채워지는 동안, 도함수는 일정한 유입 유량에만 의존하며 따라서 일정값 6.366×10^{-3} m/s 을 가진다. 그러나 수위가 y_{high}에 도달하자마자, 유출이 시작되고 도함수는 갑자기 -1.013×10^{-2} m/s로 떨어진다. MATLAB의 적응식 간격-크기 함수들이 많은 문제에 대해 매우 훌륭하게 작동하지만, 이러한 불연속성을 다룰 때는 종종 어려움이 있다. 왜냐하면 이들 함수들은 다른 간격들에 대한 결과를 비교함으로써 해의 거동을 추측

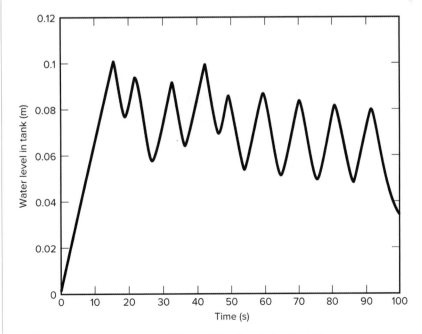

그림 23.13   ode45 함수로 계산한 Pliny 분수의 시간에 따른 수위.

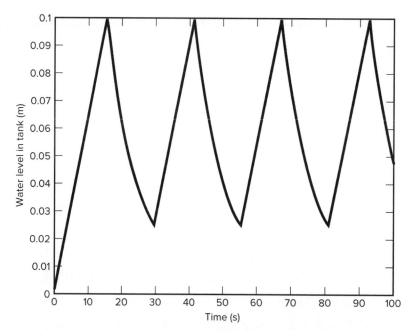

그림 23.14 작은 크기의 간격을 일정하게 사용하여 rk4sys 함수(그림 22.8)로 계산한 Pliny 분수의 시간에 따른 수위.

하기 때문에, 불연속성은 마치 어두운 길에서 깊은 구덩이 속으로 빠지는 것과 유사하다.

여기서 여러분은 그냥 포기하자라고 마음먹기 쉽다. 결국, MATLAB으로도 결과를 얻는게 너무 어렵다면, 아무도 여러분이 해를 도출하기를 기대하지 않을 것이다. 그러나 전문적인 공학자와 과학자들에게는 이런 변명이 통하지 않으므로, 여러분의 유일한 수단은 수치해법에 대한 지식을 바탕으로 개선 방법을 찾는 것이다.

위 문제점은 불연속점들에 걸쳐서 적응식 간격 방법을 적용하는 데서 비롯된 것이기 때문에, 보다 단순한 방법으로 되돌아가서, 즉 작은 크기의 일정한 간격을 사용하는 것이다. 이는 생각해 보면, 깊은 구덩이 투성이의 어두운 길을 지나갈 때 택하는 방법과 마찬가지다. 따라서 해법은 ode45 함수를, 22장에서의 일정한 간격을 사용하는 rk4sys 함수(그림 22.8)로, 단지 대체하는 것이다. 앞의 스크립트에서 네 번째 줄을 다음과 같이 고쳐 쓴다.

```
[tp,yp] = rk4sys(@Plinyode,tspan,y0,0.0625);
```

그림 23.14에서 볼 수 있는 바와 같이 해는 이제 예상한 대로 전개된다. 수조는 y_{high}까지 차고, 그 후 y_{low}에 도달할 때까지 비워지게 되는 사이클이 반복된다.

이 사례연구로부터 두 가지 교훈을 얻을 수 있다. 첫째, 반대로 생각하는 것이 인간의 본성이겠지만, 단순한 것이 때로는 더 낫다. 결국, Einstein의 말을 빌리자면, "모든 것은 가능한 한 단순해야 하지만, 더 단순해서는 안 된다." 둘째, 컴퓨터에서 생성된 결과를 결코 맹신하지 말아야 한다. 데이터의 질이 컴퓨터 출력의 유용성에 미치는 영향에 관해 "쓰레기를 넣으면 쓰레기가 나온다"는 진부한 말을 들어보았을지도 모르겠다. 불행히도 일부 사람들은 무엇이

들어가든지(데이터), 그리고 내부에서 무엇이 진행되든지(알고리즘), 이들과는 상관없이 좋은 결과만 나온다고 생각한다. 그림 23.13에 묘사된 것과 같은 상황은 특히 위험하다. 즉 출력값이 옳지는 않지만 명백하게 잘못된 값도 아니다. 즉 수치모사가 불안정적이지도 않고 음의 수위를 산출하지도 않는다. 사실 해는 틀렸지만 간헐 분수의 특성대로 아래위로 움직인다.

바라건대, 이 사례연구가 MATLAB과 같은 훌륭한 소프트웨어도 완전하지 않다는 것을 잘 보여주었으면 한다. 따라서 공학자와 과학자들은 그들이 풀고자 하는 문제에 대해, 경험과 지식을 바탕으로, 건전한 의구심을 가지고 항상 수치 결과를 검토하여야 한다.

연습문제

23.1 23.5절에 기술한 Pliny 분수에 대한 계산을 반복하되, ode23, ode23s, 그리고 ode113을 이용하여 해를 구하라. subplot을 이용하여 시계열에 대한 세로 방향의 3구획(three-pane) 그림을 도시하라.

23.2 다음 상미분방정식은 전염병의 확산에 대한 모델을 제시한 것이다.

$$\frac{dS}{dt} = -aSI$$

$$\frac{dI}{dt} = aSI - rI$$

$$\frac{dR}{dt} = rI$$

여기서 S는 전염병에 걸리기 쉬운 사람 수, I는 감염된 사람 수, R은 회복된 사람 수, a는 감염률, 그리고 r은 회복률이다. 어떤 도시에 10,000명이 거주하며 이들 모두는 전염병에 걸리기 쉽다.

(a) $t = 0$ 에서 전염력을 가진 사람 한 명이 도시로 들어왔다면, 감염된 사람의 수가 10명 이하로 떨어질 때까지 전염병의 진행을 계산하라. 매개변수 $a = 0.002/(\text{person} \cdot \text{week})$이고 $r = 0.15/\text{d}$이다. 모든 상태변수에 대하여 시계열 그래프를 도시하고, S 대 I 대 R 의 위상평면 그래프를 도시하라.

(b) 회복 후에도 회복된 사람이 면역력이 떨어져 다시 전염병에 걸리기 쉽다고 가정하자. 이러한 재감염 메커

니즘은 ρR로 계산될 수 있으며, 여기서 ρ는 재감염률이다. 이 메커니즘을 포함하도록 모델을 수정하고 문제 (a)의 계산을 반복하라. 단, $\rho = 0.03/\text{d}$이다.

23.3 다음 초기값 문제의 해를 $t = 2$ 에서 3까지의 구간에서 구하라.

$$\frac{dy}{dt} = -0.5y + e^{-t}$$

비자발적 Heun법을 사용하여, 간격 크기는 0.5, 초기조건은 $y(1.5) = 5.222138$과 $y(2.0) = 4.143883$에 대해 계산하라. 수정자를 $\varepsilon_s = 0.1\%$가 될 때까지 반복하라. 해석적으로 구한 정해 $y(2.5) = 3.273888$과 $y(3.0) = 2.577988$을 기준으로 계산결과의 백분율 상대오차를 구하라.

23.4 다음 초기값 문제의 해를 $t = 0$에서 0.5까지의 구간에서 구하라.

$$\frac{dy}{dt} = yt^2 - y$$

4차 RK법을 사용하여 $t = 0.25$에서의 처음 값을 예측하라. 그런 다음 비자발적 Heun법을 사용하여 $t = 0.5$에서의 값을 예측하라. 단, $y(0) = 1$이다.

23.5 주어진 방정식에 대해 다음을 답하라.

$$\frac{dy}{dt} = -100,000y + 99,999e^{-t}$$

(a) 외재적 Euler법을 사용할 때 안정성이 유지되는 간격 크기를 구하라.

(b) $y(0) = 0$인 경우에 내재적 Euler법을 사용하여 $t = 0$에서 2까지의 구간에서 0.1의 간격 크기로 해를 구하라.

23.6 주어진 방정식에 대해 다음을 답하라.

$$\frac{dy}{dt} = 30(\sin t - y) + 3 \cos t$$

$y(0) = 0$인 경우에 내재적 Euler법을 사용하여 $t = 0$에서 4까지의 구간에서 0.4의 간격 크기로 해를 구하라.

23.7 주어진 방정식에 대해 다음을 답하라.

$$\frac{dx_1}{dt} = 999x_1 + 1999x_2$$

$$\frac{dx_2}{dt} = -1000x_1 - 2000x_2$$

$x_1(0) = x_2(0) = 1$인 경우에 $t = 0$에서 0.2까지의 구간에서 0.05의 간격 크기로 해를 (a) 외재적 Euler법과 (b) 내재적 Euler법으로 구하라.

23.8 다음의 비선형 상미분방정식은 Hornbeck (1975)에 의해 제안되었다.

$$\frac{dy}{dt} = 5(y - t^2)$$

$$f(x) = \frac{1}{(x - 0.3)^2 + 0.01} + \frac{1}{(x - 0.9)^2 + 0.04} - 6$$

초기조건이 $y(0) = 0.08$일 때, $t = 0$에서 5까지의 구간에서 해를 다음 방법으로 구하라.

(a) 해석적으로 구하라.
(b) 4차 RK법을 사용하여 0.03125의 일정한 간격 크기로 구하라.
(c) MATLAB 함수 ode45를 사용하라.
(d) MATLAB 함수 ode23s를 사용하라.
(e) MATLAB 함수 ode23tb를 사용하라.

계산결과를 그래프로 나타내어라.

23.9 예제 20.5로부터 다음의 humps 함수는 x의 비교적 좁은 구간에서 평평한 부분과 급격한 부분을 동시에 갖고 있음을 알고 있다.

$$f(x) = \frac{1}{(x - 0.3)^2 + 0.01} + \frac{1}{(x - 0.9)^2 + 0.04} - 6$$

이 함수의 정적분을 $x = 0$과 1 사이의 구간에 대해 (a) quad 함수와 (b) ode45 함수를 사용하여 구하라.

23.10 흔들리는 진자의 진동은 다음과 같은 비선형 모델을 사용하여 시뮬레이션할 수 있다.

$$\frac{d^2\theta}{dt^2} + \frac{g}{l} \sin \theta = 0$$

여기서 θ는 변위 각도, g는 중력가속도, 그리고 l은 진자의 길이이다. 미소 각 변위에 대해 $\sin \theta$를 θ로 근사할 수 있으며, 위 모델은 다음과 같이 선형화될 수 있다.

$$\frac{d^2\theta}{dt^2} + \frac{g}{l} \theta = 0$$

선형과 비선형 모델에 대해서 ode45를 이용하여 θ를 시간의 함수로 구하라. 단, $l = 0.6$ m이고 $g = 9.81$ m/s^2 이다. 먼저 초기조건이 작은 변위($\theta = \pi/8$와 $d\theta/dt = 0$)인 경우에 대해 구하라. 그리고 큰 변위($\theta = \pi/2$)인 경우에 대해서도 구하라. 각 경우에 대해 선형과 비선형으로 계산한 결과를 같은 그래프 상에 도시하라.

23.11 23.1.2절에서 설명한 이벤트 옵션을 사용하여 1 m 길이의 선형 진자의 주기를 구하라(연습문제 23.10의 설명을 참조하라). 다음 초기조건에 대한 주기를 계산하라. (a) $\theta = \pi/8$, (b) $\theta = \pi/4$ 그리고 (c) $\theta = \pi/2$. 세 경우 모두 초기 각속도는 0으로 설정하라[힌트: 주기를 계산하는 좋은 방법은 진자가 $\theta = 0$에 도달하는 데 걸리는 시간을 구하는 것이다(즉, 원호의 바닥)]. 주기는 이 값의 4배와 같다.

23.12 연습문제 23.10에 기술한 비선형 진자에 대해 연습문제 23.11을 반복하라.

23.13 다음 시스템은 화학 반응속도론의 해에서 나타날 수 있는 강성 상미분방정식의 전형적인 예이다.

$$\frac{dc_1}{dt} = -0.013c_1 - 1000c_1c_3$$

$$\frac{dc_2}{dt} = -2500c_2c_3$$

$$\frac{dc_3}{dt} = -0.013c_1 - 1000c_1c_3 - 2500c_2c_3$$

$t = 0$에서 50까지의 구간에서 초기조건 $c_1(0) = c_2(0) = 1$과 $c_3(0) = 0$에 대하여 이들 식의 해를 구하라. MATLAB을 사용할 수 있다면 표준 함수(예, ode45)와 강성 함수(예, ode23s)를 사용하여 해를 구하라.

23.14 다음의 2차 상미분방정식은 강성으로 간주된다.

$$\frac{d^2 y}{dx^2} = -1001 \frac{dy}{dx} - 1000y$$

이 미분방정식의 해를 다음 방법으로 구한다. (a) 해석적으로 구하라. (b) $x = 0$에서 5까지의 구간에서 수치적으로 구하라. (b)의 경우 $h = 0.5$로 내재적 방법으로 구하라. 초기조건은 $y(0) = 1$과 $y'(0) = 0$이다. 그리고 두 가지 계산결과를 그래프로 나타내어라.

23.15 그림 P23.15에 보인 바와 같이, x-y 평면상에서 운동하는 길이 l의 가느다란 봉을 고려한다. 봉의 한쪽 끝단은 핀에 의해 고정되어 있고 다른 쪽 끝단에는 질량이 달려 있다. 여기서 $g = 9.81$ m/s^2 이고 $l = 0.5$ m이다. 이 시스템은 다음 식을 이용하여 풀 수 있다.

$$\ddot{\theta} - \frac{g}{l} \theta = 0$$

여기서 $\theta(0) = 0$이고, $\dot{\theta}(0) = 0.25$ rad/s이다. 이 장에서 학습한 방법 중 한 가지를 이용하여 해를 구하라. 시간에 대한 각도와 시간에 대한 각속도를 도시하라(힌트: 2차 상미분방정식을 분해하라).

그림 P23.15

23.16 1차 상미분방정식이 다음과 같이 주어진다.

$$\frac{dx}{dt} = -700x - 1000e^{-t}$$

$$x(t = 0) = 4$$

이 강성 미분방정식을 시간 주기 $0 \leq t \leq 5$에 대하여 수치

방법을 이용하여 풀어라. 또한 해석적으로 해를 구하고, 시간 스케일상의 빠른 과도단계와 느린 과도단계에 대하여 해석해와 수치해를 도시하라.

23.17 $t = 0$에서 2까지의 구간에서 초기조건 $y(0) = 1$에 대하여, 다음 미분방정식의 해를 구하라.

$$\frac{dy}{dt} = -10y$$

다음 방법을 사용하여 해를 구한다. (a) 해석적으로, (b) 외재적 Euler법, (c) 내재적 Euler법으로 구하라. (b)와 (c)에 대하여는 $h = 0.1$과 0.2를 사용한다. 계산결과를 도시하라.

23.18 포식자-피식자 모델에 영향을 미치는 인자를 추가시키기 위하여 22.6절에서 기술하였던 Lotka-Volterra 방정식을 개선하였다. 예를 들면 피식자 개체수는 포식행위 외에도 공간과 같은 다른 인자에 의해서 제한된다. 공간 제약은 다음과 같이 수용한계로서 모델에 포함될 수 있다(연습문제 22.5에 기술된 로지스틱 모델 참조).

$$\frac{dx}{dt} = a \left(1 - \frac{x}{K}\right) x - bxy$$

$$\frac{dy}{dt} = -cy + dxy$$

여기서 K는 수용한계이다. 22.6절에서와 동일한 매개변수 값과 초기조건을 적용하고, ode45를 이용하여 이들 식을 $t = 0$에서 100까지의 구간에서 적분하라. 그리고 결과에 대한 시계열 및 위상평면 그래프를 도시하라.

(a) 매우 큰 값 $K = 10^8$을 사용하여 22.6절에서와 동일한 결과를 구할 수 있는지를 확인한다.

(b) 보다 현실적인 값인 $K = 200$의 수용한계에 대한 결과를 (a)와 비교하라. 그리고 그 결과를 논의하라.

23.19 두 개의 질량체가 선형 스프링에 의해 벽면에 부착된다(그림 P23.19). Newton 제2법칙에 기초한 힘의 평형은 다음과 같다.

$$\frac{d^2 x_1}{dt^2} = -\frac{k_1}{m_1}(x_1 - L_1) + \frac{k_2}{m_1}(x_2 - x_1 - w_1 - L_2)$$

$$\frac{d^2 x_2}{dt^2} = -\frac{k_2}{m_2}(x_2 - x_1 - w_1 - L_2)$$

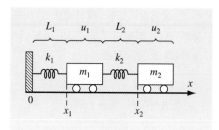

그림 P23.19

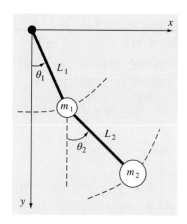

그림 P23.23 이중 진자.

여기서 k는 스프링 상수, m은 질량, L은 늘어나지 않은 스프링 길이, 그리고 w는 질량체의 폭이다. 다음 매개변수를 이용하여 질량체의 위치를 시간의 함수로 계산하라. $k_1 = k_2 = 5$, $m_1 = m_2 = 2$, $w_1 = w_2 = 5$ 그리고 $L_1 = L_2 = 2$이다. 초기조건은 $x_1 = L_1$과 $x_2 = L_1 + w_1 + L_2 + 6$으로 설정한다. $t = 0$에서 20까지의 구간에서 계산을 수행하라. 변위와 속도의 시계열 그래프를 도시하라. 또한 x_2에 대한 x_1의 위상평면 그래프를 도시하라.

중력의 영향을 받는 수직면에서 진동하고, 진자 막대는 질량이 없고 단단하며, 진자의 질량은 점 질량으로 간주된다고 가정한다. 이러한 가정하에서 힘의 평형을 이용하여 다음의 운동방정식을 도출할 수 있다.

$$\frac{d^2\theta_1}{dt^2} = \frac{-g(2m_1 + m_2)\sin\theta_1 - m_2 g \sin(\theta_1 - 2\theta_2) - 2\sin(\theta_1 - \theta_2)m_2((d\theta_2/dt)^2 L_2 + (d\theta_1/dt)^2 L_1 \cos(\theta_1 - \theta_2))}{L_1(2m_1 + m_2 - m_2 \cos(2\theta_1 - \theta_2))}$$

$$\frac{d^2\theta_2}{dt^2} = \frac{2\sin(\theta_1 - \theta_2)((d\theta_1/dt)^2 L_1(m_1 + m_2) + g(m_1 + m_2)\cos(\theta_1) + (d\theta_2/dt)^2 L_2 m_2 \cos(\theta_1 - \theta_2))}{L_2(2m_1 + m_2 - m_2 \cos(2\theta_1 - \theta_2))}$$

23.20 ode45를 사용하여 연습문제 23.19에 기술한 시스템에 대한 미분방정식을 적분하라. 세로 방향으로 쌓은 구획도시(subplot) 방법으로 변위(위쪽)와 속도(아래쪽)에 대한 그래프를 도시하라. fft 함수를 사용하여 첫 번째 질량의 변위에 대한 이산 Fourier 변환(DFT)을 계산하라. 시스템의 공진 주파수를 찾기 위하여 파워 스펙트럼(power spectrum)을 생성하고 그려라.

23.21 연습문제 22.22에 있는 구조물의 1층에 대해 연습문제 23.20과 같은 계산을 수행하라.

23.22 23.1.2절에서 기술한 접근법과 예를 사용하여 번지 점프하는 사람이 지면에서 가장 멀리 있을 때의 시간, 높이, 그리고 속도를 구하고, 이들 해를 그래프로 도시하라.

23.23 그림 P23.23에 나타낸 바와 같이, 이중 진자는 다른 진자에 부착된 진자로 구성된다. 상측과 하측 진자를 각각 하첨자 1과 2로 각각 나타내고, 원점을 상측 진자의 피봇점에 y가 위쪽으로 증가하게 배치한다. 또한 시스템이

여기서 하첨자 1과 2는 상측과 하측 진자를 각각 나타내고, θ = 각도(라디안)이며, $\theta = 0$은 수직하방이고 반시계방향이 양이며, t = 시간(s), g = 중력가속도($= 9.81$ m/s^2), m = 질량(kg), 그리고 L = 길이(m)이다. 질량의 x와 y 좌표는 다음과 같이 각도의 함수임을 유의하라.

$$x_1 = L_1 \sin\theta_1 \qquad y_1 = -L_1 \cos\theta_1$$
$$x_2 = x_1 + L_2 \sin\theta_2 \qquad y_2 = y_1 - L_2 \cos\theta_2$$

(a) ode45를 사용하여 질량의 각도와 각속도를 $t = 0$부터 40초까지 시간의 함수로 구하라. subplot을 사용하여 위쪽에는 각도에 대한 시계열 그래프를 도시하고, 아래쪽에는 θ_1에 대한 θ_2의 상태공간을 도시하라.

(b) 진자운동을 묘사하는 애니메이션을 만들어라. 작성한 코드를 다음에 대하여 시험하라.

사례 1(작은 변위): $L_1 = L_2 = 1$ m, $m_1 = m_2 = 0.25$ kg, 초기조건: $\theta_1 = 0.5$ m 그리고 $\theta_2 = d\theta_1/dt = d\theta_2/dt = 0$.

사례 2(큰 변위): $L_1 = L_2 = 1$ m, $m_1 = 0.5$ kg, $m_2 = 0.25$

kg, 초기조건: $\theta_1 = 1$ m 그리고 $\theta_2 = d\theta_1 / dt = d\theta_2 / dt = 0$.

23.24 그림 P23.24는 열기구 시스템에 작용하는 힘을 보여준다.

항력을 다음과 같이 수식화한다.

$$F_D = \frac{1}{2}\rho_a v^2 A C_d$$

여기서 ρ_a = 공기 밀도(kg/m³), v = 속도(m/s), A = 정면 투영면적(m²), 그리고 C_d = 무차원 항력계수($\cong$ 0.47 구체인 경우)이다. 풍선의 총 질량은 다음과 같이 두 가지 요소로 구성된다.

$$m = m_G + m_P$$

여기서 m_G = 팽창된 풍선 내의 기체질량(kg), 그리고 m_P = 적재물의 질량(바구니, 승객 및 팽창되지 않은 풍선 = 265 kg)이다. 이상기체 법칙($P = \rho RT$)이 성립하고, 풍선은 직경 17.3 m의 완벽한 구형이며, 풍선 내부의 가열된 공기가 외부 공기와 거의 같은 압력에 있다고 가정한다. 기타 필요한 매개변수로는 표준 대기압 P = 101,300 Pa, 건조공기에 대한 기체 상수 R = 287 Joules/kg · K, 풍선 내부 공기의 평균 온도 T = 100 ℃, 그리고 표준(주변) 공기 밀도, ρ = 1.2 kg/m³이다.

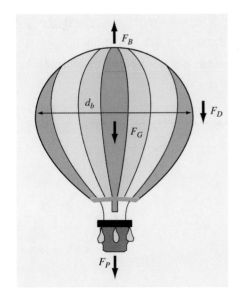

그림 P23.24 열기구에 작용하는 힘: F_B = 부력, F_G = 기체 중량, F_P = 적재물 중량(풍선 외부 포함) 그리고 F_D = 항력. 풍선이 상승할 때, 항력의 방향은 아래쪽임을 유의하라.

(a) 힘의 평형을 사용하여 모델의 기본 매개변수에 대한 함수로 dv/dt의 미분방정식을 유도하라.

(b) 정상상태에서 풍선의 종단속도를 계산하라.

(c) 앞의 매개변수가 주어지고 초기조건이 $v(0) = 0$일 때, ode45를 사용하여 $t = 0$에서 60 s까지 풍선의 속도와 위치를 계산하라. 결과를 도시하라.

23.25 ode45를 사용하여 연습문제 23.24에서 기술한 열기구의 속도 v와 위치 z를 계산하는 MATLAB 스크립트를 작성하라. 간격 크기를 1.6 s로 하여 $t = 0$에서 60 s까지 계산을 수행하라. $z = 200$ m에서 적재물의 일부(100 kg)가 열기구 밖으로 떨어졌다고 가정하라. 결과를 도시하라.

23.26 2주간의 휴가를 가기 위해 애완 금붕어 "Freddie"를 욕조에 넣어두고자 한다. 먼저 물을 탈염소 처리해야 하는 것을 기억하라! 그런 다음 고양이 Beelzebub으로부터 Freddie를 보호하기 위해 욕조 위에 밀폐식 아크릴 덮개를 덮는다. 실수로 설탕 한 스푼을 욕조에 섞는다(물고기 먹이로 착각하고!). 불행하게도 물속에 박테리아가 있어서(염소를 제거했음을 기억하라!), 설탕을 분해하며 용존산소를 소모한다. 산화반응은 k_d = 0.15/d의 반응속도로 1차 반응속도식을 따른다. 욕조의 초기 설탕농도는 20 mgO₂/L이며 산소농도는 8.4 mgO₂/L이다. 설탕과 용존산소의 질량평형(산소당량으로 표현)은 다음과 같이 쓸 수 있다.

$$\frac{dL}{dt} = -k_d L$$

$$\frac{do}{dt} = -k_d L$$

여기서 L = 산소당량으로 표현된 설탕농도(mg/L), t = 시간(d), 그리고 o = 용존산소 농도(mg/L)이다. 따라서 설탕이 산화됨에 따라, 같은 양의 산소가 욕조로부터 손실된다. ode45를 사용하여 설탕과 산소의 농도를 시간의 함수로 수치 계산하는 MATLAB 스크립트를 작성하고, 각각의 결과를 시간에 대한 그래프로 도시하라. event를 사용하여 산소농도가 2 mgO₂/L의 위태로운 수준(임계산소농도) 아래로 떨어지면 자동으로 멈추게 하라.

23.27 기질로부터 박테리아의 성장은 다음 한 쌍의 미분방정식으로 나타낼 수 있다.

$$\frac{dX}{dt} = Yk_{max}\frac{S}{k_s + S}X$$

$$\frac{dS}{dt} = -k_{max}\frac{S}{k_s + S}X$$

여기서 X = 박테리아 바이오매스, t = 시간(d), Y = 수율계수, k_{max} = 최대 박테리아 성장률, S = 기질농도, 그리고 k_s = 반포화상수이다. 매개변수 값은 $Y = 0.75$, $k_{max} = 0.3$, $k_s = 1 \times 10^{-4}$이며, 초기조건은 $t = 0$에서 $S(0) = 5$, $X(0) = 0.05$이다. 음수 값은 불가능하므로 X와 S 모두 0 이하로 떨어질 수 없다는 사실에 유의하라. (a) ode23을 사용하여 t = 0에서 20까지 X와 S를 구하라. (b) 풀이를 반복하되, 상대 허용오차를 1×10^{-6}으로 설정하라. (c) (b)를 반복하되, MATLAB에 내장된 상미분방정식 해법 중(강성해법 포함) 올바른(즉, 양수) 결과를 도출하는 해법을 결정하라. tic 과 toc 함수를 사용하여 각 옵션의 실행시간을 구하라.

23.28 다음 비선형 모델을 이용하여 흔들리는 진자의 진동을 모사할 수 있다.

$$\frac{d^2\theta}{dt^2} = -\frac{g}{l}\sin\theta$$

여기서 θ = 각 변위(라디안), g = 중력 상수(= 9.81 m/s²), l = 진자의 길이이다. (a) 이 방정식을 한 쌍의 1차 상미분방정식으로 표현하라. (b) $l = 0.65$ m이고 초기조건이 $\theta = \pi/8$와 $d\theta/dt = 0$인 경우에 대해 ode45를 사용하여 θ와 $d\theta/dt$를 시간의 함수로 풀어라. (c) 결과를 도시하라. (d) (b)에서 구한 각속도 벡터($d\theta/dt$)를 기반으로, 시간에 대한 각가속도($d^2\theta/dt^2$)의 그래프를 diff 함수를 사용하여 생성하라. 모든 결과를 θ, $d\theta/dt$, 그리고 $d^2\theta/dt^2$의 순서로 각각 위, 중간, 그리고 아래에 대응되도록 하는 하나의 수직 3구획 그래프로 나타내기 위해 subplot을 사용하라.

23.29 많은 사람들이 매우 높은 고도에서 스카이다이빙을 시도한다. 지표면 위 36.5 km의 고도에서 80 kg의 스카이다이버가 점프한다고 가정하자. 스카이다이버의 투영면적은 $A = 0.55$ m²이고 무차원 항력계수는 $C_d = 1$이다. 중력가속도 g (m/s²)는 다음과 같이 고도와 관련이 있다.

$$g = 9.806412 - 0.000003039734z$$

여기서 z = 지표면 위로의 높이(km)이며, ρ = 공기밀도 (kg/m³)는 다양한 고도에 대해 다음과 같이 표로 나타낼 수 있다.

z (km)	ρ (kg/m³)	z (km)	ρ (kg/m³)	z (km)	ρ (kg/m³)
−1	1.3470	6	0.6601	25	0.04008
0	1.2250	7	0.5900	30	0.01841
1	1.1120	8	0.5258	40	0.003996
2	1.0070	9	0.4671	50	0.001027
3	0.9093	10	0.4135	60	0.0003097
4	0.8194	15	0.1948	70	8.283×10^{-5}
5	0.7364	20	0.08891	80	1.846×10^{-5}

(a) 중력과 항력 사이의 힘의 평형에 기초하여, 스카이다이버에 대한 힘의 평형에 기초한 속도와 거리에 대한 미분방정식을 유도하라.

(b) 수치해법을 이용하여 다이버가 지표면에서 1 km 높이에 도달할 때의 속도와 거리를 계산하라. 결과를 도시하라.

23.30 그림 P23.30에 나타낸 바와 같이, 낙하산 부대원이 지상과 평행하게 직선으로 날고 있는 항공기에서 점프한다. (a) 힘의 평형을 사용하여 거리와 속도의 x 및 y 성분 변화율에 대한 네 개의 미분방정식을 유도하라. [힌트: $\sin\theta = v_y/v$ 그리고 $\cos\theta = v_x/x$]. (b) 낙하산이 전혀 펴지지 않는다고 가정하고, $t = 0$에서부터 지면에 부딪치는 순간까지 Ralston의 2차 법을 사용하여 $\Delta t = 0.25$ s로 놓고 해를 구하라. 항력계수는 0.25 kg/m, 질량은 80 kg, 항공기의 초기 수직위치는 지상으로부터 2 km이다. 초기조건은 v_x = 135 m/s이고 $v_y = x = y = 0$이다. (c) 직교좌표(x-y)상에 위치에 대한 그래프를 그려라. (d) (b)와 (c)를 반복하되, ode45와 events 옵션을 이용하여 언제 낙하산 부대원이 지면에 부딪히는지 결정하라.

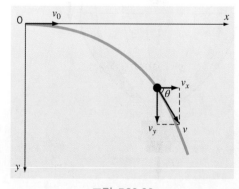

그림 P23.30

23.31 외팔보(그림 P23.31)에 대한 탄성곡선의 기본 미분

방정식은 다음과 같이 주어진다.

$$EI \frac{d^2 y}{dx^2} = -P(L-x)$$

여기서 E = 탄성계수 그리고 I = 관성모멘트이다. ode45를 사용하여 보의 처짐을 계산하라. 다음 매개변수 값이 적용된다. $E = 2 \times 10^{11}$ Pa, $I = 0.00033$ m^4, $P = 4.5$ kN, 그리고 $L = 3$ m. 다음의 해석해와 함께 수치결과를 도시하라.

$$y = -\frac{PLx^2}{2EI} + \frac{Px^3}{6EI}$$

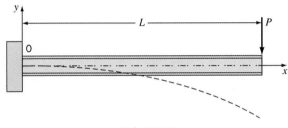

그림 P23.31

23.32 다음의 미분방정식은 폐쇄계(closed system)에서 3가지 반응물의 농도를 정의한다(그림 P23.32).

$$\frac{dc_1}{dt} = -k_{12}c_1 + k_{21}c_2 + k_{31}c_3$$

$$\frac{dc_2}{dt} = k_{12}c_1 - k_{21}c_2 - k_{32}c_2$$

$$\frac{dc_3}{dt} = k_{32}c_2 - k_{31}c_3$$

$c_1(0) = 100$이고 $c_2(0) = c_3(0) = 0$인 초기조건의 실험을 통해 다음의 데이터를 산출하였다.

t	1	2	3	4	5	6	8	9	10	12	15
c_1	85.3	66.6	60.6	56.1	49.1	45.3	41.9	37.8	33.7	34.4	35.1
c_2	16.9	18.7	24.1	20.9	18.9	19.9	20.6	13.9	19.1	14.5	15.4
c_3	4.7	7.9	20.1	22.8	32.5	37.7	42.4	47	50.5	52.3	51.3

ode45를 사용하여 위의 방정식을 적분하고, 최적화 함수를 사용하여 모델 예측값과 데이터 사이의 차의 제곱합을 최소화하는 k 값을 구하라. 모든 k에 대해 초기 가정값 0.15를 사용하라.

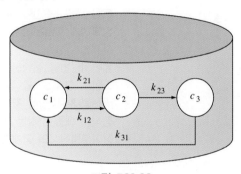

그림 P23.32

경계값 문제

학습목표

이 장의 주요 목표는 상미분방정식의 경계값 문제를 풀기 위한 방법을 소개하는 것이다. 구체적인 목표와 다루는 주제는 다음과 같다.

- 초기값 문제와 경계값 문제의 차이점
- n 차 상미분방정식을 n 개의 1차 상미분방정식 시스템으로 표현하는 방법
- 정확하게 "조준"하기 위해 선형보간법을 이용하여, 선형 상미분방정식의 해를 구하는 사격법
- 도함수 경계조건을 사격법에 적용하는 방법
- 정확하게 "조준"하기 위해 근 구하기 방법을 이용하여, 비선형 상미분방정식의 해를 구하는 사격법
- 유한차분법을 실행하는 방법
- 도함수 경계조건을 유한차분법에 적용하는 방법
- 비선형대수방정식 시스템에 대한 근 구하기 방법을 이용하여, 유한차분법으로 비선형 상미분방 정식의 해를 구하는 방법
- 상미분방정식의 경계값 문제를 풀기 위한 MATLAB 내장 함수 bvp4c의 사용법

이런 문제를 만나면

지금까지 단일 상미분방정식을 적분하여 번지점프하는 사람의 자유낙하하는 속도를 계산 해왔다.

$$\frac{dv}{dt} = g - \frac{c_d}{m}v^2 \tag{24.1}$$

이제 점프하는 사람의 속도 대신 위치를 시간의 함수로 결정하고자 한다. 이를 위한 한 가지 방법은 속도가 거리의 1차 도함수임을 인식하는 것이다.

$$\frac{dx}{dt} = v \tag{24.2}$$

따라서 식 (24.1)과 (24.2)로 나타나는 두 개의 상미분방정식 시스템을 풀어서 속도와 위치를 동시에 구할 수 있다.

그러나 두 개의 상미분방정식을 적분하므로, 해를 구하기 위해서는 두 개의 조건이 필요하다. 초기 시간에서의 위치와 속도에 대한 값을 아는 경우에 대해 해를 구할 수 있는 한 가지 방법은 이미 잘 알고 있다.

$$x(t = 0) = x_i$$
$$v(t = 0) = v_i$$

이런 조건이 주어지면 22장과 23장에서 기술한 수치해법을 이용하여 상미분방정식을 쉽게 적분할 수 있으며, 이를 **초기값 문제**라 한다.

그러나 $t = 0$에서의 위치와 속도에 대한 값을 한꺼번에 알지 못한다면 어떻게 되는가? 즉 초기 위치는 알지만, 초기 속도를 아는 대신에 점프하는 사람이 추후에 어떤 특정한 위치에 있기를 원한다고 하자. 다시 말하면,

$$x(t = 0) = x_i$$
$$x(t = t_f) = x_f$$

두 조건이 독립변수의 다른 값에서 주어지므로, 이는 **경계값 문제**(boundary-value problem)라 한다.

이와 같은 문제는 특수한 해법들을 필요로 한다. 일부 해법은 앞서의 두 장에서 설명한 초기값 문제에 대한 방법과 관련되지만, 나머지 해법은 해를 구하기 위하여 전혀 다른 방법을 사용한다. 이 장에서는 여러분에게 이들 방법 중 보다 보편적인 방법을 소개하고자 한다.

24.1 소개와 배경

24.1.1 경계값 문제란 무엇인가?

상미분방정식은 방정식의 해를 구하는 과정에서 적분상수를 계산하기 위하여 보조조건을 필요로 한다. 즉 n차 방정식에 대하여는 n개의 조건이 필요하다. 모든 조건이 독립변수의 같은 값에서 주어진다면, 이는 **초기값 문제**이다(그림 24.1a). 지금까지 6부(22장과 23장)의 내용은 이와 같은 종류의 문제에 대해 기술되었다.

반면 조건들이 독립변수의 한 개 값이 아닌 여러 다른 값들에서 주어지는 경우가 종종 있다. 그리고 이들 값이 종종 시스템의 끝단이나 경계에서 지정되므로, 관례상 **경계값 문제**라고 한다(그림 24.1b). 많은 중요한 공학적 응용문제가 이런 부류에 속한다. 이 장에서는 이와 같은 문제들을 푸는 기본적인 방법들을 논의한다.

24.1.2 공학과 과학 분야에서의 경계값 문제

이 장을 시작하면서 낙하하는 물체의 위치와 속도를 구하는 방법을 어떻게 경계값 문제로 수식화하는지를 보았다. 이 예제에서 두 개의 상미분방정식을 시간을 따라 적분하였다. 다른 시

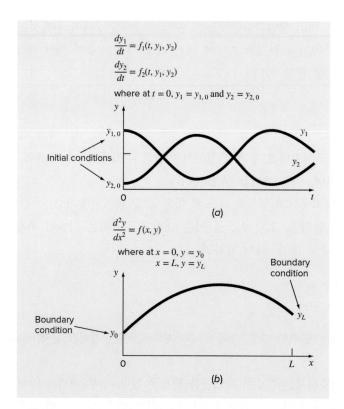

그림 24.1   초기값 문제와 경계값 문제. (a) 초기값 문제에서는 모든 조건이 독립변수의 같은 값에서 주어
진다. (b) 경계값 문제에서는 조건들이 독립변수의 다른 값에서 주어진다.

간 변수를 가지는 예제도 예시할 수 있지만, 경계값 문제는 공간상에서 적분할 때 더 자연스
럽게 나타난다. 이는 보조조건이 종종 공간상의 다른 위치에서 주어지기 때문이다.

한 가지 예는 온도가 일정한 두 벽면 사이에 위치한 길고 가는 봉의 정상상태의 온도분포
에 대한 해석이다(그림 24.2). 봉의 반경이 충분히 작아서 반경방향 온도구배는 무시할 수 있

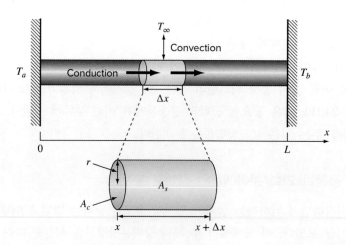

그림 24.2   열전도와 대류에 의해 가열된 봉의 미소 요소에 대한 열평형.

으므로 온도는 전적으로 축방향 좌표 x 의 함수이다. 열은 봉의 길이 방향을 따라 열전도에 의하여 전달되고, 봉과 주위 기체 사이에서는 대류에 의해 전달된다. 이 예에서 복사는 무시할 수 있다고 가정한다.[1]

그림 24.2에서 볼 수 있는 바와 같이 두께 Δx의 미소요소 주위에 열평형을 취하면 다음과 같다.

$$0 = q(x)A_c - q(x + \Delta x)A_c + hA_s(T_\infty - T) \tag{24.3}$$

여기서 $q(x)$는 열전도에 의해 요소로 유입하는 열플럭스 [J/(m^2·s)], $q(x + \Delta x)$는 열전도에 의해 요소로부터 유출하는 열플럭스 [J/(m^2·s)], A_c 는 단면적 [m^2] = πr^2, r 은 반경 [m], h 는 대류 열전달계수 [J/(m^2·K·s)], A_s 는 요소의 표면적 [m^2] = $2\pi r\Delta x$, T_∞는 주위 기체의 온도 [K], 그리고 T 는 봉의 온도 [K]이다.

식 (24.3)을 요소의 부피($\pi r^2\Delta x$)로 나누면 다음과 같다.

$$0 = \frac{q(x) - q(x + \Delta x)}{\Delta x} + \frac{2h}{r}(T_\infty - T)$$

$\Delta x \to 0$으로 극한을 취하면 다음과 같이 된다.

$$0 = -\frac{dq}{dx} + \frac{2h}{r}(T_\infty - T) \tag{24.4}$$

열플럭스는 **Fourier** 법칙에 의해 다음과 같이 온도구배와 연계된다.

$$q = -k\frac{dT}{dx} \tag{24.5}$$

여기서 k 는 열전도계수 [J/(s·m·K)]이다. 식 (24.5)를 x 에 대하여 미분을 취한 후, 식 (24.4)에 대입하고 그 결과를 k 로 나누면 다음과 같게 된다.

$$0 = \frac{d^2T}{dx^2} + h'(T_\infty - T) \tag{24.6}$$

여기서 h' 은 대류와 열전도의 상대적인 영향을 반영하는 벌크 열전달 매개변수(bulk heat-transfer parameter)[m^{-2}] = $2h/(rk)$이다.

식 (24.6)은 봉의 축 방향을 따라 온도를 계산할 수 있는 수학적 모델이다. 이 식은 2차 상미분방정식이므로 해를 구하기 위해서는 두 개의 조건이 필요하다. 그림 24.2에 그려져 있듯이 봉의 양 끝단 온도가 고정된 경우가 일반적이다. 이를 수식으로 표현하면 다음과 같다.

$$T(0) = T_a$$
$$T(L) = T_b$$

---

[1] 이 문제에 복사를 고려하는 것은 이 장의 뒤에 나오는 예제 24.4에 포함된다.

이들 식이 봉의 "경계"에서의 조건을 물리적으로 표현한다는 사실이 경계조건이라는 용어의 어원이다.

이들 조건이 주어지면 식 (24.6)으로 표현되는 모델의 해를 구할 수 있다. 이 상미분방정식은 선형이므로 다음 예제에 설명되어 있듯이 해석해가 가능하다.

예제 24.1 가열된 봉의 해석해

문제 설명. 10 m 길이의 봉에 대하여 미적분학을 이용하여 식 (24.6)을 풀어라. 단, $h' = 0.05$ m^{-2} [$h = 1$ J/(m$^2 \cdot$ K $\cdot$ s), $r = 0.2$ m, $k = 200$ J/(s $\cdot$ m $\cdot$ K)], 그리고 $T_\infty = 200$ K이다. 그리고 경계조건은 다음과 같다.

$$T(0) = 300 \text{ K} \qquad T(10) = 400 \text{ K}$$

풀이 이 상미분방정식은 여러 가지 방법으로 풀 수 있다. 간단한 방법은 먼저 이 식을 다음과 같이 표현하는 것이다.

$$\frac{d^2T}{dx^2} - h'T = -h'T_\infty$$

이 식은 상수 계수를 가지는 선형 상미분방정식이므로, 일반해는 우변을 0으로 놓고 해를 $T = e^{\lambda x}$ 형태로 가정함으로써 쉽게 구할 수 있다. 이 해와 그 2차 도함수를 상미분방정식의 동차형에 대입하면 다음과 같은 식을 얻는다.

$$\lambda^2 e^{\lambda x} - h' e^{\lambda x} = 0$$

이 식의 해는 $\lambda = \pm\sqrt{h'}$ 이 된다. 따라서 일반해는 다음과 같게 된다.

$$T = Ae^{\lambda x} + Be^{-\lambda x}$$

여기서 A와 B는 적분상수이다. 미정계수법을 이용하면 특이해 $T = T_\infty$를 구할 수 있다. 그러므로 전체 해는 다음과 같다.

$$T_a = T_\infty + A + B$$
$$T_b = T_\infty + Ae^{\lambda L} + Be^{-\lambda L}$$

여기서 상수는 경계조건을 적용하면 구할 수 있다.

$$A = \frac{(T_a - T_\infty)e^{-\lambda L} - (T_b - T_\infty)}{e^{-\lambda L} - e^{\lambda L}}$$

$$B = \frac{(T_b - T_\infty) - (T_a - T_\infty)e^{\lambda L}}{e^{-\lambda L} - e^{\lambda L}}$$

이들 두 식을 동시에 풀면 A와 B는 다음과 같게 된다.

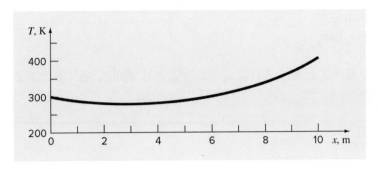

그림 24.3 가열된 봉에 대한 해석해.

$$A = \frac{(T_a - T_\infty)e^{-\lambda L} - (T_b - T_\infty)}{e^{-\lambda L} - e^{\lambda L}}$$

$$B = \frac{(T_b - T_\infty) - (T_a - T_\infty)e^{\lambda L}}{e^{-\lambda L} - e^{\lambda L}}$$

이 문제에서 주어진 매개변수값들을 대입하면 $A = 20.4671$, $B = 79.5329$가 된다. 따라서 최종 해는 다음과 같다.

$$T = 200 + 20.4671e^{\sqrt{0.05}x} + 79.5329e^{-\sqrt{0.05}x} \tag{24.7}$$

그림 24.3에서 볼 수 있듯이, 해는 두 경계 온도를 연결하는 매끄러운 곡선이다. 차가운 주위 기체로의 대류 열손실에 의해 중앙의 온도가 아래로 내려가는 것을 볼 수 있다.

다음 절에서는 방금 예제 24.1에서 해석적으로 푼 문제와 같은 문제에 대한 해를 구하는 수치해법을 설명할 것이다. 정해는 근사적인 수치기법에 의해 구한 해의 정확도를 평가하는 데 사용할 것이다.

24.2 사격법

사격법(shooting method)에서는 먼저 경계값 문제를 그와 동등한 초기값 문제로 변환한다. 그후 주어진 경계조건을 만족하는, 변환된 초기값 문제에 대한 해를 구하기 위해 시행착오법이 수행된다.

이 방법은 고차의 비선형방정식에도 적용할 수 있지만, 앞 절에서 기술한 가열된 봉과 같은 2차의 선형 상미분방정식에 대해 보다 쉽게 설명할 수 있다.

$$0 = \frac{d^2T}{dx^2} + h'(T_\infty - T) \tag{24.8}$$

경계조건은 다음과 같다.

$$T(0) = T_a$$
$$T(L) = T_b$$

이 경계값 문제를 초기값 문제로 변환하기 위하여, 온도의 변화율 또는 **구배**를 다음과 같이 정의한다.

$$\frac{dT}{dx} = z \qquad (24.9)$$

식 (24.8)을 다시 쓰면

$$\frac{dz}{dx} = -h'(T_\infty - T) \qquad (24.10)$$

따라서 단일 2차 방정식[식 (24.8)]을 두 개의 1차 상미분방정식[식 (24.9)와 (24.10)]으로 변환하였다.

만약 T와 z에 대한 초기조건이 있다면, 22장과 23장에서 기술한 방법을 사용하여 이들 식을 초기값 문제로 풀 수 있다. 그러나 한 개의 변수에 대한 초기값[$T(0) = T_a$]만 있으므로, 다른 변수에 대하여 간단히 $z(0) = z_{a1}$ 으로 가정하고 적분을 수행한다.

적분을 수행한 후, 구간 끝에서 T 값을 구하고, 이를 T_{b1} 이라 한다. 믿을 수 없는 행운이 따르지 않는 한, 모르는 값을 가정하고 구했으므로 당연히 그 결과는 원하는 결과인 T_b와 다를 것이다.

만약 T_{b1} 값이 너무 높게 나오면 ($T_{b1} > T_b$), 낮은 초기 기울기값 $z(0) = z_{a2}$ 를 사용하면 보다 나은 결과를 예측할 수 있을 것이다. 이 새로운 가정값을 이용하여 다시 적분하면 구간 끝에서 두 번째 결과 T_{b2}를 구하게 된다. 이와 같은 시행착오법을 계속하여 $T(L) = T_b$ 가 되는 $z(0)$의 가정값에 도달할 때까지 가정을 계속한다.

이제 **사격법**의 어원은 비교적 확실하다. 표적을 명중시키기 위해 포신의 각도를 조정하듯이, 표적 $T(L) = T_b$ 를 명중시킬 때까지 $z(0)$ 값을 가정함으로써 해의 궤적을 조정한다.

선형 상미분방정식에 대하여는 가정을 계속하여 풀 수도 있지만, 보다 효율적인 방법이 있다. 이러한 경우 정확한 사격 z_a 의 궤적은 두 개의 빗나간 사격 (z_{a1}, T_{b1})과 (z_{a2}, T_{b2})의 결과와 선형적인 관계에 있다. 따라서 요구되는 궤적에 도달하기 위하여 다음과 같은 선형보간법을 이용한다.

$$z_a = z_{a1} + \frac{z_{a2} - z_{a1}}{T_{b2} - T_{b1}}(T_b - T_{b1}) \qquad (24.11)$$

다음 예제를 통하여 이 방법을 설명한다.

예제 24.2 선형 상미분방정식에 대한 사격법

문제 설명. 사격법을 이용하여 식 (24.6)을 풀어라. 단, 조건은 예제 24.1과 동일하며 다음과 같다. $L = 10$ m, $h' = 0.05$ m^{-2}, $T_\infty = 200$ K, $T(0) = 300$ K, 그리고 $T(10) = 400$ K이다.

풀이 식 (24.6)은 먼저 다음과 같은 두 개의 1차 상미분방정식으로 표현할 수 있다.

$$\frac{dT}{dx} = z$$

$$\frac{dz}{dx} = -0.05(200 - T)$$

온도에 대한 초기값 $T(0) = 300$ K와 함께 $z(0)$에 대한 초기값을 $z_{a1} = -5$ K/m로 임의로 가정한다. 해는 두 개의 상미분방정식을 $x = 0$에서 10까지 적분함으로써 구할 수 있다. 이는 미분방정식을 포함하는 M-파일을 작성한 후, MATLAB의 `ode45` 함수를 사용하여 구할 수 있다.

```
function dy=Ex2402(x,y)
dy=[y(2);-0.05*(200-y(1))];
```

다음과 같이 해를 구할 수 있다.

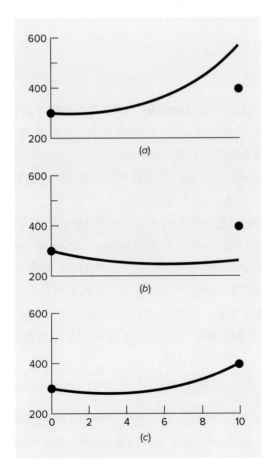

그림 24.4 사격법을 이용하여 계산한 온도 (K)와 거리 (m)의 관계. (a) 1차 "사격", (b) 2차 "사격", (c) 마지막의 정확한 "명중".

```
>> [t,y]=ode45(@Ex2402,[0 10],[300,-5]);
>> Tb1=y(length(y))

Tb1 =
   569.7539
```

따라서 구간 끝에서 $T_{b1} = 569.7539$(그림 24.4a)를 구하지만 이는 원하는 경계조건인 $T_b = 400$ 과 다르다. 그러므로 또 다른 가정값 $z_{a2} = -20$을 취하고 계산을 다시 수행하여 이번에는 $T_{b2} = 259.5131$을 구한다(그림 24.4b).

원래의 상미분방정식이 선형이므로, 정확한 사격이 되는 궤적을 구하기 위하여 식 (24.11)을 사용한다.

$$z_a = -5 + \frac{-20 - (-5)}{259.5131 - 569.7539}(400 - 569.7539) = -13.2075$$

그림 24.4c에서 볼 수 있는 바와 같이, 이 값을 ode45와 연계하여 사용하면 정확한 해를 구할 수 있다.

그래프 상에서 명확하게 보이지 않지만, 해석해도 그림 24.4c에 함께 그려져 있다. 따라서 사격법은 사실상 정해와 거의 분간할 수 없는 해를 생성한다.

24.2.1   도함수 경계조건

지금까지 논의한 고정 경계조건 또는 **Dirichlet 경계조건**은 공학과 과학에서 사용되는 여러 형태들 중 하나에 불과하다. 흔히 사용되는 또 다른 경계조건은 도함수가 주어지는 경우이며, 이를 보통 **Neumann 경계조건**이라 한다.

사격법은 이미 종속변수와 그 도함수를 계산하도록 정립되어 있기 때문에, 도함수 경계조건을 사격법에 포함시키는 것은 비교적 쉽다.

고정 경계조건의 경우와 마찬가지로 먼저 2차 상미분방정식을 두 개의 1차 상미분방정식으로 표현한다. 여기서 요구되는 초기조건 중의 하나는 그것이 종속변수든지 또는 그 도함수든지 간에 모르는 값일 것이다. 주어진 끝단 조건을 계산하기 위해, 빠져 있는 초기조건에 대한 가정을 기초로 해를 구한다. 이 끝단 조건은 초기조건과 마찬가지로 종속변수 또는 그 도함수일 수도 있다. 상미분방정식이 선형인 경우에는 보간법을 사용하여 최종의 정확한 끝단 조건을 "명중"시키는 데 필요한 빠져 있는 초기조건의 값을 결정할 수 있다.

예제 24.3 / **도함수 경계조건을 이용하는 사격법**

문제 설명.   사격법을 이용하여 예제 24.1의 봉에 대한 식 (24.6)을 풀어라. 단 $L = 10$ m, $h' = 0.05$ m^{-2} $[h = 1$ J/(m$^2 \cdot$K$\cdot$s), $r = 0.2$ m, $k = 200$ J/(s$\cdot$m$\cdot$K)], $T_\infty = 200$ K, 그리고 $T(10) = 400$ K이다. 그러나 이 경우 왼쪽 끝단은 300 K의 일정한 온도 대신, 그림 24.5와 같이 대류의 영향을 받는다. 문제를 간단하게 하기 위해 끝단 면적에 대한 대류 열전달계수는 봉의 표면의

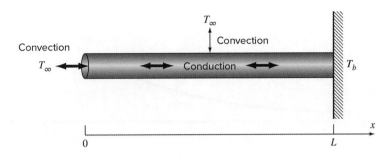

그림 24.5 한쪽 끝단에서는 대류 경계조건을, 다른 쪽 끝단에서는 일정 온도를 가지는 봉.

것과 같다고 가정한다.

풀이 예제 24.2와 같이 식 (24.6)은 먼저 다음과 같이 표현할 수 있다.

$$\frac{dT}{dx} = z$$

$$\frac{dz}{dx} = -0.05(200 - T)$$

명백하게 이해되지 않을지 모르지만, 끝단을 통한 대류는 구배 경계조건을 지정하는 것과 같다. 이를 이해하기 위해서는 현재의 시스템이 정상상태에 있으므로, 봉의 왼쪽 경계($x = 0$) 에서 대류되는 열은 전도되는 열과 같아야 한다는 사실을 인식해야 한다. 열전도를 나타내는 Fourier 법칙[식 (24.5)]을 사용하면, 끝단에서의 열평형은 다음과 같이 수식화할 수 있다.

$$hA_c(T_\infty - T(0)) = -kA_c \frac{dT}{dx}(0) \tag{24.12}$$

이 식을 풀면 구배는 다음과 같다.

$$\frac{dT}{dx}(0) = \frac{h}{k}(T(0) - T_\infty) \tag{24.13}$$

온도에 대한 값을 가정하면, 이 식이 구배를 표시함을 알 수 있다.

사격법은 $T(0)$에 대한 값을 무작위로 가정하여 실행할 수 있다. $T(0) = T_{a1} = 300$ K로 놓으 면 식 (24.13)은 구배에 대한 초기값을 다음과 같이 산출한다.

$$z_{a1} = \frac{dT}{dx}(0) = \frac{1}{200}(300 - 200) = 0.5$$

해는 두 개의 상미분방정식을 $x = 0$에서 10까지 적분함으로써 구할 수 있다. 예제 24.2에서와 같은 방법으로 미분방정식을 입력하는 M-파일을 작성한 후, MATLAB의 ode45 함수를 사 용한다. 해는 다음과 같이 구할 수 있다.

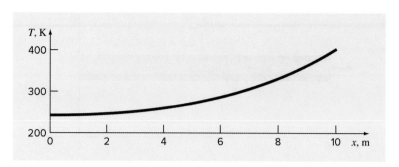

그림 24.6 한쪽 끝단에서는 대류 경계조건을, 다른 쪽 끝단에서는 일정 온도를 가지는 2차 상미분방정식
의 해.

```
>> [t,y]=ode45(@Ex2402,[0 10],[300,0.5]);
>> Tb1=y(length(y))

Tb1 =
    683.5088
```

예상한 대로 구간 끝에서의 값 $T_{b1} = 683.5088$ K는 원하는 경계조건인 $T_b = 400$과 다르다. 그러
므로 $z_{a2} = -0.25$에 해당하는 또 다른 가정값 $T_{a2} = 150$ K를 취하여 계산을 다시 수행한다.

```
>> [t,y]=ode45(@Ex2402,[0 10],[150,-0.25]
>> Tb2=y(length(y))

Tb2 =
    -41.7544
```

다음으로 선형보간법을 사용하여 정확한 초기 온도를 계산한다.

$$T_a = 300 + \frac{150 - 300}{-41.7544 - 683.5088}(400 - 683.5088) = 241.3643 \text{ K}$$

이는 구배 $z_a = 0.2068$에 해당한다. 그림 24.6에 나타나 있는 바와 같이, 이들 초기조건을 사용
함으로써 ode45는 정확한 해를 생성할 수 있다.

또한 이들 초기조건들을 식 (24.12)에 대입함으로써 경계조건이 만족되는 것을 다음과 같
이 증명할 수 있음에 주목하라.

$$1 \frac{\text{J}}{\text{m}^2\text{K s}} \pi \times (0.2 \text{ m})^2 \times (200 \text{ K} - 241.3643 \text{ K}) = -200 \frac{\text{J}}{\text{m K s}} \pi \times (0.2 \text{ m})^2 \times 0.2068 \frac{\text{K}}{\text{m}}$$

이를 계산하면 -5.1980 J/s $= -5.1980$ J/s이 된다. 따라서 전도열과 대류열은 같으며, 봉의 왼
쪽 끝단에서 밖으로 전달되는 열전달율은 5.1980 W이다.

24.2.2 비선형 상미분방정식에 대한 사격법

비선형 경계값 문제에서는 두 개의 근사해를 바탕으로 선형 보간법이나 외삽법을 적용한다고

해서 반드시 정확한 해를 구할 수 있는 경계조건 값을 얻는 것은 아니다. 따라서 다른 방안은 사격법을 세 번 수행해서 얻은 결과를 2차 보간다항식에 적용하여 경계조건 값을 구하는 것이다. 그러나 이와 같은 방법도 정확한 경계조건 값을 산출하지 못할 수 있으므로 해를 맞추기 위해서는 추가적인 반복이 필요하다.

비선형 문제를 풀기 위한 또 다른 방법은 이 문제를 근 구하기 문제로 변환하는 것이다. 근 구하기 문제의 일반적인 목적은 함수 $f(x) = 0$을 만족하는 x의 값을 찾는 것임을 기억하라. 사격법을 이러한 형태로 변환시킬 수 있는 방법을 이해하기 위하여 가열된 봉 문제를 다시 고려해 보자.

첫 번째로 봉의 왼쪽 끝단에서 어떤 조건 z_a를 가정하고, 적분은 오른쪽 끝단에서의 온도 예측값 T_b를 도출한다는 의미에서 두 미분방정식의 해도 역시 "함수"임을 인식한다. 따라서 적분을 다음과 같이 간주할 수 있다.

$$T_b = f(z_a)$$

즉, 이는 가정값 z_a로부터 예측값 T_b를 도출하는 과정을 나타낸다. 이런 측면에서 보면, 우리가 원하는 것은 특정한 값 T_b를 주는 z_a 값이다. 예제에서처럼 $T_b = 400$을 원한다면 이 문제를 다음과 같이 생각할 수 있다.

$$400 = f(z_a)$$

400이란 목표를 식의 우변으로 넘겨, 현재의 값 $f(z_a)$와 원하는 값 400 사이의 차이 또는 **잔차**를 나타내는 새로운 함수 $res(z_a)$를 만든다.

$$res(z_a) = f(z_a) - 400$$

이 새로운 함수를 0이 되도록 만들면 해를 구할 수 있다. 다음 예제는 이와 같은 방법을 설명한다.

예제 24.4 비선형 상미분방정식에 대한 사격법

문제 설명. 식 (24.6)이 사격법을 잘 예시하지만, 가열된 봉에 대해 현실적인 모델은 아니다. 한 가지 이유는 봉으로부터 복사와 같은 비선형 과정을 통한 열손실을 고려하지 않기 때문이다.

가열된 봉의 온도를 계산하는 데 다음의 비선형 상미분방정식을 사용한다고 가정하자.

$$0 = \frac{d^2T}{dx^2} + h'(T_\infty - T) + \sigma''(T_\infty^4 - T^4)$$

여기서 σ'는 복사와 열전도의 상대적인 영향을 나타내는 벌크 열전달 매개변수(bulk heat-transfer parameter) $= 2.7 \times 10^{-9} \, K^{-3}m^{-2}$이다. 이 식은 사격법을 사용하여 2점 비선형 경계값 문제(two-point nonlinear boundary-value problem)를 푸는 방법을 설명하는 데 적합하다. 문

제에 대한 나머지 조건은 예제 24.2에 주어진 것과 같다. $L = 10$ m, $h' = 0.05$ m^{-2}, $T_\infty = 200$ K, $T(0) = 300$ K, 그리고 $T(10) = 400$ K이다.

풀이   선형 상미분방정식에서와 같이 먼저 비선형 2차 방정식을 두 개의 1차 상미분방정식으로 나타낸다.

$$\frac{dT}{dx} = z$$

$$\frac{dz}{dx} = -0.05(200 - T) - 2.7 \times 10^{-9}(1.6 \times 10^9 - T^4)$$

이들 식의 우변을 계산하기 위하여 다음과 같은 M-파일을 작성한다.

```
function dy=dydxn(x,y)
dy=[y(2);-0.05*(200-y(1))-2.7e-9*(1.6e9-y(1)^4)];
```

다음에는 0으로 만들고자 하는 잔차를 입력하는 함수를 작성한다.

```
function r=res(za)
[x,y]=ode45(@dydxn,[0 10],[300 za]);
r=y(length(x),1)-400;
```

여기서 두 개의 상미분방정식을 풀어 봉의 끝단에서의 온도 [y(length(x),1)]를 구하기 위해 ode45 함수를 어떻게 사용하는지에 유의하라. 다음으로 근은 fzero 함수로 찾을 수 있다.

```
>> fzero(@res,-50)

ans =
  -41.7434
```

따라서 초기 궤적을 $z(0) = -41.7434$로 정하면, 잔차 함수는 0으로 다가가게 되며, 봉의 끝단에서 온도 경계조건 $T(10) = 400$을 만족하게 될 것이다. 이는 전체 해를 구하여, x에 대한 온도의 그래프를 그려봄으로써 증명할 수 있다.

```
>> [x,y]=ode45(@dydxn,[0 10],[300 fzero(@res,-50)]);
>> plot(x,y(:,1))
```

그림 24.7은 현재의 결과를 예제 24.2의 선형방정식 해와 함께 보여주고 있다. 예상한 바와 같이 복사에 의한 주위 기체로의 추가적인 열손실로 인해 비선형 경우가 선형 모델보다 온도가 더 아래로 내려간다.

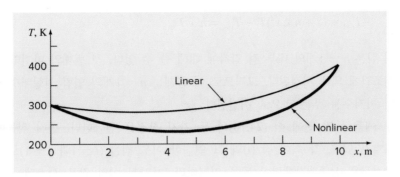

그림 24.7 비선형 문제를 풀기 위해 사격법을 사용한 결과.

24.3 유한차분법

사격법 이외에 가장 흔히 사용되는 방법은 유한차분법이다. 이 방법에서는 원래의 방정식에 나타나는 도함수를 유한차분(21장)으로 대체한다. 따라서 선형 미분방정식은 3부에서 다룬 방법들을 이용하여 해를 구할 수 있는 연립 대수방정식으로 변환된다.

가열된 봉 모델[식 (24.6)]에 대해 이 방법을 설명한다.

$$0 = \frac{d^2T}{dx^2} + h'(T_\infty - T) \tag{24.14}$$

먼저 해의 영역을 일련의 점들로 나눈다(그림 24.8). 각 점에서 방정식의 도함수에 대한 유한차분 근사를 쓸 수 있다. 예를 들면 점 i에서 2차 도함수는 그림 21.5에 의해 다음과 같이 나타낼 수 있다.

$$\frac{d^2T}{dx^2} = \frac{T_{i-1} - 2T_i + T_{i+1}}{\Delta x^2} \tag{24.15}$$

이 근사값을 식 (24.14)에 대입하면 다음과 같이 된다.

$$\frac{T_{i-1} - 2T_i + T_{i+1}}{\Delta x^2} + h'(T_\infty - T_i) = 0$$

따라서 미분방정식은 이제 대수방정식으로 변환되었다. 항들을 모으면 다음과 같게 된다.

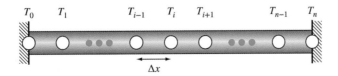

그림 24.8 유한차분법을 실행하기 위하여 가열된 봉을 일련의 점들로 나눔.

$$-T_{i-1} + (2 + h'\Delta x^2)T_i - T_{i+1} = h'x^2 T_\infty \qquad (24.16)$$

이 식은 $n-1$개의 내부 점 각각에 대해 쓸 수 있다. 첫 번째와 마지막 점 T_0와 T_n은 각각 경계조건에 의해 지정된다. 그러므로 이 문제는 $n-1$개의 연립 선형대수방정식에 대해 $n-1$개의 미지수를 푸는 것으로 귀결된다.

예를 들기 전에 식 (24.16)의 두 가지 장점을 언급한다. 먼저 점들에 연속적으로 번호가 매겨져 있고, 각 식이 점 (i)와 그 인접한 이웃 점들 ($i-1$과 $i+1$)로 구성되므로, 선형대수방정식은 삼중대각행렬이 됨을 인지하라. 따라서 이와 같은 시스템에 이용 가능한 효율적인 알고리즘을 사용하여 해를 구할 수 있다(9.4절 참조).

더욱이 식 (24.16)의 좌변의 계수를 살펴보면 선형방정식 시스템이 대각지배 행렬인 것도 알 수 있다. 따라서 Gauss-Seidel법과 같은 반복법을 사용하여 수렴해를 구할 수 있다(12.1절).

예제 24.5 경계값 문제에 대한 유한차분 근사

문제 설명. 유한차분법을 이용하여 예제 24.1과 24.2를 풀어라. 간격 크기 $\Delta x = 2$ m인 네 개의 내부 점을 이용하라.

풀이 예제 24.1의 매개변수와 $\Delta x = 2$ m 를 사용하면, 봉의 내부 점 각각에 대해 식 (24.16)을 적용할 수 있다. 예를 들면 점 1에 대해서는 다음과 같다.

$$-T_0 + 2.2T_1 - T_2 = 40$$

경계조건 $T_0 = 300$을 대입하면 다음과 같다.

$$2.2T_1 - T_2 = 340$$

다른 내부 점에 대해서도 식 (24.16)을 적용한 후, 이 식들을 행렬 형태로 표현하면 다음과 같다.

$$\begin{bmatrix} 2.2 & -1 & 0 & 0 \\ -1 & 2.2 & -1 & 0 \\ 0 & -1 & 2.2 & -1 \\ 0 & 0 & -1 & 2.2 \end{bmatrix} \begin{Bmatrix} T_1 \\ T_2 \\ T_3 \\ T_4 \end{Bmatrix} = \begin{Bmatrix} 340 \\ 40 \\ 40 \\ 440 \end{Bmatrix}$$

이 행렬은 삼중대각이며 대각지배 행렬인 것에 유의하라.

MATLAB을 사용하여 다음과 같이 해를 구할 수 있다.

```
>> A=[2.2 -1 0 0;
-1 2.2 -1 0;
0 -1 2.2 -1;
0 0 -1 2.2];
>> b=[340 40 40 440]';
>> T=A\b
```

```
T =
   283.2660
   283.1853
   299.7416
   336.2462
```

표 24.1은 해석해[식 (24.7)]와 사격법(예제 24.2) 및 유한차분법(예제 24.5)을 이용하여 구한 수치해를 비교하고 있다. 약간의 차이가 있지만 수치해들이 해석해와 잘 일치하는 것에 유의한다. 가장 큰 차이는 유한차분법에서 나타나며 이는 예제 24.5에서 성긴 격자를 사용하였기 때문이다. 더욱 조밀한 격자를 사용한다면, 보다 좋은 결과를 얻을 것이다.

표 24.1   온도에 대한 해석해와 사격법 및 유한차분법을 이용하여 구한 결과의 비교.

x	Analytical Solution	Shooting Method	Finite Difference
0	300	300	300
2	282.8634	282.8889	283.2660
4	282.5775	282.6158	283.1853
6	299.0843	299.1254	299.7416
8	335.7404	335.7718	336.2462
10	400	400	400

24.3.1 도함수 경계조건

사격법에서 언급한 바와 같이 고정 경계조건 또는 **Dirichlet 경계조건**은 공학과 과학에서 사용되는 여러 경계조건들 중의 하나에 불과하다. 흔히 사용되는 다른 경계조건은 **Neumann 경계조건**이라 하며 도함수가 주어지는 경우이다.

도함수 경계조건을 어떻게 유한차분법에 적용시킬 수 있는지를 설명하기 위하여, 이 장의 앞부분에서 소개한 가열된 봉을 사용한다.

$$0 = \frac{d^2T}{dx^2} + h'(T_\infty - T)$$

그러나 앞서의 논의와는 달리, 봉의 한쪽 끝단에 도함수 경계조건을 설정한다.

$$\frac{dT}{dx}(0) = T_a'$$

$$T(L) = T_b$$

따라서 계산영역의 한쪽 끝단에 도함수 경계조건을, 그리고 다른 끝단에 고정 경계조건을 부과한다.

앞 절에서와 같이 봉은 일련의 점들로 구분되고, 내부의 각 점에는 미분방정식에 유한차분

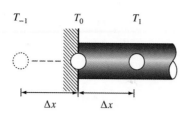

그림 24.9   가열된 봉의 왼쪽 끝단에서의 경계점. 이 경계에서 도함수를 근사시키기 위해, 봉의 끝단의 왼쪽으로 거리 Δx에 가상 점을 위치시킨다.

법을 적용한 식 (24.16)이 적용된다. 그러나 왼쪽 끝단 점은 그 온도가 주어지지 않았으므로 반드시 포함되어야 한다. 그림 24.9는 가열된 봉의 왼쪽 끝단 점(0)을 보여주며, 이 점에서는 도함수 경계조건이 적용된다. 이 점에 대해 식 (24.16)을 쓰면 다음과 같다.

$$-T_{-1} + (2 + h'\,\Delta x^2)T_0 - T_1 = h'\,\Delta x^2 T_\infty \tag{24.17}$$

이 식에서 봉의 끝단의 왼쪽에 놓여 있는 가상 점(-1)이 필요함에 주목하라. 이 외부 점을 어떻게 처리할지 어려워 보이나, 이 점은 도함수 경계조건을 문제에 실제로 적용하는 수단이다. 즉 먼저 $x = 0$에서 x방향의 1차 도함수를 중심차분법[식 (4.25)]을 이용하여 나타낸다.

$$\frac{dT}{dx} = \frac{T_1 - T_{-1}}{2\Delta x}$$

이를 T_{-1}에 대해 풀면 다음과 같다.

$$T_{-1} = T_1 - 2\Delta x \frac{dT}{dx}$$

이제 실제로 도함수의 영향을 반영하는 T_{-1}에 대한 식을 얻었으며, 이 식을 식 (24.17)에 대입하여 정리하면 다음과 같다.

$$(2 + h'\Delta x^2)T_0 - 2T_1 = h'\Delta x^2 T_\infty - 2\Delta x \frac{dT}{dx} \tag{24.18}$$

따라서 도함수를 열평형 식에 포함시켰다.

흔히 있는 도함수 경계조건의 예는 봉의 끝단이 단열되어 있는 경우이다. 이 경우 도함수는 0으로 설정된다. 이는 Fourier 법칙[식 (24.5)]으로부터 경계를 단열시키는 것은 열플럭스(따라서 구배)가 0이어야 하기 때문이다. 다음 예는 해가 이러한 경계조건으로부터 어떻게 영향을 받는지를 보여준다.

예제 24.6   도함수 경계조건의 적용

문제 설명.   10 m 길이의 봉에 대해 유한차분법을 이용하여 해를 구하라. 단, $\Delta x = 2$ m, $h' = 0.05$ m^{-2}, $T_\infty = 200$ K이고, 경계조건은 $T_a' = 0$과 $T_b = 400$ K이다. 첫 번째 경계조건은 봉의

왼쪽 끝단에서 해의 기울기가 0으로 다가가야 한다는 것에 주목한다. 이 경우 추가로 $x = 0$에서 $dT/dx = -20$에 대한 해를 구하라.

풀이 식 (24.18)을 사용하여 점 0에서의 식을 쓰면 다음과 같다.

$$2.2T_0 - 2T_1 = 40$$

내부 점들에 대하여는 식 (24.16)을 적용한다. 예를 들면 점 1에 대하여 다음과 같다.

$$-T_0 + 2.2T_1 - T_2 = 40$$

나머지 내부 점들에 대해서도 유사하게 표현할 수 있으며, 최종 방정식 시스템은 다음과 같은 행렬 형태로 만들 수 있다.

$$\begin{bmatrix} 2.2 & -2 & & & \\ -1 & 2.2 & -1 & & \\ & -1 & 2.2 & -1 & \\ & & -1 & 2.2 & -1 \\ & & & -1 & 2.2 \end{bmatrix} \begin{Bmatrix} T_0 \\ T_1 \\ T_2 \\ T_3 \\ T_4 \end{Bmatrix} = \begin{Bmatrix} 40 \\ 40 \\ 40 \\ 40 \\ 440 \end{Bmatrix}$$

이들 식을 풀면 다음과 같다.

$$T_0 = 243.0278$$
$$T_1 = 247.3306$$
$$T_2 = 261.0994$$
$$T_3 = 287.0882$$
$$T_4 = 330.4946$$

그림 24.10에서 볼 수 있는 바와 같이 도함수 조건이 0이므로 $x = 0$에서 해는 평평하며, 그리고 곡선이 위로 향하여 $x = 10$에서 $T = 400$인 고정 조건 쪽으로 다가간다.

$x = 0$에서 도함수가 -20인 경우에 연립방정식은 다음과 같다.

$$\begin{bmatrix} 2.2 & -2 & & & \\ -1 & 2.2 & -1 & & \\ & -1 & 2.2 & -1 & \\ & & -1 & 2.2 & -1 \\ & & & -1 & 2.2 \end{bmatrix} \begin{Bmatrix} T_0 \\ T_1 \\ T_2 \\ T_3 \\ T_4 \end{Bmatrix} = \begin{Bmatrix} 120 \\ 40 \\ 40 \\ 40 \\ 440 \end{Bmatrix}$$

이들 식을 풀면 다음과 같다.

$$T_0 = 328.2710$$
$$T_1 = 301.0981$$
$$T_2 = 294.1448$$
$$T_3 = 306.0204$$
$$T_4 = 339.1002$$

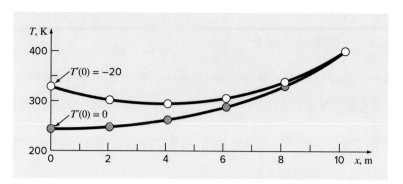

그림 24.10   한쪽 끝단에 도함수 경계조건을, 그리고 다른 끝단에 고정 경계조건을 가지는 2차 상미분방
정식의 해. $x = 0$에서 두 가지 다른 도함수값에 대한 결과를 보여준다.

그림 24.10에서 볼 수 있는 바와 같이 경계에서 부과한 도함수가 음이므로 $x = 0$에서 해가 아
래쪽 방향으로 곡선을 이룬다.

24.3.2   비선형 상미분방정식에 대한 유한차분법

비선형 상미분방정식에 유한차분을 적용하면 비선형 연립방정식 시스템이 만들어진다. 따라서
이러한 문제를 푸는 가장 일반적인 방법은 12.2.2절에서 기술한 Newton-Raphson법과 같은
방정식 시스템에 대한 근 구하기 방법이다. 이 방법도 명백히 좋은 방법이긴 하지만 종종 연
속대입법을 수정한 방법이 보다 간단한 대안이 될 수 있다.

예제 24.4에서 소개한 대류와 복사 열전달이 있는 가열된 봉을 이용하여 이 방법을 설명
한다.

$$0 = \frac{d^2T}{dx^2} + h'(T_\infty - T) + \sigma''(T_\infty^4 - T^4)$$

이 미분방정식을 점 i에 대해 쓰고 2차 도함수에 대하여 식 (24.15)를 대입하면, 이 식은 대
수식 형태로 변환된다.

$$0 = \frac{T_{i-1} - 2T_i + T_{i+1}}{\Delta x^2} + h'(T_\infty - T_i) + \sigma''(T_\infty^4 - T_i^4)$$

항들을 모으면 다음과 같게 된다.

$$-T_{i-1} + (2 + h'\Delta x^2)T_i - T_{i+1} = h'\Delta x^2 T_\infty + \sigma''\Delta x^2(T_\infty^4 - T_i^4)$$

우변에 비선형 항이 존재하지만, 좌변은 대각지배적인 선형대수방정식 시스템으로 표현되
는 것에 주목한다. 우변의 미지의 비선형 항이 이전 반복으로부터의 값과 같다고 가정하면,
이 방정식은 다음과 같이 풀 수 있다.

$$T_i = \frac{h'\Delta x^2 T_\infty + \sigma'' \Delta x^2 (T_\infty^4 - T_i^4) + T_{i-1} + T_{i+1}}{2 + h'\Delta x^2} \tag{24.19}$$

Gauss-Seidel법에서와 같이 식 (24.19)를 사용하여 각 점의 온도를 연속적으로 계산하고, 계산 과정이 허용오차 내에서 수렴할 때까지 반복한다. 이 방법이 모든 경우에 대해 작동하는 것은 아니지만, 물리적인 시스템으로부터 유도되는 많은 상미분방정식에 대해 수렴한다. 따라서 이 방법은 공학과 과학 분야에서 일상적으로 마주치는 문제들을 푸는 데 종종 유용하다.

예제 24.7 비선형 상미분방정식에 대한 유한차분법

문제 설명. 유한차분법을 이용하여 대류와 복사 열전달이 있는 가열된 봉의 온도를 계산하라.

$$0 = \frac{d^2T}{dx^2} + h'(T_\infty - T) + \sigma''(T_\infty^4 - T^4)$$

여기서 $\sigma' = 2.7 \times 10^{-9}$ K^{-3}m^{-2}, $L = 10$ m, $h' = 0.05$ m^{-2}, $T_\infty = 200$ K, $T(0) = 300$ K, 그리고 $T(10) = 400$ K이다. 네 개의 내부 점과 간격 $\Delta x = 2$ m 를 사용하라. 예제 24.4에서 동일한 문제를 사격법을 이용하여 풀었음을 상기한다.

풀이 식 (24.19)를 사용하여 봉의 내부 점들의 온도를 연속적으로 구할 수 있다. 일반적인 Gauss-Seidel법에서와 같이 내부 점들의 초기값은 0이며, 경계점들은 $T_0 = 300$ 과 $T_5 = 400$의 고정조건이 부과된다. 첫 번째 반복 후의 결과는 다음과 같다.

$$T_1 = \frac{0.05(2)^2\, 200 + 2.7 \times 10^{-9'}(2)^2(200^4 - 0^4) + 300 + 0}{2 + 0.05(2)^2} = 159.2432$$

$$T_2 = \frac{0.05(2)^2\, 200 + 2.7 \times 10^{-9'}(2)^2(200^4 - 0^4) + 159.2432 + 0}{2 + 0.05(2)^2} = 97.9674$$

$$T_3 = \frac{0.05(2)^2\, 200 + 2.7 \times 10^{-9'}(2)^2(200^4 - 0^4) + 97.9674 + 0}{2 + 0.05(2)^2} = 70.4461$$

$$T_4 = \frac{0.05(2)^2\, 200 + 2.7 \times 10^{-9'}(2)^2(200^4 - 0^4) + 70.4461 + 400}{2 + 0.05(2)^2} = 226.8704$$

이 과정을 계속하여 다음의 최종 결과에 수렴하였다.

$$T_0 = 300$$
$$T_1 = 250.4827$$
$$T_2 = 236.2962$$
$$T_3 = 245.7596$$
$$T_4 = 286.4921$$
$$T_5 = 400$$

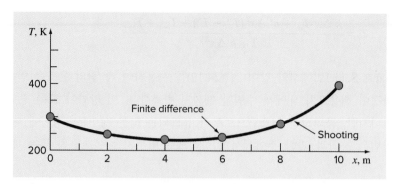

그림 24.11 채워진 원은 유한차분법을 이용하여 비선형 문제를 푼 결과이다. 비교를 위하여 예제 24.4의 사격법을 이용하여 구한 결과도 실선으로 함께 나타내었다.

이들 결과를 예제 24.4에서 사격법을 이용하여 구한 결과와 함께 그림 24.11에 나타내었다.

24.4 MATLAB 함수: bvp4c

bvp4c 함수는 일반적인 두 점 경계조건에 따라 $y' = f(x, y)$ 형태의 연립상미분방정식을 구간 $[a, b]$에서 적분하여 상미분방정식 경계값 문제를 해결한다. 구문의 간단한 표현은 다음과 같다.

    sol = bvp4c*(odefun,bcfun,solinit)*

여기서 sol = 해를 포함하는 구조, odefun = 풀이할 상미분방정식을 설정하는 함수, bcfun = 경계조건에서 잔차를 계산하는 함수, solinit = 초기 격자와 초기 가정을 유지하는 필드가 있는 구조이다.

    odefun의 일반적인 형식은 다음과 같다.

    dy = *odefun(x,y)*

여기서 x = 스칼라, y = 종속변수 [y_1; y_2]를 포함하는 열벡터, 그리고 dy = 도함수 [dy_1; dy_2]를 포함하는 열벡터이다.

    bcfun의 일반적인 형식은 다음과 같다.

    res = *bcfun(ya,yb)*

여기서 ya와 yb = 경계 $x = a$ 및 $x = b$에서 종속변수 값을 포함하는 열벡터, 그리고 res = 계산된 경계값과 지정된 경계값 사이의 잔차를 보유하는 열벡터이다.

    solinit의 일반적인 형식은 다음과 같다.

    solinit = bvpinit*(xmesh, yinit);*

여기서 bvpinit = 초기 격자 및 가정해를 포함하는 추측 구조를 생성하는 MATLAB 내장함수, xmesh = 초기 격자의 정렬된 절점을 보유하는 벡터, 그리고 yinit = 초기 가정을 보유하는 벡터이다. 초기 격자와 가정에 대한 선택은 선형 상미분방정식에서는 크게 중요하지 않지만, 비선형방정식을 효율적으로 푸는 데는 종종 중요할 수 있다는 점에 유의하라.

예제 24.8 bvp4c로 푸는 경계값 문제

문제 설명. bvp4c를 사용해서 다음의 2차 상미분방정식을 풀어라.

$$\frac{d^2y}{dx^2} + y = 1$$

경계조건은 다음과 같다.

$$y(0) = 1$$
$$y(\pi/2) = 0$$

풀이 먼저 2차 방정식을 한 쌍의 1차 상미분방정식으로 표현하라.

$$\frac{dy}{dx} = z$$
$$\frac{dz}{dx} = 1 - y$$

다음으로 1차 상미분방정식을 입력하는 함수를 설정한다.

```
function dy = odes(x,y)
dy = [y(2); 1-y(1)];
```

이제 경계조건을 입력하는 함수를 개발할 수 있다. 이는 경계조건이 충족될 때 0이어야 하는 두 함수를 설정한다는 점에서 근 구하기 문제처럼 수행된다. 이를 위해 좌우 경계에서의 미지수 벡터를 ya와 yb로 정의한다. 따라서 첫 번째 조건 $y(0) = 1$은 ya(1)-1로 수식화되고, 두 번째 조건 $y(\pi/2) = 0$은 yb(1)에 해당한다.

```
function r = bcs(ya,yb)
r = [ya(1)-1; yb(1)];
```

마지막으로 bvpinit 함수로 초기 격자 및 가정해를 입력하도록 solinit을 설정할 수 있다. 임의로 10개의 등간격 격자점과 초기 가정으로 $y = 1$ 및 $z = dy/dx = -1$을 선택한다.

```
solinit = bvpinit(linspace(0,pi/2,10),[1,-1]);
```

해를 생성하기 위한 전체 스크립트는 다음과 같다.

```
clc
solinit = bvpinit(linspace(0,pi/2,10),[1,-1]);
sol = bvp4c(@odes,@bcs,solinit);
x = linspace(0,pi/2);
y = deval(sol,x);
plot(x,y(1,:))
```

여기서 deval은 다음의 일반적인 구문을 이용하여 미분방정식 문제의 해를 구하는 MATLAB 내장함수이다.

$$yxint = \text{deval}(sol, xint)$$

여기서 deval은 벡터 xint의 모든 값에서 해를 계산하고, sol은 상미분방정식 해법(이 경우 bvp4c)에서 반환된 구조이다.

스크립트가 실행되면 아래의 그래프가 생성된다. 이 예제에서 개발된 스크립트 및 함수는 약간의 수정만으로 다른 경계값 문제에도 적용될 수 있다. 그렇게 할 수 있는 능력을 테스트 하기 위해 여러 개의 연습문제가 장 끝에 포함되었다.

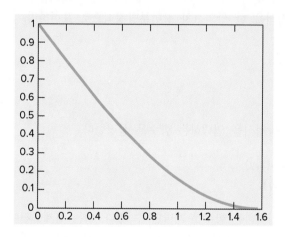

연습문제

24.1 봉에 대한 정상상태의 열평형 식은 다음과 같이 나타낼 수 있다.

$$\frac{d^2T}{dx^2} - 0.15T = 0$$

10 m 길이의 봉에 대해 해를 구하라. 경계조건은 $T(0) = 240$과 $T(10) = 150$이다. (a) 해석적으로 구하라. (b) 사격법을 사용하여 구하라. (c) $\Delta x = 1$인 경우에 대하여 유한차분법을 사용하여 구하라.

24.2 연습문제 24.1을 반복하라. 단, 오른쪽 끝단은 단열되어 있고 왼쪽 끝단의 온도는 240으로 일정하다.

24.3 사격법을 사용하여 다음 상미분방정식의 해를 구하라.

$$7\frac{d^2y}{dx^2} - 2\frac{dy}{dx} - y + x = 0$$

경계조건은 $y(0) = 5$ 와 $y(20) = 8$이다.

24.4 연습문제 24.3의 해를 $\Delta x = 2$인 경우에 대하여 유한차분법을 사용하여 구하라.

24.5 다음의 비선형 미분방정식은 예제 24.4와 24.7에서 풀었다.

$$0 = \frac{d^2T}{dx^2} + h'(T_\infty - T) + \sigma''(T_\infty^4 - T^4) \qquad \text{(P24.5)}$$

이와 같은 방정식은 종종 근사해를 구하기 위해 선형화된다. 이를 위해 1차 Taylor 급수전개를 사용하여 방정식의 4차 항을 다음과 같이 선형화한다.

$$\sigma'T^4 = \sigma'\bar{T}^4 + 4\sigma'\bar{T}^3(T - \bar{T})$$

여기서 $\bar{T}$ 는 기준 온도이며, 이 온도 부근에서 4차 항이 선형화된다. 이 식을 식 (P24.5)에 대입하여 얻어지는 선형방정식을 유한차분법으로 풀어라. $\bar{T} = 300$, $\Delta x = 1$ m, 그리고 예제 24.4의 매개변수를 사용하여 해를 구하라. 이 계산결과를 예제 24.4와 24.7의 비선형 경우의 결과와 함께 도시하라.

24.6 선형 2차 상미분방정식에 대하여 사격법을 실행하는 M-파일을 작성하라. 예제 24.2를 반복함으로써 이 프로그램을 시험하라.

24.7 Dirichlet 경계조건을 가지는 선형 2차 상미분방정식의 해를 구하는 유한차분법을 실행하는 M-파일을 작성하라. 예제 24.5를 반복함으로써 이 프로그램을 시험하라.

24.8 균일한 열원을 가지는 단열된 가열 봉은 다음과 같은 **Poisson 방정식**으로 모델링할 수 있다.

$$\frac{d^2T}{dx^2} = -f(x)$$

열원 $f(x) = 25$ °C/m², 경계조건 $T(x = 0) = 40$ °C와 $T(x = 10) = 200$ °C가 주어질 때, 온도 분포를 다음의 방법으로 구하라.

(a) 사격법 (b) 유한차분법 ($\Delta x = 2$) (c) bvp4c.

24.9 다음과 같이 공간상에서 변화하는 열원에 대해 연습문제 24.8을 반복하라. $f(x) = 0.12x^3 - 2.4x^2 + 12x$.

24.10 경사진 원뿔형의 냉각 핀(그림 P24.10) 내의 온도 분포는 다음과 같이 무차원화된 미분방정식으로 기술된다.

$$\frac{d^2u}{dx^2} + \left(\frac{2}{x}\right)\left(\frac{du}{dx} - pu\right) = 0$$

여기서 u 는 온도 $(0 \leq u \leq 1)$, x 는 축거리 $(0 \leq x \leq 1)$, 그리고 p 는 열전달과 형상을 기술하는 무차원 매개변수이다.

$$p = \frac{hL}{k}\sqrt{1 + \frac{4}{2m^2}}$$

여기서 h 는 열전달계수, k 는 열전도계수, L 은 원뿔의 길이 또는 높이, 그리고 m 은 원뿔 벽면의 기울기이다. 이 식은 다음과 같은 경계조건을 가진다.

$$u(x = 0) = 0 \qquad u(x = 1) = 1$$

이 식을 유한차분법을 사용하여 온도 분포를 구하라. 도함수에 대해 2차 정확도의 유한차분식을 사용하라. 해를 구하기 위한 컴퓨터 프로그램을 작성하고, 다양한 값 $p = 10$, 20, 50과 100에 대하여 축거리에 대한 온도를 도시하라.

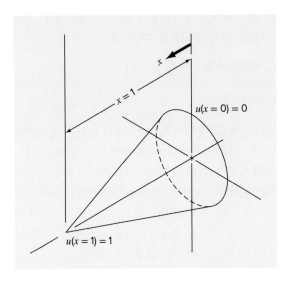

그림 P24.10

24.11 합성물 A는 4 cm 길이의 관을 통하여 확산하는 과정에서 반응한다. 반응하는 확산 과정을 지배하는 방정식

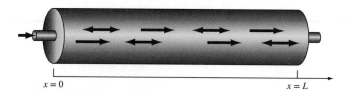

그림 P24.12   축방향 분산 플러그 흐름 반응기.

은 다음과 같다.

$$D \frac{d^2 A}{dx^2} - kA = 0$$

관의 한쪽 끝단에($x = 0$), 0.1 M의 일정한 농도를 발생하는 A의 큰 소스(source)가 있다. 관의 다른 쪽 끝단에는 어떤 A도 빠르게 흡수하여 농도를 0 M으로 만드는 재료가 있다. $D = 1.5 \times 10^{-6}$ cm^2/s이고 $k = 5 \times 10^{-6}$ s^{-1}인 경우, 관에서의 A 농도를 길이의 함수로 구하라.

24.12 다음 미분방정식은 축방향 분산 플러그 흐름 반응기(axially dispersed plug-flow reactor) 내에서 1차 반응 속도식에 따라 반응하는 물질의 정상상태 농도를 기술한다(그림 P24.12).

$$D \frac{d^2 c}{dx^2} - U \frac{dc}{dx} - kc = 0$$

여기서 D는 분산계수(m^2/hr), c는 농도(mol/L), x는 거리(m), U는 속도(m/hr), 그리고 k는 반응속도(/hr)이다. 경계조건은 다음과 같이 수식화할 수 있다.

$$U c_{\mathrm{in}} = Uc(x=0) - D \frac{dc}{dx}(x=0)$$

$$\frac{dc}{dx}(x=L) = 0$$

여기서 c_{in}은 유입유동에서의 농도(mol/L), L은 반응기의 길이(m)이다. 이들은 **Danckwerts 경계조건**이라고 한다.

다음과 같은 매개변수에 대하여 유한차분법을 사용하여 농도를 길이의 함수로 구하라. $D = 5000$ m^2/hr, $U = 100$ m/hr, $k = 2$ /hr, $L = 100$ m, 그리고 $c_{\mathrm{in}} = 100$ mol/L이다. $\Delta x = 10$ m인 경우에 중심차분법을 사용하여 해를 구한다. 수치결과를 다음의 해석해와 비교하라.

$$c = \frac{U c_{\mathrm{in}}}{(U - D\lambda_1)\lambda_2 e^{\lambda_2 L} - (U - D\lambda_2)\lambda_1 e^{\lambda_1 L}}$$
$$\times (\lambda_2 e^{\lambda_2 L} e^{\lambda_1 x} - \lambda_1 e^{\lambda_1 L} e^{\lambda_2 x})$$

여기서

$$\frac{\lambda_1}{\lambda_2} = \frac{U}{2D}\left(1 \pm \sqrt{1 + \frac{4kD}{U^2}}\right)$$

24.13 일련의 1차 액상 반응은 바람직한 생성물 (B)와 바람직하지 않은 부산물 (C)를 생성한다.

$$A \xrightarrow{k_1} B \xrightarrow{k_2} C$$

반응이 축방향 분산 플러그 흐름 반응기(그림 P24.12)에서 발생한다면, 정상상태의 질량평형을 이용하여 다음의 2차 상미분방정식을 만들 수 있다.

$$D \frac{d^2 c_a}{dx^2} - U \frac{dc_a}{dx} - k_1 c_a = 0$$

$$D \frac{d^2 c_b}{dx^2} - U \frac{dc_b}{dx} + k_1 c_a - k_2 c_b = 0$$

$$D \frac{d^2 c_c}{dx^2} - U \frac{dc_c}{dx} + k_2 c_b = 0$$

다음과 같은 매개변수에 대하여, 유한차분법을 사용하여 각 반응물의 농도를 길이의 함수로 구하라. $D = 0.1$ m^2/min, $U = 1$ m/min, $k_1 = 3$ /min, $k_2 = 1$ /min, $L = 0.5$ m, $c_{a,\mathrm{in}} = 10$ mol/L. 연습문제 24.12에 기술한 Danckwerts 경계조건을 가정하여, $\Delta x = 0.05$ m인 경우에 중심차분법을 사용하여 해를 구하라. 또한 반응물의 합을 길이의 함수로 계산하라. 결과가 타당한지 설명하라.

24.14 두께 L_f(cm)인 바이오필름(biofilm)이 고체 표면에서 성장한다(그림 P24.14). 화학 합성물 A는 두께 L(cm)의 확산층을 지난 후 바이오필름 속으로 확산한다. 바이오필름에서 합성물은 비가역적 1차 반응을 하여 생성물 B로 변환한다.

정상상태의 질량평형을 사용하여 합성물 A에 대한 상미분방정식을 다음과 같이 유도할 수 있다.

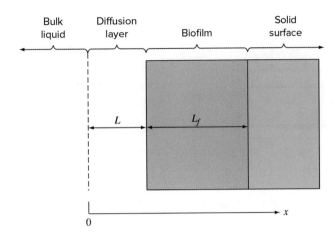

그림 P24.14 고체 표면에서 성장하는 바이오필름.

$$D \frac{d^2c_a}{dx^2} = 0 \qquad 0 \le x < L$$

$$D_f \frac{d^2c_a}{dx^2} - kc_a = 0 \qquad L \le x < L + L_f$$

여기서 D는 확산층에서의 확산계수(0.08 cm²/d), D_f는 바이오필름에서의 확산계수(0.04 cm²/d), 그리고 k는 A에서 B로의 변환에 대한 1차 속도(2000/d)이다. 다음 경계조건이 적용된다.

$$c_a = c_{a0} \qquad \text{at } x = 0$$

$$\frac{dc_a}{dx} = 0 \qquad \text{at } x = L + L_f$$

여기서 c_{a0}는 벌크 액체 내의 A 농도(100 mol/L)이다. 유한차분법을 사용하여 A의 정상상태 분포를 $x = 0$에서 $L + L_f$까지 계산하라. 단, $L = 0.008$ cm이고, $L_f = 0.004$ cm 이다. 그리고 $\Delta x = 0.001$ cm와 중심차분법을 사용하라.

24.15 케이블이 A와 B의 두 지지점에 걸려 있다(그림 P24.15). 케이블은 분포 하중을 받으며, 그 크기는 x에 따라 다음과 같이 변화한다.

$$w = w_o \left[1 + \sin\left(\frac{\pi x}{2l_A}\right) \right]$$

여기서 $w_0 = 450$ N/m이다. 케이블의 가장 낮은 점인 $x = 0$에서 케이블의 기울기(dy/dx) = 0이다. 이 점에서 케이블의 인장력 역시 최소인 T_0가 된다. 케이블의 거동을 지배하는 미분방정식은 다음과 같다.

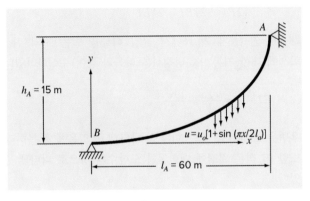

그림 P24.15

$$\frac{d^2y}{dx^2} = \frac{w_o}{T_o} \left[1 + \sin\left(\frac{\pi x}{2l_A}\right) \right]$$

수치해법을 사용하여 이 방정식을 풀고 케이블의 형상을 도시하라(x에 대한 y). 여기서 T_0는 미지값이므로 다양한 T_0 값에 대해 정확한 h_A 값으로 수렴하는 해를 구하기 위해 사격법과 유사한 반복법을 사용하여야 한다.

24.16 단순 지지되고 균일 하중을 받는 보(그림 P24.16)의 탄성 곡선에 대한 기본 미분방정식은 다음과 같다.

$$EI \frac{d^2y}{dx^2} = \frac{wLx}{2} - \frac{wx^2}{2}$$

여기서 E는 탄성계수, I는 관성 모멘트이고, 경계조건은 $y(0) = y(L) = 0$이다. 다음 방법을 사용하여 보의 처짐을 구하라. (a) 유한차분법 ($\Delta x = 0.6$ m) (b) 사격법. 다음 매개

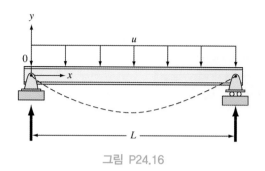

그림 P24.16

변수값을 사용하라. $E = 200$ Gpa, $I = 30{,}000$ cm^4, $w = 15$ kN/m, $L = 3$ m이다. 그리고 수치 결과를 해석해와 비교하라.

$$y = \frac{wLx^3}{12EI} - \frac{wx^4}{24EI} - \frac{wL^3x}{24EI}$$

24.17 연습문제 24.16에서 균일 하중을 받는 보의 탄성 곡선에 대한 기본 미분방정식은 다음과 같이 수식화하였다.

$$EI\frac{d^2y}{dx^2} = \frac{wLx}{2} - \frac{wx^2}{2}$$

우변은 모멘트를 x 의 함수로 나타내고 있음에 주목하라. 또한 이 식은 처짐에 대한 4차 도함수의 항으로 나타낼 수 있다.

$$EI\frac{d^4y}{dx^4} = -w$$

이 식에 대하여 네 개의 경계조건이 필요하다. 그림 P24.16 에 보이는 지지점에 대해서 조건은 끝단의 처짐이 0이고,

$y(0) = y(L) = 0$이다. 그리고 끝단의 모멘트는 0이며, $y''(0)$ $= y''(L) = 0$이다. 유한차분법 ($\Delta x = 0.6$ m)을 이용하여 보 의 처짐을 구하라. 다음 매개변수값을 사용하라. $E = 200$ Gpa, $I = 30{,}000$ cm^4, $w = 15$ kN/m, $L = 3$ m이다. 수치 결과를 연습문제 24.16에 주어진 해석해와 비교하라.

24.18 1차원의 자유수면 지하수 대수층(unconfined ground-water aquifer) 내의 지하수면의 정상상태의 높이는 여러 가지 단순화 가정을 통하여, 다음의 2차 상미분방정식으로 모델링할 수 있다(그림 P24.18).

$$K\bar{h}\frac{d^2h}{dx^2} + N = 0$$

여기서 x 는 거리(m), K 는 투수 계수(hydraulic conductivity, m/d), h 는 지하수면의 높이(m), $\bar{h}$ 는 지하수면의 평균 높이(m), 그리고 N 은 침투율(m/d)이다.

$x = 0$에서 1000 m까지에 대하여 지하수면의 높이를 구하라. 여기서 $h(0) = 10$ m이고, $h(1000) = 5$ m이다. 계산을 위해 다음 매개변수를 사용하라. $K = 1$ m/d, $N =$ 0.0001 m/d이다. 지하수면의 평균 높이를 경계조건의 평균으로 정하라. 해를 다음 방법으로 구하라. (a) 사격법 (b) 유한차분법 ($\Delta x = 100$ m).

24.19 연습문제 24.18에서는 자유수면 대수층에 대한 지하수면의 높이를 구하기 위하여 선형화된 지하수 모델이 사용되었다. 다음의 비선형 상미분방정식을 사용하면 보다 현실적인 결과를 얻을 수 있다.

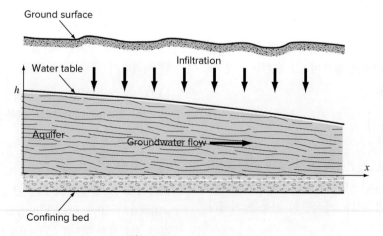

그림 P24.18   자유수면 대수층.

$$\frac{d}{dx}\left(Kh\frac{dh}{dx}\right) + N = 0$$

여기서 x 는 거리(m), K 는 투수 계수(m/d), h 는 지하수면의 높이(m), 그리고 N 은 침투율(m/d)이다. 연습문제 24.18과 같은 경우에 대하여 지하수면의 높이를 구하라. 즉 $x = 0$에서 1000 m까지이고, $h(0) = 10$ m, $h(1000) = 5$ m, $K = 1$ m/d, 그리고 $N = 0.0001$ m/d이다. 해를 다음 방법으로 구하라. (a) 사격법 (b) 유한차분법 ($\Delta x = 100$ m).

24.20 Fourier 법칙과 열평형이 온도 분포를 구하는 데 사용할 수 있는 것과 같이, 다른 공학 분야의 현장 문제를 모델링하기 위하여 유사한 관계식을 사용할 수 있다. 예를 들어 전기 공학자들은 정전기장(electrostatic field)을 모델링할 때 유사한 방법을 사용한다. 여러 가지 가정을 통하여 Fourier 법칙과 유사한 식을 다음과 같은 1차원 형태로 나타낼 수 있다.

$$D = -\varepsilon\frac{dV}{dx}$$

여기서 D 는 전속밀도 벡터(electric flux density vector)라 하며, ε 은 재료의 유전율(permittivity), V 는 정전기 전위(electrostatic potential)이다. 유사하게 정전기장에 대한 Poisson 방정식(연습문제 24.8 참조)은 다음과 같은 1차원 식으로 표현할 수 있다.

$$\frac{d^2V}{dx^2} = -\frac{\rho_v}{\varepsilon}$$

여기서 ρ_v 는 전하밀도(charge density)이다. $\Delta x = 2$인 경우에 유한차분법을 사용하여 다음 조건을 가지는 와이어에 대하여 V 를 계산하라. $V(0) = 1000$, $V(20) = 0$, $\varepsilon = 2$, $L = 20$, 그리고 $\rho_v = 30$이다.

24.21 낙하하는 물체의 위치는 다음 미분방정식에 의해 지배된다.

$$\frac{d^2x}{dt^2} + \frac{c}{m}\frac{dx}{dt} - g = 0$$

여기서 c 는 1차 항력계수(12.5 kg/s), m 은 질량(70 kg), 그리고 g 는 중력가속도(9.81 m/s^2)이다. 다음의 경계조건에 대하여 사격법을 사용하여 이 식을 풀어라.

$$x(0) = 0$$
$$x(12) = 500$$

24.22 그림 P24.22에서와 같이 단열된 금속 봉은 왼쪽 끝단에 일정 온도 (T_0)의 경계조건을 가진다. 오른쪽 끝단은 물로 채워진 얇은 두께의 관에 연결되며, 열은 물을 통해 전도된다. 관은 오른쪽 끝단에서는 단열되고, 열은 주위의 일정한 온도 (T_∞)의 공기로 대류에 의해 방출된다. 관을 따라 위치 x에서의 대류 열플럭스는 다음 식으로 나타낸다.

$$J_{conv} = h(T_\infty - T_2(x))$$

여기서 h는 대류 열전달계수[W/(m$^2\cdot$K)]이다. $\Delta x = 0.1$ m인 경우에 대하여 유한차분법을 사용하여 온도 분포를 구하라. 단, 봉과 관은 모두 원통형이고 같은 반경 r(m)을 가진다. 그리고 해석을 위해 다음 매개변수를 사용하라. $L_{rod} = 0.6$ m, $L_{tube} = 0.8$ m, $T_0 = 400$ K, $T_\infty = 300$ K, $r = 3$ cm, $\rho_1 = 7870$ kg/m^3, $C_{p1} = 447$ J/(kg$\cdot$K), $k_1 = 80.2$ W/(m$\cdot$K), $\rho_2 = 1000$ kg/m^3, $C_{p2} = 4.18$ kJ/(kg$\cdot$K), $k_2 = 0.615$ W/(m$\cdot$K) 그리고 $h = 3000$ W/(m$^2\cdot$K)이다. 하첨자 (1)은 봉을, (2)는 관을 나타낸다.

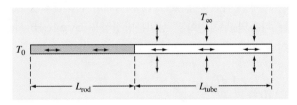

그림 P24.22

24.23 연습문제 24.22의 계산을 반복하라. 단, 관은 단열되어 있고(즉, 대류열전달이 없음), 오른쪽 끝단의 온도는 200 K로 일정하다.

24.24 bvp4c를 사용하여 다음 문제를 풀어라.

$$\frac{d^2y}{dx^2} + y = 0$$

경계조건은 다음과 같다.

$$y(0) = 1$$
$$\frac{dy}{dx}(1) = 0$$

24.25 그림 P24.25a는 선형적으로 증가하는 분포하중을 받는 균일한 보를 보여준다. 발생하는 탄성곡선의 방정식은 다음과 같다(그림 P24.25b 참조).

$$EI\frac{d^2y}{dx^2} - \frac{w_0}{6}\left(0.6Lx - \frac{x^3}{L}\right) = 0$$

이 탄성곡선에 대한 해석해는 다음과 같다(그림 P24.25b 참조).

$$y = \frac{w_0}{120\,EIL}(-x^5 + 2L^2x^3 - L^4x)$$

bvp4c를 사용하여 $L = 600$ cm, $E = 50{,}000$ kN/cm^2, $I = 30{,}000$ cm^4 및 $w_0 = 2.5$ kN/cm에 대한 탄성곡선의 미분 방정식을 풀어라. 또한 수치 (점)와 해석 (선) 해를 동일한 그래프에 도시하라.

24.26 bvp4c를 사용하여 다음의 경계값 상미분방정식을 풀어라.

$$\frac{d^2u}{dx^2} + 6\frac{du}{dx} - u = 2$$

경계조건은 $u(0) = 10$과 $u(2) = 1$이다. x에 대한 u의 결과를 도시하라.

24.27 내부 열원 S가 있는 원형 막대의 온도분포를 나타내는 다음의 무차원화된 상미분방정식을 bvp4c를 사용하여 풀어라.

$$\frac{d^2T}{dr^2} + \frac{1}{r}\frac{dT}{dr} + S = 0$$

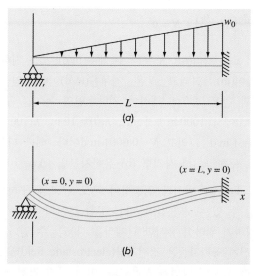

그림 P24.25

$0 \le r \le 1$의 범위에서 경계조건은 다음과 같다.

$$T(1) = 1$$

$$\frac{dT}{dr}(0) = 0$$

$S = 1$, 10 및 20 K/m^{2}에 대해, 3가지 경우 모두 온도 대 반경을 동일한 그래프에 도시하라.

A
APPENDIX

MATLAB 내장함수

MATLAB M-파일 함수

SIMULINK 소개

C APPENDIX

Simulink®는 동적 시스템의 모델링, 시뮬레이션 및 분석을 위한 그래픽 프로그래밍 환경이다. 간단히 말해서, 공학자와 과학자들이 연결선으로 블록을 상호 연결하여 프로세스 모델을 구축할 수 있게 한다. 따라서 물리적 시스템의 동적 프로세스 모델을 신속하게 개발할 수 있는, 사용하기 쉬운 컴퓨팅 프레임워크를 제공한다. Simulink는 미분방정식을 풀기 위한 다양한 수치적분 옵션을 제공함과 동시에, 시스템 거동의 시각화를 크게 향상시키는 그래픽 출력을 위한 내장기능을 포함한다.

이제는 거의 사라졌지만, 1950년대의 아날로그 컴퓨터 시대에서는 모델 내의 여러 상미분방정식이 어떻게 자체적으로, 그리고 대수관계로 상호 연결되었는지 그림으로 보여주는 정보흐름도를 설계해야 했다. 이 흐름도는 정보가 부족하거나 구조적 흠이 있는 모델링의 결함도 보여주었다. Simulink의 멋진 기능 중 하나는 이 흐름도의 역할도 수행한다는 점이다. 수치해법과 분리하여 이 검토 기능을 먼저 살핀 후, 다시 이 기능과 수치해법을 MATLAB에서 병합하여 사용하는 것이 종종 유익할 때가 있다.

2장과 마찬가지로, 이 부록의 대부분은 실습으로 이루어져 있다. 즉, 컴퓨터 앞에 앉아서 읽어야 한다. Simulink 학습을 시작하는 가장 효율적인 방법은 다음의 내용을 진행하면서 MATLAB에서 실제로 실행하는 것이다.

먼저 단일 상미분방정식에 대한 초기값 문제를 풀기 위한 간단한 Simulink 응용 예를 설정하는 것으로 시작하자. 좋은 후보는 1장에서 번지점프하는 사람의 자유낙하 속도에 대해 개발한 미분방정식이다.

$$\frac{dv}{dt} = g - \frac{c_d}{m}v^2 \tag{C.1}$$

여기서 v = 속도(m/s), t = 시간(s), g = 9.81 m/s^2, c_d = 항력계수(kg/m), 그리고 m = 질량(kg)이다. 1장에서처럼 c_d = 0.25 kg/m, m = 68.1 kg을 사용하고 v = 0의 초기조건으로 0에서 12초까지 적분한다.

Simulink로 해를 구기 위해 먼저 MATLAB을 실행하라. 그러면 명령창에 ≫라는 입력 프롬프트가 있는 MATLAB 창을 보게 된다. MATLAB의 기본 디렉토리를 변경한 후, 다음 방법 중 하나를 사용하여 Simulink Library Browser를 연다.

- MATLAB 툴바에서 Simulink 버튼을 클릭하라(![]).
- MATLAB 프롬프트에서 simulink 명령을 입력하라.

Simulink Library Browser 창이 나타나서 시스템에 설치된 Simulink 블록 라이브러리를 표시한다. Library Browser를 다른 모든 창 위에 두려면 Library Browser에서 **View, Stay on Top**을 선택하라.

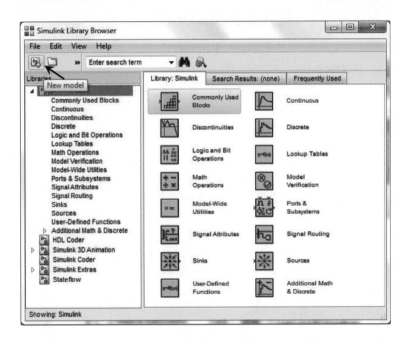

툴바 왼쪽의 **New model** 명령 버튼을 클릭하면, 제목이 없는 Simulink 모델 창이 나타난다.

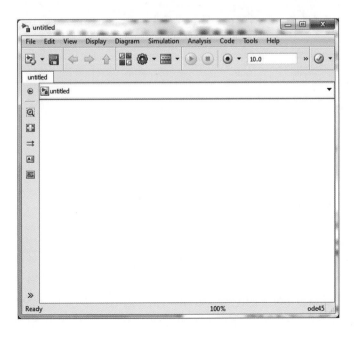

Library Browser에서 아이템을 선택하고 제목 없는 창에 끌어놓기 하여 시뮬레이션 모델을 작성한다. 먼저 제목 없는 창을 선택하여 활성화하라(제목 표시줄을 클릭하는 것이 확실한 방법). 그리고 파일 메뉴에서 **Save As**를 선택하라. 기본 디렉토리에 **Freefall**로 창을 저장하라. 이 파일은 **.slx** 확장자로 자동 저장된다. 이 창에서 모델을 작성하는 동안 자주 저장하는 것이 좋다. 세 가지 방법, 즉 **Save** 버튼, **Ctrl+s** 키보드 단축키, 또는 메뉴 선택 **File, Save**로 저장할 수 있다.

먼저 **Freefall** 창에 (모델의 미분방정식을 위해) integrator element를 배치하는 것으로 시작한다. 이렇게 하려면 **Library Browser**를 활성화하고 **Commonly Used Blocks** 아이템을 두 번 클릭해야 한다.

Browser 창에 다음과 같은 내용이 표시된다.

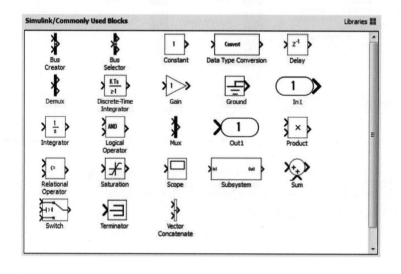

Integrator 아이콘이 보일 때까지 아이콘 창을 살펴보라.

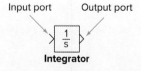

블록 기호는 모델 창에 표시된다. 아이콘에는 블록 안팎으로 값을 주고받는 데 사용되는 입력 및 출력 포트를 가지고 있라. 1/s 기호는 Laplace 도메인에서의 적분을 나타낸다. 마우스를 사용하여 **Integrator** 아이콘을 **Freefall** 창에 끌어다 놓는다. 이 아이콘은 미분방정식을 적분하는 데 사용될 것이다. 입력은 미분방정식[식 (C.1)의 우변]이 될 것이며, 출력은 곧 해(본

예에서는, 속도)가 될 것이다.

다음으로 미분방정식을 기술하고, 이를 integrator에 "공급"하는 정보 흐름도를 작성해야 한다. 첫 번째로 할 일은 상수(constant) 블록을 설정하여 모델 매개변수 값을 할당하는 것이다. **Browser** 창의 **Commonly Used Blocks**[1] 그룹 내에 있는 **Constant** 아이콘을 **Freefall** 모델 창으로 끌어다 integrator의 왼쪽 위에 배치하라.

다음으로 **Constant Label**을 클릭하고 g로 변경하라. 그런 다음 Constant 블록을 두 번 클릭하면 Constant 블록 대화상자가 열린다. Constant 필드의 기본 값을 9.81로 변경하고 OK를 클릭하라.

이제 항력계수 (cd = 0.25)와 질량 (m = 68.1)에 대한 상수 블록을 g 블록 아래에 설정하라. 결과는 다음과 같아야 한다.

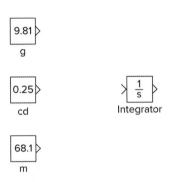

Math Operations Library Browser에서 Sum 아이콘을 선택하여 Integrator 블록의 바로 왼편에 끌어다 위치시킨다. 마우스 포인터를 Sum 블록의 출력 포트에 놓는다. 마우스 포인터는 출력 포트 위에 위치할 때 십자선으로 변한다. 그러면 연결선을 출력 포트에서 Integrator 블록의 입력 포트로 끌어당긴다. 끌어당기는 동안 마우스 포인터는 입력 포트에 도달할 때까지 십자선을 유지하다가, 입력 포트에 도달하면 두 겹 십자선으로 변한다. 이제 Sum 블록의 출력을 Integrator로 공급하는 형태로 두 개의 블록을 "연결"했다.

Sum 블록에는 두 개의 입력 포트가 있으며 거기에 두 개의 값을 입력할 수 있다. 그 두 값은 원형 블록 내부의 두 개의 양의 부호에 의해 더해진다. 현재 다루고 있는 미분방정식은 두 값 사이의 차이, 즉 $g - (c_d/m)v^2$로 구성되어 있음을 기억하라. 따라서 입력 포트 중 하나를 음의 부호로 변경해야 한다. 이렇게 하려면 Sum 블록을 두 번 클릭하여 대화상자를 연다. 기호 목록에는 두 개의 양의 부호(+ +)가 있다. 두 번째를 음의 부호(+ −)로 변경하면 두 번째 입력 포트에 입력되는 값이 첫 번째에서 빼지게 될 것이다. Sum 블록 대화상자를 닫으면 결과는 다음과 같아야 한다.

---

1) **Commonly Used Blocks**의 모든 아이콘은 다른 그룹에서도 사용할 수 있다. 예를 들어 **Constant** 아이콘은 **Sources** 그룹에 있다.

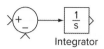

미분방정식의 첫 번째 항이 g이므로, g 블록의 출력을 Sum 블록의 양의 입력 포트에 연결한다. 시스템은 이제 다음과 같게 보일 것이다.

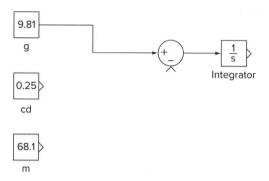

g에서 빼는 두 번째 항을 구성하려면 먼저 속도를 제곱해야 한다. 이는 Math Operations Library Browser에서 Math Functions 블록을 끌어다가 Integrator 블록의 오른쪽 아래에 배치하여 수행할 수 있다. Math Functions 아이콘을 두 번 클릭하여 대화상자를 열고 풀다운 메뉴를 사용하여 Math Function을 square로 변경하라.

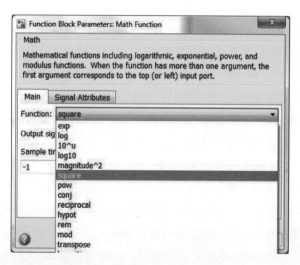

MatLab

Integrator 블록과 Square 블록을 연결하기 앞서, Square 블록을 회전시켜 입력 포트가 위쪽에 위치하도록 하는 것이 좋다. 이를 위해 Square 블록을 선택한 다음 Ctrl-r을 한 번 누른다. 그러면 Integrator 블록의 출력 포트를 Square 블록의 입력 포트에 연결할 수 있다. Integrator 블록의 출력이 미분방정식의 해이기 때문에 Square 블록의 출력은 v^2이 될 것이다. 이를 더 명확하게 하기 위해, Integrator와 Square 블록을 연결하는 화살표를 두 번 클릭하면 텍스트

상자가 나타나는데, 이 텍스트 상자에 라벨 v(t)를 추가하여 Integrator 블록의 출력이 속도임을 표시한다. 같은 방법으로 모든 연결선에 라벨을 붙이면 시스템 다이어그램을 더 잘 문서화할 수 있다. 이제 시스템은 다음과 같이 보일 것이다.

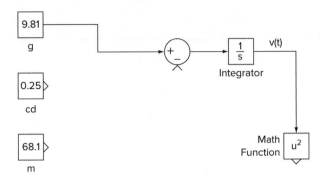

다음으로 Math Operations Library Browser에서 Divide 블록을 끌어서 cd 및 m 블록의 오른쪽에 놓는다. Divide 블록에는 두 개의 입력 포트가 있다. 하나는 피제수(×)이고, 다른 하나는 제수(÷)이다. 이 두 개를 맞바꾸고 싶으면, Divide 블록을 두 번 클릭하여 Divide Block 대화상자를 열고 "number of inputs:" 필드에서 순서를 바꾸면 된다. cd 블록 출력 포트를 × 입력 포트에 연결하고, m 블록 출력 포트를 Divide 블록의 ÷ 입력 포트에 연결한다. 이제 Divide 블록의 출력 포트는 c_d/m의 비를 전달할 것이다.

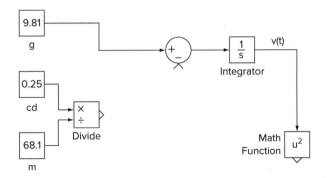

Math Operations Library Browser에서 Product 블록을 끌어서 Divide 블록의 오른쪽과 Sum 블록 바로 아래에 놓는다. Ctrl-r을 사용하여 Product 블록의 출력 포트가 Sum 블록을 향해 위쪽을 가리킬 때까지 Product 블록을 회전한다. Divide 블록 출력 포트를 가장 가까운 Product 입력 포트에 연결하고, Square Math Function 블록 출력 포트를 다른 쪽 Product 입력 포트에 연결한다. 마지막으로 Product 출력 포트를 나머지 Sum 입력 포트에 연결한다.

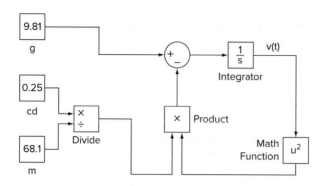

위에 나타낸 바와 같이, 이 문제에 대한 해를 생성하기 위한 Simulink 프로그램을 성공적으로 개발하였다. 이제 프로그램을 실행할 수도 있지만, 아직 출력을 나타내는 방법을 설정하지 않았다. 현재의 경우, 이 작업을 수행하는 간단한 방법은 Scope Block을 이용하는 것이다.

Scope 블록은 시뮬레이션 시간에 대한 신호를 표시한다. 만약 입력 신호가 연속적이면, Scope는 주요 시간 간격 값 사이에 점으로 연결되는 그래프를 그린다. Scope 블록을 **Commonly Used Blocks** browser에서 끌어 Integrator 블록의 오른쪽에 놓는다. 마우스 포인터를 Integrator의 출력 연결선에 놓는다(이 경우 모서리가 좋은 위치이다). 컨트롤 키와 Scope 블록의 입력 포트를 향해 가로지르는 다른 라인을 동시에 누른다.

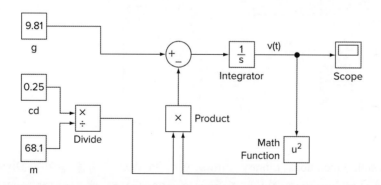

이제 결과를 생성할 준비가 되었다. 그 전에 모델을 저장하는 것이 좋다. Scope 블록을 두 번 클릭하라. 그런 다음 실행 버튼 ▶을 클릭하라. 만약 오류가 있다면 수정해야 한다. 수정이 성공적이면 프로그램이 실행되고 Scope 화면은 다음과 같이 보일 것이다.

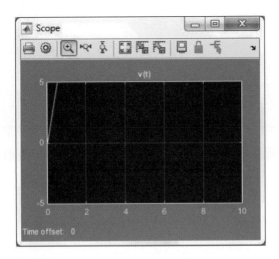

MatLab

Autoscale 버튼 ▣을 클릭하면, 결과의 전체 범위에 맞게 그래프의 크기가 조절된다.

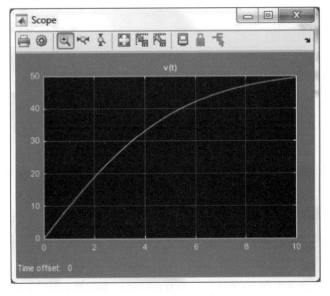

MatLab

Scope 창은 입력 포트당 하나의 그래프로 여러 개의 y 축(그래프)을 표시할 수 있다. 모든 y 축은 x 축에서 공통 시간 범위를 갖는다. 그래프 창에서 parameter 버튼(◎)을 선택하면, scope parameter를 사용하여 그림 색상, 스타일 및 축 설정과 같은 그래프 기능을 변경할 수 있다.

참고문헌

Anscombe, F. J., "Graphs in Statistical Analysis," *Am. Stat., 27*(1):17‒21, 1973.

Attaway, S., MATLAB: A *Practical Introduction to Programming and Problem Solving*, Elsevier Science, Burlington, MA, 2009.

Bogacki, P. and L. F. Shampine, "A 3(2) Pair of Runge-Kutta Formulas," *Appl. Math. Letters, 2*(1989): 1‒9, 1989.

Brent, R. P., *Algorithms for Minimization Without Derivative*s, Prentice Hall, Englewood Cliffs, NJ, 1973.

Butcher, J. C., "On Runge-Kutta Processes of Higher Order," *J. Austral. Math. Soc., 4*:179, 1964.

Carnahan, B., H. A. Luther, and J. O. Wilkes, *Applied Numerical Methods*, Wiley, New York, 1969.

Chapra, S. C. and R. P. Canale, *Numerical Methods for Engineers*, 6th ed., McGraw-Hill, New York, 2010.

Chapra, S. C. and D. E. Clough, *Applied Numerical Methods with Python for Engineers and Scientists*, WCB/McGraw-Hill, New York, NY, 2022.

Cooley, J. W. and J. W. Tukey, "An Algorithm for the Machine Calculation of Complex Fourier Series," *Math. Comput., 19*:297‒301, 1965.

Dekker, T. J., "Finding a Zero by Means of Successive Linear Interpolation." In B. Dejon and P. Henrici(editors), *Constructive Aspects of the Fundamental Theorem of Algebra*, Wiley- Interscience, New York, 1969, pp. 37‒48.

Devaney, R. L. Chaos, *Fractals, and Dynamics: Computer Experiments in Mathematics*, Addison- Wesley, Menlo Park, CA, 1990.

De Boor, C., *A Practical Guide to Splines* (Revised Edition), Springer. ISBN 978-0-387-90356-9, 2001.

De Boor, C., *MATLAB Spline Toobox 3: User's Guide*, The Mathworks, 2007.

Dormand, J. R. and P. J. Prince, "A Family of Embedded Runge-Kutta Formulae," *J. Comp. Appl. Math., 6*:19‒26, 1980.

Draper, N. R. and H. Smith, *Applied Regression Analysis*, 2nd ed., Wiley, New York, 1981.

Fadeev, D. K. and V. N. Fadeeva, *Computational Methods of Linear Algebra*, Freeman, San Francisco, CA, 1963.

Forsythe, G. E., M. A. Malcolm, and C. B. Moler, *Computer Methods for Mathematical Computation*, Prentice Hall, Englewood Cliffs, NJ, 1977.

Gabel, R. A. and R. A. Roberts, *Signals and Linear System*s, Wiley, New York, 1987.

Gander, W. and W. Gautschi, Adaptive Quadrature‒ Revisited, *BIT Num. Math., 40*:84‒101, 2000.

Gerald, C. F. and P. O. Wheatley, *Applied Numerical Analysis*, 3rd ed., Addison-Wesley, Reading, MA, 1989.

Hanselman, D. and B. Littlefield, *Mastering MATLAB*

7, Prentice Hall, Upper Saddle River, NJ, 2005.

Hayt, W. H. and J. E. Kemmerly, *Engineering Circuit Analysis*, McGraw-Hill, New York, 1986.

Heideman, M. T., D. H. Johnson, and C. S. Burrus, "Gauss and the History of the Fast Fourier Transform," *IEEE ASSP Mag.*, *1*(4):14–21, 1984.

Hornbeck, R. W., *Numerical Methods*, Quantum, New York, 1975.

James, M. L., G. M. Smith, and J. C. Wolford, *Applied Numerical Methods for Digital Computations with FORTRAN and CSMP*, 3rd ed., Harper & Row, New York, 1985.

Moler, C. B., *Numerical Computing with MATLAB*, SIAM, Philadelphia, PA, 2004.

Moore, H., *MATLAB for Engineers*, 2nd ed., Prentice Hall, Upper Saddle River, NJ, 2008.

Munson, B. R., D. F. Young, T. H. Okiishi, and W. D. Huebsch, *Fundamentals of Fluid Mechanics*, 6th ed., Wiley, Hoboken, NJ, 2009.

Ortega, J. M., *Numerical Analysis–A Second Course*, Academic Press, New York, 1972.

Palm, W. J. III, *A Concise Introduction to MATLAB*, McGraw-Hill, New York, 2007.

Pollock, D. S. G., *Smoothing with Cubic Splines*, Tech. rep., University of London, Queen Mary and Westeld College, London, 1993.

Pollock, D. S. G., *Smoothing with Cubic Splines*, Dept. of Economics, Queen Mary and Westfield College, The Univ. of London, London, Paper No. 291, 1994.

Ralston, A., "Runge-Kutta Methods with Minimum Error Bounds," *Match. Comp.*, 16:431, 1962.

Ralston, A. and P. Rabinowitz, *A First Course in Numerical Analysis*, 2nd ed., McGraw-Hill, New York, 1978.

Ramirez, R. W., *The FFT, Fundamentals and Concepts*, Prentice Hall, Englewood Cliffs, NJ, 1985.

Recktenwald, G., *Numerical Methods with MATLAB*, Prentice Hall, Englewood Cliffs, NJ, 2000.

Scarborough, I. B., *Numerical Mathematical Analysis*, 6th ed., Johns Hopkins University Press, Baltimore, MD, 1966.

Shampine, L. F., *Numerical Solution of Ordinary Differential Equations*, Chapman & Hall, New York, 1994.

Van Valkenburg, M. E., *Network Analysis*, Prentice Hall, Englewood Cliffs, NJ, 1974.

White, F. M., *Fluid Mechanics*, McGraw-Hill, New York, 1999.

찾아보기